Le Bonheur est dar

Que vous soyez à la recherche d'
Auberge pour organiser vos wee
déplacements d'affaires, ce guid

En effet, comme vous pourrez le constater, ces différents établissements offrent des prestations de qualité identifiées à travers le classement national des Tables & Auberges de France : des Tables de Prestige mais aussi des Tables Gastronomiques, des Tables de Terroir ainsi que des Auberges du Pays qui sont tous unis par leur professionnalisme.

Grâce à cette sélection 2004, vous trouverez certainement votre bonheur dans ce nouveau guide du terroir .Vous découvrirez ainsi, sur la route gourmande des Tables & Auberges de France, quelle que soit votre destination, en ville, à la campagne, à la mer ou à la montagne, tout le charme et l'authenticité de ces **maisons professionnelles**.

Jean Lanau, Président

Sommaire

Les Quatre Trophées 2004

Sélection par les lecteurs du guide des quatre Tables & Auberges qui ont reçu le plus de suffrages dans chacune des catégories suivantes :

***Trophée Table de Prestige** : Les Prés d'Eugénie à Eugénie les Bains (40320) dans les Landes (Aquitaine)*

***Trophée Table Gastronomique** : Hostellerie la Bonne Marmite à Pont St Pierre (27360) dans l'Eure (Normandie)*

***Trophée Table de Terroir** : Auberge des Moulins à Baume les Dames (25110) dans le Doubs (Franche-Comté)*

***Trophée Auberge du Pays** : Lou Mas à Savasse (26700) dans la Drôme (Rhône-Alpes)*

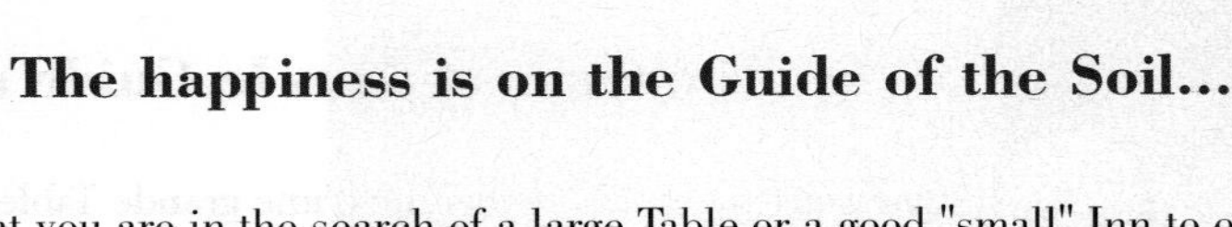

The happiness is on the Guide of the Soil...

That you are in the search of a large Table or a good "small" Inn to organize your week end, holidays, meal of family or your displacements of businesses, this guide will certainly answer your waitings.

Indeed, as you will be able to note it, these various establishments offer services of quality identified through the national classification of the Tables & Auberges of France : Tables of Prestige but also of the Gastronomic Tables, Tables of Soil as well as Inns of the Country all linked by their professionnalism.

Thanks to this selection 2004, you will find certainly your happiness in this new guide of the soil.You will discover thus, on the greedy road of the Tables & Auberges of France, whatever your destination downtown, in the countryside, with the sea or the mountain, all the charm and the authenticity of these **professional houses**.

Jean Lanau, Président

Summary

pages

The Four Trophies 2004

Selection by the readers of the guide of the quatre Tables & Auberges which received the most votes in each following category :

Trophy Table of Prestige : Les Prés d'Eugénie at Eugénie les Bains (40320) in the Landes (Aquitaine)

Trophy Gastronomic Table : Hostellerie la Bonne Marmite at Pont St Pierre (27360) in the Eure (Normandy)

Trophée Table of soil : Auberge des Moulins at Baume les Dames (25110) in the Doubs (Franche-Comté)

Trophée Inn of country : Lou Mas at Savasse (26700) in the Drôme (Rhône-Alpes)

Peter Knaup pour
Champagne Ayala

Peter Knaup

Comment se servir du guide ?

How to use this guide ?

❶ ❷ ❸

DIVONNE LES BAINS (01220)

A 15 mn de Genève

Table de Prestige

CHÂTEAU DE DIVONNE ★ ★ ★ ★ ❹

04 50 20 00 32 - divonne@grandesetapes.fr ❻

❼ *115 Rue des Bains - Stéphane CATEUX - Fax : 04 50 20 03 73 - www.chateau-divonne.com - Fermeture : 4/01-31/01.*
Menus : 55/95 € . Menu enfant : 23 € . Petit déjeuner : 22 € . 30 chambres : 135/430 € . Demi pension : 83 € .
Classement : Table de Prestige

A 15 minutes de Genève, au coeur d'un parc de 22 hectares, face à la chaîne du Mont-Blanc et le lac Léman, cette élégante demeure du XIXème siècle sera une étape reposante et gastronomique qui enchantera les amateurs de nature par son panorama exceptionnel. Au restaurant, la richesse des mets raffinés et des plus grands crus satisfera les plus fins gourmets. Spécialités : mijotée de champignons et son émulsion au vin jaune, gros macaronis au jus et oeuf poché. quinoa cuit comme un riz au lait, sorbet pomme verte et consommé acidulé.
Chambres avec bain ou douche+WC+TV : Toutes.
Terrasse, jardin, garage fermé, parking privé, piscine d'été, tennis, ascenseur, climatisation, petit déjeuner buffet, salle de séminaires, animaux acceptés

⓫

⓬

At 15 minutes of Geneva, in the heart of a park of 22 hectares, vis-a-vis with the chain of Mont Blanc and the lake Léman, this elegant residence of the XIXth century will be a resting and gastronomical stage .The restaurant, the richness of the refined meals and greater vintages will satisfy the finest gourmets.

A 15 minutos de Genève, en el centro de un parque de 22 ha., frente a la cadena montañosa del Mont-Blanc y del lago Léman, esta elegante morada del siglo XX será una escala tranquila y gastronómica que encantará a los amantes de la naturaleza por su panorama excepcional. ❾

15 Minuten von Genf, mitten in einem 22 ha großen Park, mit Blick auf die Bergkette des Mont Blanc und des Genfer Sees ist dieses elegante Haus aus dem 19. Jh. eine erholsame und gastronomische Etappe, die Naturfreunde nicht zuletzt wegen seines außerordentlichen Panoramas anzieht. Im Restaurant stellen die Reichhaltigkeit der feinen Gerichte und die großartigen Weine jeden Feinschmecker zufrieden.

1. *Ville - City*
2. *Code Postal - Zip code*
3. *Classement de la Table - Table classifying*
4. *Classement hôtel - Hotel classifying*
5. *Accès - Access*
6. *Téléphone, mail - Telephone, mail*
7. *Principales informations - Main informations*
8. *Présentation générale de l'établissement - General presentation of the establishment*
9. *Présentation en Anglais, Allemand et Espagnol - Presentation in English, Spanish and German*
10. *Equipements et Prestations de l'établissement - General presentation of the establishment*
11. *Cartes bancaires acceptées - Credit card accepted :* Diners American Express JCB Carte Bleue
12. *Langues parlées - Spoken languages :*

Pour téléphoner de l'étranger vers la France :

To phone towards France :

préfixe de sortie (exemple 00 pour l'Allemagne) + indicatif d'entrée 33 + numéro de l'abonné sans le zéro soit 9 chiffres

prefix of outside (for example 00 for Germany) + dialling code 33 + phone number of the subscriber without the zero also 9 figures

NOUVEAUTÉS 2004

Présentation Touristique et Gastronomique des différents Départements :
- **Sites Touristiques**
- **Saveurs de nos Terroirs**
- **Animations**

A noter que sur les cartes départementales, la localisation des Tables & Auberges de France est mentionnée avec le pictogramme suivant :

Tables & Auberges de France ?
Le Guide de la Gastronomie de Terroir et bien plus encore...

L'esprit des Tables & Auberges de France

Le mouvement des Tables & Auberges de France répond véritablement à un besoin profond de "retour aux sources" des consommateurs pour une gastronomie de terroir tout en privilégiant les produits de qualité, l'accueil, l'identité et le savoir-faire des professionnels.

Professionnels de métier

Sélectionnés sur la base de la Charte de Qualité, les établissements Tables & Auberges de France sont tenus par des professionnels de métier offrant un bon rapport qualité-prix. Ce professionnalisme et les prestations offertes sont validés, pour chaque établissement, par le classement officiel des Tables & Auberges de France.

Des Tables et des Auberges, partout en France, aux couleurs de nos Terroirs

Chaque établissement sélectionné bénéficie ainsi d'un classement national en fonction du professionnalisme de la "maison", des prestations et menus offerts, du confort et de la décoration du restaurant mais aussi de la notoriété et de l'image de marque de l'établissement :

Table de Prestige
(Table de qualité exceptionnelle)

Table Gastronomique
(Table remarquable par sa créativité)

Table de Terroir
(Table régionale de qualité traditionnelle)

Auberge du Pays
(Auberge Rustique avec des spécialités du pays)

Ici, chaque "maison" est unique

Petite ou grande, chaque Table, chaque Auberge est unique par son charme et son authenticité. Vous trouverez donc sur votre route, des étapes gourmandes où l'on se sent bien avec des aménagements de qualité, une décoration soignée et personnalisée, ceci dans un environnement privilégié. Autant dire que ces Tables & Auberges de France ont une âme où vous serez reçu en hôte privilégié.

Tables & Auberges de France ?
The Guide of the Gastronomy of the Soil and more...

The spirit of the Tables & Auberges de France

The movement of the Tables & Auberges of France meets truly a major need for "return to the sources" of the consumers for a gastronomy of soil while privileging the products of quality, the reception, the identity and the know-how of the professionals.

Professionals of trade

Selected on the basis of Charter of Quality, the Tables & Auberges of France are held by professionals of trade offering a good quality-price ratio. This professionalism and the services offered are validated, for each establishment, by the official classification of the Tables & Auberges of France.

Tables and Inns, everywhere in France, with the colors of our Soils

Each selected establishment thus profits from a national classification according to professionalism from the "house", services and menus offered, comfort and decoration of the restaurant but also of notoriety and public image of the establishment:

Table of Prestige
(Table of exceptionnal quality)

Gastronomic Table
(Remarkable Table by its creativity)

Table of Soil
(Regional traditional Table of quality)

Inn of country
(Rustic Inn with traditional specialities of country)

Here, each "house" is single

Small or large, each Table, each Inn is single by its charm and its authenticity. You will thus find on your road, of the greedy stages where one smells oneself well with adjustments of quality, a neat and personalized decoration, this in a privileged environment. As much to say that these Tables & Auberges of France have a heart where you will be received as a privileged host.

Classement officiel des
Aux couleurs des

Auberge du Pays

Auberge rustique avec des spécialités du pays

Table de Terroir

Table régionale de qualité traditionnelle

Tables & Auberges de France professionnels de nos terroirs

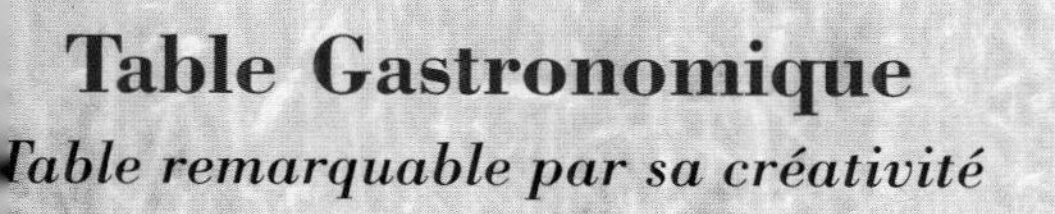

Table Gastronomique

Table remarquable par sa créativité

Table de Prestige

Table de qualité exceptionnelle

Démarche Qualité des Tables & Auberges de France

Fondamentalement, il s'agit de répondre aux attentes des consommateurs afin de promouvoir la gastronomie de terroir tout en mettant en valeur l'identité et le savoir-faire des professionnels indépendants :

1. Charte de Qualité

2. Grille technique qualitative

Step Quality of the Tables & Auberges de France

Basically, it acts to answer waitings of the consumers in order to promote the gastronomy of soil while emphasizing the identity and the know-how of the independent professionals :

1. Charter of Quality

2. Roast technical qualitative

Gestión de Calidad de las Mesas y Posadas de Francia

Fundamentalmente se trata de responder a las expectativas de los consumidores, a fin de promover la gastronomía regional, poniendo en valor la identidad y la habilidad de profesionales independientes :

1. Carte de Calidad

2. Tabla técnica cualitativa

Qualitäts-Vorgehensweise der Tables & Auberges de France

Grundlegend handelt es sich darum, die Erwartungen der Verbraucher zu erfüllen und die ländliche Gastronomie zu fördern, wobei die Identität und das Können der unabhängigen Professionellen zur Geltung gebracht werden soll :

1. Qualitäts-Charta

2. Technische Qualitätsübersicht

Carta di qualità delle Tables & Auberges de France

Fondamentalmente, bisogna rispondere all'aspettativa dei consumatori a fine di promuovere la gastronomia locale valorizzando l'identità e il tatto dei professionisti indipendenti :

1- Carta di Qualità

2- Cancellata tecnica qualitativa

CHARTE DE QUALITÉ

PRÉAMBULE
Le label national des Tables & Auberges de France a pour mission la valorisation et la promotion , en France et à l'étranger, du savoir-faire des professionnels indépendants qui exercent leur activité au sein d'un restaurant ou d'un hôtel ou hôtel-restaurant à l'exclusion des chaînes intégrées.

SECTION I : PROFESSIONNALISME
Article I : Le professionnel doit être diplômé* et expérimenté dans le secteur de l'Hôtellerie Restauration tout en faisant preuve d'un réel professionnalisme (savoir-faire, propreté des locaux, accueil et service).
*dérogation si le professionnel a plus de 5 ans d'exploitation confirmée dans le même établissement et bénéficiant d'une bonne notoriété locale ou régionale.
Article II : Le professionnel agréé doit être en conformité avec la réglementation en vigueur (hygiène, affichage des prix, sécurité-incendie…)
Article III : Dans le domaine de la restauration, les préparations des plats sont assurées par le professionnel qui privilégie, au mieux, les produits de qualité du terroir ainsi que les sauces "maison". Les serviettes et le nappage sont en tissu de qualité (sauf exception pour les tables en bois massif de caractère ou celles en terrasse).
Pour une meilleure information auprès de la clientèle, la restauration est présentée à travers quatre catégories complémentaires: Table de Prestige (cuisine remarquable par sa qualité exceptionnelle), Table Gastronomique (cuisine faisant preuve de créativité), Table de Terroir (cuisine régionale traditionnelle) et Auberge du Pays (Auberge rustique avec des spécialités du pays).
Article IV : L'appellation commerciale Hostellerie de France est réservée aux établissements hôteliers classés minimum 2 étoiles afin de mieux promouvoir, dans le guide national, les Chambres Tout Confort (équipées de Bain ou douche avec WC et télévision).
Article V : Le personnel de l'établissement doit être qualifié et offrir le meilleur accueil et services aux clients.

SECTION II : PRESTATIONS DE L'ETABLISSEMENT
Article VI : L'établissement bénéficie d'une bonne intégration dans son environnement immédiat afin d'éviter toutes nuisances sonores, visuelles ou olfactives trop importantes.
Article VII : Les différents services de l'établissement doivent être en parfait état de propreté et d'un bon état général d'entretien.
Article VIII : Les aménagements extérieurs, la décoration intérieure, les traitements (sol, murs, plafond) et le mobilier offrent un style harmonieux à l'établissement quel que soit son standing.
Article IX : Le professionnel agréé accepte le principe des visites inopinées afin de garantir à la clientèle l'image de marque des Tables & Auberges de France.

CHARTER OF QUALITY

PRÉAMBULE
The national label of the Tables & Auberges of France has the role valorization and promotion, in France and with the foreigner, of the know-how of the independent professionals who carry on their activity within a restaurant or of a hotel or hotel with restaurant other than the integrated chains.

SECTION I: PROFESSIONALISM
Article I: The professional must graduate * and be tested in the sector of Hotel trade Restoration while showing a real professionalism (know-how, cleanliness of the buildings, reception and service).
* exemption if the professional has more than 5 years of exploitation confirmed in the same establishment and profiting from a good local or regional notoriety.
Article II: The approved professional must be in conformity with the regulation in force (hygiene, posting of the prices, safety-fire...)
Article III: In the field of the restoration, the preparations of the dishes are ensured by the professional who privileges, at best, the products of quality of the soil as well as sauces "house". The towels and the nappage are out of fabric of quality (except exception for the sawn timber tables of character or those in terrace).
For better information near the customers, the restoration is presented through four complementary categories: Count of Prestige (remarkable kitchen by its exceptional quality), Gastronomical Table (kitchen showing creativity), Table of Soil (traditional regional kitchen) and Inn of the Country (rustic Inn with specialities of the country).
Article IV: Commercial name Hostellerie de France is reserved for the hotel establishments classified minimum 2 stars in order to better promote, in the national guide, the Rooms Any Comfort (equipped with Bath or shower with WC and television).
Article V: The personnel of the establishment must be qualified and to offer the best reception and customer services.

SECTION II: SERVICES OF THE ESTABLISHMENT
Article VI: The establishment profits from a good integration in its immediate environment in order to avoid all harmful effects sound, visual or olfactive too significant.
Article VII: The various services of the establishment must be in a perfect state of cleanliness and a good general state of maintenance.
Article VIII: External installations, interior decoration, the treatments (ground, walls, ceiling) and furniture offer a harmonious style to the establishment whatever its standing.
Article IX: The approved professional accepts the principle of the unexpected visits in order to guarantee to the customers the public image of the Tables & Auberges of France.

NATIONALES GÜTEZEICHEN

PRÄAMBEL
Das nationale Zeichen der "Tables & Auberges de France" dient der Valorisierung und der Verkaufsförderung, in Frankreich und im Ausland, des Könnens der selbstständigen Unternehmen, die ihre Tätigkeit in Restaurants bzw. Gasthöfen außerhalb der Restaurantsketten ausüben.

ABSCHNITT 1 : BERUFSTÜCHTIGKEIT
Paragraph I : Der Betreiber muß ein abgeschlossenes Studium* und Erfahrung auf dem Gebiet der Hotel-und Gastronomiewirtschaft besitzen. Er muß darüberhinaus eine echte Berufstüchtigkeit nachweisen können (Know How, Sauberkeit der Räumlichkeiten, Qualität des Empfangs und Service.)
* mit Ausnahme derjenigen, die mehr als fünf Jahre Erfahrung im selben Haus und eine echte lokale u. regionale Bekanntheit nachweisen können.
Paragraph II : Der zugelassene Gastwirt übt seinen Beruf in Übereinstimmung mit den gültigen gesetzlichen Regelungen aus (Hygiene, Feuersicherheit, Preisgestaltung).
Paragraph III : Auf dem Gebiet des Gaststättewesens wird die Zubereitung der Speisen vom Betreiber selbst durchgeführt, wobei er hochwertige Erzeugnisse und hausgemachte Soßen bevorzugt. Servietten und Tischtücher sind aus hochwertigem Stoff (mit Ausnahme der Tische aus stilvollem Massivholz oder der Terrassentische).
Zur besseren Information der Kundschaft wird das Gaststättewesen anhand von vier Küchentypen dargestellt: Tafel von Prestige (bemerkenswerte Küche von außerordentlicher Qualität), Gastronomische Tafel (kreative Küche), Landgasthaus (rustikales Gasthaus mit traditionellen Spezialitäten des Landes), ländliche Tafel (regionale traditionelle Küche).
Paragraph IV : Die Handelsbezeichnung " Hostellerie de France " wird den Hotels mit einer Klassifizierung von mindestens 2 Sternen vorbehalten, um im nationalen Führer die Zimmer " Tout Confort " (mit Bad od. Dusche, WC und Fernsehen ausgestattet) zu fördern.
Paragraph V : Das Bedienungspersonal muß geschult sein und den Gästen besten Empfang und Kundenservice bieten.

ABSCHNITT 2 : DURCH DEN GASTHOFBETRIEB ZU ERBRINGENDE LEISTUNGEN
Paragraph VI : Der Gasthofbetrieb ist in seinem unmittelbaren Umfeld gut integriert, d. h. er hat Lärm, sichtbare Störungen und schlechte Gerüche soweit es geht, zu vermeiden.
Paragraph VII : Die verschiedenen Räumlichkeiten des Gasthofs müssen in einem einwandfreien Zustand der Sauberkeit und allgemein gut gepflegt sein.
Paragraph VIII : Die äußeren Anlagen, die Innenausstattung, die Beschaffenheit der Fußböden, Wände, Decken und Möbel müssen in einem harmonischen Zusammenhang zueinander stehen, welchen Standard der Gasthof auch immer hat.
Paragraph IX : Der autorisierte Gastwirt akzeptiert das Prinzip der unangemeldeten Kontrollen, um der Kundschaft die Qualitätsgarantie der "Tables & Auberges de France" zu gewährleisten.

CARTA DE CALIDAD

PREAMBULO
La marca nacional de "Tables & Auberges de France" tiene por misión la valorización y la promoción, en Francia y en el extranjero, de la buena mano de profesionales independientes que ejercen su actividad en el seno de un restaurante o de un hotel-restaurante a la exclusión de las cadenas.

SECCIÓN I : PROFESIONALISMO
Articulo I :El profesional debe ser diplomado* y experimentado en el sector Hostelería Restauración haciendo prueba de un real profesionalismo (buena mano, limpieza de locales, acogida y servicio).
* derogación si el profesional tiene más de 5 años de explotación confirmada en el mismo establecimiento, beneficiando de una real notoriedad local o regional.
Articulo II : El profesional habilitado está en conformidad con la reglamentación vigente : higiene, seguridad-incendio, anunciación de precios...
Articulo III : En el dominio de la restauración las preparaciones de los platos son aseguradas por el profesional que privilegia, lo mejor posible, los productos de calidad, así como las salsas caseras . Las servilletas y la mantelería son de un tejido de buena calidad (salvo las mesas de madera maciza de estilo o aquellas que están en terraza).
Para una mejor información a la clientela, la restauración es presentada a través de 4 tipos de cocina : Table de Prestige (notable cocina por su calidad excepcional o Table Gastronomique (cocina de manifiesta creatividad) o Table du Terroir (cocina regional tradicional), o Auberge du Pays (posada rústica con especialidades del país).
Articulo IV : La denominación comercial Hostellerie de France es reservada a los establecimientos hoteleros clasificados mínimo 2 estrellas a fin de promover mejor, en la guía nacional, las Habitaciones Todo Confort (equipadas con baño o ducha con retrete y televisión).
Articulo V : El personal del establecimiento debe estar capacitado y ofrecer la mejor acogida y servicio a los clientes.

SECCIÓN II :PRESTATIONES DEL ESTABLECIEMENTO
Articulo VI : El establecimiento, logra una buena integración con su entorno a fin de evitar posibles molestias sonoras, visuales u olfativas importantes.
Articulo VII : Los diferentes servicios del establecimiento deben estar en perfecto estado de conservación general y de aseo.
Articulo VIII : Las instalaciones exteriores, la decoración interior, los tratamientos (suelo, paredes, techo) y el mobiliario presentan un estilo armonioso con el establecimiento,
Articulo IX: El profesional habilitado, acepta el principio de visitas imprevistas a fin de garantizar a su clientela la imagen de marca de "Tables & Auberges de France".

CARTA DI QUALITÀ

PREAMBOLO
Il labello nazionale Tables & Auberges de France ha per missione la valorisazione e la promozione, in Francia ed all'estero, del tatto dei professionali indipendenti che esercitano la loro attività in un ristorante o un'alberga o un alberga-ristorante ad esclusione delle catene integrate.

SEZIONE I : PROFESSIONALISMO
Articolo I : Il professionale deve essere diplomato* ed esperimentato nello settore dell'ondustria alberghiera restaurazione dimostrando un reale professionalismo (tatto, pulizia dei locali, accoglienza e servizio).
*derogazione se il professionale ha più di 5 anni di sfruttamento confirmato nella stessa istituzione e beneficiando di una buona notorietà locale o regionale.
Articolo II : il professionale perito deve essere in conformità con il regolamento in vigore (igiene, prezzi, securità-incendio...)
Articolo III : nella restaurazione, le preparazioni dei piatti sono assurate dal professionale che privilegia, al meglio, i prodotti di qualità locali e le salse " casa ". Le tovaglioli e tovaglie son in tessuto di qualità (salvo per le tavole di legno di carattere o le qualle in terrazza).
Per una migliora informazione alla clientela, la ristaurazione è presentata tra quatro categorie complementari : Tavola di Prestigio (cucina notevole dalla sua qualità eccezionale), Tavola gastronomica (cucina dimostrando creattività), Tavola Locale (cucina regionale tradizionale), Alberga del Paese (alberga rustica con specialità del paese).
Articolo IV : La denominazione commerciale Hostelleria di Francia è risevata agli hostelli classificati minimum 2 stelle per promuovere, nel guido nazionale, le Stanze Tutto Conforto (attrezzate di bagno o doccia con WC e televisione).
Articolo V : Il personale dell'istituzione deve essere qualificato e offrire la migliore accoglienza e servizio ai clienti.

SEZIONE II : PRESTAZIONI DELL'ISTITUZIONE
Articolo VI : l'istituzione beneficia di una buona integrazione nel suo ambiente immediato per evitare tutte sorgenti inquitanti troppo impostanti.
Articolo VII : I differenti servizi dell'istituzione devono essere in perfetto statto di pulizia e un buono statto generale di mantenimento.
Articolo VIII : L'arredamento esteriore ed interiore, i trattamenti (soli, muri) ed i mobili offrano lo stila armonioso all'istituzione qualsiasi il suo tenore di vita.
Articolo IX : Il professionale perito accetta il principio di visite inopinate per guarantire alla clientela l'immagine pubblicitaria di Tavole e Alberghe di Francia

---

KWALITEITSNORMEN

INLEIDING
" Tables & Auberges de France " is een franse kwaliteitsnorm. Deze norm heeft als missie het opwaarderen en promotie maken van de bekwaamheid van onafhankelijke bedrijven als restaurants, hotels of hotel/restaurants in Frankrijk en in het buitenland.
Degene die aangesloten zijn bij een keten komen niet in aanmerking voor deze norm.

HOOFDSTUK 1 : BEROEPSBEKWAAMHEID
Artikel 1 : De vakman moet in bezit zijn van een beroepsdiploma met enige ervaring bekwaamheid, hygiëne in de lokalen, ervaring in de ontvangst en service verlening).
Niet nodig als de vakman al meer dan 5 jaar ervaring heeft in het zelfde bedrijf en een goede lokale of regionale bekendheid heeft.
Artikel II : De vakman moet aan alle wettelijke regelingen voldoen betreffende : algemene hygiëne, veiligheids-en brandregelingen, het aanplakken van prijzen enz ....)
Artikel III : In het restaurant worden gerechten klaargemaakt door de kok met regionale en traditionele gerechten, ook de voorkeur gaat uit aan verse producten en eigen gemaakte sauzen. Voor een betere informatie voor de klanten, zijn de restaurants in 4 types verdeeld : "Table de Prestige" (uitermate goede keuken) , "Table Gastronomique" (keuken met creatieve gerechten), "Table de Terroir" (traditionele lokale keuken), "Auberge du Pays" (herberg met lokale gerechten).
Artikel IV : De naam "Hostellerie de France" (classificatie van minimum 2 sterren) is gereserveerd voor hotels zodat ze betere promotie kunnen maken in de nationale gids van de "Chambres Tout Confort" (kamers met alle comfort ; met badkamers of douche, met toilet en televisie).
Artikel V : Het personeel moet goede bekwaamheid hebben en de ontvangst en service aan de klanten moet uitstekend zijn.

HOOFDSTUK II : WAT HET BEDRIJF AANBIED
Artikel VI : Het bedrijf is, als het enigszins mogelijk is, in een goed gelegen omgeving zodat om zo weinig mogelijk overlast te hebben op het gebied van lawaai enz.
Artikel VII : Alle afdelingen van het bedrijf behoren altijd schoon te zijn en het materiaal in goede staat van werken.
Artikel VIII : De buiteninrichtingen, de binnendecoratie, het behang of de kleur van de verf (vloer, muren en plafond) en de meubels bieden een harmonieuze stijl aan het bedrijf, wat ook zijn standing is.
Artikel IX : De eigenaar gaat akkoord met het principe van onverwachte bezoeken voor een controle om te zien of alle regelingen die verbonden zijn aan de norm "Tables & Auberges de France" gerespecteerd worden.
Stempel en handtekening

GRILLE TECHNIQUE : FICHE QUALITATIVE

	Très satisfaisant *Excellent* *Muy satisfactorio* *SehrZufriedenstellend*	**Satisfaisant** *Good* *Satisfactorio* *Zufriedenstellend*	**Peu satisfaisant** *Unsatisfactory* *Poco satisfactorio* *wenig Zufriedenstellend*	**Pas du tout satisfaisar** *Bad* *No satisfactorio* *ganz und gar nicht* *Zufriedenstellen*
Appréciation Générale *General appreciation -*	❑	❑	❑	❑
Accueil, amabilité du personnel *Reception - Acogida - Empfang*	❑	❑	❑	❑
Service en salle *Service Staff - Servicio en sala - Bedienung*	❑	❑	❑	❑
Cuisine: qualité de la Table et choix des produits *Cooking/quality : - Cocina : calidad de la Comida : - Küche : Qualität der Tische :*	❑	❑	❑	❑
Qualité / Prix *Quality/price - Calidad/Precio - Qualität/Preis*	❑	❑	❑	❑
Environnement, cadre, Ambiance et confort *Fitting out, laying out, quietness - Instalaciones, ambiente, atracción y calma - Einrichtungen, Rahmen - Annehmlichkeiten, Ruhe*	❑	❑	❑	❑
Propreté générale *Hygiene - Limpieza general - Sauberkeit*	❑	❑	❑	❑

Le classement national du restaurant (Table de Prestige, Table Gastronomique, Table de Terroir ou Auberge du Pays) vous semble-t-il cohérent et correspondre aux prestations offertes ? ❑ oui ❑ non

Nom de l'établissement - ....

Name of the establishment - Nombre del establecimiento - Name des Hauses :

Ville .... **Code Postal** ....

City - Ciudada - Stadt — *Post Code - Código postal - Postleitzahl*

Date de votre passage dans cet établissement ....

Date of the visit to the establishment - Fecha de su paso por este establecimiento - Datum Ihres Aufenthalts

Principales régions viticoles françaises

L'abus d'alcool est dangereux pour la santé, à consommer avec modération

Tableau des Vins et Millésimes
(les notes sont sur 20)

	Bordeaux		Bougogne		Loire	Rhône	Alsace	Jura/ Savoie	Champagne	Méditerranée
	Rouge	Blanc	Rouge	Blanc						
1970	17	17	15	15	15	15	14		17	
1971	16	17	18	20	17	15	18		16	
1972	10		11	13	9	14	9			
1973	13	12	12	16	16	13	16		16	
1974	11	14	12	13	11	12	13		8	
1975	18	17		11	15	10	15		18	
1976	15	19	18	15	18	16	19		15	
1977	12	7	11	12	11	11	12		9	
1978	17	14	19	17	17	19	15		16	
1979	16	18	15	16	14	16	16		15	
1980	13	17	12	12	13	15	10	12	14	14
1981	16	16	14	15	15	14	17	15	15	14
1982	18	14	14	16	14	13	15	14	16	14
1983	17	15	15	16	12	16	20	17	13	16
1984	14	13	13	14	10	11	15	11	5	14
1985	18	15	17	17	16	16	19	17	17	17
1986	17	17	12	15	13	10	10	10	9	10
1987	13	12	12	11	13	8	13	9	10	13
1988	16	19	16	14	16	18	17	15	15	16
1989	18	19	16	18	20	16	16	16	16	20
1990	18	20	18	16	17	17	18	18	19	17
1991	13	14	14	15	12	13	13	13	11	15
1992	12	10	15	16	14	12	12	11	12	14
1993	13	8	14	13	13	13	13	12	12	16
1994	15	15	13	15	14	13	12	13	12	14
1995	16	17	13	15	17	17	12	15	16	17
1996	15	15	17	18	17	15	12	14	19	14
1997	11	16	13	16	16	13	13	14	15	13
1998	15	15	14	15	14	18	13	13	13	19
1999	13	15	13	12	12	15	10	14	15	14
2000	18	10	11	15	16	17	12	14	15	18
2001	17	16	14	15	17	17	14	12	11	18

Tableau des Vins & Millésimes et carte des vignobles, propriétés exclusives d'Annuairevin.com

Annuaire Vin, annuaire des métiers viticoles, ce veut être un site ludique et informatif. Pour vocation première la promotion des vins français, vous pourrez consulter par la même occasion ses rubriques liées au vin : sa degustation, son service, sa conservation, son achat, l'accord des Mets & Vins.

Pensez à consulter ses annonces et événements et en tant que professionnel, à vous référencer gratuitement sur ses annuaires !

Responsable du site : YANNA Nicolas
23 rue Paul Vaillant Couturier - 37700 St Pierre des Corps - relations@annuairevin.com - www.annuairevin.com

Carte des Fromages en France

Spécialités Régionales

Alsace-Lorraine-Vosges
Carré de l'Est
Gérardmer
Géromé
Munster
St Paulin

Aquitaine
Camisard
Castillon
Ossau Iraty
Poustagnac
Tomette de Brebis

Auvergne
Bleu d'Auvergne
Bleu de Laqueuille
Brique de Pays, Brebis et Chèvre
Cantal Jeune et Entre-deux
Chamberat Fermier
Fourme d'Ambert
Gaperon
Petit et Grand Montagnard
Grand Tomachon
Laguiole
Murol du Grand Berioux
Rochebaron
Salers
St Nectaire
Tome fraîche aligot
Vachard

Bourgogne
Aisy Cendré
Cîteaux
Charolais
Comté Sélection
Délice de Bourgogne
Epoisses
Soumaintrain
St Florentin
Vezelay

Bretagne
Port-Salut
Saint-Anne-d'Auray
Curé Nantais

Centre-Val de Loire
Berry, Touraine, Anjou
Curé Nantais
Chécy
Crottins de Chavignol
Feuille de Dreux
Gâtinais
Ligueil
Olivet Cendré
Pithiviers au foin
Pouligny St Pierre
Saint Benoît
Selles sur Cher
Sainte Maure de Touraine
Saint Paulin
Valençay
Vendome Bleu

Champagne-Ardenne
Brie
Chaource
Gratte Paille
Langres Fermier
Troyen

Corse
Asco
Brin d'amour
Brocciu
Niolo

Franche-Comté
Bleu de Gex
Comté
Emmental Grand Cru
La Cancoyotte
Morbier
Raclette
Vacherin Mont d'Or de Joux

Spécialités Régionales

Ile-de-France
Brie de Meaux
Brie de Melun
Brie de Montereau
Brie Fermier
Camembert fermier
Coulommiers

Languedoc-Roussillon
Pélardon

Midi-Pyrénées
Bamalou
Bethmale
Bleu des Causses
Broussette
Camisard
Faisselle
Moulis
Pérail
Rocamadour
Rogalais
Roquefort

Nord-Pas-de-Calais Flandre
Boulettes d'Avesnes
Dauphin
Goyère
Gris de Lille
Maroilles
Mimolette vieille
St Paulin

Normandie
Bondon
Brillat Savarin
Camembert
Gournay
La Bouille
Livarot
Mimolette vieille
Neufchâtel
Pavé d'Auge
Pont l'Évêque
St Paulin

Picardie
Le Rollot
Maroilles

Poitou-Charentes
Carré du Poitou
Chabichou du Poitou
Chabis
Faisselle

Provence-Alpes-Côte-D'Azur
Banon
Camargue
Fort du Ventoux
Poivre d'Ane

Rhône-Alpes Savoie
Abondance
Beaufort
Bleu de Bresse
Bleu du Vercors
Comté
Emmental
Faisselle
Fondu Raisin
Fromage aux noix
Gruyère
Persillé de Savoie
Picodon
Reblochon
Rigotte de Condrieu
Saingorlon
Saint Marcellin
Sassenage
Tomme
Vacherin des Beauges

Présentation des Tables & Auberges de France par département

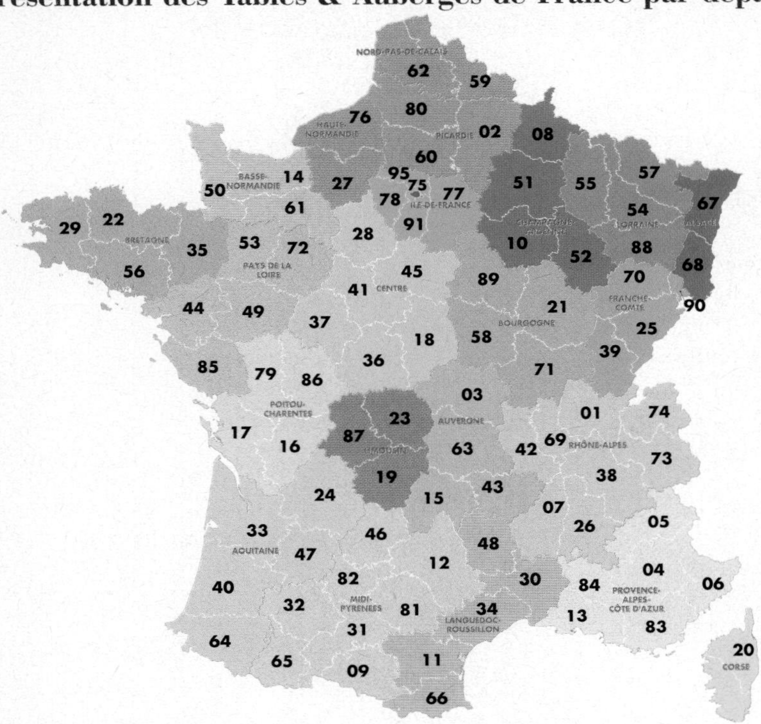

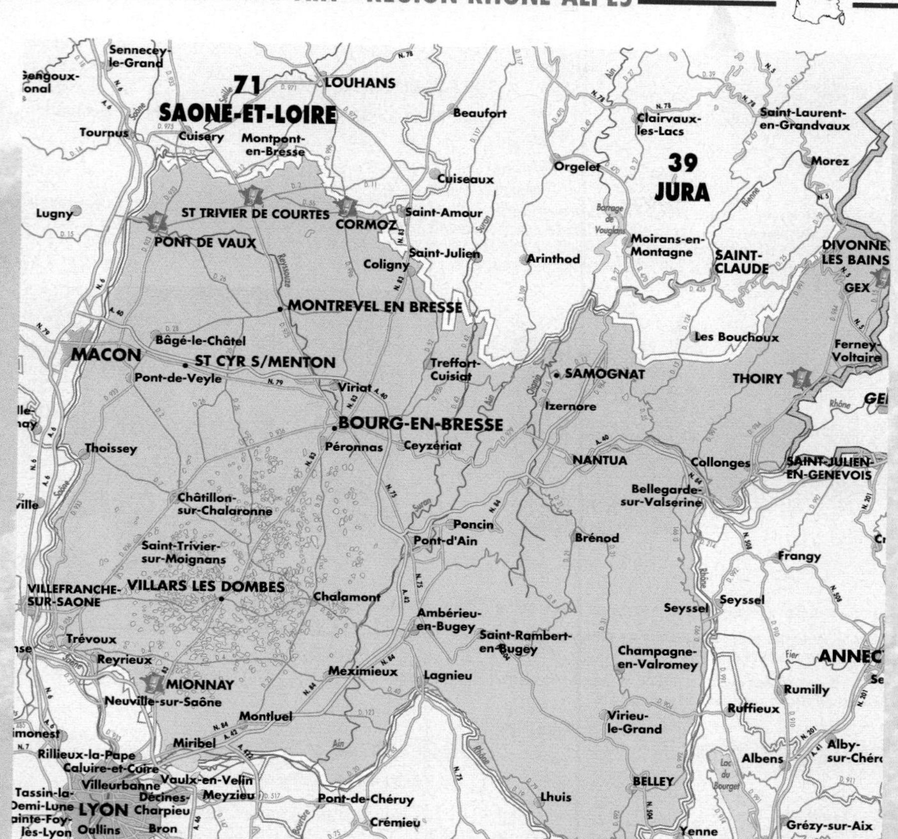

Sites Touristiques : Parc des Oiseaux à Villars-les-Dombes, Monastère Royal de Brou à Bourg en Bresse, Musée de la Bresse à Saint Cyr sur Menthon, Base de Loisirs La Plaine Tonique à Montrevel en Bresse, Col de la Faucille panorama sur les Alpes, Cité Médiévale de Pérouges.

Saveurs de nos Terroirs : Poulet de Bresse, Carpe, Grenouille, quenelles de brochet sauce Nantua, Comté, Bleu de Gex, Ramequin.
Vin du Bugey (dont A.O.C. Seyssel), Cerdon.

Animations :
Mai/Juin : Festival de Musique de Chambre de Divonne les Bains, Printemps de Pérouges, Jumping International à Bourg en Bresse. Juillet/Août : Festival Les Temps Chauds à Châtillon sur Chalaronne, Festival International de Musique du Haut-Buguy à Nantua, Festival des Cuivres en Dombes à Villars les Dombes, Mondial de Quad à Pont de Vaux.
Septembre/Octobre : Festival d'Ambronay, La Forestière (course VTT).

COMITÉ DÉPARTEMENTAL DU TOURISME DE L'AIN
34 Rue du Général Delestraint - B.P. 78 - 01002 BOURG-EN-BRESSE CEDEX - Tél. : 04 74 32 31 30 - Fax : 04 74 21 45 69
www.ain-tourisme.com - tourisme@cdt-ain.fr

CORMOZ (01560)

D996 Au Nord de Bourg en Bresse (23 km).

AUBERGE DU GRAND RONJON

04 74 51 23 97 - auberge.du.grand.ronjon@wanadoo.fr

Le Grand Ronjon - Pierre Emmanuel GUYON - Fax : 04 74 51 28 86 - www.auberge-du-grand-ronjon.fr

Fermeture : Mardi soir, mercredi et dimanche soir. - Menus : 16/39 €

Classement : Table de Terroir

En plein coeur de la campagne bressane, dans le cadre d'une exploitation agricole familiale en activité, particulièrement fleurie, venez découvrir une table qui se veut authentique et généreuse avec une cuisine raffinée élaborée à partir de produits frais locaux. Spécialités : matefaim à l'épaule de porc au four, pigeon rôti à l'étuvée de choux, volaille à la crème et aux morilles, quenelle de brochet sauce écrevisses, gâteau de foie de volailles. Terrasse, jardin, parking privé, accès handicapés, salle restaurant de caractère, salle de séminaires, animaux acceptés

In the heart of the Bressane countryside, in an active farmhouse, come to discover an authentic and refined cooking made with fresh local products.

En pleno centro del campo bresano, en el ambiente de una explotación agrícola familiar en actividad, venga a descubrir una mesa auténtica y generosa resultado de una cocina refinada, elaborada con productos frescos locales.

Entdecken Sie im Herzen der bressanischen Landschaft, im Rahmen eines ländliches Familienbetriebes, ein Gasthaus, das sich mit einer rafffiniert erstellten Küche, zubereitet aus frischen Produkten der Region, authentisch und großzügig gibt.

DIVONNE LES BAINS (01220)

CHÂTEAU DE DIVONNE ★ ★ ★ ★

04 50 20 00 32 - divonne@grandesetapes.fr

115 Rue des Bains - Stéphane CATEUX - Fax : 04 50 20 03 73 - www.chateau-divonne.com - Fermeture : 4/01-31/01.

Menus : 55/95 € . Menu enfant : 23 € . Petit déjeuner : 22 € . 30 chambres : 135/430 € . Demi pension : 83 € .

Classement : Table de Prestige

A 15 minutes de Genève, au coeur d'un parc de 22 hectares, face à la chaîne du Mont-Blanc et le lac Léman, cette élégante demeure du XIXème siècle sera une étape reposante et gastronomique qui enchantera les amateurs de nature par son panorama exceptionnel. Au restaurant, la richesse des mets raffinés et des plus grands crus satisfera les plus fins gourmets. Spécialités : mijotée de champignons et son émulsion au vin jaune, gros macaronis au jus et oeuf poché ; épaisse tranche de boeuf du charolais cuite au sautoir, terrine de pommes de terre au beaufort et ventrèche ; quinoa cuit comme un riz au lait, sorbet pomme verte et consommé acidulé.

Chambres avec bain ou douche+WC+TV : Toutes.

Terrasse, jardin, garage fermé, parking privé, piscine d'été, tennis, ascenseur, climatisation, petit déjeuner buffet, salle de séminaires, animaux acceptés

At 15 minutes of Geneva, in the heart of a park of 22 hectares, vis-a-vis with the chain of Mont Blanc and the lake Léman, this elegant residence of the XIXth century will be a resting and gastronomical stage .The restaurant, the richness of the refined meals and greater vintages will satisfy the finest gourmets.

A 15 minutos de Genève, en el centro de un parque de 22 ha., frente a la cadena montañosa del Mont-Blanc y del lago Léman, esta elegante morada del siglo XX será una escala tranquila y gastronómica que encantará a los amantes de la naturaleza por su panorama excepcional.

15 Minuten von Genf, mitten in einem 22 ha großen Park, mit Blick auf die Bergkette des Mont Blanc und des Genfer Sees ist dieses elegante Haus aus dem 19. Jh. eine erholsame und gastronomische Etappe, die Naturfreunde nicht zuletzt wegen seines außerordentlichen Panoramas anzieht. Im Restaurant stellen die Reichhaltigkeit der feinen Gerichte und die großartigen Weine jeden Feinschmecker zufrieden.

MIONNAY (01390)

A 20 km de Lyon.

HÔTEL-RESTAURANT ALAIN CHAPEL ★ ★ ★ ★

04 78 91 82 02 - chapel@relaischateaux.com

RN 83 - Fax : 04 78 91 82 37 - Menus : 96/135 € . Petit déjeuner : 15 € . 12 chambres : 105/125 €

Classement : Table de Prestige

PONT DE VAUX (01190)

A 20 km de Macon et de Tournus.

LE RAISIN ★ ★

03 85 30 30 97 - hotel.leraisin@wanadoo.fr

2 Place Michel Poizat - Gilles CHAZOT - Fax : 03 85 30 67 89 - Fermeture : 06/01-06/02, dimanche soir hors saison, lundi et mardi midi.
Menus : 20/55 € . Menu enfant : 11 € . Petit déjeuner : 8 € .
18 chambres : 52/57 € . Etape VRP : 57/61 €. Classement : Table Gastronomique

C'est dans le cadre chaleureux et convivial de leur auberge de caractère que Gilles CHAZOT et son équipe se feront un plaisir de préparer pour vous leur cuisine de qualité.
Spécialités : volailles de Bresse, grenouilles fraîches, crêpes parmentier. Vins de Bourgogne, Beaujolais, Maconnais.

Chambres avec bain ou douche+WC+TV : Toutes.
Garage fermé, parking privé, accès handicapés, salle restaurant de caractère, salle de séminaires, chèques vacances, animaux acceptés

In a convivial and warm setting, Gilles CHAZOT and his team will be glad to cook you their specialities of quality.

En el ambiente cálido y convivial de su original posada, Gilles CHAZOT y su equipo tendrán el placer de prepararle su cocina de calidad.

In einem warmen und freundlichen Rahmen freuen sich Gilles CHAZOT und sein Team, für Sie ihre Spezialitäten zuzubereiten.

PONT DE VAUX (01190)

A 18 km de Mâcon, Tournus.

LES PLATANES ★ ★

03 85 30 32 84 - hotel-les-platanes@wanadoo.fr

Aux Quatre Vents - Fax : 03 85 30 32 16 - Fermeture : 25/02-20/03 ; jeudi, vendredi midi.
Menus : 13,50/45 € . Menu enfant : 9 € . Petit déjeuner : 6,50 € .
7 chambres : 40/45 € . Etape VRP : 53 € . Classement : Table de Terroir

Dans un cadre agréable et chaleureux, l'été sur la grande terrasse ombragée ou l'hiver au coin du feu de cheminée, venez apprécier une cuisine de terroir élaborée avec les meilleurs produits.
Parmi les spécialités : poulet à la crême, crêpes parmentier, parfait glacé bananes flambées.

Chambres avec bain ou douche+WC+TV : Toutes.
Terrasse, jardin, garage fermé, parking privé, salle restaurant de caractère, chèques vacances, animaux acceptés

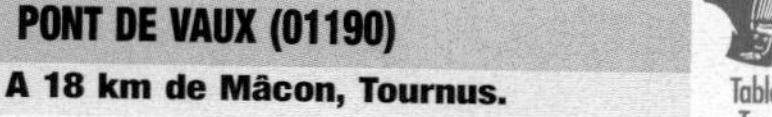

In a pleasant and warm setting, in summer on the shaded terrace or in winter near the fireplace, come to appreciate a traditional cooking made with best products.

En un ambiente agradable y caluroso, durante el verano en la gran terraza sombreada o en invierno al amor de la lumbre, venga a saborear una cocina regional elaborada con excelentes productos.

In angenehmer und warmer Atmosphäre, im Sommer auf der großen, schattigen Terrasse oder im Winter um ein Kaminfeuer, genießen Sie ein ländliche Küche aus besten Erzeugnissen.

ST TRIVIER DE COURTES (01560)

A 30 km de Bourg en Bresse, Macon.

LE RELAIS DES CARRONS

04 74 30 72 70

Rue des Carrons - Laurent PARISOT - Fax : 04 74 30 72 70
Fermeture : 3 dernières semaines d'octobre ; dimanche soir, mercredi soir, jeudi.
Menus : 17,50/35,50 € . Menu enfant : 10 € . Classement : Table de Terroir

Laurent PARISOT et son équipe se feront un plaisir de vous recevoir et de vous faire partager leur cuisine de terroir.
Spécialités : marbré de foie gras et endive à l'orange, poulet de Bresse aux morilles, saucisse de carpe compote de choux.

Terrasse, accès handicapés , salle de séminaires, animaux acceptés

Laurent Parisot and his team will be glad to welcome you and make you share their cooking of soil.

Laurent PARISOT y su equipo tendrán el placer de recibirle y de hacerle descubrir su cocina regional.

Laurent Parisot und sein Team freuen sich, Sie zu empfangen und mit Ihnen ihre ländliche Küche zu teilen.

THOIRY (01710)

A 15 km de Genève.

LES CÉPAGES

04 50 20 83 85

Village - Fax : 04 50 41 24 58 - Menus : 45/68 €- Classement : Table de Prestige

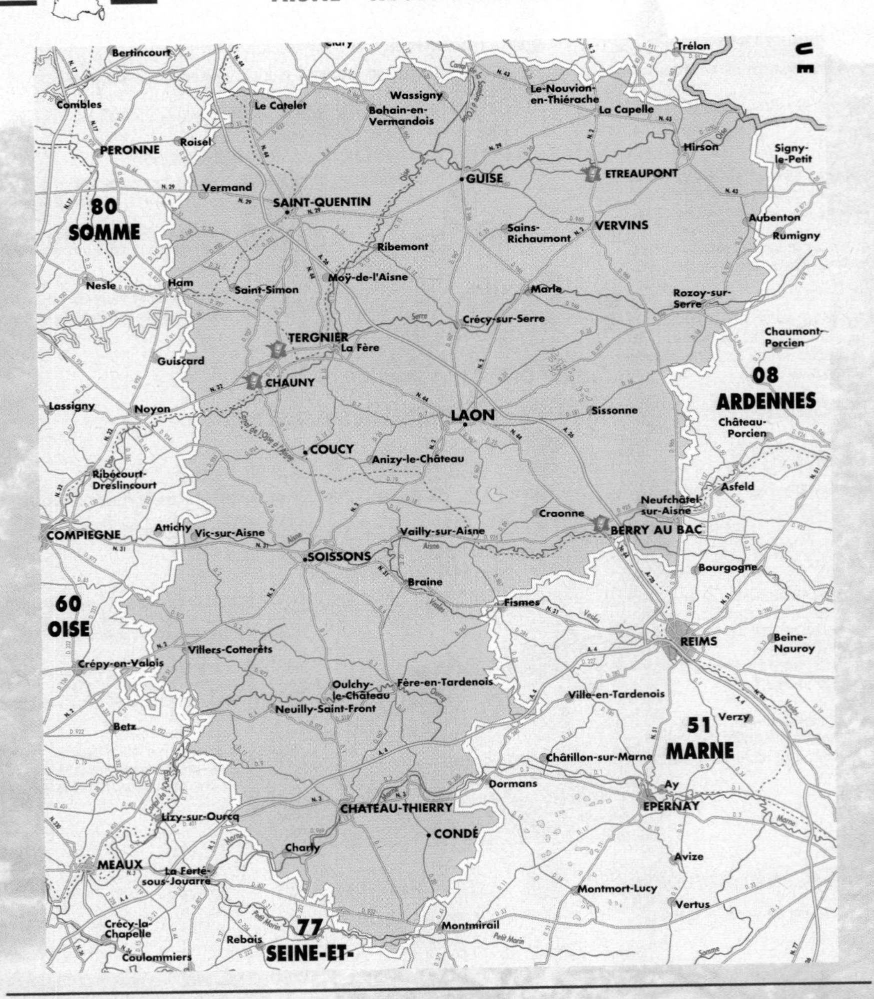

Sites Touristiques : Villes historiques de Laon, Soissons et Saint-Quentin, Route historique du Chemin des Dames et Caverne du Dragon, Châteaux de Guise, de Coucy et de Condé, Familistère Godin ou Versailles ouvrier (site unique en France), Maison natale de La Fontaine, Eglises fortifiées de Thiérache. Caves de Champagne, Jardins de Viels Maisons, Orgeval, Bourguignon sous Montbavin, Puisieux.

Saveurs de nos Terroirs : A.O.C. Maroilles en Thiérache (tarte au Maroilles), Haricot de Soissons et spécialités de Soissoulet.

Champagne en Vallée de la Marne autour de Château-Thierry, Folie Douce (apéritif à base de fruits rouges) en Thiérache, Production de Cidre en Thiérache.

Animations :

Mai : Fête du 1er mai au Familistère Godin, Fêtes du Bouffon (grand carnaval festif) à Saint Quentin, Course historique de voitures anciennes au coeur de la ville de Laon et dans la campagne environnante.

Juin/Juillet : Antiquités et ornements de jardins à Viels Maisons. Spectacle fantastique et médiéval au coeur de la forteresse de Coucy-le-Château.

Septembre : Foire aux fromages à La Capelle.

COMITÉ DÉPARTEMENTAL DU TOURISME DE L'AISNE

26 Avenue Charles de Gaulle - 02007 - LAON CEDEX - Tél. : 03 23 27 76 76 - Fax : 03 23 27 76 89

www.evasion-aisne.com - contact@cdt-aisne.com

BERRY AU BAC (02190)

A 15 km de Reims.

LA COTE 108

03 23 79 95 04

Route nationale 44 - Christophe et Gwladys GILOT - Fax : 03 23 79 83 50 - www.lacote108.com
Fermeture : 26/12-16/01 ; 12/07-27/07 ; dimanche soir, lundi et mardi soir.
Menus : 28/80 € . Menu enfant : 16,50 € - Classement : Table Gatronomique

La Cote 108 se situe entre Reims et Laon, à proximité du site historique du Chemin des Dames. Dans cette maison confortable et chaleureuse, Gwladys et Christophe vous feront découvrir une cuisine alliant créativité et saveurs inattendues.
Spécialités : crème brûlée au foie gras des Landes ; risotto au jus de homard, pinces et queues sautées.

Terrasse, jardin, parking privé, accès handicapés salle de séminaires, animaux acceptés

La Côte 108 is between Reims and Laon, near the historic site ofthe Way of Women. In this comfortable and cordial house, Gwladys and Christophe will make you discover a kitchen combining unexpected creativity and savours.

La Cote 108 está ubicada entre Reims y Laon, en las cercanías del emplazamiento histórico del Camino de las Mujeres. En esta casa cómoda y calurosa, Gwladys y Christophe le harán descubrir una cocina que une la creatividad a sabores inesperados.

La Cote 108 liegt zwischen Reims und Laon, in der Nähe der historischen Stätte des Chemin des Dames. In diesem komfortablen und warmherzigen Haus entdecken Sie mit Gwladys und Christophe eine Küche, die Kreativität und unerwartete Geschmäcker in Einklang bringen.

CHAUNY (02300)

A 30 km de St Quentin, 32 km de Soissons.

LA TOQUE BLANCHE ★ ★ ★

03 23 39 98 98 - info@toque-blanche.fr

24 Avenue Victor Hugo - Vincent & Véronique LEQUEUX - Fax : 03 23 52 32 79 - www.toque-blanche.fr
Fermeture : 2/01-8/01 ; 18/02-28/02 ; 04/08-25/08 ; samedi midi, dimanche soir ; lundi. - Menus : 30/66 € . Menu enfant : 14 € .
Petit déjeuner : 11 € . 6 chambres : 56/86 € - Classement : Table de Prestige

Véronique et Vincent LEQUEUX sont heureux de vous accueillir dans leur maison bourgeoise baignée par la douce lumière d'un vaste écrin de verdure. Vous goûterez à l'harmonie d'un cadre enchanteur et aux raffinements d'une cuisine légère et naturelle.
Spécialités : escalopes de foie gras de canard poêlées à la crème de cassis et aux pêches rôties, étuvée de homard au Sauternes et ses pommes caramélisées, soufflé chaud au parfum de saison.
Chambres avec bain ou douche+WC+TV : Toutes.
Terrasse, jardin, parking privé, tennis, climatisation, salle de séminaires

Veronique and Vincent LEQUEUX are happy to accomodate you in their middle-class house bathed by the soft light of a vast bosky bower. You will taste at the harmony of a framework enchanter and refinements of a light and natural cooking.

Véronique y Vincent LEQUEUX estarán felices de acogerle en su casa burguesa bañada por la dulce luz de un gran espacio verde. Usted podrá gozar de la armonía de un encantador ambiente y de la delicadeza de una cocina liviana y natural.

Véronique und Vincent Lequeux freuen sich, Sie in ihrem Bürgerhaus zu empfangen, das vom sanften Licht seiner grünen Umgebung profitiert. Kosten Sie die Harmonie seines zauberhaften Rahmens und die Feinheit der leichten und natürlichen Küche.

TERGNIER (02700)

A 25 km de Saint Quentin.

RESTAURANT LA MANDOLINE

03 23 57 08 71

45 Place Herment - Roger BOYREAU - Fax : 03 23 57 08 71
Fermeture : 28/02-7/03 ; mi août-mi septembre ; dimanche soir et lundi. - Menus : 14/41 € . Menu enfant : 14 €
Classement : Table Gastronomique

Au coeur de la ville sur une place arborée, une façade blanche coquettement fleurie, un cadre rustique avec deux salles à manger parfaitement dressées, c'est dans ce cadre que Roger BOYREAU exerce ses talents de chef passionné et travaille les meilleurs produits de la Picardie.
Spécialités : foie gras frais de canard poêlé à l'Armagnac et aux pruneaux, filet de sole à la crème de caviar, carré d'agneau aux senteurs de Provence aux gousses d'ail doux.

Terrasse, accès handicapés, salle restaurant de caractère, salle de séminaires, chèques vacances, animaux acceptés

In the heart of the city on a raised place, a white flowered frontage, a rustic framework with two dining rooms perfectly drawn up, it is in this settnig that Roger BOYREAU exerts his talents of impassioned head and work the best products of Picardy.

En el centro de la ciudad, en una plaza arbolada, una fachada coquetamente florida le espera. En un ambiente rústico con dos comedores muy bien preparados, Roger BOYREAU ejerce su talento de jefe con pasión, trabajando los mejores productos de la Picardie.

Im Herzen der Stadt auf einem bebaumten Platz, eine weiße, kokett blühende Fassade, ein rustikaler Rahmen mit zwei perfekt gedeckten Speisesälen, das ist die Umgebung in der Roger Boyreau sein Talent eines leidenschaftlichen Chefkochs mit den besten Produkten aus der Picardie zum Ausdruck bringt.

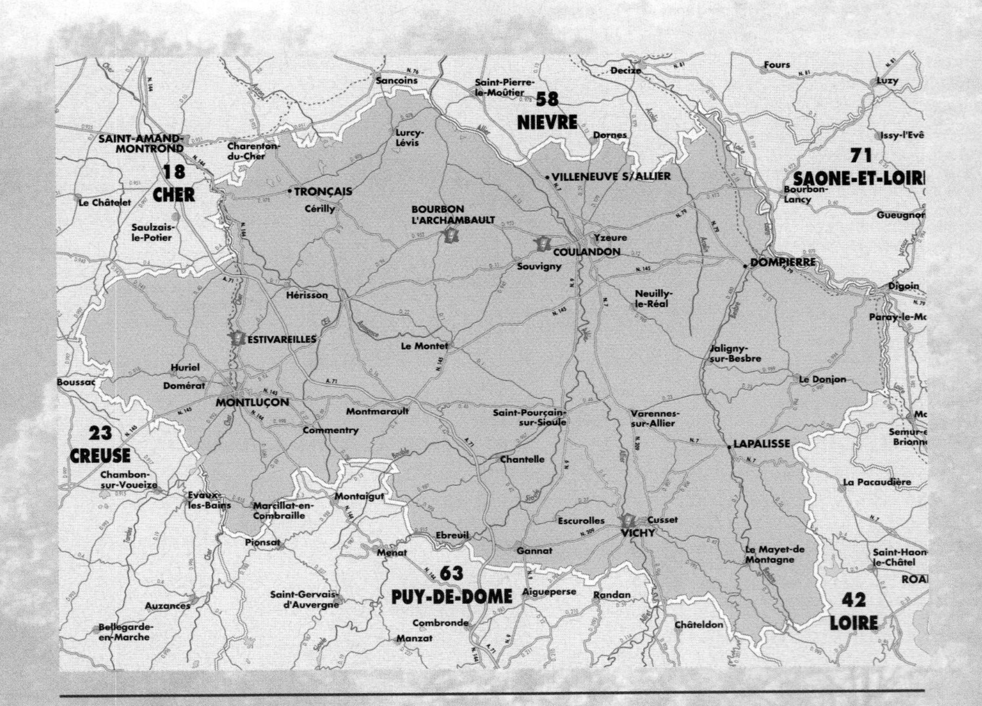

Sites Touristiques : Le PAL (Parc d'Attractions et Animalier) à Dompierre-sur-Besbre, Château de Bourbon-L'Archambault, Château de La Palice à Lapalisse, Arborétum de Balaine à Villeneuve sur Allier, Forêt de Tronçais.

Saveurs de nos Terroirs : Pâté aux pommes de terre, Boeuf charolais, Poulet bourbonnais, Moutarde de Charroux, Piquenchâgne.
Vignoble de Saint-Pourçain : vins rouges (Pinot noir, Gamay), vins blancs (Chardonnay, Sauvignon et cépage local traditionnel : Le Tressalier).

Animations : Musée de l'Opéra à Vichy, Musée du Canal du Berry à Magnette, Musée de Charroux, Préhistorama à Chatelperron, Musée des Musiques Populaires à Montluçon.
Mars : Carnaval du Boeuf Villé à Montluçon.
Mai : Jazz dans le Bocage.
Juillet/août : Festival Les Cultures du Monde à Gannat, Foire médiévale de Souvigny.
Octobre : Festival Jean Carmet à Moulins.

COMITÉ DÉPARTEMENTAL DU TOURISME DE L'ALLIER
Pavillon des Marroniers Parc de Bellevue B.P. 65 - 03402 - YZEURE CEDEX -Tél. : 04 70 46 81 50 - Fax : 04 70 46 00 22
www.allier-tourisme.com - cdt-documentation@pays-allier.com

BOURBON L'ARCHAMBAULT (03160)

Table Gastronomique

HÔTEL DES THERMES ★ ★

04 70 67 00 15

Avenue Charles Louis Philippe - Roger et Guy BARICHARD - Fax : 04 70 67 09 43
Menus : 20/55 € . Menu enfant : 10 € . Petit déjeuner : 10 € .
22 chambres : 38/73 € - Classement : Table Gastronomique

Idéalement situé, face à l'établissement thermal, l'Hôtel des Thermes vous réserve un accueil des plus chaleureux et vous propose des chambres confortables, calmes et une cuisine renommée.
Spécialités : ris de veau à la crème aux morilles, tournedos du charolais rossini, nougat glacé.

Chambres avec bain ou douche+WC+TV : 6-7-8-10-11-12-12b-17-19-20-21-23-25-26-27-28.
Terrasse, jardin, parking privé, salle restaurant de caractère, animaux acceptés

Located, facing the thermal establishment, the Hotel des Thermes reserves a cordial reception to you and proposes comfortable, calm rooms and a famous cooking.

Idealmente ubicado, frente al establecimiento termal, el Hôtel des Thermes le prepara una acogida muy calurosa y le propone cómodas habitaciones, tranquilas y una cocina famosa.

Ideal gelegen, gegenüber den Thermen, werden Sie im Hotel des Thermes herzlich mit komfortablen, ruhigen Zimmern und einer renommierten Küche empfangen.

VISA CB MC Eurocard

COULANDON (03000)

A 6 km de Moulins.

Table Gastronomique

LE CHALET - LE MONTÉGUT ★ ★ ★

04 70 46 00 66 - hotel-chalet@cs3i.fr

Fax : 04 70 44 07 09 - Menus : 18/39 € . Menu enfant : 10 € .
28 chambres : 48/86 € - Classement : Table Gastronomique

ESTIVAREILLES (03190)

A 10 km de Montluçon.

Table Gastronomique

HOSTELLERIE LE LION D'OR ★ ★

04 70 06 00 35

23 Route de Paris - Robert MICHEL - Fax : 04 70 06 09 78 - Fermeture : 19/01-3/02 ; 28/07-12/08 ; dimanche soir et lundi.
Menus : 16,01/36 € . Menu enfant : 12,96 € . Petit déjeuner : 6 € .
10 chambres : 29/40 € . Demi pension : 37/42 € . Etape VRP : 46 € - Classement : Table Gastronomique

Cette Hostellerie de caractère, située sur un grand parc avec étang, au coeur de la campagne bourbonnaise, vous accueille chaleureusement. Le patron, Chef de Cuisine vous propose une cuisine classique et régionale.
Spécialités : gratin de homard au parfum des sous bois, filet de boeuf à la moutarde pourpre de Saint Pourçain.

Chambres avec bain ou douche+WC+TV : Toutes.
Terrasse, jardin, garage fermé, parking privé, salle restaurant de caractère, salle de séminaires, chèques vacances, animaux acceptés

This inn of character, located on a large park with pond, in the heart of the Bourbonnaise countryside, welcomes you heartily. The Chef of Kitchen proposes a traditional and regional cooking to you.

Esta Hostelería original, situada en un gran parque con estanque, en el corazón del campo borbonés, le acoge calurosamente. El dueño, Jefe de Cocina le propone una cocina clásica y regional.

Dieses charaktervolle Gasthaus mitten auf dem Land empfängt Sie ganz herzlich. Der Wirt und gleichzeitig Küchenchef bietet Ihnen eine klassische und regionale Küche.

VISA CB MC Eurocard

VICHY (03200)

Près de la rue Paris.

Table de Prestige

RESTAURANT JACQUES DECORET

04 70 97 65 06

7 Avenue de Gramont - Fax : 04 70 97 65 06 - Menus : 28/65 € . Menu enfant : 19 € - Classement : Table de Prestige

VICHY (03200)

Table Gastronomique

L'ALAMBIC

04 70 59 12 71

8 Rue Nicolas Larbaud - Fax : 04 70 97 98 88 - Menus : 26/44 € . Menu enfant : 14 € - Classement : Table Gastronomique

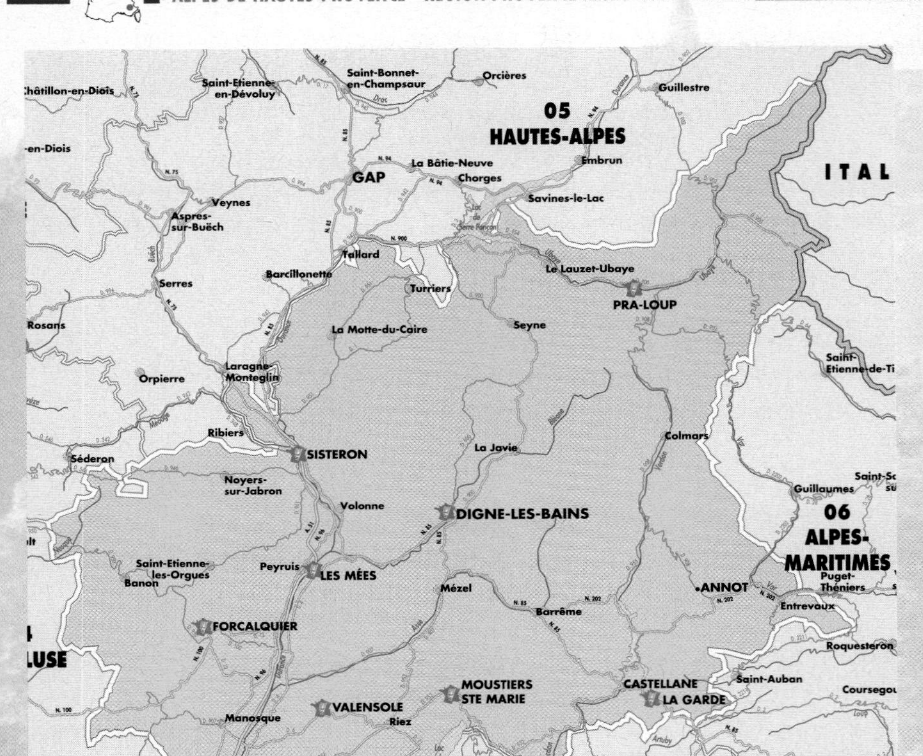

Sites Touristiques : Gorges du Verdon, Ville de Moustiers Sainte Marie, Lac d'Allos, Musée de la Préhistoire à Quinson, Station de Praloup.

Saveurs de nos Terroirs : Pieds et pâquets, ravioles de l'Ubaye, soupe au pistou, 13 desserts de Noël, daube provençale.

Vins et Côteaux de Pierrevert (A.O.C.), distilleries de Forcalquier, Hydromel, génépy, pastis Henri Bardouin.

Animations : Centre Jean Giono à Manosque, Prieuré de Salagon à Mane, Musées de la Réserve Naturelle Géologique à Digne, Sisteron et Moustiers Sainte Marie.

Juillet/Août : Les Nuits de la Citadelle à Sisteron, Festives de Font Robert à Château-Arnoux, Festival des Enfants du Jazz à Barcelonnette.

COMITÉ DÉPARTEMENTAL DU TOURISME DES ALPES-HTE-PROVENCE
Maison des Alpes de Haute-Provence 19, Rue du Docteur Honnorat B.P. 170 - 04005 - DIGNE-LES-BAINS CEDEX
Tél. : 04 92 31 57 29 - Fax : 04 92 32 24 94
www.alpes-haute-provence.com - info@alpes-haute-provence.com

DIGNE LES BAINS (04000)

A 80 km d'Aix en Provence.

Table Gastronomique

HÔTEL DU GRAND PARIS ★ ★ ★ ★

04 92 31 11 15 - grandparis@wanadoo.fr

19 Boulevard Thiers - Fax : 04 92 32 32 82 - Menus : 23/67 € . Menu enfant : 15 € . Petit déjeuner : 12 € .
20 chambres : 75/165 € - Classement : Table Gastronomique

FORCALQUIER (04300)

Table Gastronomique

LE LAPIN TANT PIS

04 92 75 38 88 - gerardvives@libertysurf.fr

10 Avenue Saint Promasse - Fax : 04 92 75 38 89 - Menus : 55 € - Classement : Table Gastronomique

LA GARDE - CASTELLANE (04120)

A 5 km de Castellane.

Table Gastronomique

AUBERGE DU TEILLON ★ ★

04 92 83 60 88 - aubergeteillon@club-internet.fr

Route Napoléon - Yves LEPINE - Fax : 04 92 83 74 08 - www.aubergeteillon-be-tf
Fermeture : Mi novembre à mi mars ; dimanche soir et lundi hors saison. - Menus : 18/40 € . Menu enfant : 8 € . Petit déjeuner : 7 € .
9 chambres : 39/49 € . Demi pension : 45/50 € . Etape VRP : 50/55 € - Classement : Table Gastronomique

Dans les Alpes de Haute-Provence, aux portes des Gorges du Verdon, à 980 m d'altitude, vous découvrirez l'Auberge du Teillon. Dans un cadre rustique et une ambiance chaleureuse, Yves et Patricia vous invitent à déguster une cuisine créative.
Parmi les spécialités : jambon d'agneau fumé, roulé de lotte au bacon pressé de courgette et compote de pomme d'amour, pigeonneau et foie gras frais rôti aux deux pommes.
Chambres avec bain ou douche+WC+TV : 5-6-7-8-9.
Terrasse, parking privé, accès handicapés restaurant, animaux acceptés

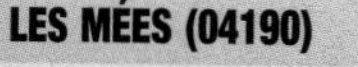

In the Alps of High-Provence, at the doors of the Gorges of the Verdon, 980 m of altitude, you will discover the Auberge de Teillon. In a rustic framework and a cordial environment, Yves and Patricia invite you to taste a creative cooking.

En los Alpes de Haute-Provence, a las puertas de las Gorges du Verdon, a 980 m de altitud, usted descubrirá el Auberge de Teillon. En un ambiente rústico y caluroso, Yves y Patricia le invitan a saborear una cocina creativa.

In den Alpen der Haute-Provence, an den Toren der Gorges du Verdon, in 980 m Höhe entdecken Sie die Auberge du Teillon. In rustikalem Stil und warmer Atmosphäre, laden Sie Yves und Patricia ein, ihre kreative Küche zu kosten.

LES MÉES (04190)

A 20 km de Manosque.

Table Gastronomique

LE VIEUX COLOMBIER

04 92 34 32 32 - snowak@wanadoo.fr

Dabisse - Sylvain NOWAK - Fax : 04 92 34 34 26 - Fermeture : 1ère quinzaine de janvier ; dimanche soir et mercredi.
Menus : 28/54 € . Menu enfant : 13 € - Classement : Table Gastronomique

Venez découvrir cette maison délicieuse avec ses cheminées et poutres anciennes, où l'été vous apprécierez la terrasse patio sous les marronniers centenaires. Sylvain NOWAK personnalise une cuisine de ce terroir provençal vigoureuse mais sans excès. Vous vous souviendrez des sourires et de la gentillesse de Marie qui vous recevra dans ce décor naturel entouré de pommiers, oliviers et pêchers. Spécialités : salade de filet de rouget aux truffes d'été, pigeonneau cuit en cocotte risotto aux champignons et gousses d'ail confites, grande assiette des douceurs, framboisier.
Terrasse, jardin, parking privé, accès handicapés, salle restaurant de caractère, animaux acceptés

Come to discover this delicious house with its chimneys and old beams, where in summer you will appreciate the terrace patio under the chestnut trees centenaries. Sylvain NOWAK personalizes a traditional cooking of Provence. You will remember the smiles and the kindness of Marie who will receives you in this natural decoration surrounded by apple trees, olive-trees and sins.

Venga a descubrir esta encantadora casa con sus chimeneas y vigas antiguas, usted apreciará en verano, la terraza patio bajo los castaños centenarios. Sylvain NOWAK personaliza una cocina provenzal vigorosa pero sin exceso. Usted recordará la recepción de Marie, con su sonrisa y amabilidad, en un ambiente natural, entre manzanos, olivos y melocotoneros.

Entdecken Sie dieses schöne Haus, wo Sie im Sommer die Terrasse unter den jahrhundertalten Kastanienbäumen genießen können. Sylvain NOWAK erteilt der territorialen Küche der Provence eine persönliche Note. Sie werden sich an das Lächeln und die Nettigkeit von Marie erinnern, die Sie in diesem natürlichen Umfeld, umgeben von Apfel-, Oliven- und Pfirsichbäumen begrüßen wird.

MOUSTIERS STE MARIE (04360)

A 48 km de Manosque.

LA BASTIDE DE MOUSTIERS ★ ★ ★ ★

04 92 70 47 47 - contact@bastide-moustiers.com

Chemin de Quinson - Fax : 04 92 70 47 48 - Menus : 42/57 € . Petit déjeuner : 17 € .
11 chambres : 155/290 € . 1 suite : 270/310 € - Classement : Table de Prestige

PRA-LOUP (04400)

A 7 km de Barcelonnette.

LE PRIEURÉ ★ ★ ★

04 92 84 11 43 - info@prieure-praloup.com

Les Molanes - Régis PARADIS - Fax : 04 92 84 01 88 - www.prieure-praloup.com - Fermeture : 15/09-15/12 ; 15/04-02/06.
Menus : 20/45 € . Menu enfant : 8 € . Petit déjeuner : 7,50 € .
14 chambres : 55/85 € . Demi pension : 53/63 € . Etape VRP : 68 € Classement : Table de Terroir

Situé au calme avec vue panoramique, cet établissement vous propose un cadre agréable et une cuisine gourmande avec des spécialités montagnardes : pierrade, fondue, raclette, brochette.

Chambres avec bain ou douche+WC+TV : Toutes. Terrasse, jardin, piscine d'été, chaînes satellites, petit déjeuner buffet, salle restaurant de caractère, animaux acceptés

Located in calm with panoramic view, this establishment proposes you a pleasant setting and a greedy cooking with mountain specialities

En un lugar tranquilo con vista panorámica, este establecimiento le hará descubrir en un ambiente agradable, una cocina gastronómica con especialidades montañesas.

Dieses ruhig gelegene Haus mit Rundblick, bietet Ihnen einen angenehmen Rahmen und eine genießerische Küche mit Spezialitäten aus den Bergen.

SISTERON (04200)

A 130 km de Marseille.

GRAND HÔTEL DU COURS - RESTAURANT DU COURS ★ ★ ★

04 92 61 00 50 - hotelducours@wanadoo.fr

Place de l'Eglise - Françoise MICHEL - Fax : 04 92 61 41 73 - Fermeture : mi novembre-mi mars ; mardi soir jusqu'en juin (restaurant).
Menus : 13/25,50 € . Menu enfant : 8 € . Petit déjeuner : 8 € .
50 chambres : 46/80 € . Demi pension : 67/85 € . Etape VRP : 58/70 € . - Classement : Table de Terroir

Situé au coeur de la vieille ville, face à la citadelle, cet établissement vous accueille avec le sourire depuis 3 générations. Des chambres confortables seront à votre disposition et pour vos repas une carte variée avec des spécialités régionales et du poisson frais vous sera proposée.
Spécialités : salade de pieds paquets, fricassée d'agneau au basilic, poissons frais.
Chambres avec bain ou douche+WC+TV : Toutes.
Terrasse, garage fermé, parking privé, ascenseur, accès handicapés, chaînes satellites, canal+, climatisation, petit déjeuner buffet, salle restaurant de caractère, salle de séminaires, chèques vacances, animaux acceptés

Located at the heart of the old city, facing the citadel, this establishment accomodates you with smile since 3 generations. Comfortable rooms will be at your disposal and for your meals a chart varied with regional specialities and fresh fish will be proposed to you.

En el corazón de la ciudad antigua, frente a la ciudadela, este establecimiento le acoge con alegría desde hace 3 generaciones. Cómodas habitaciones estarán a su disposición y para sus comidas una carta variada con especialidades regionales y pescados frescos.

In der Altstadt, mit Blick auf die Zitadelle, empfängt man Sie seit 3 Generationen in diesem Haus mit einem Lächeln. Es erwarten Sie angenehme Zimmer, eine abwechslungsreiche Speisekarte mit regionalen Spezialitäten und frischer Fisch.

Charme & Authenticité

VALENSOLE (04210)
A 6 km de Manosque

HOSTELLERIE DE LA FUSTE ★ ★ ★ ★
04 92 72 05 95 - lafuste@aol.com

La Fuste D4 - Daniel JOURDAN - Fax : 04 92 72 92 93 - www.lafuste.com
Fermeture : 7/01-11/02 ; 12/11-3/12 ; dimanche soir et lundi (15/09-30/05). - Menus : 54/91 € . Menu enfant : 20 € .
12 chambres : 145/185 € . 2 appartements : 220/300 € - Classement : Table de Prestige

A l'ombre de platanes tricentenaires se cache une bâtisse d'une rare authenticité. Vous pourrez y apprécier le calme et savourer des mets délicats. La Provence de tous les plaisirs s'offre à vous ! Spécialités : agneau du pays, genêt glacé de Manosque, truffes et gibiers en saison.
Chambres avec bain ou douche+WC+TV : Toutes.
Terrasse, jardin, garage fermé, parking privé, piscine d'été, piscine d'hiver, accès handicapés, chaînes satellites, salle restaurant de caractère, salle de séminaires, animaux acceptés

Under the shade of tercentenary plane trees a masonry of a rare authenticity is hiding place. You will be able there to appreciate calms and to enjoy delicate meals. Provence of all the pleasures is
offered to you!

A la sombra de plátanos tricentenarios se esconde un caserón de una rara autenticidad. Usted podrá apreciar la tranquilidad y saborear delicados platos. La Provenza de todos los placeres se ofrece a usted !

Im Schatten von dreihundert jährigen Platanen versteckt sich ein selten authentisches Gebäude. Genießen Sie dort Ruhe und delikate Gerichte. Die Provence in ihrer ganzen Pracht liegt Ihnen zu Füßen!

La Reconnaissance Professionnelle

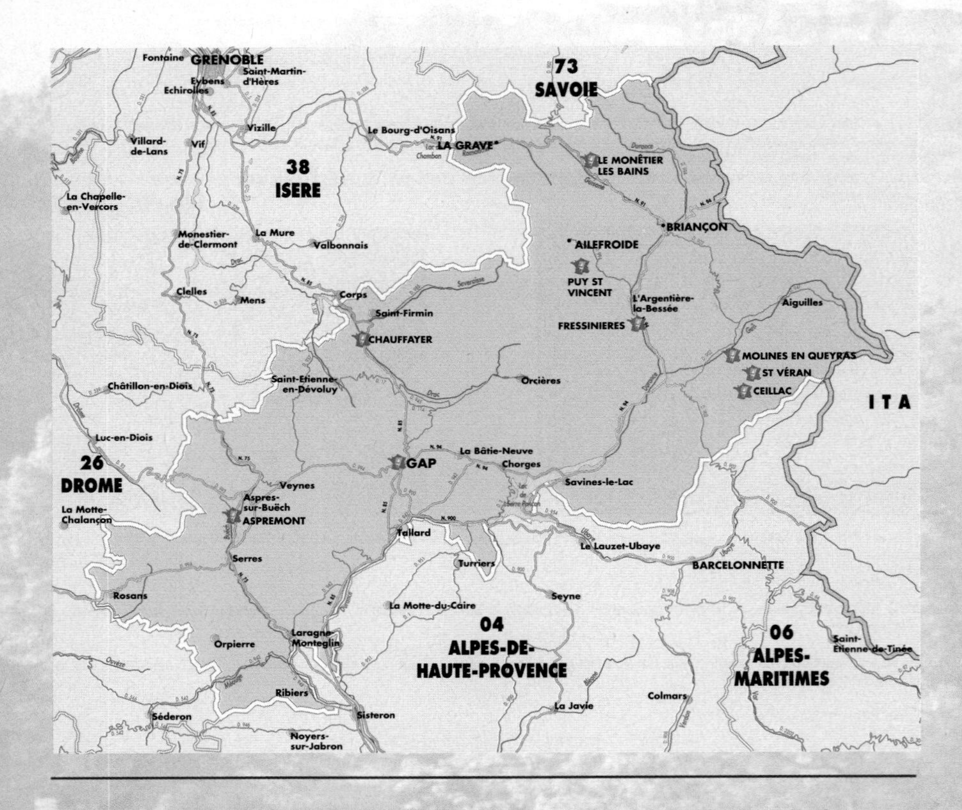

Sites Touristiques : Vallée de la Clarée, Briançon, Parc Naturel Régional du Queyras, Lac de Serre-Ponçon, Ailefroide et le Glacier Blanc, La Grave-La Meije (3 983 m), Gorges de la Méouge.

Saveurs de nos Terroirs : Tourtons du Champsaur, Fromages de Laye, Oreilles d'âne du Valgaudemar, Fruits de la Durance, Croquants du Queyras.
Vignobles Allemand (Gap-Val Durance), le Génépi, Bière La Tourmente, Bière Alphand, La Williamine (Pays du Buëch).

Animations : Muséoscope du Lac de Serre-Ponçon, Maison de la Nature dans le Queyras, Musée des Cadrans solaires, Mines d'argent de l'Argentière la Bessée, Ecomusée Le Cheminot Veynois.

COMITÉ DÉPARTEMENTAL DU TOURISME DES HAUTES-ALPES
8 Bis, Rue Capitaine de Bresson B.P. 46 - 05002 - GAP CEDEX 2 -Tél. : 04 92 53 62 00
www.hautes-alpes.net - cdt.tourisme@hautes-alpes.net

ASPREMONT (05140)

Entre Serres 9 km et Aspres s/Buëch 4 km.

L'HOSTELLERIE DU GRAND BUËCH ★ ★

04 92 58 61 05

Route Nationale 75 - Charles POUPARD - Fax : 04 92 58 78 81 - Fermeture : Dernière semaine de novembre. - Menus : 14,50/48 €. Menu enfant : 10 €. Petit déjeuner : 7 €. 13 chambres : 40/60 €. Demi pension : 55/70 €. Etape VRP : 48 €. Classement : Auberge du Pays

Situé en bordure de la route nationale 75, cet établissement vous propose des chambres agréables et calmes donnant sur la rivière et le jardin et vous fera partager une cuisine de terroir soignée.
Spécialités : salade gourmande au foie gras, escalope de saumon à l'oseille, tournedos aux girolles, côtelettes d'agneau aux herbes ou sauce poivre vert.
Chambres avec bain ou douche+WC+TV : Toutes.
Terrasse, jardin, parking privé, accès handicapés, TPS, salle restaurant de caractère, salle de séminaires, chèques vacances, animaux acceptés

Situated on the edge on the national 75, this establishment offers charming rooms opened on the garden and the river. It will share you a cooking of the soil.

Ubicado al borde de la ruta nacional 75, este establecimiento le propone agradables y tranquilas habitaciones que dan al río y al jardín. Usted podrá descubrir una esmerada cocina regional.

Am Rand der Nationalstraße 75, bietet Ihnen dieses Haus angenehme und ruhige Zimmer, die auf den Fluss und den Garten gehen. Genießen Sie eine gepflegte ländliche Küche.

CEILLAC (05600)

A 12 km de Guillestre

HÔTEL-RESTAURANT LES VEYRES ★ ★

04 92 45 01 91

Les Veyres L'Ochette - Michel FAVIER - Fax : 04 92 45 41 16 - Fermeture : 1/10-19/12 ; 12/04-30/05. Menus : 13,57/18,29 €. Menu enfant : 7,32 €. Petit déjeuner : 6,10 €. 27 chambres : 37,35/59,76 €. Demi pension : 38,42/57,93 € - Classement : Auberge du Pays

Dans un cadre chaleureux et convivial, Michel FAVIER et son équipe se feront un plaisir de vous recevoir et de vous faire partager les spécialités de la maison.

Spécialités : fondues, raclette, tartiflette, charcuterie de pays.

Terrasse, jardin, parking privé, accès handicapés restaurant, salle restaurant de caractère, salle de séminaires, chèques vacances, animaux acceptés à l'hôtel

In a warm and convivial setting, Michel FAVIER and his team will be glad to welcome you and to make you savour the housemade specialities.

En un ambiente caluroso y sociable, Michel FAVIER y su equipo tendrán el placer de recibirle y hacerle compartir las especialidades de la Casa.

In einem angenehmen und gastlichen Rahmen, freuen sich Michel Favier und seine Mitarbeiter, mit Ihnen die Spezialitäten des Hauses zu teilen.

CHAUFFAYER (05800

A 28 km de Gap et 70 km de Grenoble.

HÔTEL CHÂTEAU DES HERBEYS ★ ★ ★

04 92 55 26 83 - DELAS-hotel-restaurant@wanadoo.fr

Route Napoléon - Fax : 04 92 55 29 66 - 10 chambres : 61/115 €. Petit déjeuner : 10 € - Classement : Table de Terroir

FREISSINIERES (05310)

A 26 km de Briançon.

LE RELAIS DES VAUDOIS ★ ★

04 92 20 93 01 - chantal@relais-vaudois.com

Les Ribes - Chantal MOUTIER - Fax : 04 92 20 92 30 - www.relais-vaudois.com - Fermeture : 1/10-15/12 ; 15/04-13/06. Petit déjeuner : 7,20 €. 12 chambres. Demi pension : 48 €. Pension complète : 56 € - Classement : Auberge du Pays

Aux portes du Parc National des Ecrins, à 1200 mètres d'altitude, venez découvrir cette auberge de montagne. Sous le charme de sa salle voûtée, vous dégusterez de savoureuses recettes.

Spécialités : jailles, draguette, saucisse aux choux.

Jardin, salle restaurant de caractère, chèques vacances, animaux acceptés

At the gates of the Parc National des Ecrins, at a height of 1200 m, come to discover this mountain inn. In its charming voulted room, you will enjoy many specialities.

En las puertas del Parc National des Ecrins, a 1200 m de altitud, venga a descubrir esta mesón de montaña. En su encantadora sala abovedada usted podrá descubrir sus exquisitas recetas.

Entdecken Sie diese Bergherberge am Nationalpark des Ecrins, in 1200m Höhe. Kosten Sie die Spezialitäten im Charme eines gewölbten Esszimmers.

GAP (05000)

Table Gastronomique

LA FERME BLANCHE ★ ★ ★

04 92 51 03 41 - la.ferme.blanche@wanadoo.fr

3 Chemin de l'Oratoire - Fax : 04 92 51 35 39 - Menus : 22/68 €. Menu enfant : 9 €. Petit déjeuner : 8 €. 23 chambres : 45/80 € - Classement : Table Gastronomique

LE MONETIER LES BAINS (05220)

A 20 km de Briançon.

Table de Terroir

LE CASTEL PÈLERIN ★ ★

04 92 24 42 09 - info@castel-pelerin.com

Le Lauzet - Bernard GARAMBOIS - Fax : 04 92 24 40 34 - www.castel-pelerin.com - Fermeture : 1/04-30/06 ; 1/09-15/01. Demi pension : 54 €. Le restaurant ne fonctionne que pour les pensionnaires Classement : Table de Terroir

Située au pied du Parc des Ecrins, dans un petit hameau non isolé, cette ancienne maison de maître entièrement rénovée vous accueillera chaleureusement. Vous apprécierez sa salle de restaurant voutée où vous pourrez profiter d'une belle cheminée.

Spécialités : poissons du lac, boeuf demi sel maison, meringue chantilly maison, sorbets et glaces maison.

Parking privé, salle restaurant de caractère, animaux acceptés

Situated at the foot of the Parc des Ecrins, in a small hamlet, this old house of Master entirely renovated will welcome you cordially. You will appreciate its vaulted dining room where you will be able to enjoy the beautiful chimney.

Al pie del Parc des Ecrins, en una pequeña aldea, no isolada, esta antigua casa señorial completamente renovada le acogerá calurosamente. Usted podrá apreciar el comedor abovedado y la bella chimenea.

Am Fuße des Parc des Ecrins, in einem nicht isolierten Weiler, heisst man Sie in dem komplett renovierten Herrenhaus herzlich willkommen. Sie werden den gewölbten Speisesaal mit schönem Kamin schätzen.

MOLINES EN QUEYRAS (05350)

Au Sud-Est de Briançon (70 km).

Table de Terroir

LE COGNAREL ★ ★

04 92 45 81 03 - cognarel@imaginet.fr

Le Coin de Molines Route d'Italie - Jean-Claude CATALA - Fax : 04 92 45 81 17 - www.cognarel.com - Fermeture : 22/04-30/05 ; 20/09-18/12, lundi (restaurant) - Menu : 21 € uniquement le soir sur réservation. Menu enfant : 8,40 €. Petit déjeuner : 7 €. 25 chambres : 41/86 €. Demi pension : 52/61 €. Etape VRP : 45/52 € - Classement : Table de Terroir

Au coeur du Parc naturel régional du Queyras, à 2000 m d'altitude, à mi-chemin entre la Provence et le Dauphiné, vous savourerez des spécialités alliant la générosité de la cuisine traditionnelle à la légèreté de la cuisine nouvelle.

Spécialités : magret de canard au miel du Queyras, fumeton des Alpes mariné à l'italienne, salade aux quichets provençaux, escalope de foie gras frais.

Terrasse, jardin, parking privé, accès handicapés restaurant, petit déjeuner buffet, salle restaurant de caractère, salle de séminaires, chèques vacances, animaux acceptés

In the heart of the regional Natural reserve of Queyras, to 2000 m of altitude, halfway between Provence and Dauphiné, you will enjoy specialities combining the generosity of the traditional cooking to the lightness of the new cooking.

En el corazón del Parque Natural del Queyras, a 2000 m de altitud, a medio camino entre la Provenza y el Dauphiné, usted podrá saborear las especialidades de la Casa, que une la copiosa cocina tradicional a una cocina moderna, más liviana.

Im Naturpark von Queyras, zwischen der Provence und dem Dauphiné, kosten Sie die Spezialitäten, die die Ergiebigkeit der traditionellen mit einer neuen leichten Küche verbindet.

PUY ST VINCENT (05290)

A 20 km de Briançon.

Table de Terroir

L'AIGLIÈRE ★ ★

✆ 04 92 23 30 59 - infos@hotel-aigliere.com

Jean-François et Sophie ENGILBERGE - Fax : 04 92 23 48 75 - www.hotel-aigliere.com - Fermeture : 15/04-15/06 ; 15/09-15/12.
Menus : 12/21 € . Menu enfant : 9 € . Petit déjeuner : 6,10 € .
34 chambres : 48/57 € . Demi pension : 45/50 € . Etape VRP : 45 € - Classement : Table de Terroir

Au coeur du Massif des Ecrins, l'Aiglière vous propose dans un décor chaleureux de montagne une ambiance agréable et une cuisine soignée. Sauna, jeux d'enfants, salle de jeux sont à votre disposition. Navettes gratuites de l'hôtel aux pistes.
Spécialités : faux filet aux morilles, truites aux amandes, gratin dauphinois.

Chambres avec bain ou douche+WC+TV : Toutes.
Terrasse, jardin, parking privé, piscine d'été, accès handicapés restaurant, petit déjeuner buffet, salle restaurant de caractère, salle de séminaires, chèques vacances, animaux acceptés

In the heart of the Massif des Ecrins, l'Aiglière is offering in a warm setting in mountainous country with is pleasant ambiance and carefully done cooking. Free shuttles of the hotel to the tracks

En el corazón del Massif des Ecrins, L'Aiglière le propone un caluroso y agradable ambiente de montaña y una esmerada cocina. Sauna, juegos para niños, sala de juegos a vuestra disposición. Transporte gratuito del hotel a las pistas.

Im Herzen des Massif des Ecrins bietet Ihnen L'Aiglière, im warmen Dekor der Berge, ein angenehmes Ambiente und eine gepflegte Küche. Sauna, Gesellschaftsspiele und ein Spielzimmer stehen Ihnen zu Verfügung.

ST VÉRAN (05350)

A 30 km de Guillestre et 60 km de Briançon.

Table de Terroir

HÔTEL CHÂTEAU RENARD ★ ★

✆ 04 92 45 85 43 - info@hotel.chateaurenard.com

Au dessus de l'Eglise - M. Arnaud TONDER - Fax : 04 92 45 84 20 - www.hotel.chateaurenard.com
Fermeture : 4/11-20/12 ; mi avril-début juin. - Menus : 18/30 € . Menu enfant : 8 € . Petit déjeuner : 7 € .
20 chambres : 72/88 € . Demi pension : 52/66 € - Classement : Table de Terroir

Au coeur du Parc Naturel du Queyras, à 2080 m d'altitude, le plus haut chalet-hôtel de la plus haute commune d'europe, situé au pied des pistes de ski alpin, et au départ de nombreuses randonnées vous propose calme et repos. Dans une ambiance chaleureuse et familiale, vous apprécierez la terrasse panoramique, le coin cheminée mais également une cuisine au goût du terroir, traditionnelle et créative, généreuse et soignée.
Spécialités : tourtons, gratin de ravioles, rösti, carré d'agneau du pays aux aulx confits, saucisse aux choux, soupe d'ortie, soufflé glacé au génépi.
Chambres avec bain ou douche+WC+TV : Toutes.
Terrasse, parking privé, accès handicapés restaurant, chaînes satellites,salle restaurant de caractère, chèques vacances, animaux acceptés à l'hôtel

In the heart of the Natural reserve of Queyras, 2080 m height, the most higher country cottage-hotel of the most higher town of Europa, situated at the foot of the alpine ski pistes, and to the departure of many hikes, proposes to you calms and rest.

En el corazón del Parc Naturel du Queyras, a 2080 m de altitud, el chalet-hotel más alto del municipio más alto de Europa, ubicado al pie de las pistas de esquí alpino y del punto de partida de numerosas excursiones le propone tranquilidad y relajamiento.

Im Herzen des Naturparks von Queyras, in 2080 m Höhe, bietet Ihnen dieses höchste Chalet-Hotel in der höchst gelegenen europäischen Gemeinde, in einem der schönsten französischen Dörfer, am Fuß der Skpisten und Ausgangspunkt zahlreicher Wanderungen, Ruhe und Entspannung.

ST VÉRAN (05350)

A 60 km de Briançon.

Auberge du Pays

HÔTEL-RESTAURANT COSTE BELLE

✆ 04 92 45 82 17

Anne et Alain MORARD - Fax : 04 92 45 88 15 - Ouvert toute l'année. - Menus : 15/17 € . Menu enfant : 7 € .
Petit déjeuner : 8 € . 7 chambres. Demi pension : 38/45 € . Etape VRP : 45 €
Classement : Auberge du Pays

Au coeur du village de Saint Véran, à proximité du départ des pistes de fond et du GR 58, à 300 mètres des remontées mécaniques, cette petite auberge vous réservera le meilleur accueil et vous proposera une cuisine familiale, celle que vous n'avez plus le temps de faire.

Spécialités : canard aux myrtilles feuilleté de chèvre chaud, ragout d'agneau de pays, gratin dauphinois.

Terrasse, chèques vacances, animaux acceptés

In the heart of the village of Véran Saint, near the departure of runs and GR. 58, with 300 meters of the ski lifts, this small inn will reserve you the best greeting and will propose to you a family kitchen, that which you do not have any more time to make

En el corazón del pueblo de Saint Véran, cerca del comienzo de las pistas de esquí de fondo y del GR 58, a 300 m de los remontes, este pequeño hostal le brindará una excelente acogida y le propondrá una cocina familiar, la que usted no tiene tiempo para hacerla.

Im Herzen des Dorfs Saint Véran, in der Nähe der Langlaufpisten und des GR 58, 300 m von den Skiliften entfernt, werden Sie in diesem kleinen Gasthaus herzlich mit einer familiären Küche empfangen. Genießen Sie dort Speisen, die Sie selbst aus Zeitmangel nicht mehr machen.

Sites Touristiques : Riviera Française, Côte d'Azur, des consonances magiques pour une destination mythique : Monte-Carlo, Cannes, Nice, Antibes, Juan les Pins... mais aussi un contraste avec la montagne : les Alpes d'Azur.

Saveurs de nos Terroirs : Ratatouille, farcis niçois, pissaladière, anchoïade, socca, soupe au pistou, bagna cauda, beignets de fleurs de courge, tian de courgettes, aïoli.
Vignoble de Bellet (A.O.C.), liqueur Lerina, huile d'olive (A.O.C. Olive de Nice).

Animations :

Février : Carnaval de Nice, Fête du Citron à Menton, Fête du Mimosa à Mandelieu.
Mai : Festival International du Film à Cannes.
Juillet : festivals de musique Jazz à Nice ou Juan-les-Pins.

COMITÉ RÉGIONAL DU TOURISME RIVIERA CÔTE D'AZUR
55 Promenade des Anglais B.P. 1602 - 06011 - NICE CEDEX 1 -Tél. : 04 93 37 78 78 - Fax : 04 93 86 01 06
www.guideriviera.com - info@guideriviera.com

ANTIBES (06600)

A 25 km de Nice.

Table de Prestige

RESTAURANT LES VIEUX MURS

04 93 34 06 73 - lesvieuxmurs@wanadoo.fr

25 Promenade Amiral de Grasse - Philippe BENSIMON - Fax : 04 93 34 81 08 - www.lesvieuxmurs.com
Fermeture : 2 semaines en novembre ; mardi et mercredi midi hors saison. - Menus : 25/70 € . Menu enfant : 20 €
Classement : Table de Prestige

Situé sur les remparts du vieil Antibes, cet établissement offre une vue formidable sur la méditerranée et vous propose une cuisine gouteuse à base de produits de la région préparés avec passion.
Spécialités : homard, gibier en hiver,

Terrasse, parking privé, accès handicapés restaurant, climatisation, salle restaurant de caractère, salle de séminaires, animaux acceptés au restaurant

Located on the ramparts of old Antibes, this establishment offers an exceptionnal sight on the Mediterranean and a tasty cooking made from regional products and prepared with care.

Ubicado en las murallas del antiguo Antibes, este establecimiento le propone una vista formidable del mediterráneo y le invite a descubrir una cocina sabrosa, hecha con productos de la región, preparados con pasión.

Bei den alten Stadtmauern von Antibes, bietet dieses Haus einen großartigen Blick aufs Mittelmeer und bietet Ihnen eine geschmackvolle Küche aus regionalen Produkten, mit Leidenschaft zubereitet.

ANTIBES (06600)

Table Gastronomique

RESTAURANT LE ROMANTIC

04 93 34 59 39 - contact@le-romantic.fr

5 Rue du Docteur Rostan - Jean-Luc et Brigitte BOCQUET - Fax : 04 93 34 59 39 - www.le-romantic.fr
Ouvert uniquement le soir du lundi au samedi (15/06-31/08) ; fermé dimanche, lundi midi (1/09-15/06).
Menus : 25/37 € . Menu enfant : 12,50 € - Classement : Table Gastronomique

Dans un cadre chaleureux et une ambiance sympathique, Jean-Luc et Brigitte vous réserveront un service attentionné et vous feront partager une cuisine de qualité au gré des saisons.

Climatisation, salle restaurant de caractère, animaux acceptés

In a warm setting and a pleasant ambiance, Jean Luc and Brigitte will give you the best welcome and make you savour a cooking of quality following the seasons.

En un ambiente cálido y simpático, Jean-Luc y Brigitte le brindarán un atento servicio y le harán compartir una cocina de calidad, segun las estaciones.

Ein angenehmer Rahmen in symphatischer Atmosphäre erwartet Sie bei Jean-Luc und Brigitte, die Sie bestens in ihrem Restaurant mit einer hervorragenden Küche, je nach Saison, bewirten.

ANTIBES (06600)

A 15 km de Nice et de Cannes

Table Gastronomique

RESTAURANT LE SUCRIER

04 93 34 85 40 - marc_estrada@hotmail.com

6 Rue des Bains - Marc ESTRADA de TOURMIEL - Fax : 04 93 34 85 40/04 93 60 07 11 - www.lesucrier.com
Fermeture : 12/11-20/11 ; mardi. - Menus : 25/58 € . Menu enfant : 10 €
Classement : Table Gastronomique

Au sein de la vieille ville d'Antibes, dans un cadre agréable, avec pierres et poutres apparentes, toute l'équipe se fera un plaisir de vous recevoir et de vous faire partager une cuisine gastronomique soignée.

Terrasse, climatisation, salle restaurant de caractère, salle de séminaires, animaux acceptés

Within the old town of Antibes, within a pleasant framework, with stones and visible beams, all the team will be made a pleasure of receiving you and of making you share a neat gastronomical cooking.

En el seno de una antigua ciudad de Antibes, en un ambiente agradable, con piedras y vigas a la vista, todo el equipo tendrá el placer de recibirle y de hacerle compartir una esmerada cocina gastronómica.

Mitten in der Altstadt von Antibes, in angenehmer Umgebung mit Steinen und sichtbaren Balken, freut sich das ganze Team, Sie mit der gastronomischen, gepflegten Küche zu bewirten.

BIOT (06410)

A 7 km de Juan les Pins.

GALERIE DES ARCADES

04 93 65 01 04

16 Place des Arcades - Jean-Marc BROTHIER - Fax : 04 93 65 01 05 - Fermeture : 15/11-15/12 ; dimanche soir et lundi (restaurant).
Menus : 26/30 € . Petit déjeuner : 7 € . 12 chambres : 50/90 €
Classement : Table de Terroir

Venez découvrir l'ambiance chaleureuse de cet établissement de caractère. Une cuisine de terroir avec des produits régionaux vous sera proposée.
Spécialités : filet de hareng mariné à l'huile d'olive, soupe au pistou, bourride, sardines farcies, osso bucco, ris de veau à l'ancienne, nougat glacé coulis de framboise, tarte au citron, tiramisu.

Chambres avec bain ou douche+WC+TV : Toutes.
Terrasse, salle restaurant de caractère

Come to discover the warm welcome of this establishment of character. A traditional cooking with regional products will be proposed to you.

Venga a descubrir el ambiente caluroso de este original establecimiento. Usted descubrirá una cocina con productos regionales.

Entdecken Sie die gemütliche Atmosphäre von diesem charaktervollen Haus. Es erwartet Sie eine ländliche Küche aus regionalen Erzeugnissen.

CAGNES SUR MER (06800)

LA BOURRIDE

04 93 31 07 75

Port Cros de Cagnes - Hervé KOBZI - Fax : 04 93 31 89 11 - Fermeture : Vacances scolaires de février ; mardi soir et mercredi.
Menus : 32/69 € . Menu enfant : 15 €
Classement : Table Gastronomique

Situé sur le port du Cros de Cagnes avec vue sur la Baie d'Antibes, La Bourride vous accueille chaleureusement pour vous faire partager une cuisine régionale de qualité. En salle, sur la terrasse fleurie ou dans le patio vous pourrez apprécier de nombreuses spécialités : salade de homard breton, foie gras maison, poissons du pays grillés, bourride en bouillon crémeux, bouillabaisse, langoustes du vivier.

Terrasse, jardin, accès handicapés, climatisation, salle restaurant de caractère

Located on the port of Cros of Cagnes with sight on Bay of Antibes, La Bourride accomodates you cordially to make you share a regional cooking of quality. In room, on the flowered terrace or in the patioyou will be able to appreciate many specialities

Ubicado en el puerto del Cros de Cagnes con vista a la Baie d'Antibes, La Bourride le acoge calurosamente para hacerle compartir una cocina regional de calidad. En la sala, con la terraza florida o en el patio, usted podrá saborear numerosas especialidades.

Charme & Authenticité

CAP D'ANTIBES (06160)

A 20 km de Cannes.

RESTAURANT DE BACON

04 93 61 50 02 - restaurantdebacon@libertysurf.fr

Boulevard de Bacon - Famille SORDELLO - Fax : 04 93 61 65 19 - www.restaurantdebacon.com
Fermeture : Lundi, mardi midi (1/11-31/01). - Menus : 45/75 €.
Classement : Table de Prestige

Le Restaurant de Bacon, en face des remparts du Vieil Antibes, est l'un des meilleurs restaurants de poissons de Marseille à l'Italie où vous pourrez déguster entre autre délices de la mer, une bouillabaisse inoubliable. La Famille SORDELLO vous y réserve un accueil exceptionnel de gentillesse et d'efficacité. Il est indispensable de réserver. Spécialités : soupe de poissons Rouille, bouillabaisse, langoustes, cigales de mer, poissons du pays. Terrasse, jardin, parking privé, climatisation

The Restaurant de Bacon, opposite the ramparts of Old Antibes, is one of better fish restaurants of Marseilles where you will be able to taste delights of the sea amongst other things, an unforgettable bouillabaisse. Family SORDELLO reserves there an exceptional reception of kindness and efficacity to you. It is essential to book.

El Restaurant de Bacon, frente a las murallas del Viejo Antibes, es uno de los mejores restaurantes en pescados de Marseille a Italia, aquí usted podrá saborear entre otras delicias del mar, la famosa sopa de pescado bouillabaisse. La Familia SORDELLO le brindará una acogida amable y eficaz. Reservación indispensable.

Das Restaurant de Bacon, gegenüber der Stadtmauern des alten Antibes, ist eines der besten Fischrestaurants von Marseille bis nach Italien. Dort können Sie unter anderen Meeresdelikatessen eine unvergessliche Bouillabaise (Fischsuppe) genießen. Es empfängt Sie die Familie Sordello mit großer Freundlichkeit und Aufmerksamkeit. Unbedingt vorher reservieren.

CAP D'ANTIBES (06160)

A 2,5 km d'Antibes.

HÔTEL BEAU SITE ★ ★ ★

04 93 61 53 43 - hbeausit@club-internet.fr

141 Boulevard Kennedy - Jean-Louis CLARION - Fax : 04 93 67 78 16 - www.hotelbeausite.net
Fermeture : 25/10-15/02. - 30 chambres : 60/122 €. Petit déjeuner buffet : 11 €

Dans le cadre prestigieux et paradisiaque du Cap d'Antibes, situé à 600 m des plages, l'Hôtel Beau-Site vous accueille dans un lieu agréable avec ses 30 chambres et vue sur la mer, la montagne ou le jardin, sa piscine, son parking privé... A proximité vous pourrez profiter d'activités diverses telles que tennis, golf ou plongée. Chambres avec bain ou douche+WC+TV : Toutes. Terrasse, jardin, garage fermé, parking privé, piscine d'été, accès handicapés, chaînes satellites, climatisation, petit déjeuner buffet, salle de séminaires, animaux acceptés

In the prestigious and delightful surroundings of the Cap d'Antibes, situated about 600m from the beaches, the Hotel Beau-Site welcomes you in a pleasant and cosy place, with its 30 air-conditionned rooms and their views of sea, mountain or garden, the swimming-pool,private parking... Near every leisure: tennis, golf, sea-sports

En el ambiente prestigioso y paradisiaco del Cap d'Antibes, situado a 600 m de las playas, el Hotel Beau-Site le acoge en un lugar agradable con sus 30 habitaciones, vista al mar, la montaña o al jardín, piscina, aparcamiento privado de coches... En las cercanías, usted podrá practicar tenis, golf o submarinismo.

In grandioser und paradiesischer Lage des Cap d'Antibes, 600 m vom Strand entfernt, empfängt Sie das Hôtel Beau-Site an diesem angenehmen Ort mit Schwimmbad, privatem Parkplatz und 30 klimatisierten Zimmern mit Sicht aufs Meer, auf die Berge oder auf den Garten. Ganz in der Nähe können Sie verschiedene Freizeitaktivitäten nutzen.

EZE VILLAGE (06360)

A 10 km de Nice et de Monaco.

Table de Terroir

L'HERMITAGE DU COL D'EZE ★ ★

04 93 41 00 68

1951 Grande Corniche - Gaspard BÉRARDI - Fax : 04 93 41 24 05 - www.ezehermitage - Fermeture : 1/12-30/01 (hôtel) ; 15/10-11/02 ; ouvert uniquement en demi-pension tous les soirs. - Menus : 15,24/28,97 € . Menu enfant : 9,91 € . Petit déjeuner : 4,57 € 14 chambres : 33/58 € . Demi pension : 40/50 € . Etape VRP : 58 € - Classement : Table du Terroir

Situé sur la grande corniche, à l'entrée du parc départemental, cet établissement provençal avec parc et piscine privés vous offre une vue panoramique sur la mer et les Alpes du Sud. Pour rendre votre halte agréable, vous avez également la possibilité de prendre vos repas sur place (réservé uniquement aux résidants de l'hôtel).
Chambres avec bain ou douche+WC+TV : Toutes.
Terrasse, jardin, parking privé, piscine d'été, accès handicapés restaurant, chaînes satellites, salle restaurant de caractère, chèques vacances, animaux acceptés à l'hôtel

Located on the big ledge, at the gates of the departemental park, this provencial establishment with private park and swimming-pool is offering a panoramic view on the sea and on the Alps of the south. To make your stay pleasant, you have the possibility to take your meals on place (only reserved to residents of the hotel)

Ubicado en la gran cornisa, a la entrada del parque departamental, este establecimiento provenzal con parque y piscina privados le ofrece una vista panorámica al mar y a los Alpes del Sur. Para una parada agradable, usted puede también comer (reservado únicamente a los residentes del hotel).

Auf einer Steilküste, am Rand des Regionalparks, bietet Ihnen dieses provenzalische Haus mit Park und Privatschwimmbad einen Rundblick auf Meer und südliche Alpen. Hotelgäste haben die Möglichkeit an Ort und Stelle zu speisen.

GRASSE (06130)

Table de Prestige

LA BASTIDE SAINT ANTOINE ★ ★ ★ ★

04 93 70 94 94 - info@jacques-chibois.com

48 Avenue Henri-Dunant - Fax : 04 93 70 94 95 - Menus : 53/170 € . Menu enfant : 27 € . Petit déjeuner : 23 € . 11 chambres : 182/459 € - Classement : Table de Prestige

GRASSE (06130)

Table Gastronomique

MOULIN DES PAROIRS

04 93 40 10 40

7 Avenue Jean XXIII - L.H. FRANCE et P. IVERSEN - Fax : 04 93 36 76 00 Fermeture : Novembre ; dimanche et lundi. - Menus : 25/56 € - Classement : Table Gastronomique

C'est dans cet ancien moulin à huile de 1736, entièrement rénové dans les régles de l'art, avec pierres et poutres d'époque, meubles anciens que L.H. FRANCE, P. IVERSEN et leur équipe vous recevront. Dans un cadre authentique et chaleureux, vous apprécierez une cuisine gastronomique préparée avec le plus grand soin.
Spécialités : salade de homards à l'essence de truffe, gambas flambés au pastis, foie gras maison, menu tout truffe en saison.
Terrasse, parking privé, accès handicapés, salle restaurant de caractère, animaux acceptés

It is in this old mill of oil of 1736, entirely renovated with stones and beams of time, ancient pieces of furniture, that L.H. FRANCE, P. IVERSEN and their team will receive you. In an authentic and cordial setting, you will appreciate a gastronomic kitchen prepared with the greatest care.

Es en este antiguo molino de aceite de 1736 , totalmente renavado según las reglas del arte, con piedras y vigas de la época, con muebles antiguos que L.H. FRANCE, P.IVERSEN y su equipo le recibirán. En un auténtico y caluroso ambiente, usted apreciará una cocina gastronómica preparada con esmero.

L.H. FRANCE, P. IVERSEN und ihr Team begrüßen Sie in einer alten artgerecht renovierten Ölmühle aus dem Jahr 1736. Kosten Sie die sorgfältig zubereitete, gastronomische Küche in warmherzigem Rahmen.

JUAN LES PINS (06160)

Table de Terroir

HÔTEL AMBASSADEUR ★ ★ ★ ★

04 92 93 74 10 - manager@hotel-ambassadeur.com

50 Chemin des Sables - Eric POPIEUL - Fax : 04 93 67 79 85 - www.hotel-ambassadeur.com - Ouvert toute l'année. Menus : 27 € . Menu enfant : 12 € . Petit déjeuner : 17 € . 225 chambres : 126/1280 € - Classement : Table de Terroir

Situé au coeur de Juan les Pins, l'Hôtel l'Ambassadeur baigne dans un cadre idyllique de verdure, de palmiers et de bleu azur. Il vous propose des chambres aux couleurs provençales, une plage privée, un service traiteur et trois restaurants : la brasserie Le Gauguin (Chef : René Kerdranvat) qui vous fera découvrir ses spécialités à la broche, le grill Les Palmiers, l'espace Cézanne (banquets et réceptions) et le piano-bar Le Lautrec.
Terrasse, jardin, parking privé, piscine d'été, piscine d'hiver, ascenseur, accès handicapés, chaînes satellites, canal+, climatisation, salle de séminaires, chèques vacances, animaux acceptés

Located at the heart of Juan the Pines, the Hôtel l'Ambassadeur bathes in a framework idyllic of greenery, palm trees and of blue azure. It proposes rooms with the colors of Provence, a private beach, a caterer and three restaurants to you.

En el corazón de Juan les Pins, el Hôtel l'Ambassadeur está sumergido en un ambiente idílico de follaje, palmeras y de un azul celeste. Usted encontrará habitaciones con colores provenzales, una playa privada, un servicio de comidas por encargo y tres restaurantes.

Im Herzen von Juan les Pins, befindet sich das Hotel l'Ambassadeur in einem idyllischen, grünen Rahmen von Palmen und Azurblau. Es erwarten Sie Zimmer mit provenzalischen Farben, ein Privatstrand, Partyservice und drei Restaurants.

LA BRIGUE (06430)

A 55 km de Menton (N204), 80 km de Nice

Auberge du Pays

AUBERGE SAINT MARTIN ★

04 93 04 62 17 - auberge.st-martin@wanadoo.fr

Place Saint Martin - Sylvaine & Christian LEROY - Fax : 04 93 04 89 66
Fermeture : 12/11-1/03 ; lundi soir et mardi en été sauf réservation. - Menus : 15/22 € . Menu enfant : 7 € . Petit déjeuner : 5 € .
7 chambres : 25/45 € . Demi pension : 32/39 € . Etape VRP : 34/42 € - Classement : Auberge du Pays

Vous serez surpris par le côté charmant et paisible de ce village riche de son passé où vous aurez beaucoup de plaisir à séjourner. Cette très vieille bâtisse (3 étages sont voûtés), vous offrira des chambres confortables et calmes avec vue sur la montagne, une cuisine soignée avec des spécialités régionales traditionnelles et vous accueillera chaleureusement.

Spécialités : tourtes, cannellonis de truite, omelette aux cèpes, gibier en saison, pâtisseries maison.

Terrasse, chaînes satellites, canal+, salle restaurant de caractère, chèques vacances, animaux acceptés

Youl will be surprised by the charming and quiet side of this village rich of its past where you will enjoy to stay. This ancient residence (3 floors with arcades), will offer quiet and comfortable rooms as well as a carefully done cooking from the region and will warmly welcome you.

Usted quedará sorprendido por el aspecto encantador y tranquilo de este pueblo con su magnífico pasado donde con mucho gusto se quedará. Esta antiquísima morada (3 pisos abovedados) le propondrá cómodas y tranquilas habitaciones, una esmerada cocina con especialidades regionales-tradicionales y una acogida calurosa.

Lassen Sie sich überraschen von dem bezaubernden und friedlichen Dorf, reich an historischer Vergangenheit, wo Sie sich sich mit viel Freude aufhalten werden. Dieser sehr alte Bau (3 Etagen sind gewölbt), bietet Ihnen komfortable und ruhige Zimmer, eine gepflegte Küche mit regionalen, traditionellen Spezialitäten und einen herzlichen Empfang.

LANTOSQUE (06450)

A 45 km de Nice.

Table de Terroir

HOSTELLERIE DE L'ANCIENNE GENDARMERIE ★ ★ ★

04 93 03 00 65

Le Rivet - Claude et Mireille FAIVRE - Fax : 04 93 03 06 31 - Fermeture : Fin octobre-mi mars ; lundi.
Menus à partir de 20 € . Menu enfant : 10 € . Petit déjeuner : 10 € .
8 chambres : 74/110 € . Demi pension : 71/91 € - Classement : Table de Terroir

Charme, raffinement, calme et détente sont les atouts de cette ancienne gendarmerie de montagne située dans l'arrière pays niçois au pied du Parc National du Mercantour et de la Vallée des Merveilles. Des chambres tout confort, entièrement rénovées dans le style provençal, vous seront proposées. Cuisine provençale et produits du terroir seront à l'honneur.

Chambres avec bain ou douche+WC+TV : Toutes.
Terrasse, jardin, parking privé, piscine d'été, salle restaurant de caractère, chèques vacances, animaux acceptés

Charm, refinement, calms and relaxation are the advantages of this old police station of mountain located in the country of Nice at the foot of the National park of Mercantour and the Valley of the Merveilles. Rooms any comfort, entirely renovated in the style of Provence, will be proposed to you.

Encanto, refinamiento, calma, esparcimiento son las cualidades de esta antigua gendarmería de montaña ubicada en las tierras profundas de Nice, al pie del Parque Nacional del Mercantour y del Valle des Merveilles. Confortables habitaciones renovadas al estilo provenzal. La cocina provenzal y los productos regionales honoran la mesa.

Luxus, Feinheit, Ruhe und Entspannung sind die Trümpfe dieser ehmealigen Berggendarmerie im Hinterland von Nizza am Fuße des Nationalparks Mercantour und des Tals des Merveilles. Es erwarten Sie hochkomfortable, komplett renovierte Zimmer im provenzalischen Stil und eine typische Küche aus ländlichen Produkten.

LE TIGNET (06530)

A 6 km de Grasse direction Lac de St Cassien.

Table Gastronomique

AUBERGE CHANTEGRILL

04 93 66 12 33 - restaurant.chantegrill@wanadoo.fr

Route de Draguignan - Jean-Pierre ROSTAIN - Fax : 04 93 66 02 31
Fermeture : 1/11-30/11 ; lundi hors saison. - Menus : 19/40 € . Menu enfant : 12 €
Classement : Table Gastronomique

Cette auberge de campagne de type provençal est située à quelques kilomètres du lac de Saint Cassien et à 5 mn de Grasse. Jean-Pierre ROSTAIN et toute l'équipe vous réservent le meilleur accueil et vous proposent leur cuisine gastronomique et traditionnelle à base des meilleurs produits. Spécialités : salade de cailles à la mousseline de Paris aux senteurs de noix ; noix de saint jacques au magret fumé raidies au grill, petite poêlée de cèpes bouchons ; foie gras de canard maison ; caillettes d'agneau poêlées, fricassée de sous-bois et asperges, jus au naturel ; gibier en saison.
Terrasse, jardin, parking privé, accès handicapés restaurant, climatisation, salle restaurant de caractère, salle de séminaires, animaux acceptés au restaurant

This country inn of the type of Provence is located at a few kilometers of the lake of Saint Cassien and at 5 mn of Grasse. Jean-Pierre Rostain and his team give you the best welcome and offer you their gastronomic and traditional cooking made with the best products.

Esta mesón de campo tipo provenzal está situada a algunos kilómetros del lago de Saint Cassien y a 5 min. de Grasse. Jean-Pierre ROSTAIN y todo su equipo le brindarán una agradable acogida y le harán descubrir su cocina gastronómica y tradicional, hecha con productos de gran calidad.

Dieses provenzalische Landgasthaus liegt einige Kilometer vom See St Cassien und 5 Min von Grasse. J.-P. ROSTAIN und sein Team empfangenSie herzlich und bewirten Sie mit Ihrer gastronomischen und traditionellen Küche aus besten Erzeugnissen.

MENTON (06500)

Face à l'ancien Palais des Princes.

A BRAIJADE MÉRIDIOUNALE

04 93 35 65 65

66 Rue Longue - Dominique THOMASSET - Fax : 04 93 35 65 65
Fermeture : 2ème quinzaine de novembre, 1ère semaine de décembre, 8 jours en janvier ; mardi et mercredi.
Menus : 25/45 €. Menu enfant : 12 € - Classement : Table de Terroir

Au coeur de la vieille ville, dans un cadre chaleureux et rustique, le chef vous propose de découvrir une cuisine résolument tournée vers le sud avec ses spécialités méridionales et provençales : grand aïoli de la mer, bagna caouda, brochettes, tarte au citron meringuée.

Climatisation, salle restaurant de caractère, salle de séminaires, animaux acceptés

In the heart of the old city, in a cordial and rustic framework, the Chief proposes you to discover a cooking turned towards the south with its regional specialities.

En el corazón de la ciudad antigua, en un ambiente caluroso y rústico, el jefe le propone descubrir una cocina que viaja sin ninguna duda hacia el sur con sus especialidades meridionales y provenzales.

Mitten in der Altstadt, in einem warmen, rustikalen Rahmen, bietet Ihnen der Küchenchef eine Küche des "Südens" mit Spezialitäten aus dem Mittelmeer und der Provence.

NICE (06300)

L'ANE ROUGE

04 93 89 49 63 - anerouge@free.fr

7 Quai des Deux Emmanuel - Fax : 04 93 89 49 63 - Menus : 35/65 €. Menu enfant : 18 € - Classement : Table de Prestige

NICE (06300)

L'UNIVERS

04 93 62 32 22 - plumailunivers@aol.com

54 Boulevard Jean Jaurès - Fax : 04 93 62 55 69 - Menus : 18/65 € - Classement : Table de Prestige

NICE (06007)

RESTAURANT CHANTECLER- HÔTEL NEGRESCO ★ ★ ★ ★

04 93 16 64 00 - direction@hotel-negresco.com

37, Promenade des Anglais - Guy BELLET - Fax : 04 93 88 35 68 - Fermeture : 15/11-15/12 (restaurant).
Menus : 45/90 €. Petit déjeuner : 28/34 € - Chef : Michel DEL BURGO - Classement : Table de Prestige
141 chambres : 225/510 €. Autre restaurant : La Rotonde

Dans le cadre d'une salle à manger somptueusement décorée en style Régence, caractérisé par de magnifiques boiseries réalisées en 1751, vous dégusterez une cuisine d'exception. Parmi les spécialités : gelée tiède de coquillages, percebes, bulbe de fenouil et son sorbet ; morue de bilbao et bolognaise de piperade ; mousseline d'agneau en tartelette sablée.

Chambres avec bain ou douche+WC+TV : Toutes.
Animaux acceptés

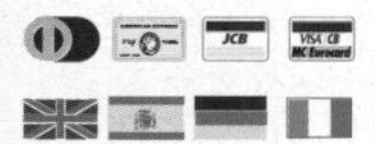

In the framework of a dining room sumptuously decorated in Régence style, characterized by splendid woodworks carried out in 1751, you will taste a kitchen of exception.

En el ambiente de un comedor suntuosamente decorado al estilo Regencia, caracterizado por magníficos revestimientos de madera realizados en 1751, usted podrá saborear una cocina original.

Kosten Sie eine außerordentliche Küche in dem prunkvoll dekorierten Speisesaal im Regentschaftstil, mit wundervollen Holztäfelungen, die im Jahr 1751 hergestellt wurden.

NICE (0600)

L'INDYANA

04 93 80 67 69

11, rue Gustave Deloye - Fax : 04 93 51 78 20 - Carte : 55 € environ
Classement : Table Gastronomique

NICE (06300)

Table Gastronomique

LE DON CAMILLO

04 93 85 67 95 - vianostephane@wanadoo.fr

5 Rue des Ponchettes - Stéphane VIANO - Fax : 04 93 13 97 43
Fermeture : Dimanche et lundi midi.
Menus : 19/56 € - Classement : Table Gastronomique

Amoureux de la cuisine niçoise, le chef Stéphane VIANO vous accueille avec convivialité dans une ambiance feutrée et un décor chaleureux. Sa cuisine ensoleillée et raffinée séduira tous les amateurs de saveurs à la fois authentiques et recherchées.

Spécialités : borsotti de Mémé Emma, millefeuilles aux fraises.

Climatisation, salle restaurant de caractère, salle de séminaires, animaux acceptés

In love with the Nice's cooking, the chief Stephan VIANO accomodates you with user-friendliness in a felted environment and a cordial decoration. Its sunny and refined kitchen will allure all the amateurs of savours at the same time authentic and sought.

Amorosos de la cocina nizarda, el jefe Stéphane VIANO le acoge amistosamente en un ambiente delicado y con una cálida decoración . Su cocina soleada y refinada encantará a todos los amantes de sabores, a la vez auténticos y solicitados.

In die Küche aus Nizza verliebt, empfängt Sie der Chefkoch Stéphane Viano mit Gastlichkeit in einem gedämpften Ambiente mit warmem Dekor. Seine sonnige und erlesene Küche verführen die Liebhaber von echten und ausgesuchten Geschmäckern.

NICE (06000)

Table Gastronomique

LES VIVIERS

04 93 16 00 48

22 Rue Alphonse Karr - Marilène et Renaud GEILLE - Fax : 04 93 16 04 06 - www.les-viviers-nice.com
Fermeture : Août. - Menus : 29/70 €
Classement : Table Gastronomique

Dans un cadre élégant, venez découvrir une ambience authentique et un accueil connu de tous les niçois. Une cuisine gastronomique et raffinée satisfaiera vos envies gourmandes. Une sélection rigoureuse des meilleurs produits du terroir font de cette maison une adresse incontournable.

Spécialités : foie gras fait maison, viandes fermières, poissons frais de pêche artisanale, crustacés.

Terrasse, accès handicapés , climatisation, salle restaurant de caractère, salle de séminaires

In an elegant framework, come to discover an authentic ambience and a known reception of all the Nice people. A gastronomic and refined cooking will satisfy your greedy desires. A rigorous selection of
best products of soil make this house an address impossible to circumvent.

En un lugar elegante, venga a descubrir un ambiente auténtico y una acogida conocida por todos los habitantes de Niza. Una cocina gastronómica y delicada colmará su apetito. Una selección rigurosa de los mejores productos regionales convierten esta casa en una dirección ineludible.

Alle Leute von Nizza kennen die elegante, authentische Atmosphäre und den exzellenten Empfang des Viviers. Die gastronomische, feine Küche stellt so manchen Feinschmecker zufrieden. Streng ausgesuchte, beste lokale Erzeugnisse machen aus diesem Haus eine unumgängliche Adresse.

NICE (06100)

Table de Terroir

AUBERGE DE THÉO

04 93 81 26 19

52 Avenue Cap de Croix - Christophe et Mattéo MANSI - Fax : 04 93 81 51 73 - www.auberge-de-theo.com
Fermeture : 20/08-10/09 ; lundi ; dimanche soir hors saison.
Menus : 19/29,50 € - Classement : Table de Terroir

Théo Mansi, son épouse Evelyne et leur fils Christophe, ont fait de leur restaurant une véritable institution de la cuisine italienne à la pointe d'accent nissart. Dans un décor rustique et chaleureux aux murs recouverts d'objets médiévaux, vous pourrez apprécier une cuisine traditionnelle qui n'exclue pas la fantaisie à laquelle le campagnard Théo laisse libre cours (viandes et poissons grillés, beignets de fleurs de courgettes, les succulentes pâtes aux cèpes, la tagliata alla fiorentina). Cuisine de consensus ultra copieuse, carte des vins avec des vins de Provence, une belle sélection italienne ainsi qu'une carte de millésimés de 1er choix sont les plus de cette maison de charme.
Terrasse, accès handicapés, climatisation, salle restaurant de caractère, salle de séminaires, animaux acceptés

institution of Italian cooking. In rustic and warm decorate you will enjoy a traditional cooking which doesn't exclude fantasy. Copious cooking, wine card with Provencal and Italian wines and a card of first choice vintage are the plus of this charming house.

Théo Mansi, su esposa Evelyne y su hijo Christophe, han hecho de su restaurante una verdadera institución de la cocina italiana, con un toque local. Una cocina ultra copiosa, una carta de vinos con vinos de Provenza, una excelente selección italiana y una carta con el año de la cosecha de primera calidad, aumentan el encanto de esta casa.

Théo Mansi und Familie haben ihr Restaurant zu einer echten Einrichtung von italienischer Küche werden lassen, wo Empfang genauso in den Vordergrund gestellt wird wie qualitative Kochkunst. Reichhaltige Küche, Weinkarte mit provenzalischen und italienischen Weinen sowie Weine erstklassigen Jahrgangs, die diesem charmanten Haus eine besondere Note geben.

NICE (06300)

Table de Terroir

LA ZUCCA MAGICA

04 93 56 25 27 - rossbol@club-internet.fr

4 Bis Quai Papacino - Rossella BOLMIDA - Fax : 04 93 26 59 76 - www.lazuccamagica.com
Fermeture : Dimanche et lundi. - Menus : 17/27 € . Menu enfant : gratuit.
Classement : Table de Terroir

... Un petit endroit magique peuplé d'une infinité de courges, coloquintes, citrouilles aux couleurs chaudes et aux formes variées, simple et généreux comme sa cuisine.
Spécialités : polenta de cendrillon, focaccia au pesto d'herbes sauvages, pasticcio de chicorée rouge aux pommes et gorgonzola, glace à la citrouille et amaretto.

Terrasse, accès handicapés restaurant, climatisation, animaux acceptés au restaurant

... A small magic place populated of an infinity of marrows, coloquintes, pumpkins with the hot colors and the varied forms, simple and generous like its cooking.

...Un pequeño lugar mágico poblado de una infinidad de calabazas, coloquíntidas con cálidos colores y formas variadas, simples y generosas como su cocina.

...Ein kleiner magischer Ort voll von Kürbissen aus allen Farben und Formen, einfach und großzügig wie ihre Küche.

PEILLON VILLAGE (06440)

A 19 km au Sud-Est de Nice. N 2204- D 21 et D 121.

Table Gastronomique

AUBERGE DE LA MADONE ★ ★ ★

04 93 79 91 17 - cmillo@club-internet.fr

3 Place A. Arnulf - Famille MILLO - Fax : 04 93 79 99 36 - Fermeture : 7/01-31/01, 20/10-20/12 ; mercredi.
Menus : 45/60 € . Menu enfant : 18 € . Petit déjeuner : 15 € .
17 chambres : 95/183 € - Classement : Table Gastronomique

Un site unique en pleine campagne niçoise à 20 minutes de Nice où le vrai existe encore. Au pied de ce délicieux village perché, l'Auberge de la Madone commande l'entrée, depuis 3 générations. Christian MILLO avec sa soeur Marie-Josée et son fils Thomas sont les gardiens du bien recevoir et de la gastronomie du terroir. Spécialités : petite daurade grillée au fenouil et confit d'agrumes du mentonnais, carré d'agneau haricots coco tapenade et amandes, tourte de blettes et herbes fines, pétales de foie gras au jus de truffes. Annexe : Auberge du Pourtail : chambres de 38 € à 67 € .
Chambres avec bain ou douche+WC+TV : Toutes.
Terrasse, jardin, parking privé, tennis, chaînes satellites, canal+, salle restaurant de caractère, salle de séminaires, animaux acceptés au restaurant

VISA CB MC Eurocard

An exceptional setting in countryside at 20 minutes of Nice where truth still exists. At the foot of this delicious perched village, l'Auberge de la Madone commands the entrance since 3 generations. Christian MILLO with his sister Marie-Josée and his son Thomas are the guards of well receiving and of traditional gastronomy. Auberge du Pourtail : rooms from 38 to 67 euros.

Un lugar único en pleno campo nizardo a 20 mn de Nice, donde lo auténtico aún existe. A los pies de este encantador pueblo que reposa sobre una cresta, el Auberge de la Madone dirige la entrada desde hace 3 generaciones. Christian MILLO con su hermana Marie-Josée y su hijo Thomas son los guardianes de la recepción y de la gastronomía regional. Anexo : Auberge du Pourtail : habitaciones de 38 € à 67 € .

Ein einzigartiger Ort mitten auf dem Land, 20 Minuten von Nizza entfernt. Am Fuße des schönen, exponierten Dorfes, dominiert die Herberge de la Madone seit 3 Generationen den Ortseingang. Christian MILLO, seine Schwester und sein Sohn sind Garant für guten Empfang und traditionelle Gastronomie. Nebenbetrieb: Auberge du Pourtail, Zimmer von 38 bis 67 Euro.

REVEST LES ROCHES (06830)

A 45 km de Nice.

Table de Terroir

LA VIEILLE MARMITE

04 92 08 90 86

20 Place Saint Laurent - Alain et Marie-Luce CARTIER - Fax : 04 92 08 90 86
Fermeture : 1/10-15/10 ; 1/02-15/02 ; mercredi.
Menus : 15/28 € - Classement : Table de Terroir

Situé au coeur d'un village authentique, cet établissement vous propose de faire une halte dans un cadre agréable et rustique, au coin du feu, l'hiver, ou sur la terrasse, en été.
Spécialités : ravioles de chèvre, émincé de saint jacques au vinaigre de truffes, daube niçoise aux cèpes.

Terrasse, salle restaurant de caractère, chèques vacances, animaux acceptés

Situated in the heart of an authentic town, this establishment offers you to make a stage in a refined and rusitc setting, near the fireplace in winter as well as on the shaded terrace in summer.

En el corazón de un auténtico pueblo, este establecimiento le propone detenerse en un ambiente agradable y rústico, al amor de la lumbre, en invierno, o en la terraza durante el verano.

Mitten in einem authentischen Dorf, bietet Ihnen dieses Haus eine Rast in einem angenehmen, rustikalen Rahmen, im Winter um den Kamin, oder im Sommer auf der Terrasse.

ROQUEBRUNE CAP MARTIN (06190)

A 4 km de Monaco.

Table Gastronomique

VISTA PALACE HÔTEL - RESTAURANT LE VISTAERO ★ ★ ★ ★

04 92 10 40 00 - info@vistapalace.com

Grande Corniche - Fax : 04 93 35 18 94 - Menus : 60/95 €. Petit déjeuner : 25 €.
68 chambres : 155/1165 € - Classement : Table Gastronomique

ROQUEFORT LES PINS (06330)

A 25 km de Nice.

Table Gastronomique

AUBERGE DU COLOMBIER ★ ★ ★

04 92 60 33 00 - info@auberge-du-colombier.com

Route Départementale N°2085 - Fax : 04 93 77 07 03 - Menus : 27/49 €. Menu enfant : 14 €. Petit déjeuner : 8 €.
20 chambres : 77/122 € - Classement : Table Gastronomique

SOSPEL (06380)

A 20 km de Menton.

Table de Terroir

AUBERGE PROVENÇALE ★ ★

04 93 04 00 31 - aubpro@aol.com

Route du Col de Castillon - Jean-Pierre GIANNINI - Fax : 04 93 04 24 54 - Fermeture : 15/11-15/12 ; jeudi.
Menus : 20/38 €.Menu enfant : 10 €. Petit déjeuner : 6,50/9 €.12 chambres : 65/90 €. Demi pension : 57/70 €. Etape VRP : 75 €
Classement : Table de Terroir

Entre mer et montagne, venez découvrir ce havre de paix dans un cadre de verdure. Une cuisine familiale d'inspiration provençale sera tout spécialement préparée pour vous.
Spécialités : gratin de lasagnes aux aubergines, gigot d'agneau rôti aux herbes, noix de boeuf sauce échalote.

Chambres avec bain ou douche+WC+TV : Toutes.
Terrasse, parking privé, sauna, TPS, chaînes satellites, salle restaurant de caractère, animaux acceptés

Between sea and mountain, come to discover a heaven of peace in a greenery setting. A familial cooking inspired from Provence will be made especially for you.

Entre mar y montaña,en un marco de follaje, venga a descubrir este remanso de paz . Una cocina familiar con inspiración provenzal será preparada especialmente para usted.

Zwischen Meer und Bergen, entdecken Sie diesen Zufluchtsort im Grünen. Eine familiäre Küche von der Provence inspiriert, wird speziell für Sie zubereitet.

ST DALMAS DE TENDE (06430)

A 50 km de Menton et 4 km de Tende.

Auberge du Pays

HÔTEL LE PRIEURÉ ★ ★

04 93 04 75 70 - contact@leprieure.org

Avenue Jean Médecin - Jean-Luc SÉGUIN - Fax : 04 93 04 71 58 - www.leprieure.org - Fermeture : Entre Noël et 1er janvier.
Menus : 15/22 €. Menu enfant : 9 €. Petit déjeuner : 6 € + formule du passant 10 €.
24 chambres : 54/64 €. Demi pension : 86/115 € pour 2 pers. - Classement : Auberge du Pays

Venez découvrir cet hôtel situé dans la vallée de la Roya. Ses chambres personnalisées (meubles anciens du haut pays) vous séduiront. Vous dégusterez des spécialités régionales et locales en terrasse ou dans la salle de restaurant donnant sur le patio.
Spécialités : carré d'agneau rôti aux herbes fraîches et ail confit en chemise, daube de sanglier, polente, millefeuille de socca aux rougets et tapenade, panisse frit maison et sa sauce pistou et pignons, fondant chaud au chocolat.
Chambres avec bain ou douche+WC+TV : Toutes.
Terrasse, jardin, parking privé, ascenseur, accès handicapés, canal+, salle de séminaires, chèques vacances, animaux acceptés

Come to discover this hotel located in the La Roya's Valley. Its rooms (with ancient furnitures) will charm you. You will be able to savour regional specialities on a terrace or in a dinning-room with view on a patio.

Venga a descubrir este hotel ubicado en el valle de la Roya. Sus habitaciones personalizadas (muebles antiguos) le encantarán.Usted podrá saborear las especialidades regionales y locales en la terraza o en el comedor que da al patio.

Entdecken Sie dieses Hotel im Roya Tal. Die personalisierten Zimmer (antike Möbel des Hochlands) werden Sie verführen. Sie kosten die regionalen und lokalen Spezialitäten auf der Terrasse und im Speisesaal, der auf Innenhof geht.

ST JEAN CAP FERRAT (06230)

A 15 km de Nice et Monaco.

Table de Prestige

GRAND-HÔTEL DU CAP-FERRAT ★ ★ ★ ★

04 93 76 50 50 - marketin@grand-hotel-cap-ferrat.com

71 Bd du Général de Gaulle - Michel A. GALOPIN. Chef : M. Jean-Claude GUILLON - Fax : 04 93 76 04 52 - www.grand-hotel-cap-ferrat.com
Fermeture : 5/10/03-1/05/04 ; 1/10/04-1/05/05. - Menu : 73 €. Carte spéciale enfant.
53 chambres : 355/2550 € - Classement : Table de Prestige

Le privilège d'une vue irréelle sur la Méditerranée, la douce fraîcheur d'une pinède où cigales et plantes provençales ont trouvé refuge. Le restaurant gastronomique Le Cap, une véritable tradition d'un pays où la cuisine inventive du chef reste sous l'influence des saveurs et des parfums de Provence. Ce palace entouré par la beauté d'une nature luxuriante surplombe la mer comme la proue d'un navire. Spécialités : trois petites salades de homard, scampis et langoustines.
Chambres avec bain ou douche+WC+TV : Toutes.
Terrasse, jardin, garage fermé, parking privé, piscine d'été, tennis, ascenseur, accès handicapés, chaînes satellites, canal+, climatisation, salle restaurant de caractère, salle de séminaires

Breathtaking views of the Mediterranean or a view over perfumed pinewoods, shrubs and local flowers found in the area. The gourmet restaurant Le Cap, in great gastronomic traditions, features dishes of extraordinary flavours. The Belle-Epoque-style palace surrounded by the beauty of its natural environment, is elevated like the bow of a ship on the sea.

El privilegio de una vista irreal del Mediterráneo, el frescor de un pinar donde las cigarras y plantas provenzales han encontrado refugio. El restaurante gastronómico Le Cap, la legítima tradición de un país donde la cocina inventiva del jefe queda bajo la influencia de los sabores y perfumes de la Provenza. Este palacio con la belleza de una naturaleza luxuriante domina el mar, como la proa de un navío.

Atemberaubende Aussicht auf das Mittelmeer , die milde Frische von Kiefern oder Zikaden und provenzalischen Pflanzen. Das Feinschmeckerrestaurant Le Cap - eine echte Tradition eines Landes, wo die einfallsreiche Küche des Chefkochs unter dem Einfluß des provenzalischen Geschmacks und Dufts steht. Dieses Luxushotel , umgeben von der Schönheit der blühenden Natur, umragt das Meer wie der Bug eines Schiffes.

TOURRETTES SUR LOUP (06140)

A 6 km de Vence, 20 km de Nice.

Table Gastronomique

AUBERGE DE TOURRETTES

04 93 59 30 05 - info@aubergedetourrettes.fr

11 Route de Grasse - Christophe DUFAU - Fax : 04 93 59 28 66 - www.aubergedetourrettes.fr - Fermeture : 7/01-7/02 ; dernière semaine de novembre ; mardi et mercredi (restaurant). - Menus : 30/60 €. Menu enfant : 15 €. Petit déjeuner : 11 €.
7 chambres : 87/200 €. Demi pension : 185/205 € - Classement : Table Gastronomique

Dans un cadre entièrement rénové au style provençal, avec vue panoramique, l'Auberge de Tourrettes vous propose dans une ambiance décontractée des chambres confortables et un restaurant gastronomique.

Spécialités : truffes locales en saison, saint pierre confit à l'huile d'olive douce, agneau de lait au lait de chèvre.

Chambres avec bain ou douche+WC+TV : Toutes.
Terrasse, jardin, parking privé, accès handicapés restaurant, chaînes satellites, salle restaurant de caractère, animaux acceptés

In a framework entirely renovated with the style of Provence, with panoramic sight, the Auberge de Tourrettes proposes to you in a relaxed environment comfortable rooms and a gourmet restaurant.

En un ambiente totalmente renovado al estilo provenzal con vista panorámica, el Auberge de Tourrettes le propone en una atmósfera relajada cómodas habitaciones y un restaurante gastronómico.

Komplett renoviert, im provenzalischen Stil mit Panoramablick, bietet man Ihnen in der Auberge de Tourrettes eine entspannte Atmosphäre mit komfortablen Zimmern und einem gastronomischen Restaurant.

TOURRETTES SUR LOUP (06140)

Au Nord-Ouest de Nice. A 13 km de Grasse

AUBERGE DES GORGES DU LOUP ★ ★

04 93 59 38 01

4 Le Pont du Loup - Madeleine & Jean-Pierre BLAVETTE - Fax : 04 93 59 39 71 - www.auberge-gorgesduloup.com
Fermeture : 1/11-30/11 ; dimanche soir et lundi. - Menus : 15,50/27 € . Menu enfant : 10 € . Petit déjeuner : 7 € .
11 chambres : 43/73 € . Demi pension : 50/53,50 € . Etape VRP : 55 € - Classement : Auberge du Pays

Entre mer et montagne, l'Auberge des Gorges du Loup vous propose dans un cadre rustique et verdoyant ses chambres tout confort, salles pour groupes, banquets, soirées à thèmes. Cuisine familiale raffinée. Service soigné.

Spécialités régionales. Vins : Côtes de Provence.

Chambres avec bain ou douche+WC+TV : Toutes. Terrasse, parking privé, chaînes satellites, salle restaurant de caractère, chèques vacances, animaux acceptés

Between the sea and mountains, the Auberge des Gorges du Loup, offers in a country style and lush surroundings well appointed rooms, private rooms for groups, weadings, banquets, seminars, family style cuisine as well as refined and local specialities, friendly service.

Entre mar y montaña, el Auberge des Gorges du Loup le propone en un ambiente rústico, sus cómodas habitaciones, salas para grupos, banquetes, debates. Delicada cocina familiar, esmerado servicio, especialidades regionales.

Im Grünen, zwischen Bergen und Meer, bietet Ihnen die Herberge des Gorges du Loup in rustikalem Rahmen komfortable Zimmer und große Räume für Gruppen, Bankette und besondere Anlässe. Raffinierte, familiäre Küche mit regionalen Spezialitäten und gepflegtem Service.

VALBONNE (06560)

A 8 km de Cannes.

Table Gastronomique

RESTAURANT LE BOIS DORÉ

04 93 12 26 25 - info@leboisdore.com

265 Route d'Antibes - M. et Mme Yvan VALLIER - Fax : 04 93 12 28 73 - www.leboisdore.com
Fermeture : Vacances scolaires de Toussaint et février ; mercredi. - Menus : 24/45 €
Classement : Table Gastronomique

Niché dans la jolie vallée du pays valbonnais, Le Bois Doré est la demeure des couleurs, des parfums, des bonheurs complices avec la superbe nature méditerranéenne. Une ambiance chaleureuse, un décor soigné, une cuisine raffinée, avec un élégant mélange de tradition, de Provence et d'invention feront votre bonheur.

Spécialités : foie gras fait maison, poissons de la méditerranée.

Terrasse, jardin, parking privé, accès handicapés salle restaurant de caractère, salle de séminaires, animaux acceptés

Nestled in the pretty valley of the country valbonnais, Le Bois Doré is the residence of the colors, the perfumes, accessory happinesses with superb Mediterranean nature. A cordial environment, a looked after decoration, a refined cooking, with an elegant mixture of tradition, Provence will make your happiness.

Escondido en el bonito valle del país de Valbonne, Le Bois Doré es la morada de colores, perfumes, dichas cómplices con la magnífica naturaleza mediterránea. Un ambiente caluroso, un esmerado decorado, una cocina refinada, con una elegante mezcla de tradición, de Provenza y de invención le harán pasar un agradable momento.

In dem schönen Tal des valbonnischen Lands eingebettet, ist Le Bois Doré Teil der wunderschönen mediterranen Natur, ein Haus der Farben, Düfte, und des Glücks. Erfreuen Sie sich an der warmen Atmosphäre in gepflegtem Dekor, der feinen Küche, einem Gemisch aus Tradition, Provence und Einfallsreichtum.

VALDEBLORE (06420)

A 60 km de Nice.

AUBERGE DES MURÈS ★ ★

04 93 23 24 60 - auberge.mures@wanadoo.fr

Saint Dalmas - Rose-Marie BARJOL - Fax : 04 93 23 24 67 - http://auberge-mure.ifrance.com - Fermeture : 1/11-20/11 ; mardi, mercredi.
Menus : 19/25 € . Menu enfant : 12,50 € . Petit déjeuner : 7 € .
8 chambres : 47/60,50 € . Demi pension : 48,50/62,50 € - Classement : Auberge du Pays

Au pied du Parc National du Mercantour, dans un cadre unique de verdure, venez apprécier le calme et la convivialité de cette petite auberge, point de départ de multiples randonnées.

Spécialités : fondue à base de fromage suisse, tartiflette, daube niçoise, petits farcis niçois.

Terrasse, jardin, parking privé, animaux acceptés

At the gates of the National park of Mercantour, in a single framework of greenery, come to appreciate calms and the user-friendliness of this small inn, starting point of multiple excursions.

Al pie del Parc National du Mercantour, con una magnífica vegetación, venga a apreciar la tanquilidad y la buena convivencia de esta pequeña posada, punto de partida de numerosas excursiones. Usted podrá descubrir su cocina.

Am Fuß des Nationalparks Mercantour, in einem einzigartigen grünen Rahmen, genießen Sie die Ruhe und Gastlichkeit dieser kleinen Gaststätte, Ausgangspunkt zahlreicher Wanderungen.

VILLEFRANCHE SUR MER (06230)

A 7 km de Nice.

Table de Prestige

L'OURSIN BLEU

04 93 01 90 12 - oursinbleu@club-internet.fr

11 Quai Courbet - Jérôme DELONCLE et Hervé LELU - Fax : 04 93 01 80 45
Fermeture : 6/01-10/02 ; mardi. - Menus : 32 € - Classement : Table de Prestige

Jérôme DELONCLE, notre Chef, vous propose une cuisine très soignée où toutes nos spécialités sont réalisées maison. Les surprises et l'audace qui ornent l'originalité de nos préparations sauront vous étonner. La qualité de l'accueil et de service font de l'Oursin Bleu, l'endroit idéal pour vos repas en tête à tête, entre amis ou professionnels. Spécialités : tartare de tourteaux frais, gambas à la vanille, soupions farcis en crépinette, millefeuille de foie gras aux 2 pommes, filet de saint pierre aux aromates. Terrasse, accès handicapés, salle restaurant de caractère, animaux acceptés

Jerome DELONCLE, our Chief, offers a very neat cooking where all our specialities are made house. The surprises and audacity which decorates the originality of our preparations will be able to astonish you. The quality of welcome and service make the Oursin Bleu, the ideal setting for your breakfast set for two,meals between friends or professionals.

Jérôme DELONCLE, nuestro Jefe, le propone una esmerada cocina en la cual todas las especialidades son caseras. Las sorpresas y la audacia que adornan nuestras originales preparaciones le sorprenderán. La calidad de la acogida y del servicio hacen de L'Oursin Bleu, el lugar ideal para sus almuerzos a solas, entre amigos o profesionales.

Unser Chef, Jerome DELONCLE, bietet Ihnen eine sorgfältige, hausgemachte Küche. Die Überraschungen und die Originalität werden Sie zum Staunen bringen. Qualitätsvoller Empfang und Service machen das Oursin Bleu zu einem idealen Ort für ein Essen zu zweit, mit Freunden oder Kollegen.

VILLEFRANCHE SUR MER (06230)

Entre Nice et Monaco (10 km).

Table Gastronomique

LA MÈRE GERMAINE

04 93 01 71 39 - restaurant@meregermaine.com

Quai Courbet - Rémy BLOUIN - Fax : 04 93 01 96 44 - www.meregermaine.com
Fermeture : 10/11-24/12. - Menus : 34 € .
Classement : Table Gastronomique

Situé au bord de l'eau dans la plus belle rade de France, ce bel établissement datant de 1938, tout en acajou et entouré de baies vitrées, jouit d'une réputation exceptionnelle.

Spécialités : poissons, crustacés, bouillabaisse, poissons marinés à la tahitienne, sole tante marie, tarte aux pommes flambée au Calvados, fondant au chocolat, tiramisu.

Terrasse, accès handicapés, salle restaurant de caractère, animaux acceptés

Located at the edge of water in the most beautiful roads of France, this beautiful establishment going back to 1938, all in mahogany tree and surrounded by picture windows, has exceptional reputation.

A orillas del agua, en la más bella rada de Francia, este bonito establecimiento que data de 1938, todo en caoba y rodeado de ventanales, goza de una reputación excepcional. Usted podrá descubrir sus especialidades.

Am Ufer einer der schönsten Reeden Frankreichs, genießt dieses Haus aus dem Jahr 1938, ganz aus Mahagoni und von Fensterwänden umgeben einen ausgezeichneten Ruf.

VILLEFRANCHE SUR MER (06230)

A 7 km de Nice.

LA FILLE DU PÊCHEUR

04 93 01 90 09 - contact@lafilledupecheur.com

13 Quai Courbet - Krystel ROUX - Fax : 04 93 01 90 21 - www. lafilledupecheur.com
Fermeture : Janvier ; mercredi. Fermé à midi en juillet/août. - Menus : 27 € . Menu enfant : 11 €
Classement : Auberge du Pays

Krystel ROUX, La Fille du Pêcheur, est une authentique fille et petite fille de pêcheur. Dans un élégant décor d'acajou, au toit ouvrant, imitant la proue d'un bateau, elle vous propose les produits de la pêche locale avec ses spécialités : plateau du pêcheur (assortiment de poissons grillés), bouillabaisse, poissons d'écaille en croûte de sel, poêlée de pomme glace cannelle.
Terrasse, accès handicapés restaurant, salle restaurant de caractère, animaux acceptés au restaurant

Krystel Roux, La Fille du Pêcheur, is an authentic girl and small girl of fisherman. In an elegant decoration of mahogany tree, with the sliding roof, imitating the prow of a boat, she offers the local fishery products to you with her specialities

Krystel ROUX, La Fille du Pêcheur, es una auténtica muchacha y nieta de pescador. En un elegante ambiente caoba, con techo corredizo, imitando la proa de un barco, ella le propone los productos de la pezca local con sus especialidades.

Krystel Roux, La Fille du Pêcheur, ist die echte Tochter und Enkelin des Fischers. In einem eleganten Dekor aus Mahagoni und einem zu öffnenden Dach, das das Schiffsdeck nachahmt, entdecken Sie die lokalen Spezialitäten vom Schiffsfang.

Principauté de Monaco

MONACO (98000)

LE LOUIS XV - ALAIN DUCASSE

00 377 92 16 29 76 - lelouisxv@alain-ducasse.com

Hôtel de Paris - Place du Casino - Fax : 00 377 92 16 69 21 - Menus : 150/180 € . Menus à la carte : ticket moyen 166 € hors boissons.
Classement : Table de Prestige

MONACO (98000)

HÔTEL MIRABEAU RESTAURANT LA COUPOLE ★ ★ ★ ★

00 377 92 16 65 65

1 Avenue Princesse Grace - Fermeture du 1/12/2003-30/04/2004 pour travaux - Fax : 00 377 93 50 84 85 - Menus : 33/77 € .
103 chambres et suites : 265/1440 €

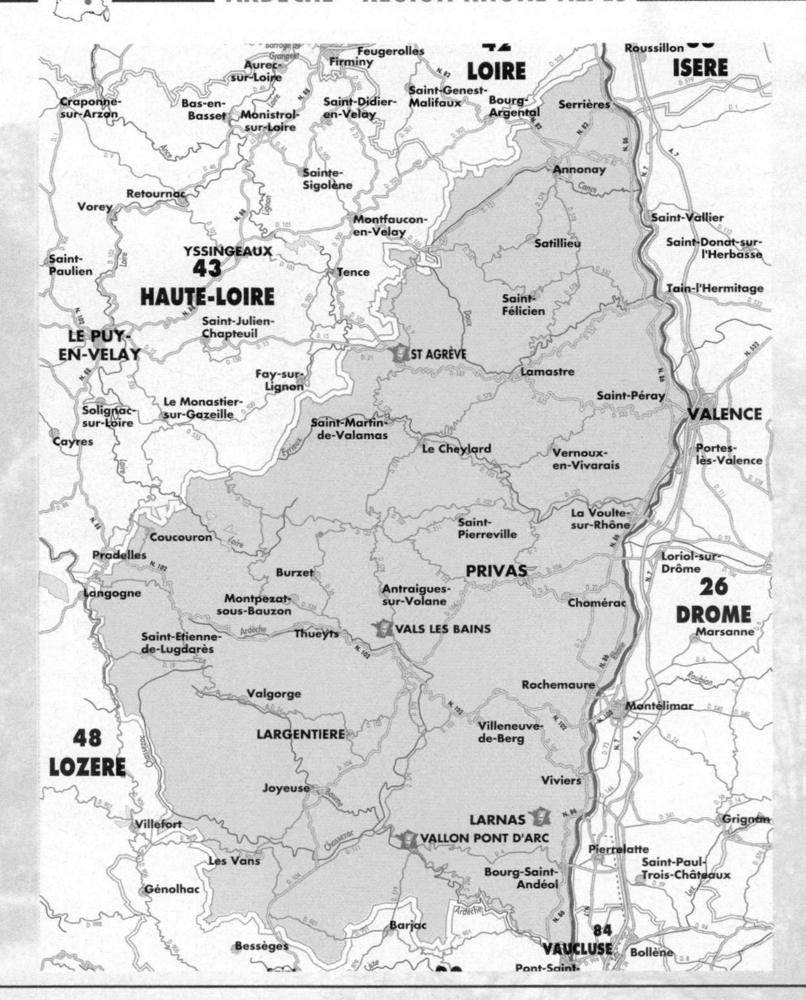

Sites Touristiques : Le Pont d'Arc, Gorges de l'Ardèche, Mont Gerbier de Jonc (source de la Loire), safari de Peaugres, Chemin de Fer du Vivarais, train à vapeur dans les gorges du Doux, grottes aménagées.

Saveurs de nos Terroirs : Marrons glacés et produits à base de châtaignes, charcuteries, fruits rouges.

Saint Joseph, Condrieu, Cornas, Saint Peray, Côtes du Rhône et Côtes du Vivarais.

Liqueur et bière à base de châtaigne et de myrtille.

Animations : Grand site d'Orgnac.

Juin : Fête de la Montgolfière à Annonay, L'Ardéchoise : épreuve cycliste internationale.Novembre : Marathon International des Gorges de l'Ardèche (canöé kayak).

COMITÉ DÉPARTEMENTAL DU TOURISME DE L'ARDECHE
4, Cours du Palais - 07000 - PRIVAS -Tél. : 04 75 64 04 66 - Fax : 04 75 64 23 93
www.ardeche-guide.com - cdt07@ardeche-guide.com

LARNAS (07220)

A 25 km de Montélimar et 30 km d'Orange.

Table de Terroir

RESTAURANT SAINTE BEAUME

04 75 04 22 82

Le Village - Denis EPARVIER - Serge PETIT - Fax : 04 75 04 32 55 - Fermeture : 27/12-8/02 ; 1ère semaine de septembre.
Menus : 16/48 € . Menu enfant : 9 € - Classement : Table de Terroir

A l'entrée des Gorges de l'Ardèche, dans un cadre verdoyant, cet établissement vous réserve un accueil charmant et un service soigné. Le Chef Serge PETIT, au fourneau vous mitonne avec malice des plats de terroir en fonction des saisons tandis que Denis EPARVIER Maître d'Hôtel vous accueillera dans une salle à manger conviviale aux couleurs douces, donnant sur les vignes et vous fera découvrir sa sélection de vins (Côtes du Vivarais et Côtes du Rhône).
Spécialités : foie gras de canard à la liqueur de châtaignes, poissons d'eau douce, filet de canard aux morilles, gibier en saison, pâtisseries maison.
Terrasse, jardin, parking privé, accès handicapés salle restaurant de caractère, chèques vacances, animaux acceptés

At the entry of the Gorges of Ardeche, within a green framework, this establishment holds a charming reception and a neat service for you. The Chief Serge Petit, prepares with mischievousness dishes of soil according to the seasons while Denis EPARVIER will accomodate you in a convivial dining room with the soft colors, giving on the vines, and will make you discover his wine selection.

A la entrada de las Gargantas del Ardèche, en un sitio frondoso, este establecimiento le brinda una encantadora acogida y un esmerado servicio. El Jefe Serge PETIT, en el horno le prepara cuidadosamente, con picardía platos regionales según la estación, mientras que Denis EPARVIER Jefe de Comedor le acogerá en un salón caluroso con colores delicados, que da a los viñedos y le hará descubrir su selección de vinos.

Am Anfang der Ardeche Schluchten, im Grünen, erwartet Sie in diesem Haus charmante Gastlichkeit und ein gepflegter Service. Der Chefkoch Serge Petit kocht für Sie mit Schalk lokale Gerichte je nach Saison, wobei Denis Eparvier, Maître d'Hôtel, Sie im Speisesaal in sanften Farben freundlich betreut. Genießen Sie mit Blick auf die Weinberge seine ausgesuchten Weine.

ST AGREVE (07320)

Table de Prestige

DOMAINE DE RILHAC ★ ★

04 75 30 20 20 - hotel_rilhac@yahoo.fr

Lieu dit Rilhac - Ludovic SINZ - Fax : 04 75 30 20 00 - Fermeture : 1/02-29/02 ; mardi soir, mercredi et jeudi midi.
Menus : 23/68 € . Menu enfant : 15 € - 6 chambres : 79/109 €
Classement : Table de Prestige

Juché sur une colline avec vue panoramique sur la Chaîne des Ducs, du Mont Gerbier de Jonc au Mont Mézenc, Le Domaine de Rilhac, ancienne ferme ardéchoise aux murs de granit, vous séduira par son cadre authentique, son charme lumineux et sa cuisine aux saveurs toujours réinventées.

Spécialités : salade de truite fario mariné et petits légumes, carpaccio de boeuf au vin de cornas, nougat glacé aux marrons confits.

Animaux acceptés

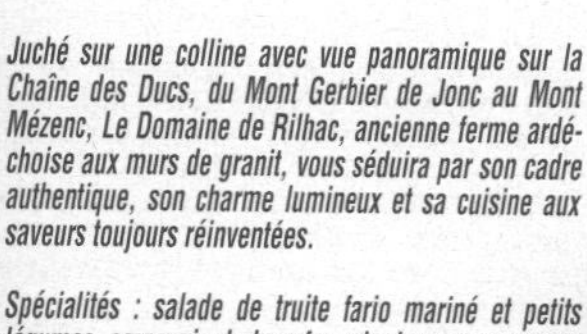

Perched on a hill with sight panoramic on the Chain of the Dukes, of the Mount Gerbier de Jonc with the Mount Mézenc, the Domaine de Rikhac old firm from Ardèche with the granite walls, will allure you by its authentic framework, its luminous charm and its kitchen with always reinvented savours.

Como colgada a una colina con vista panorámica a la Chaîne des Ducs, al Mont Gerbier de Jonc al Mont Mézenc, el Domaine de Rilhac, antigua granja ardoisiense con paredes de granito, le agradará por su ambiente auténtico, su encanto luminoso y su cocina con sabores que se renuevan constantemente.

Hoch oben auf einem Hügel mit Rundblick auf die Chaîne des Ducs, des Mont Gerbier und des Jonc au Mont Mézenc, bezaubert Sie Le Domaine de Rilhac, ehemaliger Bauernhof aus Granitmauern mit seinem authentischen Rahmen, dem Charme und der Küche, die sich immer wieder neu erfindet.

TOURNON SUR RHÔNE (07300)

A 18 km de Valence.

Table de Terroir

LE CHÂTEAU ★ ★ ★

04 75 08 60 22 - le-chateau@wanadoo.fr

12 Quai Marc Sequin - Christophe GRAS - Fax : 04 75 07 02 95 - www.hotel-le-chateau.com
Menus : 20/40 € . Menu enfant : 8,50 € . Petit déjeuner : 6,80 € .
14 chambres : 47/76 € . Demi pension : 55 € . Etape VRP : 54,50 € - Classement : Table de Terroir.

Située au bord du Rhône, face aux côteaux de l'Hermitage, cette maison familiale vous offre des chambres confortables et une cuisine gourmande riche en saveurs accompagnée de vins, choisis bien sûr en Vallée du Rhône.

Spécialités : caillette ardéchoise, quenelle de brochet, coq au vin.

Chambres avec bain ou douche+WC+TV : Toutes.
Terrasse, garage fermé, accès handicapés restaurant, TPS, chaînes satellites, salle de séminaires, chèques vacances, animaux acceptés

Situated on the edge of the Rhône, facing the coasts of Hermitage, this family house offers comfortable rooms and a greedy cooking with wines of the Valley of Rhône.

A orillas del Rhône, frente a las laderas del Hermitage, esta casa familiar le propone cómodas habitaciones y una cocina gastrónoma rica en sabores acompañada de vinos, elegidos por supuesto del Valle del Rhône.

Am Rhone Ufer, mit Blick auf die Hügel der Hermitage, bietet Ihnen dieses familiäre Haus komfortable Zimmer und eine geschmackvolle Schlemmerküche von Weinen begleitet, die natürlich vom Rhone Tal stammen.

VALLON PONT D'ARC (07150)

A 30 km d'Aubenas.

Table de Terroir

LE MANOIR DU RAVEYRON

04 75 88 03 59 - le.manoir.du.raveyron@wanadoo.fr

Rue Henri Barbusse - Dierckx ILSE & Zoppelletto UMBERTO - Fax : 04 75 37 11 12 - www.manoir-du-raveyron.com
Fermeture : 18/10-19/03. - Menus : 20/40 €. Menu enfant : 10 € .
12 chambres : 64/74 € petit déjeuner compris. Demi pension : 50/55 € - Classement : Table de Terroir

Cette bâtisse de charme du XVIème siècle, toute en pierre, avec intérieur voûté vous propose le calme de ses chambres personnalisées et de son jardin ombragé, à 500 mètres à peine de l'Ardèche. Une cuisine traditionnelle mettant en avant les produits de son terroir vous sera proposée.
Spécialités : escargots, foie gras poêlé à la lavande, filet de boeuf au merlot et truffes, soufflé glacé à la liqueur de châtaignes.

Terrasse, jardin, accès handicapés restaurant, salle restaurant de caractère, animaux acceptés au restaurant

This charming masonry of XVIème century, vall in stone, with arched interior proposes you calms of its personalized rooms and of its shaded garden, at 500 meters hardly of the Ardèche. A traditional cooking made from products of its soil will be proposed to you.

Este encantador caserón del siglo XVI, todo en piedra, con un interior abovedado le propone la tranquilidad de sus habitaciones personalizadas y su jardín sombreado, a sólo 500 metros del Ardèche. Usted podrá descubrir una cocina tradicional que resalta los productos regionales.

Dieser reizvolle Bau aus dem 16. Jh. ganz aus Stein, im Inneren gewölbt, bietet Ihnen die Ruhe seiner personalisierten Zimmer und seinen schattigen Garten, nur knapp 500 m von der Ardèche. Entdecken Sie eine traditionelle Küche aus den hiesigen Landprodukten.

VALS LES BAINS (07600)

A 65 km de Valence.

Table Gastronomique

LE VIVARAIS ★ ★ ★

04 75 94 65 85

Mme Christiane BRIOUDE - Fax : 04 75 37 65 47 - Fermeture : 26/01-13/02.
Menus : 30/50 € . Menu enfant : 10 € . 47 chambres : 45/72 € . Demi pension : 75/100 € . Etape VRP : 60 €
Classement : Table Gastronomique

L'Ardèche, un pays qui reste à découvrir... La première étape dans cette découverte est bien Le Vivarais à Vals ! Une étape familiale de charme, chaleureuse et reposante qui vous régalera de ses meilleurs produits.

Spécialités : soupe de châtaignes, caneton rôti au miel de châtaigniers et aux épices, déclinaison sucrée de la châtaigne, plateau de picodons fermiers.

Chambres avec bain ou douche+WC+TV : Toutes.
Terrasse, jardin, parking privé, piscine d'été, ascenseur, salle de séminaires, animaux acceptés

Ardeche, a country which remains to be discovered... The first stage in this discovery is well Vivarais at Vals! A stage family of charm, cordial and resting which will level you its best products.

L'Ardèche, un país que falta descubrir... El primer hallazgo es sin duda, una estancia en Le Vivarais a Vals !. Una escala familiar de encanto, calurosa y tranquila que usted gozará saboreando sus mejores productos.

L'Ardèche, ein Land zum Entdecken... Die erste Etappe ist Le Vivarais in Vals! Ein reizvoller Aufenthalt, herzlich und erholsam bei dem Sie beste Produkte genießen können.

La Reconnaissance Professionnelle

Sites Touristiques : Château fort de Sedan, Charleville-Mézières, Haut fourneau de Vendresse.

Saveurs de nos Terroirs : Boudin blanc de Rethel, Galette au sucre, Ardoise en chocolat, Jambon d'Ardenne, Boudin blanc à l'Oignon.

Cidre.

Animations : 150 ans de la naissance d'Arthur Rimbaud.

Mai : Festival médiéval à Sedan.

Août : Rencontres Musicales de Louvergny.

Septembre : Tambours de Fête à Charleville-Mézières tous les 3 ans (année suivant le Festival Mondial des Théatres de Marionnettes).

Octobre : Foire Gastronomique Boire et Manger en Ardennes aux anciens Relais de Poste de Launois sur Vence. Décembre : La Maison du Père Noël à Poix-Terron.

COMITÉ DÉPARTEMENTAL DU TOURISME DES ARDENNES

22/24 Place Ducale B.P. 419 - 08107 - CHARLEVILLE-MEZIERES CEDEX -Tél. : 03 24 56 06 08 - Fax : 03 24 59 20 10

www.ardennes.com - info@ardennes.com

GIVET (08600)

Table de Terroir

HÔTEL VAL SAINT HILAIRE - AUBERGE DE LA TOUR ★ ★

03 24 42 38 50 - hotelvalsainthilaire@.fr

6/7 Quai des Fours - Daniel DARDENNE - Fax : 03 24 42 07 36 - www.chez.com/hotelvalsainthilaire
Fermeture : 20/12-5/01 ; lundi midi. - Menus : 18,30/30 € . Menu enfant : 11 € . Petit déjeuner : 7,62 € .
20 chambres : 45/53,50 € . Demi pension : 48,78/62,50 € . Etape VRP : 62,50 € - Classement : Table de Terroir

Situé en bordure de la Meuse, en plein coeur du centre artistique et culturel de la ville, cette superbe bâtisse du XVIIIème siècle vous propose dans un cadre chaleureux, une cuisine traditionnelle et des spécialités régionales.
Spécialités : estouffade, ris de veau au Champagne, canard à l'orange, gibier en saison, poissons frais.
Chambres avec bain ou douche+WC+TV : Toutes.
Terrasse, jardin, parking privé, accès handicapés, TPS, chaînes satellites, petit déjeuner buffet, salle restaurant de caractère, salle de séminaires, animaux acceptés au restaurant

Beside the Meuse, in the heart of the artistic center of the city, this beautiful house of the XVIII century offers you a warm setting, traditional cooking and regional specialities.

A orillas del Meuse, en el corazón del centro artístico y cultural de la ciudad, este magnífico caserón del siglo XVIII le propone en un ambiente caluroso, una cocina tradicional y especialidades regionales.

Am Ufer der Meuse, mitten in der künstlerischen und kulturellen Stadt, bietet man Ihnen in diesem wunderschönen Gebäude aus dem 18. Jh einen warmen Rahmen, eine tradtionelle Küche und die lokalen Spezialitäten.

HAYBES SUR MEUSE (08170)

A 3 km de Fumay et 37 km de Charleville-Mézières.

Table de Terroir

MOULIN LABOTTE

03 24 41 13 44 - moulin-labotte@wanadoo.fr

Ermitage Moulin Labotte - Frédéric PIERANGELI - Fax : 03 24 40 46 72 - www.moulin-labotte.com - Fermeture : Lundi.
Menus : 15/50 € . Menu enfant : 6 € . Petit déjeuner : 6 € .
10 chambres : 37/45 € . Demi pension : 43 € . Etape VRP : 55 € - Classement : Table de Terroir

M. PIERANGELI et son équipe vous accueillent dans un moulin du XVIIIème siècle entièrement rénové, au coeur de la forêt Ardennaise où la gastronomie et le silence ne font qu'un. Ils vous proposent des chambres confortables et une cuisine de terroir de qualité.
Spécialités : lasagnes au boudin blanc et girolles ; croustillant de rôti de veau et jambon d'Ardennes ; millefeuille de foie gras aux ratafias et boudin blanc.
Chambres avec bain ou douche+WC+TV : Toutes.
Terrasse, jardin, parking privé, accès handicapés restaurant, salle restaurant de caractère, salle de séminaires, animaux acceptés au restaurant

Mr. PIERANGELI and his team accomodate you in a mill of the XVIIIth century entirely renovated , in the heart of the Ardennaise forest where the gastronomy and silence do only one. They propose to you comfortable rooms and a coking of soil of quality.

El Sr. PIERANGELI y su equipo le acogerán en un molino del siglo XVIII completamente renovado, en el corazón del bosque Ardennaise donde la gastronomía y el silencio forman un todo. Usted descubrirá cómodas habitaciones y una cocina regional de calidad.

M. Pierangeli und sein Team empfangen Sie in ihrer komplett renovierten Mühle aus dem 18. Jh. im Herzen des Ardennen Walds, wo Gastronomie und Ruhe eines sind. Freuen Sie sich auf die komfortablen Zimmer und eine vorzügliche, ländliche Küche.

SIGNY LE PETIT (08380)

A 40 km de Charleville Mézières.

Table Gastronomique

HÔTEL DU LION D'OR / RESTAURANT LA HULOTTE ★ ★ ★

03 24 53 51 76 - blandine-bertrand@wanadoo.fr

Place de l'Eglise - Blandine BERTRAND - Fax : 03 24 53 36 96 - www.le-lion-d-or.org - Fermeture : 17/12-5/01 ; 3/07-15/07 ; 21/03-28/03 ; dimanche soir, mardi et mercredi midi. - Menus : 19/55 € . Menu enfant : 10 € . Petit déjeuner : 8 € .
12 chambres : 59/105 € . Demi pension : 53/88,50 € . Etape VRP : 62 € - Classement : Table Gastronomique

Aux confins des Ardennes françaises, à proximité de la Belgique et au pied de l'église fortifiée, cet ancien Relais de Poste entièrement rénové vous réservera un accueil personnalisé et se fera un plaisir de vous faire partager sa cuisine gourmande. Spécialités : duo de foie gras et les confits de fleurs, marcassin au chocolat et à l'orange, confiture forestière aux champignons, maroilles au caramel de sureau, glaces de fleurs. Restaurant non fumeur (salons fumeurs). Chambres avec bain ou douche+WC+TV : Toutes. Terrasse, parking privé, accès handicapés, chaînes satellites, salle restaurant de caractère, salle de séminaires, chèques vacances, animaux acceptés

At the edge of the french Ardennes, two steps from Belgium, this ancient postal's relay entirely renovated will reserve you a personal welcome and will be glad to make you savour its sweet cooking.

En los confines de las Ardennes francesas, a dos pasos de Bélgica y al pie de la iglesia fortificada, esta antigua Parada del Correo completamente renovada, le brindará una acogida personalizada y tendrá el placer de hacerle compartir su cocina para golosos. Restaurante no fumadores (salon fumadores).

An der Grenze zu den französischen Ardennen, nahe bei Belgien und am Fuße einer Burgkirche, werden Sie in dieser ehemaligen, komplett renovierten Poststation persönlich empfangen und mit einer Schlemmerküche bewirtet. Nichtraucherrestaurant (Salon für Raucher).

Sites Touristiques : Château des Comtes de Foix à Foix, Château de Montségur, Grotte de Niaux, Parc de la Préhistoire à Tarascon sur Ariège, Saint Lizier.

Saveurs de nos Terroirs : Cocos de Pamiers, azinat, croustade.
Hypocras (apéritif à base de plantes), Limonade de Fontestorbes, Breuvage de Pyrene (boissons à base de fruits et de fleurs servies en apéritif, en digestif ou avec un bon dessert).
Vignoble restructuré à partir de cépages tels que : cabernet sauvignon, cabernet franc, merlot, syrah, tannat.

Animations : Forges de Pyrene à Montgailhard, Grange de Bamalou à Castillon en Couserans.
Juillet/Août : Il était une Foix... L'Ariège à Foix, Autrefois Le Couserans à Saint Girons.
Septembre/Octobre : Festival des Saveurs à Ax les Thermes, Fête de la Pomme à Mirepoix.

COMITÉ DÉPARTEMENTAL DU TOURISME D'ARIÈGE-PYRÉNÉES
31 Bis avenue du Général de Gaulle B.P. 143 - 09004 - FOIX CEDEX -Tél. : 05 61 02 30 70 - Fax : 05 61 65 17 34
www.ariegepyrenees.com - tourisme.ariege.pyrenees@wanadoo.fr

AULUS LES BAINS (09140)

A 30 km au Sud Est de St Girons D618+D32.

Table Gastronomique

HOSTELLERIE DE LA TERRASSE ★ ★ ★

☎ 05 61 96 00 98

Avenue Principale - Rose AMIEL - Fax : 05 61 96 01 42 - Fermeture : 16/09 -14/06.
Menus : 17/38 € . Menu enfant : 10 € . Petit déjeuner : 7 € .
11 chambres : 46/61 € . Demi pension : 54/61 € - Classement : Table Gastronomique

L'Hostellerie de la Terrasse est une maison qui a vu le jour en 1900. Située en bordure de la rivière, dans un petit village de montagne, à 800 mètres d'altitude, elle offre un confort de 3 étoiles dans un style ancien. La carte vous propose les meilleurs produits du terroir préparés selon les règles de l'art avec des produits frais et un grand choix de vins. Spécialités : palets de Saint Jacques et de gambas, rissolé de foie gras de canard, tournedos aux morilles, poissons frais...
Chambres avec bain ou douche+WC+TV : Toutes.
Terrasse, jardin, parking privé, accès handicapés restaurant, canal+, salle restaurant de caractère, salle de séminaires, animaux acceptés à l'hôtel

The Hostellerie de la Terrasse is a house born in 1900. At an altitude of 800 metres, close to a river, Andorra and Spain, come to this establishment and appreciate light and gastronomic cooking. The comfort is equivalent to 3 stars.

La Hostellerie de la Terrasse es una casa que vió la luz en el año 1900. Situada a orillas del río, en un pequeño pueblo de montaña, a 800 metros de altitud, brinda en un estilo anciano el confort de 3 estrellas. La carta propone los mejores productos de la región preparados según las reglas del arte, frescos y con una gran elección de vinos.

L'Hostellerie de la Terrasse wurde im Jahr 1900 gegründet und befindet sich in einem kleinen Bergdorf in 800 m Höhe an einem Bach. Es erwarten Sie ein 3-Sterne Komfort und beste Landprodukte nach Hausrezepten zubereitet mit einer großen Auswahl an Weinen.

FOIX (09000)

Table Gastronomique

RESTAURANT LE SAINTE MARTHE *** ★ ★ ★

☎ 05 61 02 87 87 - restaurant@le-saintemarthe.fr

21, Rue Noël Peyrevidal - Fax : 05 61 05 19 00 - Menus : 24/51 € . Menu enfant : 12 € - Classement : Table Gastronomique

MASSAT (09320)

A 28 km de St Girons et de Tarascon

Auberge du Pays

HOSTELLERIE DES TROIS SEIGNEURS ★ ★

☎ 05 61 96 95 89

Angèle ALONSO - Fax : 05 61 04 94 18 - Fermeture : 2/11-8/04 - Menus : 14/37 € . Menu enfant : 8 € . Petit déjeuner : 7 € .
18 chambres : 31/44 € . Demi pension : 44 € . Pension complète : 55 € - Classement : Auberge du Pays

Dans un cadre de montagne, venez découvrir les menus variés et copieux de cet établissement, auxquels s'ajoute une carte comprenant quelques beaux classiques. Spécialités : poule farcie, filet de perche à l'oseille, magret de canard aux pêches, civets. Grande carte des vins.
Chambres avec bain ou douche+WC+TV : 6-7-8-14-15-16-1A à 10A.
Terrasse, jardin, parking privé, accès handicapés restaurant, chaînes satellites, salle restaurant de caractère, salle de séminaires, chèques vacances, animaux acceptés

Close by mountains, come and discover the variety of menus. The establishment has also very good classical receipes. Large list of great wines.

En un paisaje de montañas, venga a descubrir los variados y copiosos menús de este establecimiento, a los cuales se añade una carta con algunos sabrosos platos clásicos. Importante lista de vinos.

Entdecken Sie im Bannkreis der Pyrenäen, die vielfältigen und reichhaltigen Menüs. Das Haus hat auch einige klassischen Gerichte. Große Weinkarte.

MIREPOIX (09500)

A 50 km de Carcassonne.

Auberge du Pays

LE COMMERCE ★ ★

☎ 05 61 68 10 29 - lecommerce@chez.com

20 Cours Docteur Chabaud - André PUNTIS - Fax : 05 61 68 20 99 - www.chez.com/lecommerce
Fermeture : 01/01-31/01 ; 18/10-30/10 ; samedi hors saison (restaurant). - Menus : 11/28 € . Menu enfant : 7 € . Petit déjeuner : 6 € .
32 chambres : 33/52 € . Demi pension : 33/43 € . Etape VRP : 45/50 € - Classement : Auberge du Pays

Au coeur de la cité médiévale, en pays cathare, cet ancien relais de poste tenu depuis plusieurs générations par la même famille vous propose une cuisine traditionnelle avec service en terrasse l'été.
Spécialités régionales et de poissons : foie gras, magret, confit, filet de loup en papillote...

Chambres avec bain ou douche+WC+TV : Toutes.
Terrasse, jardin, garage fermé, accès handicapés restaurant, chaînes satellites, salle restaurant de caractère, salle de séminaires, chèques vacances, animaux acceptés

This old post office relay situated in the heart of the medieval city has been run by the same family for generations and generations offers a traditional cooking on the terrace during summer time. Local specialities and seafood.

En el corazón de la ciudad medieval, en país cátaro, esta antigua parada del correo administrada desde hace varias generaciones por la misma familia, le ofrece una cocina tradicional en terraza durante el verano. Especialidades en platos regionales y pescados.

Diese alte Poststation, im Herzen einer mittelalterlichen Stadt im Land der Katarer gelegen, wird seit mehreren Generationen von derselben Familie gehalten. Sie bietet regionale Küche, im Sommer auf der Terrasse serviert. Regionale Spezialitäten und Fischgerichte.

PAMIERS (09100)

Au centre ville, à 50 m du parc municipal.

HÔTEL DE FRANCE ★ ★

05 61 60 20 88 - df0902@inter-hotel.com

13 Rue de l'Hospice - Claude MARTINEZ - Fax : 05 61 67 29 48 - www.hoteldefrance-pamiers.com - Fermeture : 21/12-4/01 et dimanche soir (15/09-31/05) ; hôtel ouvert toute l'année. - Menus : 11,50/35 €. Menu enfant : 8 €. Petit déjeuner : 7 €. 29 chambres : 44/53 €. Demi pension : 43/60 €. Etape VRP : 53/57 € - Classement : Table Gastronomique

Vous serez séduit par cet établissement situé au calme en centre ville. Vous apprécierez son jardin ombragé, ses chambres agréables à vivre et sa cuisine riche en saveurs variant au fil des saisons.

Chambres avec bain ou douche+WC+TV : Toutes. Terrasse, garage fermé, parking privé, accès handicapés, TPS, chaînes satellites, canal+, petit déjeuner buffet, salle restaurant de caractère, salle de séminaires, chèques vacances, animaux acceptés

You will be allured by this establishment located at calms in centre town. You will appreciate its shaded garden, its rooms pleasant to live and its kitchen rich in savours varying in the course of the years.

Usted quedará seducido con este establecimiento ubicado en un sitio tranquilo, en el centro de la ciudad. Podrá apreciar su jardín sombreado, sus agradables habitaciones y su cocina rica en sabores que sigue el ritmo de las estaciones.

Lassen Sie sich von diesem ruhig gelegenen Haus im Stadtzentrum verführen. Genießen Sie dort den schattigen Garten, die angenehmen Zimmer und die geschmackvolle von den Jahreszeiten geprägt Küche.

TARASCON SUR ARIÈGE (09400)

A 18 km de Foix.

HOSTELLERIE DE LA POSTE ★ ★

05 61 05 60 41

16 Avenue Victor Pilhes - Marie-Josée GASSIOT - Fax : 05 61 05 70 59 - www.hostellerieposte.com - Ouvert toute l'année. Menus : 11/23 €. Menu enfant : 7 €. Petit déjeuner : 6 €. 25 chambres : 38/50 €. Demi pension : 38/46 €. Etape VRP : 47 € - Classement : Table de Terroir

Cet ancien relais postal chaleureux et convivial vous permettra de passer un séjour agréable. Vous y découvrirez une cuisine régionale. Spécialités : l'azinat, foie gras poêlé au muscat, canard, cassoulet, agneau au four aux gousses d'ail.
Chambres avec bain ou douche+WC+TV : Toutes. Terrasse, jardin, accès handicapés restaurant, chaînes satellites, canal+, petit déjeuner buffet, salle restaurant de caractère, salle de séminaires, chèques vacances

This ancient postal relay is warm and convivial and will make your stay a pleasant one. You will discover a regional cooking.

Esta antigua parada del correo, calurosa y sociable le brindará una estancia agradable. Usted descubrirá una cocina regional.

In warmherziger und gastfreundlichen Atmosphäre wird die alte Poststation für angenehme Aufenthalte sorgen. Sie können hier die regionale Küche kennenlernen.

TARASCON SUR ARIÈGE (09400)

A 10 km de Foix.

HÔTEL-RESTAURANT DES VALLÉES

05 61 05 60 57

11 Place Jean Jaurès - Fabienne ISSOLAN - Fax : 05 61 05 60 57 - Fermeture : Novembre ; dimanche soir et lundi hors saison.
Menus : 10/22 € . Menu enfant : 6 € . Petit déjeuner : 5 € .
8 chambres : 26/32 € . Demi pension : 38 € . Etape VRP : 40 € - Classement : Table de Terroir

Situé en bordure de l'ariège dans un site touristique, au centre des 4 vallées, cet établissement vous réservera le meilleur accueil. Vous apprécierez l'été, la terrasse ombragée donnant sur la rivière. Spécialités : gratiné de pommes chèvre et miel, poissons frais, parillada, magret sauce foie gras, pavé de boeuf gratiné au reblochon. Chambres avec bain ou douche+WC+TV : 5 chambres.
Terrasse, garage fermé, accès handicapés restaurant, salle restaurant de caractère, chèques vacances, animaux acceptés

Situated at the edge of the Ariège in a touristic site, in the heart of the 4 valleys, this establishment will reserve you the best welcome. You will enjoy in summer, the shaded terrace overhanging the river.

Ubicado a orillas del Ariège en un lugar turístico, en el centro de 4 valles, este establecimiento le brindará una excelente acogida. Usted apreciará en verano, la terraza sombreada que da al río.

Am Ufer der Ariège in einem touristischen Gebiet, mitten in den 4 Tälern, werden Sie in diesem Haus herzlich empfangen.

TARASCON SUR ARIÈGE (09400)

RELAIS ALARIC ★ ★

05 61 05 42 80 - info@relais-alaric.com

Route de Saurat - Arlette PONT - Fax : 05 61 05 42 81 - www.relais-alaric.com - Fermeture : 20/12-20/01 ; dimanche après midi.
Menus : 13/30 € . Menu enfant : 8 € . Petit déjeuner : 6 € .
21 chambres : 45/80 € . Demi pension : 55/76 € . Etape VRP : 46 € - Classement : Table de Terroir

Venez découvrir l'ambiance confortable de cet établissement, le meilleur accueil vous sera réservé et vous pourrez déguster de succulentes spécialités régionales.

Spécialités : cassoulet maison, magret de canard grillé, assiette ariégeoise (foie gras, charcuteries du pays). Seuls les animaux de petite taille sont acceptés.

Chambres avec bain ou douche+WC+TV : Toutes.
Terrasse, jardin, parking privé, accès handicapés, petit déjeuner buffet, salle de séminaires, chèques vacances, animaux acceptés

Come to discover the comfortable ambiance of this establishment, the best welcome will be for you and you will savour succulent regional specialities. Only small pets are accepted.

Venga a descubrir el cómodo ambiente de este establecimiento, una acogida incomparable le espera. Usted podrá saborear suculentas especialidades regionales. Sólo se aceptan animales pequeños.

Entdecken Sie das gemütliche Ambiente dieses Hauses, wo Ihnen bester Empfang geboten wird und wo Sie leckere regionale Spezialitäten kosten können. Nur Haustiere kleinerer Größe sind erlaubt.

VILLENEUVE D'OLMES (09300)

A 3 km de Lavelanet.

LE CASTRUM

05 61 01 35 24 - lecastrum@lecastrum.com

Le Laouzet - Fax : 05 61 01 22 85 - Menus : 26/80 € . Menu enfant : 16 € .
6 chambres : 75/90 € - Classement : Table Gastronomique

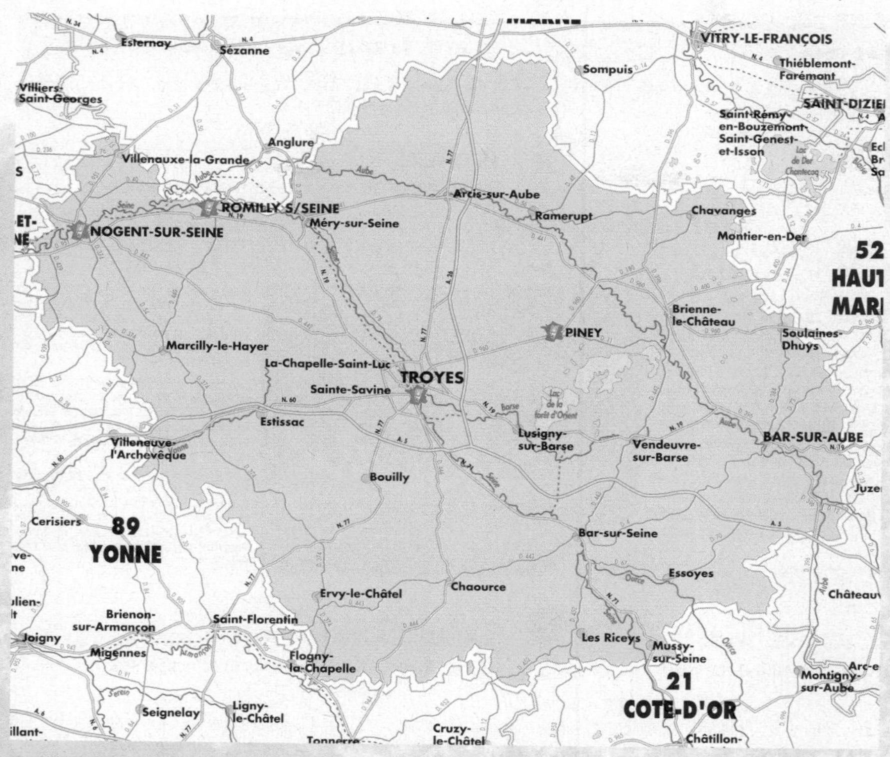

Sites Touristiques : Ville médiévale de Troyes, grands lacs de la forêt d'orient, Nigloland, Route Touristique du Champagne, magasins d'usine.

Saveurs de nos Terroirs : Andouillette de Troyes, Choucroute, Champagne, Rosé des Miceys, Fromage de Chaource.
Vignoble de Champagne de la Côte des Bar (Champagne, Côteaux champenois, Rosé des Riceys), cidre du Pays d'Othe.

Animations : Maison de l'outil, musée d'art moderne, Abbaye de Clairvaux.
Août : Fête de la Route Touristique du Champagne.
Septembre : 48 heures d'Automobiles Anciennes de Troyes (tous les 2 ans).
Octobre : Nuits de Champagne à Troyes.

COMITÉ DÉPARTEMENTAL DU TOURISME DE L'AUBE
34, Quai Dampierre - 10000 - TROYES -Tél. : 03 25 42 50 00 - Fax : 03 25 42 50 88
www.aube-champagne.com - bonjour@aube-champagne.com

NOGENT SUR SEINE (10400)

N 19 ou D 951.

AUBERGE DU CYGNE DE LA CROIX

03 25 39 91 26 - cygnedelacroix@wanadoo.fr

22 Rue des Ponts - Fax : 03 25 39 81 79 - Menus : 15,50/33 € . Petit déjeuner : 6 €
Classement : Table Gastronomique

PINEY (10220)

LE TADORNE ★ ★

03 25 46 30 35 - le.tadorne@wanadoo.fr

Place de la Halle - Patrice CARILLON - Fax : 03 25 46 36 49 - www.le-tadorne.com
Fermeture : 15/02-26/02 ; dimanche soir du 1/10 au 31/03. - Menus : 16,50/38 € . Menu enfant : 7 € . Petit déjeuner : 7 € .
27 chambres : 43/90 € . Demi pension : 55 € . Etape VRP : 55 € - Classement : Table de Terroir

Au coeur du Parc Naturel de la forêt d'Orient, à quelques kilomètres des grands lacs, Le Tadorne, ancienne bâtisse des XVII et XVIIIème siècles vous propose des chambres confortables et un restaurant de qualité avec une cuisine légère de terroir. De grandes baies vitrées donnent une vue directe sur la halle et la demeure seigneuriale du XVIème siècle. Spécialités : foie gras de canard au sel de Guérande, filet de sandre au beurre, tournedos de boeuf au coulant de Chaource.
Chambres avec bain ou douche+WC+TV : Toutes.
Terrasse, jardin, parking privé, piscine d'été, sauna, accès handicapés, TPS, chaînes satellites, climatisation, petit déjeuner buffet, salle restaurant de caractère, salle de séminaires, chèques vacances, animaux acceptés

In the heart of the Natural reserve of the Orient forest, at many kilometers of the large lakes, the Tadorne, old house of the XVII and XVIIIth centuries proposes comfortable rooms and a restaurant of quality to you with a traditional cooking. Large window opening give a direct sight on the market and the seigniorial residence of XVIth century.

En el corazón del Parque Natural del bosque d'Orient, a algunos kilómetros de los grandes lagos, Le Tadorne, antiguo edificio de los siglos XVII y XVIII le propone cómodas habitaciones y un restaurante de calidad con una ligera cocina regional. Grandes ventanales con vista directa al mercado y a la morada señorial del siglo XVI.

Im Herzen des Naturparks, im Wald von Orient, ein paar Kilometer von den großen Seen, bietet Ihnen Le Tardone, in einem ehemaligen Gebäude aus dem 17. und 18. Jahrhundert, komfortable Zimmer und ein hervorragendes Restaurant mit leichter Küche vom Land. Die großen Fensterwände erlauben Ihnen einen direkten Blick auf die Hallen und das Herrenhaus aus dem 16. Jh.

ROMILLY SUR SEINE (10100)

Prendre la direction de la gare

L'AUBERGE DE NICEY ★ ★ ★

03 25 24 10 07 - denicey@club-internet.fr

24 Rue Carnot - Laurence FERY - Fax : 03 25 24 47 01 - www.denicey.com
Fermeture : 2/01-4/01 ; samedi midi, dimanche et lundi midi en août. - Menus : 18/45 € . Menu enfant : 11 € . Petit déjeuner : 9,80 € .
24 chambres : 64/85 € . Demi pension : 71/80 € . Etape VRP : 77 € - Classement : Table Gastronomique

L'Auberge de Nicey se fera un plaisir de vous accueillir dans un cadre paisible et feutré le temps d'un séjour en Champagne. A l'heure des repas, confortablement installé, vous dégusterez avec les yeux et le palais une cuisine gastronomique accompagnée d'excellents vins. Spécialités : foie gras chaud en aigre-doux, croustillant de Saint Jacques et homard, carré d'agneau rôti et ses gousses d'ail confites, fondant au chocolat...

Chambres avec bain ou douche+WC+TV : Toutes.
Garage fermé, parking privé, piscine d'hiver, ascenseur, accès handicapés restaurant, TPS, chaînes satellites, petit déjeuner buffet, salle de séminaires, animaux acceptés

The Auberge de Nicey will be made a pleasure of accomodating you within a framework peaceful and felted, the time of a Champagne stay. At the hour of the meal, comfortably installed, you will taste with the eyes and the palate a gastronomical cooking accompanied by excellent wines.

L'Auberge de Nicey tendrá el placer de acogerle en un ambiente calmo y delicado el tiempo de una estancia en Champagne. A la hora de las comidas cómodamente instalado, usted podrá saborear con los ojos y el paladar una cocina gastronómica acompañada con excelentes vinos.

L'Auberge de Nicey freut sich, Sie in friedlicher und gedämpfter Atmosphäre zu einem Aufenthalt in der Champagne zu empfangen. Zur Essenszeit bequem niedergelassen, kosten Sie mit Augen und Gaumen eine gastronomische Küche von exzellenten Weinen begleitet.

TROYES (10000)

HÔTEL DE LA POSTE - RESTAURANT LES GOURMETS ★ ★ ★ ★

03 25 73 05 05 - contact@hotel-de-la-poste.com

35 Rue Emile Zola - Fax : 03 25 73 80 76 - Menus : 27/35 € . 32 chambres : 92/160 € .
Classement : Table Gastronomique

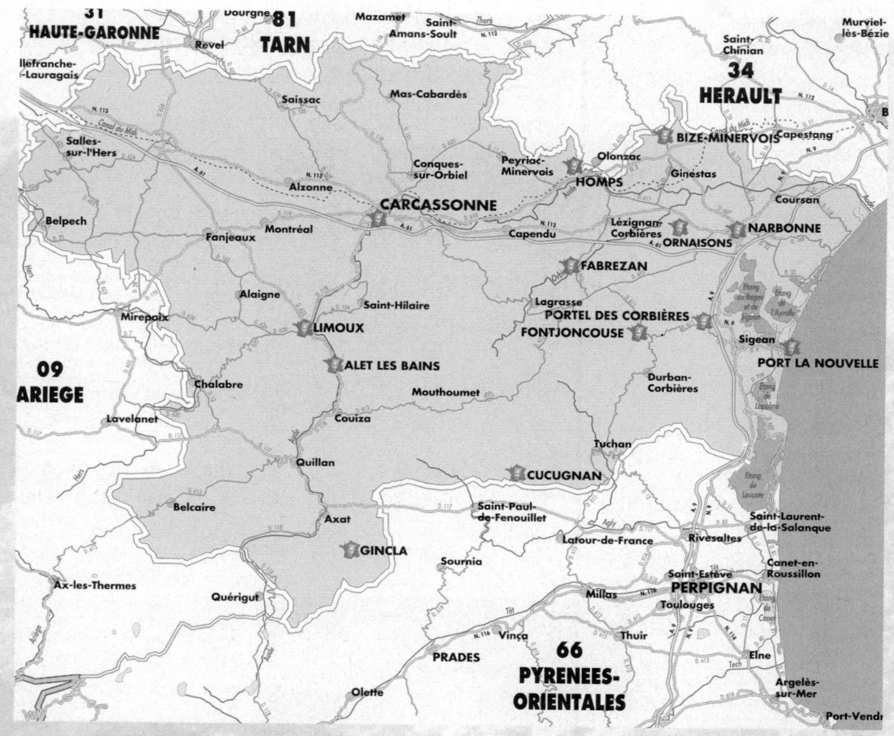

Sites Touristiques : Cité de Carcassonne, Canal du Midi, Abbayes, Châteaux du Pays Cathare, Grottes, Réserve Africaine de Sigean.
Saveurs de nos Terroirs : Cassoulet de Castelnaudary, Cochonnailles de la Montagne Noire et du Pays de Sault, Chapon et Poularde du Lauragais, Fricassée de Limoux, Olives Lucques parfumées du Minervois, Gibier, Champignons, Cargolades, Bourride d'Anguilles Huîtres, Fruits de Mer et Poissons, Fromages de Chèvre Brebis et Vache, Croquants, Miel, Cabardises. Fitou, Corbières, Minervois, Cabardès, Malepère, Clape et Quatourze, Crémant et Blanquette de Limoux. Vins doux naturels, Cartagène.
Animations : Musée des Dinosaures à Espéraza, Musée des Potiers et Gallo-Romains de Sallèles d'Aude, Musée du Piano à Limoux, Musée du Quercorb à Puivert.
Fugue en Aude Romane. Carnaval de Limoux. Foires au Gras (à Belpech et Castelnaudary).
Juillet/Août : Festival de la Cité de Carcassonne, Embrasement de la Cité (14 Juillet), Fêtes Médiévales, Festival du Folklore à Quillan.

Aude Pays Cathare
Quelle histoire !

COMITÉ DÉPARTEMENTAL DU TOURISME DE L'AUDE
Conseil Général de l'Aude Chemin du Moulin de la Seigne - 11855 - CARCASSONNE CEDEX 09
Tél. : 04 68 11 66 00 - Fax : 04 68 11 66 01
www.audetourisme.com - documentation@audetourisme.com

ALET LES BAINS (11580)

A 9 km de Limoux, 32 km de Carcassonne D118.

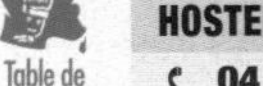

HOSTELLERIE DE L'EVÊCHÉ ★ ★

04 68 69 90 25 - climouzy@aol.com

Avenue Nicolas Pavillon - Christian LIMOUZY - Fax : 04 68 69 91 94 - www.hotel-eveche.com - Ouvert de Pâques à fin octobre.
Menus : 24/45 € . Menu enfant : 8 € . Petit déjeuner : 7,80 € .
33 chambres : 47/60 € . Demi pension : 51/58 € - Classement : Table de Terroir

Aménagé dans l'ancien palais épiscopal du 14éme siècle, l'Hostellerie de l'Evéché vous offre son confort dans le calme d'un parc de 3 ha. Conditions spéciales pour enfants. Plats et spécialités régionales à emporter.

Spécialité : cassoulet au confit de canard. Vins : Blanquette de Limoux, Fitou. Restaurant ouvert sur réservation pour groupes seulement.

Terrasse, jardin, garage fermé, parking privé, accès handicapés restaurant, petit déjeuner buffet, salle restaurant de caractère, salle de séminaires, chèques vacances, animaux acceptés

Converted from the former episcopal palace of the 14th century, the Hostellerie de l'Evêché offers comfort, quietness and regional cooking in la parc of 3 ha. Special terms for children. Meals of regional specialities , possibility of take away. Restaurant opens on reservation for groups only.

La Hostellerie de l'Evêché, antiguo palacio episcopal del siglo XIV, rodeado de un parque de 3 hectáreas, le ofrece su calma y confort. Condiciones especiales para los niños. Platos y especialidades regionales para llevar. Restaurante abierto para grupos solamente, con reservación.

In einem früheren Bischofspalast aus dem 14. Jh. eingerichtet, bietet Ihnen die Hostellerie de l'Evéché seinen Komfort in der Stille eines 3ha großen Parks. Spezialbedingungen für Kinder. Gerichte und regionale Spezialitäten zum Abholen.

BIZE MINERVOIS (11120)

A 18 km de Narbonne, 30 km de Béziers

LA BASTIDE CABEZAC - RESTAURANT L'OLIVIER ★ ★ ★

04 68 46 66 10 - contact@labastidecabezac.com

18/20 Hameau de Cabezac - Hervé et Sabine DOS SANTOS - Fax : 04 68 46 66 29 - www.labastidecabezac.com
Fermeture : Restaurant : samedi midi, dimanche soir et lundi. - Menus : 16/55 € . Menu enfant : 10 € . Petit déjeuner : 10 € .
12 chambres : 69/199 € . Demi pension : 104/234 € . Etape VRP : 84 € - Classement : Table Gastronomique

Saupoudrée d'ocre, de soleil et de ciel bleu, La Bastide Cabezac est la lumière du voyageur au coeur des vignes du Minervois. Sabine et Hervé DOS SANTOS vous accueillent chaleureusement dans cet ancien Relais de Poste rénové. Spécialités : carré de veau cuit à l'ail, purée de pommes de terre ratte au beurre et fleur de sel de camargue ; dos de cabillaud rôti à l'huile d'olive, poireaux confits, tomates acidulées au citron vert ; brioche façon pain perdu, caramel au beurre salé, glace à la gousse de vanille.
Chambres avec bain ou douche+WC+TV : Toutes.
Terrasse, parking privé, piscine d'été, accès handicapés, climatisation, salle restaurant de caractère, salle de séminaires, animaux acceptés

Powdered with ochre, sun and blue sky, the Cabezac Country house is the light of the traveller in the heart of the vines of Minervois. Sabine and Herve DOS SANTOS cordially accomodate you in this old renovated Relay of Station.

Salpicada de ocre, sol y cielo azul, La Bastide Cabezac es la luz del viajero en el corazón de los viñedos Minervois. Sabine y Hervé DOS SANTOS le acogen calurosamente en esta antigua Parada del Correo renovada. Usted podrá descubrir las especialidades de la Casa.

Von der Sonne ockergelb und himmelblau, ist die Bastide Cabezac mit Licht erfüllt, im Herzen der Weinberge des Minervois. Sabine und Hervé Dos Santos empfangen Sie herzlich in dieser früheren Poststation, neu renoviert.

CARCASSONNE (11000)

HÔTEL DE LA CITÉ - LA BARBACANE ★ ★ ★ ★

04 68 71 98 71 - reservations@hoteldelacite.com

Place de l'Eglise - Chef : Franck PUTELAT - Fax : 04 68 71 50 15 - www.hoteldelacite.orient-express.com - Fermeture : 1/12-17/01
Menus : 15/80 € . Menu enfant : 7 € . 61 chambres : 250/1200 €
Classement : Table de Prestige

Cet hôtel 4 étoiles situé au coeur de la cité médiévale de Carcassonne vous accueillera dans son restaurant gastronomique La Barbacane (menu à partir de 60 €) , sa brasserie Chez Saskia (menu à partir de 17 €) et restaurant d'été Les jardins de l'Evêque (plats à partir de 13 €) . Possédant 42 chambres à partir de 240 € et 19 junior suites à partir de 425 € climatisées, insonorisées, avec mini-bar, TV et vidéo, salle de bains privée. Cave de dégustation pour dîners privés. Jardins et piscine extérieure chauffée avec vue exceptionnelle sur les remparts. Parking privé. Salles de réunion jusqu'à 90 personnes avec matériel audiovisuel. Piano bar, bibliothèque. Petit déjeuner buffet, animaux acceptés

This 4 stars hotel situated in the heart of the medieval city of Carcassonne will welcome you in its gastronomic restaurant La Barbacane, its snack Chez saskia and its summer restaurant Le Jardin de l'Evêque .Wine degustation for private diners. Gardens with swimming-pool and a beautiful wiew. Private parking. Meeting rooms for 90 personns. Piano bar...

Este hotel 4 estrellas ubicado en el corazón de la ciudad medieval de Carcassonne le acogerá en su restaurante gastronómico La Barbacane, su taberna Chez Saskia y el restaurante de verano Les Jardins de l'Evêque . Jardines y piscina exterior climatizada con una vista excepcional de las murallas. Parking privado. Salas de reunión, capacidad 90 personas con material audiovisual. Piano bar, biblioteca.

Dieses 4 Sterne Hotel im Herzen der mittelalterlichen Stadt Carcassonne empfängt Sie in seinem gastronomischen Restaurant La Barbacane, seiner Gaststätte Chez Saskia (Menü und im Sommerrestaurant Les Jardin de l'Evêque . Gärten und geheizte Schwimmbäder mit außergewöhnlichem Blick auf die Stadtmauern. Privatparkplatz, Sitzungsräume bis zu 90 Personen mit audiovisuellem Material. Pianobar, Bibliothek.

CUCUGNAN (11350)

A 50 km de Perpignan.

AUBERGE DU VIGNERON ★ ★

04 68 45 03 00 - auberge-vigneron@ataraxie.fr

2 Rue Achille Mir - M. et Mme FANNOY - Fax : 04 68 45 03 08 - www.auberge-vigneron.com
Fermeture : 11/11-1/03 ; dimanche soir et lundi. - Menus : 19/35 €. Menu enfant : 12 €. Petit déjeuner : 6,50 €.
6 chambres : 43/65 €. Demi pension : 44/56 €. Étape VRP : 60 € - Classement : Table de Terroir

L'Auberge du Vigneron, une authentique maison de village plus que centenaire. Dans la salle à manger où trônent de superbes fûts de chêne, toute la générosité de la cuisine du terroir et la richesse des vins locaux vous arrivent comme les bonheurs de la vie. Bonheur aussi les jolies chambres à l'ancienne et la terrasse du restaurant avec vue panoramique sur le pays cathare.

Spécialités : pintadeau en croûte, civet de sanglier, fricassée d'écrevisses.

Chambres avec bain ou douche+WC+TV : Toutes. Terrasse, jardin, climatisation, salle restaurant de caractère, chèques vacances

L'Auberge du Vigneron a town house more than hundred-year-old. In the dining room, where barrels of oak sit, you wil enjoy all the generosity of traditionnal cooking and the wealth of local wine. Happiness also in pretty old rooms and the terrace of the restaurant with panoramic view on the Cathare country

L'Auberge du Vigneron es una antigua casa de pueblo más que centenaria. En el comedor donde reinan magníficos toneles de roble, toda la generosidad de la cocina regional y la riqueza de los vinos locales llegan como los buenos momentos de la vida. Usted quedará encantado con las bonitas habitaciones a la antigua y la terraza del restaurante con vista panorámica del país cátaro.

Die Auberge du Vigneron ist ein über hundert Jahre altes Dorfhaus. Im Esszimmer, in dem sich schöne Eichenfässer befinden, wird Ihnen die Reichhaltigkeit regionaler Küche und Weine geboten. Lassen Sie sich von schönen, alteingerichteten Zimmern und der Terrasse des Restaurants mit Rundblick über das Land der Katarer beglücken.

FABREZAN (11200)

A 8 km de Lézignan-Corbières

LE CLOS DES SOUQUETS

04 68 43 52 61 - clossouquets@infonie.fr

Avenue de Lagrasse - Philippe JULIEN - Fax : 04 68 43 56 76 - Fermeture : 1/11-29/03 ; dimanche.
Menus : 16/29 €. Petit déjeuner : 8 €.
5 chambres : 46/70 €. Demi pension : 108/132 € /2 pers. - Classement : Table de Terroir

Venez découvrir cette ancienne cave rénovée située au milieu des Corbières. Le meilleur accueil vous sera réservé. Pour votre détente, deux piscines et un jardin sont à votre disposition. Spécialités : poissons grillés, lotte aux gambas, huitres chaudes au Chardonney, carpaccio de thon cru. Très belle carte de vins régionaux : Corbières, Minervois, Fitou, Côtes du Languedoc... Chambres avec bain ou douche+WC+TV : Toutes. Terrasse, jardin, parking privé, piscine d'été, salle restaurant de caractère, animaux acceptés

Come to discover the ancient renovated cellar, located in the heart of Corbières. A warm welcome will be reserved to you. For your relaxation 2 swimming pools and a garden are at your disposal. Large range of regional wine.

Venga a descubrir esta vieja bodega renovada, situada en el medio de los Corbières. Usted tendrá una muy buena acogida. Para su esparcimiento, 2 piscinas y un jardín están a su disposición. Excelente carta de vinos regionales.

Entdecken Sie diesen alten renovierten Weinkeller mitten in den Corbières. Sie werden dort bestens empfangen und zur Entspannung stehen Ihnen zwei Schwimmbäder und ein Garten zur Verfügung. Große Auswahl regionaler Weine.

FONTJONCOUSE (11360)

A 25 km de Narbonne.

AUBERGE DU VIEUX PUITS

04 68 44 07 37

Avenue Saint Victor - Fax : 04 68 44 08 31 - Menus : 39/72 €. Menu enfant : 15 €
Classement : Table de Prestige

GINCLA (11140)

A 25 km de Quillan et 14 km d'Axat.

HOSTELLERIE DU GRAND DUC ★ ★

04 68 20 55 02 - host-du-grand-duc@ataraxie.fr

2 Route de Boucheville - Martine & Bruno BRUCHET - Fax : 04 68 20 61 22 - www.host-du-grand-duc.com
Fermeture : 05/11-31/03 ; mercredi midi hors saison (restaurant). - Menus : 27/56 € . Menu enfant : 13 € . Petit déjeuner : 7,50 € .
12 chambres : 58/65 € . Demi pension : 60/65 € - Classement : Table Gastronomique

M. et Mme BRUCHET et leurs enfants vous réserveront un accueil chaleureux et sympathique dans leur établissement situé au coeur des châteaux cathares. Vous flânerez un peu le temps d'admirer le décor pierre et bois de cette demeure de caractère avant de passer à table et de découvrir la cuisine du terroir. Spécialités : baignade de sépiole au fitou, escalope de foie frais aux cèpes. Chambres avec bain ou douche+WC+TV : Toutes. Terrasse, jardin, parking privé, salle restaurant de caractère, chèques vacances, animaux acceptés

Mr and Mrs BRUCHET will welcome you in their friendly and likeable establishment and make you appreciate their specialities. You will aslo be able to relax and admire the setting made in wood and stones in this residence of character before discovering the regional cooking.

El Sr., la Sra. BRUCHET y sus hijos le brindarán una cálida y simpática acogida en su establecimiento, ubicado en el corazón de los castillos cátaros. Usted podrá admirar la decoración en piedra y madera de esta morada original, antes de pasar a la mesa y descubrir los agradables sabores de una cocina local.

Herr und Frau Bruchet und ihre Kinder empfangen Sie ganz herzlich in ihrem Haus mitten in den Karthager Burgen. Bummeln Sie ein wenig durch dieses charaktervolle Haus, bewundern Sie den Dekor aus Stein und Holz, bevor Sie zu Tisch gehen und die regionale Küche entdecken.

HOMPS (11200)

10 km de Lézignan, 30 km de Narbonne

AUBERGE DE L'ARBOUSIER

04 68 91 11 24 - auberge.arbousier@wanadoo.fr

50 Avenue de Carcassonne - Virginie ROSADO - Fax : 04 68 91 12 61 - Fermeture : 15/02-15/03 ; 25/10-3/12 ; lundi et mardi midi en Juillet/Août, dimanche soir et mercredi hors saison. - Menus : 13/34 € . Menu enfant : 8 € . Petit déjeuner : 6 € .
7 chambres : 39/70 € . Demi pension : 40/50 € . Etape VRP : 60/61 € - Classement : Table Gastronomique

Virginie et son équipe vous réservera le meilleur accueil dans cet ancien chai rénové, situé au calme, sur le bord du Canal du Midi et saura vous régaler de ses spécialités : tarte aux figues fraîches (saison), tournedos de canard au muscat et pignons. Produits régionaux : vins, muscats, fromages.

Chambres avec bain ou douche+WC+TV : Toutes. Terrasse, garage fermé, parking privé, petit déjeuner buffet, salle restaurant de caractère, animaux acceptés

Virginie and her team will reserve you the best welcome in this ancien renovated wine storehouse, located in a quiet place on the borders of the Canal du Midi. You will savour traditional specialities.

Virginie y su equipo le brindarán una agradable acogida en esta vieja bodega renovada, situada a orillas del Canal du Midi y le harán saborear sus especialidades. Productos regionales : vinos, moscateles, quesos.

Virginie und ihre Mitarbeiter empfangen Sie bestens in ihrem alten renovierten Weinlager, in ruhiger Lage, am Ufer des Canal du Midi und verwöhnen Sie mit ihren Spezialitäten.

LIMOUX (11303)

A61 sortie Carcassonne ouest - limoux.

GRAND HÔTEL MODERNE ET PIGEON ★ ★ ★

04 68 31 00 25 - hotelmodernepigeon@wanadoo.fr

1 Place du Général Leclerc - Fax : 04 68 31 12 43 - Menus : 30/52 € . Menu enfant : 13 € .
16 chambres : 60/135 € - Classement : Table Gastronomique

ORNAISONS - NARBONNE (11200)

Entre Narbonne (14 km) et Lézignan.

LE RELAIS DU VAL D'ORBIEU ★ ★ ★

04 68 27 10 27 - relais.du.val.dorbieu@wanadoo.fr

Route Départementale 24 - Agnès & Jean-Pierre GONZALVEZ - Fax : 04 68 27 52 44 - http://perso.wanadoo.fr/relais.du.val.dorbieu
Fermeture : 1/12-31/01 ; à midi (restaurant). - Menus : 39/65 €. Menu enfant : 20 €. Petit déjeuner : 15 €.
20 chambres : 95/150 €. 6 appartements : 145/255 €. Demi pension : 110/150 €. Etape VRP : 95 € - Classement : Table Gastronomique

A deux pas de Narbonne et de la Méditerranée, le Relais du Val d'Orbieu vous propose un espace de calme privilégié. Jardins et terrasses ombragés permettent un séjour ou une halte agréable. Une table et une cave renommées s'ajouteront à votre plaisir.

Spécialités : petits calamars farcis à l'anis et légumes du jardin, selle d'agneau rôtie, gâteau d'aubergines à l'anchois, carré chocolat, poire au caramel de Banyuls.

Chambres avec bain ou douche+WC+TV : Toutes. Terrasse, jardin, parking privé, piscine d'été, tennis, accès handicapés, chaînes satellites, salle restaurant de caractère, salle de séminaires, animaux acceptés

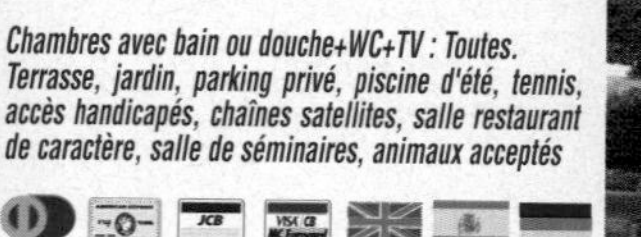

At two steps of Narbonne and the Mediterranean, the Relais du Val d'Orbieu proposes a calm and privilegied setting. Shaded gardens and terraces allow a stay or a pleasant halt. A famous table and a cellar will s.ajouteront with your pleasure.

A dos pasos de Narbonne y del Mediterráneo, Le Relais du Val d'Orbieu le propone un lugar privilegiado y calmo. Jardines y terrazas a la sombra permiten una estancia o una parada agradable. Una mesa y una bodega famosas se añaden a vuestro placer.

Unmittelbar bei Narbonne und dem Mittelmeer, ist das Relais du Val d'Orbieu ein privilegierter Ort der Ruhe, wo Ihnen Gärten und schattige Terrassen einen angenehmen Aufenthalt verschaffen. Die bekannte Tafel und der Weinkeller sorgen für zusätzlichen Genuss.

PORT LA NOUVELLE (11210)

A 25 km de Narbonne.

HÔTEL MÉDITERRANÉE ★ ★ ★

04 68 48 03 08 - hotel.mediterranee@wanadoo.fr

Boulevard Saint Charles B.P. 92 - René CASTAING - Fax : 04 68 48 53 81 - www.hotelmediterranee.com
Fermeture : 5/01-31/01 ; dimanche soir hors saison (restaurant). - Menus : 12/29 €. Menu enfant : 8 €. Petit déjeuner : 7 €.
30 chambres : 40/85 €. Demi pension : 40/66 €. Etape VRP : 55 € - Classement : Table de Terroir

L'Hôtel a pour seul horizon la plage et la mer. Le restaurant, face à la mer vous propose une terrasse ensoleillée où vous pourrez déguster : poissons, coquillages, bourride d'anguilles, bouillabaisse, soupe de poissons, cassolette de baudroie. Vins : Rocbère.

Chambres avec bain ou douche+WC+TV : Toutes. Terrasse, garage fermé, ascenseur, canal+, climatisation, petit déjeuner buffet, salle restaurant de caractère, salle de séminaires, chèques vacances, animaux acceptés

Facing the sea and the beach this hotel-restaurant offers many specialities that can be tasted on a sunny terrace.

El hotel tiene como único horizonte la playa y el mar. El restaurante, frente al mar le propone una terraza soleada donde usted podrá saborear las especialidades de la casa.

Das Hotel hat als einzigen Horizont Strand und Meer. Das Restaurant mit Blick aufs Meer, bietet Ihnen eine sonnige. Terrasse, wo sie allerlei Spezialitäten kosten können.

PORTEL DES CORBIÈRES (11490)

A 21 km de Narbonne.

LA BERGERIE DU CHÂTEAU DE LASTOURS

04 68 48 64 77 - chateaudelastours@wanadoo.fr

Domaine de Lastours - Joël NEUVILLE - Directeur - Fax : 04 68 48 29 14
Menus : 22/43 €. Menu enfant : 7 €. Petit déjeuner : 5 €.
22 chambres : 26/36 €. Classement : Table Gastronomique

Entouré d'un vignoble de 104 ha, au coeur des Corbières, à 15 km de la mer, le restaurant La Bergerie du Château de Lastours vous accueille autour d'une cuisine méditerranéenne conviviale évoluant au gré des saisons et du marché, en parfaite harmonie avec les vins du domaine. Spécialités : filet de canette grillé sur la peau, rôti de figue poivré et gégérieum sauce épicée à la canelle ; marmite noire de joue de cochon aux topinambours et goûts de forêt ; sabayon de fruits et baies gratinés au banyuls et de pain d'épice.
Chambres avec bain ou douche+WC+TV : 11 à 17.
Parking privé, accès handicapés restaurant, petit déjeuner buffet, salle restaurant de caractère, salle de séminaires, animaux acceptés au restaurant

Surrounded by a vineyard of 10 ha, in the heart of Corbières, at 15 km of the sea, the restaurant La Bergerie du Château de Lastours accomodates you around a convivial mediteranean cooking following the seasons, in perfect harmony with the wines of the field .

Rodeado de un viñedo de 10 ha., en el corazón de los Corbières, a 15 km del mar, el restaurante La Bergerie du Château de Lastours le acoge alrededor de una cálida cocina mediterránea que sigue el ritmo de las estaciones y del mercado, en absoluta armonía con los vinos de la propiedad.

Umgeben von 10 ha Weinbergen, mitten in den Corbières, 15 km vom Meer, empfängt Sie das Restaurant La Bergerie du Château de Lastours mit einer gastlichen, mediterranen Küche, den Jahreszeiten und Märkten angepasst und in perfekter Harmonie mit den Weinen der Umgebung.

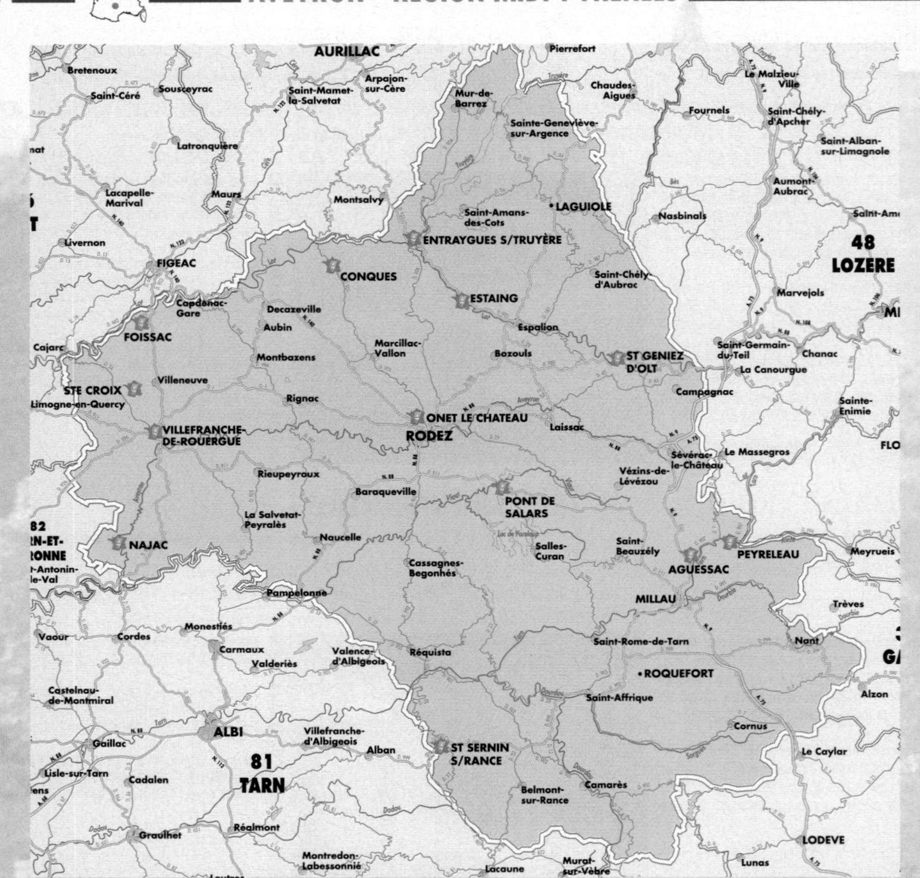

Sites Touristiques : Conques, Cités Templières du Larzac, Caves de Roquefort, Plateau de l'Aubrac, Gorges du Tarn, Vallée du Lot, Vallée du Tarn, Lac du Lévezou, Bastides du Rouergue, Viaduc de Millau.

Saveurs de nos Terroirs : Aligot... Aubrac, Tripoux, Flaune, Estofinado, Roquefort, Laguiole, Bleu des Causses, Fouace, Gâteau à la Broche.
A.O.C. Marcillac, Vins d'Entraygues et du Fel, Vins Gorges et Côtes de Millau.

Animations : Micropolis, La Cité des Insectes ; Musée Fenaille à Rodez.
Mai : Transhumance sur l'Aubrac.
Août : Fête de la Fouace à Najac.
Octobre : Fête de la Châtaigne à Sauveterre de Rouergue.

COMITÉ DÉPARTEMENTAL DU TOURISME DE L'AVEYRON
17 Rue Aristide Briand B.P. 831 - 12008 - RODEZ CEDEX -Tél. : 05 65 75 55 70 - Fax : 05 65 75 55 71
www.tourisme-aveyron.com - aveyron-tourisme-cdt@wanadoo.fr

AGUESSAC (12520)

A 8 km de Millau.

HÔTEL-RESTAURANT LE RASCALAT ★ ★

05 65 59 80 43

Nationale 9 - Didier RAMONDENC - Fax : 05 65 59 73 90 - Fermeture : 28/01-28/02 ; mercredi (15/11-31/03).
Menus : 19/32 €. Menu enfant : 10 €. Petit déjeuner : 7 €.
16 chambres : 51/60 €. Demi pension : 95/105 €. Etape VRP : 58 € - Classement : Table de Terroir

Situé près des Gorges du Tarn et des Grands Causses, cet établissement aménagé dans un ancien moulin vous proposera des menus du terroir et vous fera déguster ses spécialités : agneau à la broche, foie gras en terrine, saumon fumé maison...

Chambres avec bain ou douche+WC+TV : Toutes.
Terrasse, jardin, garage fermé, parking privé, piscine d'été, accès handicapés restaurant, salle restaurant de caractère, salle de séminaires, chèques vacances

Close to the Gorge of the Tarn and the Grands Causses this establishment used to be a mill and offers different regional specialities.

Ubicado cerca de las Gargantas del Tarn y de las grandes Mesetas calcáreas, este establecimiento, acondicionado en un anciano molino le propondrá menús con productos locales. Usted podrá saborear sus especialidades.

Ganz in der Nähe der Schluchten des Tarn und den Grands Causses liegt dieses Gasthaus in einer ehemaligen, restaurierten Mühle. Es erwarten Sie dort die Spezialitäten der typisch regionalen Küche.

CONQUES (12320)

A 35 km de Rodez.

AUBERGE SAINT JACQUES ★ ★

05 65 72 86 36 - info@aubergestjacques.fr

Francis FALLIÉRES - Fax : 05 65 72 82 47 - www.aubergestjacques.fr - Fermeture : Fin des vacances de Noël jusqu'à fin Janvier/début février.
Menus : 15/42 €. Menu enfant : 10 €. Petit déjeuner : 7 €.
13 chambres : 37/58 €. Demi pension : 44 €. Etape VRP : 55 € - Classement : Table Gastronomique

Au coeur du village médiéval de Conques, l'Auberge Saint Jacques vous accueille dans un cadre confortable et paisible. De sa terrasse vous pourrez admirer l'Abbatiale Sainte Foy, un des hauts lieux culturels et touristiques les plus réputés de notre pays. Une cuisine gastronomique à partir des meilleurs produits aveyronnais vous sera proposée.

Chambres avec bain ou douche+WC+TV : Toutes.
Terrasse, parking privé, accès handicapés hôtel, chèques vacances, animaux acceptés à l'hôtel

In the heart of the medieval village of Conques, the Auberge Saint Jacques accomodates you in a comfortable and peaceful framework. From its terrace you will be able to admire the abbey-church Sainte Foy, one of the high cultural and tourist places most famous of our country. A gastronomic cooking from best regional products will be proposed to you.

En el corazón del pueblo medieval de Conques, el Auberge Saint Jacques le acoge en un ambiente cómodo y tranquilo. Desde su terraza usted podrá admirar la Abbatiale Sainte Foy, uno de los destacados lugares culturales y turísticos de los más famosos de nuestro país. Usted podrá saborear una cocina gastronómica elaborada con los mejores productos aveyronnais.

Im Herzen des mittelalterliche Dorfs Conques, erwartet man Sie in der Auberge St Jacques in einem angenehmen und friedlichen Rahmen. Von der Terrasse aus können Sie die Abtei Sainte Foy bewundern, eine kulturelle und touristische Hochburg überall bekannt in unserem Land. Es erwartet Sie eine gastronomische Küche aus besten Erzeugnissen des Aveyron.

ENTRAYGUES (12140)

A 50 km d'Aurillac et de Rodez.

HÔTEL LES DEUX VALLÉES ★ ★

05 65 44 52 15 - hotel.2vallees@wanadoo.fr

7 Avenue du Pont de Truyère - Patrick FERRARY - Fax : 05 65 44 54 47 - Fermeture : 15 jours mi novembre ; 15 jours début février ; vendredi soir, dimanche soir et un samedi sur 2 de novembre à fin mars. - Menus : 11/31 €. Menu enfant : 7 €. Petit déjeuner : 5,50 €
17 chambres : 33/49 €. Demi pension : 35/40 €. Etape VRP : 42 € - Classement : Table Gastronomique

Les Deux Vallées sera le point de départ idéal pour découvrir quelques uns des plus beaux sites de la région. Situé dans la vallée de la Truyère et du Lot, le village d'Entraygues propose de nombreuses activités de loisirs ; pour votre repos des chambres agréables vous attendent, une cuisine traditionnelle de terroir vous permettra de mieux découvrir cette région. Spécialités : feuilleté de foie gras chaud aux poires en huile d'herbes, salade de cuisses de cailles et magrets fumés, aiguillettes de canard poêlées au porto compotée de choux vert.
Chambres avec bain ou douche+WC+TV : Toutes.
Terrasse, garage fermé, parking privé, ascenseur, accès handicapés restaurant, salle restaurant de caractère, salle de séminaires, chèques vacances, animaux acceptés

Les Deux Vallées will be the ideal starting point to discover some of the most beautiful sites of the area. Located in the valley of Truyère and the Lot, the village of Entraygues proposes many activities of leisures; Patrick FERRARY and his team will give you all the details of them; for your rest pleasant rooms await you, a traditional cooking of soil will allow you to better discover this area.

Les Deux Vallées será el punto de partida ideal para descubrir algunos de los más bellos lugares de la región. Ubicado en el valle de la Truyère y del Lot, el pueblo d'Entraygues propone numerosas actividades para sus ratos de ocio; Patrick FERRARY y su equipo le informarán detalladamente ; para su descanso agradables habitaciones le aguardan y a través de una cocina tradicional regional usted descubrirá mejor esta región.

Les Deux Vallées ist der Ausgangspunkt, um einige der schönsten Stätten der Region zu besichtigen. Im Tal der Truyère und des Lot, bietet das Dorf Entraygues zahlreiche Freizeitaktivitäten; Patrick Ferrary und sein Team geben Ihnen alle Details; zu Ihrer Erholung erwarten Sie angenehme Zimmer, eine traditionelle ländliche Küche hilft Ihnen, die Region besser zu entdecken.

ESTAING (12190)

A 35 km de Rodez.

AUBERGE SAINT FLEURET ★ ★

05 65 44 01 44 - auberge.st.fleuret@wanadoo.fr

19 Rue François d'Estaing - Gilles MOREAU - Fax : 05 65 44 72 19 - http://perso.wanadoo.fr/auberge.st.fleuret

Fermeture : 1/12-28/02 ; dimanche soir et lundi. - Menus : 15/45 € . Menu enfant : 7 € . Petit déjeuner : 5,50 € .
14 chambres : 35/47 € . Demi pension : 39/46 € . Etape VRP : 48 € - Classement : Table de Terroir

Gilles Moreau et son équipe vous proposent des chambres personnalisées et confortables avec vue sur le jardin, au calme, ou sur le village classé ainsi que deux salles de restaurant agréablement décorées. La cuisine est issue des produits du terroir pour vous offrir des plats de région pleins d'originalité.
Spécialités : gâteau fraicheur de pomme de terre et truite rose, carré d'agneau au farçi provençal, tulipe de fraise au caramel mou.

Jardin, garage fermé, salle restaurant de caractère, chèques vacances, animaux acceptés

Gilles Moreau and his team offer you personalised and comfortable rooms with view on the garden or the village and 2 dining rooms, pleasantly decorated. The cooking is come from traditional products to give you original meals.

Gilles Moreau y su equipo le proponen habitaciones personalizadas y confortables con vista al jardín o al pueblo y dos comedores decorados con gusto. La cocina con sus productos regionales está llena de originalidad.

Gilles Moreau und sein Team bieten Ihnen personalisierte und komfortable Zimmer mit Blick auf den friedlichen Garten oder das Dorf, unter Denkmalschutz. Es erwarten Sie zwei angenehm ausgestattete Speisesäle und eine Küche aus ländlichen Erzeugnissen für originale und typische Gerichte.

FOISSAC (12260)

Entre Figeac (14 km) et Villefranche (19 km).

RELAIS DE FRÉJEROQUES ★ ★

05 65 64 62 80 - relaisfrejeroques@wanadoo.fr

D922 - Marie Line ESPEILLAC - Fax : 05 65 64 60 03 - www.relaisfrejeroques.com

Fermeture : Samedi midi et dimanche midi (restaurant) hors saison. - Menus : 8/15 € . Menu enfant : 8 € . Petit déjeuner : 6 € .
19 chambres : 26/34 € . Demi pension : 29/31 € . Etape VRP : 38 € - Classement : Auberge du Pays

Situé dans un cadre de verdure, en pleine campagne, au calme, cet hôtel familial vous propose des chambres confortables et vous fera partager une cuisine élaborée avec les meilleurs produits du terroir. Le restaurant est exclusivement réservé aux clients de l'hôtel.

Spécialités : confit de canard, magret, tripoux.

Chambres avec bain ou douche+WC+TV : Toutes.
Terrasse, jardin, parking privé, piscine d'été, accès handicapés, climatisation, salle restaurant de caractère, chèques vacances, animaux acceptés

Situated in a greenery setting, in country-side, in calm, this family hotel offers comfortable rooms and will share you a cooking made with the best traditional products. The restaurant is only reserved to the guests of the hotel.

En el ambiente verde y tranquilo del campo, este hotel familiar propone habitaciones confortables y una cocina elaborada con los mejores productos regionales. El restaurante queda reservado exclusivamente a los clientes del hotel.

Mitten im Grünen, im Ruhigen auf dem Land, bietet Ihnen dieses familiäre Hotel komfortable Zimmer und teilt eine mit besten regionalen Produkten zubereitete Küche mit Ihnen. Das Restaurant steht ausschließlich Gästen des Hotels zur Verfügung.

NAJAC (12270)

A 22 km de Villefranche de Rouergue.

L'OUSTAL DEL BARRY ★ ★

05 65 29 74 32 - oustal@caramail.com

Place du Faubourg - Corinne et Rémy SIMON - Fax : 05 65 29 75 32 - www.oustaldelbarry.com

Fermeture : 02/11-30/03 ; Lundi et Mardi midi (hors saison). - Menus : 22,30/48 € . Menu enfant : 10 et 15 € .
18 chambres : 42/72 € - Classement : Table Gastronomique

Situé à l'entrée du village médiéval de Najac (classé un des plus beaux village de France), avec une superbe vue sur les Gorges de l'Aveyron, cet établissement vous propose une cuisine gastronomique de qualité mettant en avant les produits de son terroir. Carte des vins subtile et raffinée.
Spécialités : foie chaud poêlé au vin de Banyuls, goujonnettes de saumon et gnocchis aux truffes, parfait glacé à la pulpe de figues sèches...

Chambres avec bain ou douche+WC+TV : Toutes.
Terrasse, jardin, ascenseur, accès handicapés, salle de séminaires, chèques vacances, animaux acceptés

Located at the entry of the medieval village of Najac (classified one of most beautiful the village of France), with a superb sight on the Throats of Aveyron, this establishment proposes a gastronomic cooking of quality to you made with products of its soil. Subtle and refined chart of wines.

Este establecimiento ubicado en la entrada del pueblo medieval de Najac (uno de los más bellos pueblos de Francia) con una magnífica vista de las Gorges de l'Aveyron, le propone una cocina gastronómica de calidad en la que sobresalen los productos regionales. Lista de vinos, sutil y fina.

Am Ortsanfang von Najac, einem mittelalterlichen Dorf (als eines der schönsten Frankreichs ausgezeichnet), mit einem herrlichen Blick auf die Schluchten des Aveyron, bietet Ihnen dieses Haus eine gastronomische Küche, in der bevorzugt regionaler Produkte verwendet werden.

ONET LE CHATEAU (12850)

A 2 km de Rodez.

HOSTELLERIE DE FONTANGES ★ ★ ★

05 65 77 76 00 - fontanges.hotel@wanadoo.fr

Route de Conques - Fax : 05 65 42 82 29 - Menus : 19/53 €. Menu enfant : 13 €. 46 chambres : 51/125 €
Classement : Table Gastronomique

PEYRELEAU (12720)

A 20 km de Millau

GRAND HÔTEL DE LA MUSE ET DU ROZIER ★ ★ ★

05 65 62 60 01 - info@hotel-delamuse.com

Lieu-Dit La Muse - Françoise et Jean-Pierre Rigail - Fax : 05 65 62 63 88 - www.hotel-delamuse.com - Fermeture : novembre à mars (restaurant : mercredi midi et jeudi midi du 28/03 au 3/11). - Menus : 18/44 €. Menu enfant : 14 €. Petit déjeuner : 12/13,50 €. 38 chambres : 63/170 €. Demi-Pension : 74/113 €. Soirée Etape VRP : 65 € - Classement : Table de Terroir

Au coeur des Gorges du Tarn, dans une oasis de calme et de beauté, Françoise et Jean-Pierre RIGAIL vous invitent à séjourner dans ce lieu d'accueil chaleureux et raffiné. Des chambres de grand confort, avec vue panoramique vous seront proposées, vous pourrez profiter également d'une grande terrasse où vous sera servie une cuisine traditionnelle de terroir. Spécialités : Truite Bleu de Causse, Rosace aux Poires Roquefort.
Chambres avec bain ou douche+WC+TV : Toutes
Terrasse, jardin, garage fermé, parking privé, piscine d'été, tennis, ascenseur, chaînes satellites, petit déjeuner buffet, salle de séminaires, animaux acceptés

In the heart of the Gorges of the Tarn, in an oasis of calms and beauty, Françoise and Jean-Pierre RIGAIL invite you to stay in this place of cordial welcome and refined. Rooms of great comfort, with panoramic sight will be proposed to you, you will be able to profit also of a large terrace where you will be been used a traditional cooking of soil.

En el corazón de las Gorges du Tarn, en un oasis de tranquilidad y belleza, Françoise y Jean-Pierre RIGAIL le invitan a detenerse en este lugar caluroso y refinado. Usted podrá descubrir sus comodísimas habitaciones y una gran terraza donde podrá saborear una cocina tradicional regional.

Im Herzen der Schluchten des Tarn, einer Oase aus Ruhe und Schönheit, laden Sie Françoise und Jean-Pierre Rigail ein, diesen warmen und feinen Ort zu entdecken. Es erwarten Sie hochkomfortable Zimmer mit Panorama und eine große Terrasse, wo eine traditionelle ländliche Küche serviert wird.

PONT DE SALARS (12290)

A 25 km de Rodez.

HÔTEL-RESTAURANT LES VOYAGEURS ★ ★

05 65 46 82 08 - hotel-des-voyageurs@wanadoo.fr

1 Avenue de Rodez - Pierre GUIBERT - Fax : 05 65 46 89 99 - Fermeture : 22/01-1/03, dimanche soir et lundi (hors saison) ; tous les soirs (1/11-31/12). - Menus : 10,60/34,50 €. Menu enfant : 8,50 €. Petit déjeuner : 5,95 €. 27 chambres : 36,60/47,50 €. Demi pension : 36,60/42 €. Etape VRP : 44,50 € - Classement : Table de Terroir

Situé dans la région des lacs du Levezou, Pierre GUIBERT et son équipe vous proposent au sein de leur établissement (tenu depuis 3 générations) un accueil privilégié, le confort, la tradition et une cuisine traditionnelle de qualité avec des spécialités régionales : pied de porc braisé au Marcillac, écrevisses à l'américaine (juillet, août et septembre), ris d'agneau aux cèpes. Grande carte de Bordeaux et de Bourgogne.
Chambres avec bain ou douche+WC+TV : Toutes.
Terrasse, garage fermé, parking privé, accès handicapés restaurant, salle restaurant de caractère, salle de séminaires, chèques vacances, animaux acceptés

In the region of the Levezou lakes, Pierre GUIBERT and his team offer a traditional and regional cooking of quality. This establishment (run by 3 generations) has a privileged welcome, comfort, and a traditional cooking of quality with regional specialities.

Situado en la región de los lagos del Levezou, Pierre GUIBERT y su equipe le proponen en el seno de su establecimiento (tenido desde hace 3 generaciones) una acogida privilegiada, confort, tradición y una cocina tradicional de calidad con sus especialidades regionales.

Bei den Seen von Levezou bietet Ihnen Pierre GUIBERT und sein Team in ihrem Haus (seit 3 Generationen betrieben) einen herzlichen Empfang, Komfort, Tradition und eine ausgezeichnete, traditionelle Küche mit regionalen Spezialitäten.

SAINTE CROIX (12260)

A 10 km de Villefranche de Rouergue.

RESTAURANT AUSSET

05 65 81 65 58

Le Bourg - Anne Marie AUSSET - Fax : 05 65 81 65 58 - Fermeture : Dimanche soir.
Menus : 10/20 €. Menu enfant : 5,50 € - Classement : Auberge du Pays

Située dans un petit village de campagne, entre la vallée du Lot et les Gorges de l'Aveyron, cette auberge familiale vous propose ses spécialités maison : friton de canard, poule farcie, confit, foie gras, veau de l'aveyron, massepain, tarte aux pruneaux.

Terrasse, jardin, accès handicapés restaurant, animaux acceptés au restaurant

Located in a small village of countryside, between the valley of the Lot and the gorges of Aveyron, this family inn proposes its specialities house to you

Ubicado en un pueblito de campo, entre el valle del Lot y las gargantas del Aveyron, esta posada familiar le propone las especialidades de la casa.

In einem kleinen Dorf auf dem Land, zwischen dem Lot Tal und den Schluchten des Aveyron, bietet Ihnen diese ländliche Gaststätte die Spezialitäten des Hauses.

ST GENIEZ D'OLT (12130)

A75, sortie 41 ou RN88.

Table Gastronomique

HOSTELLERIE DE LA POSTE ★ ★ ★

05 65 47 43 30 - hotel@hoteldelaposte12.com

3 Place du Général de Gaulle - Isabelle CAULIER - Fax : 05 65 47 42 75 - www.hoteldelaposte12.com
Fermeture : 17/11-1/04 - Menus : 15/48 € . Petit déjeuner : 6,80 € .
50 chambres : 28/62 € . Demi pension : 38/48 € . Etape VRP : 48/50 € - Classement : Table Gastronomique

Hôtel de charme situé dans une station verte de vacances. Le restaurant Le Rive Gauche vous propose une cuisine gastronomique alliant créativité, produits du terroir et spécialités locales.

Chambres avec bain ou douche+WC+TV : Toutes. Terrasse, jardin, parking privé, piscine d'été, tennis, ascenseur, chaînes satellites, canal+, petit déjeuner buffet, salle restaurant de caractère, salle de séminaires, chèques vacances, animaux acceptés

Charming hotel situated in a green station of holiday. The restaurant Le Rive Gauche proposes a gastronomic cooking combining creativity, traditional cooking and local specialities

Encantador hotel situado en el verdor de una estación de vacaciones. El restaurante Le Rive Gauche le propone una cocina gastronómica que une la creatividad a los productos regionales y a las especialidades locales.

Charmantes Hotel in einem Luftkurort. In gemütlichem und vornehmem Ambiente kosten Sie eine traditionelle Feinschmeckerküche.

ST SERNIN SUR RANCE (12380)

A 30 km de Saint Affrique

Table Gastronomique

HÔTEL CARAYON ★ ★

05 65 98 19 19 - carayon.hotel@wanadoo.fr

Place du Fort - Pierre CARAYON - Fax : 05 65 99 69 26 - www.hotel-carayon.fr - Fermeture : Dimanche soir, lundi, mardi midi hors saison.
Menus : 14/54 € . Menu enfant : 9 € . Petit déjeuner : 8 € . 60 chambres : 36/65 € . Demi pension : 40/67 € .
Etape VRP : 49,90/59,90 € - Classement : Table Gastronomique

Entre l'albigeois et les Gorges du Tarn, dans un village de caractère en sud aveyron, retrouvez le charme et l'hospitalité de l'hôtellerie traditionnelle aux équipements modernes. Spécialités : ris d'agneau persillés, boudin aux pommes, marbré de foie gras maison, pavé de daim aux figues. Chambres avec bain ou douche+WC+TV : Toutes. Terrasse, jardin, garage fermé, parking privé, piscine d'été, piscine d'hiver, tennis, ascenseur, accès handicapés, chaînes satellites, petit déjeuner buffet, salle restaurant de caractère, salle de séminaires, chèques vacances, animaux acceptés

Between the Albigensian and the Gorges of the Tarn, in a village of character in south Aveyron, find the charm and the hospitality of traditional hotel with fully equiped

Entre los albigenses y las Gargantas del Tarn, en un típico pueblo del sur de Aveyron, encuentre el encanto, la hospitalidad y las modernas instalaciones de esta hostelería tradicional.

Unweit der Gorges du Tarn, in einem charaktervollen Dorf im südlichen Aveyron, finden Sie den Charme und die Gastlichkeit eines traditionellen, modern ausgestatteten Hotelgewerbes.

VILLEFRANCHE DE ROUERGUE (12200)

Table de Terroir

HÔTEL L'UNIVERS ★ ★

05 65 45 15 63 - univershotelbourdy@wanadoo.fr

2 Place de la République - Christiane BOURDY - Fax : 05 65 45 02 21 - Fermeture : Janvier (restaurant) ; 27/06-7/07 ; vendredi et samedi hors saison. - Petit déjeuner : 6 € . 30 chambres. Demi pension : 14,50/48 € . Classement : Table de Terroir

Situé près du centre ville, en bordure de l'Aveyron, cet établissement vous propose un cadre agréable et chaleureux, au calme où vous pourrez déguster une cuisine régionale et traditionnelle de qualité.

Chambres avec bain ou douche+WC+TV : Toutes. Garage fermé, canal+, climatisation, petit déjeuner buffet, salle restaurant de caractère, salle de séminaires, chèques vacances, animaux acceptés

Located close to the centre town, in edge of Aveyron, this establishment proposes a pleasant and cordial framework to you with calms where you will be able to taste a regional and traditional kitchen of quality.

Ubicado cerca del centro de la ciudad, a orillas del Aveyron, este establecimiento le ofrece un ambiente agradable, caluroso y tranquilo, donde podrá saborear una cocina regional y tradicional de calidad.

In der Nähe des Stadtzentrums, am Rand des Aveyron, bietet Ihnen dieses Haus einen angenehmen und warmen Rahmen. Kosten Sie dort in Ruhe eine hervorragende regionale und traditionelle Küche.

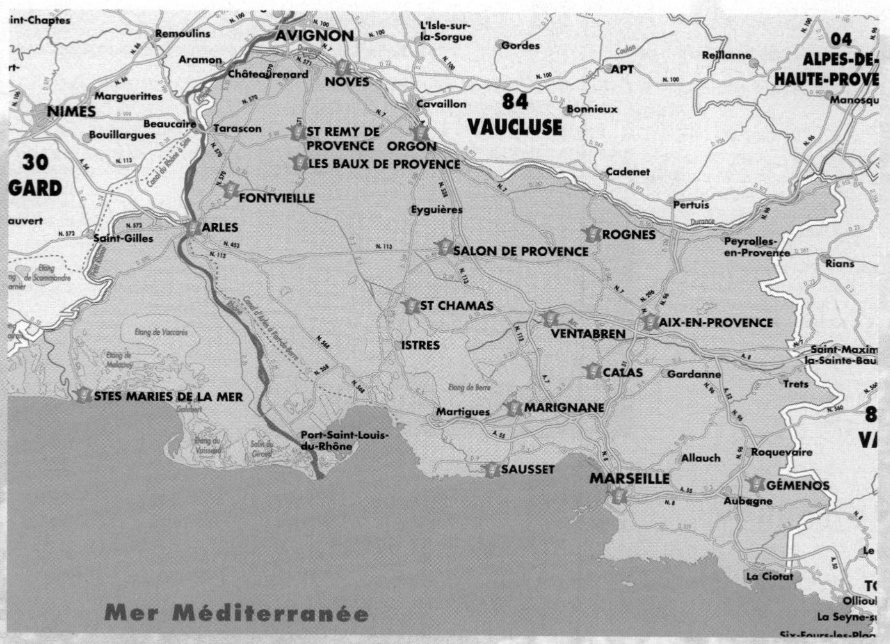

Sites Touristiques : Marseille, Les Calanques, Aix-en-Provence et Sainte-Victoire, Arles et la Camargue, Les Alpilles.

Saveurs de nos Terroirs : Bouillabaisse, Huile d'Olives, Olives cassées, Tapenade, Anchoïade, Soupe au Pistou, Aïoli, Pieds et Paquets, Calissons, Navettes.
Côteaux d'Aix A.O.C., Côtes de Provence A.O.C., Les Baux de Provence A.O.C., Cassis A.O.C., Palette A.O.C., Pastis, Liqueur de Frigolet, Vin Cuit.

Animations : Centre de la Vieille Charité à Marseille, Musée de l'Arles Antique.
Juillet/Août : Rencontres Internationales de la Photo à Arles, Festival d'Art Lyrique à Aix en Provence, Festival de Piano à La Roque d'Antheron.

COMITÉ DÉPARTEMENTAL DU TOURISME DES BOUCHES-DU-RHONE
"Le Montesquieu" 13, Rue Roux de Brignoles - 13006 - MARSEILLE -Tél. : 04 91 13 84 13 - Fax : 04 91 33 01 82
www.visitprovence.com - cdt13@visitprovence.com

AIX EN PROVENCE (13100)

A proximité de l'Office du Tourisme, à 200 m de la gare

Table de Terroir

HÔTEL SAINT-CHRISTOPHE ★ ★

04 42 26 01 24 - saintchristophe@francemarket.com

2 Avenue Victor Hugo - Jean-Paul BONNET - Fax : 04 42 38 53 17 - www.hotel-saintchristophe.com - Ouvert toute l'année.
Menus : 15/30 € . Menu enfant : 8,80 € . Petit déjeuner : 8,50 € .
58 chambres : 69/130 € . Demi pension : 94/155 €. Etape VRP : 94 € - Classement : Table de Terroir

La Brasserie Léopold vous accueillera dans un cadre paisible et confortable et vous fera découvrir sa cuisine avec ses spécialités provençales parmi lesquelles vous pourrez déguster : choucroute de la mer, bourride, grand aïoli et petits farcis, poissons grillés... Vins des côteaux d'Aix.
Chambres avec bain ou douche+WC+TV : Toutes.
Terrasse, garage fermé, ascenseur, accès handicapés, chaînes satellites, canal+, climatisation, petit déjeuner buffet, salle de séminaires, animaux acceptés à l'hôtel

La Brasserie Léopold will welcome you in a calm and friendly atmosphere. You will be able to savour provencal specialities.

La Brasserie Léopold le acogerá en un ambiente tranquilo y confortable y le hará descubrir las especialidades provenzales de su cocina. Vinos de Aix.

Die Gaststätte Leopold empfängt Sie in einem ruhigen und friedlichen Rahmen. Entdecken Sie dort eine Küche mit Spezialitäten aus der Provence.

AIX EN PROVENCE (13100)

Table de Terroir

LA CHIMÈRE CAFÉ

04 42 38 30 00

15 Rue Brueys - Charles BALAGUER - Fax : 04 42 27 29 57 - Fermeture : 15/01-31/01 ; 15/08-31/08 ; dimanche.
Menus : 21 € - Classement : Table de Terroir

Charles BALAGUER, Stéphane MARIE et son équipe se feront un plaisir de vous recevoir et de vous faire partager leur cuisine de terroir. Spécialités : consommé de langoustines aux ravioles d'orties, pissaladière de coquilles saint jacques, rable de lapin fourré, purée de basilic et mozzarela, blanc de turbot braisé à la vanille gousse, figues rôties au vin rouge pain d'épice tiède quenelle de glace vanille.
Climatisation, salle restaurant de caractère, salle de séminaires, animaux acceptés au restaurant

Charles Balaguer, Stéphane Marie and his team will be glad to receive you and to make you share their cooking of soil.

Charles BALAGUER, Stéphane MARIE y su equipo tendrán el placer de recibirle y hacerle compartir su cocina regional.

Charles Balaguer, Stéphane Marie und ihr Team freuen sich, Sie zu empfangen und mit Ihnen ihre ländliche Küche zu teilen.

ARLES (13200)

A proximité des Arènes et du Théatre Antique.

Table de Terroir

LA GIRAUDIÈRE

04 90 93 27 52

53/55 Rue Condorcet Place Voltaire - Betty DEGLIAME - Fax : 04 90 93 27 52
Fermeture : 8/01-8/02 ; mardi ; mercredi midi. - Menus : 22/35 € . Menu enfant : 8 €
Classement : Table de Terroir

Situé au coeur de la ville, à proximité de tous les hôtels et des diverses animations, La Giraudière vous propose de faire une halte gourmande et de découvrir sa cuisine traditionnelle.
Spécialités : foie gras cuit au sel ; aiguillettes de canard au miel de lavande, et sa confiture d'oignons ; sauté minute de gigot d'agneau au pesto (basilic, huile d'olive, ail) ; caviar d'aubergines.

Terrasse, climatisation, salle restaurant de caractère, animaux acceptés au restaurant

Located at the heart of the city, near all the hotels and of various animations, La Giraudière offers you to make a greedy halt and to discover its traditional kitchen.

En el corazón de la ciudad, cerca de todos los hoteles y de variadas animaciones, La Giraudière le invita a hacer una parada golosa y descubrir su cocina tradicional.

Im Herzen der Stadt, in der Nähe von allen Hotels und verschiedenen Animationen, bietet Ihnen La Giraudière eine Schlemmerpause mit seiner traditionellen Küche.

ARLES CEDEX (13631)

Table Gastronomique

HÔTEL JULES CÉSAR - RESTAURANT LOU-MARQUÈS ★ ★ ★ ★

04 90 52 52 52 - julescesar2@wanadoo.fr

B.P. 116 - 9 Boulevard des Lices - Michel ALBAGNAC PDG - M. SENEBIADE Directeur - Fax : 04 90 52 52 53 - www.hotel-julescesar.fr
Fermeture : 3/11-23/12. - Menus : 27/75 € . Menu enfant : 12,50 € . Petit déjeuner : 16 € .
56 chambres : 132/385 € - Classement : Table Gastronomique

Autrefois, couvent de carmélites, aujourd'hui hôtel de caractère alliant une ambiance de charme aux services d'une hôtellerie moderne. C'est un lieu idéal de séjour. Vous y apprécierez les jardins du cloître provençal et la piscine (chauffée de pâques à octobre). Le restaurant Lou Marques séduira plus d'un gourmet. Spécialités : Baudroie a l'aigo sau, risotto de saint jacques ou homard aux truffes, carré d'agneau aux petits farcis provençaux, papeton d'aubergine et tomate confite.
Chambres avec bain ou douche+WC+TV : Toutes.
Terrasse, jardin, garage fermé, parking privé, piscine d'été, accès handicapés, chaînes satellites, climatisation, salle restaurant de caractère, salle de séminaires

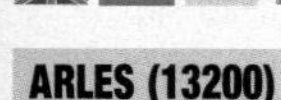

Former convent this hotel allies charm and modernity. It is an ideal place to stay. You will enjoy the cloister's gardens and the swimming-pool (heated from Easter to october). The restaurant Lou Marques will seduce all the epicures.

En otro tiempo, convento de carmelitas, hoy un hotel original que une un ambiente encantador a los servicios de una hostelería moderna. Este es el lugar ideal para una estancia. Usted apreciará los jardines provenzal y del claustro, la piscina (climatizada desde Pascua hasta octubre). El restaurante Lou Marques encantará a más de un gastrónomo.

Früher ein Kamelitenkloster, heute ein charaktervolles Hotel, das eine charmante Atmosphäre mit einem moderen Hotelgewerbe verbindet. Ein idealer Aufenthaltsort. Genießen Sie hier den Klostergarten und das Schwimmbad (von Ostern bis Oktober beheizt). Das Restaurant Lou Marques überzeugt jeden Feinschmecker mit seinen Spezialitäten.

ARLES (13200)

Table de Terroir

RESTAURANT LA PAILLOTTE

04 90 96 33 15

28 Rue du Docteur Fanton - M. BOGNIER Stéphane - Fax : 04 90 96 56 14
Fermeture : 15/01-4/02 ; samedi midi et mercredi.
Menus : 16/26 € . Menu enfant : 10 € (carte : 9/16 €) - Classement : Table de Terroir

Situé en plein coeur de la vieille ville d'Arles, le restaurant La Paillotte s'est spécialisé dans la cuisine régionale.
Spécialités : marmite du petit pêcheur, carré d'agneau rôti aux amandes, pavé de boeuf aux morilles et ses ravioles, cassolette de fruits de mer à la provençale. Spécialités provençales.

Terrasse, salle restaurant de caractère, chèques vacances, animaux acceptés au restaurant

La Paillotte is situated in the heart of the old city of Arles and is specialized in regional cooking.

En pleno centro de la ciudad vieja de Arles, el restaurante La Paillote especialista en cocina regional, le hará saborear sus platos. Especialidades provenzales.

Entdecken Sie die regionale Küche des Restaurants La Paillotte im Herzen der Stadt Arles.

CALAS (13480)

A 12 km d'Aix en Provence.

Table Gastronomique

AUBERGE BOURRELLY ★ ★ ★

04 42 69 13 13 - bourrelly@wanadoo.fr

Place Albert A - Roger BOURRELLY - Fax : 04 42 69 13 40 - www.bourrelly.com - Fermeture : Janvier.
Menus : 31/42 € . Carte : 46 € . Menu enfant : 15 € . Petit déjeuner : 10 € .
16 chambres : 68/122 € . Suites : 122/183 €. Demi-pension : 72/183 € . Etape VRP : 76 € - Classement : Table Gastronomique

Au coeur d'un charmant village, cette belle bastide provençale, blottie sous des arbres centenaires, entourée de fleurs et de terrasses a conservé son charme d'antan. Après le repos dans ses chambres et suites où se marient harmonieusement raffinement du décor et confort moderne, vous dégusterez une cuisine traditionnelle gastronomique axée sur la Provence. Spécialités : brandade de morue, petits farcis provençaux, dos de loup, artichauts barigoules, tartines de rougets, foie gras, carré d'agneau... A proximité vous pourrez profiter d'un golf (à 5 mn), terrains de tennis et centre équestre.
Chambres avec bain ou douche+WC+TV : Toutes.
Terrasse, jardin, parking privé, piscine d'été, accès handicapés restaurant, chaînes satellites, climatisation, salle restaurant de caractère, animaux acceptés

In the heart of a charming village, is this beautiful Provençal family estate. Hundred year old trees, flowers and terraces surround this auberge creating a truly splendid setting. After the night in the rooms and suites where the decoration and the modern confort are refined, you will eat a traditional provencal cuisine. Nearby you will find a golf (5mn), tennis courts, horse riding center

En el corazón de un lindo pueblo, esta bella quinta provenzal, rodeada de árboles centenarios, flores y jardines ha conservado el encanto de antaño. Luego de un descanso en sus habitaciones y apartamentos, donde el delicado ambiente se une armoniosamente al confort moderno, usted podrá saborear una cocina tradicional gastronómica cuyo centro es la Provence. Usted podrá aprovechar de un golf (a 5 min.), de campos de tenis y de un centro ecuestre.

Dieses provenzalische Gasthaus befindet sich im Herzen eines charmanten Dorfes und wird von hundertjährigen Bäumen, Blumen und Terrassen umbegeben, wodurch eine herrliche Atmosphäre geschaffen wird. Nachdem Sie sich in den Zimmern oder Suits ausgeruht haben, wo ein einfallsreiches Dekor mit modernem Komfort harmoniert, werden Sie eine traditionell provenzalische Küche genießen.

FONTVIEILLE (13990)

A 10 km de Arles sur Rhône.

Table de Terroir

LA RIPAILLE ★ ★

04 90 54 73 15 - hotel@laripaille.com

Route des Baux - Raphaël et Hélène MAROTO - Fax : 04 90 54 60 69 - www.laripaille.com - Fermeture : 10/10-1/04 (restaurant).
Menus : 16/25 € . Menu enfant : 8 € . Petit déjeuner : 9 € .
19 chambres : 45/78 € . Demi pension : 110/140 €. 2 pers. Etape VRP : 65 € - Classement : Table de Terroir

Au pied des Baux, aux portes de la Camargue, Raphaël et Hélène MAROTO vous accueillent dans un cadre provençal chaleureux et convivial.

Spécialités : carré d'agneau des alpilles, duo de tappenades.

Chambres avec bain ou douche+WC+TV : Toutes.
Terrasse, jardin, garage fermé, parking privé, piscine d'été, accès handicapés, climatisation, petit déjeuner buffet, salle restaurant de caractère, chèques vacances, animaux acceptés

At the foot of the Baux, at the gates of Camargue, Raphaël and Hélène Maroto welcome you in a warm and friendly setting.

Al pie de los Baux, a las puertas de la Camargue, Raphaël y Hélène MAROTO le acogen en un ambiente provenzal caluroso y amistoso.Usted podrá descubrir las especialidades de la Casa.

Am Fuß des Baux, vor den Toren der Camargue, begrüßen Sie Raphaël und Hélène Maroto in einem provenzalischen, warmen und gastlichen Rahmen

GÈMENOS EN PROVENCE (13420)

A 20 km de Marseille.

Table Gastronomique

RESTAURANT LE FER À CHEVAL

04 42 32 20 97

Place de la Mairie - Loïc BULLONES - www.feracheval.com
Fermeture : 2/01-18/01 ; 2/08-23/08. Dimanche soir, mardi soir, mercredi.
Menus : 27/30 € . Menu enfant : 11 € - Classement : Table Gastronomique

Situé au coeur du village de Gémenos, cet ancien Relais de Poste du XVIIème vous fera découvrir une cuisine provençale gastronomique dans une ambiance chaleureuse et authentique. Deux salles indépendantes sous de larges voûtes, grande cheminée en pierre.

Spécialités : noix de saint jacques sautées déglacées provençale, ravioles coraillées, tournedos aux girolles. Vins : Bandol, Domaine Salettes.

Terrasse, climatisation, salle restaurant de caractère, salle de séminaires, animaux acceptés au restaurant

Located in the heart of village Gémenos, this ancient postal relay from the XVIIth century will let you savour a gastronomic cooking from Provence in a warm and authentic ambiance. Two separate rooms under larges vaults, a large fireplace.

Ubicado en el corazón del pueblo de Gémenos, esta antigua Parada del Correo del siglo XVII le hará descubrir una cocina provenzal gastronómica, en un ambiente caluroso y auténtico. Dos salas independientes bajo un techo abovedado, gran chimenea de piedra. Vinos : Bandol, Domaine Salettes.

Mitten im Dorf von Gémenos entdecken Sie in dieser alten Poststation aus dem 17.Jh. eine gastronomische Küche der Provence in einer warmen und authentischen Atmosphäre. Zwei unabhängige Säle unter breiten Gewölben, großer Steinkamin.

LES BAUX DE PROVENCE (13520)

A 15 km d'Arles.

Table de Prestige

OUSTAU DE BAUMANIÈRE ★ ★ ★ ★

04 90 54 33 07 - contact@oustaudebaumaniere.com

Jean-André CHARIAL - Chef : Alain BURNEL - Fax : 04 90 54 40 46 - www.oustaudebaumaniere.com
Fermeture : 7/01-2/03 ; mercredi et jeudi midi (1/11 au 31/03). - Menus : 90/145 € . Menu enfant : 30 € . Petit déjeuner : 19,50 € .
30 chambres : 260/460 € . Demi pension : supplément de 144 € - Classement : Table de Prestige

Le monde entier connaît l'accueil légendaire et les chambres lumineuses de ce mas cinq fois centenaire qui sent bon une Provence chère à Cézanne. Jean-André CHARIAL perpétue avec passion le voyage initiatique dans le jardin des saveurs instauré par son grand-père Raymond THUILIER.
Les raviolis de truffes aux poireaux ou le fabuleux gigot d'agneau en croûte sont devenus des classiques. Cave extraordinaire.

Chambres avec bain ou douche+WC+TV : Toutes.
Terrasse, jardin, parking privé, piscine d'été, tennis, accès handicapés, climatisation, animaux acceptés

The whole world knows the legendary reception and the luminous rooms from this farmhouse five times centenary which smell good Provence with Cézanne. Jean-Andre CHARIAL perpetuates with passion the initiatory voyage in the garden of savours founded by his grandfather Raymond THUILIER.

El mundo entero conoce la acogida legendaria y las habitaciones luminosas, de esta masada cinco veces centenaria, que siente el perfume de una Provenza amada por Cézanne. Jean-André CHARIAL perpetúa con pasión el viaje iniciático en los jardines de los sabores, instaurado por su abuelo Raymond THUILIER.

Die ganze Welt kennt den legendären Empfang und die hellen Zimmer dieses mehr als 500 Jahre alten südlichen Landhauses, das nach der Provence des Cezanne duftet. Jean-André Charial führt mit Leidenschaft das gastronomische Erbe seines Großvaters R. Thuiliers weiter.

LES BAUX DE PROVENCE (13520)

Au sud d'Avignon, à 10 km de St Rémy de Provence

Auberge du Pays

HOSTELLERIE REINE-JEANNE ★ ★

04 90 54 32 06

Vieux Village Grand Rue - Alain GUILBARD / Monique BARTOLI - Fax : 04 90 54 32 33 - Fermeture : 20/11-20/12 ; janvier.
Menus : 22/30 € . Menu enfant : 10 € . Petit déjeuner : 6 € .
10 chambres : 47/63 € . Appartement : 92 € . Demi pension : 47,50/55 € - Classement : Auberge du Pays

Située à l'entrée du village, dominant le Val d'Enfer et le vallon de Baumanière, l'Hostellerie Reine-Jeanne est l'étape obligée des randonneurs du Massif des Alpilles. Le restaurant offre un panorama exceptionnel. J.M. HERRMANN (Chef de Cuisine) vous fera apprécier une cuisine, 1/3 alsacienne son pays d'origine, 1/3 Bocuse et Baumanière par sa formation et expérience, 1/3 saveurs provençales son pays d'adoption.
Spécialités : filets de poivrons marinés à l'huile d'olive, foie gras de canard maison, agneau des alpilles à l'ail confit, cassolette de gambas et saint jacques au jus de viande...
Chambres avec bain ou douche+WC+TV : 1-2-4-5-9-10-15.
Terrasse, chaînes satellites, climatisation, salle restaurant de caractère, animaux acceptés

Located in the entrance of a village overhanging the Val d'Enfer and the Baumanière's valley,the Hostellerie Reine-Jeanne is the ideal stop for walkers of the Massif des Alpilles. The restaurant offers an exceptional panoramic view. The Chef Mr HERRMANN will make you savour at once the same line a cooking of the region of Alsace, Bocuse and Provence.

A la entrada del pueblo, dominando el Val d'Enfer y el pequeño valle de Baumanière, la Hostellerie Reine-Jeanne es la parada obligada para los caminantes del Massif des Alpilles. El restaurante ofrece un panorama excepcional. J.M.HERRMANN(Jefe de Cocina) le hará apreciar una cocina,1/3 alsaciana su país de origen, 1/3 Bocuse y Baumanière por su formación y experiencia, 1/3 de sabores provenzales su país de adopción.

MARIGNANE (13700)

A 3 km de l'aéroport Marseille Provence.

LA CADIÈRE

04 42 88 74 51

5 Avenue Guynemer - Raymond CHATELARD - Fax : 04 42 31 46 48 - Fermeture : Dimanche soir, lundi et mardi soir.
Menus : 19/55 € . Menu enfant : 10 € - Classement : Table Gastronomique

Au coeur de la ville, vous prendrez plaisir, dès les beaux jours à savourer un délicieux repas à l'ombre de la terrasse ou plus simplement dans une salle aménagée dans une ancienne maison de pierre. Spécialités : loup farci au foie gras, dorade en croûte d'argile, croustillant d'agneau et ses côtes grillées.
Terrasse, jardin, parking privé, climatisation, salle restaurant de caractère, salle de séminaires, chèques vacances, animaux acceptés au restaurant

In the heart of the city, you will enjoy tasty meals in the shady terrace or in a dining room put in an old house of stones.

En el corazón de la ciudad, usted podrá saborear una deliciosa comida bajo la sombra de una terraza, con buen tiempo, o simplemente en la sala de esta antigua casa de piedra.

Im Herzen der Stadt, genießen Sie an den ersten sonnigen Tagen ein ausgezeichnetes Mahl im Schatten der Terrasse, oder einfach im Speisesaal eines alten Steinhauses.

MARSEILLE (13007)

LE PETIT NICE PASSEDAT ★ ★ ★ ★

04 91 59 25 92 - passedat@relaischateaux.com

16/17 Rue des Braves Corniche Kennedy - Gérald PASSEDAT - Fax : 04 91 59 28 08 - www.passedat.com
Fermeture : Dimanche et lundi hors saison (restaurant). - Menus : 55/180 € . Menu enfant : 40 € . Petit déjeuner : 25 € .
16 chambres : 190/810 € . Demi pension à partir de 140 € - Classement : Table de Prestige

Cette oasis de calme, face aux îles du Frioul propose des chambres spatieuses, raffinées, de style différent et personnalisées, d'une qualité réputée dans le monde entier. Une cuisine inventive, contemporaine et créative tournée vers la méditerranée, mariant les richesses de la mer, les épices, les saveurs et les textures des produits vous sera proposée.
Parmi les spécialités, vous pourrez déguster : pavé de bacalao dessalé 48 h, oeuf de caille poché, mille feuille de légumes et bigorneaux au citron vert.
Chambres avec bain ou douche+WC+TV : Toutes.
Terrasse, jardin, garage fermé, parking privé, piscine d'été, piscine d'hiver, ascenseur, chaînes satellites, canal+, climatisation, animaux acceptés à l'hôtel

This oasis of calms, facing the islands of the Frioul proposes refined, of different style and personalized rooms of a quality considered in the whole world. As such boat moored with the one of the most beautiful places and more calms city, the Passédat family invites you to spend time, the time of a meal. An inventive, contemporary kitchen and creative round towards the Mediterranean, marrying the richnesses of the sea, spices, savours and textures of the products will be proposed to you.

Este oasis de tranquilidad, frente a las islas del Frioul le propone espaciosas y delicadas habitaciones con estilos diferentes ,personalizadas, reconocida calidad en el mundo entero. Semejante a un barco amarrado en uno de los lugares más bellos y tranquilos de la ciudad, la familia Passédat le invita a pasar el tiempo, el tiempo de un almuerzo o cena. Usted podrá saborear una cocina inventiva, contemporánea y creativa con vista al mediterráneo, que une las riquezas del mar, las especias, los sabores y las sustancias de productos auténticos.

MARSEILLE (13006)

LA GARBURE

04 91 47 18 01

9 Cours Julien - Menus : 22/45,73 € . Ticket moyen : 38 € - Classement : Table Gastronomique

NOVES (13550)

A 12 km d'Avignon. A7 sortie Avignon sud.

Table de Prestige

AUBERGE DE NOVES ★ ★ ★ ★

04 90 24 28 28 - resa@aubergedenoves.com

Route de Châteaurenard - Fax : 04 90 90 16 92 - Menus : 37/84 € . Menu enfant : 22 € .
23 chambres : 191/343 € - Classement : Table de Prestige

ORGON (13660)

A 7 km de Cavaillon.

Table de Terroir

LE CÔTÉ JARDIN

04 90 73 31 07 - clarapages@aol.com

4 Place Albert Gérard - Jean-Michel PAGES - Fermeture : Vacances de Toussaint et de février ; lundi soir, mercredi.
Menus : 11/29 € . Menu enfant : 8 €
Classement : Table de Terroir

Venez découvrir l'ambiance chaleureuse de cette ancienne forge rénovée. Dans un cadre authentique, vous apprécierez une cuisine provençale et créative servie aux beaux jours dans la véranda donnant sur le patio.
Spécialités : tatin de tomates aux anchois monégasques, aumonière d'agneau duxelle de champignons et jus à la fleur de thym, joues de mangues rôties sur moelleux aux bananes et aux noix.

Jardin, accès handicapés restaurant, salle restaurant de caractère, animaux acceptés au restaurant

Come to discover the cordial atmosphere of this old renovated forging mill. In an authentic framework, you will appreciate a creative cooking of Provence and served on the beautiful days in the veranda giving on the patio.

Venga a descubrir el caluroso ambiente de esta antigua fragua renovada. En un ambiente auténtico, usted apreciará una cocina provenzal y creativa servida en la veranda que da al patio, con buen tiempo.

Entdecken Sie das warme Ambiente dieser ehemaligen, renovierten Schmiede. In einem authentischen Rahmen, genießen Sie die kreative Küche aus der Provence, die bei schönem Wetter auf der Veranda serviert wird.

ROGNES (13840)

A 25 km d'Aix en Provence et de Salon de Provence.

Table Gastronomique

LES OLIVARELLES

04 42 50 24 27

Route de Saint Christophe - Fax : 04 42 50 17 99 - Menus : 29,05/48,80 € . Menu enfant : 14,05 €
Classement : Table Gastronomique

SALON DE PROVENCE (13300)

Table de Prestige

LE MAS DU SOLEIL ★ ★ ★ ★

04 90 56 06 53 - mas.du.soleil@wanadoo.fr

38 Chemin Saint Côme - Fax : 04 90 56 21 52 - Menus : 30/87 € . Petit déjeuner : 13 € .
10 chambres : 100/275 € - Classement : Table de Prestige

SAUSSET LES PINS (13960)

A 7 km de Martigues.

Table Gastronomique

RESTAURANT LES GIRELLES

04 42 45 26 16

Rue Frédéric Mistral - Joëlle BOUDARA - Fax : 04 42 45 49 65 - Fermeture : 2/01-30/01 ; dimanche soir et mercredi.
Menus : 28/45 € . Menu enfant : 14 €
Classement : Table Gastronomique

Ce restaurant de grand confort, ouvert sur la mer vous réserve une cuisine raffinée mettant en avant les spécialités provençales que Joëlle BOUDARA et son équipe se feront un plaisir de préparer pour vous : bouillabaisse, bourride, loup sauvage de la côte bleue, homard rôti entier au beurre de sarriette, pain maison. Grande carte de vins riche en vieux millésimes.

Terrasse, climatisation, salle restaurant de caractère, salle de séminaires, animaux acceptés au restaurant

This restaurant great comfort, opens on the sea, reserves you a refined cooking of Provençal specialities that Joëlle Boudara and her team will be glad to prepare for you.

Este cómodo restaurante, abierto al mar le propone una cocina refinada, que resalta las especialidades provenzales que Joëlle BOUDARA y su equipo tendrán el placer de prepararle.

Dieses hochkomfortable Restaurant, zum Meer hin geöffnet, bietet Ihnen eine feine Küche mit vorzüglichen provenzalischen Spezialitäten, die Joëlle Boudara und ihr Personal mit viel Freude für Sie zubereiten.

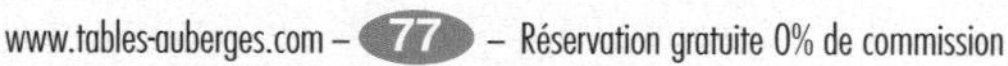

ST CHAMAS (13250)

Au Sud de Salon de Provence (15 km).

Table Gastronomique

RESTAURANT LE RABELAIS

04 90 50 84 40

8 Rue Auguste Fabre - Sylvie & Gérald GUILLY - Fax : 04 90 50 84 40
Fermeture : Vacances scolaires Février (1 semaine) ; dernière semaine d'août ; dimanche soir et lundi.
Menus : 25/35 € . Menu enfant : 13 € - Classement : Table Gastronomique

Dans un cadre du XVIIème siècle, au coeur d'un village typique provençal entre falaises et troglodytes, Le Rabelais vous attend et vous fera partager sa cuisine harmonieuse, empreinte de traditionalisme légèrement relevé d'un accent provençal. Jardin d'olivier, fontaine, tonnelle arborée. Carte renouvelée toutes les 6 semaines.
Terrasse, jardin, climatisation, salle restaurant de caractère, salle de séminaires, animaux acceptés au restaurant

Within a framework of the XVIIth century, in the heart of a typical village of Provence between cliffs and troglodytes, Rabelais awaits you and will make you share its harmonious cooking, print of
traditionalism slightly raised of a Provence accent. Garden of olive-tree, fountain, raised arbour. Renewed chart every 6 weeks.

En un escenario siglo XVII, en el corazón de un típico pueblo provenzal entre acantilados y trogloditas, Le Rabelais le espera y le hará compartir su armoniosa cocina, marcada de tradicionalismo y de un ligero toque provenzal. Jardín de olivos, fuente, glorieta arbolada. La Carta se renueva cada 6 semanas.

In einem Dekor aus dem 17. Jh., inmitten eines typischen Dorfs der Provence zwischen Klippen und Höhlen, erwartet man Sie im Rabelais mit einer harmonischen Küche von Tradition geprägt mit einem Anhauch der Provence verfeinert. Olivengarten, Springbrunnen, Gartenlaube. Speisekarte alle 6 Wochen neu erstellt.

ST RÉMY DE PROVENCE (13210)

A7 N99.

Table de Terroir

AUBERGE SANT ROUMIERENCO ★ ★

04 90 92 12 53 - auberge-sant-roumierenco@wanadoo.fr

Route de Noves - Monique PELLAGOT - Fax : 04 90 92 45 83 - www.webandcom.fr/auberge-sant-roumierenco
Fermeture : Mardi hors saison (restaurant). - Menus : 23 € et carte. Menu enfant : 11,43 €. Petit déjeuner : 8 €.
11 chambres : 59/101 € . Demi pension : 110/152 € . Etape VRP : 65 € - Classement : Table de Terroir

Au coeur d'un grand parc, venez découvrir ce mas typiquement provençal. Vous apprécierez le charme des chambres personnalisées et goûterez la cuisine du chef dans la salle à manger aux poutres et pierres apparentes.
Spécialités : magret au miel des Alpilles, coquillles Saint Jacques au safran, dorade en papillotte ou grillée. Vins régionaux, Côteaux des Beaux, d'Aix.

Chambres avec bain ou douche+WC+TV : Toutes.
Terrasse, jardin, parking privé, piscine d'été, tennis, accès handicapés restaurant, salle restaurant de caractère, chèques vacances, animaux acceptés

Come to discover a typical farmhouse. You will enjoy the charm of bedrooms and you will savour the cooking of the Chef in a dining-room with beams and stones.

En el centro de un gran parque, venga a descubrir esta casa típicamente provenzal. Usted apreciará el encanto de las habitaciones personalizadas y podrá saborear la cocina del jefe, en un comedor con vigas y piedras aparentes.

Im Herzen eines großen Parks entdecken Sie dieses typisch südliche Landhaus. Sie werden den Charme der personalisierten Zimmer schätzen und die feine Küche des Chefkochs kosten, die im Speisesaal mit sichtbaren Balken und Steinverkleidung serviert wird.

STES MARIES DE LA MER (13460)

A 45 km d'Arles.

AUBERGE LA LAGUNE ★ ★ ★

04 90 97 84 34 - lagune13@aol.com

Route d'Arles - Christophe et Luc PRUDHOMME - Fax : 04 90 97 72 37 - www.lalagune.net
Fermeture : Mardi soir et mercredi hors saison (restaurant). - Menus : 19/37 € . Menu enfant : 12 € . Petit déjeuner : 9,50 € , en chambre supplément : 2 € . 20 chambres : 69/105 € . Demi pension : 67/85 € . Etape VRP : 70 € - Classement : Table de Terroir

Dans un cadre enchanteur où l'eau joue un rôle apaisant, les chambres marient style camarguais et confort moderne qui vous permettront des séjours au calme dans une ambiance sympathique et conviviale. Animaux acceptés avec supplément.
Spécialités : fondue camarguaise (taureau et ses 7 sauces), gibier en saison, saumon mariné et fumé par nos soins, paupiette de carrelet à la crème de safran.

Chambres avec bain ou douche+WC+TV : Toutes.
Terrasse, jardin, parking privé, piscine d'été, sauna, accès handicapés, chaînes satellites, climatisation, petit déjeuner buffet, chèques vacances, animaux acceptés

In an enchanted setting where water has a relaxing role, rooms conbine the style of Camargue and modern comfort which offers you calm stays in a friendly atmosphere.

Encantador lugar donde el agua ejerce una accion calmante. En las habitaciones de esta hostelería, el estilo camargués se une al confort moderno, brindándole temporadas tranquilas, en un ambiente simpático y amistoso. Los animales pagan un suplemento.

An diesem bezaubernden Ort, wo Wasser eine wohltuende Rolle einnimmt, kombinieren die Zimmer den camarguaisischen Stil mit modernem Komfort, was Ihnen einen beruhigenden Aufenthalt in sympatischem und geselligem Ambiente ermöglicht. Tiere mit Aufpreis gestattet.

STES MARIES DE LA MER (13460)

A 40 km d'Arles.

MAS DES SALICORNES ★ ★

04 90 97 83 41 - contact@hotel-salicornes.com

Route d'Arles - Alain PERERA - Fax : 04 90 97 85 70 - www.hotel-salicornes.com - Fermeture : 16/11-25/03.
Menus : 18/26 €. Petit déjeuner : 7/10 €. 16 chambres : 42/51 €.
Classement : Table de Terroir

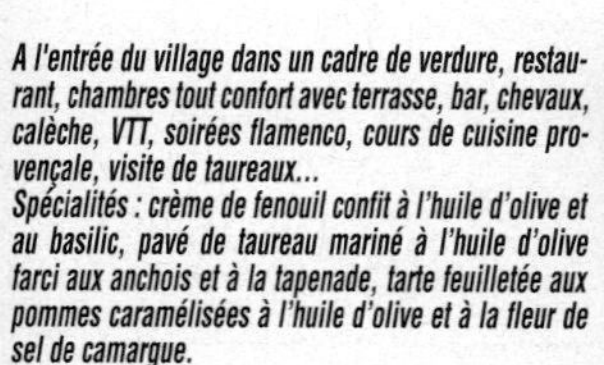

A l'entrée du village dans un cadre de verdure, restaurant, chambres tout confort avec terrasse, bar, chevaux, calèche, VTT, soirées flamenco, cours de cuisine provençale, visite de taureaux...
Spécialités : crème de fenouil confit à l'huile d'olive et au basilic, pavé de taureau mariné à l'huile d'olive farci aux anchois et à la tapenade, tarte feuilletée aux pommes caramélisées à l'huile d'olive et à la fleur de sel de camargue.

Terrasse, jardin, parking privé, piscine d'été, accès handicapés hôtel, TPS, chaînes satellites, climatisation, chèques vacances, animaux acceptés

At the entrance of the village in a green setting, restaurant, rooms any comfort with terrace, bar, horses, barouche, VTT, flamenco evenings, lessons of kitchen of Provence, visits of bulls...

En el verdor de este paisage, a la entrada del pueblo, restaurante, confortables habitaciones con terraza, bar, caballos, calesa, BTT, noches de flamenco, cursos de cocina provenzale, visitas de toros.

Am Dorfanfang mitten im Grünen erwarten Sie Restaurant, komfortable Zimmer mit Terrasse, Bar, Pferde, Kalesche, VTT, Flamenkoabende, provenzalische Kochkurse, Stierbesuche....

VENTABREN (13122)

A 12 km d'Aix en Provence.

LA TABLE DE VENTABREN

04 42 28 79 33 - contact@lemistral.com

1 Rue Frédéric Mistral - Pierre DUSSAUD-GATEAU - Fax : 04 42 28 87 37 - www.lemistral.com - Fermeture : 10 jours fin janvier ; mercredi.
Menus : 23/29 € . Menu enfant : 11 € .4 chambres : 75/100 € petit déjeuner inclus.
Classement : Table de Terroir

Cet établissement de caractère (salles voutées, pierres apparentes) avec vue panoramique sur l'étang de Berre et les ruines du château de la Reine Jeanne vous réserve une ambiance raffinée et vous propose de découvrir une cuisine gourmande du terroir.
Spécialités : tatin de pommes de terre aux lardons et oignons confits, tournedos de rable de lièvre garniture forestière, feuilleté de truites à la crème.

Terrasse, chaînes satellites, salle restaurant de caractère, animaux acceptés au restaurant

This establishment of character (vaulted rooms, apparent stones) with panoramic sight on pond of Berre and the ruins of the castle of the Jeanne Queen holds a refined environment for you and proposes you to discover a greedy kitchen of the soil.

Este original establecimiento (salas abovedadas, piedras aparentes) con vista panorámica a la albufera de Berre y a las ruinas del castillo de la Reine Jeanne, le invita a descubrir su delicado ambiente y su cocina regional.

Das Haus mit Charakter bietet Ihnen ein angenehmes Klima, in dem Sie die geschmacksvolle Küche der Region kennenlernen können. Panoramablick über den See von Berre und die Schlossruinen von der Königin Jeanne.

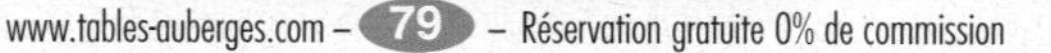

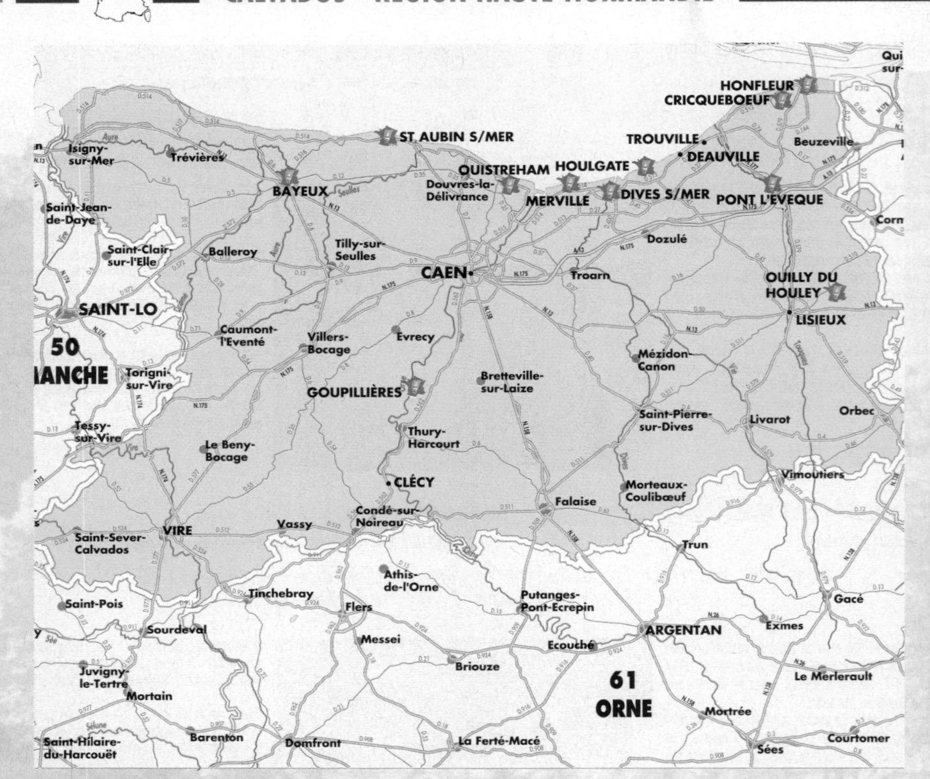

Sites Touristiques : Honfleur, Deauville, Trouville, Mémorial de Caen, Plages du Débarquement, Tapisserie de Bayeux, Basilique de Lisieux.

Saveurs de nos Terroirs : Andouille de Vire, Tripes à la mode de Caen, Boeuf normand, Fruits de mer, Poissons, Fromages (Camembert, Livarot, Pont l'Evêque), beurre, crème.
Cidre et cidre AOC du Pays d'Auge, Pommeau, Calvados.

Animations : Mémorial de Caen, Tapisserie de Bayeux, Carmel de Lisieux, Musée des Beaux Arts de Caen.
Juin : Cérémonies du 6 Juin (commémorations du Débarquement).
Septembre/Octobre : Festival du Film Américain à Deauville, Equi'Days.

COMITÉ DÉPARTEMENTAL DU TOURISME DU CALVADOS
8 Rue Renoir - 14054 - CAEN CEDEX 4 -Tél. : 02 31 27 90 30 - Fax : 02 31 27 90 35
www.calvados-tourisme.com - cdt@cg14.fr

BAYEUX (14400)

RN13 Bayeux centre.

Table Gastronomique

LE LION D'OR ★ ★ ★

02 31 92 06 90 - info@liondor-bayeux.fr

71 Rue Saint Jean - Menus : 20/44 € . Menu enfant : 13 € . 25 chambres : 56/108 €.
Classement : Table Gastronomique

CRICQUEBOEUF/HONFLEUR (14113)

A 7 km de Honfleur et Deauville.

Table Gastronomique

MANOIR DE LA POTERIE ★ ★ ★

02 31 88 10 40 - info@honfleur-hotel.com

Chemin Paul Ruel - Ludovic CROSNIER - Fax : 02 31 88 10 90 - www.manoirdelapoterie.com
Fermeture : 24/12 et 25/12 ; 10/01-18/01 ; lundi midi et mardi (restaurant). - Menus : 30/55 € . Menu enfant : 15 € .
Petit déjeuner : 14 € .18 chambres : 110/198 € - Classement : Table Gatronomique

Entre Honfleur et Trouville, le Manoir reçoit ses hôtes avec la chaleur d'une authentique demeure normande et le panache d'un petit château. Les chambres luxueusement décorées s'ouvrent sur la mer ou la campagne. Douceur et bien être au bar près de la cheminée du salon. Une cuisine gourmande de saison vous est proposée dans un cadre agréable. Spécialités : foie gras poêlé aux figues rôties et pain d'épices, langoustines et pétoncles rôtis aux endives braisées à l'orange, tarte tatin tiède flambée au Calvados crème fermière.
Chambres avec bain ou douche+WC+TV : Toutes.
Terrasse, jardin, parking privé, tennis, ascenseur, TPS, chaînes satellites, petit déjeuner buffet, salle restaurant de caractère, animaux acceptés

Between Honfleur and Trouville, the Manor receives its hosts with the heat of an authentic residence Norman and the plume of a small castle. The luxuriously decorated rooms open on the sea or the countryside. Softness and to be well with the bar close to the chimney of the living room.

Entre Honfleur y Trouville,el Manoir recibe sus huéspedes con la calidez de una auténtica morada normanda y con el brillo de un pequeño castillo. Las habitacines lujosamente decoradas se abren al mar o al campo. Dulzura y bienestar en el bar cerca de la chimenea del salón.

Zwischen Honfleur und Trouville, werden im Manoir die Gäste in einem echten, normannischen Schlösschen herzlich empfangen. Luxuriös eingerichtete Zimmer mit Blick auf Meer oder Land. Milde und Wohlbehagen an der Bar am Kamin im Salon.

DIVES SUR MER (14160)

A 21 km de Caen.

Table de Terroir

RESTAURANT GUILLAUME LE CONQUÉRANT

02 31 91 07 26

2 Rue d'Hastings - Daniel MARIE - Fax : 02 31 91 07 26 - Fermeture : 25/06-2/07 ; 26/11-25/12 ; dimanche soir et lundi ; mercredi soir (1/10-31/03). - Menus : 15,50/39 € . Menu enfant : 9,90 €
Classement : Table de Terroir

Cet ancien Relais de Poste du XVIème siècle, à l'architecture typique, vous réservera le meilleur accueil et vous fera partager une cuisine de terroir. Aux beaux jours, vous profiterez de la grande cour et de la terrasse.
Spécialités : poissons, cuisine à base de pommes et pommeau, gibier en saison.

Terrasse, accès handicapés restaurant, salle restaurant de caractère, animaux acceptés au restaurant

This ancient Post relay of the XVI century, will give the best accueil and you will be able to enjoy a traditionnal cooking. At beautiful days you will enjoy the terrace and the large court.

Esta antigua Parada del Correo del siglo XVI, con su típica arquitectura le brindará una excelente acogida y le hará compartir una cocina regional. Con buen tiempo, usted podrá disfrutar del gran patio y de la terraza.

Dieses alte Postgebäude aus dem 16 Jh. mit charakteristischer Architektur bereitet Ihnen einen herzlichen Empfang und bietet Ihnen eine regionale Küche. An schönen Tagen können Sie von dem großen Hof und der Terrasse profitieren.

La Reconnaissance Professionnelle

GOUPILLIÈRES (14210)

25 km au Sud de Caen, 6 km au Nord de Thury Harcourt.

AUBERGE DU PONT DE BRIE

02 31 79 37 84 - contact@pontdebrie.com

Halte de Grimbosq - Thierry COTTAREL - Fax : 02 31 79 87 22 - www.pontdebrie.com
Fermeture : 17/12-8/02 ; lundi en saison ; mardi hors saison. - Menus : 16,50/39,50 € . Menu enfant : 10 €
Classement : Table Gastronomique

Sur les bords de l'Orne, cet établissement situé au calme, en lisière de forêt, vous offre un restaurant de charme et vous propose une cuisine légère et inventive dans un cadre raffiné, élégant et chaleureux.

Spécialités : salade de langoustines à la vinaigrette de tomate, jambonnette de poulet à la fondue de pommes, marmelade de pommes aux trois senteurs.

Terrasse, garage fermé, parking privé, salle restaurant de caractère, chèques vacances, animaux acceptés

At the edge of the Orne, this establishment located in a quiet place, at the edge of the forest, offers a charming restaurant and a light and inventive cooking, refined, elegant and friendly.

A orillas del Orne, este establecimiento, situado en un lugar calmo, lindero a un bosque, le ofrece un encantador restaurante. Usted podrá saborear una cocina liviana y llena de imaginación, en un ambiente cálido y elegante.

Am Ufer der Orne, an einer Waldlichtung ruhig gelegen, bietet Ihnen das Restaurant eine leichte und ideenreiche Küche in einem feinen, eleganten und gemütlichen Rahmen.

HONFLEUR (14600)

LE CHAMPLAIN

02 31 89 14 91

6 Place Hamelin - Fax : 02 31 89 91 84 - Menus : 16/26 € .
Classement : Table Gastronomique

MERVILLE-FRANCEVILLE (14810)

A 5 km de Cabourg.

CHEZ MARION ★ ★ ★

02 31 24 23 39 - chezmarion@free.fr

10 Place de la Plage - Fax : 02 31 24 88 75 - Menus : 19/38 € . Menu enfant : 10 € . Petit déjeuner : 7 € .
11 chambres et 3 appartements : 62/99 € - Classement : Table Gastronomique

OUILLY DU HOULEY (14590)

A 10 km de Lisieux.

RESTAURANT DE LA PAQUINE

02 31 63 63 80

Fax : 02 31 63 63 80 - Menus : 28/55 € + carte : 55 € environ sans les vins. - Classement : Table Gastronomique

OUISTREHAM (14150)

A 12 km de Caen.

LE NORMANDIE ★ ★

02 31 97 19 57 - hotel@lenormandie.com

71 Avenue Michel Cabieu - Christian MAUDOUIT - Fax : 02 31 97 20 07 - www.lenormandie.com
Fermeture : 20/12-20/01 ; Dimanche soir et Lundi (1/11-31/03). - Menus : 17/59 € . Menu enfant : 10 € .
22 chambres : 58/68 € - Classement : Table Gastronomique

Au coeur de la station balnéaire, face au port, Le Normandie reconstruit après la guerre et totalement rénové vous reçoit dans un cadre soigné et confortable et vous propose une cuisine créative avec des produits de terroir.
Spécialités : pressé de foie gras de canard et pommes caramel au cidre, poclée d'huîtres du Cotentin chaude au Poiré gambas de la Manche, pièce de turbot grillée fondue de poireau.

Terrasse, parking privé, accès handicapés restaurant, chaînes satellites, petit déjeuner buffet, salle de séminaires, chèques vacances

In the heart of the seaside resort, facing the harbour, the Normandie rebuilds after the war and completely renovated receives you in a neat setting and comfortable and proposes you a creative cooking with products of soil

En el centro de la estación balnearia, frente al puerto, Le Normandie reconstruído después de la guerra y completamente renovado le recibe en un ambiente agradable y cómodo. Usted podrá saborear una cocina creativa con productos regionales.

Im Herzen des Badeorts, mit Blick auf den Hafen, werden Sie auf der Normandie, die nach dem Krieg wieder völlig hergestellt und renoviert wurde, in einem gepflegten und komfortablen Rahmen empfangen. Es erwartet Sie eine kreative, ländliche Küche.

ST AUBIN SUR MER (14750)

A 18 km de Caen.

LE CLOS NORMAND LES PIEDS DANS L'EAU ★ ★

02 31 97 30 47 - closnormand@compuserve.com

2 Promenade Guynemer - Frédérique et Jacques DAUBA - Fax : 02 31 96 46 23 - www.closnormandhotel.com
Fermeture : 14/11-19/03. - Menus : 21/59 € . Menu enfant : 10 € . Petit déjeuner : 8 € .
31 chambres et suites : 55/106 € . Demi pension : 58/92 € - Classement : Table Gastronomique

Venez découvrir le charme et la chaleur de cet hôtel situé sur la digue, face à la mer, sa terrasse au dessus de la plage et ses chambres tout confort.
Son restaurant gastronomique vous régalera de poissons, fruits de mer et de spécialités normandes.

Chambres avec bain ou douche+WC+TV : Toutes.
Terrasse, jardin, parking privé, petit déjeuner buffet, TPS, accès handicapés, salle restaurant de caractère, salle de séminaires, chèques vacances, animaux acceptés

Come to discover the charm and the heat of this hotel located on the dike, facing the sea, its terrace above the beach and its rooms any comfort. Its gastronomic restaurant will let you enjoy fishes, seafoods and Normans specialities.

Venga a descubrir el encanto y la calidez de este hotel ubicado en el dique, frente al mar, su terraza justo encima de la playa y sus confortables habitaciones. Usted podrá saborerar los pescados, productos del mar y especialidades normandas de su restaurante gastronómico.

Entdecken Sie dieses Haus mit Blick aufs Meer und seiner Terrasse gleich über dem Strand, sowie seinen bequemen Zimmern. Françoise und Alain verwöhnen Sie mit ihren Spezialitäten.

Charme & Authenticité

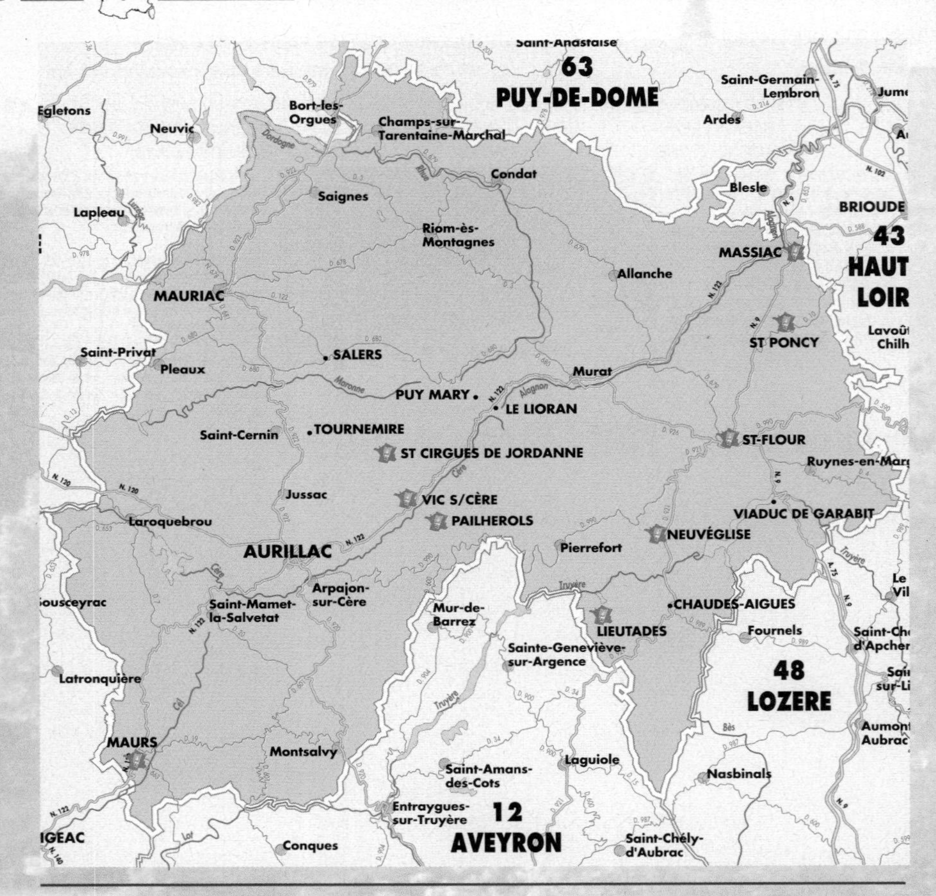

Sites Touristiques : Site classé Massif Volcanique Puy Mary (1787 m), Station de Sport d'Hiver : Le Lioran (1250/1850 m), Station thermale de Chaudes Aigues (les eaux les plus chaudes d'europe), Villages de Salers et Tournemire (classés plus beaux villages de France), Viaduc de Garabit (construit par Gustave Eiffel).

Saveurs de nos Terroirs : Charcuterie cantalienne, Fromages : 5 A.O.C. (Cantal, Salers, Saint-Nectaire, Bleu d'Auvergne, Fourme d'Ambert), Tripou, Chou farci, Potée auvergnate, Truffade, Pounti, Tarte à l'encalat ou à la tome, Cornets de Murat, Carrés de Salers. L'Avèze (apéritif à base de gentiane), La Pastourela (bière artisanale à base de gentiane), Le Pelou (liqueur de châtaigne), Le Birlou (liqueur associant châtaigne et pomme).

Animations : Muséum des Volcans à Aurillac.
Mai/Juin : Les Burons de Salers et Salon des sites du Goût à Salers ; Fête de l'Estive à Allanche ; Rencontre des Hautes-Terres à Saint Flour (cultures de montagne).
Août : Festival International de Théatre de Rue à Aurillac.
Octobre : Maison de la Châtaigne et Fête de la Châtaigne à Mourjou.

COMITÉ DÉPARTEMENTAL DU TOURISME DU CANTAL
Hôtel du Département 11 Rue Paul Doumer - 15000 - AURILLAC -Tél. : 04 71 63 85 00
www.cdt-cantal.fr - cdt-cantal@net15.fr

LIEUTADES (15110)

A 22 km de Laguiole et 40 km de St Flour.

HÔTEL BOUDON ★

04 71 73 81 73

Le Bourg - M. et Mme BOUDON Robert - Fax : 04 71 73 80 18
Fermeture : 1 semaine en février, début juillet, fin août ; samedi et dimanche soir hors saison. - Menus : 12/18 € . Menu enfant : 8 € .
Petit déjeuner : 5,50 € .11 chambres à 34 € . Demi pension : 35 € - Classement : Auberge du Pays

Entre les Gorges de la Truyère et le plateau d'Aubrac, dans un petit village calme et agréable, cet établissement vous recevra dans un cadre convivial et chaleureux et vous fera partager une cuisine régionale et traditionnelle.
Spécialités : charcuteries, aligot, truffade, potée, pounti, tripoux, chou farci, saucisse, lentilles, truite aux lardons.

Salle de séminaires, animaux acceptés

Between the Gorges of la Truyère and the plateau of Aubrac , in a pleasant and quiet village, this establishment will welcome you in a convivial and warm setting and will let you savour a regional and traditional cooking.

Entre las Gorges de la Truyère y la meseta de Aubrac, en un pueblito tranquilo y agradable, este establecimiento le recibirá en un ambiente sociable, caluroso y le hará compartir una cocina regional y tradicional.

Zwischen den Schluchten der Truyère und der Hochebene von Aubrac, in einem kleinen, ruhigen Dorf, empfängt man Sie in diesem Haus in einem warmherzigen und gastlichen Rahmen und teilt mit Ihnen ein regionale und traditionelle Küche.

MASSIAC (15500)

A 75 sortie 23 ou 24.

GRAND HÔTEL DE LA POSTE ★ ★

04 71 23 02 01 - hotel.massiac@wanadoo.fr

26 Avenue du Général de Gaulle - Fax : 04 71 23 09 23 - Menus : 12,20/19,50 € . Menu enfant : 6,90 € . Petit déjeuner : 6,50 € .
33 chambres : 40/68 € . Classement : Table de Terroir

MAURS (15600)

20 km au Nord-Est de Figeac par N122.

HÔTEL RESTAURANT LE PÉRIGORD ★ ★

04 71 46 76 69

15 Avenue de la Gare - Pascal MORELLE - Fax : 04 71 46 76 69 - www.leperigord.fr
Fermeture : Lundi soir du 15/09 au 15/06. 1 semaine en février et 1 semaine à Toussaint. - Menus : 10,50/24,50 €. Menu enfant : 6,50 € .
Petit déjeuner : 5 € . 17 chambres : 32/45 € . Demi pension : 36/42 € . Etape VRP : 43/45 € - Classement : Table de Terroir

Située dans la chataigneraie cantalienne, au carrefour de trois régions : Auvergne Quercy Rouergue, cette maison de caractère vous réservera le meilleur accueil et saura vous régaler de ses spécialités fort appréciées : tripoux à la maursoise, jambon à l'os, tradition à la forestière, filet mignon de capelin à la crème de bleu d'auvergne, duo de sandre et saumon crème de poivron, tarte aux pommes et marrons.

Terrasse, parking privé, accès handicapés restaurant, salle restaurant de caractère, salle de séminaires, chèques vacances, animaux acceptés

Situated in the heart of the Cantal, this establishment will give you the best welcome and offer you its different specialities.

Esta casa típica situada en el Cantal castañar, en la encrucijada de tres regiones : Auvernia, Quercy, Rouergue le ofrece una acogida muy buena. Usted podrá saborear sus muy apreciadas especialidades.

Dieses charaktervolle Haus, das an drei Regionen angrenzt (Auvergne, Quercy, Rouergue) bietet Ihnen einen hervorragenden Empfang und verwöhnt Sie mit ihren hochgeschätzten Spezialitäten.

Charme & Authenticité

NEUVEGLISE (15260)

A 5 km au nord de Chaudes Aigues sur CD 921.

Table Gastronomique

AUBERGE DU PONT DE LANAU ★ ★

04 71 23 57 76 - aubergedupontdelanau@wanadoo.fr

Lanau - Diane et Jean-Louis KERGOAT - Fax : 04 71 23 53 84 - www.auberge-du-pont-de-lanau.com - Fermeture : 20/12-2/02. Menus : 24,50/49,50 € . Petit déjeuner : 9 € . 8 chambres : 49/59,50 € Classement : Table Gastronomique

Cet ancien relais de poste entièrement rénové vous propose des chambres confortables et une cuisine gastronomique variant au rythme des saisons élaborée avec les meilleurs produits frais d'Auvergne.
Spécialités : escalope de foie gras, filet de boeuf aux cèpes et échalotes confites, petit salé d'escargots aux lentilles, saumon mariné à l'eau de vie de gentiane.

Chambres avec bain ou douche+WC+TV : Toutes.
Terrasse, jardin, garage fermé, parking privé, accès handicapés hôtel, TPS, chaînes satellites, canal+, petit déjeuner buffet, salle restaurant de caractère, salle de séminaires, chèques vacances, animaux acceptés

This old Post station proposes comfortable rooms and a gastronomic kitchen to you following the seasons made with best fresh products of Auvergne

Esta antigua parada del Correo totalmente renovada, le propone cómodas habitaciones y una cocina gastronómica que sigue el ritmo de las estaciones, elaborada con los mejores productos frescos de Auvergne.

Die alte, vollständig renovierte Poststation bietet Ihnen gemütliche Zimmer und gastronomische, saisonabhängige Küche, die mit besten Frischprodukten der Auvergne zubereitet wird.

PAILHEROLS (15800)

A 15 km de Vic s/Cère ; au Nord d'Aurillac.

Table de Terroir

AUBERGE DES MONTAGNES ★ ★

04 71 47 57 01 - aubdesmont@aol.com

André COMBOURIEU - Fax : 04 71 49 63 83 - www.auberge-des-montagnes.com - Fermeture : 7/10-20 /12 (ouvert week-end de la Toussaint) ; mardi hors saison. - Menus : 13/28 € . Menu enfant : 7,70 € . Petit déjeuner : 6,40 € . 21 chambres : 42/50 € . Demi pension : 41/49 € . Etape VRP : 45 € - Classement : Table de Terroir

Une auberge de charme dans un village typique et tranquille. Un petit coin de paradis pour le repos, la gastronomie, le bien-être, les activités et la convivialité. C'est tout le charme d'autrefois au coeur de notre temps, des toits de lauzes, des murs épais et une grande cheminée où il fait bon se blottir.
Spécialités : pavé de boeuf, pounti, truite saumonée feuilletée, tourte à l'oie, chou farci, truffade. Vin : Côtes d'Auvergne.
Chambres avec bain ou douche+WC+TV : Toutes.
Terrasse, jardin, parking privé, piscine d'été, piscine d'hiver, accès handicapés, petit déjeuner buffet, salle restaurant de caractère, salle de séminaires, chèques vacances, animaux acceptés

An inn of charm in a typical and quiet village. A small corner of paradise for the rest, the gastronomy, the wellbeing, the activities and the conviviality. It's all the charm of before in the heart of our time, the roofs of roofing stones, the thick walls and a large chimney where it is good to be huddle up.

Una encantadora posada en un pueblo típico y tranquilo. Un pequeño rincón de paraíso para el descanso, la gastronomía, el bienestar, las actividades y la convivencia. Todo el encanto de antaño en el corazón de nuestro tiempo, techos de Lauzes, gruesas paredes y una gran chimenea para acurrucarse.

Ein charmantes Gasthaus in einem typischen und ruhigen Dorf. Ein kleines Stück Paradies für Erholung, Gastronomie, Wohlbefinden, Aktivitäten und Gastlichkeit. Der ganze Charme von früher mitten in unserer Zeit, Schieferdächer, dicke Mauern und ein großer, gemütlicher Kamin.

ST CIRGUES DE JORDANNE (15590)

A 15 km au Nord d'Aurillac.

Table de Terroir

LES TILLEULS ★ ★

04 71 47 92 19 - info@hotellestilleuls.com

Laurent FRITSCH - Fax : 04 71 47 91 06 - www.hotellestilleuls.com - Fermeture : De Toussaint jusqu'au 30/03 (hôtel) ; dimanche soir ; 1 dimanche/mois hors saison (restaurant). - Menus : 11/31,50 € . Menu enfant : 7 € . Petit déjeuner : 5,50 € . 15 chambres : 40/43 € . Demi pension : 39/42 € . Etape VRP : 43 € - Classement : Table de Terroir

Au coeur du Parc des Volcans d'Auvergne, Laurent FRITSCH et son épouse vous accueillent dans leur demeure de style (une des meilleures tables de la région) avec beaucoup de jovialité et vous proposent une carte qui reflète les produits du terroir.
Spécialités : magret de canard au miel de pissenlit, côte de porc au cantal et aux morilles. Grand éventail de vins.

Terrasse, jardin, garage fermé, parking privé, piscine d'été, accès handicapés restaurant, salle restaurant de caractère, salle de séminaires, chèques vacances

In the heart of the Volcano Park of Auvergne, Laurent Fritsch and his wife welcome you in their house of style (one of the best table of the region). You will savour there traditional cooking, made with local products.

En el corazón del Parque de los Volcanes en Auvergne, Laurent FRITSCH y su esposa le acogen jovialmente en su establecimiento (una de las mejores mesas de la región) y le propondrán una carta a base de productos locales. Gran variedad de vinos.

Mitten im Park der Vulkane der Auvergne, heißen Sie Yvette FRITSCH und ihr Sohn herzlich in ihrem Haus willkommen (einer der besten Tische der Region). Mit sehr viel Fröhlichkeit bieten Sie Ihnen eine Speisekarte an, die die regionalen Produkte widerspiegeln.

ST FLOUR (15100)

Table de Terroir

GRAND HÔTEL DE L'EUROPE ★ ★

04 71 60 03 64 - hoteleurope.stflour@wanadoo.fr

12 Cours Spy des Thernes - Christine GIRAL - Fax : 04 71 60 03 45 - www.saint-flour-europe.com - Ouvert toute l'année.
Menus : 14/40 € . Menu enfant : 10 € . Petit déjeuner : 7/8 € .
44 chambres : 36/62 € . Demi pension : 35/61 € - Classement : Table de Terroir

Cet établissement bénéficie d'une vue panoramique magnifique (il est construit sur un rocher). Il vous propose de découvrir une cuisine soignée avec des spécialités régionales : aligot, sandre à la gentiane, truite...

Chambres avec bain ou douche+WC+TV : Toutes.
Terrasse, garage fermé, ascenseur, canal+, chèques vacances, animaux accepté

This establishment has a splendid panoramic view (it is built on a rock). It proposes to you to discover a neat cooking with regional specialities.

Este establecimiento beneficia de una magnífica vista panorámica (construído en un peñasco). Usted podrá descubrir una esmerada cocina con especialidades reginales.

Dieses Haus, auf einem Fels gebaut, hat einen wundervolles Panorama. Entdecken Sie eine gepflegte Küche mit ihren regionalen Spezialitäten.

ST PONCY EN MARGERIDE (15500)

A 22 km de Saint Flour.

Table de Terroir

AUBERGE DE L'ALLAGNONETTE ★ ★

04 71 23 12 85 - info@auberge-allagnonette.com

Le Bourg - Guy PLANCHE - Fax : 04 71 23 11 30 - www.auberge-allagnonette.com - Fermeture : 2/01-11/01 ; 6/10-10/10 ; mercredi soir (1/10-30/04). - Menus : 12/25 € . Menu enfant : 6 € . Petit déjeuner : 6 € .
7 chambres : 37/53 € . Demi pension : 39/42 € . Etape VRP : 42 € - Classement : Table de Terroir

Située à quelques kilomètres du parc des volcans d'Auvergne, cette auberge pleine de charme, bénéficie d'un cadre agréable au calme à proximité immédiate d'une petite rivière. La clientèle familiale est la bienvenue, de grandes chambres confortables peuvent recevoir de 1 à 4 personnes. Vous y apprécierez une cuisine régionale de terroir.
Spécialités : truffade, salade aux pieds de porc aux lentilles, tripoux, pounti d'auvergne, bavette de salers à l'échalotte.
Chambres avec bain ou douche+WC+TV : Toutes.
Terrasse, jardin, garage fermé, parking privé, accès handicapés, salle de séminaires, chèques vacances, animaux acceptés

Located at a few kilometers of the park of the volcanos of Auvergne, this inn full with charm, profits from a pleasant framework with calms next to a small river. The family customers are the welcome, large comfortable rooms can receive from 1 to 4people. You will appreciate there a regional cooking of soil .

A algunos kilómetros del parque de los volcanes de Auvergne, esta posada llena de encanto, goza de un ambiente tranquilo en las cercanías de un riachuelo. La clientela familiar es bien recibida, las cómodas habitaciones pueden recibir de 1 a 4 personas. Usted podrá saborear una cocina regional.

Ein paar Kilometer vom Vulkanpark der Auvergne, profitiert dieses reizvolle Gasthaus von einer angenehmen, ruhigen Umgebung gleich bei einem kleinen Fluss. Familien sind willkommen, in den großen komfortablen Zimmern können 1 bis 4 Personen übernachten. Genießen Sie eine regionale Landküche.

VIC SUR CERE (15800)

A 18 km d'Aurillac.

Table de Terroir

BEL HORIZON ★ ★

04 71 47 50 06 - bouyssou@wanadoo.fr

Rue Paul Doumer - Doris et Eric BOUISSOU - Fax : 04 71 49 63 81 - www.hôtel-bel-horizon.com
Fermeture : Janvier. - Menus : 14/40 € . Menu enfant : 10 € . Petit déjeuner : 6,10 € .
24 chambres : 35/65 € . Demi pension : 39/46 € . Etape VRP : 42/46 € - Classement : Table de Terroir

Au coeur du Parc des Volcans d'Auvergne, dans un cadre verdoyant et calme situé à proximité de la source minérale dans l'ancien quartier thermal, vous apprécierez cette halte reposante. Une ambiance familiale et une cuisine régionale vous seront réservées.
Spécialités : farinette au foie gras et mesclun de salade, petits rognons de veau sauce madère, médaillons de lotte au coulis d'écrevisses, coq au vin à l'auvergnate, poitrine de veau farcie sauce aux cèpes, fondant au chocolat et glace aux noix.
Chambres avec bain ou douche+WC+TV : Toutes.
Terrasse, jardin, parking privé, piscine d'été, ascenseur, accès handicapés restaurant, salle de séminaires, chèques vacances, animaux acceptés

In the heart of the Park of the Volcanos of Auvergne, located in a green and calms framework near the medicinal spring in the old thermal district, you will appreciate this resting halt. A family atmosphere and a regional kitchen will be reserved to you.

En el corazón del Parque de los Volcanes de Auvergne, en un paisaje frondoso, tranquilo ubicado en las cercanías de la fuente mineral, en el antiguo barrio termal, usted apreciará esta estancia descansada. Un ambiente familiar y una cocina regional le esperan.

Genießen Sie mitten im Vulkanpark der Auvergne, im Grünen und in der Nähe einer Mineralquelle der einstigen Thermalstätte, eine erholsame Rast . Freuen Sie sich auf die familiäre Atmosphäre und eine regionale Küche.

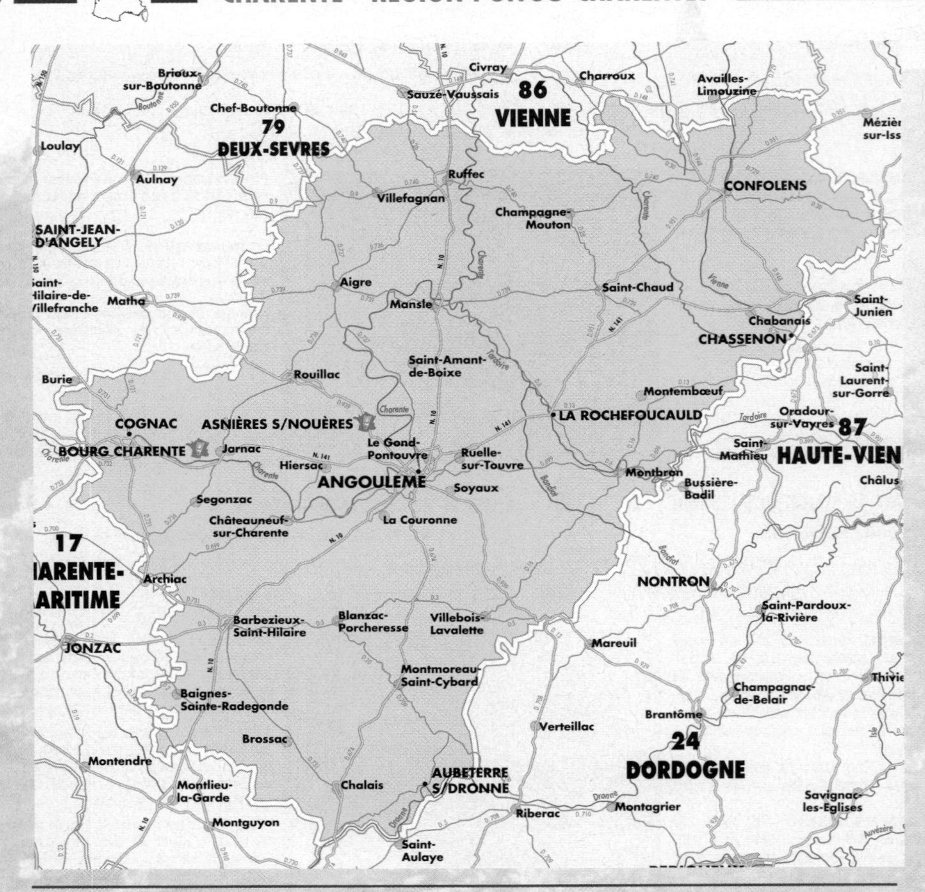

Sites Touristiques : Angoulême, Cognac et les Maisons de Négoce, Aubeterre-sur-Dronne classé un des plus Beaux Villages de France, La Rochefoucauld, Thermes Gallo-Romains de Chassenon, Le Tourisme Fluvial.

Saveurs de nos Terroirs : Cagouilles (escargots), Monjhettes (haricots blancs), Cornuelles (biscuit), Viandes et Poissons cuisinés au Cognac ou Pineau des Charentes.

Cognac, Pineau des Charentes.

Animations :

Janvier : Festival International de la Bande dessinée à Angoulême.

Avril/Juin : Festival du Film policier à Cognac, Musiques métisses à Angoulême.

Juillet/Août : Blues Passions à Cognac, Festival International de Folklore de Confolens.

COMITÉ DÉPARTEMENTAL DU TOURISME DE LA CHARENTE
Place Bouillaud - 16021 - ANGOULEME -Tél. : 05 45 69 79 00 - Fax : 05 45 69 48 60
www.lacharente.com - infos@lacharente.com

ASNIERES SUR NOUERE (16290)

A 10 km d'Angoulême.

LE MOULIN DU MAINE BRUN ★ ★ ★

05 45 90 83 00 - hostellerie-du-maine-brun@wanadoo.fr

Lieu dit La Vigerie - Fax : 05 45 96 91 14 - Menus : 28/36 €. Menu enfant : 11 €.
20 chambres : 102/116 € - Classement : Table Gastronomique

BOURG CHARENTE (16200)

A 4 km de Jarnac.

LA RIBAUDIÈRE

05 45 81 30 54 - la.ribaudiere@wanadoo.fr

Place du Port - Thierry VERRAT - Fax : 05 45 81 28 05 - www.laribaudiere.com
Fermeture : 15/10-30/10 ; vacances de février ; dimanche soir, lundi et mardi midi. - Menus : 30/65 €. Menu enfant : 12,50 €.
Classement : Table de Prestige

Venez apprécier de doux moments de convivialité au sein de cette charmante maison située au bord de la rivière. Une étape reposante où vous découvrirez une cuisine d'exception élaborée à partir des meilleurs produits.
Spécialités : soupe de cèpes et foie gras poêlé au lard, tarte fine de langoustines et tomates émulsion au lait de chèvre, escalope de ris de veau braisées, biscuit tendre au chocolat chaud.

Terrasse, jardin, parking privé, salle restaurant de caractère, salle de séminaires, chèques vacances, animaux acceptés au restaurant

Eliophot

Offer yourself an exceptionnal stop because the art of welcome is first of all our passion. This beautiful castle of the XIX century offers you an haven of calm, with a large park of 14 ha, bordered by the Meuse, private beach, VTT, canoë, fishing... In the restaurant, a well-known cooking waits for you.

Una etapa excepcional, pues nuestra pasión es el arte de recibir. En un remanso de paz, este bellísimo castillo del siglo XIX con su extenso parque de 14 ha. le ofrece una playa privada a orillas del Meuse, BTT, canoa kayak, equitación (precio global), pesca. En el restaurante, usted podrá descubrir su famosa mesa.

Gönnen Sie sich einen außergewöhnlichen Aufenthalt, denn wir verstehen es aufs Beste, Sie zu empfangen. Dieses schöne Château aus dem 19. Jh. ist ein Zufluchtsort der Ruhe mit einer riesigen Parkanlage von 14 Ha, teilweise von der Meuse umsäumt, privater Strand, Mountainbike, Kanu, Kajak, Reiten, Angeln. Im Restaurant erwartet Sie eine renommierte Küche.

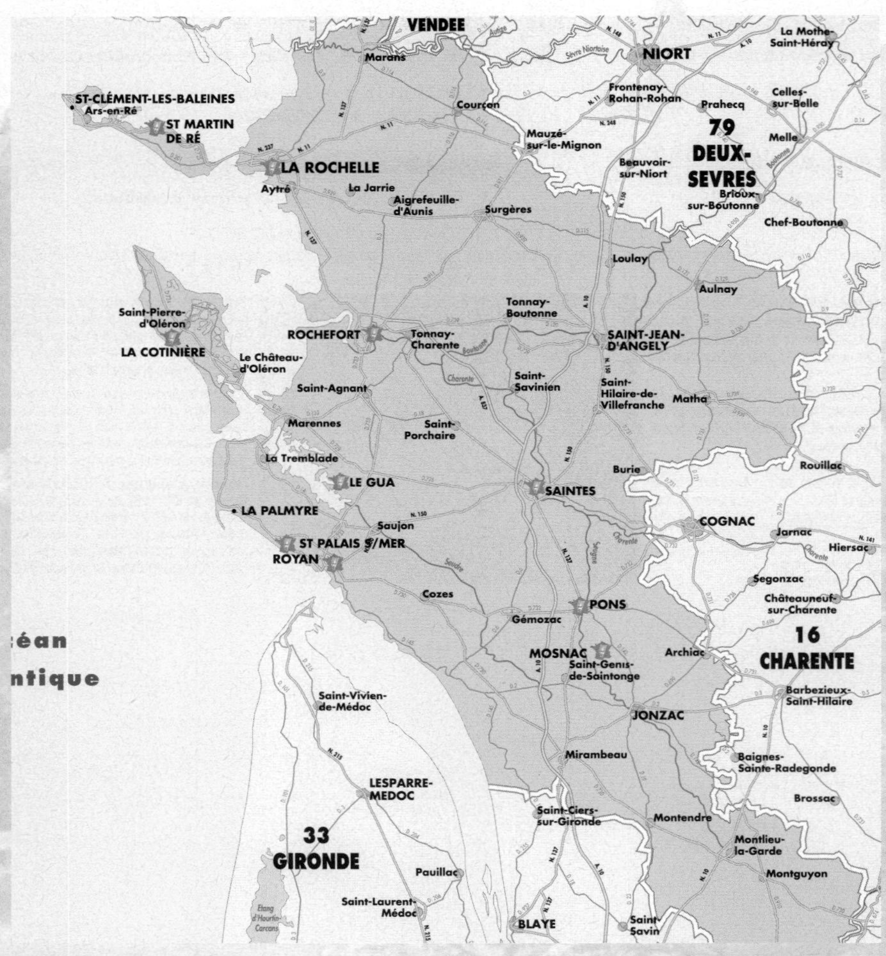

Sites Touristiques : Aquarium de la Rochelle, Zoo de la Palmyre, Corderie Royale (Rochefort), Phare de Cordouan, Marais Poitevin, Arche de Noé (Saint-Clément-les-Baleines).

Saveurs de nos Terroirs : Moules de Charron, Huîtres Marennes-Oléron, Beurre de Charentes.
Cognac, Pineau.

Animations : Maison Pierre Loti à Rochefort, Les Jardins du Monde à Royan.
Février : Fête du Mimosa (Ile d'Oléron).
Juillet/Août : Francofolies à La Rochelle, Académies Musicales de Saintes, Sites en Scènes.
Septembre : Le Grand Pavois à La Rochelle.

COMITÉ DÉPARTEMENTAL DU TOURISME DE LA CHARENTE-MARITIME
85 Boulevard de la République - 17076 - LA ROCHELLE CEDEX 9 -Tél. : 05 46 31 71 71 - Fax : 05 46 31 71 70
www.charente-maritime.org - info@evadez-vous17.com

LA COTINIÈRE ILE D'OLÉRON (17310)

A 2 km de Saint Pierre d'Oléron

Table de Terroir

L'ECAILLER ★ ★ ★

05 46 47 10 31 - ecailler@club-internet.fr

65 Rue du Port - Catherine BOISSAC - Fax : 05 46 47 10 23 - www.ecailler-oleron.com - Fermeture : 1/12-31/01.
Menus : 18/42 € . Menu enfant : 10 € . Petit déjeuner : 7,50 € .
8 chambres : 50/82 € . Demi pension : 68/83 € - Classement : Table de Terroir

Situé sur l'un des ports de pêche les plus renommés de l'Atlantique, l'Ecailler vous propose un séjour gastronomique orienté sur les produits de la mer dans un environnement chargé d'une grande authenticité.

Spécialités : bar en croûte de sel, sole soufflée au champagne, plateau de fruits de mer.

Chambres avec bain ou douche+WC+TV : Toutes. Climatisation, chèques vacances

Located on one of the most famous fishing ports of the Atlantic, the Ecailler proposes you a gastronomical stay directed towards the products of the sea in an authentic setting.

En uno de los puertos más famosos del Atlántico, L'Ecailler le propone en un auténtico ambiente, una estancia gastronómica con productos del mar.

L'Ecailler liegt in einem der bekanntesteten Fischereihäfen des Atlantiks. In einer äußerst authentischen Umgebung bietet man Ihnen einen gastronomischen Aufenthalt auf Meeresfrüchte ausgerichtet.

LA ROCHELLE (17000)

Table de Prestige

RESTAURANT LES FLOTS

05 46 41 32 51 - contact@les-flots.com

1 Rue de la Chaîne - Grégory COUTANCEAU - Fax : 05 46 41 90 80 - www.coutanceauonline.com
Ouvert toute l'année. - Menus : 22/75 € . Menu enfant : 14 €
Classement : Table de Prestige

Vieil estaminet du XVIIIème siècle mettant en avant une façade en bois d'époque, c'est au pied de la Tour de la Chaîne que se trouve notre restaurant. Vous pourrez y déguster une cuisine de la mer préparée avec finesse et originalité. Spécialités : coquille saint jacques servies en carpaccio, tartare de champignons des sous bois, sucs de volaille aux pignons de pins ; dos de bar doré sur sa peau finement pané de poivre et genièvre, beignets de pommes de terre fourrés d'olive, salsifis au jus de la presse ; savarin au chocolat grand cru de Venezuela, grande tuile croustillante, crème glacée au poivre de la Jamaïque.
Terrasse, accès handicapés restaurant, climatisation, animaux acceptés au restaurant

Old pub of the XVIIIth century proposing a frontage out of wood of time, it is with the foot of the Tower of the Chain that our restaurant is situated. You will be able to taste there a cooking of the sea
prepared with smoothness and originality.

Antiguo café del siglo XVIII poniendo en valor su fachada de madera de época, al pie de la Tour de la Chaîne se encuentra nuestro restaurante. Usted podrá saborear una cocina del mar, elaborada con delicadeza y originalidad.

Unser Restaurant, eine frühere Schenke aus dem 18. Jh. mit einer Holzfassade von damals, befindet sich am Fuße der Tour de la Chaîne. Kosten Sie dort eine Küche des Meers mit Feinheit und Originalität zubereitet.

LA ROCHELLE (17000)

Table Gastronomique

LE COMPTOIR DES VOYAGES

05 46 50 62 60 - contact@lecomptoirdesvoyages.com

22 Rue Saint Jean du Pérot - Grégory COUTANCEAU - Fax : 05 46 41 90 80 - www.coutanceauonline.com
Ouvert toute l'année. - Menus : 23 €
Classement : Table Gastronomique

Tout près du vieux port, dans un cadre de bois tropicaux, vous allez parcourir les 4 saisons de la planète. Vous y dégusterez une cuisine fusion d'inspiration internationale avec nos produits régionaux en accord avec une carte des vins qui sillonne l'ensemble des vignobles de la terre. Spécialités : tempura de crevettes, un vindaye de bananes vertes, chatiné de tomates et coriandre ; pavé de morue fraîche grillée, tourteau de pleine mer au curry de Madras, pomme de terre au yaourt brassé et épices douces ; retour de cancun comme une coupe glacée en variation autour de l'ananas, tequila.
Terrasse, accès handicapés restaurant, climatisation, chèques vacances, animaux acceptés au restaurant

Very close to the old port, in a tropical wood framework, you will traverse the 4 seasons of planet. You will taste there a cooking mixed of international inspiration with our regional products in agreement with a chart of the wines which furrows the whole of the vineyards of the ground.

Muy cerca del viejo puerto, en un ambiente de bosques tropicales, venga a recorrer las 4 estaciones del planeta. Usted podrá saborear una cocina que une la inspiración internacional a los productos regionales, armonizándolos con una carte de vinos que atraviesa el conjunto de viñedos de la tierra.

Ganz in der Nähe des alten Hafens, in einem Dekor aus Tropenholz, durchstreifen Sie die 4 Jahreszeiten unseres Planeten. Kosten Sie dort eine Kost im Einklang mit einer internationalen Küche und unseren regionalen Produkten, dazu die passenden Weine aus den Weinbergen der ganzen Erde.

LA ROCHELLE (17000)

LE COMPTOIR DU SUD

05 46 41 06 08 - contact@lecomptoirdusud.com

4 Place de la Chaîne - Grégory COUTANCEAU - Fax : 05 46 41 90 80 - www.coutanceauonline.com
Ouvert toute l'année. - Menus : 23 €.
Classement : Table Gastronomique

Face aux deux tours, c'est au son du Flamenco et dans un décor aux couleurs du sud que vous pourrez déguster une cuisine du bassin méditerranéen en accord avec nos produits régionaux.
Spécialités : beignets de sardines marinées, croquant vert à la vinaigrette de betteraves, réduction de Marsalla aux amandes ; magret de canard à la cannelle de Ceylan, pommes aux olives Toggiasca, sirop de grenade ; carbonara de pâtes au cacao, châtaignes, fruits d'hiver et glaces aux épices.

Terrasse, accès handicapés restaurant, chèques vacances, animaux acceptés au restaurant

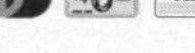

Facing the two towers, it is with the sound of Flamenco and in a decoration with the colors of the south that you will be able to taste a cooking of the Mediterranean basin in agreement with our regional products.

Frente a las dos torres, es al son del Flamenco y en un ambiente con los colores del sur, que usted podrá saborear una cocina de la cuenca mediterránea, en armonía con los productos regionales.

Gegenüber der zwei Türme, kosten Sie bei Flamenco Musik und im Dekor aus Farben des Südens eine Küche vom Mittelmeer im Einklang mit unseren regionalen Produkten.

LE GUA (17600)

A 10 km de Royan.

LE MOULIN DE CHALONS ★ ★ ★

05 46 22 82 72 - moulin-de-chalons@wanadoo.fr

2 Rue du Bassin - Fax : 05 46 22 91 07 - Menus : 22/64 €. Menu enfant : 10 €. Petit déjeuner : 11 €.
10 chambres : 79/150 € - Classement : Table Gastronomique

MOSNAC (17240)

A 8 km de Jonzac. A10 sortie 36/37

MOULIN DU VAL DE SEUGNE ★ ★ ★

05 46 70 46 16 - moulin@valdeseugne.com

Marcouze - Maryse BEDIN - Fax : 05 46 70 48 14 - www.valdeseugne.com
Fermeture : 19/01-19/03 ; lundi et mardi midi en hiver ; ouvert tous les soirs en saison. - Menus : 19/65 €. Menu enfant : 10 €.
Petit déjeuner : 10 €. 10 chambres : 90/145 €. Demi pension : 70/100 €. Etape VRP : 75 € - Classement : Table Gastronomique

Au sein du vignoble de Cognac, pour votre plus grand plaisir et votre détente, le charme de la campagne s'offre à vous, à 30 mn à peine de la mer. Des chambres spacieuses, au mobilier ancien, avec balcon sur la rivière ou loggia sur le jardin seront à votre disposition. Puis vous rejoindrez votre table dans la salle à manger qui surplombe la rivière pour goûter une cuisine authentique et généreuse accompagnée de grands crus de Bordeaux.
Spécialités : déclinaison d'esturgeon d'aquitaine en chaud froid au jus de raisin ; gourmandise de canard au Pineau des Charentes toasts de fruits secs.
Chambres avec bain ou douche+WC+TV : Toutes.
Terrasse, jardin, parking privé, piscine d'été, accès handicapés, chaînes satellites, , climatisation, , salle restaurant de caractère, salle de séminaires, chèques vacances, animaux acceptés

Within the Cognac vineyard, for your greater pleasure and your relaxation, the charm of the countryside is offered to you, at 30 mn hardly of the sea. Then you will join your table in the dining room which overhangs the river to taste an authentic and generous cooking accompanied by great vintages of Bordeaux.

En el seno del viñedo de Cognac, para su gran placer y esparcimiento, el encanto del campo se brinda a usted, a sólo 30 mn del mar. Luego, usted encontrará su mesa en el comedor que domina el río, para saborear una cocina auténtica y abundante acompañada con grandes caldos de Bordeaux.

Mitten in den Weinbergen des Cognac, zu Ihrer Freude und Entspannung erleben Sie den Charme vom Land knapp 30 Min vom Meer. Sie verfügen über geräumige Zimmer mit alten Möbeln und Balkon zum Fluss oder der Loggia im Garten hin geöffnet.

PONS (17800)

A 20 km de Saintes.

HÔTEL DE BORDEAUX ★ ★

05 46 91 31 12 - hotel-de-bx@hotel-de-bordeaux.com

1 Avenue Gambetta - Fax : 05 46 91 22 25 - Menus : 15/40 €. Petit déjeuner : 6,50 €.
15 chambres : 40/54 € - Classement : Table de Prestige

PONS (17800)

Table Gastronomique

AUBERGE PONTOISE ★ ★

05 46 94 00 99 - auberge-pontoise@wanadoo.fr

23 Avenue Gambetta - M. DESSAINT - Fax : 05 46 91 33 40 - Fermeture : Dimanche soir (restaurant).
Menus : 11/29 € . Menu enfant : 8 € . Petit déjeuner : 7 € .
22 chambres : 39/61 € . Demi pension : 40/55 € . Etape VRP : 40/54 € - Classement : Table Gastronomique

Situé dans l'ancienne biscuiterie, au coeur de la cité médiévale de Pons, cette étape de choix vous offre un accueil chaleureux, des chambres coquettes et une table de qualité. Du foie gras maison aux spécialités de poissons ou aux recettes créatives, vous découvrirez les goûts et les parfums du terroir.
Spécalités : foie gras mi-cuit aux senteurs des Charentes, pain brioché maison ; poêlée de queues de langoustines aux éclats de pistache, ragoût de légumes ; palette de crèmes brulées assorties .
Chambres avec bain ou douche+WC+TV : Toutes.
Terrasse, jardin, garage fermé, petit déjeuner buffet, salle de séminaires, chèques vacances, animaux acceptés

Located in the old biscuit factory, in the heart of the medieval city of Pons, this stage of choice offers a cordial reception, vain rooms and a table of quality to you. You will discover the tastes and the perfumes of the soil.

Ubicado en la antigua bizcochería, en el corazón de la ciudad medieval de Pons, esta etapa elegida le brinda una acogida calurosa, coquetas habitaciones y una mesa de calidad. Recetas creativas, usted descubrirá los sabores y perfumes regionales.

In einer ehemaligen Biskuiterie, im Herzen der mittelalterlichen Stadt von Pons, bietet Ihnen dieser ausgesuchte Ort einen herzlichen Empfang, kokette Zimmer und eine hervorragende Tafel. Hausgemachte Entenleberpastete, Fischspezialitäten oder kreative Rezepte, entdecken Sie den Geschmack und die Düfte des Lands.

ROCHEFORT (17300)

Table Gastronomique

LA BELLE POULE ★ ★

05 46 99 71 87 - belle-poule@wanadoo.fr

Route de Royan - Jocelyne NOYAUD - Fax : 05 46 83 99 77 - Fermeture : 3 premières semaines de novembre ; vendredi ; dimanche soir.
Menus : 18,50/38 € . Menu enfant : 7,80 € . Petit déjeuner : 6 € .
20 chambres : 45/52 € . Demi pension : 94 € / 2 pers. Etape VRP : 54,50 € - Classement : Table Gastronomique

A 3 mn du centre ville sur un magnifique parc fleuri, cet hôtel de charme situé en bordure de la Charente vous propose des chambres spacieuses parfaitement équipées, un cadre chaleureux au décor soigné et une cuisine fine de qualité.
Spécialités : carpaccio de saint jacques au citron vert et oranges confites, crépinette de pied de porc farcie sur pommes de terre fondantes jus corsé à la cardamone, jonchée du marais parfumée au laurier amandé.
Chambres avec bain ou douche+WC+TV : Toutes.
Terrasse, jardin, parking privé, accès handicapés restaurant, TPS, salle restaurant de caractère, salle de séminaires, chèques vacances, animaux acceptés

At 3 mn of the centre town on a splendid flowered park, this hotel of charm located in edge of Charente proposes roomy rooms perfectly equipped, a cordial framework with the neat decoration and a fine kitchen of quality to you.

A 3 mn del centro de la ciudad, en un magnífico parque florido, este encantador hotel ubicado a orillas de la Charente, le propone espaciosas habitaciones perfectamente equipadas, un ambiente caluroso con una esmerada decoración y una cocina delicada de calidad.

3 Min. vom Stadtzentrum auf einem wundervollen, blühenden Park bietet Ihnen dieses Hotel de Charme, am Rande der Charente, geräumige perfekt ausgestattete Zimmer, ein warmes, gepflegtes Ambiente und eine feine, hochwertige Küche.

ROYAN (17200)

Table Gastronomique

LE RELAIS DE LA MAIRIE

05 46 39 03 15

1, Rue du Chay - Fax : 05 46 39 13 32 - Menus : 15,50/31,50 € . Menu enfant : 7,40 € - Classement : Table Gastronomique

SAINTES (17100)

Table de Terroir

LA CIBOULETTE

05 46 74 07 36 - jeanyves@la-ciboulette.fr

36 Rue du Pérat - Fax : 05 46 94 14 54 - Menus : 19/62 € . Menu enfant : 12 €
Classement : Table de Terroir

ST MARTIN DE RÉ (17410)

A 10 km de La Rochelle.

Table de Terroir

LE PERROQUET NOIR

05 46 01 97 75 - restaurant.leperroquetnoir@wanadoo.fr

Rue du Docteur Kemmerer - Valérie CONSTANCIN - Fax : 05 46 67 74 13 - Ouvert toute l'année.

Menus : 18/35 €. Menu enfant : 12 €.

Classement : Table de Terroir

Le Perroquet Noir, est la reconstitution des navires des XVI et XVIIème siècles. C'est dans ce décor, rarissime, mitoyen avec l'église de la capitale de l'Ile de Ré : Saint Martin, que les propriétaires vous accueillent, pour un voyage à travers le temps. A l'image de la vie sur ces bateaux, vous aurez l'occasion de déguster les meilleurs produits du terroir : les meilleures viandes d'appellation d'origine contrôlée, les meilleures volailles, à l'automne, les meilleurs gibiers et depuis l'année 2003, les meilleurs poissons pêchés sur nos côtes en provenance directe de la cotinière. Spécialités : moelleux confit de canard à la peau croustillante et grenailles de l'Ile de Ré rôties au sel ; brochette de lapin aux pruneaux grillés, légumes du moment ; dos de cabillaud rôti, senteurs du marché ; gratiné de soufflé glacé à l'orange amère, carpaccio de fruits frais de saison.
Terrasse, accès handicapés restaurant, salle restaurant de caractère, salle de séminaires, animaux acceptés au restaurant

The Perroquet Noir, is the reconstitution of the ships of the XVI and XVIIème centuries. It is in this decoration, extremely rare, joint with the church of the capital of the Isle de Ré : St Martin, that the owners accomodate you, for a travel through time. It's the picture of the life on these boats, you will have the occasion to taste best produced soil: best meats of label of origin controlled,best poultries, with the autumn, best game and since the year 2003, best fish fished on our coasts in direct source of the cotinière.

Le Perroquet Noir, es la reconstitución de un galeón del siglo XVI/XVII.Es en este decorado rarísimmo, adosado a la iglesia de la capital de l'Ile de Ré,Saint Martin, que los propietarios le acogen, para viajar a través del tiempo. Usted podrá saborear los mejores productos regionales : las mejores carnes son la denominación de origen, las mejores aves del corral ; en otoño, los mejores productos de la caza y después del año 2003, los mejores pescados provenientes directamente de nuestra costa.

Der Perroquet Noir ist die Rekonstruktion von Schiffen aus dem 16. und 17. Jh. In diesem seltenen Dekor, angrenzend an die Kirche der Hauptstadt der Ile de Ré, empfangen Sie die Eigentümer zu einer Reise durch die Zeit. Wie auf den Schiffen, kosten Sie die besten Erzeugnisse des Lands: Bestes Fleisch aus geprüfter Herkunft, bestes Geflügel, im Herbst bestes Wild und seit 2003 bester Fisch direkt von der nächsten Küste.

ST PALAIS SUR MER (17420)

A 7 km de Royan.

Table de Terroir

AUBERGE DES FALAISES ★ ★

05 46 23 20 49 - aubergedesfalaises@wanadoo.fr

133 Avenue de la Grande Côte - Claude ALLIAS - Fax : 05 46 23 29 95 - www.auberge-des-falaises.fr *- Fermeture : 15/11-20/12 dimanche soir et lundi hors saison et hors vac. scolaires (rest). - Menus : 18/41 €. Menu enfant : 11 €. Petit déjeuner : 7 €. 12 chambres : 45/70 €. Demi pension : 51/62 €. Etape VRP : 60/65 € - Classement : Table de Terroir*

Dans un cadre agréable, au calme, et face à la mer, venez découvrir des chambres spacieuses avec mini bar et coffre fort, une cuisine raffinée. Spécialités de fruits de mer et de poissons.
Spécialités : chaudrée de l'estuaire, homard du vivier grillé flambé au cognac, mouclade.

Chambres avec bain ou douche+WC+TV : Toutes. Jardin, parking privé, accès handicapés, TPS, chaînes satellites, salle restaurant de caractère, salle de séminaires, chèques vacances, animaux acceptés

In a pleasant setting, in a quiet place, in front of the sea, come and discover the spacious bedrooms and a refined cooking. Specialities of seafood and fishes.

En un ambiente agradable, tranquilo, frente al mar, venga a descubrir las habitaciones espaciosas con mini bar y caja fuerte. Delicada cocina, especialidades en mariscos y pescados.

Entdecken Sie die großen Zimmer mit Minibar und Tresor und die raffinierte Küche in angenehmen Rahmen, im Ruhigen am Meer. Spezialitäten aus Meeresfrüchten und Fisch.

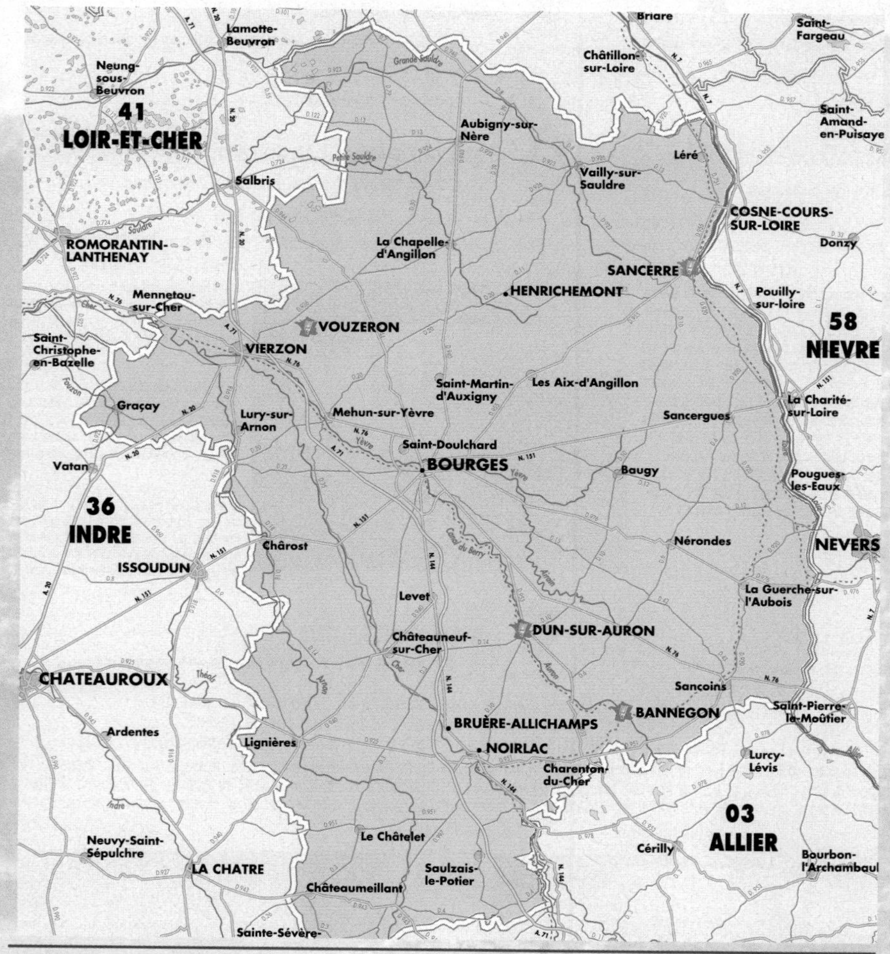

Sites Touristiques :
Bourges : Cathédrale et quartiers anciens, Bruère-Allichamps : Abbaye de Noirlac, Route Jacques Coeur, Les Jardins Secrets, Henrichemont/La Borne, Route de la Porcelaine.

Saveurs de nos Terroirs : Poulet en barbouille, Forestines, Crottin de Chavignol, Sablés de Nançay, Le Poirat.
Sancerre, Menetou-Salon, Quincy, Châteaumeillant, Sirops Monin.

Animations :
Avril : Printemps de Bourges.
Mai/Septembre : Nuits lumière de Bourges, Festival de Noirlac à Bruère-Allichamps, Fêtes Franco-Ecossaises à Aubigny sur Nère, Livre Vivant à Vesdun, Les Médiévales de Bannegon.

COMITÉ DÉPARTEMENTAL DU TOURISME DU CHER
5, Rue de Séraucourt - 18000 - BOURGES -Tél. : 02 48 48 00 10 - Fax : 02 48 48 00 20
www.berrylecher.com - tourisme.berry@cdt18.tv

BANNEGON (18210)

A 22 km de St Amand Montrond.

MOULIN DE CHAMÉRON ★ ★ ★

02 48 61 83 80 - moulindechameron@wanadoo.fr

Fax : 02 48 61 84 92 - Menus : 22,50/45 € . Menu enfant : 10,50 € .
12 chambres : 65/88 € - Classement : Table Gastronomique

DUN SUR AURON (18130)

A 22 km de Bourges.

HÔTEL-RESTAURANT LE BEFFROY ★ ★

02 48 59 50 72 - le-beffroy@wanadoo.fr

13 Place Jacques Chartier - Julie MURAT & Albert CHAMBORD - Fax : 02 48 59 85 39
Fermeture : Janvier ; dimanche soir et lundi sauf réservations. - Menus : 16/32 € . Menu enfant : 10/16 € . Petit déjeuner : 5,50/7 € .
9 chambres : 40/57 € . Demi pension : 50/70 € . Etape VRP : 50/55 € - Classement : Table de Terroir

Sur la route Jacques Coeur, face au beffroi du XVème siècle, la cuisine du coeur, initiée par Julie au rythme des saisons ravira plus d'un gourmet. Au fil des ans la cuisine s'enrichit de savoir faire, tout en restant simple, goûteuse, raffinée, originale et toujours d'inspirations régionales. Une étape de charme, tranquille, conviviale, avec des chambres calmes et personnalisées, animée par une gastronomie légère de qualité. Spécialités : roulé de dos de lapereau à la feuille de persil plat, pâté de foie de volailles et sa compotée d'oignons. Chambres avec bain ou douche+WC+TV : Toutes. Terrasse, jardin, accès handicapés restaurant, canal+, salle restaurant de caractère, animaux acceptés

On the road Jacques Coeur, facing the 15th C. belfry, the cooking of the heart, initiated by Julie following the seasons. With the passing of years the kitchen grows rich to know to make,while remaining simple, refined, original and always of regional inspirations.

Por la ruta Jacques Cœur, frente al campanario del siglo XV, la cocina del ccrazón, iniciada por Julia al ritmo de las estaciones, encantará a más de un gastrónomo. Con el correr del tiempo la cocina enriquece su buena mano, quedando simple, sabrosa, delicada, original y como siempre, con inspiraciones regionales.

Auf der Straße Jacques Coeur, gegenüber des Rathausturms aus dem 15. Jh. wird die Küche von Julie mit Liebe zubereitet. Sie ist von den Jahreszeiten geprägt und wird mehr als einen Feinschmecker entzücken. Mit den Jahren bereichert sie Ihr Können, ihre Gerichte bleiben aber einfach, geschmackvoll, fein, originell und noch immer von der Region inspiriert.

SANCERRE (18300)

A 10 km de Cosne sur Loire.

RESTAURANT LA TOUR

02 48 54 00 81 - info@la-tour-sancerre.fr

31 Nouvelle Place - Daniel FOURNIER - Fax : 02 48 78 01 54 - www.la-tour-sancerre.fr
Fermeture : Dernière semaine de décembre et les 2 premières de janvier.
Menus : 17,30/47,90 € . Menu enfant : 14,80 € - Classement : Table Gastronomique

C'est dans un cadre raffiné et élégant, au sein de cette demeure de caractère que Daniel Fournier et son équipe vous réservera le meilleur accueil et vous fera partager ses spécialités : fondant de pied de porc aux escargots du Berry et son beurre d'herbes, dos de sandre poêlé au vin blanc de Sancerre et jeunes poireaux au beurre salé. Terrasse, accès handicapés restaurant, climatisation, salle restaurant de caractère, salle de séminaires, chèques vacances, animaux acceptés au restaurant

It is in a refined setting, within an house of character that Daniel Fournier and his team will reserve you the best welcome and will share with you their specialities.

Es en este ambiente fino y elegante, en el seno de esta típica morada que Daniel Fournier y su equipo le brindarán una excelente acogida y le harán compartir sus especialidades.

In vornehmem und elegantem Ambiente empfängt Sie Daniel Fournier und sein Team in diesem charaktervollen Haus und serviert Ihnen die Spezialitäten des Hauses.

VOUZERON (18330)

A 14 km de Vierzon et 20 km de Bourges.

LE RELAIS DE VOUZERON ★ ★ ★

02 48 51 61 38

2 Place de l'Eglise - Francis PERRIN - Fax : 02 48 51 63 71 - Fermeture : 15/12-15/01 ; lundi (restaurant).
Menus : 15/34 € . Menu enfant : 9,50 € . Petit déjeuner : 7 € .
8 chambres : 44/67 € . Demi pension : 58 € . Etape VRP : 60 € - Classement : Table de Terroir

Situé en plein coeur de la forêt solognote, Le Relais de Vouzeron exprime une joie de vivre simple et conviviale. Ses chambres paisibles et raffinées, aménagées chacune dans un style différent vous feront oublier les soucis de la vie moderne. Francis PERRIN vous propose une cuisine traditionnelle à laquelle il apporte tout son savoir faire.
Spécialités : feuilleté de crevettes flambées au cognac, magret d'oie au miel et au citron vert, gibier en saison, tarte tatin et sa crème aux pommes, gratin de fruits frais au sabayon au vin de Reuilly.
Chambres avec bain ou douche+WC+TV : Toutes.
Terrasse, TPS, salle restaurant de caractère, chèques vacances, animaux acceptés

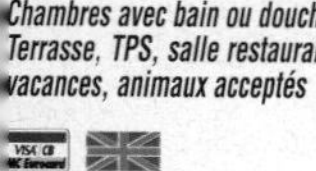

Located in full heart of the Solognote forest, the Relais du Vouzeron expresses joy of life. Its peaceful and refined rooms, arranged each one in a different style will make you forget the concern of modern life. Francis PERRIN proposes a traditional cooking with all his know-how.

Situado en pleno corazón del bosque de Sologne, Le Relais de Vouzeron exprime su alegría de vivir, simple y convivial. Sus tranquilas y delicadas habitaciones, decoradas cada una en un estilo diferente, le harán olvidar las preocupaciones de la vida moderna. Francis PERRIN pone toda su habilidad al servicio de una cocina tradicional.

Mitten im Wald der Sologne strahlt das Relais de Vouzeron einfache und gastliche Lebensfreude aus. Die friedlichen und eleganten Zimmer, jedes in einem anderen Stil, lassen Sie Ihre Sorgen des modernen Alltags vergessen. F. Perrin bietet Ihnen seine kunstvolle traditionelle Küche.

Charme & Authenticité

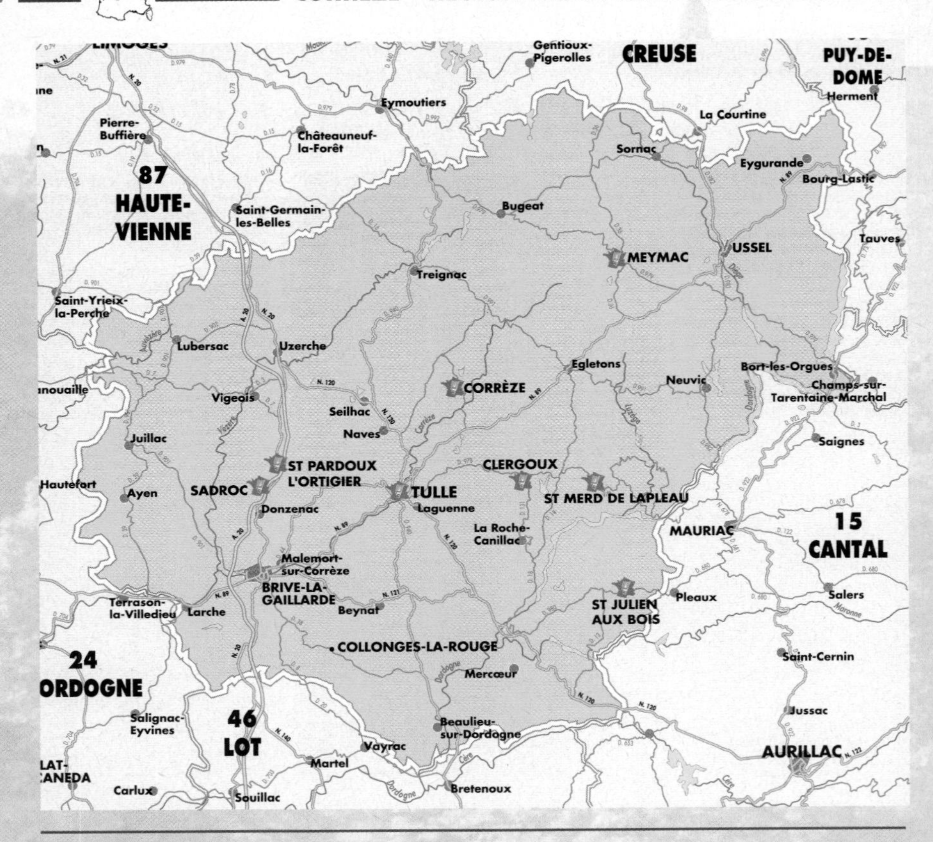

Sites Touristiques : Collonges-la-Rouge, Vallée de la Dordogne, Plateau de Millevaches et Monédières, Gorges de la Vézère et Causse Corrézien.

Saveurs de nos Terroirs : Millassous ou mounassous de pommes de terre, cèpes farcis, farcidures, girolles, truffes et moutarde violette, boeuf limousin, fromages au lait cru (Millevaches, Corrézon, Feuille du Limousin), galette corrézienne (gâteau aux noix et aux châtaignes), lauzes aux noix, flaugnarde aux fruits de saison, clafoutis aux cerises.

Apéritif à base de gentiane, vin de noix, liqueurs à base de noix, myrtilles, framboises et châtaignes, vin paillé, cidre et jus de pomme, jus de pomme pétillant naturel

Animations : Musée Labenche à Brive, Musée du Cloître à Tulle, Musée du Président Jacques Chirac à Sarran.

Mai : Concours National des Coqs de Pêche de Neuvic.

Juin/Septembre : Festival de Sédières à Clergoux, Festival de la Vézère, Orchestrades Universelles à Brive-la-Gaillarde, Festival Les Nuits de Nacre à Tulle.

Novembre : Foire du Livre de Brive-la-Gaillarde.

COMITÉ DÉPARTEMENTAL DU TOURISME DE LA CORRÈZE

Maison du Tourisme Quai Aristide Briand - 19000 - TULLE -Tél. : 05 55 29 98 78 - Fax : 05 55 29 98 79

www.cg19.fr - cdt.correze@wanadoo.fr

CLERGOUX (19320)

A 15 km de Tulle et d'Egletons.

Auberge du Pays

HÔTEL DU LAC

05 55 27 77 60

Le Prévost - Daniel DUMAS - Fermeture : 1/11-30/03 (Hôtel) ; Restaurant ouvert toute l'année.
Menus : 10/33 € . Menu enfant : 8 € . Petit déjeuner : 6 € .
17 chambres : 23/48 € . Demi pension : 39/45 € . Etape VRP : 45 € - Classement : Auberge du Pays

Dans un site enchanteur, au bord d'un vaste plan d'eau non loin du barrage de la Dordogne, l'Hôtel du Lac vous réserve un accueil familial dans un cadre rustique et calme et une cuisine traditionnelle de qualité.

Spécialités : cèpes, girolles, sandre beurre blanc, poitrine de veau farcie. Vin de Cahors.

Terrasse, jardin, parking privé, salle restaurant de caractère, chèques vacances, animaux acceptés au restaurant

In an bewitching setting at the edge of a lake, no far from the dam of Dordogne, the Hôtel du Lac offers you a familial welcome in a rustic and calm setting with cooking of quality.

En un lugar encantador, a orillas de un estanque, no lejos del embalse del Dordogne, el Hôtel du Lac le brinda una acogida familiar en un ambiente rústico y tranquilo. Usted podrá descubrir una cocina tradicional de calidad.

An einem bezaubernden Platz, am Rande eines Sees, nahe dem Damm von der Dordogne, bietet Ihnen das Hotel du Lac einen familiären Empfang in einem ruhigen, rustikalen Rahmen mit qualitätsvoller territorialen Küche.

CORREZE (19800)

A 15 km de Tulle.

Table Gastronomique

LA SÉNIORIE DE CORRÈZE ★ ★ ★

05 55 21 22 88 - hotelseniorie@wanadoo.fr

Le Bourg - Gérard COSTES - Fax : 05 55 21 24 00 - Fermeture : Noël, février, dimanche et lundi (1/11-31/03)
Menus : 22/35 € . Menu enfant : 11 € . Petit déjeuner : 11 € .
29 chambres : 65/96 € . Demi pension : 68/92 € . Etape VRP : 63 € - Classement : Table Gastronomique

Au centre de la Corrèze, dominant le village médiéval classé, cette magnifique demeure offre au voyageur un cadre altier et serein. Les chambres ont du caractère, le service est prévenant et la cuisine régionale raffinée.

Spécialités : foie gras en terrine, émincé de veau aux saveurs de saison, moelleux aux marrons.

Chambres avec bain ou douche+WC+TV : Toutes.
Terrasse, jardin, garage fermé, parking privé, piscine d'été, tennis, ascenseur, chaînes satellites, canal+, petit déjeuner buffet, salle restaurant de caractère, salle de séminaires, chèques vacances

Overlooking the medieval village of Corrèze, this magnificient residence offers a warm welcome to an exceptional site. Delight in the calm of the original rooms before tasting the refined regional cooking served in the friendly atmosphere of the restaurant. Beautiful, natural sites nearby.

En el centro de Corrèze, con vista al pueblo medieval declarado de interés turístico, esta magnífica morada brinda al viajero un ambiente distinguido y sereno. Usted descubrirá sus bonitas habitaciones, un servicio atento y una fina cocina regional.

Herrliches Landhaus inmitten der Corrèze, über dem gleichnamigen mittelalterlichen Städtchen gelegen. Geniessen Sie die Ruhe der Zimmer, bevor Sie die raffinierte regionale Küche im freundlichen Ambiente probieren.

MEYMAC (19250)

A 16 km d'Ussel. A 200 m du parking de la Mairie.

Auberge du Pays

CHEZ FRANÇOISE

05 55 95 10 63

24 Rue Fontaine du Rat - Monique BLEU - Fax : 05 55 95 40 22 - www.promenades-gourmandes.com
Fermeture : 28/12-31/01 ; dimanche soir et lundi. - Menus : 15/58 € . Menu enfant : 8 € . Petit déjeuner : 7,60 € .
4 chambres : 55/70 € - Classement : Auberge du Pays

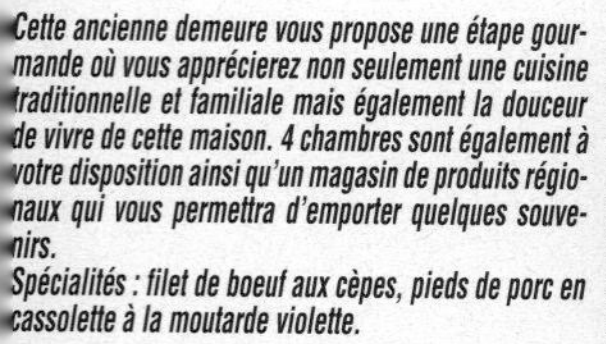

Cette ancienne demeure vous propose une étape gourmande où vous apprécierez non seulement une cuisine traditionnelle et familiale mais également la douceur de vivre de cette maison. 4 chambres sont également à votre disposition ainsi qu'un magasin de produits régionaux qui vous permettra d'emporter quelques souvenirs.
Spécialités : filet de boeuf aux cèpes, pieds de porc en cassolette à la moutarde violette.

Chambres avec bain ou douche+WC+TV : Toutes.
Terrasse, jardin, TPS, chaînes satellites, canal+, petit déjeuner buffet, salle restaurant de caractère, salle de séminaires, animaux acceptés au restaurant

This old residence proposes a greedy stage to you where you will appreciate not only one traditional and family kitchen but also the softness of living of this house. 4 rooms are also at your disposal as well as a store of regional products which will enable you to carry some memories.

Esta antigua morada le propone una estancia gastrónoma donde usted apreciará no solamente una cocina tradicional y familiar sino también la dulzura de vivir en ella. Cuatro habitaciones están igualmente a su disposición y además una tienda de productos regionales que le permitirá llevarse algunos recuerdos.

Dieses ehemalige Herrenhaus bietet Ihnen eine Schlemmeretappe, bei der Sie nicht nur eine traditionelle, familiäre Küche genießen, sondern auch die sanfte Ausstrahlung von diesem Haus. Es stehen Ihnen 4 Zimmer zur Verfügung, sowie ein Laden mit regionalen Produkten und Andenken.

SADROC (19270)

A20 sortie 46 et 47, D920 entre Brive et Uzerche

RELAIS DU BAS LIMOUSIN ★ ★ ★

05 55 84 52 06 - relais-du-bas-limousin@wanadoo.fr

La Fonsalade - M. DELAVIER - Fax : 05 55 84 51 41 - www.relaisbaslimousin.fr - Fermeture : 1/01-11/01 ; 23/02-3/03 ; 1/11-14/11 ; dimanche soir sauf en juillet/août ; lundi midi et 2ème dimanche de chaque mois. - Menus : 14/45 €. Menu enfant : 8 €. Petit déjeuner : 6,50 € .22 chambres : 37/62 € . Demi pension : 47 € . Etape VRP : 55 € - Classement : Table Gastronomique

Cette auberge familiale aux murs blancs et toit d'ardoise vous propose une cuisine de haute tradition à base de bons produits faisant découvrir le répertoire de la gastronomie corrézienne. Pour votre confort, parc et piscine sont à votre disposition et vous donneront envie de prolonger votre séjour.
Spécialités : veau élevé sous la mère, parmentier de queue de boeuf, filet de boeuf aux cèpes. Vins de Bergerac et de la Corrèze.
Chambres avec bain ou douche+WC+TV : Toutes.
Terrasse, jardin, garage fermé, parking privé, piscine d'été, salle restaurant de caractère, salle de séminaires, chèques vacances, animaux acceptés

This familial inn with white walls and slate, grey roof is offering a high traditional cooking, made of local products, to make you uncover the correzian gastronomy. For your comfort, a park and a swimming pool are at your disposal and will urge your to stay longer.

Esta posada familiar con paredes blancas y techo de pizarra le brinda una cocina tradicional a base de buenos productos. Usted podrá descubrir el repertorio de la gastronomía corrézienne. A su disposición : un parque y una piscina. Usted tendrá ganas de prolongar su estancia.

Dieses familiäre Gasthaus mit weißen Mauern und Schindeldach bietet Ihnen eine hochtraditionelle Küche aus besten Produkten die Sie das gastronomische Repertoire der Corrèze entdecken lässt. Park und Schwimmbad machen Ihnen sicher Lust Ihren Aufenthalt zu verlängern.

ST JULIEN AUX BOIS (19220)

A 24 km d'Argentat.

Table de Terroir

AUBERGE DE SAINT-JULIEN-AUX-BOIS ★

05 55 28 41 94 - auberge_st_julien@hotmail.com

Le Bourg - Roland PILGER - Fax : 05 55 28 37 85 - www.auberge-saint-julien.com - Fermeture : 01/02-05/03 ; mardi soir & mercredi hors saison ; mercredi midi en Juillet/Août. - Menus : 13/39 € . Menu enfant : 8 € . Petit déjeuner : 6 € . 7 chambres : 21/53 € . Demi pension : 32/45 € . Etape VRP : 38/49 € - Classement : Table de Terroir

A l'orée d'un joli bourg entouré de bois, venez découvrir une très bonne cuisine aux produits régionaux et souvent issus de cultures biologiques.
Spécialités : filet de boeuf à la crème de cèpes de la Corrèze ; duo des terrines de foie gras de canard ; assiette de dégustation des desserts maison.

Chambres avec bain ou douche+WC+TV : 4-5-6-7.
Terrasse, jardin, parking privé, chaînes satellites, salle restaurant de caractère, chèques vacances, animaux acceptés

At the edge of a nice market town surrounded by woods, come and discover a very good cooking made with regional products with organics ingredients.

Lindero a un bonito pueblo rodeado de un bosque, venga a descubrir una muy buena cocina con productos regionales y a menudo provenientes de cultivos biológicos.

Entdecken Sie die hervorragende Küche mit regionalen und biologischen Produkten, in einem kleinen, von Wäldern umgebenen Ort mit Marktplatz.

La Reconnaissance Professionnelle

ST MERD DE LAPLEAU (19320)

A 30 km d'Argentat.

RENDEZ VOUS DES PÊCHEURS ★ ★

05 55 27 88 39 - contact@rest-fabry.com

Pont du Chambon - Sylvette FABRY - Fax : 05 55 27 83 19 - www.rest-fabry.com
Fermeture : 12/11-18/02 ; vendredi soir et samedi midi du 1/10 au 30/03. - Menus : 13/35 € . Menu enfant : 8 € . Petit déjeuner : 6 € . 8 chambres : 38/44,50 € . Demi pension : 41/48,50 € . Etape VRP : 47 € - Classement : Table Gastronomique

Située en pleine campagne, au bord de la Dordogne, cette coquette maison tenue par trois générations de femmes vous propose des chambres entièrement rénovées, décorées avec soin et toutes différentes, au confort d'aujourd'hui. Cette année, l'entrée, le bar et la salle de restaurant ont également été rénovés et une cuisine soignée où l'on trouve à la fois tradition, terroir et modernité vous sera proposée. Spécialités : foie gras poêlé aux pommes épicées sur un toast au chutney de mangues, grenadins de veau aux girolles, pavé de biche aux myrtilles, sandre au beurre blanc, poêlée de lotte et endives aux parfums d'orange et coriandre, biscuit fondant au chocolat, mousse de noix glacée. Chambres avec bain ou douche+WC+TV : Toutes. Terrasse, jardin, parking privé, chèques vacances, animaux acceptés

Situated in country side, on the edge of the Dordogne, this house run by 3 generations of women, offers comfortable renovated rooms and authentic cooking with traditional products. This year, the entry, the bar and the room of restaurant were also renovated and a neat cooking where we found at the same time tradition , soil and modernity will be proposed to you.

En pleno campo, a orillas del Dordogne, esta bonita casa mantenida por tres generaciones de mujeres le propone habitaciones totalmente renovadas, decoradas con esmero, todas diferentes, con el confort de hoy día . Este año, la entrada, el bar y el comedor han sido también renovados. Usted descubrirá una esmerada cocina donde se encuentran al mismo tiempo la tradición, la región y la modernidad.

Mitten auf dem Land, an der Dordogne, bietet Ihnen dieses nette Haus, das sich seit drei Generationen in Frauenbesitz befindet, komplett renovierte Zimmer, mit Sorgfalt ausgestattet, alle verschieden und mit dem Komfort von heute. Dieses Jahr wurden auch Eingang, Bar und Speisesaal neu renoviert. Kosten Sie die gepflegte Küche, traditionell, ländlich und gleichzeitig modern.

ST PARDOUX L'ORTIGIER (19270)

Tulle (N89) et Brive (D920) : 18 km

Table de Terroir

SOPH' MOTEL ★ ★ ★

05 55 84 51 02 - sophmotel@aol.com

La Croix de Fer - Alain BERGAUD - Fax : 05 55 84 50 14 - www.sophmotel.fr - Fermeture : 23/12-16/01 ; restaurant : dimanche soir ; du mardi au samedi le midi (sauf réservation). - Menus : 20/45 € . Menu enfant : 8 € . Petit déjeuner : 8 € . 23 chambres : 55/90 € (suite). Demi pension : 59 € . Etape VRP : 55/65 € - Classement : Table de Terroir

Ici, le terroir est roi : girolles, cèpes, foies gras, truffes, veau, boeuf, canard... autant de saveurs à découvrir qui parfument la cuisine de Laurence Bergaud.

Spécialités : boudin de canard au foie gras, râble de lapereau aux cèpes et foie gras, joue de boeuf aux cèpes, pièce de boeuf à la crème d'ail.

Chambres avec bain ou douche+WC+TV : Toutes. Terrasse, jardin, parking privé, piscine d'été, tennis, accès handicapés, chaînes satellites, canal+, salle restaurant de caractère, salle de séminaires, chèques vacances, animaux acceptés

Here, the soil is a king: girolles, boletus, foie gras, truffles, calf, ox, duck... as many savours to discover which scent the cooking of Laurence Bergaud.

Aquí lo regional es rey : hongos, trufas, ternero, vaca, pato ... tantos sabores que perfuman la cocina de Laurence Bergaud y que usted podrá descubrir.

Hier ist das Land König: Pfifferlinge, Steinpilze, Trüffel, Kalb, Rind, Ente.... alles Geschmäcker, die die Küche von Laurence Bergaud mit Duft erfüllen.

TULLE (19100)

Table Gastronomique

LE CENTRAL

05 55 26 24 46 - r_poumier@internet19.fr

32 Rue Jean Jaurès / 12 Rue de la Barrière - Raymond POUMIER - Fax : 05 55 26 53 16

Fermeture : Dernière semaine de juillet/1ère semaine d'août ; samedi et dimanche soir.
Menus : 23/47 € - Classement : Table Gastronomique

Au coeur du centre ville, accueil et tradition sont au rendez-vous. A cette table de renom, dans un cadre chaleureux, vous savourerez de délicieuses recettes réalisées à partir des meilleurs produits du terroir. Le chef, Raymond POUMIER, perpétue une belle tradition familiale et introduit d'agréables variations sur une gamme classique de recettes confirmées.
Spécialités : tartine de pieds de cochon au foie gras, crème de poularde liée, quenelle étouffée et lard croustillant, puits d'amour.

Accès handicapés restaurant, climatisation, salle restaurant de caractère, salle de séminaires, animaux acceptés au restaurant

In the heart of the centre town, reception and tradition are there. With this well-known table within a cordial framework, you will enjoy delicious receipts carried out starting from best products of soil. The chief, Raymond POUMIER, perpetuates a beautiful tradition family and introduced pleasant variations on a traditional range of confirmed receipts.

En el corazón del centro de la ciudad, acogida y tradición le dan cita. En esta mesa de renombre, en un ambiente caluroso, usted podrá saborear deliciosas recetas elaboradas con los mejores productos regionales. El jefe, Raymond POUMIER, perpetua una bella tradición familiar e introduce agradables variaciones en una gama clásica de recetas confirmadas.

Mitten im Stadtzentrum erwarten Sie Gastfreundlichkeit und Tradition. An dieser bekannten Tafel, in einem warmen Dekor, genießen Sie ausgezeichnete Rezepte aus besten Landerzeugnissen zubereitet. Der Chefkoch Raymond Poumier, führt die schöne Familientradition fort und überrascht mit angenehmen Variationen der klassischen, bestätigten Rezepte.

Charme & Authenticité

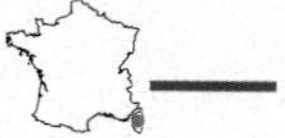

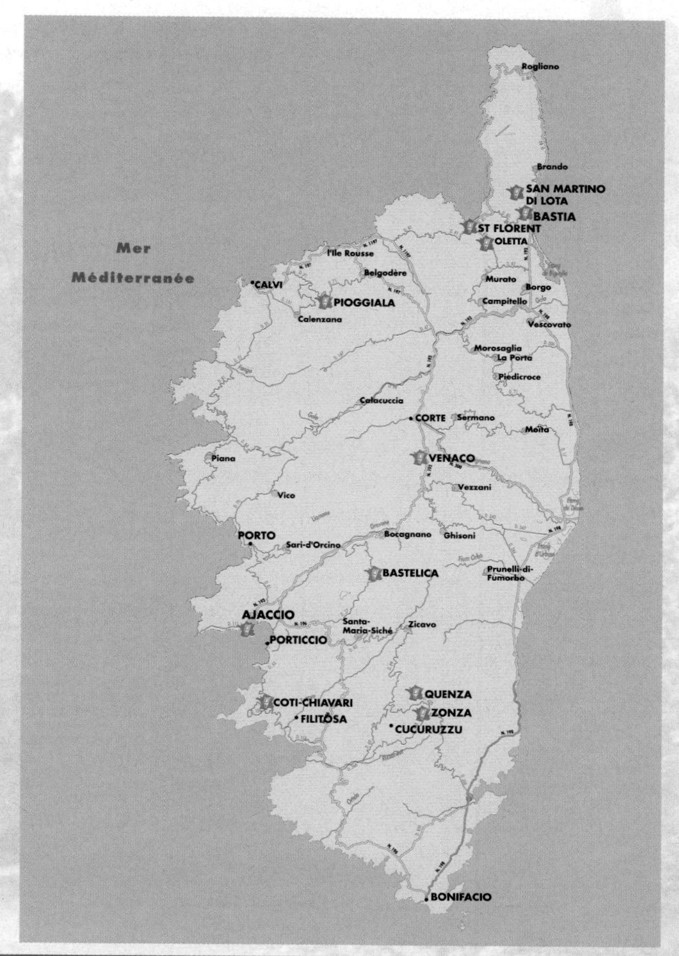

Sites Touristiques : Golfe de Porto avec la Réserve de Scandola, Corte et la Vallée de la Restonica, Bonifacio et l'extrème sud, Calvi et son arrière pays, sites archéologiques de Filitosa et Cucuruzzu.

Saveurs de nos Terroirs : Charcuterie, fromage (bruccio), chataîgne (polenta), canistrelli (biscuits), miel, huile d'olive.
Patrimonio, Muscat, Cap Corse Matteï, A.O.C. des régions d'Ajaccio, Calvi, Côteaux du Cap Corse, Sartène et Porto-Vecchio, La Bière Pietra.

Animations : Musée du Palais Fesch à Ajaccio, Musée de la Corse à Corte, Maison natale de Pascal Paoli à Morosaglia, Maison Bonaparte à Ajaccio, Musée de l'Alta Rocca à Levie.
Pâques : Le Catenacciu à Sartène.

AGENCE DU TOURISME DE LA CORSE
17 Boulevard du Roi Jérôme - 20000 - AJACCIO - Tél. : 04 95 51 77 77 - Fax : 04 95 51 14 40
www.visit.corsica.com - info@visit-corsica.com

AJACCIO (20000)

A 8 km d'Ajaccio.

Table de Prestige

DOLCE VITA ★ ★ ★ ★

04 95 52 42 42 - hotel.dolcevita@wanadoo.fr

Route des Sanguinaires - Antoine FEDERICI - Fax : 04 95 52 07 15 - www.hotelvision.com/ajaccio.dolce-vita
Fermeture : 30/10-1/04. - Menus : 40/54,40 € . Menu enfant : 28,35 € .
32 chambres : 163,30/230,50 € (en double basse saison) - Classement : Table de Prestige

Situé au bord de l'un des plus beaux golfs de l'île, l'hôtel Dolce Vita domine les îles sanguinaires tel un bateau amarré au rivage. Ses chambres donnant sur le jardin ainsi que sa piscine et sa terrasse panoramique vous séduiront. Vous y dégusterez une cuisine fine de qualité.

Chambres avec bain ou douche+WC+TV : Toutes.
Terrasse, jardin, piscine d'été, climatisation, salle de séminaires

Located at the edge of one of the most beautiful golfs of the island, the hotel Dolce Vita dominates the sanguinary islands a such boat moored with the shore. Its rooms giving on the garden like its swimming pool and its panoramic terrace will allure you. You will taste a fine cooking of quality there.

Ubicado a orillas de uno de los más bellos golf de la isla, el hotel Dolce Vita domina las islas sanguinarias semejante a un barco amarrado a la orilla. Sus habitaciones con vista al jardín , a su piscina y a su terraza panorámica, le encantarán. Usted podrá saborear una delicada cocina de calidad.

Am Rand einer der schönsten Golfplätze der Insel, hebt sich das Hotel Dolce Vita von den Inseln ab, wie ein Boot am Ufer. Lassen Sie sich verführen von den Zimmern zum Garten hin orientiert, sowie dem Schwimmbad und den Panoramaterrassen. Kosten Sie eine feine, vorzügliche Küche.

AJACCIO (20000)

En centre ville, à deux pas de la Maison de Napoléon.

Table Gastronomique

U PAMPASGIOLU

04 95 50 71 52

15 Rue de la Porta - M. et Mme Dominique CAMPINCHI - Fax : 04 95 50 71 52
Fermeture : Samedi et dimanche midi en saison ; samedi midi, dimanche et lundi hors saison. - Menus : 22/26 € . Menu enfant : 7 €
Classement : Table Gastronomique

Notre table se veut un double clin d'oeil. Le premier, aux femmes de cette île qui, à travers les siècles et malgré la pauvreté de notre terroir ont toujours su préparer d'excellentes recettes. Le second, aux cuisinières et cuisiniers qui depuis déjà plusieurs années, réinventent avec talent notre cuisine ancestrale. Ce sont ces deux cuisines que nous vous proposons de découvrir. Parmi les spécialités : assiette de charcuterie familiale, millefeuille d'aubergines, poulet fermier au vin de myrte, fondant à la chataîgne.
Terrasse, climatisation, salle restaurant de caractère, chèques vacances, animaux acceptés au restaurant

Our table wants to be a double covering joint of eyes. The first, with the women of this island who, through the centuries and in spite of the poverty of our soil always knew to prepare excellentes receipts. The second, with the cookers and cooks who for already several years, have reinvented with talent our ancestral kitchen.

Nuestra mesa hace un doble guiño. El primero, a las mujeres de esta isla que a través de los siglos y a pesar de la pobreza de nuestro terruño, siempre han sabido preparar excelentes recetas. El segundo, a las cocineras y cocineros que desde hace ya varios años, reinventan con talento nuestra cocina ancestral.

Unsere Tafel zeigt zwei Seiten. Die erste gilt den Frauen dieser Insel, die Jahrhunderte lang, trotz der Armut des Landes immer exzellente Rezepte zubereitet haben. Die zweite, den Köchinnen und Köchen, die schon seit mehreren Jahren mit Talent unsere einstige Küche neu erfinden.

BASTELICA (20119)

A 35 km d'Ajaccio.

Table de Terroir

CHEZ PAUL

04 95 28 71 59

Stazzona - Fax : 04 95 28 73 13 - Menus : 13/20 € . Appartements : 39/78 € - Classement : Table de Terroir

OLETTA (20232)

A 20 km de Bastia.

Table de Terroir

AUBERGE A MAGINA

04 95 39 01 01

Village - Jean-Michel JACOBELLI - Fax : 04 95 39 01 01
Fermeture : 15/10-31/03 ; lundi. - Menus : 20/26 €
Classement : Table de Terroir

Située dans le village, l'Auberge A Magina dispose d'une superbe salle aux baies vitrées avec vue panoramique sur le golfe de Saint Florent. Le soir, le coucher du soleil est un moment privilégié pour les clients venus apprécier la cuisine du chef Jean-Michel JACOBELLI.
Spécialités : beignets au fromage frais, aubergines à la corse, sauté de veau corse aux olives et champignons.

Terrasse, salle restaurant de caractère

Located in the village, the Auberge A Magina lays out a superb room with picture windows with panoramic sight on the gulf of Saint Florent . The evening, is one moment privileged for the customers come to appreciate the cooking of the Chief Jean-Michel JACOBELLI.

Ubicado en el pueblo, el Auberge A Magina posee una magnífica sala con ventanal, con vista panorámica al golfo de Saint Florent. Por la noche, la puesta del sol es un momento privilegiado para los clientes que vienen apreciar la cocina del Jefe, Jean-Michel JACOBELLI.

Die Auberge A Magine, mitten im Dorf, besitzt einen wunderschönen Speisesaal mit Fensterwänden und Panorama auf den Golf von Saint Florent. Am Abend, ist der Sonnenuntergang ein großartiger Moment für die Kunden, die gekommen sind, um die Küche von Jean Michel Jacobelli zu genießen.

PIOGGIOLA (20259)

A 25 km d'Ile Rousse.

Table de Terroir

AUBERGE DE LA TORNADIA

04 95 61 90 93

Route de la Forêt de Tartagine - Gérard POYO - Fax : 04 95 61 92 15 - Fermeture : Mi novembre-15/03.
Menus : 14/35 €. Menu enfant : 10 €
Classement : Table de Terroir

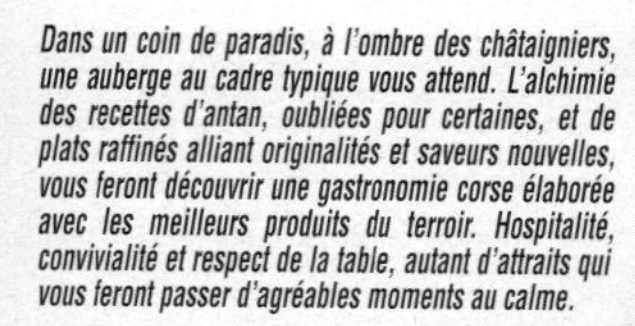

Dans un coin de paradis, à l'ombre des châtaigniers, une auberge au cadre typique vous attend. L'alchimie des recettes d'antan, oubliées pour certaines, et de plats raffinés alliant originalités et saveurs nouvelles, vous feront découvrir une gastronomie corse élaborée avec les meilleurs produits du terroir. Hospitalité, convivialité et respect de la table, autant d'attraits qui vous feront passer d'agréables moments au calme.

Terrasse, jardin, parking privé, accès handicapés restaurant, salle restaurant de caractère, animaux acceptés au restaurant

In a corner of paradise, in umber of the chestnuts, an inn with the typical framework awaits you. The alchimy of the formerly receipts, forgotten for some, and of refined dishes combining originalities and new savours, will make you discover an elaborate Corsican gastronomy with best products of soil. Hospitality, user-friendliness and respect of the table, as much attractions which will make you pass pleasant moments in calm.

En un rincón de paraíso, a la sombra de castaños, en un marco típico, una posada le espera. La alquimia de recetas de antaño, olvidadas por algunos y los platos delicados que unen originalidades y nuevos sabores, le harán descubrir una gastronomía corsa elaborada con los mejores productos regionales. Hospitalidad, buena convivencia y respeto de la mesa, tantos atractivos que le harán pasar agradables y tranquilos momentos.

In einer paradiesischen Ecke, im Schatten von Kastanienbäumen, erwartet Sie dieses Gasthaus in einem typischen Rahmen. Kosten Sie die Alchimie von früheren Rezepten, von einigen vergessen, und erlesenen Gerichten, die Originalität und neue Geschmäcker verbinden. Diese ausgearbeitete, korsische Gastronomie wird aus besten Erzeugnissen des Lands zubereitet.

PORTICCIO (20166)

A 20 km d'Ajaccio.

Table de Terroir

LA CRIQUE

04 95 25 94 73 - lacrique.agosta@wanadoo.fr

Rés. Harmonie Agosta Plage MOLINI - Bernard GAFFORI
Fermeture : 15/11-6/12 ; 9/01-24/01 ; dimanche soir et lundi.
Menus : 14/23 € - Classement : Table de Terroir

Ce petit restaurant, avec ses airs de cabane de pêcheur, se situe au coeur de l'une des baies les plus belles du monde. Dans un cadre agréable (terrasse ouverte sur le golfe, coucher de soleil sur les îles), vous dégusterez une cuisine simple, raffinée, parfumée qui s'harmonise entre senteurs du maquis et embruns marins. Un régal aussi bien pour les yeux que pour le palais. Un moment à savourer. Spécialités : amandes de mer farcies et gratinées ; loup de méditerranée aux herbes fraîches du jardin, purée de pommes de terre à l'huile d'olive ; magret de canard aux figues ; nougat glacé au miel du maquis corse.
Terrasse, accès handicapés restaurant, salle restaurant de caractère, animaux acceptés au restaurant

This small restaurant, with its airs of hut of fisherman, is located at the heart of one of the most beautiful bays of the world. In a pleasant framework (terrace open on the gulf, lay down sun on the islands), you will taste a simple refined cooking, perfumed, which harmonize between scents of the mess and spray marine. A treat as well for the eyes than for the palate. One moment to enjoy.

Este pequeño restaurante, que parece una cabaña de pescadores, se encuentra en el corazón de una de las bahías más bellas del mundo. En un ambiente agradable (terraza abierta al golfo, puesta del sol sobre las islas) usted podrá saborear una cocina simple, delicada, perfumada que se armoniza con los olores del monte bajo y el rocío del mar. Un placer tanto para los ojos como para el paladar.

Dieses kleine Restaurant, im Stil einer Fischerhütte, liegt in einer der schönsten Buchten der Welt. In einem angenehmen Rahmen (offene Terrasse zum Golf gehend, Sonnenuntergang auf den Inseln) kosten Sie eine einfache, feine, wohlriechende Küche, in Harmonie mit Düften des Buschwalds und der marinen Gischt. Ein Genuss für Augen und Gaumen.

QUENZA (20122)

47 km Nord-Ouest Porto-Vecchio après Zonza

Table Gastronomique

SOLE E MONTI ★ ★

04 95 78 62 53 - sole.e.monti@wanadoo.fr

Au village - Félicien BALESI - Fax : 04 95 78 63 88 - www.solemonti.com
Fermeture : 30/09-1/05 ; lundi et mardi (restaurant sauf pensionnaires). - Menus : 30/45 €.
Menu enfant : 10 €. Petit déjeuner : 10 €. 20 chambres. Demi pension : 70/90 € - Classement : Table Gastronomique

Quenza, village de montagne du Sud de la Corse, situé au pied des Aiguilles de Bavella, c'est le centre de départ de randonnées en montagne. L'auberge jouit d'une excellente réputation et la clientèle peut y déguster : charcuterie locale, cochon de lait, gibier, agneau ou cabri, desserts régionaux...

Chambres avec bain ou douche+WC+TV : Toutes.
Terrasse, jardin, parking privé, TPS, salle restaurant de caractère, chèques vacances, animaux acceptés à l'hôtel

Situated down the Aiguilles de Bavella, mountain village of the South Corse, this inn of an excellent reputation is an ideal place for mountain hiking, or to savour traditional specialities

Quenza pueblo de montaña del Sur de la Corse, al pie de las Aiguilles de Bavella es el centro de partida de senderismos en montaña. Esta hostería goza de una excelente reputación, usted podrá saborear sus especialidades.

Quenza, ein Bergdorf im Süden Korsikas, am Fuß der Aiguille de Bavella, ist der Ausgangspunkt für verschiedene Bergtouren. Das Gasthaus erfreut sich eines ausgezeichneten Rufs.

SAN MARTINO DI LOTA (20200)

A 10 km de Bastia.

Table de Terroir

HÔTEL DE LA CORNICHE ★ ★

04 95 31 40 98 - info@hotel-lacorniche.com

Robert ANZIANI - Fax : 04 95 32 37 69 - www.hotel-lacorniche.com - Fermeture : 1/01-10/02 ; lundi et mardi midi hors saison (restaurant).
Menus : 25/45 € . Menu enfant : 11,50 € . Petit déjeuner : 8 € .
18 chambres : 62/95 € . Demi pension : 60/78 € . Etape VRP : 58 € - Classement : Table de Terroir

Situé sur la corniche de Bastia, à l'entrée du cap corse, cet établissement bénéficie d'une vue exceptionnelle sur le village aux toits de lauze, sur la vallée et sur les îles de l'archipel toscan. Des chambres fraîches, accueillantes et agréablement meublées vous seront réservées. De même une cuisine typée au gré des saisons satisfaira plus d'un gourmet.
Spécialités : ravioli au brocciu au jus de daube, cochon de lait aux aromates.
Chambres avec bain ou douche+WC+TV : Toutes.
Terrasse, jardin, garage fermé, parking privé, piscine d'été, TPS, chaînes satellites, salle restaurant de caractère, salle de séminaires, chèques vacances, animaux acceptés au restaurant

Located on the cornice of Bastia, at the entrance of the Corsican cape, this establishment has an exceptional view on the village with the roofs of roofing stone, on the valley and the islands of the archipelago Tuscan. Fresh, accessible and pleasant furnished rooms will be reserved to you. In the same way a typical cooking following the seasons will enjoy more than an epicure.

Situado en la cornisa de Bastia, en la entrada del cabo corsa, este establecimiento posee una vista exceptional del pueblo con sus techos típicos, del valle y de las islas del archipiélago toscano. Usted podrá disfrutar de sus acogedoras y frescas habitaciones amuebladas con gusto. La cocina que sigue el ritmo de las estaciones encantarará a los gastrónomos.

Auf der Felswand von Bastia, am korsichen Kap, genießt dieses Haus einen außergewöhnlichen Blick auf die typischen Dächer, das Tal und die Inseln des toskanischen Archipels. Es erwarten Sie angenehm möblierte, frische und freundliche Zimmer und eine typische nach Jahreszeiten ausgerichtete Küche.

VENACO (20231)

A 17 km de Corte.

PAESOTEL E CASELLE

04 95 47 39 00 - caselle@libertysurf.fr

Polveroso - Jean PAGNI - Fax : 04 95 47 06 65 - www.e-caselle.com - Fermeture : 15/10-15/04.
Menus : 18,30/24,38 € . Menu enfant : 9,14 € . Petit déjeuner : 8,38 € . 24 chambres : 48,49/101,37 € . Demi pension : 64/77,74 € .
Etape VRP : 39,63/51,83 € - Classement : Auberge du Pays

Idéalement située, au bord de la rivière du Vecchio riche en truites, dans le Parc Régional, à 10 minutes de Corte capitale historique et universitaire de l'île, cette maison de caractère vous offre confort et calme pour un séjour corse des plus agréables.
Spécialités : potage du berger, bastelle aux herbes, truite à la venacaise, agneaux à l'astretta, fiadone.
Chambres avec bain ou douche+WC+TV : Toutes.
Terrasse, jardin, parking privé, piscine d'été, tennis, accès handicapés, chaînes satellites, petit déjeuner buffet, salle restaurant de caractère, salle de séminaires, animaux acceptés

Ideally located, at the edge of the river of Vecchio rich in trouts, in the Regional Park, at 10 minutes of Corte historical and academic capital of the isle, this house of character offers comfort and calm for a Corsican stay of most pleasant

En un lugar ideal, a orillas del río del Vecchio abundante en truchas, en el Parque Regional, a 10 minutos de Corte, capital histórica y universitaria de la isla, esta casa original le propone comodidad y tranquilidad para una agradable estancia corsa.

Ideal gelegen, im Regionalpark, am Ufer des Vecchio Bachs reich an Forellen, 10 min von Corte, der historischen Universitätsstadt der Insel, bietet Ihnen dieses charaktervolle Haus Komfort und Ruhe für einen außerordentlichen Korsika Aufenthalt.

ZONZA (20124)

A 38 km de Porto Vecchio, Propiano, Sartène.

HÔTEL LE TOURISME ★ ★ ★

04 95 78 67 72 - letourisme@wanadoo.fr

Route de Quenza - Denis BERTINI - Fax : 04 95 78 73 23 - www.hoteldutourisme.fr - Fermeture : 30/10-31/03.
Menus : 19/30 € . Menu enfant : 9,50 € . Petit déjeuner : 8/9,50 € .
14 chambres : 63/85 € . Demi pension : 60/85 € / pers.- Classement : Table de Terroir

Situé au calme, à 35 mn de la mer, cet établissement de charme vous propose des chambres entièrement équipées, une cuisine traditionnelle de terroir et vous offre une très belle vue sur la forêt de Zonza.
Spécialités : charcuterie maison, stuffata à la corse, omelette au brucciu, desserts du terroir.

Chambres avec bain ou douche+WC+TV : Toutes.
Terrasse, jardin, garage fermé, parking privé, piscine d'été, ascenseur, accès handicapés, chaînes satellites, climatisation, salle restaurant de caractère, salle de séminaires, animaux acceptés

Situated in calm, at 35 mn of the sea, this establishment is offering all equiped bedrooms, a traditional cooking and a wonderful view on the Zonza's forest.

Este establecimiento, situado en un lugar tranquilo, a 35 min. del mar, le brinda habitaciones completamente equipadas, una cocina tradicional, regional y una bellísima vista del bosque de Zonza.

Dieses Haus bietet Ihnen vollständig ausgestattete Zimmer, traditionelle ländliche Küche und einen sehr schönen Blick auf den Wald von Zonza.

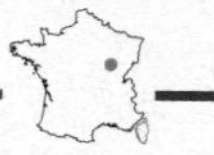

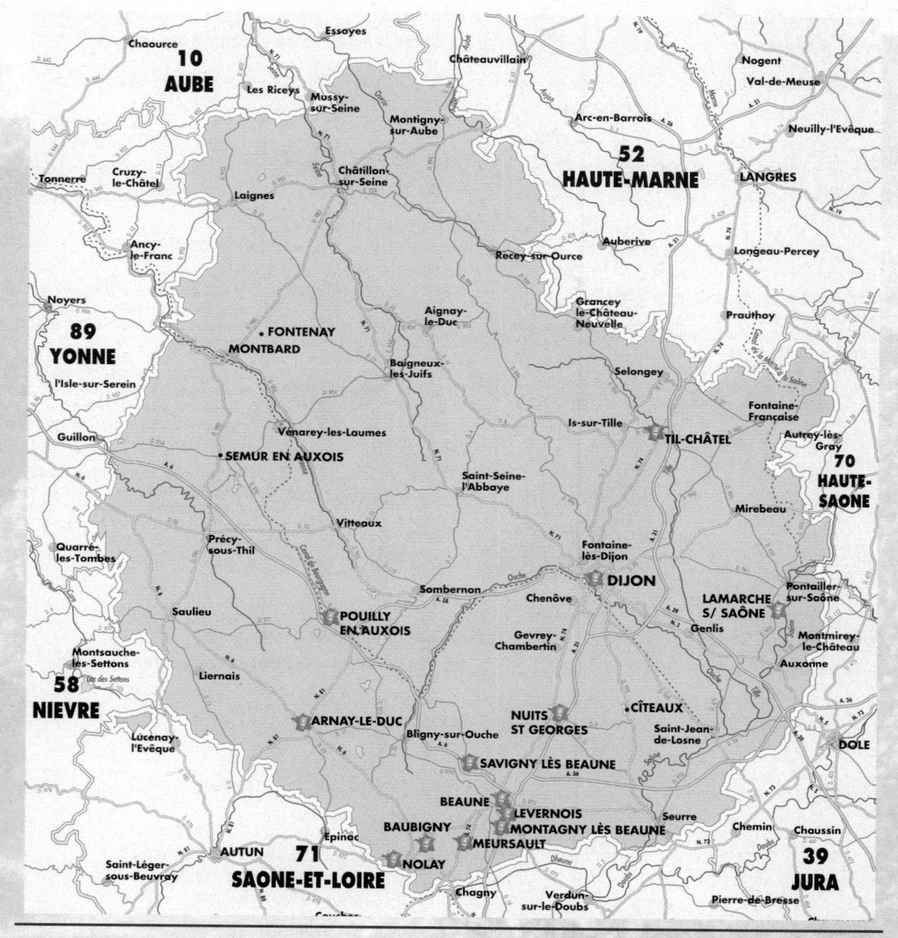

Sites Touristiques : Abbaye de Fontenay (classée Patrimoine Mondial par l'UNESCO), Hôtel-Dieu de Beaune, Abbaye de Cîteaux, ville médiévalle de Semur en Auxois.

Saveurs de nos Terroirs : Escargots de Bourgogne, Viande de Charolais, Jambon persillé, Moutarde de Dijon, l'Epoisses (fromage), Anis de Flavigny, Pain d'épices.
Côtes de Nuits et Hautes Côtes de Nuits, Côtes de Beaune et Hautes Côtes de Beaune, Vins rouges de Bourgogne (A.O.C.),cépage Chardonnay, Crémant de Bourgogne, crème de Cassis.

Animations : Musée des Beaux Arts de Dijon, Musée du Châtillonnais à Chatillon-sur-Seine.
Août/Septembre : Fête de la Vigne.
Novembre : Foire Internationale et Gastronomique de Dijon, Vente des vins des Hospices de Beaune.

COMITÉ DÉPARTEMENTAL DU TOURISME DE LA COTE D'OR
Hôtel du Département B.P. 1601 - 21035 - DIJON CEDEX -Tél. : 03 80 63 69 49 - Fax : 03 80 49 90 97
www.cotedor-tourisme.com - documentation@cdt-cotedor.fr

ARNAY LE DUC (21230)

A 32 km de Beaune.

Table Gastronomique

CHEZ CAMILLE ★ ★ ★

03 80 90 01 38 - chez-camille@wanadoo.fr

1 Place Édouard Herriot - Fax : 03 80 90 04 64 - Menus : 18/80 €. Menu enfant offert (<11 ans). Petit déjeuner : 9 €.
11 chambres : 72 € - Classement : Table Gastronomique

BAUBIGNY (21340)

A 7 km de Nolay.

Table Gastronomique

AUBERGE DU VIEUX PRESSOIR

03 80 21 82 16

Hameau d'Evelle - Serge DEMOLLIERE - Fax : 03 80 21 82 16
Fermeture : Décembre, janvier, février, mars. Ouvert tous les soirs sauf mercredi et dimanche soir.
Menus : 24 €. Menu enfant : 8 € - Classement : Table Gastronomique

Cette auberge située dans un magnifique paysage de vignoble à deux pas du château de la Rochepot vous réserve un accueil chaleureux et gourmand et vous propose une formule conviviale à base de produits maison, des plats longtemps mijotés à la façon de nos grands mères. Menus végétariens sur demande. Spécialités : foie gras maison, saumon fumé, oeufs en meurette.

Salle restaurant de caractère, animaux acceptés au restaurant

This inn situated in the magnificent landscape of wineyard at 2 steps of the Rochepot's castle, reserves you a warm welcome and proposes a menu made from house products. Vegetarian menu on request.

Este hotel ubicado en un magnífico paisaje de viñedos, a dos pasos del castillo de la Rochepot le brinda una acogida calurosa y gastronómica, y le propone una fórmula a base de productos caseros, platos preparados a fuego lento como lo hacían nuestras abuelas. Menús vegetarianos por encargo.

In diesem Gasthaus, in einer wunderschönen Weingegend, ganz in der Nähe des Schlosses Rochepot, empfängt man Sie herzlich mit einem gastlichen Schlemmermenü aus hausgemachten Produkten, Gerichte liebevoll zubereitet wie zu Großmutters Zeiten.

BEAUNE-CHOREY LES BEAUNE (21200)

A 3 km de Beaune.

Table Gastronomique

ERMITAGE DE CORTON ★ ★ ★ ★

03 80 22 05 28 - ermitage.corton@wanadoo.fr

RN 74 à Chorey les Beaune - Fax : 03 80 24 64 51 - Menus : 40/60 €. 9 suites : 250/350 €
Classement : Table Gastronomique

DIJON (21000)

Table de Prestige

RESTAURANT STÉPHANE DERBORD

03 80 67 74 64

10 Place Wilson - Stéphane DERBORD - Fax : 03 80 63 87 72 - www.restaurantstephanederbord.fr
Fermeture : 5/08-25/08 ; 1 semaine vacances de février ; dimanche, lundi midi et mardi midi.
Menus : 22/74 €. Menu enfant : 13 € - Classement : Table de Prestige

Venez découvrir l'accueil chaleureux d'Isabelle, la passion et la créativité d'une cuisine où la richesse du terroir bourguignon est à l'honneur.
Cave des meilleurs crus.

Come to discover the cordial reception of Isabelle, the passion and the creativity of a cooking where the richness of the Burgundian soil is with the honor. Cellar of best wines.

Venga a descubrir la acogida calurosa de Isabelle, la pasión y la creatividad de una cocina donde la riqueza de la región borgoñona le rinde honor. Bodegas con los mejores caldos.

Entdecken Sie den herzlichen Empfang von Isabelle, die Leidenschaft und Kreativität einer Küche, wo die Großzügigkeit des Lands zum Ausdruck kommt. Weinkeller mit berühmten Weinen.

DIJON (21000)

A l'entrée de la ville, à proximité de la place E. Zola

RESTAURANT LES MARANGES

03 80 43 61 21/06 11 49 28 34

65 Rue Monge - Brice BEAULIER - www.bourgogne-restaurants.com/maranges - Ouvert toute l'année.

Menus : 15/30 € . Menu enfant : 7 € . 4 chambres : 47 € . Petit déjeuner : 7 € .
Demi pension : 60 € . Etape VRP : 60 € - Classement : Auberge du Pays

Brice Beaulier et Karine Gérard se feront un plaisir de vous recevoir chaleureusement et de vous faire partager une cuisine inventive avec des produits frais de qualité (menu Bourguigon incontournable : 30 €). Spécialités : oeufs meurette, magret de canard royal aux framboises, saint jacques rôtis sauce abricot, gambas flambés sauce vanille, mousse au chocolat maison. De même vous pouvez déguster des vins de Bourgogne.
Terrasse, chaînes satellites, climatisation, salle restaurant de caractère, salle de séminaires, chèques vacances, animaux acceptés au restaurant

Brice Beaulier and Karine Gerard will have a pleasure of receiving you cordially and of making you share an inventive kitchen with fresh products of quality (finely Bourguigon impossible to circumvent: 30).

Brice Baulier y Karine Gérard tendrán el placer de recibirle calurosamente y de hacerle compartir su cocina regional elaborada con productos frescos de calidad (menú gastronómico inevitable : 30 euros). Usted descubrirá su bodega de degustación de vinos de Bourgogne.

Brice Beaulier und Karine Gérard freuen sich, Sie ganz herzlich zu empfangen und mit Ihnen ihre ideenreiche Küche aus hochwertigen Frischprodukten zu teilen (das gastronomische Menü ein Muß). Kosten Sie bei dieser Gelegenheit die Weine aus der Bourgogne.

LAMARCHE SUR SAÔNE (21760)

32 km Est Dijon D70+D961. A 9 km d'Auxonne.

HOSTELLERIE LE SAINT ANTOINE ★ ★

03 80 47 11 33

32 Rue de Franche Comté - Jean-Pierre JAGLA - Fax : 03 80 47 13 56 - www.stantoine.fr.st

Menus : 34 € . Petit déjeuner : 8 € .8 chambres : 58/65 € . 2 suites : 140 € .
Demi pension : 58/62 € . Etape VRP : 75 € - Classement : Table Gastronomique

Dans un cadre de verdure (parc de 2 ha donnant sur la rivière, ancre pour bateaux de plaisance) cette auberge de caractère vous réservera le meilleur accueil. Spécialités : sandre au Noilly, écrevisses, goujons et grenouilles fraiches, cuisine de plantes. Sur place : sauna, thalasso, balnéo, piscine couverte et chauffée, salle de mise en forme, jacuzzi, location de VTT, jardin botanique. Vins : Gevrey Chambertin, Chablis, Rully.
Chambres avec bain ou douche+WC+TV : Toutes. Terrasse, jardin, parking privé, piscine d'hiver, accès handicapés hôtel, petit déjeuner buffet, salle restaurant de caractère, salle de séminaires

In a setting of greenery (park of 2 ha looking onto the river, anchors for pleasure boats) this inn of character will reserve the best welcome to you. There: sauna, thalasso, balnéo, covered and heated swimming pool, seminary rooms, play area, hiring of VTT, botanical garden. WInes : Gevrey Chambertin, Chablis, Rully.

En un ambiente verde (parque de 2 ha.que da al río, lugar de anclaje para barcos de recreo), esta típica posada le brindará una cálida acogida y le hará descubrir sus especialidades. En el mismo lugar : sauna, talo y balneoterapia, piscina climatizada, sala para estar en forma, alquiler de BTT, jardín botánico. Vinos : Gertrey Chambertin, Chablis, Rully.

Mitten im Grünen (Park 2 ha, Fluss, Ankerplatz für Freizeitboote) werden Sie in diesem Haus mit ausgezeichneten Spezialitäten empfangen. An Ort und Stelle: Sauna, Thalasso, Balneo, geheiztes Hallenschwimmbad, Fitnessraum, Whirlpool, Fahrradausleihe, botanischer Garten. Weine: Gevrey Chambertin, Chablis, Rully.

Charme & Authenticité

LEVERNOIS (21200)

A 5 km de Beaune.

HOSTELLERIE DE LEVERNOIS ★ ★ ★ ★

03 80 24 73 58 - levernois@relaischateaux.com

Route de Combertault - Christophe CROTET - Fax : 03 80 22 78 00 - www.levernois.com - Fermeture : 20/12-08/01 ; 10/08-25/08.
Menus : 60,84/104 € . Menu enfant : 16 € .
16 chambres : 168/305 € - Classement : Table de Prestige

Située au coeur de la Bourgogne, sur un magnifique parc de 4 hectares aux arbres centenaires, cette superbe demeure vous accueille en toute quiétude pour une halte reposante et confortable et vous invite à une table gourmande élaborée avec les meilleurs produits du terroir. Au coeur du domaine, vous pourrez également profiter d'un terrain de tennis, d'un golf de 9 trous, et de superbes escapades. Spécialités : canon d'agneau en croustille de pomme de terre au foie gras et à la truffe noire, petits escargots de Bourgogne en cocotte lutée.
Chambres avec bain ou douche+WC+TV : Toutes.
Terrasse, jardin, parking privé, tennis, accès handicapés, chaînes satellites, climatisation, salle restaurant de caractère, salle de séminaires, animaux acceptés

Located at the heart of Burgundy, on a splendid park of 4 hectares to the trees centenaries, this superb residence accomodates you in all quietude for a halt resting and comfortable and invites you to an elaborate greedy table with best products of soil. In the heart of the field, you will be able to also benefit from a tennis court, a golf of 9 holes, and superb escapades.

Ubicado en el corazón de Borgoña , en un magnífico parque de 4 ha con árboles centenarios, esta encantadora morada, le acoge en un ambiente tranquilo para una estancia descansada y cómoda. Usted está invitado a una mesa gastronómica elaborada con los mejores productos regionales. En el corazón del dominio, podrá igualmente aprovechar del terreno de tenis, de un golf con 9 boquetes y de magníficas escapatorias.

Im Herzen der Bourgogne, in einem 4 ha großen Park mit hundertjährigen Bäumen, werden Sie in diesem prachtvollen Haus in aller Ruhe zu einem erholsamen und komfortablen Halt empfangen. Wir laden Sie ein, an unserer Schlemmertafel, Gerichte aus besten regionalen Landprodukten zu kosten. Inmitten des Landguts stehen Ihnen ein Tennis- und Golfplatz (9 Löcher) zur Verfügung, sowie tolle Ausflugsmöglichkeiten.

MEURSAULT (21190)

A 7 km de Beaune.

LE RELAIS DE LA DILIGENCE

03 80 21 21 32 - relaisdeladiligence@wanadoo.fr

23 Rue de la Gare - Gérard LEJEUNE - Fax : 03 80 21 64 69 - www.relaisdeladiligence.com
Fermeture : 5/12-15/01 ; mardi soir et mercredi hors saison.
Menus : 15/37 € . Menu enfant : 8,50 € - Classement : Table Gastronomique

Dans un cadre chaleureux et convivial, en pleine campagne avec vue sur les coteaux, Gérard LEJEUNE et son équipe se feront un plaisir de préparer pour vous leurs spécialités : cassolette d'escargot, trilogie de foie gras, filet de sandre au vin rouge, flan au bleu de bresse ronde d'escargots, filet de boeuf aux morilles.

Terrasse, parking privé, accès handicapés restaurant, salle de séminaires, chèques vacances, animaux acceptés au restaurant

In a warm and convivial setting, in the country side with view on hillside, Gérard Lejeune and his team will be glad to cook you their specialities.

En un ambiente cálido y convivial, en pleno campo con vista a las colinas, Gérard LEJEUNE y su equipo tendrán el placer de preparle sus especialidades.

In einem warmen und freundlichen Rahmen, auf dem Land mit Blick auf die Hänge, freuen sich G. LEJEUNE und sein Team, Sie mit ihren Spezialitäten zu verwöhnen.

MEURSAULT (21190)

A 8 km de Beaune.

LES ARTS ★

03 80 21 20 28

4 Place de l'Hôtel de Ville - Julien LAROCHE - Fax : 03 80 21 63 58 - Fermeture : Mardi.
Menus : 14/28 € . Menu enfant : 7 € . Petit déjeuner : 5 € .
17 chambres : 27/45 € . Demi pension : 44 € . Etape VRP : 48 € - Classement : Auberge du Pays

Au coeur de la capitale des grands vins blancs de Bourgogne, cet établissement vous fera déguster sa cuisine traditionnelle, et l'été vous pourrez profiter de son jardin ombragé.
Spécialités : boeuf bourguignon, coq au vin, jambonnette de volaille à la fine Bourgogne, oeuf à la bourguignonne, gâteau d'andouillette au meursault.

Chambres avec bain ou douche+WC+TV : 17 à 21.
Terrasse, jardin, parking privé, accès handicapés restaurant, canal+, salle restaurant de caractère, animaux acceptés

In the heart of the capital of the famous white wine of Bourgogne, this establishment will allow you to taste a traditional cooking and in summer you will be able to enjoy the shady garden.

En el corazón de la capital de los renombrados vinos blancos de Bourgogne, este establecimiento le hará saborear su cocina tradicional y en verano usted podrá aprovechar de su jardín sombreado.

Im Herzen der Hauptstadt der großen Weißweine der Bourgogne, bietet Ihnen dieses Haus die Möglichkeit traditionelle Küche zu kosten. Im Sommer können Sie von der schattigen Terrasse profitieren.

MONTAGNY LES BEAUNE (21200)

A 3 km de Beaune.

HÔTEL LE CLOS

03 80 25 97 98 - hotelleclos@wanadoo.fr

Rue des Gravières - Alain et Christiane OUDOT - Fax : 03 80 25 94 70 - www.hotelleclos.com - Fermeture : 28/11-27/01.
19 chambres : 60/100 € . 5 suites : 130/200 € . Petit déjeuner : 8 €

Niché au coeur d'un petit village bourguignon, aux portes de Beaune, la nature reprenait ses droits sur cette ferme du XVIIIème siècle. Après une année de travaux, avec un souci permanent du respect de la tradition, elle renaît pour vous offrir la quiétude et le charme attachant d'une demeure d'autrefois. Dans son atmosphère chaleureuse, l'hiver autour de la cheminée, et l'été dans la douceur de son jardin, nous vous accueillerons dans un éventail de chambres confortables, toutes différentes.
Chambres avec bain ou douche+WC+TV : Toutes.
Terrasse, jardin, parking privé, accès handicapés hôtel, petit déjeuner buffet, salle restaurant de caractère, salle de séminaires

Nestled in the heart of a small Burgundian village, at the gates of Beaune, nature took again its rights on this farm of the XVIIIth century. After one year of work, with a permanent concern of the respect of the tradition, it reappears to offer you the quietness and the charm of a residence of long ago. In its warm atmosphere, the winter around the chimney, and the summer in the softness of its garden, we will accomodate you in a range of comfortable rooms, all different.

En el corazón de un pequeño pueblo borgoñón, a las puertas de Beaune, la naturaleza invadía esta granja del siglo XVIII. Un año de trabajos y de respeto a la tradición dieron luz a esta morada de antaño, para ofrecerle quietud y encanto. En un ambiente caluroso, en invierno al lado de la chimenea y en verano en el jardín, le acogeremos en las confortables y personalizadas habitaciones.

Bei Beaune, in einem kleinen Dorf der Bourgogne eingebettet, bietet dieses komplett renovierte Haus aus dem 18. Jh. Charme, Authentizität und Komfort. In seiner warmen und freundlichen Atmosphäre, im Winter um den Kamin, im Sommer in der Milde des Gartens, empfangen wir Sie mit einer Auswahl an bequemen, personalisierten Zimmern.

NOLAY (21340)

A 20 km de Beaune (D973).

Table de Terroir

HÔTEL-RESTAURANT DU PARC ★ ★

03 80 21 78 88

3 Place de l'Hôtel de Ville - Marie-France BARREAUX - Fax : 03 80 21 86 39 - Fermeture : 30/11-15/03.
Menus : 15/32 € . Menu enfant : 9 € . Petit déjeuner : 6,50 € .
14 chambres : 55/86 € . Demi pension : 55/70 €. Etape VRP : 68/72 € - Classement : Table de Terroir

Cet ancien Relais de Poste du XVIème siècle, restauré avec goût, vous réserve un accueil chaleureux. Magnifique cour intérieure. Vous y apprécierez une cuisine à l'ancienne à la fois régionale et gastronomique qui enchante plus d'un palais.
Spécialités : foie gras frais poêlé à la compotée d'oignons au miel, jambon persillé maison, cuisse de lapereau à la bourguignonne, cuisses de grenouilles à la chablisienne et pointes d'asperges. Animaux acceptés en terrasse. Belle carte des vins de Bourgogne.
Chambres avec bain ou douche+WC+TV : Toutes.
Terrasse, jardin, garage fermé, parking privé, accès handicapés restaurant, salle restaurant de caractère, salle de séminaires, chèques vacances, animaux acceptés à l'hôtel

This ancient postal's relay of the XVIth century, renovated with taste, is reserving you a warm welcome. Magnificient inner courtyard. You will be able to appreciate an ancient cooking at the same time, regional and gastronomic, that will delight your palate. Pets accepted in terrace. Good card of Bourgogne' wines.

Esta anciana Parada del Correo del siglo XVI, restaurada con gusto, le brindará una acogida calurosa. Magnífico patio interior. Usted apreciará una cocina de antaño a la vez regional y gastronómica, que encantará a más de un paladar. Excelente carta de vinos de Borgoña.

In dieser alten Poststation aus dem 16. Jh., mit Geschmack restauriert, werden Sie herzlich empfangen. Herrlicher Innenhof. Sie genießen eine Küche von früher, regional und gastronomisch, die mehr als einen Gaumen erfreut. Tiere auf der Terrasse erlaubt.

NUITS SAINT GEORGES (21700)

RN74 sortie Nuits St Georges direction Beaune.

Table Gastronomique

L'ALAMBIC

03 80 61 35 00 - restaurant.alambic@club-internet.fr

Rue du Général de Gaulle - Michel PHILIPPON - Fax : 03 80 61 24 65 - www.bourgogne-restaurants.com/alambic
Fermeture : Lundi midi en saison, dimanche soir et lundi hors saison.
Menus : 20/42 € . Menu enfant : 8 € - Classement : Table Gastronomique

Situé dans un caveau en pierre de taille, ce restaurant à l'architecture bourguignonne vous réserve une ambiance chaleureuse et sympatique. Une cuisine créative avec des recettes de terroir feront de votre étape un moment gourmand privilégié.
Spécialités : cassolette d'escargots à la bourguignonne, oeufs en meurette de crémant de Bourgogne.

Terrasse, parking privé, accès handicapés restaurant, climatisation, salle restaurant de caractère, salle de séminaires, chèques vacances, animaux acceptés au restaurant

Located in a stone vault of size, this restaurant with Burgundian architecture reserves a cordial and sympatic environment to you. A creative cooking with receipts of soil will make your stage one privileged greedy moment.

Ubicado en un edificio de piedra tallada, este restaurante a la arquitectura borgoñona le prepara un ambiente cálido y simpático. Una cocina creativa con recetas regionales le hará pasar un momento gastrónomo privilegiado.

In einer Gruft aus Quaderstein, erwartet Sie in diesem Restaurant architektonisch typisch Bourgogne, ein warmes und sympathisches Ambiente. Eine kreative Küche mit Rezepten aus der Region machen aus Ihrer Etappe eine bemerkenswerte Schlemmerpause.

NUITS ST GEORGES (21700)

A31 sortie Nuits St Georges. Dijon et Beaune à 20 km

Table Gastronomique

HÔTEL-RESTAURANT LE SAINT GEORGES ★ ★

03 80 62 00 62 - hotel-saint-georges@wanadoo.fr

Carrefour de l'Europe - Yvette & Jean-Claude ROBYN - Fax : 03 80 61 23 80 - www.le-saint-georges.fr - Ouvert toute l'année.

Menus : 21,50/52,50 € . Menu enfant : 8 € . Petit déjeuner : 8,50 €.

47 chambres : 54/86 € . Demi pension : 64,50/65,50 € . Etape VRP : 69 € - Classement : Table Gastronomique

Au coeur des prestigieux vignobles de la Côte d'Or, cet établissement moderne et confortable vous propose une cuisine bourguignonne de qualité offrant tout le talent d'un jeune chef accompagné d'un service approprié. La cave, prestigieuse, vous permettra de déguster les plus grands crus de cette région. Spécialités : foie gras frais mi-cuit en terrine et chudney de pruneaux au vin rouge, filet de bar aux truffes de Bourgogne sauce Champagne, épigramme de pigeon cuit à la goutte de sang sur un jus au Sauternes.

Chambres avec bain ou douche+WC+TV : Toutes.Terrasse, jardin, garage fermé, parking privé, piscine d'été, , tennis, chaînes satellites, canal+, petit déjeuner buffet, salle restaurant de caractère, salle de séminaires, chèques vacances, animaux acceptés

Situated in the heart of the famous Côte d'Or wineyard, this modern and comfortable establishment proposes a talented cooking of quality. The prestigious cellar offers great wines of the region.

Establecimiento moderno y confortable, ubicado en el corazón de los prestigiosos viñedos de la Costa de Oro. Su joven y talentoso jefe, acompañado de un servicio adecuado, le propone una cocina borgoñona de calidad. Usted podrá probar en su prestigiosa bodega, los más grandes caldos de esta región.

Dieses moderne und komfortable Gasthaus mitten in den Weinbergen der Côte d'Or, bietet Ihnen die auserlesene Küche des talentierten Chefkochs und beste Bedienung.

POUILLY EN AUXOIS (21320)

A 6 sortie Pouilly en Auxois. A 30 km de Beaune.

Table de Terroir

HOSTELLERIE DU CHÂTEAU DE STE SABINE ★ ★ ★

03 80 49 22 01 - chateau-ste-sabine@wanadoo.fr

Sainte Sabine - M. GILINSKY - Fax : 03 80 49 20 01 - www.ifrance.com/chste-sabine - Fermeture : 3/01-23/02.

Menus : 24/58 € . Menu enfant : 13 € . Petit déjeuner : 10 € . 25 chambres : 54/186 € .

Demi pension : 62,28/123 € . Etape VRP : 85 € . Duplex : 202 € - Classement : Table de Terroir

Ce château du XVIIème siècle au cadre raffiné, vous réservera de vrais instants de bonheur et de détente dans le calme apaisant d'un parc de 8 ha agrémenté d'animaux. Selon votre choix, la table sera gastronomique ou traditionnelle et Didier GÉRBAUD, Chef de Cuisine préparera pour vous les meilleures spécialités : escargots à la bourguignonne, magret de canard aux baies de cassis, sandre en pochouse, délice aux chocolats doux et amer, miroir au cassis, le tout accompagné des meilleurs crus de Bourgogne.

Chambres avec bain ou douche+WC+TV : Toutes.

Terrasse, jardin, parking privé, piscine d'été, ascenseur, petit déjeuner buffet, salle restaurant de caractère, salle de séminaires

In that luxurious castle of the XVIIth century in the middle of the country side, you will be offered a pleasant and a relaxing stay in the quet setting of a grounds of 8ha with pets. You will be able to choose between gastronomic or traditional cooking and Didier Gerbaud will ofer you his best specialities.

Este castillo del siglo XVII con su refinado ambiente, le brindará verdaderos momentos de alegría y de reposo en la calma de un parque de 8 ha, con la presencia de algunos animales. Según su elección, la mesa será gastronómica o tradicional. Didier GéRBAUD, Jefe de cocina preparará para usted sus mejores especialidades.

Im vornehmen Ambiente dieses Schlosses aus dem 18. Jh. erleben Sie echte Momente von Glück und Entspannung in der friedlichen Ruhe eines 8 Ha großen Parks. Sie haben die Wahl zwischen gastronomischen und traditionellen Gerichten, die der Chefkoch, D. GERBAUT, für Sie zubereitet.

SAVIGNY LES BEAUNE (21420)

A 5 km au Nord-Ouest de Beaune.

HÔTEL-RESTAURANT L'OUVRÉE ★ ★

03 80 21 51 52 - hotelouvree@wanadoo.fr

Route de Bouilland - Alain PIERRAT - Fax : 03 80 26 10 04 - Fermeture : 1/02-13/03.
Menus : 17/28 € . Menu enfant : 12 € . Petit déjeuner : 6,50 € .
22 chambres : 52/58 € . Demi pension : 97/102 € pour 2 Pers. Etape VRP : 61 € - Classement : Table de Terroir

Venez découvrir le calme et le confort de cet établissement, le restaurant typique bourguignon vous fera apprécier sa cuisine traditionnelle soignée. Dégustation dans les caves. Vignes dans le Domaine.

Spécialités : coq au vin, oeufs en meurette, cassolette d'escargots de Bourgogne, entrecôte marchande de vin.

Chambres avec bain ou douche+WC+TV : Toutes. Terrasse, jardin, parking privé, accès handicapés, petit déjeuner buffet, salle restaurant de caractère, chèques vacances, animaux acceptés

Come to discover this peaceful and quiet establishment as well as comfortable, the restaurant has a traditional cooking particulary well done. Wine tasting in the cellars.

Venga a descubrir la tranquilidad y el confort de este establecimiento. Usted podrá apreciar la esmerada cocina tradicional de este típico restaurante borgoñon. Catadura en las bodegas.

Entdecken Sie die Ruhe und den Komfort dieses Hauses, wo Sie im typisch burgundischen Restaurant eine gepflegte traditionelle Küche schätzen werden.

TIL CHATEL (21120)

Péage 2 km (A31 sortie 5 Til Chatel). A 25 km de Dijon.

HÔTEL DE LA POSTE ★ ★

03 80 95 03 53

Rue d'Aval - Colette & Dominique GIRODET - Fax : 03 80 95 19 90 - Fermeture : 4/10-31/10 ; 23/12-8/01 ; Hôtel : 1/04-31/10 dimanche soir + samedi (du 1/11 au 31/03). - Menus : 12,60/26 € . Menu enfant : 8,80 € . Petit déjeuner : 5,80 € .
9 chambres : 41/52 € . Demi pension : 50/61 € (1 pers). Etape VRP : 47/52 € - Classement : Auberge du Pays

Situé au coeur du village, géré depuis 4 générations par la même famille, l'Hôtel de la Poste date des anciens relais de diligences. Vous y trouverez le confort et l'accueil d'une sympatique hostellerie de village dans un cadre ravissant où le charme de la pierre et du bois vous feront découvrir les délices d'autrefois. Spécialités : médaillons de foie de volaille, jambon en saupiquet, magret de canard grillé sauce cassis, millefeuille de pain d'épices sorbet poire, confiture de lait. Vins de Bourgogne. Restaurant fermé : du 1/04 au 31/10 : samedi midi, dimanche soir et lundi midi ; du 1/11 au 31/03 : samedi et dimanche soir.
Chambres avec bain ou douche+WC+TV : 1-2-3-4-6-7-8. garage fermé, parking privé, salle restaurant de caractère, salle de séminaires, animaux acceptés au restaurant

Located in the heart of the village, this hotel has been run for four generations by the same family. The Hôtel de la Poste dates from times of stage coach. You will find comfort and pleasant welcome in a delightful setting where the charm of wood and stone will make you discover yesterday's pleasures. Restaurant closed ; from 1/04 to 31/10 : midday on saturday and monday, sunday evening ; saturday and sunday evening

Ubicado en el corazón del pueblo, administrado desde hace 4 generaciones por la misma familia, el Hôtel de la Poste data de la época de las antiguas paradas de diligencias. Usted encontrará la comodidad y la simpatía de una hostelería de pueblo en un agradable ambiente donde el encanto de la piedra y la madera le harán descubrir las delicias de antaño.

Im Herzen eines Dorfes wird das Hotel de la Poste seit 4 Generationen von der gleichen Familie geführt und stammt aus Zeiten alter Postkutschen. Entdecken Sie Komfort und netten Empfang in bezauberndem Rahmen. Hier können Sie alte Genüsse wiederentdecken.

La Reconnaissance Professionnelle

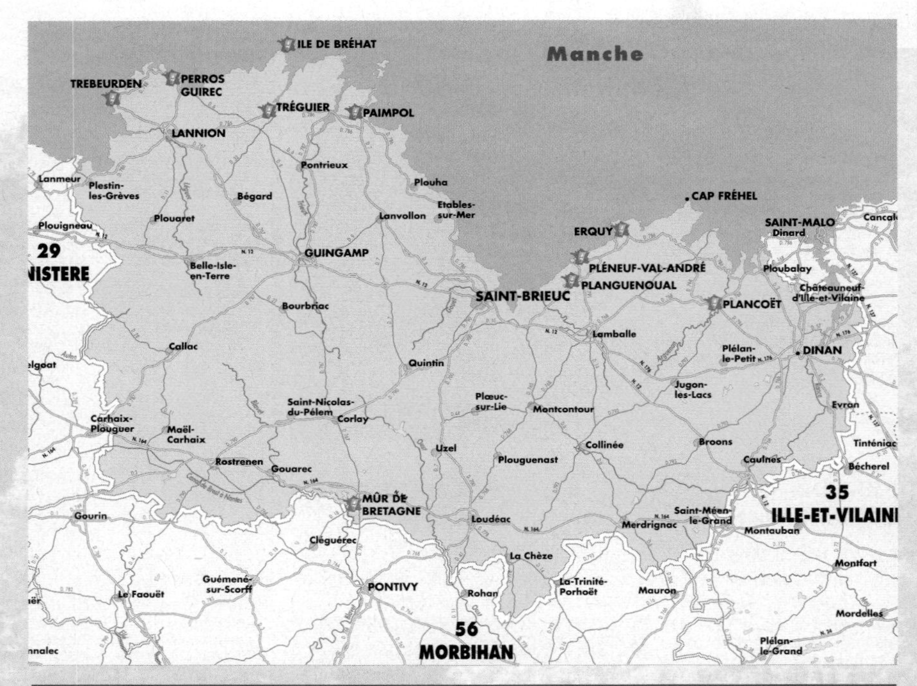

Sites Touristiques : Cap Fréhel, Côte de Granit Rose, Lac de Guerlédan, Dinan, Ile de Bréhat.

Saveurs de nos Terroirs : Coquilles St Jacques, huîtres, moules, algues, charcuterie, choux fleurs, cocos de Paimpol, artichauts, galettes, crêpes, biscuits. Cidre, Chouchenn, Whisky, Bières bretonnes.

Animations : Château-Musée à Dinan, Musée Mathurin Méheut à Lamballe, Briqueterie à Langueux, Maison du Patrimoine à Locarn, Musée des Télécoms et Planétarium à Pleumeur-Bodou, Musée d'Histoire à Saint Brieuc.
Avril/Mai : Fête de la coquille St Jacques, Art Rock (Pentecôte).
Juillet/Août : Festival des Terre-Neuvas à Bobital, Fête des Remparts à Dinan, Fête du Coco de Paimpol, Festival de la danse bretonne et de la St Loup à Guingamp.
Septembre/Octobre : Imaginer, Festival du Film marin à Saint-Cast-le-Guilde ; Festival de Lanvellec.
Décembre : Paroles d'Hiver (contes).

COMITÉ DÉPARTEMENTAL DU TOURISME DES COTES D'ARMOR
7 Rue Saint Benoît B.P. 4620 - 22046 - SAINT-BRIEUC CEDEX 2 -Tél. : 02 96 62 72 01 - Fax : 02 96 33 59 10
www.cotesdarmor.com - armor@cotesdarmor.com

ERQUY (22430)

A 20 km de Lamballe.

Table de Terroir

RELAIS SAINT AUBIN

☎ 02 96 72 13 22

Saint Aubin - Gilbert JOSSET - Fax : 02 96 63 54 31 - www.armornet.tm.fr.tcmultimedia
Fermeture : Lundi (1/07-31/08). Mardi et mercredi hors saison ; 2 semaines vac. scol. février.
Menus : 13/50 € . Menu enfant : 10 € - Classement : Table de Terroir

Blotti dans la campagne, cet ancien prieuré du XVIIème siècle abrite un séduisant restaurant où règnent chaleur, convivialité, élégance et sobriété. Le maître des lieux vous propose toutes sortes de grillades et un grand choix de fruits de mer et de poissons frais. C'est une étape idéale pour se requinquer harmonieusement. Spécialités : menu dégustation coquilles saint jacques, homard grillé, fricassée de moules au lard et au cidre, plats du terroir.

Terrasse, jardin, parking privé, accès handicapés restaurant, salle restaurant de caractère, salle de séminaires, chèques vacances, animaux acceptés au restaurant

Deep in the coutryside, this 17th century priory has a charming restaurant offering elegance, warmth and conviviality. The owner proposes a wide choice of grills, sea-food and fresh fish.

Agazapado en el campo, este antiguo priorato del siglo XVII presenta un atractivo restaurante en el cual reinan la convivialidad, la elegancia y la sobriedad. El dueño le propone toda clase de carnes asadas a la parilla y una gran elección de mariscos y pescados frescos. La etapa ideal para estar en forma.

Eingebettet in die Landschaft, beherbergt diese alte Klosterkirche aus dem 17. Jh. ein ansprechendes, herzliches, geselliges, elegantes und schlichtes Restaurant. Der Hausherr bietet Ihnen jegliche Sorte an Grillade und eine große Auswahl an Meeresfrüchten und frischem Fisch. Dieses Restaurant ist eine ideale Gelegenheit, neue Kräfte zu schöpfen.

ILE DE BREHAT (22870)

A 8 km de Paimpol.

Table de Terroir

LA VIEILLE AUBERGE ★ ★

☎ 02 96 20 00 24 - vieille-auberge.brehat@wanadoo.fr

Jacqueline et Nathalie LAMIDON - Fax : 02 96 20 05 12 - www.ilotels.com - Fermeture : De Novembre à Pâques.
Menus : 16,50/40 € . Menu enfant : 9 € . Petit déjeuner : 8,50 € .
14 chambres : 83/100 € . Demi pension : 62/72 € - Classement : Table de Terroir

A quelques pas de la mer, maison de corsaires datant de 1711. Découvrez les joies d'une île sans voiture. Dans un décor fleuri et sympatique, une authentique cuisine de tradition sans prétention vous sera proposée. Chambres au calme sur jardin. Spécialités : moules paysannes à la crème et aux petits légumes, salade de la mer, poissons, fruits de mer.

Chambres avec bain ou douche+WC+TV : Toutes. Terrasse, jardin, garage fermé, salle restaurant de caractère, chèques vacances, animaux acceptés

Just beside the sea you will find a corsairs house built in 1711. Disover the charm of an isle without cars. In a floral decorate, you will appreciate an authentic traditional cooking. Quiet rooms with a view on the gardens.

A sólo algunos pasos del mar, esta casa de corsarios data del año 1711. Descubra la alegría de una isla sin coche. En un ambiente florido, simpático, una auténtica cocina tradicional sin pretensiones le espera. Tranquilas habitaciones con vistas a un jardín.

Nur ein paar Schritte vom Meer, liegt dieses Freibeuterhaus von 1711. Entdecken Sie eine authentische und traditionelle Küche. Ruhige Zimmer zum Garten hin orientiert.

MUR DE BRETAGNE (22530)

A 16 km de Pontivy. Au centre du village face à la mairie.

Table de Prestige

AUBERGE GRAND'MAISON

☎ 02 96 28 51 10 - grandmaison@armornet.tm.fr

1 Rue Léon Le Cerf - Jacques GUILLO - Fax : 02 96 28 52 30 - www.aubergegrandmaison.fr
Fermeture : 3 semaines en octobre et 2 en février ; dimanche soir lundi et mardi. - Menus : 36/72 € . Petit déjeuner : 16 € .
9 chambres : 58/110 € - Classement : Table de Prestige

Située à égale distance des côtes de la Manche et de l'Atlantique, cette demeure ancienne au décor cosy vous propose convivialité, détente et gastronomie.

Parmi les spécialités : profiterolles de foie gras au coulis de truffes, poissons de Bigoudenie, saint jacques, homards et gibiers en saison.

Chèques vacances, animaux acceptés

Situated at equal distance of the coasts of the English Channel and the Atlantic, this old residence with the cosy decoration proposes user-friendliness, relaxation and gastronomy to you.

A igual distancia de las costas de la Manche y del Atlántico, esta antigua morada confortable le propone buena convivencia, tranquilidad y gastronomía. Usted podrá saborear sus especialides.

Gleich weit vom Ärmelkanal und dem Atlantik entfernt, bietet Ihnen dieses alte Haus mit hübschem Dekor Gastlichkeit, Entspannung und Gastronomie.

PAIMPOL (22500)

LA VIEILLE TOUR

02 96 20 83 18

13 Rue de l'Eglise - Andrée et Alain ROSEC - Fax : 02 96 20 90 41 - Fermeture : Dimanche soir et mercredi hors saison ; lundi midi en juillet/août
Menus : 21/60 € . Menu enfant : 12 € .
Classement : Table Gastronomique

Située dans le vieux Paimpol, cette maison ancienne vous offre un cadre chaleureux et vous propose une cuisine gastronomique qui vous sera servie dans une vaisselle originale.

Spécialités : poissons, crustacés.

Accès handicapés restaurant, salle de séminaires, animaux acceptés au restaurant

Situated in the old Paimpol, this ancient house offers a warm welcome and a gastronomic cooking tha will be served in an original crockery.

Situado en el viejo Paimpol, esta casa antigua le brinda un ambiente caluroso y le propone una cocina gastronómica servida en vajilla original. Especialidades : pescados, crustáceos.

Im alten Paimpol, bietet Ihnen dieses alte Haus ein warmes Ambiente und eine gastronomische Küche, das im Originalgeschirr serviert wird.

PAIMPOL (22500)

A 300 mètres de la gare SNCF.

HÔTEL-RESTAURANT DE LA MARNE ★ ★

02 96 20 82 16 - hotel.marne22.restaurant@wanadoo.fr

30 Rue de la Marne - Stéphane et Michelle KOKOSZKA - Fax : 02 96 20 92 07 - Fermeture : Vacances scolaires de février, 1ère quinzaine d'octobre, dimanche soir et lundi. - Menus : 24/80 € . Menu enfant : 14 € . Petit déjeuner : 8 € .
11 chambres : 55/76 € . Demi pension : 55/65 € . Etape VRP : 70 € - Classement : Table Gastronomique

Pour votre plus grand confort, cet établissement entièrement rénové et insonorisé vous propose des chambres agréables pour une étape réussie. Michelle et Stéphane vous accueilleront chaleureusement pour une promenade gourmande autour des produits de la mer spécialement choisis par le chef pour vous satisfaire.
Spécialités : homard poché au jus de poule, vinaigrette de saint jacques à l'huile de truffe, brie rôti au caramel de Xérès.

Chambres avec bain ou douche+WC+TV : Toutes.
Parking privé, accès handicapés restaurant, climatisation, salle restaurant de caractère, salle de séminaires, chèques vacances, animaux acceptés au restaurant

For your greater comfort, this establishment entirely renovated and soundproofed proposes to you pleasant rooms for a successful stage. Michelle and Stéphane will cordially accomodate you for a greedy walk around the products of the sea especially selected by the Chief to satisfy you.

Para su mayor comodidad, este establecimiento totalmente renovado e insonorizado, le propone agradables habitaciones para una etapa exitosa. Michelle y Stéphane le acogerán calurosamente para un paseo goloso alrededor de los productos del mar elegidos por el Jefe, especialmente para usted.

Das vollständig renovierte Haus mit ruhigen und angenehmen Zimmer sorgt für gehobenen Komfort. Michelle und Stéphane empfangen Sie gerne zu einem feinschmeckerischen Spaziergang rund um Meeresprodukte, die extra für Sie vom Chef ausgesucht wurden.

PERROS GUIREC (22700)

Au Nord de Lannion.

LES FEUX DES ILES ★ ★ ★

02 96 23 22 94 - feuxdesiles2@wanadoo.fr

53 Boulevard Clémenceau (sur la corniche) - M. et Mme Antoine LE ROUX - Fax : 02 96 91 07 30 - www.feux-des-iles.com
Fermeture : 26/09-10/10 ; 20/12-15/01 ; 8 jours en mars ; samedi midi, dimanche soir, lundi hors saison. - Menus : 25/80 € .
Menu enfant : 13 € . Petit déjeuner : 9 € - 18 chambres : 90/115 € . Demi pension : 85/100 € . Etape VRP : 73 € - Classement : Table Gastronomique

Au fond d'un petit parc fleuri très calme, avec de grandes baies vitrées donnant sur l'océan et les 7 îles, cet établissement de charme vous propose de rêver et vous invite à savourer les plus beaux produits locaux cuisinés par M. LE ROUX et son fils.
Spécialités : les Saint Jacques de la baie en persillade, les poissons. Belle carte des vins, rouges et blancs de Loire.

Chambres avec bain ou douche+WC+TV : Toutes.
Terrasse, jardin, parking privé, tennis, accès handicapés hôtel, chaînes satellites, salle restaurant de caractère, chèques vacances

Set in quiet gardens, with views of the sea and the Seven Islands the hotel offers its selection of high-quality local produce, prepared by M. Le Roux and his son.

Este establecimiento, situado al fondo de un pequeño parque florido muy calmo, con grandes ventanales que dan al océano y a las 7 islas, le invita a soñar y a saborear los deliciosos productos locales cocinados por el Sr. Le Roux y su hijo. Excelente carta de vinos, tintos y blancos del Loire.

Am Ende eines blühenden, ruhigen Parks, mit großen Fensterwänden zum Ozean hin orientiert, lädt Sie dieses Haus ein zum Träumen. Sie genießen dort die besten lokalen Produkte, von M. LE ROUX und seinem Sohn zubereitet.

PLANCOËT (22130)

A 15 km de Dinan.

JEAN-PIERRE CROUZIL - L'ECRIN ★ ★ ★ ★

02 96 84 10 24 - jean-pierre.crouzil@wanadoo.fr

Les Quais - Jean-Pierre CROUZIL - Fax : 02 96 84 01 93 - www.crouzil.com

Fermeture : Lundi ; dimanche soir et mardi midi hors saison. - Menus : 50/100 € . Petit déjeuner : 14/23 € .
7 chambres : 75/160 € - Classement : Table de Prestige

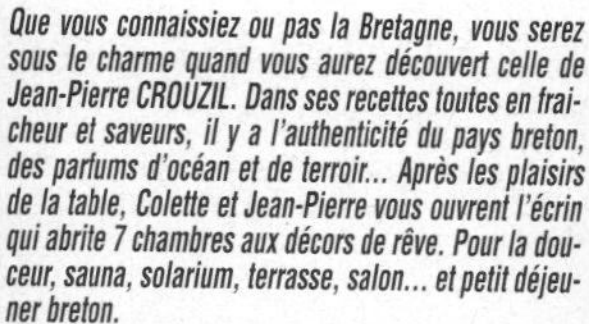

Que vous connaissiez ou pas la Bretagne, vous serez sous le charme quand vous aurez découvert celle de Jean-Pierre CROUZIL. Dans ses recettes toutes en fraicheur et saveurs, il y a l'authenticité du pays breton, des parfums d'océan et de terroir... Après les plaisirs de la table, Colette et Jean-Pierre vous ouvrent l'écrin qui abrite 7 chambres aux décors de rêve. Pour la douceur, sauna, solarium, terrasse, salon... et petit déjeuner breton.
Chambres avec bain ou douche+WC+TV : Toutes.
Parking privé, accès handicapés restaurant, TPS, climatisation, salle de séminaires, animaux acceptés au restaurant

Whether you know or not Brittany, you will be under the charm when you will discover that of Jean-Pierre CROUZIL. In his receipts all in freshness and savours, there is the authenticity of the Breton country, of the perfumes of ocean and soil...

Que usted conozca o no la Bretagne, usted quedará encantado cuando descubrirá Jean-Pierre CROUZIL. En sus recetas frescas y llenas de sabores, se encuentra la autenticidad del país bretón, de los perfumes del océano y del terruño.

Ob Sie die Bretagne kennen oder nicht, Sie werden von ihr verzaubert sein, sobald Sie die Küche von Jean-Pierre Crouzil entdeckt haben. In seinen Rezepten voller Frische und Geschmack, spiegelt sich die Echtheit der Bretagne, die Düfte des Ozeans und des Lands wider...

PLANGUENOUAL (22400)

A 8 km de Lamballe.

Table Gastronomique

CHÂTEAU DU VAL ET DOMAINE DU VAL

02 96 32 75 40 - chateau-du-val@wanadoo.fr

Joseph HERVE - Fax : 02 96 32 71 50 - www.chateau-du-val.com ou www.domaineduval.com - Ouvert toute l'année.
Menus : 32/60 € . Menu enfant : 13 € . Petit déjeuner : 11 € . 27 chambres chateau : 94/225 € . 19 chambres au hameau du val : 75 € - 4 appartements au hameau du val : 160/270 € . Demi pension : 91/155,50 € - Classement : Table Gastronomique

Le château hôtel du Val 3 heaumes et le domaine du val, à 800 m de la mer dans un parc classé et boisé de 11 ha est un ensemble hôtelier bénéficiant d'un important complexe de loisirs couverts (tennis, squashs, piscine, balnéo, salle de musculation et sauna)). Une cuisine gastronomique basée sur les produits du terroir et les produits de la mer est servie dans les 5 salons du château, et accompagnée de vin choisi dans une exceptionnelle carte de plus de 800 appellations.
Chambres avec bain ou douche+WC+TV : Toutes.
Terrasse, jardin, parking privé, piscine d'été, piscine d'hiver, tennis, accès handicapés hôtel, canal+, petit déjeuner buffet, salle restaurant de caractère, salle de séminaires, chèques vacances, animaux acceptés à l'hôtel

The Château Hôtel 3 heaumes and the Domaine du Val, at 800 m of the sea in a classified and timbered park of 11 ha is a hotel unit profiting from an important complex of covered leisures. A gastronomic cooking based on the products of the soil and the products of the sea is been useful in the 5 living rooms of the castle, and is accompanied by wine chosen in an exceptional chart of more than 800 names.

El Château du Val 3 yelmos y el Domaine du Val, a 800 m del mar en un parque arbolado declarado de interés turístico de 11 ha , es un conjunto hotelero que beneficia de un importante complejo de esparcimiento cubierto . Una cocina gastronómica a base de productos regionales y del mar servidos en los 5 salones del castillo, y acompañada de vinos elegidos en una carta excepcional con más de 800 denominaciones.

Das Château du Val und das Domaine du Val, 800 m vom Meer entfernt, ist ein Hotelkomplex mit großen überdachten Freizeiteinrichtungen.Eine gastronomische Küche aus Land- und Meeresprodukten werden in den 5 Salons des Schlosses serviert von ausgesuchten Weinen begleitet (außergewöhnliche Weinkarte mit mehr als 800 geprüften Weinen).

PLENEUF VAL ANDRÉ (22370)

GRAND HÔTEL DU VAL ANDRÉ ★ ★

02 96 72 20 56 - accueil@grand-hotel-val-andre.fr

80 Rue Amirail Charner - Pascal CRETE - Fax : 02 96 63 00 24 - www.grand-hotel-val-andre.fr - Fermeture : 5/01-9/02.
Menus : 25/45 € . Menu enfant : 12,50 € . Petit déjeuner : 8,70 € .
39 chambres : 61,80/92,50 € . Demi pension : 76,70/87,50 € . Etape VRP : 70,55 € - Classement : Table de Terroir

A quelques mètres de la plage, venez profiter de cette situation privilégiée avec vue sur la mer et déguster les spécialités de la région. Pascal Crete et son équipe se feront un plaisir de vous recevoir.
Spécialités : dos de bar sauvage purée de celeri au lard, salade aux herbes saint jacques de la baie de Saint Brieuc poêlées beurre d'orange et copeaux de parmesan.

Chambres avec bain ou douche+WC+TV : Toutes.
Terrasse, jardin, garage fermé, parking privé, ascenseur, accès handicapés, chaînes satellites, canal+, petit déjeuner buffet, salle de séminaires, animaux acceptés à l'hôtel

At a few meters of the beach, come to profit of this privileged place with view on the sea and enjoy the specialities of the region. Pascal Crete and his team will be glad to receive you.

A algunos metros de la playa, venga aprovechar de esta situación privilegiada con vista al mar y a saborear las especialidades de la región. Pascal Crete y su equipo tendrán el placer de recibirle.

Ein paar Meter vom Strand entfernt, genießen Sie die einmalige Lage des Hotels mit Blick aufs Meer und kosten Sie die Spezialitäten der Region.

TREBEURDEN (22560)

A 10 km de Lannion.

Table Gastronomique

TI AL LANNEC ★ ★ ★

02 96 15 01 01 - resa@tiallannec.com

14 Allée de Mezo-Guen - Fax : 02 96 23 62 14 - Menus : 21 € (midi en semaine) / 65 €. Menu enfant : 15 €. Petit déjeuner : 14 €. 33 chambres : 78/317 € - Classement : Table Gastronomique

TREGUIER (22220)

A 18 km de Lannion et Paimpol

Table Gastronomique

AIGUE MARINE ★ ★ ★

02 96 92 97 00 - aiguemarine@aiguemarine.fr

Le port de plaisance - Fax : 02 96 92 44 48 - Menus : 19,50/38 €. Menu enfant : 9,20 €. Petit déjeuner : 9,50 €. 48 chambres : 68/139 € - Classement : Table Gastronomique

Charme & Authenticité

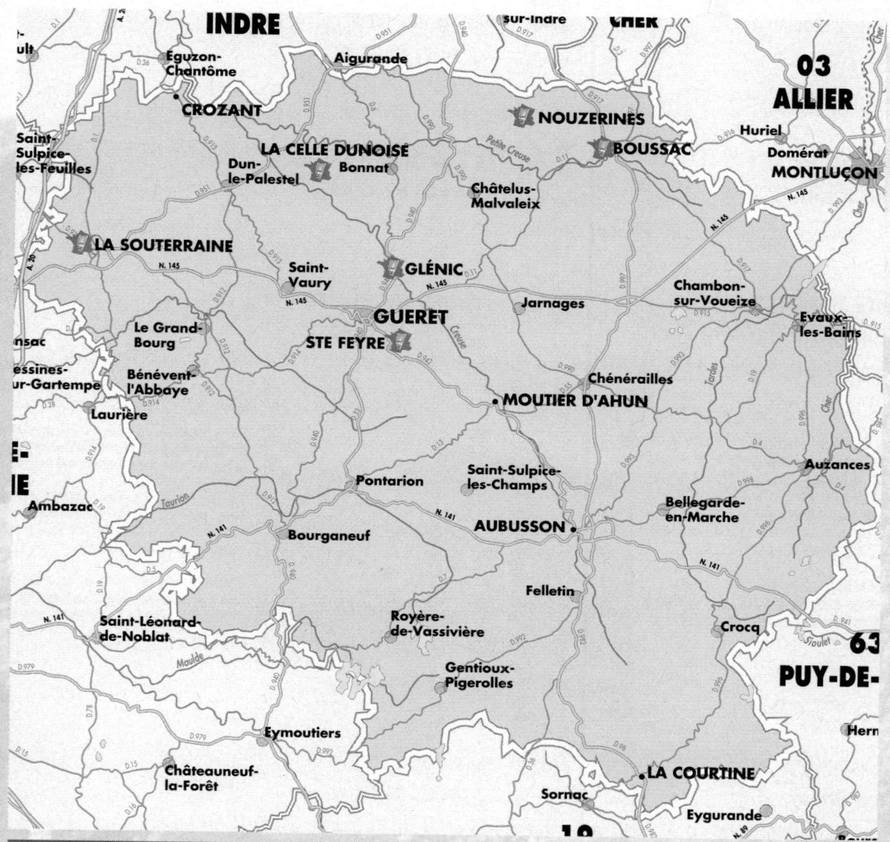

Sites Touristiques : Aubusson (capitale mondiale de la tapisserie), Parc Animalier Les Loups de Chabrières, Lac de Vassivière et son Centre National d'Art et du Paysage, Ecole des peintres impressionnistes de Crozant, Eglise romane du Moutier d'Ahun, Châteaux de Boussac, de Villemonteix et Domaine de Banizette.

Saveurs de nos Terroirs : Boeuf limousin, pâté aux pommes de terre, champignons, gâteau creusois (aux noisettes), fondu creusois (fromage).
Liqueur de châtaignes.

Animations : Musée de la tapisserie à Aubusson.
Folklore de Felletin, Festival Voix d'Eté en Creuse.
Juillet/Août : Fête du Chemin à Flayat (chemins de rencontre), Festival du Conte à Vassivière.

COMITÉ DÉPARTEMENTAL DU TOURISME DE LA CREUSE
43, Place Bonnyaud B.P. 243 - 23005 - GUÉRET CEDEX -Tél. : 05 55 51 93 23 - Fax : 05 55 51 05 20
www.cg23.fr - tourisme-creuse@cg23.fr

BOUSSAC (23600)

RELAIS CREUSOIS

Table Gastronomique

✆ 05 55 65 02 20

Route de La Chatre La Maison Dieu - Fax : 05 55 65 13 60 - Menus : 25/58 € . Menu enfant : 10 €
Classement : Table Gastronomique

GLENIC (23380)

A 7 km de Guéret.

LE MOULIN NOYÉ ★ ★

Table Gastronomique

✆ 05 55 52 81 44

3 Route de la Châtre - Fax : 05 55 52 81 94 - Menus : 18,30/38,15 € . Menu enfant : 9,90 € . Petit déjeuner : 5,50 € .
16 chambres : 44/50,50 € - Classement : Table Gastronomique

LA CELLE DUNOISE (23800)

A 25 km de Guéret et de La Souterraine.

AUBERGE DES PÊCHEURS ★

Auberge du Pays

✆ 05 55 89 02 45

Au Bourg 2 Rue des Pradelles - Raymonde DURAND - Fax : 05 55 89 09 51 - Fermeture : 1/02-15/02 ; 1/10-15/10 ; mardi hors saison.
Menus : 10/23 € . Menu enfant : 8 € . Petit déjeuner : 4 € .
7 chambres : 20/40 € . Demi pension : 34/44 € . Etape VRP : 44 € - Classement : Auberge du Pays

Cette auberge située dans un village pittoresque, sur la vallée de la Creuse, propose un centre de loisirs avec canoë-kayak, VTT, tennis, équitation, pêche et randonnées. Au restaurant, une cuisine traditionnelle sera préparée avec le plus grand soin.
Spécialités : truite aux amandes, fondu creusois, paté pomme de terre, gargouilleau fruits de saison.

Chambres avec bain ou douche+WC+TV : Toutes. Terrasse, jardin, garage fermé, parking privé, tennis, accès handicapés restaurant, salle restaurant de caractère, chèques vacances

This inn, situated in a picturesque village, on the creuse Valley, proposes a leisure centre with tennis court, kayak... In the restaurant, traditional cooking, prepared with great care.

Este hotel ubicado en un pueblo pintoresco, en el valle de la Creuse, propone un centro de distracción con canoe-kayac, BTT, tenis, equitación, pesca y caminatas. En el restaurante, una esmerada cocina tradicional le espera.

Diese Herberge, mitten in einem pittoresken Dorf im Tal von der Creuse, bietet Ihnen ein Freiheitszentrum mit Kanu, Kajak,.... Im Restaurant wird eine traditionelle Küche mit größter Sorgfalt zubereitet.

LA COURTINE (23100)

A 18 km d'Ussel.

AU PETIT BREUIL ★

Table de Terroir

✆ 05 55 66 76 67

Route de Felletin - Alain GOURGUES - Fax : 05 55 66 71 84 - Fermeture : 20/12-15/01 ; dimanche soir.
Menus : 11/32 € . Menu enfant : 8 € . Petit déjeuner : 6 € .
11 chambres à 38 € . Demi pension : 45 € . Etape VRP : 43 € - Classement : Table de Terroir

A deux pas des Monts d'Auvergne, venez découvrir l'accueil familial de cet établissement. Alain GOURGUES, Chef de Cuisine, vous fera partager sa cuisine traditionnelle. Spécialités : terrine de foie gras, aiguillettes de canard aux girolles et aux cèpes, sandre à la crème de citron, aiguillettes de canard aux myrtilles, pavé de boeuf limousin aux cèpes, soufflé glacé aux noix. Chambres avec bain ou douche+WC+TV : Toutes. Jardin, garage fermé, parking privé, piscine d'été, ascenseur, salle restaurant de caractère, salle de séminaires, chèques vacances, animaux acceptés

Close by the mounts of Auvergne come and discover the familial welcome of this establishment. Alain GOURGUES, the Chef, will make you savour his specialities.

A dos pasos de los montes de Auvergne, venga a descubrir la acogida familiar de este establecimiento. Alain GOURGUES, Jefe de Cocina, le hará descubrir su cocina tradicional.

Unweit der Monts d'Auvergne, entdecken Sie den familiären Empfang dieses Hauses. Alain Gourgues, Küchenchef, teilt mit Ihnen seine traditionelle Küche.

LA SOUTERRAINE (23300)

LA PORTE SAINT JEAN ★ ★

05 55 63 90 00 - hotelrestau-portesaintjean@wanadoo.fr

2 Rue des Bains - François JEANGUENIN - Fax : 05 55 63 77 27 - www.hotelrestau-portesaintjean.com - Fermeture : 1/05 ; 25/12 ; 1/01.
Menus : 14,70/39,90 € . Menu enfant : 8,40/11,55 € . Petit déjeuner : 7,90/9,50 € .
37 chambres : 52/63 € . Demi pension : 74/82 € . Etape VRP : 57,50/68,50 € - Classement : Table de Terroir

Situé au centre ville, au coeur du site moyennageux, La Porte Saint Jean vous propose le calme d'une rue piétonne et le charme d'un jardin public.
Spécialités : aiguillette de canard griottine, faux filet de limousin aux cèpes.

Chambres avec bain ou douche+WC+TV : Toutes.
Terrasse, garage fermé, accès handicapés, chaînes satellites, canal+, salle restaurant de caractère, salle de séminaires, chèques vacances, animaux acceptés

Located at the centre town, in the heart of the medieval site, the Porte St Jean proposes you calms of a pedestrian street and the charm of a public garden.

Ubicado en el centro de la ciudad, en el corazón de un lugar montañoso, La Porte Saint Jean le propone la tranquilidad de una calle peatona y el encanto de un jardín público.

Im Stadtzentrum, im Herzen der mittelalterlichen Stätte, bietet Ihnen La Porte Saint Jean die Ruhe einer Fußgängerzone und den Charme des Stadtparks.

NOUZERINES (23600)

A 12 km de Boussac.

LA BONNE AUBERGE

05 55 82 01 18 - aubergenouzerine@aol.com

1 Rue des Lilas - Sylvain LANUSSE - www.labonneauberge-boussac.com - Fermeture : 15 jours en octobre ; 3 semaines fin janvier/début février ; dimanche soir et lundi. - Menus : 14,90/39 € . Menu enfant : 7,70 € . Petit déjeuner : 5 € .
5 chambres : 28/35 € . Demi pension : 32,50/59,50 € - Classement : Table Gastronomique

Situé au coeur d'un petit village creusois, La Bonne Auberge a tout pour vous séduire. Le cadre rustique est agréable et très convivial. Vous apprécierez la cuisine inventive et raffinée du Chef Sylvain LANUSSE, une cuisine du marché adaptée aux produits de saison.
Spécialités : filet de boeuf charolais, cassolette de langoustines rôties à l'estragon.

Chambres avec bain ou douche+WC+TV : 4-5-6-7.
Terrasse, accès handicapés restaurant, salle restaurant de caractère, salle de séminaires, animaux acceptés

Located at the heart of a small village creusois, the Bonne Auberge has all to allure you. The rustic framework is pleasant and very convivial. You will appreciate the inventive and refined cooking of the Chief Sylvain LANUSSE, a cooking of the market adapted to the products of season.

Ubicado en el corazón de un pueblito creusois, La Bonne Auberge tiene todo lo necesario para seducirle. El ambiente rústico es agradable y sociable. Usted apreciará la cocina inventiva y delicada del Jefe Sylvain LANUSSE, una cocina de mercado adaptada a los productos de estación.

In einem kleinen Dorf in der Creuse lassen Sie sich von der Bonne Auberge verführen. Der rustikale Rahmen ist angenehm und sehr gastlich. Genießen Sie die einfallsreiche und feine Küche vom Chef Sylvain Lanusse, eine Küche vom Markt aus Produkten der Saison.

STE FEYRE-GUÉRET (23000)

A 6 km de Guéret, direction Aubusson

RESTAURANT LES TOURISTES - MICHEL ROUX

05 55 80 00 07

1, Place de la Mairie - Fax : 05 55 81 11 04 - Menus : 15,50/39,50 € .
Classement : Table Gastronomique

Charme & Authenticité

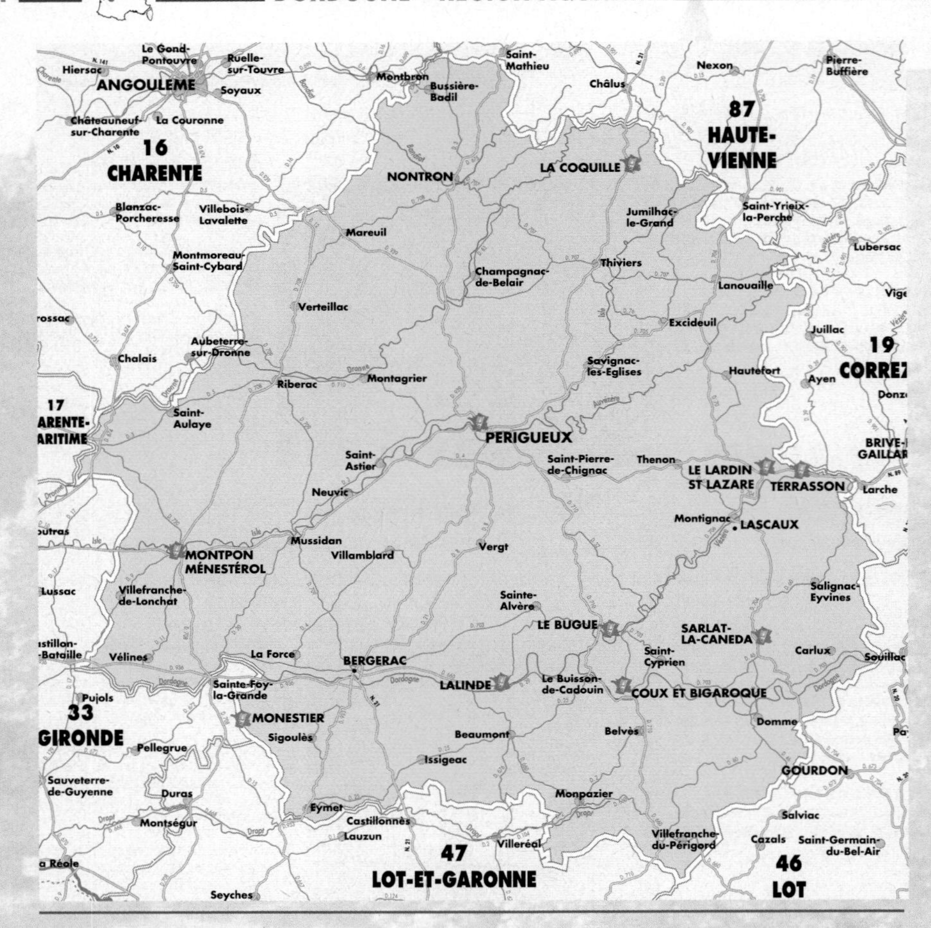

Sites Touristiques : Fac similé Grotte de Lascaux, Musée National de la Préhistoire, Vallée de la Dordogne et ses Châteaux, Bergerac, Sarlat, Périgueux, Brantôme.

Saveurs de nos Terroirs : Toutes les préparations autour de l'oie et du canard (confit, foie gras...), omelette aux truffes, tournedos sauce Périgueux, fraises, noix, châtaignes, champignons.

Vins de Bergerac (13 appellations) dont Monbazillac, Pécharmant, Montravel.

Animations : Ecomusée de la truffe à Sorges, Musée Gallo RomainVesunna à Périgueux.

Juillet/Août : Festival des Jeux de Théatre de Sarlat, Festival de Montignac (folklore du monde entier), Mimos (Festival des mimes) à Périgueux.

COMITÉ DÉPARTEMENTAL DU TOURISME DE LA DORDOGNE-PÉRIGORD
25, Rue du Président Wilson B.P. 2063 - 24002 - PÉRIGUEUX CEDEX -Tél. : 05 53 35 50 24 - Fax : 05 53 09 51 41
www.perigord.tm.fr/tourisme/cdt - dordogne.perigord.tourisme@wanadoo.fr

LA COQUILLE (24450)

Entre Limoges et Périgueux.

LES VOYAGEURS ★ ★

05 53 52 80 13 - lesvoyageurs.lacoquille@wanadoo.fr

12 Rue de la République - Nadine et Frédéric MARKO - Fax : 05 53 62 18 29 - www.hotelvoyageurs.fr
Fermeture : Février ; dimanche soir et lundi hors saison. - Menus : 12/40 € . Menu enfant : 9 € . Petit déjeuner : 6,50 € .
13 chambres : 46/60 € . Demi pension : 48/58 € . Etape VRP : 50/55 € - Classement : Table Gastronomique

Situé aux portes du Périgord, cet ancien relais de poste possède le sens de l'accueil et du bien recevoir. Nadine et Frédéric MARKO vous invitent à goûter les saveurs des produits du terroir et le confort douillet de leurs chambres décorées avec élégance et passion, poésie et simplicité. Spécialités : tournedos rossini, fondant de légumes au foie gras.

Chambres avec bain ou douche+WC+TV : Toutes. Terrasse, jardin, garage fermé, parking privé, piscine d'été, accès handicapés, TPS, salle restaurant de caractère, salle de séminaires, chèques vacances, animaux acceptés

Les Voyageurs, formerly a post house, at the gates to the Périgord Region, has mastered the art of welcoming guests, to their sheer delight. Nadine and Frédéric Marko invite you to savour the flavours of the local products and the soft comfort of their rooms, ever so elegantly decorated with passion poetry and simplicity.

Ubicado a las puertas del Périgord, esta antigua parada del correo tiene el don del recibimiento y de la acogida. Nadine y Frédéric MARKO le invitan a probar los sabores de productos regionales y la comodidad de sus habitaciones decoradas con elegancia, pasión, poesía y simplicidad.

An den Toren des Périgord, besitzt man in dieser früheren Poststation den Sinn für Gastlichkeit. Nadine und Frédéric Marko laden Sie ein, die Geschmäcker der regionalen Produkte zu genießen, sowie den gemütlichen Komfort der Zimmer, elegant und mit Leidenschaft dekoriert.

LALINDE EN PÉRIGORD (24150)

A 20 km de Bergerac.

HÔTEL LE CHÂTEAU ★ ★ ★

05 53 61 01 82

1 Rue de Verdun - Guy GENSOU - Fax : 05 53 24 74 60 - Fermeture : 11/11-13/02 ; 3ème semaine de Septembre.
Menus : 25/39 € . Petit déjeuner : 11 € . 7 chambres : 50,35/150 € . Demi pension : 61/115 €
Classement : Table Gastronomique

A la limite du Périgord Noir, le château du XIIIème et XIXème siècle qui surplombe la Dordogne vous propose des chambres de caractère au calme avec terrasse et piscine, proche du centre ville. Vous dégusterez une cuisine subtile à base des meilleurs produits du terroir. Spécialités : escargots farcis au foie gras et beurre de noix, viandes et volailles à la broche, soufflé glacé aux noix.

Chambres avec bain ou douche+WC+TV : Toutes. Terrasse, piscine d'été

At the limit of Black Périgord, the castle of XIIIth and XIXth century which overhangs the Dordogne proposes rooms of character to you with calms with terrace and swimming pool, near to the centre town. You will taste a subtle cooking based on best products of the soil.

Lindero al Périgord Noir, el castillo del siglo XIII y XIX que domina la Dordogne le propone típicas habitaciones, tranquilas con terraza y piscina, cerca del centro de la ciudad. Usted podrá saborear una cocina sutil elaborada con los mejores productos regionales.

An den Grenzen des Périgord Noir, überragt das Schloss aus dem 13. und 19. Jh. die Dordogne und bietet Ihnen ruhige, charaktervolle Zimmer mit Terrasse und Schwimmbad in der Nähe des Stadtzentrums. Kosten Sie dort eine subtile Küche aus besten regionalen Landprodukten.

LE BUGUE EN PÉRIGORD (24260)

A 30 km de Sarlat.

Table Gastronomique

RESTAURANT LES TROIS AS

05 53 08 41 57 - les3as@wanadoo.fr

Place de la Gendarmerie - Hélène & Yves SCAVINER - Fax : 05 53 07 16 56 - Fermeture : 15/02-15/03 ; mardi et mercredi.
Menus : 17/45 € . Menu enfant : 10 €
Classement : Table Gastronomique

Au coeur du Périgord noir, dans un cadre douillet et chaleureux, vous apprécierez une cuisine originale de produits régionaux. Spécialités : foie de canard, saint jacques aux truffes, moelleux aux deux chocolats.

Accès handicapés restaurant, chèques vacances, animaux acceptés au restaurant

Come to discover the warm setting of this establishment, you will appreciate an original cooking of regional products.

En el corazón del Périgord negro, en un ambiente delicado y acogedor, usted apreciará una cocina original con productos regionales.

Mitten im schwarzen Périgord, in warmer und gemütlicher Umgebung, genießen Sie die originelle Küche aus regionalen Produkten.

LE COUX ET BIGAROQUE (24220)

A 25 km de Sarlat.

LE PETIT CHAPERON ROUGE ★ ★

05 53 29 37 79 - le-petit-chaperon-rouge@wanadoo.fr

La Faval - Fabrice CONSTANT - Fax : 05 53 29 46 63 - www.hotels-restau-dordogne.org/petit-chaperon-rouge
Fermeture : Novembre. - Menus : 11/28 € . Menu enfant : 7 € . Petit déjeuner : 5,50 € .
10 chambres : 25/41 € . Demi pension : 31/35 € /pers. Etape VRP : 40/44 € - Classement : Auberge du Pays

Dans un cadre de verdure, avec vue panoramique sur la Dordogne, venez découvrir l'accueil chaleureux et l'ambiance familiale de cet établissement avec ses chambres confortables et sa cuisine traditionnelle et méditerranéenne. Spécialités : foie gras, confits de canard, magrets, tourtières.

Chambres avec bain ou douche+WC+TV : 1 à 5 - 8-10-11
Terrasse, parking privé, salle restaurant de caractère, chèques vacances, animaux acceptés

Set in the countryside, with a panoramic view, of the Dordogne river, come to discover the warm welcome and the familial ambiance of this establishment with its comfortable rooms and its Mediterranean cooking.

En un lugar arbolado, con vista panorámica de la Dordogne, venga a descubrir la acogida calurosa y el ambiente familiar de este establecimiento. Habitaciones confortables, cocina tradicional y mediterránea.

Entdecken Sie den herzlichen Empfang und die familiäre Atmosphäre dieses Hauses, mitten im Grünen, mit Panoramablick auf die Dordogne, seinen bequemen Zimmern und der traditionellen Küche des Mittelmeeres.

LE LARDIN ST LAZARE (24570)

A 20 km de Brive et 25 km de Sarlat.

HÔTEL SAUTET ★ ★ ★

05 53 51 45 00 - contact@hotelsautet.com

Route de Montignac - Serge PIROT - Fax : 05 53 51 45 09 - www.hotelsautet-dordogne.com - Fermeture : Fin d'année/1er semaine janvier ; mardi, mercredi , samedi midi (1/05-31/08) ; samedi ,dimanche (1/10-31/03) - Menus : 16/45 € . Menu enfant : 12 € . Petit déjeuner : 9,50 € - 29 chambres : 55/120 € . Demi pension : 59/69 € . Etape VRP : 60 € - Classement : Table Gastronomique

Dans un site exceptionnel, sur un parc de 2 ha avec piscine, espace sportif et bientôt salle de remise en forme, cette maison de tradition vous recevra chaleureusement pour une étape reposante de confort. En cuisine, le chef perpétue la gastronomie traditionnelle du Périgord et utilise les meilleurs produits frais. Spécialités : croustillant de foie gras à l'aigre doux, mille feuille de filet de boeuf au gingembre.
Chambres avec bain ou douche+WC+TV : Toutes.
Terrasse, jardin, , parking privé, piscine d'été, tennis, ascenseur, accès handicapés hôtel, TPS, chaînes satellites, petit déjeuner buffet, salle restaurant de caractère, salle de séminaires, animaux acceptés

In an exceptional site, on a park of 2 ha with swimming pool, sporting space and soon room of sport, this house of tradition will cordially receive you for a resting stage of comfort. In kitchen, the chief perpetuates the traditional gastronomy of Périgord and uses the best fresh products.

En un lugar excepcional, con un parque de 2 ha con piscina, un espacio deportivo y pronto una sala para estar en forma, usted será recibido calurosamente en esta casa típica y pasará una estancia tranquila.En la cocina, el jefe perpetua la gastronomía tradicional del Périgord y utiliza excelentes productos frescos.

In einer außergewöhnlichen Lage, in einem 2 ha großen Park mit Schwimmbad, Sportplatz und bald einem Fitnessraum, empfängt man Sie in diesem traditionellen Haus ganz herzlich zu einer erholsamen Etappe. In der Küche lässt der Chefkoch die traditionelle Gastronomie des Périgord weiterbestehen und verarbeitet nur die besten Frischprodukte.

MONESTIER (24240)

A 7 km de Sainte Foy la Grande.

CHÂTEAU DES VIGIERS - LES FRESQUES ★ ★ ★ ★

05 53 61 50 00

Fax : 05 53 61 50 20 - Menus : 18,50/75 € . Petit déjeuner : 14 € . 53 chambres : 150/345 €. Classement : Table Gastronomique

MONTPON MENESTEROL (24700)

A 70 km de Périgueux.

AUBERGE DE L'ECLADE

05 53 80 28 64

Le Bourg - Franck JUBILY - Fax : 05 53 80 28 64 - Fermeture : 15/02-15/03 ; mardi soir et mercredi.
Menus : 24/43 € . Menu enfant : 10 € - Classement : Table Gastronomique

Toute l'équipe se fera un plaisir de vous recevoir chaleureusement dans un cadre rustique et de vous faire partager une cuisine soignée élaborée avec les meilleurs produits du terroir. Spécialités : roulé de foie gras fumé au chocolat, terrine de foie gras au vin de noix et impression de cèpes séchés maison, poitrine de pigeonneau en croûte de noix, pavé d'esturgeon au caviar d'aquitaine.

Terrasse, jardin, parking privé, accès handicapés restaurant, climatisation, salle restaurant de caractère, animaux acceptés au restaurant

All the team will be made a pleasure of cordially receiving you in a rustic framework and of making you share an elaborate neat cooking with best traditional products.

Todo el equipo tendrá el placer de recibirle calurosamente en un ambiente rústico y de hacerle compartir una esmerada cocina elaborada con los mejores productos regionales.

Das ganze Personal freut sich, Sie herzlich in einem rustikalen Rahmen zu empfangen und mit Ihnen eine erlesene Küche aus besten Landprodukten zu teilen.

PERIGUEUX (24000)

LE CLOS SAINT FRONT

05 53 46 78 58

5/7 Rue de la Vertu - Patrick FEUGA - Fax : 05 53 46 78 20 - Fermeture : Dimanche soir et lundi hors saison.
Menus : 15/45 €. Menu enfant : 10 € - Classement : Table Gastronomique

Située au coeur de la vieille ville de Périgueux, cette bâtisse du XVIème siècle bénéficie d'un cadre très agréable avec jardin clos ombragé et fleuri. Patrick Feuga passionné de vins et son chef Philippe Barbier orientent la carte vers une cuisine du marché la plus vivante possible. Au gré des saisons, des produits frais vous sont proposés d'une manière originale et créative. Spécialités : foie gras poêlé aux épices et vin de noix, chartreuse de poule faisanne braisée et jus aux groseilles, chaud-froid aux 2 chocolats infusion au poivre de séchouan. Jardin, climatisation, salle restaurant de caractère, salle de séminaires, chèques vacances, animaux acceptés

Located at the heart of the old town of Périgueux, this masonry of XVIth century profits from a very pleasant framework with shaded and flowered closed garden. Patrick Feuga impassioned of wines and his chief Philippe Barbier direct the chart towards a cooking of market the most alive. With the liking of the seasons, fresh products are offered to you in an original and creative way.

Ubicado en el corazón de la antigua ciudad da Périgueux, este caserón del siglo XVI posee un ambiente muy agradable con jardín cerrado, sombreado y florido. Patrick Feuga apasionado de vinos y su jefe Philippe Barbier orientan la carta hacia una cocina del mercado la más dinámica posible. A merced de las estaciones, los productos frescos son propuestos de una manera original y creativa.

Mitten in der Altstadt des Perigueux, steht dieses Gebäude aus dem 16. Jh in einer sehr angenehmen Umgebung mit geschlossenem, schattigen und blühenden Garten. Patrick Feuga, von Weinkunde begeistert und sein Chefkoch Philippe Barbier richten ihre Küche nach dem Markt aus, so lebhaft wie möglich! Je nach Saison werden Sie mit Frischprodukten bewirtet, auf originelle und kreative Art und Weise zubereitet.

SARLAT (24200)

HÔTEL-RESTAURANT DE LA MADELEINE ★ ★ ★

05 53 59 10 41 - hotel.madeleine@wanadoo.fr

1 Place de la Petite Rigaudie - Fax : 05 53 31 03 62 - Menus : 25/43 €. Menu enfant : 17 €. Petit déjeuner : 8,90 €.
39 chambres : 62/119 € - Classement : Table Gastronomique

TERRASSON (24120)

A 20 km de Lascaux.

L'IMAGINAIRE

05 53 51 37 27

Place du Foirail - Eric SAMSON - Fax : 05 53 51 60 37
Fermeture : 15/11-26/11 ; 3/01-14/01 ; lundi ; dimanche soir et mardi midi de septembre à juin.
Menus : 19/49 €. Menu enfant : 15 € - Classement : Table Gastronomique

Située entre la vieille ville et les Jardins de l'Imaginaire, cette bâtisse du XVIème siècle en pierres apparentes abrite une grande salle voûtée où Delphine et Eric ont le plaisir de vous accueillir. Dans un décor de charme, ils vous feront partager une cuisine régionale de saison soignée, préparée à partir des meilleurs produits régionaux. Spécialités : boudins de brochet truffés, cappucino d'écrevisses ; chartreuse de cèpes et homard rôti, jus coraillé au pur malt ; variation de pommes des vergers voisins, ambre de cidre vanillé.

Terrasse, accès handicapés restaurant, salle restaurant de caractère, salle de séminaires, animaux acceptés au restaurant

Located between the old city and the Gardens of Imaginary, this masonry of XVIth century out of apparent stones shelters a large arched room where Delphine and Eric are pleased to accomodate you. In a decoration of charm, they will make you share a regional cooking prepared from best regional products.

Ubicada entre la ciudad antigua y los Jardines de L'Imaginaire, este caserón del siglo XVI con piedras vistas posee una gran sala abovedada donde Delphine y Eric tendrán el placer de acogerle. En un encantador ambiente, le harán compartir una esmerada cocina regional de estación, preparada con los mejores productos regionales.

Zwischen der Altstadt und den Gärten des Imaginaire, beherbergt dieses Gebäude aus dem 19. Jh. mit sichtbaren Steinen einen großen gewölbten Saal, wo Delphine und Eric sich freuen, Sie zu empfangen. In einem charmanten Dekor teilen sie mit Ihnen eine regionale, gepflegte Küche aus besten lokalen Produkten zubereitet.

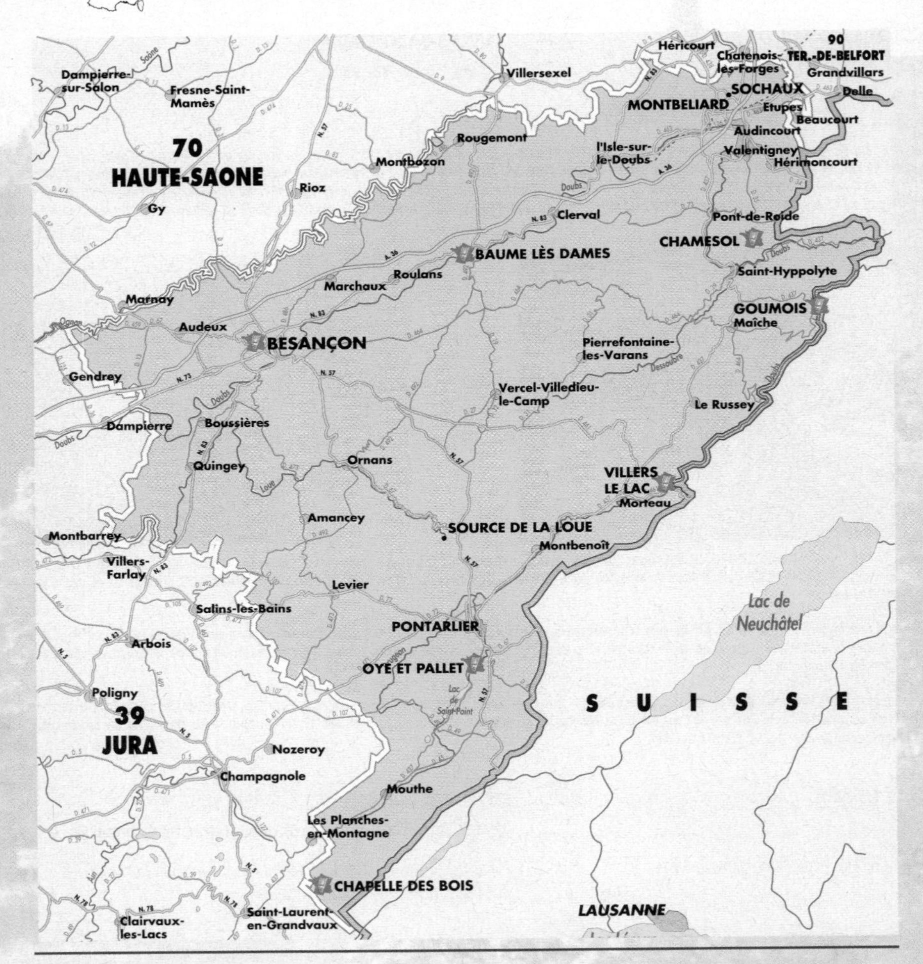

Sites Touristiques : Citadelle de Besançon, Saline Royale d'Arc et Senans, Musée de l'Aventure Peugeot à Sochaux, Saut du Doubs à Villers le Lac, Source de la Loue.

Saveurs de nos Terroirs : Saucisses de Morteau et de Montbéliard, Salaisons du Haut-Doubs, Fromages (Comté, Morbier, Mont d'Or, Cancoillotte, Edel de Cleron, Mamirolle), Chocolats de Montbéliard, Caramels Klaus de Morteau, Pains d'épices du Haut-Doubs, Miels, Escargots, Truites, Friture de Carpe.
Vin du Pays de la Loue à Vuillafans, Vin de Pays de Moutherot, Absinthe, Pontarlier-Anis, Gentiane, Liqueur de Sapin.

Animations :
Mai : Foire Comtoise à Besançon.
Août : Fête de la Saucisse à Morteau, Fête du Cheval Comtois à Maiche.
Septembre : Haute Foire Gastronomique de Pontarlier, Saveurs d'Automne à Besançon.
Novembre/Décembre : Lumières de Noël de Montbéliard.

AGENCE POUR LE DÉVELOPPEMENT ÉCONOMIQUE ET TOURISTIQUE DU DOUBS

7, Avenue de la Gare d'Eau - 25031 - BESANCON CEDEX -Tél. : 03 81 65 10 00 - Fax : 03 81 82 01 40

www.doubs.org - aded@doubs.org

BAUME LES DAMES (25110)

A 30 km au Nord-Est de Besançon par N83.

Table de Terroir

L'AUBERGE DES MOULINS ★ ★

03 81 84 09 99 - auberge.desmoulins@wanadoo.fr

Pont les Moulins - Franco & Véronique PORRU - Fax : 03 81 84 04 44 - Fermeture : 23/12-25/01 ; vendredi, samedi midi et dimanche soir sauf Juin/Juillet/Août et jours fériés. - Menus : 16/29 € . Menu enfant : 7 € . Petit déjeuner : 6 € . 14 chambres : 40/49 € . Demi pension : 45/56 € . Etape VRP : 52 € - Classement : Table de Terroir

Dans un cadre reposant, l'Auberge des Moulins vous propose une restauration traditionnelle de qualité, une cuisine savoureuse et gourmande attachée aux traditions et des tarifs sans prétention. Spécialités : cassolette d'escargots et morilles à la crème d'aneth flambée au Pontarlier, pot au feu de la rivière.

Chambres avec bain ou douche+WC+TV : Toutes. Jardin, parking privé, accès handicapés restaurant, chaînes satellites, petit déjeuner buffet, salle restaurant de caractère, salle de séminaires, chèques vacances, animaux acceptés

In a quiet setting, the Auberge des Moulins proposes a traditional cooking of quality, a tasty and greedy cooking attached to the traditions and tariffs without claim

En un ambiente calmo, l'Auberge des Moulins le propone una restauración tradicional de calidad, una cocina sabrosa ligada a los buenos platos tradicionales y a precios sin pretensiones.

In einem ruhigen Rahmen bietet Ihnen l'Auberge des Moulins eine köstliche, genießerische und traditionsreiche Küche.

BESANÇON (25000)

Table de Prestige

MUNGO PARK

03 81 81 28 01

11 Rue Jean Petit - Gérard LOTZ - Fax : 03 81 83 36 97 - Fermeture : 1/08-19/08 ; dimanche, lundi. Menus : 34/89 € - Classement : Table de Prestige

Jocelyne Lotz-Choquart, en cuisine depuis 20 ans, avec Benoît Rotchi depuis, enchante les produits de son terroir. Elle propose chaque jour, une cuisine délicate et audacieuse, mariant les produits locaux aux senteurs du monde entier. En salle, Gérard Lotz, vous guide judicieusement dans le choix des vins pour vous offrir ainsi un moment d'exception et de bonheur. Spécialités : millefeuille de pommes de terre confites au foie gras et morteau, velouté de morilles et grillons de morteau ; suprême de volaille fermière noire de Bourgogne au foie gras, morilles et vin jaune ; moelleux au pain d'épices et Vieux Pontarlier, marmelade de rhubarbe, la glace fromage blanc au sapin.
Terrasse, accès handicapés restaurant, salle restaurant de caractère, salle de séminaires, animaux acceptés au restaurant

Jocelyne Lotz-Choquart, has cooked some for 20 years, with Benoît Rotchi since, enchants the products of its soil. It proposes each day, a delicate and daring cooking, marrying the local products with the scents of the whole world. In room, Gerard Lotz, judiciously guides you in the choice of the wines to thus offer to you a moment of exception and happiness.

Jocelyne Lotz-Choquart, en la cocina desde hace 20 años, con Benoît Rotchi más tarde, hechiza los productos locales. Elle propone cada día, una cocina delicada y audaz, ligando los productos locales los olores del mundo entero. En la sala, Gérard Lotz, le guía juiciosamente para elegir los vinos y ofrecerle así un momento agradable y especial.

Jocelyne Lotz-Choquart und Benoît Rotchi, seit 20 Jahren in der Küche, verzaubern die Produkte vom Land. Ihre Küche, gleichzeitig authentisch und poetisch, verbindet Kreativität und Tradition. Sie bietet jeden Tag delikate und gewagte Speisen, die lokale Produkte mit Düften aus der ganzen Welt in Einklang bringen. Im Speisesaal führt Sie Gérard Lotz gekonnt durch die Weinkarte, ganz zu Ihrem Genuss!

BESANÇON (25000)

Direction Lausanne après la Porte Taillé

Auberge du Pays

AUBERGE DE LA MALATE ★ ★

03 81 82 15 16/06 08 60 36 20

La Malate - Michel VUILLEMOT - Fermeture : 23/12-1/03 ; lundi matin et dimanche soir hors saison. Menus : 11/25 € . Menu enfant : 8 € . Petit déjeuner : 5,50 € . 8 chambres : 31/35 € . Etape VRP : 40 € - Classement : Auberge du Pays

Situé sur les berges du Doubs, dans un cadre verdoyant et calme, cet établissement vous propose des chambres confortables et une cuisine soignée que vous pourrez apprécier sur la terrasse ombragée. Spécialités : filet de perche, sandre lardé aux morilles, friture de carpe, fondues.

Chambres avec bain ou douche+WC+TV : 5-6-7-8-9. Terrasse, jardin, parking privé, accès handicapés restaurant, salle restaurant de caractère, animaux acceptés

Situated on the edge of the Doubs, in a green and calm seeting, this establishment offers comfortable rooms and a good kitchen that you will be able to appreciate on the shaded terrace.

Ubicado a orillas del Doubs, en un ambiente verdoso y tranquilo, este establecimiento le ofrece cómodas habitaciones y una esmerada cocina que usted podrá apreciar en la terraza sombreada.

Am ruhigen Ufer der Doubs, im Grünen, bietet Ihnen das Haus komfortable Zimmer und eine gepflegte Küche, die Sie auf der schattigen Terrasse genießen können.

CHAMESOL (25190)

A 7 km de Saint Hippolyte.

RESTAURANT MON PLAISIR

03 81 92 56 17

Journal - Christian PILLOUD - Fax : 03 81 92 52 67 - *Fermeture : Noël ; dimanche soir, lundi et mardi.*
Menus : 20/55 € . Menu enfant : 7 € - Classement : Table Gastronomique

Dans la montagne, dans un cadre chaleureux, Christian et son épouse se feront un plaisir de vous faire partager leur cuisine gastronomique et régionale. Spécialités : ravioli d'escargots à la crème d'ail, foie gras maison aux épices de saison, poissons frais du moment, magret de canard aux griottines de Fougerolles.
Parking privé, accès handicapés restaurant, salle restaurant de caractère, salle de séminaires, chèques vacances

In the mountain, in a warm setting, Christian and his wife will be glad to let you enjoy their traditional cooking.

En la montaña, en un cálido ambiente, Christian y su esposa tendrán el placer de hacerle compartir su cocina gastronómica y regional.

In den Bergen, in einem warmen Rahmen freuen sich Christian und seine Frau, mit Ihnen ihre gastronomische und regionale Küche zu teilen.

CHAPELLE DES BOIS (25240)

A 15 km de Morez. RN5. Gare SNCF : Morez.

AUBERGE DE LA DISTILLERIE

03 81 69 21 64 - hoteldistillerie@aol.com

Chez Michel - Guy & Pascale MICHEL - Fax : 03 81 69 16 22 - www.auberge-distillerie.fr - *Fermeture : 2/05-30/06 ; 16/09-19/12.*
Menus : 9/21 € . Menu enfant : 6,10 € . Petit déjeuner : 4,50 € .
8 chambres : 22,50/31 € . Demi pension : 38/41 € - Classement : Auberge du Pays

Cette petite auberge se fera un plaisir de vous recevoir et vous fera partager ses spécialités régionales. Spécialités : morilles, poulet au comté, tarte aux myrtilles et bien sur fondue et raclette.

Terrasse, parking privé, salle restaurant de caractère, chèques vacances, animaux acceptés

This little inn will be glad to welcome you and allow you to savour regional specialitites.

Esta pequeña posada tendrá el placer de recibirle y hacerle descubrir sus especialidades regionales.

Dieses kleine Gasthaus freut sich, Sie zu empfangen und teilt mit Ihnen ihre regionalen Spezialitäten.

La Reconnaissance Professionnelle

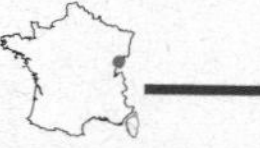

GOUMOIS (25470)

A 45 km au Sud de Montbéliard. A36 D437.

Table Gastronomique

HÔTEL TAILLARD ★ ★ ★

03 81 44 20 75 - hotel.taillard@wanadoo.fr

Route de la Corniche - Jean-François TAILLARD - Fax : 03 81 44 26 15 - www.hoteltaillard.com - Fermeture : Début novembre-début mars ; Restaurant : lundi midi hors saison, mercredi midi. - Menus : 22/60 € . Menu enfant : 11,50 € . Petit déjeuner : 10 € . 22 chambres : 58/85 € . 4 appartements duplex : 105/130 € . Demi pension : 59/90 € . Etape VRP : 67 € - Classement : Table Gastronomique

Dominant la vallée du Doubs, dans un site exceptionnel, cette maison de caractère vous offre un art de vivre authentique et raffiné. Le chef sélectionnera pour vous les meilleurs produits frais du terroir et vous mitonnera une cuisine légère et savoureuse. Spécialités : fricassée de morilles à la crème en croûte de feuilletage, moelleux du Haut Doubs chips de jambon et saladette à l'huile de noix, filet de rouget barbet pané aux noisettes et romarin sauce trousseau. Animaux : supplément 6,10 € . Chambres avec bain ou douche+WC+TV : Toutes. Terrasse, jardin, garage fermé, parking privé, piscine d'été, accès handicapés, petit déjeuner buffet, salle restaurant de caractère, salle de séminaires, animaux acceptés

Overlooking the valley of Doubs, in an exceptional site, this house of caracter offers you its sophisticated skills and style of living. The Chef offers light and tasty food . Animals : 6,10 € of charge.

Dominando el valle del Doubs, en un lugar excepcional, esta casa original le propone su arte de vivir, auténtico y delicado. Su jefe escogerá para usted los mejores productos locales y le preparará una cocina sabrosa y liviana. Animales : suplemento : 6,10 €.

Über dem Tal der Doubs, in einer einmaligen Gegend, bietet Ihnen dieses charaktervolle Haus eine authentische und feine Lebenskunst. Der Küchenchef wählt für Sie beste frische Landprodukte aus und kocht für Sie eine leichte geschmackvolle Küche. Tiere: 6,10 € Zuschlag.

VILLERS LE LAC (25130)

A 6 km de Morteau

Table de Prestige

LE FRANCE ★ ★ ★

03 81 68 00 06

8, Place Cupillard - Hugues DROZ - Fax : 03 81 68 09 22 - www.hotel-restaurant-lefrance.com - Fermeture : 04/ 01-4/02 ; 7/11-17/11 ; dimanche soir, lundi et mardi midi (1/10-1/05). - Menus : 25/65 € . Menu enfant : 10,67 € . Petit déjeuner : 9 € . 12 chambres : 65/100 € . Demi pension : 70 € - Classement : Table de Prestige

Situé au coeur des montagnes du Haut Doubs, et point de départ de nombreuses excursions, Le France vous invite pour un moment de détente entre gastronomie et convivialité. Une cuisine inventive mettant en valeur les produits du terroir vous sera proposée dans un décor contemporain. Spécialités : menu morilles : surprise de foie gras aux morilles, jambonnette de poularde aux morilles et vin jaune, parfait morilles flambé à l'ache des montagnes. Animaux acceptés avec supplément : 5 € .

Chambres avec bain ou douche+WC+TV : Toutes.
Garage fermé, salle de séminaires, chèques vacances

Located at the heart of the mountains of High Doubs, and starting point of many excursions, the France invites you for one moment of relaxation between gastronomy and user-friendliness. An inventive cooking emphasizing the products of the soil will be proposed to you in a contemporary decoration.

Ubicado en el corazón de las montañas del Haut Doubs, y punto de partida de numerosas excursiones Le France le invita a pasar un momento de expansión entre gastronomía y buena convivencia. Una cocina inventiva pone en valor los productos regionales en una decoración moderna.

Im Herzen der Haut Doubs Berge, Ausgangspunkt von zahlreichen Ausflügen, werden Sie im Le France zu einem entspannenden Moment von Gastronomie und Gastlichkeit eingeladen. Kosten Sie die ideenreiche Küche aus bevorzugt regionalen Produkten in einem zeitgenössischen Dekor.

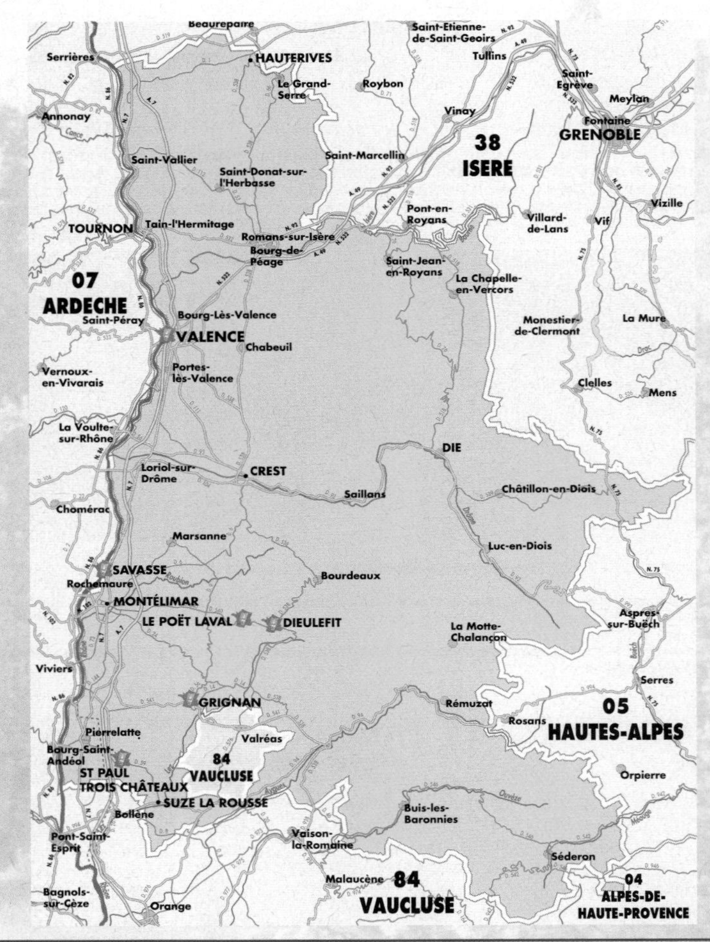

Sites Touristiques : Parc Naturel Régional du Vercors Royans et Vercors Sud, Châteaux de Grignan et de Suze la Rousse, Routes de la Lavande en Drôme Provençale, Palais idéal du facteur Cheval à Hauterives, la Tour de Crest.
Saveurs de nos Terroirs : Ravioles de Royans, truffes du Tricastin, nougat de Montélimar, picodons de Dieulefit, olives et huile d'olive A.O.C. de Nyons.
A.O.C. Côtes du Rhône : Hermitage, Crozes Hermitage, Côtes du Rhône Village.
A.O.C. Côteaux du Tricastin. A.O.C. des vins de Die : Clairette de Die, Côteaux de Die, Crémant de Die. A.O.C. Châtillon en Diois.
Animations : Musée de la Chaussure à Romans, Musée de la Tipographie et du Livre à Grignan.
Juillet/Août : Fêtes nocturnes au Château de Grignan, Saou chante Mozart dans la Drôme, Crest Jazz Vocal, foire du Tilleul à Buis les Baronnies.

COMITÉ DÉPARTEMENTAL DU TOURISME DE LA DROME

8 Rue Baudin B.P. 531 - 26005 - VALENCE CEDEX -Tél. : 04 75 82 19 26 - Fax : 04 75 56 01 65

www.drometourisme.com - info@drometourisme.com

DIEULEFIT (26220)

A l'Est de Montélimar (30 km), sur la route de Nyons.

AUBERGE DE L'ESCARGOT D'OR ★ ★

04 75 46 40 52 - l.escargot.or@wanadoo.fr

Route de Nyons - Bernadette RAFFY - Fax : 04 75 46 89 49 - www.auberge-escargot-or.com - Fermeture : 20/11-3/02.
Menus : 14/25 € . Menu enfant : 10 € . Petit déjeuner : 7 € .
15 chambres : 40/62 € . Demi pension : 48/60 € - Classement : Table de Terroir

Dans un village d'artisanat d'art, sur la route des lavandes, l'Auberge de l'Escargot d'Or, avec son vaste parc de 5000 m2, offre une vue typique sur les collines de la Drôme provençale. Sa table : cuisine créative du marché et bien sur les classiques provençaux. Spécialités : croustillant au picodon et fricassée de porcelet au miel et gigondas, carré d'agneau, poulet aux écrevisses, lapin au romarin. Vins : Côtes du Rhône uniquement.

Chambres avec bain ou douche+WC+TV : Toutes. Terrasse, jardin, parking privé, piscine d'été, accès handicapés restaurant, salle restaurant de caractère, chèques vacances, animaux acceptés à l'hôtel

In a village of arts and crafts, on the road of the lavenders, the Auberge de l'Escargot d'Or, with its vast park of 5000 m2, offers a typical view on the hills of Drôme of Provence. Its table: creative cooking of the market and the traditional cooking of Provence

En un pueblo de artesanía, por la carretera de las lavandas, el Auberge de l'Escargot d'Or, con su vasto parque de 5000 m2, brinda una bella vista de las colinas de la Drôme provenzal. Su mesa : cocina creativa con productos del mercado y por supuesto, los clásicos platos provenzales. Vinos : del Rhône unicamente.

In einem Dorf des Kunsthandwerks, bietet das Gasthaus mit seinem 5000 m2 großen Park, einen Blick auf die Hügel der provenzalischen Drôme. Bei Tisch: ideenreiche Marktküche und natürlich die Klassiker der Provence. Wein: nur Côtes du Rhone.

GRIGNAN (26230)

A 27 km de Montélimar.

MANOIR DE LA ROSERAIE ★ ★ ★ ★

04 75 46 58 15 - roseraie.hotel@wanadoo.fr

Route de Valreas - Fax : 04 75 46 91 55 - Menus : 33/62 € . Petit déjeuner : 18 € .
21 chambres : 155/330 € - Classement : Table Gastronomique

LE POËT LAVAL (26160)

A 5 km de Dieulefit.

LES HOSPITALIERS ★ ★ ★

04 75 46 22 32 - contact@hotel-les-hospitaliers.com

Vieux Village - Fax : 04 75 46 49 99 - Menus : 25/52 € . Menu enfant : 15 € . Petit déjeuner : 10/15 € .
22 chambres : 63/168 € - Classement : Table Gastronomique

SAVASSE (26740)

A 2 km de Montélimar.

LOU MAS

04 75 01 90 83

L'Homme d'Armes - Loïc PRAMPART - Fax : 04 75 01 24 56 - Fermeture : Quinze derniers jours d'août ; mercredi.
Menus : 11/28 € . Menu enfant : 8,50 €
Classement : Auberge du Pays

Situé au coeur de la Drôme provençale, cet ancien Relais de Diligences du XVIIIème siècle vous réserve un accueil chaleureux dans un cadre de caractère et vous propose de découvrir une cuisine traditionnelle et raffinée à l'accent provençal.
Spécialités : croustade d'escargots aux fines herbes et champignons, magret d'oie poêlé, nougat glacé.

Salle restaurant de caractère

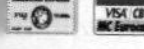

Located in the heart of Drôme of Provence, this old Relay of Coaches of the XVIIIth centuries reserves you a cordial reception in a framework of character and proposes you to discover a traditional and refined cooking with the accent of Provence.

En el corazón de la Drôme provenzal, esta antigua Parada de Diligencias del siglo XVIII, le reserva una calurosa acogida en un original ambiente y le propone descubrir una cocina tradicional y refinada con acento provenzal.

Im Herzen der provenzalischen Drôme, empfängt man Sie in dieser ehemaligen Poststation aus dem 18. Jh ganz herzlich in einem charaktervollen Rahmen mit einer traditionellen Küche von der Provence geprägt.

ST PAUL TROIS CHATEAUX (26130)

A 5 km de Bollène.

Table de Prestige

LE JARDIN DES SAVEURS - VIEILLE FRANCE

☎ **04 75 96 70 47**

Route de la Garde Adhémar - Jean & Dalia FOUILLET - Fax : 04 75 96 70 47 -

Fermeture : 15/11-3/12 ; Noël ; 1 semaine vacances de février ; lundi et mardi (ouvert mardi soir en saison)
Menus : 29/70 € . Menu enfant : 12 € - Classement : Table de Prestige

Dans un cadre de verdure, au sein d'une truffière, ce typique mas provençal avec pergola en fer forgé vous réservera le meilleur accueil et vous fera partager ses spécialités issues essentiellement du terroir : menu truffes (hiver) ; agneau de pays, pigeons, lapins, chevreaux, foies gras, gibiers, marée de Port Vendres.

Terrasse, jardin, parking privé, accès handicapés restaurant, climatisation, salle restaurant de caractère, chèques vacances, animaux acceptés au restaurant

In a green setting, this typical Provençal house with pergola will offer you a warm welcome and let you enjoy its specialities of traditional products.

En un marco de follaje, en el seno de una trufera, esta típica granja provenzal con pérgola de hierro forjado, le brindará una excelente acogida y le hará compartir sus especialidades esencialmente regionales.

In diesem typisch provenzalischen Haus im Grünen mit Pergola werden Sie herzlich mit regionalen Spezialitäten empfangen.

VALENCE (26000)

Table de Prestige

MAISON PIC ★ ★ ★ ★

☎ **04 75 44 15 32 - pic@relaischateaux.com**

285 Avenue Victor Hugo - Anne-Sophie PIC-SINAPIAN - Fax : 04 75 40 96 03 - www.pic-valence.com

Fermeture : Restaurant : 2/01-23/01, dimanche soir et lundi, mardi (1/11-31/03). - Menus : 59/135 € . Menu enfant : 26 € .
Petit déjeuner : 20 € .15 chambres : 145/350 € - Classement : Table de Prestige

Aux portes de la Provence, cette maison au cadre luxueux et raffiné accueille depuis plusieurs générations les plus fins gourmets. Parmi les spécialités : transparences de thon mariné aux épices douces en gelée de tomates, avocat et fenouil, sorbet roquette ; turbot cuit lentement au beurre noisette, truffes noires, râpée d'asperges de Mallemort et navets en fines feuilles au beurre d'agrumes, jus au safran ; filet de boeuf en strate au foie gras des Landes, gratin de blettes à la tomate, jus corsé à l'hermitage quelques pommes soufflées.
Chambres avec bain ou douche+WC+TV : Toutes.
Jardin, garage fermé, parking privé, piscine d'été, ascenseur, accès handicapés, canal+, climatisation, salle de séminaires

At the doors of Provence, this house with the luxurious and refined framework accomodates since several generations the finest gourmets.

A las puertas de Provenza, esta casa con su ambiente lujoso y delicado acoge desde hace varias generaciones los más finos golosos.

An den Toren der Provence empfängt man in diesem luxuriösen und feinen Haus seit mehreren Generationen echte Feinschmecker.

Charme & Authenticité

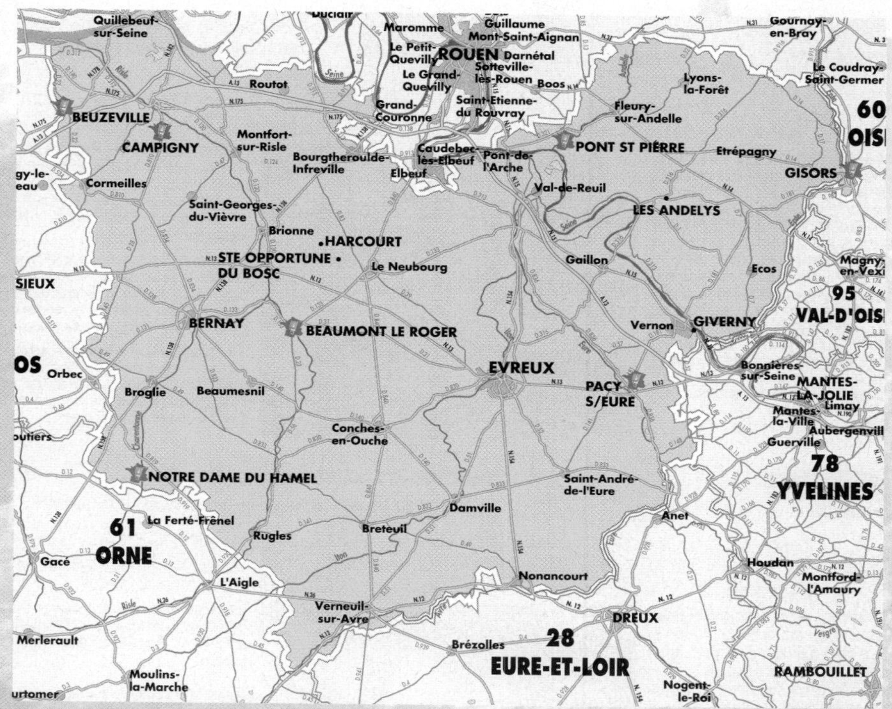

Sites Touristiques : Fondation Claude Monet à Giverny, Musée d'Art Américain à Giverny, Château du Champ de Bataille à Sainte Opportune du Bosc, Château Gaillard aux Andelys, Domaine d'Harcourt à Harcourt.

Saveurs de nos Terroirs : Suprême de Canard des Pays de l'Eure, Poulet Vallée d'Auge, Escalope à la Normande, Foie Gras...
Cidre, Pommeau, Calvados, Poire, Noyau de Vernon.

Animations :

Mai/Juin : Etampage des Bestiaux au Marais Vernier, Rendez-vous des Becs Fins à Bernay (marché au foie gras et produits du terroir).
Juillet : Feu de Saint Clair à la Haye de Routot.
Octobre/Décembre : Fête de la Pomme à la Maison de la Pomme à Sainte Opportune La Mare, Marché au foie gras Le Neubourg, Foire aux Harengs à Lieurey.

COMITÉ DÉPARTEMENTAL DU TOURISME DE L'EURE
3 Rue du Commandant Letellier B.P. 367 - 27003 - EVREUX CEDEX -Tél. : 02 32 62 04 27 - Fax : 02 32 31 05 98
www.tourism-eure.com - info@cdt-eure.fr

BEAUMONT LE ROGER (27170)

A 15 km de Bernay.

Table Gastronomique

HOSTELLERIE DU LION D'OR ★ ★

02 32 46 54 24 - pascal.vlieghe@libertysurf.fr

91 Rue Saint Nicolas - Pascal VLIEGHE - Fax : 02 32 46 52 77
Fermeture : 22/12-26/12 ; 19/01-3/02 ; 6/09-12/09 ; dimanche soir et lundi (restaurant). - Menus : 15/45 € . Menu enfant : 9 € .
Petit déjeuner : 6,50 € .9 chambres : 49/65 € . Etape VRP : 65 € - Classement : Table Gastronomique

Située au coeur de la Vallée de la Risle, cette hostellerie de caractère plus que centenaire vous propose des chambres rénovées et confortables. Pascal et Sandrine seront heureux de vous accueillir, l'hiver autour de la cheminée du 17ème siècle, l'été dans le jardin à l'ombre du tilleul et de vous faire partager leur cuisine de terroir. Spécialités : pressé de foie gras mi cuit au sel de Guérande, coeur d'artichaut confit ; petit turbot légèrement rôti, bouquetière de légumes frais jus de viande de corsé ; tarte au chocolat grandjua fondante et son coulis de cacao. Chambres avec bain ou douche+WC+TV : Toutes.Terrasse, jardin, parking privé, accès handicapés restaurant, chaînes satellites, canal+, salle restaurant de caractère, salle de séminaires, chèques vacances, animaux acceptés

Located at the heart of the Valley of Risle, this fashionable country inn of character more than centenary proposes renovated and comfortable rooms to you. Pascal and Sandrine will be happy to accomodate you, the winter around the chimney of the 17th century, the summer in the garden in the shade of the lime and to make you share their cooking of soil.

En el corazón del Valle del Risle, esta típica hostelería más que centenaria, le propone habitaciones renovadas y cómodas. Pascal y Sandrine estarán encantados de acogerle, en invierno al lado de la chimenea del siglo XVIII, en verano en el jardín a la sombra de un tilo para hacerle compartir su cocina regional.

Im Herzen des Risle Tals, bietet Ihnen dieses charaktervolle Hotel renovierte und komfortable Zimmer. Pascal und Sandrine sind glücklich, Sie zu empfangen, im Winter am Kamin aus dem 17. Jh., im Sommer im Garten unter der schattigen Linde. Kosten Sie dort eine hervorragende regionale Küche.

BEUZEVILLE (27210)

A13 sortie 28.

Table Gastronomique

AUBERGE DU COCHON D'OR ★ ★

02 32 57 70 46 - auberge-du-cochon-dor@wanadoo.fr

Place du Général de Gaulle - M. et Mme MARTIN Olivier - Fax : 02 32 42 25 70 - www.le-cochon-dor.fr
Fermeture : 15/12-15/01 ; lundi et dimanche soir d'octobre à fin mars (restaurant). - Menus : 14/40 € . Petit déjeuner : 6,50 € .
20 chambres : 38/53 € . Demi pension : 46/54 € . Etape VRP : 54 € - Classement : Table Gastronomique

A l'écart de l'autoroute de Normandie, près d'Honfleur et de Deauville, goûtez aux délices de l'Auberge du Cochon d'Or et savourez le calme de son hôtel. Depuis 1962, la même famille y cultive le bonheur.
Spécialités : enrubannés de langoustines à la courgette, canette en croûte d'épices, florentin et glace au pain d'épices.

Chambres avec bain ou douche+WC+TV : 11-12-14 à 19-21 à 28.
Terrasse, jardin, parking privé, chèques vacances

Away from the motorway, close to Honfleur and Deauville, taste the delights of the Auberge du Cochon d'Or and enjoy the quietness of its hotel. Since 1962, the same family cultivates there happiness

Apartado de la autopista de Normandía, cerca de Honfleur y Deauville, saboree las delicias del Auberge du Cochon d'Or y disfrute de su tranquilo hotel. Desde 1962, la misma familia se preocupa de su bienestar.

Abseits der Autobahn der Normandie, nahe von Honfleur und Deauville, kosten Sie die Feinstgerichte der Auberge du Cochon d'Or und genießen Sie die Ruhe seines Hotels. Seit 1962 sorgt die gleiche Familie für ihr Wohl.

BEUZEVILLE (27210)

A13 sortie 28 et A29 sortie Pont de Normandie N°3.

Table de Terroir

HÔTEL LA POSTE ★ ★

02 32 20 32 32 - lerelaisdeposte@wanadoo.fr

60 Rue Constant Fouché - Marie-Françoise BOSQUER - Fax : 02 32 42 11 01 - www.le-relais-de-poste.com
Fermeture : 11/11-1/04 ; mardi midi, jeudi et dimanche soir hors saison. - Menus : 17/35 € . Menu enfant : 13 € .
Petit déjeuner : 7 € .14 chambres : 42/62 € . Demi pension : 108/126 € pour 2 pers. Etape VRP : 58 € - Classement : Table de Terroir

Dans un authentique Relais de Poste entièrement rénové au cadre convivial et chaleureux, Marie Françoise BOSQUER et son équipe vous proposent leurs spécialités : timbaline d'andouille aux 2 pommes, mousse au fromage blanc à la gelée de cidre, foie gras de canard au pommeau, noisette de gigot d'agneau façon rôti. Label Normandie Qualité Tourisme.

Chambres avec bain ou douche+WC+TV : Toutes.
Terrasse, jardin, parking privé, salle restaurant de caractère, chèques vacances, animaux acceptés au restaurant

In an authentic Post Relay completly renovated and with a cordial and warm atmosphere, Marie-Françoise Bosquer and her team offer their specialities.

En una auténtica Parada del Correo completamente renovada, en un ambiente cálido y convivial, Marie-Françoise BOSQUER y su equipo le propondrán sus especialidades.

In einer echten, komplett renovierten Poststation erwarten Sie Marie-Françoise BOSQUER und ihr Team mit ihren Spezialitäten in einem geselligen und herzlichen Rahmen.

CAMPIGNY (27500)

45 km de Deauville et 6 km de Pont-Audemer.

Table Gastronomique

LE PETIT COQ AUX CHAMPS ★ ★ ★ ★

02 32 41 04 19 - le.petit.coq.aux.champs@wanadoo.fr

La Pommeraie Sud - Jean-Marie HUARD & Fabienne DESMONTS - Fax : 02 32 56 06 25 - www.lepetitcoqauxchamps.fr

Fermeture : 5/01-26/01 ; dimanche soir et lundi (1/11-31/03) - Menus : 30/64 € . Menu enfant : 13/17 € . Petit déjeuner : 10 € . 12 chambres : 110/141 € . Demi pension : 107/122 € . Etape VRP : 95 € - Classement : Table Gastronomique

En plein coeur de la campagne normande, dans un cadre reposant, venez apprécier, autour d'une table qui se veut toujours plus créative, les subtilités d'une cuisine qui symbolise le mariage entre tradition et originalité.
Spécialités : pot au feu de foie gras aux choux croquants, agneau en croûte de champignons sauvages, de pomme en pomme confiture de lait, turbot rôti sur le galet de carolles, croustille pomme camembert.
Chambres avec bain ou douche+WC+TV : Toutes.
Terrasse, jardin, parking privé, piscine d'été, chaînes satellites, salle restaurant de caractère, salle de séminaires, chèques vacances, animaux acceptés

In the heart of the norman country side, in a calm environment, you will be offered a regional and traditional cooking. The creativity and the subtle food are the symbol between tradition and originality.

En pleno corazón del campo normando, en un ambiente tranquilo, venga a apreciar alrededor de una mesa, cada día más creativa, las sutilidades de una cocina que simboliza la unión entre tradición y originalidad.

Im Herzen des normannischen Landes, in einem erholsamen Rahmen, kommen und genießen Sie an einem immer kreativeren Tisch, die Feinheit einer Küche, die die Kombination von Tradition und Originalität symbolisiert.

GISORS (27140)

Auberge du Pays

LE CHASSE MARÉE

02 32 55 25 54 - chassemar@wanadoo.fr

1 Avenue de la Gare - Jean-Charles CREPIN - Fax : 02 32 27 08 86 *- Fermeture : 20/02-28/02 ; dimanche soir et lundi.*
Menus : 11,20/29,90 € . Menu enfant : 7,60 € - Classement : Auberge du Pays

Cette petite auberge vous réservera le meilleur accueil et vous proposera une cuisine familiale variée, qui pourra vous être servie en terrasse.
Spécialités : blanquette de lotte, pavé de saumon rôti aux cèpes, lapin au cidre.

Terrasse, accès handicapés restaurant, salle restaurant de caractère, salle de séminaires, animaux acceptés au restaurant

This small inn will reserve you the best welcome and will offer you a varied cooking which can be served in terrace.

Esta pequeña posada le brindará una excelente acogida y le propondrá una cocina familiar variada que podrá saborear en la terraza.

In dieser kleinen Gaststätte werden Sie mit einer abwechslungsreichen, familiären Küche empfangen, die auch auf der Terrasse serviert wird.

NOTRE DAME DU HAMEL (27390)

A 5 km de Montreuil l'Argillé.

Table Gastronomique

LA MARIGOTIÈRE

02 32 44 78 62 - lamarigotiere.bouget@wanadoo.fr

Daniel BOUGET - Fax : 02 32 43 62 78 - www.broglieueb.com
Fermeture : 1 semaine en février, 1 semaine en août, mercredi sauf séminaires et groupes.
Menus : 28/75 € . Menu enfant : 15/20 € - Classement : Table Gastronomique

Au coeur de la Vallée de la Charentonne, sur un parc aménagé de 2 ha avec plans d'eau, cette étape champêtre vous réserve une atmosphère conviviale. Daniel BOUGET vous invite à découvrir dans un cadre raffiné et élégant sa table gastronomique réputée.
Spécialités : foie gras de canard au Baume de Venise, effilochade de pommes et turbot au cidre fermier, croustillant aux poires et sa glace à la cannelle.

Terrasse, jardin, parking privé, accès handicapés restaurant, salle de séminaires

In the heart of the Valley of Charentonne, on an arranged park of 2 ha with water levels, this pastoral stage holds a convivial atmosphere for you. Daniel BOUGET invites you to discover in refined framework its famous gastronomical table.

En el corazón del Vallée de la Charentonne, en un parque de 2 ha. con estanques, esta estancia campestre le recibirá en una atmósfera calurosa. Daniel BOUGET le invita a descubrir en un ambiente delicado y elegante una famosa mesa gastronómica.

Im Herzen des Charentonne Tals, in einem 2 ha großen Park mit Teich, erwartet Sie eine freundliche, ländliche Atmosphäre. D. Bouget lädt Sie ein, in dem feinen und eleganten Rahmen seine gastronomische und bekannte Tafel zu entdecken.

PACY SUR EURE (27120)

A 5 km de Pacy sur Eure à Cocherel

Table de Prestige

HÔTEL-RESTAURANT LA FERME DE COCHEREL

02 32 36 68 27 - lafermedecocherel@libertysurf.fr

Route de la Vallée d'Eure COCHEREL - Pierre et Danielle DELTON - Fax : 02 32 26 28 18 - www.lafermedecocherel.fr
Fermeture : 2/01-24/01 ; 1/09-19/09 ; mardi, mercredi. - Menus : 36 € .
2 chambres (maisonnettes indépendantes dans le jardin) : 98/125 € - Classement : Table de Prestige

Le charme paisible de cette ancienne ferme située au bord de l'Eure vous séduira. Entouré d'une équipe motivée, Pierre, véritable artisan créatif vous préparera au gré des saisons, une cuisine raffinée qui satisfaira plus d'un gourmet. Spécialités : tourte de canette façon rouennaise ; salade tiède de homard, tomates confites sorbet poireaux et betteraves fumées.

Chambres avec bain ou douche+WC+TV : Toutes.
Jardin, parking privé, salle restaurant de caractère, chèques vacances, animaux acceptés au restaurant

The peaceful charm of this old farm situated at the edge of the Eure will allure you. Assisted by a motivated team, Pierre, true inventive craftsman, will prepare following the seasons, a refined cooking which will satisfy more than an epicure.

La sorprendente tranquilidad de esta antigua granja a orillas del Eure le encantará. Rodeado de un equipo eficaz, Pierre, verdadero artesano creativo le preparará según la estación, una refinada cocina que va satisfacer a más de un goloso.

Der friedliche Charme dieses ehemaligen Bauernhofs am Ufer der l'Eure wird Sie verzaubern. Pierre, ein echter kreativer Kunsthandwerker, umgeben von einem motivierten Team, bereitet für Sie eine köstliche Küche zu, die er den Jahreszeiten anpasst und die mehr als einen Feinschmecker zufriedenstellt.

PONT ST PIERRE (27360)

A 20 km au Sud-Est de Rouen N14+D138+D321.

Table Gastronomique

HOSTELLERIE LA BONNE MARMITE ★ ★ ★

02 32 49 70 24 - la.bonne.marmite@wanadoo.fr

10 Rue René Raban - Maurice AMIOT - Fax : 02 32 48 12 41 - www.la-bonne-marmite.com - Fermeture : 24/02-19/03 ; 27/07-13/08 ; dimanche soir, lundi et mardi midi sauf fériés. - Menus : 16,50/51 € . Menu enfant : 15 € . Petit déjeuner : 7,80 € .
Menu dégustation avec vins : 78,50 € . 9 chambres : 60/90 € . Demi pension : 62/100 € - Classement : Table Gastronomique

Denise et Maurice Amiot vous accueilleront dans le charme exquis d'une auberge romantique et vous feront découvrir une cuisine créative à base de produits de terroir. 2 cartes de vins particulièrement exceptionnelles (plus de 600 vins rouge et plus de 250 vins blanc). Spécialités : poissons, crustacés, foie gras normand, suprême de canard à la sauvageonne, rognons de veau Bonne Marmite , galette Denise, tarte aux pommes chaudes.
Chambres avec bain ou douche+WC+TV : Toutes.
Parking privé, accès handicapés restaurant, chaînes satellites, salle restaurant de caractère, salle de séminaires, chèques vacances, animaux acceptés au restaurant

Denise and Maurice Amiot will welcome you in this romantic inn and let you discover a traditional cooking. Exceptional wines' card (more than 600 red wines and 250 white wines).

Denise y Maurice Amiot le acogerán en este encantador hostal romántico y le harán descubrir una cocina creativa a base de productos regionales. Dos listas de vinos particularmente excepcionales (más de 600 vinos tintos y más de 250 vinos blancos).

Denise und Maurice Amiot heißen Sie in der schönen Atmosphäre einer romantischen Herberge willkommen und bieten Ihnen eine kreative Küche aus Produkten der Region. Außergewöhnliche Weinkarten (über 600 Rotweine und über 250 Weißweine).

La Reconnaissance Professionnelle

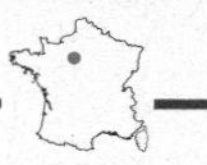

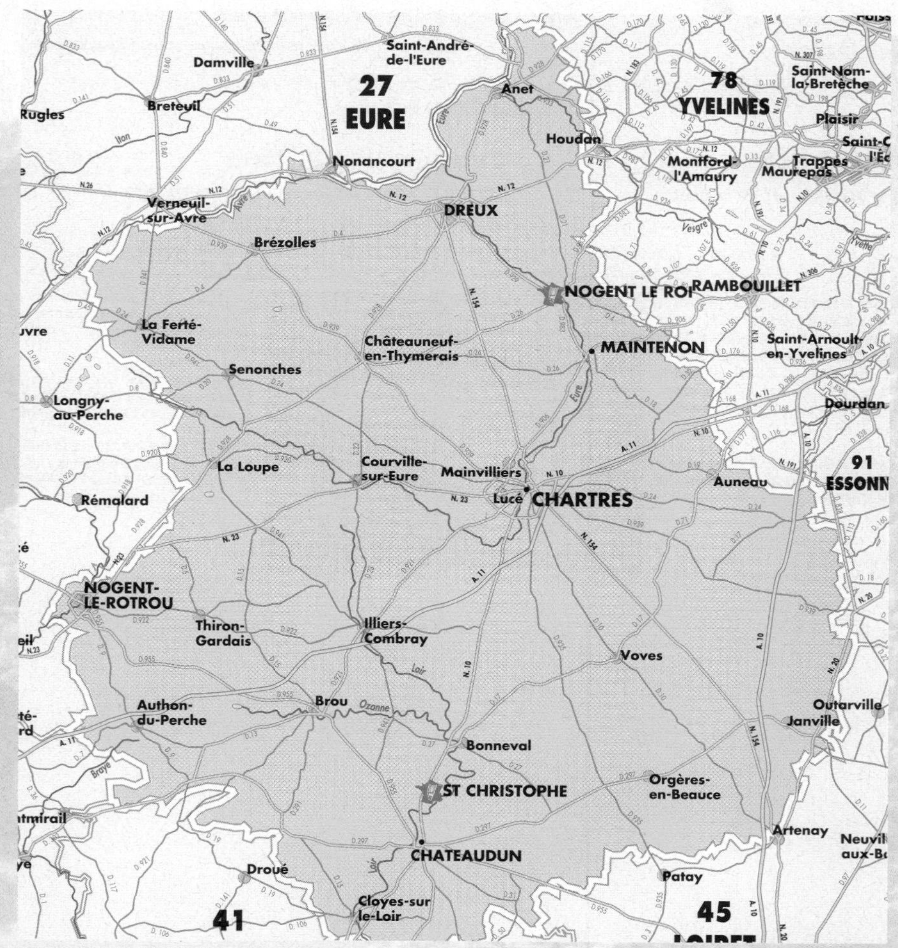

Sites Touristiques : Cathédrale de Chartres, Conservatoire de l'Agriculture, Château de Maintenon, Château de Chateaudun, Parc Naturel Régional du Perche, Parc des Félins d'Auneau, Château d'Anet, Maison de Tante Léonie et Musée Marcel Proust à Illiers-Combray, Centre International du Vitrail à Chartres, Maison de la Beauce à Orgères en Beauce.

Saveurs de nos Terroirs : Paté de Chartres, Mentchikoffs (confiserie), Madeleines de Proust, Feuille de Dreux (fromage). Cidre du Perche, Bière de Chartres.

Animations :

Juin/Juillet : Fête de la Route du Blé, Foire aux Laines à Châteaudun, Printemps musical du Perche, Fête de l'Eau à Chartres.

Août/Septembre : Festival International d'Orgues à Chartres, Journées Lyriques de Chartres et d'Eure et Loir.

Décembre : Carnaval des Flambarts à Dreux.

COMITÉ DÉPARTEMENTAL DU TOURISME D'EURE-ET-LOIR

10, Rue du Docteur Maunoury B.P. 67 - 28002 - CHARTRES CEDEX -Tél. : 02 37 84 01 00 - Fax : 02 37 36 36 39

www.tourisme28.com - infos@tourisme28.com

NOGENT LE ROI (28210)

A 18 km de Dreux.

Table de Terroir

RESTAURANT CAPUCIN GOURMAND

02 37 51 96 00 - capucingourmand-nogent@wanadoo.fr

1 Rue de la Volaille - Fax : 02 37 82 67 19 - Menus : 15/39 € . Menu enfant : 13,10 €
Classement : Table de Terroir

ST CHRISTOPHE (28200)

A 5 km de Chateaudun, 40 km de Chartres.

Auberge du Pays

LA TABLE DE SAINT CHRISTOPHE

02 37 66 30 26 - www.saint-christophe.fr.st

3 Place Saint Ouen - Catherine RENAULT CANTRAINE - Fax : 02 37 45 37 21
Fermeture : 10 jours courant septembre, 3 semaines début janvier , le soir du dimanche au jeudi.
Menus : 15/25 € . Menu enfant : 8,50 € - Classement : Auberge du Pays

Venez découvrir ce site exceptionnel sur les bords du Loir. Un accueil convivial et un cadre chaleureux vous attendent, vous y apprécierez une cuisine du terroir préparée pour vous avec la plus grande attention. Spécialités : filet de canard à la confiture d'oignons, andouillette au canard, foie gras de canard maison, anguille au vert, terrine de lapin maison, lapin mijoté aux herbes du jardin.

Terrasse, jardin, accès handicapés restaurant, salle restaurant de caractère, chèques vacances, animaux acceptés au restaurant

Come to discover this exceptional site on the edges of the Loir. A friendly welcome and a warm setting await you there, you will appreciate a traditional cooking prepared for you with the greatest attention.

Venga a descubrir este paraje excepcional a orillas del Loir. Una acogida amistosa y un ambiente caluroso le esperan, usted apreciará una cocina regional preparada con gran esmero.

Entdecken Sie diesen außergewöhnlichen Ort am Rande der Loir. Kosten Sie die sorgfältig zubereiteten regionalen Speisen in warhmherzigem Rahmen und mit gastfreundlichem Empfang.

Charme & Authenticité

Sites Touristiques : Pointe du Raz, Océanopolis, Enclos Paroissiaux, Pont Aven, Ville close à Concarneau, Quimper, Morlaix, Locronan, Pointe du Raz.

Saveurs de nos Terroirs : Plateau de fruits de mer, huîtres, homards, sardines, Kig Ha Farz, Kouign Aman, Crêpe blé noir et froment, Gâteau breton, Farz breton.

Cidre, Chouchenn.

Animations : Festival de Cornouaille à Quimper, Festival des Vieilles Charrues à Carhaix, Festival du Bout du Monde à Crozon, Brest et Douarnenez 2004.

COMITÉ DÉPARTEMENTAL DU TOURISME DU FINISTERE
11, Rue Théodore Le Hars B.P. 1419 - 29104 - QUIMPER CEDEX -Tél. : 02 98 76 20 70
www.finisteretourisme.com - contact@finisteretourisme.com

MOELAN SUR MER (29350)

N165 sortie Kervidanou à Quimperlé.

Table Gastronomique

LES MOULINS DU DUC ★ ★ ★

02 98 96 52 52 - tqad29@aol.com

Route des Moulins - Thierry QUILFEN - Fax : 02 98 96 52 53 - www.hotel-moulins-du-duc.com - Fermeture : 01/01-28/02.

Menus : 22/64 € . Menu enfant : 10 € .
25 chambres : 69/165 € - Classement : Table Gastronomique

A deux pas de la côte, Les Moulins du Duc vous accueillent chaleureusement dans un cadre de verdure. Vous y apprécierez des menus raffinés et des chambres confortables agréablement décorées. Spécialités : craqueline de veau en mignonnette de noix et tian de courgettes, caille rôtie au jus truffé et sa timbale de choux au foie naturel, queue de homard cuite au bouillon gratinée au sabayon de cidre sur sa réglisse, rôti de lotte lardée parfumée aux épices et son caviar d'aubergines, douceur d'amande et sa poire caramélisée au sucre de canne et sorbet coco, soufflé chaud à la pulpe de fruits et Grand Marnier. Terrasse, jardin, parking privé, piscine d'été, piscine d'hiver, chaînes satellites, petit déjeuner buffet, salle restaurant de caractère, salle de séminaires

Two steps from the coast, Le Moulin du Duc will welcome you in a green setting. You will appreciate refined menus and pleasant comfortable rooms.

En el verdor de este paisaje, a dos pasos de la costa, Les Moulins du Duc le brindará una calurosa acogida. Usted apreciará las confortables habitaciones decoradas con gusto y los delicados menús.

Gleich bei der Moulin du Duc empfängt man Sie herzlich mitten im Grünen. Genießen Sie dort feine Menüs und komfortable, angenehm dekorierte Zimmer.

QUIMPER (29000)

Table Gastronomique

RESTAURANT LE STADE

02 98 90 22 43

12 Avenue Georges Pompidou - Joël TRÉGUER - Chef de Cuisine - Fax : 02 98 90 39 99 - www.restaurant-quimper.com

Fermeture : 28/08-12/09. - Menus : 16,50/70 € . Menu enfant : 9 €
Classement : Table Gastronomique

Joël TREGUER, Chef de Cuisine, saura vous faire voyager par la richesse des produits de la Bretagne. Saucier de formation, ses spécialités de poissons et de fruits de mer vous séduiront à travers une carte évolutive et six menus. Très belle carte des vins. Spécialités : poêlon des richesses bretonnes (homard, palourdes, langoustines, st jacques, petit rouget, médaillons de lotte à la cornouaillaise), rouelle de homard aux épices sauce coraillée, goujon de sole et blanc de turbot au Champagne à l'émincé de truffes, foie gras frais de canard maison au Sauterne, mille feuille de homard aux morilles, pigeon rôti servi en cocotte dans son bouillon épicé, poire glacée au vin de Sauterne. Jardin, parking privé, accès handicapés restaurant, salle restaurant de caractère, salle de séminaires, chèques vacances, animaux acceptés au restaurant

Joël Treguer will make you travel by the wealth of the Brittany products. His specialities of fish and sea foods will charm you through a moving card of 6 menus. Beautiful card of wine.

Joël TREGUER, Jefe de Cocina, le hará viajar con la riqueza de los productos de la Bretaña. Especialista en salsas, usted quedará encantado con sus especialidades de pescados y mariscos a través de una carta evolutiva y seis menús. Excelente lista de vinos.

Der Chefkoch Joël Treguer, versteht es aufs Beste, Sie durch das Land der bretonischen Produkte zu führen. Die exzellenten Soßen, Spezialitäten an Fisch und Meeresfrüchten, einer ständig variierenden Speisekarte, und sechs Menus werden Sie überzeugen. Sehr gute Weinkarte.

QUIMPER (29000)

L'AMBROISIE

02 98 95 00 02 - gilbert.guyon@wanadoo.fr

49 Rue Elie Fréron - Fax : 02 98 95 00 02 - Menus : 21/60 € . Menu enfant : 15 €
Classement : Table Gastronomique

QUIMPER (29000)

LES ACACIAS

02 98 52 15 20 - acacias-qper@wanadoo.fr

88 Boulevard Creach Gwen - Fax : 02 98 10 11 48 - Menus : 17/40 € . Menu enfant : 9 €
Classement : Table Gastronomique

ST POL DE LÉON (29250)

A 15 km de Morlaix.

AUBERGE LA POMME D'API

02 98 69 04 36 - perochonjeanmarc@wanadoo.fr

49 Rue Verderel - Menus : 22/54 € . Menu enfant : 12 € - Classement : Table Gastronomique

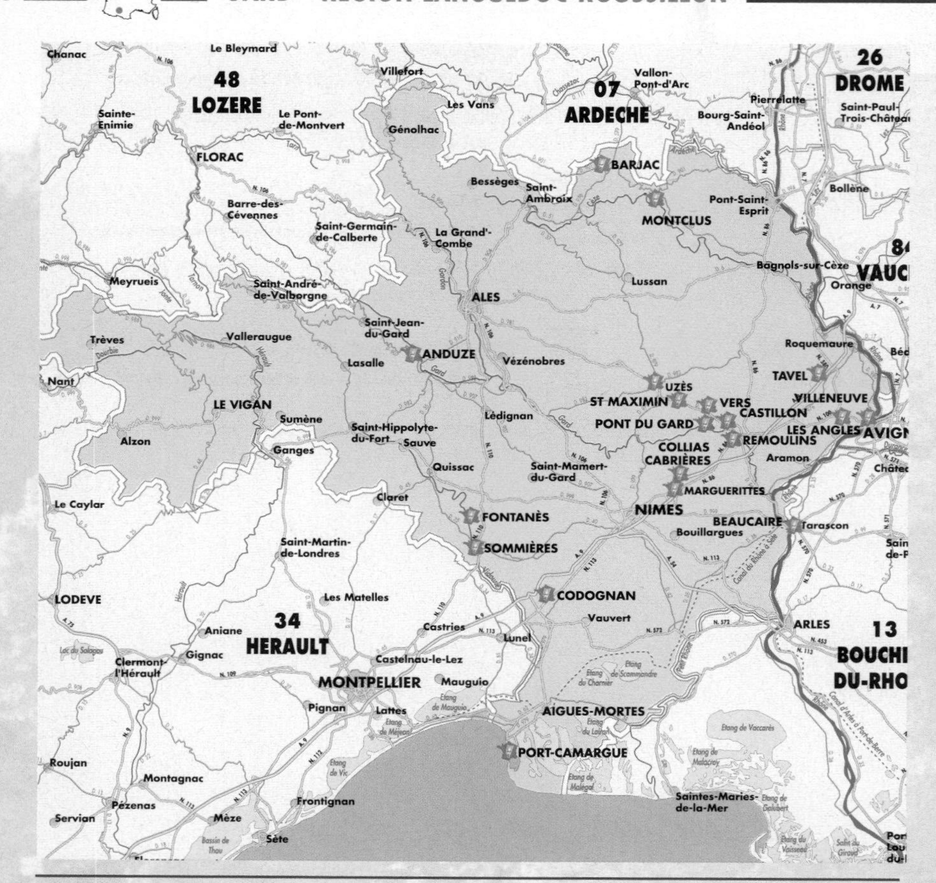

Sites Touristiques : La Camargue avec Le Grau du Roi - Port Camargue (Seaquarium), Aigues-Mortes et Saint Gilles. Nîmes, Beaucaire, Villes d'Art et d'Histoire, Uzès, Villeneuve lez Avignon, Villes d'Art, Le Pont du Gard. Les Cévennes avec la Mine-témoin d'Alès, la Grotte de Cocalière, Anduze (Bambouseraie, Train à Vapeur, Grottes de Trabuc), le Mont Aigoual et son Observatoire Météo, le cirque de Navacelles.

Saveurs de nos Terroirs : Brandade de Nîmes, Olives Picholines, Huile d'Olive, Pélardon des Cévennes (fromage de chèvre), oignon doux des Cévennes, Gardiane de Taureau ou Boeuf à la Gardiane, Riz de Camargue, Fleur de Sel de Camargue, Truffe d'Uzès.Vins des Côtes du Rhône. Vins des Costières de Nîmes. Vins de Pays du Gard. Vins des Sables. Clairette de Bellegarde. Cartagène. Eau Perrier.

Animations : Musée du Bonbon Haribo à Uzès, Musée du Vélo et de la Moto à Domazan, Musée d'Art Sacré à Pont Saint Esprit
Ascension et Toussaint : Festival de la Randonnée Accompagnée à Saint Jean du Gard.
Juin : Fête de la Transhumance à l'Espérou.
Pentecôte et Septembre : Féria de Nîmes.
Juillet/Août : Terralha : Foire de la Céramique à Saint Quentin La Poterie, Les Estivales de Beaucaire, Fête Médiévale d'Aigues Mortes, Féria de la Pêche et de l'Abricot à Saint Gilles, Fête de la Vannerie à Vallabrègues.

COMITÉ DÉPARTEMENTAL DU TOURISME DU GARD

3, Place des Arènes B.P. 122 - 30010 - NIMES CEDEX 04 -Tél. : 04 66 36 96 30 - Fax : 04 66 36 13 14

www.tourismegard.com - contact@tourismegard.com

Table Gastronomique

ANDUZE - TORNAC (30140)

D982 Sud d'Alès. A 5 km d'Anduze.

LES DEMEURES DU RANQUET ★ ★ ★ ★

04 66 77 51 63 - ranquet@mnet.fr

Route de St Hippolyte du Fort TORNAC - Jean-Luc MAJOUREL - Fax : 04 66 77 55 62 - www.avignon-et-provence.com/ranquet
Fermeture : Mardi et mercredi hors saison ; mardi midi et mercredi midi en saison (restaurant). - Menus : 30/74 € . Menu enfant : 14 € .
Petit déjeuner : 14 € - 10 chambres : 110/182 € suivant saison. Demi pension : 102/130 € - Classement : Table Gastronomique

Typique mas restauré, dans un havre de calme, au milieu des chênes. Cuisine d'Anne MAJOUREL, Chef au féminin, pleine de talent et de fraicheur. Spécialités : ratatouille de ma grand mère, mouillettes de saucisse d'Anduze rôties, crémeux à l'oeuf ; épaule d'agneau de lait de Nîmes, gratin de pommes de terre à l'ancienne ; papillon de langoustines ; brandade de morue.
Chambres avec bain ou douche+WC+TV : Toutes (chambres climatisées).
Terrasse, jardin, parking privé, piscine d'été, accès handicapés restaurant, , chaînes satellites, climatisation, salle restaurant de caractère, salle de séminaires, animaux acceptés

This typical renovated farmhouse, an haven of peace, in a middle of oaks offers a regional delicious and talented cooking by Anne Majourel.

Típica casa de Provenza, en un remanso calmo, en medio de robles. Usted podrá descubrir las especialidades de la jefa de cocina Anne Majourel, llena de talento y frescor.

Dieses typisch südliche Bauernhaus, neu restauriert, liegt an einem ruhigen Ort mitten unter den Eichen. Ländliche Küche voller Können und Frische.

Table de Terroir

ANDUZE (30140)

A 13 km d'Alès.

LA PORTE DES CÉVENNES ★ ★

04 66 61 99 44 - reception@porte-cevennes.com

2300 Route de Saint Jean du Gard - Jean-Pierre KOVAC - Fax : 04 66 61 73 65 - www.porte-cevennes.com
Fermeture : 20/10-3/04 ; restaurant fermé à midi sauf groupes. - Menus : 17/29 € . Menu enfant : 8,50 € .
Petit déjeuner : 8 € . 38 chambres : 59/68 € . Demi pension : 53/57 € . Etape VRP : 69 € - Classement : Table de Terroir

Au milieu des pins et des chênes verts dominant la Vallée du Gardon, La Porte des Cévennes vous offre calme et repos. Sa cuisine et vins du terroir, ses chambres tout confort, sa piscine couverte et chauffée, sa terrasse panoramique vous feront profiter pleinement de ce magnifique paysage cévenol. Spécialités : feuilleté de truite sauce ciboulette, fondant au chocolat moelleux.
Chambres avec bain ou douche+WC+TV : 1 à 34.
Terrasse, jardin, parking privé, piscine d'été, piscine d'hiver, chaînes satellites, petit déjeuner buffet, salle restaurant de caractère, salle de séminaires, chèques vacances

In the middle of a pine forest overlooking the Valley of Gardon, the hotel offers you calm and rest. Its cooking and local wines, its comfortable bedrooms, its covered and heated swimming-pool, its panoramic terrace will make you fully enjoy this magnificient landscape of cevenol.

En medio de pinos y robles verdes dominando el Vallée du Gardon, La Porte des Cévennes le brinda calma y reposo. Su cocina y vinos locales, sus habitaciones con todas las comodidades, su piscina cubierta y climatizada, su terraza panorámica le permitirán aprovechar plenamente de este magnífico paisaje de las Cévennes.

Inmitten von Pinien und grünen Eichen über dem Tal von Gardon, bietet Ihnen La Porte des Cévennes Ruhe und Erholung. Sie genießen dort die gute Küche und Landweine, bequeme Zimmer, das geheitzte Hallenschwimmbad, seine Panorama Terrasse und die wunderschöne cevennische Landschaft.

Table Gastronomique

BARJAC (30430)

A 30 km d'Alès et de Bagnols sur Cèze.

LE MAS DU TERME ★ ★ ★

04 66 24 56 31 - welcome@mas-du-terme.com

Route de Bagnols sur Cèze - Fax : 04 66 24 58 54 - Menus à partir de 27 € . Menu enfant : 12 € . Petit déjeuner : 9 € .
23 chambres : 62/100 € - Classement : Table Gastronomique

Charme & Authenticité

BEAUCAIRE (30300)

Table de Terroir

ROBINSON ★ ★ ★

04 66 59 21 32 - contact@hotel-robinson.fr

Route de Remoulins - Monique LEON - Fax : 04 66 59 00 03 - www.hotel-robinson.fr - Fermeture : 1/02-2/03.

Menus : 19,50/36 € . Menu enfant : 10 € . Petit déjeuner : 8 € .

30 chambres : 62/78 € . Demi pension : 58/65 € . Etape VRP : 64 € - Classement : Table de Terroir

Amarrée comme un navire sur les berges d'un canal, au pied de l'odorante colline, dans un domaine boisé de 10 ha, cette grande maison vous offre la sérénité de ses grands espaces, mais aussi l'intimité de ses terrasses ombragées. Vous découvrirez une cuisine réputée, pleine de soleil et de parfums, préparée selon les traditions ancestrales, à partir de produits du terroir, soigneusement sélectionnés. Spécialités : taureau de Camargue, poissons de la méditerranée.

Chambres avec bain ou douche+WC+TV : Toutes.

Terrasse, jardin, garage fermé, parking privé, piscine d'été, , tennis, accès handicapés restaurant, chaînes satellites, climatisation, petit déjeuner buffet, salle restaurant de caractère, salle de séminaires, chèques vacances, animaux acceptés

Belayed like a ship on the banks of a channel, at the foot of the hill, in a wooded field of 10 ha, this large house offers the serenity of its great spaces, but also the intimity of its shaded terraces. You will discover a famous cooking, full with sun and perfumes, prepared according to ancestral traditions', starting from products of the soil, carefully selected.

Amarrada como un navío a las orillas de un canal, al pie de la perfumada colina, en un dominio arbolado de 10 ha., esta gran casa le ofrece la tranquilidad de sus grandes espacios, pero también la intimidad de sus terrazas sombreadas. Usted descubrirá una famosa cocina, llena de sol y de perfumes, preparada según las tradiciones ancestrales, a partir de productos regionales, cuidadosamente seleccionados.

Wie ein Schiff am Kanal festgemacht, am Fuß von duftenden Hügeln, auf einem 10 ha großen Gut, bietet Ihnen dieses Haus die Stille seiner großen Räume, aber auch die Intimität der schattigen Terrassen. Entdecken Sie eine bekannte Küche voller Sonne und Duft, nach einstigen Traditionen und mit ausgesuchten Landprodukten zubereitet.

CABRIÈRES (30210)

A 15 km de Nîmes.

Table Gastronomique

L'ENCLOS DES LAURIERS ROSES ★ ★ ★

04 66 75 25 42 - hotel-lauriersroses@wanadoo.fr

71 Rue du 14 Juillet - Monique BARGETON - Fax : 04 66 75 25 21 - www.hotel-lauriersroses.com - Fermeture : 5/01-15/03 ; 2/11-16/12

Menus : 20/39 € . Menu enfant : 10 € . Petit déjeuner : 11 € .

15 chambres : 74/183 € - Classement : Table Gastronomique

Venez découvrir ce havre de paix, véritable paradis niché aux portes de la Provence, où la beauté des vieilles pierres vous séduira. Les chambres, toutes de style provençal ont chacune un charme qui leur est propre. Au restaurant, une cuisine élaborée avec les meilleurs produits du marché , les légumes du soleil, l'agneau de pays et l'huile d'olive parfumée vous sera réservée. Spécialités : gardiane de taureau au vin de Costières de Nîmes, olives noires et riz blanc de camargue.

Chambres avec bain ou douche+WC+TV : Toutes.

Terrasse, jardin, garage fermé, parking privé, piscine d'été, climatisation, petit déjeuner buffet, salle restaurant de caractère, salle de séminaires, chèques vacances, animaux acceptés

Come to discover this haven of peace, true paradise nestled with the doors of Provence, where the beauty of the old stones will allure you.The rooms, very of style of Provence have each one a charm . At the restaurant, a cooking worked out with best produced market, the vegetables of the sun, the lamb of country and the scented olive oil will be reserved to you.

Venga a descubrir este remanso de paz, verdadero paraíso acurrucado a las puertas de Provenza, donde la belleza de antiguas piedras le seducirá. Las habitaciones, todas al estilo provenzal tienen cada una su propio encanto. En el restaurante, una cocina elaborada con los mejores productos del mercado, las verduras del sol, el cordero de la región y el aceite de aceituna perfumado le esperan.

Entdecken Sie diesen Zufluchtsort, ein wahres Paradies an den Toren der Provence eingenistet, wo Sie die Schönheit der alten Steine verführen wird. Die Zimmer, alle im provenzalischen Stil haben alle einen eigenen Charme. Im Restaurant erwartet Sie eine ausgezeichnete Küche aus besten Marktprodukten, Sonnengemüse, lokales Lammfleisch und duftendes Olivenöl.

CASTILLON DU GARD (30210)

A 25 km d'Avignon et de Nîmes, 15 km d'Uzes.

Table de Prestige

LE VIEUX CASTILLON ★ ★ ★ ★

04 66 37 61 61 - vieux.castillon@wanadoo.fr

Rue Turion Sabatier - Patrick WALSER - Fax : 04 66 37 28 17 - Fermeture : 2/01-16/02 ; lundi et mardi midi (restaurant).
Menus : 77/102 €. Petit déjeuner : 16 €. 32 chambres : 175/315 €. Demi pension : supplément 105 € /pers.
Classement : Table de Prestige

Patios et terrasses étagées font de ce domaine hôtelier d'architecture médiévale un lieu unique au coeur d'un village provençal. Entre Nîmes et Avignon, proche de la Camargue, des Cévennes et des Alpilles, le hameau perché offre une belle échappée sur la plaine et le Ventoux. Rendez-vous vous est donné pour découvrir et savourer une cuisine légère et raffinée, d'inspiration régionale reconnue par tous.

Chambres avec bain ou douche+WC+TV : Toutes.
Terrasse, parking privé, piscine d'été, chaînes satellites, climatisation, salle restaurant de caractère, salle de séminaires

Patios and staged terraces make of this hotel field of medieval architecture a single place in the heart of a village of Provence. Between Nimes and Avignon, near to the Camargue, the Cevennes andAlpilles, the perched hamlet offers a beautiful escape on the plain and Ventoux. Appointment is given to you to discover and enjoy a light and refined kitchen, of regional inspiration recognized by all.

Pisos con patio y terrazas hacen de este establecimiento hotelero a la arquitectura medieval un lugar único en el corazón de un pueblo provenzal. Entre Nimes y Avignon, cerca de Camargue, de Cevennes y de las Alpilles, la aldehuela ofrece una bella escapada al llano y al Ventoux. Le damos una cita para descubrir y saborear una cocina liviana y delicada, con inspiración regional apreciada por todos.

Innenhöfe und Terrassen machen aus diesem Hotelkomplex von mittelalterlicher Architektur eine einzigartige Stätte inmitten eines provenzalischen Dorfs. Zwischen Nîmes und Avignon, in der Nähe der Camargue, Cévennen und Alpillen hebt sich der hoch gelegene Weiler von der Ebene und dem Ventoux ab.

CODOGNAN (30920)

Entre Nîmes (15 km) et Montpellier.

Table Gastronomique

LOU FLAMBADOU

04 66 35 09 70

Route Nationale 113 - M. et Mme Romano TONETTI-FABER - Fax : 04 66 73 77 28 - Fermeture : 15/08-31/08 ; dimanche soir et lundi.
Menus : 25/35 €. Menu enfant : 14 €
Classement : Table Gastronomique

Venez découvrir la cuisine gastronomique de cet établissement aménagé dans un ancien mas provençal entièrement rénové, le meilleur accueil vous sera réservé.
Spécialités : foie gras poêlé, terrine aux 3 saveurs, poissons, saumon fumé maison, rossini aux cèpes.

Terrasse, jardin, parking privé, accès handicapés restaurant, salle restaurant de caractère, salle de séminaires, animaux acceptés au restaurant

Come and discover the gastronomic cooking of this establishment build in a former Provençal house, the best welcome will be for you.

Este establecimiento acondicionado en una antigua granja provenzal, totalmente renovada, le brindará una calurosa acogida y le hará descubrir una cocina gastronómica.

Entdecken Sie die gastronomische Küche dieses ehemaligen provenzalischen, komplett renovierten Landhauses, wo man Sie bestens empfängt.

COLLIAS (30210)

A 7 km d'Uzès, 25 km de Nîmes et d'Avignon.

Table Gastronomique

HOSTELLERIE LE CASTELLAS ★ ★ ★

04 66 22 88 88 - lecastellas@wanadoo.fr

Grand Rue - Chantal et Raymond APARIS - Fax : 04 66 22 84 28 - www.lecastellas.fr - www.lecastellas.com
Fermeture : Début janvier à début mars ; lundi midi ; mardi midi ; mercredi hors saison. - Menus : 27/86 €. Menu enfant : 14,50 €.
17 chambres : 92/187 €. Demi pension : 114/151 € /pers. Etape VRP : 110/150 € - Classement : Table Gastronomique

Cet hôtel de charme et de caractère est aménagé dans une demeure du XVIIème siècle entièrement restaurée, située au cœur du vieux village provençal. Cet endroit de rêve où il fait bon vivre vous réserve une ambiance feutrée, vous y serez reçu en amis avec chaleur et sourire. Vous pourrez savourer une cuisine pleine de couleurs, de saveurs et de parfums.
Chambres avec bain ou douche+WC+TV : Toutes.
Terrasse, jardin, garage fermé, parking privé, piscine d'été, tennis, accès handicapés restaurant, TPS, climatisation, salle restaurant de caractère, salle de séminaires, animaux acceptés

This hotel of charm and character is arranged in a residence of the XVIIth century entirely restored, located in the heart of the old village of Provence. This place of dream where it makes to good food reserves you a felted environment, you will be received there as friends with heat and smile. You will be able to enjoy a cooking full with colors, savours and perfumes.

Este encantador y original hotel ha sido acondicionado en una morada del siglo XVII completamente renovada, en el corazón del antiguo pueblo provenzal. Este lugar de ensueño, donde se vive bien le prepara un ambiente delicado, usted será recibido como un amigo con calidez y simpatía. Usted podrá saborear una cocina llena de colores, sabores y perfumes.

Dieses charaktervolle Hotel de Charme ist ein komplett renoviertes Haus aus dem 17. Jh. im Herzen des provenzalischen Dorfs. Dieser traumhafte Ort, wo es sich gut leben lässt bietet Ihnen ein gedämpftes Ambiente, Sie werden dort wie Freunde empfangen mit Wärme und einem Lächeln. Genießen Sie eine Küche voll von Farben, Geschmack und Düften.

FONTANES - SOMMIERES (30250)

A 5 km de Sommières

Table de Terroir

RESTAURANT LE PICHET

04 66 80 14 40

RN110 Les Barraques Chemin du Mas du Fort - Cécile GEROLAMI - Fax : 04 66 80 14 40
Fermeture : 2ème quinzaine de décembre ; 2ème quinzaine de mars ; lundi sauf jours fériés.
Menus : 13,50 et 20 € . Carte : 22 € . Menu enfant : 7 € - Classement : Table de Terroir

En pleine vallée du Vidourle, entre Cévennes et littoral, nous accueillons notre aimable clientèle dans un cadre rustique datant de 1811. Nous proposons une cuisine du terroir telle que : salade de Moissac des Cévennes au balsamique, brandade de morue au fondant d'épinards, agneau de Nîmes en civet aux parfums de la garrigue avec son tian d'aubergines, côte de taureau saveur sauvage grillée au marchand de vin du pays Fesco, plateau de fromages des Cévennes.

Accès handicapés restaurant, salle restaurant de caractère, salle de séminaires, animaux acceptés au restaurant

In the Vidourle's valley, between Cévennes and coast, we welcome our guests in a rustic setting of 1811. We offer traditional cooking.

En pleno valle del Vidourle, entre Cevenas y litoral, acogemos nuestra amable clientela en un ambiente rústico que data del año 1811 y le proponemos una cocina regional.

Inmitten des Vidourle Tals, zwischen Cevennen und der Küste, heißen wir unsere liebenswürdige Kundschaft, in rustikalem Ambiente von 1811, recht herzlich willkommen. Wir bieten regionale Küche.

LES ANGLES (30133)

A 4 km d'Avignon.

Table Gastronomique

HOSTELLERIE ERMITAGE MEISSONNIER ★ ★

04 90 25 41 02/04 90 25 41 68 - Meissonnier.Michel@wanadoo.fr

Avenue de Verdun - Fax : 04 90 25 11 68 - Menus : 19/69 € . Menu enfant : 13 € .
16 chambres : 42/95 € - Classement : Table Gastronomique

MARGUERITTES (30320)

A 6 km de Nîmes. A9 sortie Nîmes Est.

Table Gastronomique

L'HACIENDA ★ ★ ★

04 66 75 02 25 - contact@hotel-hacienda-nimes.com

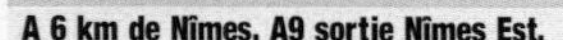

Mas de Brignon - Jean-Jacques CHAUVIN - Fax : 04 66 75 45 58 - www.hotel-hacienda-nimes.com
Ouvert toute l'année mais il est prudent de réserver. - Menus : 30/40 € . Menu enfant : 15 € . Petit déjeuner : 12 € .
12 chambres : 80/140 € . Demi pension : 75/120 € . Etape VRP : 95 € - Classement : Table Gastronomique

Niché loin du bruit, ce grand mas provençal noyé d'ombres et de lumière vous offre élégance, raffinement, chaleur de l'accueil et plaisirs gourmands de sa table gastronomique réputée et vous invite à la douceur des heures qui coulent. Spécialités : grosses langoustines simplement rôties, capuccino de leurs pinces, fenouil cru et pousses de jeunes salades ; filets de rouget de méditerranée désarêtés, juste poêlés à la graine de fenouil ; croquant en pain d'épice, caramel au miel de lavande. Chambres avec bain ou douche+WC+TV : Toutes.Terrasse, jardin, garage fermé, parking privé, piscine d'été, accès handicapés, chaînes satellites, climatisation, salle restaurant de caractère, salle de séminaires, chèques vacances

Nested far from the noise, this large farmhouse of Provence drowned of umbers and light offers you elegance, refinement, heat of welcome and greedy pleasures of its considered gastronomic table and invites you to the softness of the hours which run.

Anidado lejos del ruido, este caserón provenzal bañado de sombras y luces le ofrece elegancia, delicadeza, una cálida acogida y los placeres golosos de su famosa mesa gastronómica invitándole a disfrutar de buenos momentos.

Eingenistet, weit weg vom Lärm, bietet dieses südliche Landhaus aus der Provence getränkt in Schatten und Licht, Eleganz, Feinheit, die Wärme des Empfangs und den Feinschmeckergenuß seiner gastronomischen, berühmten Tafel.

MONTCLUS (30630)

A 25 km de Bagnols sur Cèze.

LA MAGNANERIE DE BERNAS ★ ★ ★

04 66 82 37 36 - lamagnanerie@wanadoo.fr

Hameau de Bernas - Katrine KELLER - Fax : 04 66 82 37 41 - www.magnanerie-de-bernas.com
Fermeture : 30/10-26/03 ; mercredi ; tous les midis sauf groupes et jours fériés. - Menus : 20/36 € . Menu enfant : 11 € .
Petit déjeuner : 10 € .17 chambres : 50/120 € . Demi pension : 52/87 € - Classement : Table de Terroir

Située au calme dans un écrin de verdure, cette bâtisse médiévale entièrement rénovée bénéficie d'une vue exceptionnelle sur la Vallée de la Cèze. Le charme de la pierre apparente combiné au confort de la vie moderne font de cette maison un lieu unique. La cour ombragée et le clapotis de la fontaine vous invitent à rester pour déguster les spécialités de la maison tandis que le jardin vous apporte les senteurs de la Provence et la sérénité nécessaire pour une halte reposante réussie.
Chambres avec bain ou douche+WC+TV : Toutes.
Terrasse, jardin, parking privé, piscine d'été, accès handicapés, salle restaurant de caractère, salle de séminaires, animaux acceptés

Located in calms in a bosky bower, this entirely renovated medieval masonry profits from an exceptional sight on the Valley of Cèze. The shaded court and the lapping of the fountain invite you to remain to taste the specialities of the house while the garden brings the scents of Provence and serenity necessary to you for a successful resting halt.

Ubicado en un lugar tranquilo y lleno de verdor, este caserón medieval completamente renovado posee una vista excepcional del Vallée de la Cèze. El patio sombreado y el chapoteo de la fuente, le invitan a quedarse para saborear las especialidades de la casa, mientras que el jardín le trae los olors de la Provenza y la serenidad necesaria para una parada descansada con éxito.

Im Grünen ruhig gelegen, hat dieses mittelalterliche, komplett renovierte Gebäude ein außerordentliches Panorama auf das Cèze Tal. Der schattige Hof und das Plätschern des Brunnens geben Ihnen Lust zu bleiben und die Spezialitäten des Hauses zu kosten. Der Garten mit den Düften der Provence trägt zu Ihrer Ausgeglichenheit und einem erholsamen Aufenthalt bei.

PORT CAMARGUE (30240)

A 2 km de Grau du Roi et 25 km de Montpellier.

LE SPINAKER ★ ★ ★ ★

04 66 53 36 37 - spinaker@wanadoo.fr

Pointe de la Presqu'île - M. CAZALS - Fax : 04 66 53 17 47 - www.spinaker.com
Fermeture : 11/11-14/02 ; lundi et mardi hors saison (restaurant). - Menus : 32/81 € . Menu enfant : 15 € . Petit déjeuner : 12 € .
21 chambres dont 5 chambres salon et 5 suites : 108/229 € . Demi pension : 229/345 € - Classement : Table de Prestige

Avec sa situation géographique unique, aux portes de la Camargue, niché dans sa presqu'île arborée de palmiers et de pins, Le Spinaker offre la plénitude d'un endroit privilégié. Ses chambres aux décors personnalisés s'ouvrent sur les eaux bleues de la piscine et du port et vous feront rêver. Le restaurant vous invite à découvrir une cuisine aux saveurs de la mer, dorée des parfums du sud. Spécialités : carpaccio de boeuf à l'huile de truffes, julienne de truffes, citron vert, fines herbes et noisettes éclatées au four ; vraie sole meunière de petits bateaux de pays. Chambres avec bain ou douche+WC+TV : Toutes.Terrasse, jardin, parking privé, piscine d'été, accès handicapés, chaînes satellites, canal+, climatisation, salle restaurant de caractère, salle de séminaires, chèques vacances, animaux acceptés

With its single geographical situation, to the doors of the Camargue, nested in its raised peninsula of palm trees and pines, Spinaker offers the plenitude of aprivileged place. Its rooms with the personalized decorations open on blue water of the swimming pool and of the harbour and will make you dream. The restaurant invites you to discover a cooking with savours of the sea, gilded by perfumes of the south.

Con su ubicación geográfica privilegiada, a las puertas de la Camargue, en su península arbolada con palmeras y pinos, Le Spinaker ofrece el resplandor de un lugar excepcional. Sus habitaciones personalizadas se abren a las azules aguas de la piscina y al puerto invitándole a soñar. El restaurante le hará descubrir una cocina con sabores del mar, dorada con aromas del sur.

In einzigartiger geographischer Lage, an den Toren der Camargue, auf der Halbinsel voller Palmen und Pinien eingenistet, genießen Sie in vollen Zügen diesen einzigartigen Ort. Zimmer mit personalisiertem Dekor öffnen sich zum blauen Wasser, dem Pool, dem Hafen... ein Traum! Im Restaurant entdecken Sie eine Küche mit den Geschmäckern des Meers und des Südens.

REMOULINS (30210)

A9 sortie Remoulins. A 5 km de Remoulins.

L'ARCEAU ★ ★

04 66 37 34 45 - Patricia.BRUNEL2@wanadoo.fr

1 Rue de l'Arceau Saint Hilaire d'Ozilhan - Patricia & André BRUNEL - Fax : 04 66 37 33 90 - http://www.multimania.com/arceau.
Fermeture : 20/11-20/02 ; dimanche soir, lundi et mardi midi hors saison. - Menus : 20/60 € . Menu enfant : 10 € .
Petit déjeuner : 8,50 € - 25 chambres : 50/62 € . Demi pension : 50 € . Etape VRP : 70 € - Classement : Table de Terroir

Dans le site du célèbre Pont du Gard, cette demeure du XVIIIème siècle à l'accueil chaleureux vous permettra d'apprécier une cuisine régionale raffinée et une hôtellerie de grand confort. Spécialités : navarin de homard en liaison de crustacés et ses spaghettis de légumes craquants, montgolfière de sot-l'y-laisse de poulet et ris d'agneau en fricassée à l'ancienne.
Chambres avec bain ou douche+WC+TV : Toutes.
Terrasse, jardin, parking privé, accès handicapés, chaînes satellites, petit déjeuner buffet, salle restaurant de caractère, salle de séminaires, chèques vacances, animaux acceptés

At the site of the well-known Pont du Gard, this residence of the XVIII century with its warm welcome, offers you regional and refined cooking and comfortable hotel.

En el lugar del célebre Pont du Gard, esta morada del siglo XVIII le acogerá cálidamente. Usted podrá apreciar una delicada cocina regional y una hostelería con todas las comodidades.

Dieses Haus, in der Gegend des berühmten Pont du Gard, bietet Ihnen Komfort und eine edle regionale Küche.

ST MAXIMIN (30700)

A 4 km d'Uzès.

AUBERGE DE SAINT MAXIMIN

04 66 22 26 41 - begudesaintpierre@wanadoo.fr

Rue des Ecoles - Bruno GRIFFOUL - Fax : 04 66 22 73 73 - www.hotel-saintpierre.fr
Fermeture : 1/11-15/03 ; lundi et mardi midi du 15 juin au 15 septembre. - Menus : 16/39 € . Menu enfant : 15 €
Classement : Table de Terroir

Au coeur du vieux village, cette ancienne bergerie totalement rénovée vous réserve un cadre méditérranéen des plus agréable avec terrasse au soleil et vous propose une cuisine provençale élaborée avec les meilleurs produits du marché. Spécialités : pavé de taureau poêlé, charlotte cuisinée façon grand-mère.

Terrasse, jardin, salle restaurant de caractère, animaux acceptés au restaurant

In the heart of the old village, this old completely renovated sheep-fold reserves to you a more pleasant méditérranéen framework with terrace in the sun and a kitchen of Provence elaborated from best products of market.

En el corazón del viejo pueblo, esta antigua granja completamente renovada le brinda un ambiente mediterráneo muy agradable con terraza al sol y le propone una cocina provenzal elaborada con los mejores productos del mercado.

TAVEL (30126)

A 15 km d'Avignon.

AUBERGE DE TAVEL ★ ★ ★

04 66 50 03 41 - aubergedetavel@yahoo.fr

Tavel Voie Romaine - Corinne BROUILLAUD - Fax : 04 66 50 24 44 - www.auberge-de-tavel.com
Fermeture : Janvier et février ; mercredi, jeudi midi et samedi midi (restaurant). - Menus : 15/39 € . Menu enfant : 15 € .
Petit déjeuner : 10 € .11 chambres : 50/160 € . Etape VRP : 75/90 € - Classement : Table Gastronomique

Située dans un petit village du Gard réputé pour son vin rosé, à deux pas de la cité avignonaise et des grands lieux de visite, l'Auberge de Tavel est une étape de charme. Bien située, en longeant la via romana, cette bâtisse en pierre vous attend. Spécialités : crème de châtaignes aux langoustines rôties, cannellonis d'agneau cuit 7 heures et jus au romarin, produits frais liés aux saisons. Chambres avec bain ou douche+WC+TV : Toutes.
Terrasse, jardin, parking privé, piscine d'été, accès handicapés restaurant, chaînes satellites, climatisation petit déjeuner buffet, salle restaurant de caractère, salle de séminaires, animaux acceptés

Located in a small village of Gard considered for its rosy wine, with two steps of the city avignonaise and the great places of visit, the Auberge de Tavel is a stage of charm. Located well, while skirting it
via romana, this stone masonry awaits you.

Ubicada en un pueblito del Gard famoso por su vino rosado, a dos pasos de la ciudad aviñonense y de lugares turísticos, el Auberge de Tavel le ofrece una encantadora estancia. Bien situado a lo largo de la vía romana, este edificio de piedra le espera.

In einem kleinen Dorf des Gard, für seinen Rosé-Wein bekannt, ein paar Meter von Avignon und anderer Besichtigungsstätten entfernt, ist die Auberge de Tavel eine Etappe des Charmes. Gut gelegen, längs der via romana werden Sie in diesem Steinbauwerk herzlich empfangen. Frischprodukte der Saison.

TAVEL (30126)

A 12 km d'Avignon et 15 km d'Orange. A9 sortie 22.

Table de Terroir

HÔTEL LE PONT DU ROY ★ ★

04 66 50 22 03 - contact@hotelpontduroy.fr

D 976 Route de Nîmes - Serge et Steve SCHORGERE - Fax : 04 66 50 10 14 - www.hotelpontduroy.fr - Fermeture : 30/09-1/04.
Menus : 22/43 € . Menu enfant : 10 € .14 chambres : 57/91 € . Petit déjeuner : 7 € - Classement : Table de Terroir

L'hôtel-restaurant Le Pont du Roy vous offre le charme et l'ambiance feutrée d'un mas provençal dans une oasis de verdure et de calme. Les senteurs de la garrigue environnante et les produits de notre Provence ont inspiré notre chef. Spécialités : saumon infusé au thym et l'huile d'olive, suprême de pintade à la crème d'ail doux, fondant au chocolat et à la framboise. Vins de Tavel.
Chambres avec bain ou douche+WC+TV : 1-4-5-11-12-13-15-18.
Terrasse, jardin, parking privé, piscine d'été, accès handicapés, climatisation, salle restaurant de caractère, chèques vacances, animaux acceptés

The hôtel-restaurant le Pont du Roy offers the charm and the cosy atmosphere of a Provençal house in an oases of greenery and calm. Cooking inspired by the traditional environment and products.

El hotel-restaurante Le Pont du Roy le brinda el encanto y el delicado ambiente de una granja provenzal en un oasis de verdor y tranquilidad. Los olores del carrascal circundante y los productos de nuestra Provenza han inspirado nuestro jefe.

Das Hotel-Restaurant Le Pont du Roy bietet Ihnen den Charme eines provenzalischen Bauernhofs in einer grünen Oase von Ruhe. Unser Chefkoch wird durch die typisch provenzalischen Düfte und Produkte inspiriert.

UZÈS (30700)

Table Gastronomique

LES FONTAINES

04 66 22 41 20 - nival.jimmy@wanadoo.fr

6 Rue Entre les Tours - Jimmy NIVAL - Fax : 04 66 22 41 11 - Fermeture : 17/11-1/12 ; 29/01-10/02 ; lundi.
Menus : 23/58 € - Classement : Table Gastronomique

La passion, le goût, la créativité, la beauté d'un plat, d'un dessert, un goût surprenant, inattendu, des enchevêtrements inattendus, ce sont ces évênements qui, aujourd'hui, m'ont amené à ouvrir ce restaurant pour vous faire partager toutes ces voluptés, du palais et des yeux. La joie d'un cuisinier passe par la préparation, l'affinement du goût, l'agrément de votre plat. C'est juste après votre commande, que notre joie et savoir-faire peuvent s'exprimer. Parmi les spécialités : noix de saint jacques poêlées à l'arabica, tagliatelles de légumes ; blanc de bar en vapeur de thé fumé, asperges, rôtis à l'huile d'olive d'Aix en Provence ; coeur de caramel au thé de Noël, sirop épais de café ; menu fleur en été. Jardin, salle restaurant de caractère

Passion, the taste, the creativity, the beauty of a flat, a serve, a taste surprising, unexpected, of the unexpected tangles, it is these evenments which, today, brought me to open this restaurant to make you share all these pleasures, of the palate and the eyes.

La pasión, el gusto, la creatividad, la delicadeza de un plato, de un postre, un gusto sorprendente, mezclas inesperadas, son los eventos que hoy, me han llevado a abrir este restaurante para hacerle compartir todas estas voluptuosidades, del paladar y de los ojos.

Die Leidenschaft, der Geschmack, die Kreativität, die Schönheit eines Gerichts, eines Desserts, ein überraschender Geschmack, unerwartetes Durcheinander, das alles sind die Gründe für die Öffnung dieses Restaurants, damit wir gemeinsam die Wonne von Augen und Gaumen teilen.

VERS PONT DU GARD (30210)

A 15 km de Uzes.

Table Gastronomique

LA BÉGUDE SAINT PIERRE

04 66 63 63 63 - begudesaintpierre@wanadoo.fr

CD 981 Les Coudoulières - Pierre GRIFFOUL - Fax : 04 66 22 73 73 - www.hotel-saintpierre.fr
Fermeture : Dimanche soir et lundi (1/11-31/03). - Menus : 29/52 € . Menu enfant : 15 € . Petit déjeuner : 15 € .
23 chambres : 55/160 € . Demi pension : 99/204 € . Etape VRP : 100 € - Classement : Table Gastronomique

Cet ancien Relais de Poste du XVIIème siècle, transformé en mas est aujourd'hui entièrement restauré et bénéficie d'un environnement prestigieux. Son domaine de 14 ha, s'étend jusqu'aux Gorges du Gardon, écrin du fameux Pont du Gard. Le restaurant gastronomique vous réserve des moments d'exception aux saveurs les plus subtiles. Spécialités : filet de saint pierre rôti sur la peau aux délices de l'uzège, carré désossé et mignon d'agneau au serpolet petit farci au riz de Camargue, tarte tatin d'abricots de pays.
Chambres avec bain ou douche+WC+TV : Toutes.
Terrasse, jardin, parking privé, piscine d'été, chaînes satellites, climatisation, petit déjeuner buffet, salle restaurant de caractère, salle de séminaires, animaux acceptés

This old Relay of Station of the XVIIth century, transformed into farmhouse is today entirely restored and profits from a prestigious environment. Its field of 14 ha, extends to the Throats from Gardon, caseof famous Pont of Gard. The gourmet restaurant reserves you moments of exception to the most subtle savours.

Esta antigua Parada del Correo del siglo XVII, transformada en una masía, ha sido completamente renovada y goza de un medio ambiente prestigioso. Su dominio de 14 ha, se extiende hasta las Gargantas del Gardon, recinto del famoso Pont du Gard. El restaurante gastronómico con sus sabores ingeniosos, le reserva excepcionales momentos.

Diese alte Poststation aus dem 17. Jh., in ein provenzalisches Landhaus umgebaut ist heute komplett restauriert und profitiert von einer herausragenden Umgebung. Sein 14 ha großes Landgut erstreckt sich bis zu den Schluchten des Gardon, Schmuckkästchen des berühmten Pont du Gard. Das gastronomische Restaurant bietet außerordentliche Momente der subtilsten Geschmäcker.

VILLENEUVE LES AVIGNON (30400)

A 3 km d'Avignon.

Table Gastronomique

LA MAGNANERAIE ★ ★ ★ ★

04 90 25 11 11 - magnaneraie.hotel@najeti.com

37 Rue Camp de Bataille B.P. 115 - Fax : 04 90 25 46 37 - Menus : 33/83 € . Menu enfant : 18 € .
32 chambres : 99/450 € - Classement : Table . Gastronomique

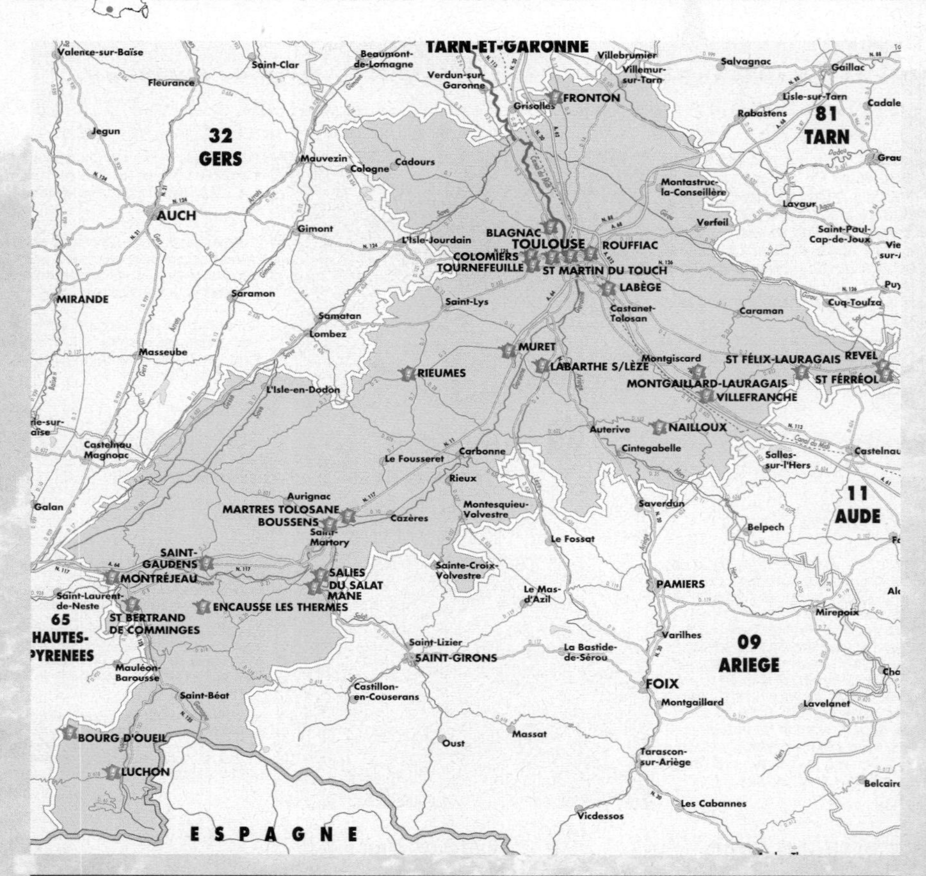

Sites Touristiques : Saint-Bertrand-de-Comminges, Canal du Midi (classé au Patrimoine Mondial par l'Unesco), Toulouse, Luchon et les Pyrénées Centrales.
Saveurs de nos Terroirs : Saucisse de Toulouse, Cassoulet, Pétéram, Pistache, Tripou, Panset, Tourin, Millas, Violettes cristalisées et liqueur de violette.
Vins A.O.C Côtes du Frontonnais (cépage Négrette). Eau minérale de Luchon.
Animations : Musée des Augustins, Cité de l'Espace à Toulouse. Site Airbus/Aérospatiale à Colomiers.
Juillet/Août : Festival du Comminges, Musique d'Eté à Toulouse, 31 Notes d'Eté.
Octobre : Jazz sur son 31.

HG
HAUTE-GARONNE
CONSEIL GENERAL

COMITÉ DÉPARTEMENTAL DU TOURISME : 14 Rue Bayard BP 845 - 31015 - TOULOUSE CEDEX 06
Tél. : 05 61 99 44 00 - Fax : 05 61 99 44 19
www.tourisme-haute-garonne.com - bienvenue@cdt-haute-garonne.fr

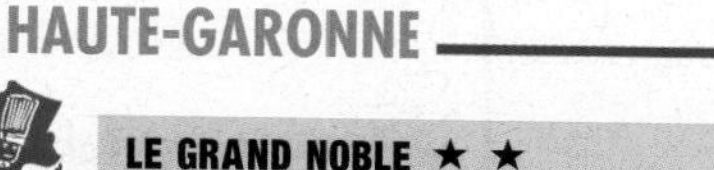

BLAGNAC-TOULOUSE (31700)

Près aéroport dir. Cornebarrieu

Table Gastronomique

LE GRAND NOBLE ★ ★

05 34 60 47 47 - contact@le-grand-noble.com

90 Avenue de Cornebarrieu - Toulouse Aéroport - Joseph et Joëlle BOUCHET - Fax : 05 34 60 47 48 - www.le-grand-noble.com
Fermeture : 1/08-24/08 ; vendredi soir et samedi. - Menus : 19/31 € . Menu enfant : 11 € . Petit déjeuner : 8,50 € . 44 chambres : 69/80 € . Etape VRP : 79 € - Classement : Table Gastronomique

Une étape gourmande dans un cadre de verdure à 2 minutes de l'aéroport ; accès direct à l'autoroute (100 m). Venez découvrir une cuisine du marché, généreuse, aux saveurs régionales du terroir. Spécialités : cassoulet gratiné en terrine, magret de canard au poivre vert, croustillant agenais et sa glace pruneaux-armagnac. Vins de Gaillac et de Fronton. Chambres avec bain ou douche+WC+TV : Toutes. Terrasse, jardin, parking privé, ascenseur, accès handicapés, TPS, chaînes satellites, canal+, climatisation, petit déjeuner buffet, salle de séminaires, chèques vacances, animaux acceptés

A greedy stage in a green setting at 2 minutes of the airport; direct access to the motorway (100 m). Come to discover a traditional cooking of the market, generous, with regional savours

En un paisaje verde, esta parada para golosos se encuentra a 2 minutos del aeropuerto : acceso directo a la autopista (100 m). Venga a descubrir una cocina de mercado, generosa, con sabores regionales del terruño. Vinos de Gaillac y de Fronton.

Schlemmerpause im Grünen, 2 Minuten vom Flughafen, direkter Zugang zur Autobahn (100m). Entdecken Sie eine genussvolle Küche aus Marktprodukten mit ländlichem Geschmack.

BOURG D'OUEIL (31110)

A 14 km de Luchon.

Table Gastronomique

LE SAPIN FLEURI ★ ★

05 61 79 21 90 - contact@hotel-sapin-fleuri.com

Jean TOUCOUÈRE - Fax : 05 61 79 85 87 - www.hotel-sapin-fleuri.com
- Fermeture : 10/10-22/12 ; hiver sauf vacances scolaires. Menus : 15/35,06 € . Menu enfant : 9 € . Petit déjeuner : 6,86 € . 20 chambres : 46 € . Classement : Table Gastronomique

Au coeur des Pyrénées, blotti au fond de la Vallée d'Oueil, Le Sapin Fleuri est le point de départ de nombreuses randonnées. La salle de restaurant, d'où il n'est pas rare d'apercevoir des animaux sauvages (biches, cerfs, chevreuils) offre une vue panoramique. Jean TOUCOUÈRE, Chef de cuisine, diplômé de l'Académie des Arts et de la Table vous fera déguster une cuisine traditionnelle soignée. Spécialités : pétéram luchonnais, truite sapin fleuri, tortilla montagnarde, gigot d'agneau. Chambres avec bain ou douche+WC+TV : 1 à 9 ; 11-14 à 20.
Terrasse, jardin, parking privé, accès handicapés restaurant, chaînes satellites, canal+, salle restaurant de caractère, animaux acceptés à l'hôtel

In the heart of Pyrénées, nestled in the Valley of Oueil, Le Sapin Fleuri is the starting place of several hikes. The restaurant where it isn't rare to see wild animals (doe, stag, roebuck) is offering a panoramic view. Jean TOUCOUÈRE, the Chef, rewarded by the Academy of Table's Art will make you savour a traditional cooking carefully done.

En el corazón de los Pirineos, acurrucado al fondo del Vallée d'Oueil, Le Sapin Fleuri es el punto de partida de numerosos senderismos. Del salón comedor con vista panorámica, no es raro percibir animales salvajes (ciervas, ciervos, corzos). Jean TOUCOUERE, Jefe de cocina, diplomado de la Academia de Artes y de la Mesa le hará saborear su esmerada cocina tradicional.

Im Herzen der Pyrenaen, am Ende des Tals von Oueil, ist der Sapin Fleuri der Ausgangspunkt für zahlreiche Wanderungen. Der Speisesaal, von wo aus man nicht selten wilde Tiere wahrnehmen kann (Rehe, Hirsche) bietet einen Rundblick. Jean TOUCOUERE, Küchenchef, diplomiert von der Akademie der Tischkunst, bewirtet Sie mit seiner gepflegten traditionellen Küche.

BOUSSENS (31360)

A64 sortie 21. A 10 km de Cazères s/Garonne.

Table Gastronomique

HÔTEL DU LAC ★ ★

05 61 90 01 85

7 Promenade du Lac - Hubert & Marie-Alice SOULIÉ - Fax : 05 61 97 15 57 - http://hotel.du-lac.com
Fermeture : 1/03-20/03 ; vendredi et samedi matin hors saison. - Menus : 15/35 € . Menu enfant : 8,50 € .
Petit déjeuner : 5 € . 10 chambres : 40/43 € . Demi pension : 45/48 € . Etape VRP : 46/48 € - Classement : Table Gastronomique

A mi-chemin entre Toulouse et les Pyrénées, venez découvrir cet établissement situé au bord du lac, profiter de ses terrasses ou de sa cheminée centrale pour y découvrir l'authentique passion de son Chef Hubert et de son épouse Marie-Alice. Spécialités : gigot d'agneau en croûte au pistou, foie gras de canard au chutney de fruits, filets de rougets au melon en tapenade, médaillons de canard laqué aux épices, pyramide de chocolat noir amarena.
Chambres avec bain ou douche+WC+TV : Toutes.
Terrasse, jardin, parking privé, chaînes satellites, petit déjeuner buffet, salle restaurant de caractère, chèques vacances, animaux acceptés

Between Toulouse and the Pyrénées, come and discover this establishement situated at the edge of the lake, enjoy its terraces and its fire place, discover the authentic passion of its Chief Hubert aind his wife Marie-Alice.

Venga a descubrir este etablecimiento que se encuentra a orillas de un lago y a mitad de camino entre Toulouse y los Pirineos. Usted podrá disfrutar de sus terrazas o de su chimenea central y descubrir la auténtica pasión de su jefe Hubert y de su esposa Marie-Alice.

Auf halbem Weg zwischen Toulouse und den Pyrenäen entdecken Sie dieses Gasthaus am Rande eines Sees, wo Sie eine ruhige Terrasse oder den zentralen Kamin genießen können und erleben Sie dort die echte Leidenschaft des Chefkochs.

COLOMIERS (31770)

A 10 km de Toulouse.

Auberge du Pays

LE COLUMÉRIN ★ ★

05 61 16 44 44 - le columerin@wanadoo.fr

32 Rue Gilet - Olivier DUPUY - Fax : 05 61 15 14 64 - www.le-columerin.com - Menus : 15,50/30 € . Menu enfant : 8 € .
Petit déjeuner : 6,50 € . 21 chambres : 45/55 €
Classement : Auberge du Pays

Dans un cadre agréable au milieu d'un parc, cet établissement situé au calme, aux portes de Toulouse vous accueille dans une ambiance chaleureuse, vous propose des chambres confortables et une table traditionnelle avec des menus variés. Spécialités : salade de noix de saint jacques tièdes à l'aigre doux ; blanquette de médaillon de lotte au Noilly Prat ; portefeuille de magret de canard fourré au foie gras ; escalope de veau au Beaufort ; gigolette d'agneau confite.
Chambres avec bain ou douche+WC+TV : Toutes.
Terrasse, jardin, parking privé, accès handicapés, TPS, petit déjeuner buffet, animaux acceptés

In a pleasant framework in the middle of a park, this establishment located at calms, at the doors of Toulouse accomodates you in a cordial environment, proposes to you comfortable rooms and a
traditional table with varied menus.

En un entorno agradable y tranquilo, en medio de un parque, este establecimiento ubicado a las puertas de Toulouse, le acoge en un ambiente caluroso, le propone cómodas habitaciones y una mesa tradicional con menús variados.

In angenehmer, ruhiger Umgebung, mitten im Park erwartet Sie in diesem Haus bei Toulouse eine warme Atmosphäre mit bequemen Zimmern und eine traditionelle Tafel mit abwechslungsreichen Menüs.

ENCAUSSE LES THERMES (31160)

A 10 km de Saint Gaudens.

Auberge du Pays

HÔTEL-RESTAURANT AUX MARRONNIERS

05 61 89 17 12

Rue Longue - Michel & Christiane ESTRAMPES - Fax : 05 61 89 17 12 - Fermeture : 2/01-6/02 ; dimanche soir et lundi hors saison.
Hôtel fermé hors saison. - Menus : 13/24,50 € . Menu enfant : 6 € . Petit déjeuner : 5,50 € .
7 chambres : 31/35 € . Demi pension : 34 € - Classement : Auberge du Pays

Cette maison commingeoise, ancien Relais de Poste, située en bordure de la rivière vous accueillera dans un cadre rustique et vous fera découvrir une cuisine traditionnelle soignée. Spécialités : tourte au confit de canard, ris d'agneau régence, gâteau des prelats.

Terrasse, parking privé, accès handicapés restaurant, salle restaurant de caractère, salle de séminaires, animaux acceptés

This house typical of the region Comminges, located at the border of a river, will welcome you in a rustic setting and will let you discover a traditional cooking carefuly done.

Esta casa de Comminges, antigua Parada del Correo, ubicada a orillas del río le acogerá en un ambiente rústico y le hará descubrir una esmerada cocina tradicional.

In diesem typischen Haus aus der Comminge, einer ehemaligen Poststation am Flussufer, werden Sie in einem rustikalen Rahmen mit einer gepflegten, traditionellen Küche empfangen.

FRONTON (31620)

A 30 km au Nord de Toulouse par D4.

Table Gastronomique

LOU GREL

05 61 82 03 00

49 Rue Jules Bersac - Pierre-Laurent CANTEGREL - Fax : 05 61 82 12 24
Fermeture : 1/01-9/01 ; 1/09-15/09 ; samedi midi, dimanche soir et lundi. - Menus : 15/35 € . Menu enfant : 10 € .
Petit déjeuner : 5,50 € . 12 chambres : 40/65 € . Demi pension : 53/70 € - Classement : Table Gastronomique

Au centre du vignoble du Frontonnais, cet établissement offre une cuisine de qualité et la possibilité de déguster les vins et visiter les caves. Souci de promotion des produits du terroir, fruits et légumes, champignons, viandes et volailles souvent associés à la négrette du vin de Fronton. Spécialités : carpaccio de canard en saveur de truffe, superposé de sandre à la compote de poireaux aux morilles, charlotte de cabillaud aux champignons sauvages...
Chambres avec bain ou douche+WC+TV : Toutes.
Terrasse, jardin, parking privé, piscine d'été, salle restaurant de caractère, salle de séminaires, chèques vacances, animaux acceptés

In the center of the Frontonnais wineyard this establishment will reserve you the best welcome in an pleasant setting and will let you taste its specialities, a cooking of quality and the possibility to savour wine or visit the cellar.

En el centro del viñedo de Fronton, este establecimiento brinda una cocina de calidad, la posibilidad de probar vinos y visitar las bodegas. Los buenos productos locales, frutas y verduras, setas, carnes y aves se combinan armoniosamente con el vino de Fronton.

Mitten in den Weinbergen des Fronton, bietet Ihnen dieses Haus eine hervorragende Küche und die Möglichkeit Wein zu kosten und die Weinkeller zu besuchen. Im Vordergrund stehen Landprodukte, Obst und Gemüse, Fleisch und Geflügel, oft in Verbindung mit dem lokalen Wein.

LABARTHE SUR LEZE (31860)

A 20 km de Toulouse.

Table Gastronomique

LA ROSE DES VENTS

05 61 08 67 01

2292 Route du Plantaurel - Fax : 05 61 08 85 84 - Menus : 14/38 € . Menu enfant : 10 € - Classement : Table Gastronomique

LABEGE-INNOPOLE-TOULOUSE (31676)

A 5 km de Toulouse.

Table de Terroir

RESTAURANT LE CARRÉ - HÔTEL LE SEXTANT ★ ★

05 61 39 27 27 - hotel.sextant@wanadoo.fr

2 Rue de la Découverte - M. et Mme Michel ANDRIEUX - Fax : 05 61 39 22 27 - www.hotel-le-sextant.com
Fermeture : 25/12-31/12 , vendredi soir, samedi, dimanche & jours fériés (restaurant). - Menus : 14/26 € . Menu enfant : 7 € .
Petit déjeuner : 7 € - 55 chambres : 58/69 € . Demi pension : 70 € . Etape VRP : 70 € - Classement : Table de Terroir

Prêt à vous accueillir 24h sur 24, l'Hôtel Le Sextant se situe à proximité des rocades de Toulouse. Il a tout pour vous séduire et vous satisfaire : un charmant décor marin et des instruments de navigation évoquant l'atmosphère des paquebots d'antan.
Spécialités : médaillon de foie gras de canard aux pruneaux et sa gelée à l'armagnac, fricassée de noix de saint jacques aux cèpes, saumon poêlé au foie gras et au jus de viande. Chambres avec bain ou douche+WC+TV : Toutes. Terrasse, jardin, parking privé, piscine d'été, ascenseur, chaînes satellites, canal+, climatisation, petit déjeuner buffet, salle de séminaires, chèques vacances, animaux acceptés

Loan to accomodate you 24h on 24, the Hotel the Sextant is near the by-passs of Toulouse. It has very to allure you and satisfy you: a charming marine decoration and instruments of navigation evoking the atmosphere of the steamers of antan.

Listo a acogerle 24/24h, el Hôtel Le Sextant está ubicado en las cercanías de las carreteras de circunvalación de Toulouse. Tiene lo necesario para seducirle : una encantadora decoración marina con instrumentos de navegación que evocan la atmósfera de paquebots de antaño.

Nahe der Umgehungsstraße von Toulouse werden Sie im Hotel Le Sextant rund um die Uhr empfangen. Es gibt dort alles, was Sie sich wünschen: ein charmanter Schiffsdekor und Navigationsinstrumente, die an die Atmosphäre der früheren Dampfschiffe erinnern.

LUCHON (31110)

Table Gastronomique

HÔTEL-RESTAURANT DES 2 NATIONS ★

05 61 79 01 71 - hotel2nations@aol.com

5 Rue Victor Hugo - Floréal RUIZ - Fax : 05 61 79 27 89 - www.hotel-des2nations.com - Ouvert toute l'année.
Menus : 10,98/24,39 € . Menu enfant : 6,86 € .
20 chambres : 21,50/42,69 € - Classement : Table Gastronomique

Cet établissement, situé au coeur de la station thermale, vous réservera un accueil chaleureux où vous pourrez déguster des spécialités de la région : cuisse de canard confite maison, foie gras maison, cassolette de pétoncles à l'effeuillée de poireaux, pistache à la luchonnaise, croustade aux pommes.
Chambres avec bain ou douche+WC+TV : 3 à 7, 8 à 12, 14-15, 17-26-27-28-30-31-32.
Jardin, garage fermé, parking privé, ascenseur, salle de séminaires, chèques vacances, animaux acceptés

This establishment situated in the heart of the spa, will welcome you cordialy and propose regional specialities.

Este establecimiento, ubicado en el corazón de una estación balnearia, le brinda una cálida acogida. Usted podrá saborear las especialidades de la región.

Dieses Restaurant, im Herzen des Thermalbades gelegen, bereitet Ihnen eine herzlichen Empfang und bietet Ihnen die Spezialitäten der Region.

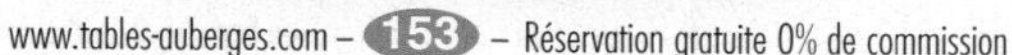

LUCHON (31110)

A 3 km de Luchon.

Table Gastronomique

AUBERGE DE CASTEL-VIELH

05 61 79 36 79 - lespinasse.michel@wanadoo.fr

Route de Superbagnères - Michel LESPINASSE - Fax : 05 61 79 36 79 - - Fermeture : Mercredi hors saison. Ouvert uniquement le week-end (8/11 -31/01) sauf vac. scolaires ouvert tous les jours. - Menus : 18/36 € . Menu enfant : 9 € . Petit déjeuner : 5,80 € . 3 chambres : 38,15/45,75 € . Demi pension : 46 € /pers. - Classement : Table Gastronomique

Véritable havre de verdure et de calme, sur la route de Superbagnères (station de ski), cet établissement vous réservera le meilleur accueil et vous fera partager ses spécialités : pan cremat au foie gras, gambas aux mousserons, pétéram, grande assiette surprise, fondant au chocolat amer.
Chambres avec bain ou douche+WC+TV : Toutes. Terrasse, jardin, parking privé, accès handicapés restaurant, salle restaurant de caractère, chèques vacances, animaux acceptés

On the way to Superbagnères (skiing station), this establishment situated in a green and calm setting reserves you the best welcome and will make you savour its specialities.

Verdadero remanso de verdor y de calma, en la carretera de Superbagnères (estación de esquí). Este establecimiento le brindará una agradable acogida y le hará compartir sus especialidades.

Dieses Haus, ein echter Zufluchtsort, grün und ruhig, auf dem Weg nach Superbagnères (Skigebiet), empfängt Sie bestens und will seine Spezialitäten mit Ihnen teilen.

LUCHON (31110)

Table Gastronomique

HÔTEL D'ETIGNY ★ ★

05 61 79 01 42 - etigny@aol.com

Face aux Thermes - Jean-Dominique ORGAN - Fax : 05 61 79 80 64 - Fermeture : 23/10-1/05. Menus : 16/42 € . Menu enfant : 9 € . Petit déjeuner : 8 € . 45 chambres : 45/110 € . Demi pension : 50/80 € . Etape VRP : 59,50 € - Classement : Table Gastronomique

Aménagé dans un ancien hôtel particulier du XIXème siècle, un établissement de charme dont vous apprécierez la chaleur de l'accueil et la qualité du service. Au restaurant, les finesses de la tradition maitrisée avec ce brin d'invention qui pousse à la tentation de tout goûter... Spécialités : Duo de foie gras, ravioles de homard, tournedos de lotte aux morilles, magret de canard au madiran, aiguillettes de boeuf aux cèpes, pistache et pétéram luchonnais...
Chambres avec bain ou douche+WC+TV : Toutes. Terrasse, jardin, garage fermé, parking privé, ascenseur, chaînes satellites, climatisation, petit déjeuner buffet, salle restaurant de caractère, salle de séminaires, chèques vacances, animaux acceptés à l'hôtel

Put in an old private mansion of the XIXth century, an establishment of charm of which you will appreciate the warm welcome and the quality of the service. At the restaurant, thinness of the tradition mastered with this strand of invention which leads to temptation all to taste...

Acondicionado en un antiguo hotel particular del siglo XIX, este establecimiento de estilo le brinda una calurosa acogida y un servicio de calidad. En el restaurante, las delicadezas de la tradición ligadas a una pizca de invención llevan a la tentación...

Dieses stilvolle Haus, ein ehemaliges herrschaftliches Stadthaus aus dem 19. Jh., bietet Ihnen einen herzlichen Empfang, Komfort, hervorragende Bedienung und feinste Küche.

LUCHON (31110)

Table de Terroir

RESTAURANT LE PAILHET

05 61 79 09 60

12 Avenue du Maréchal Foch - Fax : 05 61 79 09 60 - Menus : 13,50/27 € . Menu enfant : 8,50 € Classement : Table de Terroir

LUCHON (31110)

A 9 km de Luchon. Billière

LA FERME D'ESPIAU

05 61 79 69 69

Billière - Michel AÏN & Yves GUILBERT - Fax : 05 61 95 38 92 - Fermeture : 1/11-20/12 ; lundi et mardi hors vacances scolaires.
Menus : 16/28 €. Menu enfant : 8/11 €.
10 chambres : 39/45 €. Petit déjeuner compris - Classement : Auberge du Pays

Au dessus de Luchon, sur la route de Peyragudes, cette ancienne ferme située au calme dans un site privilégié vous propose une ambiance de montagne et une cuisine traditionnelle. Grande salle avec cheminée, grillades au feu de bois. Spécialités : grillades, foie de canard, pieds de porc cuisinés maisons. Vins du sud-ouest.

*Chambres avec bain ou douche+WC+TV : 1-2.
Terrasse, parking privé, TPS, chaînes satellites, salle restaurant de caractère, animaux acceptés*

Located above Luchon, on the road of Peyragudes, this ancient farm situated in a calm and privileged setting offers a highland ambiance and a traditional cooking. Large dining-room with a fireplace and grilled meat on wood fire.

Cerca de Luchon, por la ruta de Peyragudes, esta antigua granja ubicada en un lugar tranquilo y privilegiado le ofrece el ambiente de montaña y una cocina tradicional. Gran comedor con chimenea, parrillada con lumbre de leña.

Außerhalb von Luchon, Richtung Peyragudes, bietet Ihnen der alte Bauernhof in ausgewählter und ruhigen Lage ein typisches Pyrenäen-Ambiente und traditionelle Küche. Großer Saal mit Kamin, Gegrilltes vom Holzfeuer.

MONTAUBAN DE LUCHON (31110)

A 1,5 km de Luchon.

JARDIN DES CASCADES ★ ★

05 61 79 83 09

Site classé Jardin des Cascades - Louisette LESPINASSE - Fax : 05 61 79 79 16 - Fermeture : Fin septembre -1/04.
Menus : 20/32 €. Menu enfant : 10 €. Petit déjeuner : 6,50 €.
11 chambres : 35/40 €. Demi pension : 44 € - Classement : Table Gastronomique

Dans un environnement exceptionnel (accès à pied sur 200 m), avec vue panoramique sur la Vallée de Luchon, venez découvrir ce havre de paix et l'ambiance familiale et chaleureuse de cette maison de caractère. Vous pourrez visiter le jardin et la cascade située dans le parc de l'hôtel. Spécialités : pétéram, ris d'agneau à la fondue de poireaux, grenadin de veau aux morilles, grillades, pistache (cassoulet), pasteras aux pommes (spécialité)... Vins du Pays (Fronton).

*Chambres avec bain ou douche+WC+TV : 2-3-5-6-9-10.
Terrasse, jardin, salle restaurant de caractère, chèques vacances, animaux acceptés*

In an exceptional environment (foot access at 200m) with a view on the Luchon Valley, have a break in this haven of peace and a and the family atmosphere of this house of character. You will be able to visit the garden and the waterfall situated in the park of the hotel.

En un medio ambiente excepcional (acceso a pied en 200 metros), con vista panorámica del valle de Luchon, venga a descubrir este remanso de paz y el ambiente familiar y caluroso de esta casa típica. Usted podrá visitar el jardín y la cascada que se encuentran en el parque del hotel. Vinos de la región (Fronton).

Entdecken Sie den friedlichen Zufluchtsort und das familiäre und warme Ambiente von diesem charaktervollem Haus in einzigartiger Umgebung mit Panoramablick über das Tal von Luchon. Besichtigen Sie den Garten und den Wasserfall im Hotelpark.

MANE (31260)

A 2,5 km de Salies du Salat.

HÔTEL DE FRANCE ★ ★

05 61 90 54 55 - philippe-peyriguer-hotel-de-france@wanadoo.fr

2 Place de l'Eglise - Philippe PEYRIGUER - Fax : 05 61 90 05 93 - http://www.ifrance.com/hoteldefrance-mane
Fermeture : Vendredi soir et dimanche soir hors saison. - Menus : 11/23,10 €. Menu enfant : 7,20 €. Petit déjeuner : 4,80 €.
16 chambres : 30/48 €. Demi pension : 34/38 €. Etape VRP : 42/44 € - Classement : Table de Terroir

Aménagé au centre du village dans l'ancien relais de poste, l'Hôtel de France vous réserve un accueil chaleureux et vous offre calme et confort. Au restaurant, vous découvrirez une cuisine régionale, avec l'été repas en terrasse ou dans le jardin. Spécialités : foie gras, ris de veau financière, magret de canard, cèpes, cassoulet.

*Chambres avec bain ou douche+WC+TV : 1 à 4 ; 6 à 10 ; 16 -17-18- 20 - 21.
Terrasse, jardin, garage fermé, parking privé, accès handicapés restaurant, canal+, salle restaurant de caractère, salle de séminaires, chèques vacances, animaux acceptés*

In the heart of the village in a former Post relay, the Hôtel de France offers a warm welcome, calm and comfort. At the restaurant you will discover a traditional cooking and in summer, meals either on terrace or in the garden.

En el centro del pueblo, acondicionado en una antigua parada del correo, el Hôtel de France le brindará una calurosa acogida, tranquilidad y confort. El restaurante le hará descubrir una cocina regional que usted podrá saborear en la terraza o en el jardín durante el verano.

Eingerichtet in einem ehemaligen Postgebäude im Stadtzentrum, bereitet Ihnen das Hôtel de France einen herzlichen Empfang und bietet Ihnen Ruhe und Komfort. Entdecken Sie ein regionales Essen, das Sie im Sommer auf der Terrasse oder im Garten genießen können.

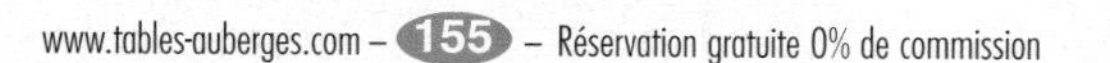

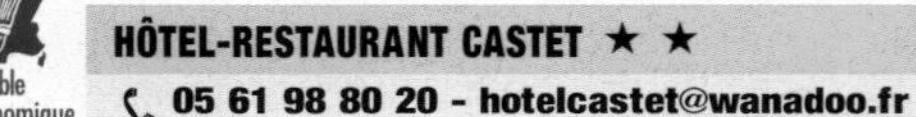

MARTRES TOLOSANE (31220)

N117 sortie Martres direction la gare.

Table Gastronomique

HÔTEL-RESTAURANT CASTET ★ ★

05 61 98 80 20 - hotelcastet@wanadoo.fr

Avenue de la Gare - Gilles SALES - Fax : 05 61 98 61 02 - - Fermeture : 1/12-15/12 ; dimanche soir et lundi.
Menus : 15/43 € . 13 chambres : 36/39 €
Classement : Table Gastronomique

Dans un cadre champêtre, venez découvrir une cuisine raffinée à base de produits fermiers locaux. Grandes spécialités à base de poissons et cuisson au sel : magret de canard en coque de sel, côte de boeuf en coque de sel, foie frais aux fruits de saison.

Chambres avec bain ou douche+WC+TV : Toutes.
Terrasse, jardin, parking privé, piscine d'été, chaînes satellites, canal+, salle restaurant de caractère, salle de séminaires, chèques vacances, animaux acceptés

In a rural and green setting place, you will appreciate a refined cooking made from local products, based on fish. Specialities are duck and beef cooked in salt.

En un ambiente campestre, venga a descubrir una cocina refinada hecha a base de productos venidos de granjas locales. Grandes especialidades a base de pescados y en la cocción a la sal.

Entdecken Sie in einem ländlichen Rahmen die feine Küche mit den Erzeugnissen der ansässigen Bauern.

MONTRÉJEAU-MAZÈRES (31210)

RN 117 sortie Montréjeau à 3 km direction Tarbes .

Auberge du Pays

LE CLOS FLEURI

05 61 95 81 79

RN 117 Montréjeau B.P. 1 - René COSTESEQUE - Fax : 05 61 95 81 79 - - Fermeture : 1/12-31/12 ; lundi hors saison.
Menus : 13/21 € . Menu enfant : 6 € . Petit déjeuner : 4,20 € .
7 chambres : 15/30 € . Demi pension : 31 € . Etape VRP : 35 € - Classement : Auberge du Pays

Dans un cadre agréable et convivial, René COSTESEQUE vous réservera un accueil personnalisé et se fera un plaisir de cuisiner pour vous ses spécialités. Spécialités : cassoulet, coq au vin, confit de canard maison.

Chambres avec bain ou douche+WC+TV : 1-2-4-6.
Terrasse, jardin, parking privé, salle restaurant de caractère, chèques vacances, animaux acceptés

In a pleasant and convivial setting, René COSTESEQUE will reserve you a personal welcome and will be glad to cook his specialities for you.

En un ambiente agradable y sociable, René COSTESEQUE le dará una acogida personalizada y tendrá el placer de cocinar sus especialidades para usted.

Im angenehmen und gastfreundlichen Rahmen, wird René COSTESEQUE Ihnen einen persönlichen Empfang bereiten und sich eine Freude daraus machen, Ihnen eine seiner Spezialitäten zu kochen.

MURET (31600)

A64 Sortie 34 direction Rieumes D3

Table Gastronomique

IL PARADISO

05 61 56 39 73

350 Route de Rieumes - Viviane COMA & Marco OTTAVIANI. - Fax : 05 61 56 39 73 - Fermeture : Dimanche soir et lundi.
Menus : 24 € . Menu enfant : 12 € . Carte : 38 € environ. Petit déjeuner : 8 € .
3 chambres : 54 € - Classement : Table Gastronomique

Cette ancienne ferme située dans un parc boisé vous offre calme et quiétude. L'hospitalité chaleureuse de Viviane vous installera dans l'intimité d'un cadre reposant ou d'une terrasse fleurie. Spécialités : roulé de homard frais, foie de veau à la vénitienne, tiramisu, osso buco, misto pasta (toutes les pâtes sont faites maison). Carte variée et copieuse élaborée par le chef Marco et qui comprend quelques beaux classiques de la péninsule italienne.
Chambres avec bain ou douche+WC+TV : Toutes.
Terrasse, jardin, garage fermé, parking privé, piscine d'été, accès handicapés restaurant, salle restaurant de caractère, salle de séminaires, chèques vacances, animaux acceptés au restaurant

This old farm located in a wooded park offers you calms and quietness. Viviane welcomes you in a quiet atmosphere or on a flowering terrace. Varied and copious chart worked out by the Chief Marco and which includes some beautiful classical of Italian peninsula.

Esta antigua granja situada en un parque arbolado le brindará tranquilidad. Con su calurosa hospitalidad Viviane le instalará en la intimidad de un ambiente calmo o en una terraza florida. Carta variada y abundante elaborada por el jefe Marco con algunos bellos clásicos de la península italiana (todas las pastas son caseras).

Dieser herrliche Bauernhof, in einem bewaldeten Park, verschafft Ihnen Ruhe und Geborgenheit. Viviane empfängt Sie herzlich in einer erholsamen Atmosphäre oder auf einer blühenden Terrasse. Abwechslungsreiche und üppige Karte vom Küchenchef Marco ausgearbeitet, die einige schöne Klassiker der italienischen Halbinsel umfasst.

NAILLOUX (31560)

Sortie Autoroute A61 direction Nailloux + A66.

Table de Terroir

LA FERME DE CHAMPREUX

05 61 81 33 13

Montgeard - Albert BENTABOULET - Fax : 05 61 27 05 14 - www.fermedechampreux.fr - Fermeture : 1/01-28/02 ; lundi.
Menus : 15,50/34 € . Menu enfant : 6,50 € - Classement : Table de Terroir

A 30 minutes de Toulouse, dans un cadre campagnard au bord du lac de Nailloux, venez découvrir dans ce havre de paix, une cuisine traditionnelle et régionale.
Spécialités : foie gras de canard, magret, cailles à la Bacchus, cèpes, entrecôte grillée...
Chambres avec bain ou douche+WC+TV : -Terrasse, jardin, garage fermé, parking privé, tennis, accès handicapés restaurant, climatisation, salle restaurant de caractère, salle de séminaires, chèques vacances, animaux acceptés au restaurant

You will be welcome in a rustic restaurant, beside the lake of Nailloux. A haven of peace to savour regional and traditional specialities at 30 minutes from Toulouse.

A 30 minutos de Toulouse, en un ambiente campestre, al borde del lago de Nailloux, venga a descubrir en este remanso de paz, una cocina tradicional y regional.

30 Min. von Toulouse, in einem ländlichen Rahmen am Ufer des Sees von Nailloux, entdecken Sie diesen Zufluchtsort, wo Sie eine traditionelle und regionale Küche erwartet.

REVEL - LAC DE ST FÉRRÉOL (31250)

A 40 km de Toulouse, Carcassonne.

Table de Terroir

LA RENAISSANCE ★ ★

05 61 83 51 50 - la-renaissance3@wanadoo.fr

Chemin des Dauzats - Vincent FRANC - Fax : 05 61 83 19 90 - www.hotellarenaissance.com - Fermeture : 15/11-15/03.
Menus : 17/30 € . Menu enfant : 8 € . Petit déjeuner : 6 € .
20 chambres : 47/65 € . Demi pension : 59/70 € . Etape VRP : 59 € - Classement : Table de Terroir

Située au pied de la Montagne Noire et au bord du lac de Saint-Ferréol classé par l'UNESCO Patrimoine Mondial, cet établissement bénéficie d'un site exceptionnel, vous pouvez profiter des plaisirs de la plage et de nombreuses promenades. L'hôtel vous propose des chambres rénovées et confortables. Au restaurant, une cuisine soignée et généreuse sera élaborée spécialement pour vous avec les meilleurs produits. Un accueil chaleureux vous y attend. Spécialités : cassoulet au confit, cassolette du pêcheur, fruits de mer. Animaux acceptés avec supplément : 4 € . Chambres avec bain ou douche+WC+TV : Toutes.Terrasse, jardin, garage fermé, parking privé, accès handicapés restaurant, petit déjeuner buffet, salle restaurant de caractère, salle de séminaires, chèques vacances, animaux acceptés

Located at the foot of the Black Mountain and the Lake Saint-Ferréol , this establishment profits from an exceptional site, you can benefit from the pleasures of the beach and many walks. The hotel proposes 20 renovated and comfortable rooms to you. At the restaurant, a neat and generous cooking especially will be elaborate for you with the best products. A cordial reception awaits you there.

Ubicado al pie de la Montagne Noire y a orillas del lago de Saint-Ferréol, este establecimiento goza de un lugar excepcional, usted puede disfrutar de los placeres de la playa y de numerosos paseos. El hotel le propone 20 habitaciones renovadas y cómodas. En el restaurante, una esmerada y abundante cocina será elaborada para usted, con los mejores productos.

Am Fuße der Montagne Noire und am Ufer des Sees Saint-Ferréol, liegt dieses Haus in einer außerordentlichen Umgebung. Genießen Sie den Strand und zahlreiche Spazierwege, sowie das Hotel mit seinen 20 renovierten und bequemen Zimmern. Im Restaurant erwartet Sie eine gepflegte Küche, speziell für Sie aus besten Erzeugnissen zubereitet. Sie werden dort sehr herzlich empfangen.

Charme & Authenticité

REVEL (31250)

A 50 km de Toulouse.

Table de Terroir

LA COMMANDERIE ★ ★ ★

☎ 05 34 66 11 24

7 Rue du Taur / 7 Rue du Temple - Gilles PRADAT - Fax : 05 34 66 73 50 - Fermeture : 15 jours mi-septembre ; 15 jours début janvier ; dimanche soir et lundi sauf juillet/août. - Menus : 17/34 €. Menu enfant : 10 €. Petit déjeuner : 7 €. 7 chambres : 46/61 €. Demi pension : 55/75 €. Etape VRP : 55 € - Classement : Table de Terroir

Au coeur de Revel, cette vieille bâtisse rénovée avec amour vous réserve un accueil chaleureux dans une ambiance et un cadre raffiné, des chambres personnalisées confortables et une cuisine de terroir soignée. Tout le passé vit dans ses murs et vous attend pour vivre avec vous une autre histoire... Spécialités : escalope de foie gras de canard poêlé aux pommes et aux groseilles nappée au vin de noix, éventail de filets de rougets au coulis tomaté et garniture provençale, chaud et froid aux pommes et croustillant nougatine. Chambres avec bain ou douche+WC+TV : Toutes. Terrasse, jardin, accès handicapés, salle restaurant de caractère, salle de séminaires, chèques vacances, animaux acceptés

In the heart of Revel, this old masonry renovated with love reserves you a cordial reception in an environment and a refined framework, comfortable personalized rooms and a neat cooking of soil. All the past lives in its walls and awaits you to live with you another history...

En el corazón de Revel, este antiguo caserón renovado le brindará una acogida calurosa en un ambiente delicado, cómodas habitaciones personalizadas y una esmerada cocina regional. Todo el pasado vive en estas paredes y le esperan para vivir otra historia.

Im Herzen von Revel, empfängt man Sie in diesem alten, komplett renovierten Gebäude ganz herzlich in einem feinen Ambiente mit komfortablen, personalisierten Zimmern und einer gepflegten, ländlichen Küche.

REVEL (31250)

A 3 km de Revel par D622 et à 20 km de Castres.

Table de Terroir

AUBERGE DES MAZIES ★ ★

☎ 05 61 27 69 70 - bienvenue@mazies.com

Route de Castres - Michel & Pascale GARNIER - Fax : 05 62 18 06 37 - www.mazies.com - Fermeture : 1/01-20/01 ; 28/10-12/11 ; dimanche soir, lundi. - Menus : 12,50/45 €. Menu enfant : 10 €. Petit déjeuner : 7 €. 7 chambres : 50/54 €. Demi pension : 46/58 €. Etape VRP : 57 € - Classement : Table de Terroir

Au pied de la Montagne Noire et du Lac de Saint Ferréol, venez découvrir les spécialités de la Maison : cassoulet du Lauragais grillé au flambadou, grillades au feu de bois... et une très belle carte des vins. Chambres avec bain ou douche+WC+TV : Toutes (3 chambres climatisées). Terrasse, jardin, parking privé, TPS, chaînes satellites, salle restaurant de caractère, salle de séminaires, chèques vacances, animaux acceptés au restaurant

In a large garden with water area, Jacques BURDEYRON and his team reserve you the best welcome and will let you savour their specialities.

En el seno de un gran parque con estanque, corral, Jacques BURDEYRON y su equipo le brindarán una cálida acogida. Usted podrá regalarse con sus especialidades. Abierto al mediodía (por la noche únicamente para grupos y recepciones).

J. BURDEYRON und seine Mitarbeiter bereiten Ihnen den besten Empfang und verwöhnen Sie mit ihren Spezialitäten.

RIEUMES (31370)

A 20 km de Muret.

Table de Terroir

HÔTEL LES PALMIERS ★ ★

05 61 91 81 01 - info@auberge-lespalmiers.com

13 Place du Foirail - Famille VALLES - Alexandra BESSIERE - Fax : 05 61 91 56 36 - www.auberge-lespalmiers.com - Fermeture : 15/08-5/09 ; dimanche soir et lundi (restaurant). - Menus : 13/35 €. Menu enfant : 8/12 €. Petit déjeuner : 7 €. 7 chambres : 50/56 €. Demi pension : 54/76 €. Etape VRP : 59 € - Classement : Table de Terroir

Petit coin de campagne au sud-ouest de Toulouse et à deux pas du Gers, cette auberge confortable aux chambres personnalisées propose une cuisine fine de produits frais. Spécialités : carpaccio de lotte et saumon au basilic et citron vert, gratin de queues d'écrevisses et de morilles au safran, carpaccio de magret de canard en tapenade, poissons frais toute l'année. Foies gras, spécialités régionales et desserts maison.

Chambres avec bain ou douche+WC+TV : Toutes. Terrasse, jardin, accès handicapés, salle restaurant de caractère, salle de séminaires, chèques vacances, animaux acceptés

In countryside in south west of Toulouse and just at 2 steps of the Gers, this comfortable inn with personalized rooms offers a refined cooking made with fresh products. Foie Gras, regional specialities and home-made desserts.

En un rinconcito de campo al sudoeste de Toulouse y a dos pasos del Gers, este hostal confortable con habitaciones personalizadas, le propone una delicada cocina con productos frescos. Foie gras (hígado de ganso), especialidades regionales y postres caseros.

Dieses komfortable Hotel in idyllischer Lage im Südwesten von Toulouse und ganz in der Nähe des Gers, bietet Ihnen individuelle Zimmer und eine raffinierte Küche, zubereitet aus frischen Produkten.

ROUFFIAC TOLOSAN (31180)

A 12 km de Toulouse.

Table Gastronomique

Ô SAVEURS

05 34 27 10 11 - o.saveurs@free.fr

8 Place des Ormeaux - David BIASIBETTI - Daniel GONZALEZ - Fax : 05 62 79 33 84 - http://o.saveurs.fr Fermeture : Vacances de février, 3 dernières semaines d'août, samedi midi, dimanche soir et lundi. - Menus : 19/37 €. Menu enfant : 12,20 € - Classement : Table Gastronomique

Aux portes de Toulouse, au centre d'un charmant village, le restaurant Ô Saveurs vous propose dans un cadre chaleureux ses spécialités élaborées à partir des meilleurs produits. Vous pourrez déguster à l'ombre d'une fontaine sa fricassée de langoustine au foie frais et pleurottes, son suprême de pigeon rôti au sang, ses ananas rôtis aux épices...

Terrasse, accès handicapés restaurant, climatisation, salle de séminaires, animaux acceptés au restaurant

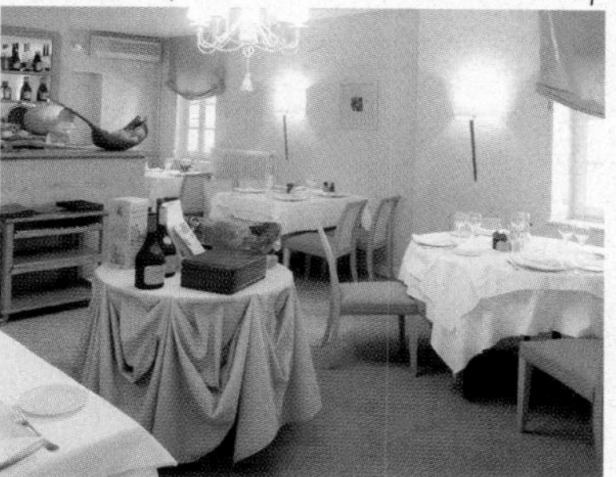

At the doors of Toulouse, in the center of a charming village, the restaurant Ô Saveurs proposes you in a cordial framework its specialities worked out from best products.

A las puertas de Toulouse, en el centro de un encantador pueblo, el restaurante Ô Saveurs le propone en un ambiente caluroso sus especialidades elaboradas con excelentes productos. Usted podrá saborear sus platos al amparo de una fuente.

Vor den Toren von Toulouse, mitten in einem reizvollen Dorf, bietet Ihnen das Restaurant Ô Saveurs in einem warmherzigen Rahmen hervorragende Spezialitäten aus besten Erzeugnissen. Sie können im Schatten eines Brunnens die Gerichte genießen.

ROUFFIAC TOLOSAN (31180)

A 10 km du centre de Toulouse. Rocade est sortie 14.

Table Gastronomique

LE CLOS DU LOUP ★ ★

05 61 09 28 39

Route d'Albi - Franck MASBOU - Fax : 05 61 35 13 97 - Fermeture : Août ; dimanche soir, lundi et mardi midi (restaurant). Menus : 22/38 €. Menu enfant : 13 €. Petit déjeuner : 8 €. 18 chambres à 50 €. Demi pension : 65 €. Etape VRP : 65 € - Classement : Table Gastronomique

Aux portes de Toulouse, cet établissement à caractère familial vous réservera le meilleur accueil et vous fera partager sa cuisine gastronomique. Spécialités : gibier en saison, cassoulet au confit de canard et haricots tarbais.

Chambres avec bain ou douche+WC+TV : Toutes. Jardin, parking privé, accès handicapés restaurant, canal+

At the gates of Toulouse, this establishment in family matter will hold the best reception for you and will make you share his gastronomic cooking.

A las puertas de Toulouse, este establecimiento familiar le brindará una excelente acogida y le hará compartir su cocina gastronómica.

Vor den Toren von Toulouse werden Sie in diesem charaktervollen Haus bestens mit seiner gastronomischen Küche empfangen.

SALIES DU SALAT (31260)

N117 sortie Salies du Salat. A 75 km de Toulouse.

Table de Terroir

CENTRAL HÔTEL ★ ★

05 61 90 50 01

2 Avenue de la Gare - Dominique OUSSET - Fax : 05 61 97 10 58 - Fermeture : 1/09-15/09 ; samedi hors saison.
Menus : 11/27,50 € . Menu enfant : 7 € . Petit déjeuner : 5,50 € .
15 chambres : 24,50/45,70 € . Demi pension : 32/38 € . Etape VRP : 43 € - Classement : Table de Terroir

Au centre de la petite station thermale (casino), dans un cadre agréable entièrement rénové ou en terrasse, cette authentique hôtellerie familiale vous fera découvrir une cuisine traditionnelle régionale élaborée à base des produits du terroir avec une touche originale et personnelle du chef. Spécialités : canard confit sauce aux pommes, ris de veau aux champignons, gratinée d'écrevisses poulet aux cèpes.
Chambres avec bain ou douche+WC+TV : 1-3-6-11-12-14-15-17 à 22.
Terrasse, jardin, garage fermé, parking privé, accès handicapés restaurant, salle de séminaires, chèques vacances, animaux acceptés

In the heart of the spa (casino) , come and savour a traditional and regional cooking in the pleasant atmosphere of this establishment either on the terrace or in the dining-room. This authentic familial hotel will let you discover a cooking made with traditional products.

Esta auténtica hostelería familiar situada en el centro de una pequeña estación termal (casino), le hará descubrir en un ambiente agradable completamente renovado o en la terraza, una cocina tradicional, regional a base de productos locales, con un toque original del jefe de cocina.

Entdecken Sie in diesem authenischen Familienbetrieb, inmitten eines kleinen Badekurortes (Casino), in angenehmen, komplett renovierten Räumlichkeiten oder auf der Terrasse, eine tradionelle und regionale Küche, zubereitet aus frischen Landprodukten.

ST BERTRAND DE COMMINGES (31510)

Table de Terroir

L'OPPIDUM ★ ★

05 61 88 33 50 - oppidum@wanadoo.fr

Rue de la Poste - Nicole SALIS - Fax : 05 61 95 94 04 - www.hotel-oppidum.com - Fermeture : 15/11-30/01 ; mercredi hors vacances scolaires.
Menus : 15/32 € . Menu enfant : 8 € . Petit déjeuner : 6 € .
15 chambres : 42/62 € . Demi pension : 42/48 € - Classement : Table de Terroir

Situé au pied de la cathédrale de Saint Bertrand de Comminges, haut lieu historique et archéologique, l'Hôtel Oppidum vous accueille dans un décor raffiné et très convivial. Vous pourrez vous détendre après avoir dégusté un menu gastronomique pour les grands gourmets, ou tout simplement une spécialité régionale. Spécialités : foie gras au torchon, garbure baroussaise, mousse au caramel et noix.

Chambres avec bain ou douche+WC+TV : Toutes.
Terrasse, accès handicapés, chèques vacances, animaux acceptés

Located at the foot of the cathedral of Saint Bertrand de Comminges, high places of history and archeology, the Oppidum welcomes you in a refined and really warm setting. You will be able to relax after having savoured a gastronomic menu for gourmets, or simply a regional speciality.

Ubicado al pie de la catedral de Saint Bertrand de Comminges, en un lugar histórico y arqueológico, el hotel Oppidum le acoge en un ambiente delicado y muy convivial. En una atmósfera tranquila, usted podrá saborear un menú hecho para los grandes gastrónomos o simplemente, una especialidad regional.

Am Fuß der Kathedrale Saint Bertrand de Comminges, historischer und archäologischer Ort, empfängt man Sie im Hotel Oppidum in feinem Dekor sehr gastfreundlich. Entspannen Sie sich nach einem gastronomischen Menü für große Feinschmecker oder einfach einer regionalen Spezialität.

Charme & Authenticité

ST FÉLIX LAURAGAIS (31540)

A 18 km de Revel, 25 km de Castelnaudary.

Table Gastronomique

AUBERGE DU POIDS PUBLIC ★ ★ ★

05 62 18 85 00 - poidspublic@wanadoo.fr

Faubourg Saint Roch - Claude TAFFARELLO - Fax : 05 62 18 85 05 - www.auberge-du-poidspublic.com - Fermeture : 1/01-30/01 ; 1 semaine à Toussaint ; dimanche soir. - Menus : 25/62 € . Menu enfant : 15 € . Petit déjeuner : 11 € .
10 chambres : 50/92 € . 1 suite : 130 € . Demi pension : 130/165 € (2 pers). Etape VRP : 70/95 € - Classement : Table Gastronomique

Cette auberge est située dans un village typique du Lauragais qui bénéficie d'un point de vue agréable. Vous y apprécierez le décor raffiné avec quelques touches rustiques, des chambres confortables et la salle de restaurant avec cheminée. Une cuisine inventive et respectueuse des produits du terroir sera conçue pour votre plus grand plaisir. Spécialités : foie gras de canard en trois préparations, pain aux noix fait maison ; cassoulet Saint-Félicien cuit et servi dans sa cassole ; tronçon de bar à la plancha, cannelloni de légumes et crème légère à la châtaigne ; jarret de veau du lauragais braisé, son jus bien réduit et la mitonnée de légumes ; pigeonneau farci à l'ancienne et confit, échalotes fondantes au jus ; millas poêlé caramélisé avec le beurre à l'orange et glace vanille.
Chambres avec bain ou douche+WC+TV : Toutes. Terrasse, jardin, garage fermé, salle restaurant de caractère, salle de séminaires, chèques vacances, animaux acceptés

This inn is located in a typical village of Lauragais which profits from a pleasant point of view. You will appreciate there the decoration refined with some rustic keys, of the comfortable rooms andthe room of restaurant with chimney. An inventive and respectful cooking of the products of the soil will be conceived for your greater pleasure.

Este albergue ubicado en un pueblo típico del Lauragais posee un punto de vista agradable. Usted apreciará la delicada decoración con algunos toques rústicos, las cómodas habitaciones y el comedor con chimenea. Una cocina inventiva y respetuosa de los productos locales, elaborada para satisfacerle.

Dieses Gasthaus liegt in einem typischen Dorf im Lauragais mit angenehmem Ausblick. Genießen Sie den feinen Dekor mit einer leicht rustikalen Note, komfortable Zimmer und den Speisesaal mit Kamin. Eine ideenreiche Küche aus bevorzugt regionalen Erzeugnissen wird speziell für Sie zubereitet

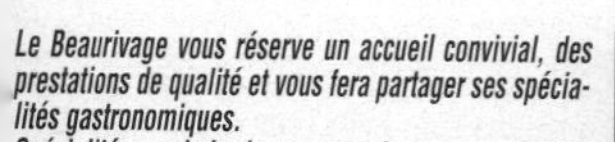

ST GAUDENS (31800)

Au rond point de Valentine, direction Luchon.

Table Gastronomique

HÔTEL RESTAURANT LE BEAURIVAGE ★ ★ ★

05 61 94 76 70

Boulevard Sommer - Gratien CASTRO - Fax : 05 61 94 76 79
Menus : 16,77 € + carte. - 10 chambres : 53,36/137,20 € .
Classement : Table Gastronomique

Le Beaurivage vous réserve un accueil convivial, des prestations de qualité et vous fera partager ses spécialités gastronomiques.
Spécialités : salade de pommes de terre aux truffes, médaillon de homard façon Gratien, mignon de veau aux morilles.

Chambres avec bain ou douche+WC+TV : Toutes.
Terrasse, jardin, parking privé, canal+, salle restaurant de caractère, salle de séminaires, chèques vacances, animaux acceptés

The Beaurivage will reserve you a convivial welcome, will provide various performances of quality, and will let you savour its gastronomic specialities.

Le Beaurivage le propone una acogida convivial, prestaciones de calidad. Usted podrá descubrir sus especialidades gastronómicas.

Im Beaurivage werden Sie herzlich empfangen, es erwarten Sie hervorragende Leistungen und gastronomische Spezialitäten.

ST GAUDENS (31800)

Table de Terroir

HÔTEL DU COMMERCE ★ ★

05 62 00 97 00 - hotel.commerce@wanadoo.fr

Avenue de Boulogne - Thierry PONSOLE - Fax : 05 62 00 97 01 - www.commerce31.com - Fermeture : 19/12/04-5/01/05
Menus : 14,50/32 €. Menu enfant : 9 €. Petit déjeuner : 8 €.
48 chambres : 48/64 €. Demi pension : 48/57 €. Etape VRP : 60/67 € - Classement : Table de Terroir

Atmosphère tranquille et belles choses pour vous préparer aux plaisirs des sens. Tiraillé entre tradition et modernisme, par les influences culturelles et culinaires du Comminges, Christian et Thierry PONSOLE écrivent l'histoire de la maison familiale cossue, rénovée, fondée en 1955. Le résultat... confortable, souriant, puis à table, des petits plats terroir copieusement servis, à ceux plus originaux diablement savoureux, donnent des envies d'étapes. Spécialités : feuilleté de ris d'agneau régence, foie chaud poêlé, gâteau russe. Chambres avec bain ou douche+WC+TV : Toutes. Terrasse, garage fermé, ascenseur, accès handicapés, TPS, chaînes satellites, canal+, climatisation, petit déjeuner buffet, salle restaurant de caractère, salle de séminaires, chèques vacances, animaux acceptés au restaurant

Pulled about between tradition and modernism, by the cultural and culinary influences of Comminges, Christian and Thierry PONSOLE write the history of the family renovated house, founded in 1955. The result... comfortable, smiling, then in table, small copiously traditional dishes, which give desires of stage.

Tironeando entre tradición y modernismo, por las influencias culturales y culinarias de Cominges, Christian y Thierry PONSOLE escriben la historia de la casa familiar, señorial, renovada, fundada en 1955. El resultado...cómoda, simpática, además a la mesa, pequeños platos región copiosamente servidos, otros originales endiabladamente sabrosos, dan ganas de hacer etapas.

Ruhige Atmosphäre. Hin- und hergerissen zwischen Tradition und Modernität, unter kulturellem und kulinarischem Einfluss des Comminges, schreiben Christian und Thierry PONSOLE die Geschichte dieses wohlhabenden, 1955 gegründeten Familienhauses. Das Ergebnis: komfortabel, nett und offen. Originell, reichhaltige territoriale Gerichte machen Lust auf weitere Etappen zwischen Garonne und Pyrenäen.

ST MARTIN DU TOUCH-TOULOUSE (31300)

A 10 mn de Toulouse centre.

Table Gastronomique

LE CANTOU

05 61 49 20 21 - le.cantou@wanadoo.fr

98 Rue Velasquez - Fax : 05 61 31 01 17 - Menus : 29/52 €
Classement : Table Gastronomique

TOULOUSE (31000)

Sur la Place du Capitole.

Table de Prestige

RESTAURANT DOMINIQUE TOULOUSY/ LES JARDINS DE L'OPÉRA

05 61 23 07 76 - toulousy@wanadoo.fr

1, Place du Capitole - Dominique TOULOUSY - Fax : 05 61 23 63 00 - www.toulousy.com - Fermeture : Dimanche et lundi.
Menus : 38 € (midi seulement) / 64 €.
Prix moyen à la carte : 70 € - Classement : Table de Prestige

Dans une cour intérieure au style florentin, Dominique TOULOUSY, Meilleur Ouvrier de France 1993, vous séduira par une cuisine mettant en scène les meilleurs produits pour des recettes mariant tradition du terroir et créativité. Pour votre grand plaisir, cette cuisine vous sera servie sous la rotonde, ou dans les petits salons tranquilles, entièrement redécorés. Spécialités : raviolis de foie gras frais de canard au jus de truffes ; homard bleu cuit en croûte de sel et algues, capellini aux coquillages et jus de crustacés ; médaillon de veau en cocotte, chapelure d'herbes, tête de cèpe rôtie gousse d'ail rose de Lautrec confite à l'huile d'olive ; figues pochées au Banyuls, farcies de glace vanille. Terrasse, accès handicapés, climatisation, salle restaurant de caractère, salle de séminaires, animaux acceptés

In an interior court of Florentin style, Dominique TOULOUSY will allure you by a cooking putting in scene the best products for receipts marrying tradition of the soil and creativity. For your great pleasure, this cooking will be been useful to you under the rotunda, or in the small quiet shows.

En un patio interior de estilo florentino, Dominique TOULOUSY, Mejor Obrero de Francia 1993, le seducirá con una cocina que pone en escena los mejores productos a través de recetas que unen la tradición regional y la creatividad. Para su placer, usted podrá saborear esta cocina en el salón circular o en los pequeños salones tranquilos, completamente redecorados.

Der Innenhof im Florentiner Stil, sowie die Küche von Dominique Toulousy, bester ouvrier von Frankreich 1993, wird Sie verzaubern. Es erwarten Sie Gerichte aus besten Erzeugnissen, die regionale Tradition und Kreativität verbinden.

TOULOUSE (31000)

Table Gastronomique

ORSI LE BOUCHON LYONNAIS

05 61 62 97 43 - orsi-le-bouchon-lyonnais@wanadoo.fr

13 Rue de l'Industrie - Laurent ORSI - Fax : 05 61 63 00 71 - www.lebouchonlyonnais.free.fr - Fermeture : Samedi midi et dimanche.
Menus : 19/31 € . Menu enfant : 10 € - Classement : Table Gastronomique

Le Bouchon Lyonnais avec son agréable décor de brasserie 1930 est l'un des rendez-vous favori des toulousains. Privilégiant la cuisine lyonnaise mais aussi les poissons et les fruits de mer ainsi que la cuisine régionale et une large gamme de vins (300 crus) cet établissement est la visite régulière de fins gourmets. Spécialités : cassoulet au confit de canard, bourride de lotte à la sétoise, quenelle de brochet sauce nantua, fruits de mer en saison. Terrasse, climatisation, chèques vacances, animaux acceptés au restaurant

Le Bouchon Lyonnais with its pleasant decoration of brewery 1930 is one of the favorite appointments of the Toulouse ones. Privileging the Lyon's cooking but also fishes and the seafood as well as the regional cooking and a broad range of wines (300 vintages) this establishment is the regular visit of fine gourmets.

Le Bouchon Lyonnais con su agradable cervecería ambiente 1930, es el sitio de reunión de los habitantes de Toulouse. Este establecimiento frecuentado por finos gastrónomos, privilegia la cocina lionesa pero también los pescados y mariscos, las cocina regional y una extensa variedad de vinos (300 caldos).

Der Bouchon Lyonnais mit seinem angenehmen Dekor im Brasserie Stil von 1930 ist einer der beliebtesten Toulouser Treffpunkte für Feinschmecker. Bevorzugt genießen Sie die Küche aus Lyon, aber auch Fisch und Meeresfrüchte, sowie eine regionale Küche und eine reichhaltige Weinkarte (300 Sorten).

TOULOUSE (31300)

Rocade : sortie Casselardit/Purpan direction Casselardit.

Table Gastronomique

RESTAURANT AU POIS GOURMAND

05 34 36 42 00 - pois-gourmand@pois-gourmand.fr

3 Rue Emile Heybrard - Martine & Jean-Claude PLAZZOTTA - Fax : 05 34 36 42 08 - www.pois-gourmand.fr
Fermeture : 9/08-24/08 ; samedi midi, dimanche et lundi midi. - Menus : 20/60 € (formule brasserie à midi seulement).
4 chambres : 82/115 € - Classement : Table Gastronomique

Partager un moment de bonheur et le plaisir des saveurs retrouvées en toute simplicité, c'est ce que vous propose Au Pois Gourmand. Situé au bord de la Garonne (rive gauche), cet établissement vous fera partager ses spécialités : morilles fraîches farcies, foie gras de canard chaud au caramel de vinaigre, gibier, pigeonneau désossé farci à la crème de cèpes, filets de rouget en feuille de figuier et sa tapenade. Belle carte des vins.
Terrasse, jardin, parking privé, accès handicapés restaurant, chaînes satellites, canal+, climatisation, salle restaurant de caractère, salle de séminaires, chèques vacances, animaux acceptés au restaurant

Have a pleasant time and appreciate refined cooking of the region in the centre of Toulouse that are proposed by the Pois Gourmand, on the banks of the river Garonne. Great wine list.

Le Pois Gourmand le propone compartir un momento de dicha y el placer de volver a encontrar sabores con mucha simplicidad. Ubicado a orillas del Garonne (orilla izquierda), este establecimiento le hará compartir sus especialidades. Excelente carta de vinos.

Momente der Freude und des Glücks zu teilen, in Einfachheit verlorene Genüsse wiederzufinden, genau das bietet man Ihnen im Le Pois Gourmand. Am Ufer der Garonne erwartet Sie dieses Gasthaus mit seinen Spezialitäten. Sehr gute Weinkarte.

TOULOUSE (31000)

Face à la gare Matabiau SNCF

BATEAU CROISIÈRE RESTAURANT L'OCCITANIA

05 61 63 06 06 - contact@loccitania.com

4 Boulevard Bonrepos - M. Ch MOUTOUS et J. Christophe LASSALLE - Fax : 05 61 63 41 15 - www.loccitania.com
Fermeture : Dimanche soir, lundi et mardi midi. - Menus : 36/50,50 €. Menu enfant : 18,50/30 €
Classement : Table Gastronomique

Le bateau croisière l'Occitania vous propose d'embarquer et de larguer les amarres pour quelques heures de détente, de quiétude et de gastronomie au fil de l'eau. Spécialités sans cesse renouvelées par notre chef (toutes les quinzaines). Découvrez Toulouse et le Canal du Midi classé par l'Unesco Patrimoine Mondial de l'Humanité.

Accès handicapés restaurant, climatisation, chèques vacances, animaux acceptés au restaurant

Have a pleasant regional meal on a cruising boat on the Canal du Midi. The specialities are often changed by the Chef. Discover Toulouse and the Canal du Midi calssified by Unesco world heritage of the humanity

El crucero Restaurante l'Occitania le propone embarcar y largar las amarras por algunas horas de descanso y de gastronomía en el río. Usted podrá saborear las especialidades que nuestro jefe renueva constantemente (cada quince días), descubriendo Toulouse y el Canal du Midi declarado por la Unesco Patrimonio Mundial de la Humanidad

Das Kreuzschiff Occitania lädt Sie ein, einzuschiffen und die Anker zu lichten für einige Stunden der Erholung, der Entspannung und der Gastronomie. Immer wieder neue Spezialitäten. Entdecken Sie Toulouse und den Canal du Midi, von der Unesco als Erbgut der Humanität klassifiziert.

TOULOUSE (31000)

Centre ville, à deux pas de la place du Capitole.

LA BOHÈME

05 61 23 24 18 - deymierhenri@hotmail.com

3 Rue Lafayette - Henri DEYMIER - Fax : 05 61 23 67 23 - Fermeture : 20/07-20/08 ; samedi midi et dimanche.
Menus : 12,50/30 €. Menu enfant : 10 €.
Classement : Table de Terroir

A l'angle du Capitole, dans une cave voûtée en briques roses du XVIIème, la Bohème décline depuis 1978 l'art de vivre du Languedoc avec gourmandise. Une ambiance musicale feutrée vous y attend avec un des meilleurs rapports qualité prix du centre ville. Spécialités : cassoulet, foie gras, magret aux cèpes, confit, poissons, huîtres.

Salle de caractère, climatisation, chèques vacances, animaux acceptés

With the angle of Capitole, in a cellar arched out of pink bricks of XVII th, the Bohemian one declines since 1978 the art of living of Languedoc with greediness. A felted musical environment awaits you there with one of the best reports/ratios price quality of the centre town.

En una esquina del Capitole, en una bodega abovedada con ladrillos rosas del siglo XVII, la Bohême hace conocer ansiosamente desde 1978 el arte de vivir del Languedoc. Un ambiente musical delicado, con una de las mejores relaciones calidad precio del centro de la ciudad, le aguardan.

An der Ecke des Capitole Platzes, in einem gewölbten Keller mit rosa Ziegeln aus dem 17. Jh., wird im La Bohème seit 1978 die Lebenskunst des Languedoc mit Lust auf gutes Essen praktiziert. In einer musikalischen, gedämpften Atmosphäre erwartet Sie eines der besten Qualitäts-, Preisverhältnisse der Innenstadt.

TOURNEFEUILLE (31170)

D 980 sortie N°3, puis D 50 sur 600 mètres.

L'ART DE VIVRE

05 61 07 52 52 - pierresepulchre@lartdevivre.fr

279 Chemin de Ramelet Moundi - Pierre SÉPULCHRE - Fax : 05 61 06 41 94 - www.lartdevivre.fr
Fermeture : 26/12-6/01 ; 24/03-6/04 ; 9/08-31/08 ; dimanche soir, lundi soir, mardi soir et mercredi.
Menus : 21/46 €. Menu enfant : 12 € - Classement : Table Gastronomique

Aux portes de Toulouse et à 5 minutes à peine de l'aéroport de Blagnac, vous serez accueilli dans un cadre enchanteur, au calme, au sein d'un parc arboré. Une belle terrasse ombragée au bord du ruisseau et une salle agréable, très lumineuse vous permettront d'apprécier en toute quiétude la qualité de cette table, une cuisine fine, créative, alliant gastronomie et diététique qu'une équipe attentive et chaleureuse vous proposera. Spécialités : foie gras de canard poêlé, bouillon aux lentilles vertes du Puy ; éventail de filet de biche à l'infusion de genièvre ; soufflé chaud à la banane coulis d'oranges amères. Terrasse, jardin, parking privé, accès handicapés restaurant, salle de séminaires, animaux acceptés au restaurant

At the doors of Toulouse and at 5 minutes hardly of the airport of Blagnac, you will be accomodated within a framework enchanter, with calms, within a raised park. A beautiful shaded terrace at the edge of the brook and a pleasant room, very luminous will enable you to assess in all calm the quality of this table, a cooking fine, creative, combining gastronomy and dietetics that an attentive and cordial team will propose to you.

A las puertas de Toulouse y a sólo 5 minutos del aeropuerto de Blagnac, usted será acogido en un encantador ambiente, calmo, al seno de un parque arbolado. Una bella terraza sombreada a orillas del riachuelo y una sala agradable, muy luminosa le permitirá apreciar con toda tranquilidad, la calidad de esta mesa. Un equipo atentivo y caluroso le hará descubrir una cocina delicada, creativa que une gastronomía y dietética.

Bei Toulouse und knapp 5 Min vom Flughafen von Blagnac, werden Sie in einem zauberhaften Rahmen, in der Stille eines bewaldeten Parks empfangen. Genießen Sie auf einer schönen, schattigen Terrasse am Bachufer oder in dem angenehmen, hellen Speisesaal in aller Ruhe die Qualität dieser Tafel. Kosten Sie eine feine, kreative Küche, die Gastronomie und Diät verbindet, von einem aufmerksamen und freundlichen Personal serviert.

VILLEFRANCHE LAURAGAIS (31290)

A 30 km au Sud-Est de Toulouse par A61/N113.

Table Gastronomique

RESTAURANT DU VIEUX PUITS

05 34 66 71 34 - le-vieux-puits@hostellerie-chef-jean.com

MONTGAILLARD LAURAGAIS - Véronique LANAU - Fax : 05 34 66 71 33 - www.hostellerie-chef-jean.com

Fermeture : 1/01-14/02 ; dimanche soir et lundi et mardi midi d'octobre à avril. - Menus : 20/60 € . Menu enfant : 8,50 €
Classement : Table Gastronomique

Situé au calme dans la campagne lauragaise, cet établissement vous propose l'été, en terrasse ombragée et l'hiver, autour de sa cheminée, une cuisine gastronomique aux saveurs du terroir. Spécialités : noix de saint jacques à la royale au jus de morilles, dos de sandre poêlé au coulis de figues, rognons de veau cuit en cocotte, craquelin de veau aux 4 épices, fondant au chocolat au coulis de poire. Terrasse, accès handicapés restaurant, salle restaurant de caractère, salle de séminaires, chèques vacances, animaux acceptés au restaurant

In the quiet of the lauragaise country side, this establishment offers you a shady terrace in summer, an open fire in winter, together with god local cooking.

En la tranquilidad del campo, este establecimiento le propone durante el verano, en una terraza sombreada y en invierno alrededor de una chimenea, una cocina gastronómica con sabores regionales.

In der Stille der lauragaisischen Landschaft gelegen bietet Ihnen dieses Restaurant eine Feinschmeckerküche mit regionalem Geschmack - im Sommer auf der schattigen Terrasse und im Winter am Kamin.

VILLEFRANCHE LAURAGAIS (31290)

A 30 km au Sud-Est de Toulouse par A61/N113.

Table Gastronomique

HOSTELLERIE DU CHEF JEAN ★ ★ ★

05 34 66 71 34 - hostellerie-chef-jean@hostellerie-chef-jean.com

MONTGAILLARD LAURAGAIS - Jean & Anne-Marie LANAU - Fax : 05 34 66 71 33 - www.hostellerie-chef-jean.com *- Fermeture : 1/01-28/02 ; dimanche soir, lundi, mardi midi d'octobre à avril. - Menus : 20/60 € . Menu enfant : 8,50 € . Petit déjeuner : 7 € . 14 chambres : 38/75 € . Demi pension : 40/59,50 € . Etape VRP : 58 € - Classement : Table Gastronomique*

Cet établissement de charme, site idéal pour votre détente ou votre travail vous propose parc de loisirs, piscine été et hiver, sauna, dans un environnement privilégié proche du Canal du Midi. Spécialités : foie gras frais, cassoulet au confit, loup grillé flambé au pastis, terrine de poisson, queues d'écrevisses à l'impériale, truffe glacée au cointreau. Sélection de vin de propriétaires régionaux : Fronton, Gaillac, Côtes de Malepere. Chambres avec bain ou douche+WC+TV : Toutes. Terrasse, jardin, garage fermé, parking privé, piscine d'été, piscine d'hiver, accès handicapés restaurant, TPS, petit déjeuner buffet, salle restaurant de caractère, salle de séminaires, chèques vacances, animaux acceptés

This charming establishment, an ideal place to relax or to work, offers you a theme park, a swimming pool (during the summer or the winter), spa, tennis, in a privileged environment close by the Canal du Midi where you may appreciate regional specialities.

Encantador establecimiento, un lugar ideal para su esparcimiento o para su trabajo. Parque de distracción, piscina de verano e invierno, sauna, en la calma de un ambiente privilegiado cerca del Canal du Midi. Selección de vinos de propietarios regionales.

Dieses reizvolle Haus, idealer Standort für Erholung oder Arbeit bietet Ihnen einen Freizeitpark, Schwimmbad Sommer wie Winter, Sauna, Tennis in einem privilegierten Rahmen unweit des Canal du Midi.

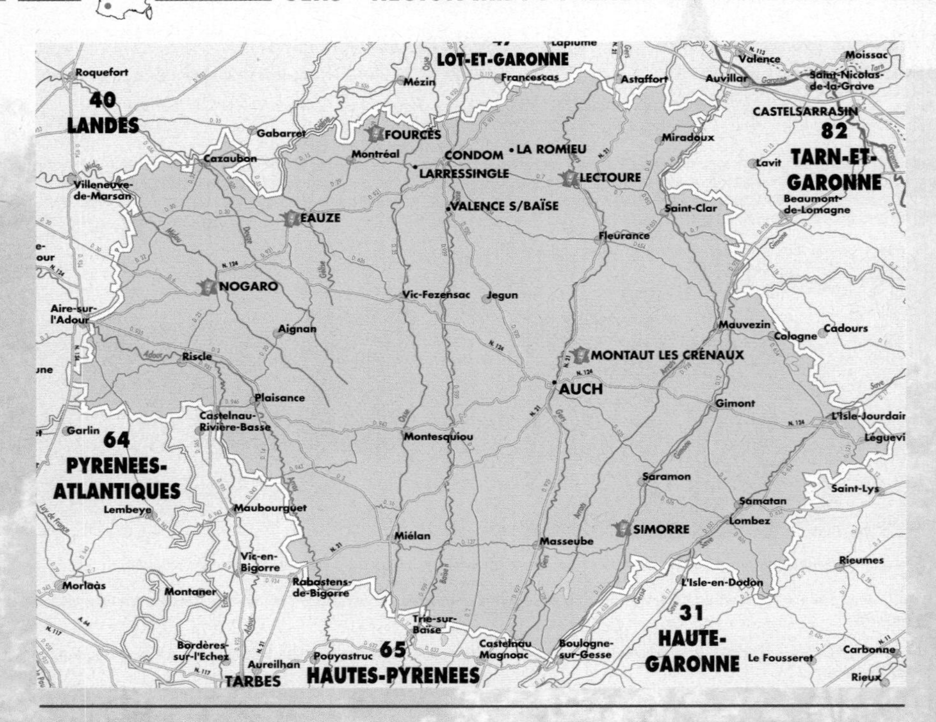

Sites Touristiques : Auch, Abbaye de Flaran à Valence sur Baïse, Collégiale de la Romieu, Lectoure, Larressingle.

Saveurs de nos Terroirs : Foie Gras, Pastis Gascon, Melon de Lectoure, Ail de Lomagne, Figuigers.
Madiran, Côtes de Gascogne, Côtes de Saint Mont, Pacherenc, Armagnac, Floc de Gascogne, Pousse Rapière.

Animations : Musée des Jacobins à Auch, Musée des Beaux Arts à Mirande, Musée du Trésor d'Eauze à Eauze, Musé Archéologique à Lectoure, Musée d'Art Campanaire à l'Isle Jourdain.
Mai : Festival des Bandas y Penas, Féria del Toro.
Juillet/Août : Festival de Country Music, Tempo Latino, Jazz in Marciac.

COMITÉ DÉPARTEMENTAL DU TOURISME ET DES LOISIRS DU GERS EN GASCOGNE
3 Boulevard Roquelaure B.P. 106 - 32002 - AUCH CEDEX -Tél. : 05 62 05 95 95 - Fax : 05 62 05 02 16
www.gers-gascogne.com - info@tourisme-gers.com

EAUZE (32800)

A 130 km de Toulouse ou Bordeaux.

AUBERGE DE GUINLET ★

05 62 09 80 84 - guinlet@wanadoo.fr

Eliane et Jean LARROUY - Fax : 05 62 09 84 50 - www.guinlet.fr - Fermeture : Décembre, Janvier, Février ; Vendredi.

Menus : 15/25 €. Menu enfant : 8 €. Petit déjeuner : 5 €.
8 chambres : 40/60 €. Demi pension : 36 €. Etape VRP : 44 € - Classement : Auberge du Pays

Au coeur de la campagne gasconne, au milieu des vignobles, la famille Larrouy et son équipe vous accueillent dans leur complexe touristique où vous apprécierez piscine, jacuzzi, tennis, golf, aire de camping... Pour vos repas, une cuisine familiale avec des produits du terroir vous sera proposée. Parmi les spécialités : daube de boeuf maison, confit de canard, croustade à l'Armagnac.

Chambres avec bain ou douche+WC+TV : Toutes. Terrasse, jardin, parking privé, piscine d'été, tennis, chèques vacances

In the heart of the Gascon countryside, in the medium of the vineyards, the Larrouy family and its team accomodates you in their tourist complex where you will appreciate swimming pool, jacuzzi, tennis, golf, surface of camp-site... For your meals, a family cooking with products of the soil will be proposed to you.

En el corazón del campo gascón, en medio de viñedos, la familia Larrouy y su equipo le acogen en su complejo turístico, usted apreciará la piscina, jacuzzi, tenis, golf, el aire del campo ... Usted podrá saborear una cocina familiar con productos regionales.

Im Herzen des Lands der Gasconne, mitten in den Weinbergen, empfangen Sie die Familie Larrouy und ihr Personal in einem touristischen Komplex, wo Sie Schwimmbad, Whirlpool, Tennis, Golf, Camping usw. genießen können. Für Ihre Speisen, wird Ihnen eine familiäre Küche aus Landerzeugnissen geboten.

FOURCÈS (32250)

A 12 km de Condom, 120 km de Toulouse.

CHÂTEAU DE FOURCÈS ★ ★ ★

05 62 29 49 53/05 62 29 40 10 - chatogers@aol.com

Patrizia BARSAN - Fax : 05 62 29 50 59 - www.chateau-fources.com - Fermeture : 16/10-14/03.

Menus : 22,11/42,69 €. Menu enfant : 10 €. 18 chambres : 100/224 € - Classement : Table Gastronomique

Dans le cadre unique d'une bastide médiévale, de belles chambres et suites très lumineuses et très confortables, toutes décorées différemment, respectant la prestigieuse architecture d'autrefois feront de votre passage une étape de rêve. Un restaurant élégant, où le chef vous fera déguster des plats heureux et délicats, avec des spécialités régionales mises au goût du jour avec talent et raffinement satisfaira plus d'un gourmet. Spécialités : suprême de pintade fermière farcie aux cèpes, royal de praline au chocolat fin. Sur la place du village : auberge rustique avec une cuisine de qualité, idéale pour groupes, séminaires (150 couverts). Chambres avec bain ou douche+WC+TV : Toutes. Terrasse, jardin, parking privé, piscine d'été, tennis, ascenseur, accès handicapés, canal+, petit déjeuner buffet, salle restaurant de caractère, salle de séminaires, animaux acceptés

In the unic setting of a medieval country house, beautiful rooms and very luminous and very comfortable suites, all differently decorated, respecting prestigious formerly architecture, will make your passage a stage of dream. An elegant restaurant, where the Chief will make you taste happy and delicate dishes, with regional specialities put at the style of the day with talent and refinement.

En el incomparable ambiente de una bastida medieval, con bellas habitaciones y apartamentos muy cómodos y luminosos, cada uno con su decoración particular, respectando la prestigiosa arquitectura de antaño, usted podrá disfrutar de una etapa de ensueño. En el elegante restaurante, el jefe con sus platos delicados y sus especialidades regionales encantará a más de un gastrónomo.

Einzigartiger Rahmen einer mittelalterlichen Festung. Lichtdurchflutete Zimmer, jedes individuell eingerichtet, tragen dem ursprünglichen Architekturstil Rechnung. All dies macht aus Ihrem Kommen eine traumhafte Etappe. Elegantes Restaurant. Regional, geschmacksvoll hergerichtete Spezialitäten, die jeden Gourmet zufrieden stellen, werden Ihnen vom Küchenchef vorgestellt.

LECTOURE (32700)

N 21 Auch / Lectoure. A 35 km d'Auch et d'Agen.

AUBERGE DES BOUVIERS

05 62 68 95 13

8 Rue Montebello - Gisèle REYNAUD - Fax : 05 62 68 75 33 - Fermeture : Dimanche soir et lundi.

Menus : 12,50/23 €. Menu enfant : 8 € - Classement : Table de Terroir

L'Auberge des Bouviers vous propose dans le cadre rustique et chaleureux d'une demeure du XVIIIème siècle, ses menus, ses spécialités régionales, sa carte gastronomique et ses poissons.

Salle restaurant de caractère, salle de séminaires, animaux acceptés au restaurant

L'Auberge des Bouviers welcomes you in the cordial and rustic setting of its establishment of the XVIII th century and offers its regional specialities and its gastronomic menus and its fishes.

L'Auberge des Bouviers le propone en una rústica y cálida morada del siglo XVIII, sus menús, sus especialidades regionales y su carta gastronómica.

In einem rustikalen und warmen Rahmen bietet man Ihnen in der Auberge des Bouviers (ein Haus aus dem 18. Jh.) Menüs, regionale Spezialitäten, eine gastronomische Speisekarte und Fisch.

MONTAUT LES CRÉNEAUX (32810)

A 6 km d'Auch direction Agen (RN 21).

RESTAURANT LE PAPILLON

05 62 65 51 29

Route d'Agen - Fax : 05 62 65 54 33 - Menus : 13,50/40 € . Carte : 37/42 € . Menu enfant : 10,50 € .
Classement : Table Gastronomique

NOGARO (32110)

HÔTEL SOLENCA ★ ★

05 62 09 09 08 - info@solenca.com

Avenue Daniate - Gérard DUCÈS - Fax : 05 62 09 09 07 - www.solenca.com - Ouvert toute l'année, tous les jours
Menus : 14/32 € . Menu enfant : 7 € . Petit déjeuner : 7 € .48 chambres : 51/56 € .
Demi pension : 48 € . Etape VRP : 52 € - Classement : Table de Terroir

Cet établissement contemporain est équipé pour les repas de groupes et séminaires. Au restaurant, tout de soleil habillé, le bleu et le jaune s'accordent pour rendre hommage aux généreux produits du terroir. Aux beaux jours, les plaisirs de la table se découvrent en terrasse, au bord de la piscine. Spécialités : foie gras de canard, confit, magret, poissons.

Chambres avec bain ou douche+WC+TV : Toutes. Terrasse, jardin, parking privé, piscine d'été, tennis, accès handicapés, chaînes satellites, canal+, petit déjeuner buffet, salle restaurant de caractère, salle de séminaires, chèques vacances, animaux acceptés

This modern establishment is equipped for groups or meetings. In the sunny restaurant , yellow and blue match to pay tribute to the generous regional product, and in summer, the pleasures of our table are available on the terrace, at the side of the swimming pool.

Este establecimiento contemporáneo está equipado para las comidas de grupos y seminarios. En este restaurante, vestido de sol, el azul y el amarillo se armonizan para rendir homenaje a los generosos productos locales. Con buen tiempo, los placeres de la mesa se descubren en la terraza, al borde de la piscina.

Dieses moderne Haus ist für Gruppen- und Seminaressen eingerichtet. In dem sonnig ausgeschmückten Restaurant vereinigen sich blau und gelb, um die ergiebigen Landprodukte zu würdigen. Bei schönem Wetter genießen Sie Ihr Essen auf der Terrasse am Schwimmbad.

SIMORRE (32420)

Face au parvis de l'abbatiale.

Auberge du Pays

LE RELAIS D'ARPÈGES

05 62 65 32 05

Place de l'Eglise - Patrick MAUBERT - Fax : 05 62 65 35 92 - Fermeture : Dimanche hors saison.
Menus : 10/22,80 € . Menu enfant : 8,80 € .
2 chambres : 55 € et 95 € - Classement : Auberge du Pays

Dans une bâtisse centenaire entièrement rénovée, toute l'équipe se fera un plaisir de vous accueillir et de vous faire partager une cuisine traditionnelle et régionale. Spécialités : foie gras, magret, cassoulet, poissons.

Terrasse, garage fermé, animaux acceptés au restaurant

In a one-hundred-year house entirely renovated, all the team will be glad to welcome you and will make you taste a traditional and regional cooking.

En un caserón centenario totalmente renovado, todo el equipo tendrá el placer de acogerle y de hacerle compartir una cocina tradicional y regional.

In einem einhundert Jahr alten, komplett renovierten Bau, erwartet Sie das ganze Team, um mit Ihnen die traditionelle, regionale Küche zu teilen.

Charme & Authenticité

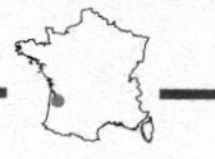

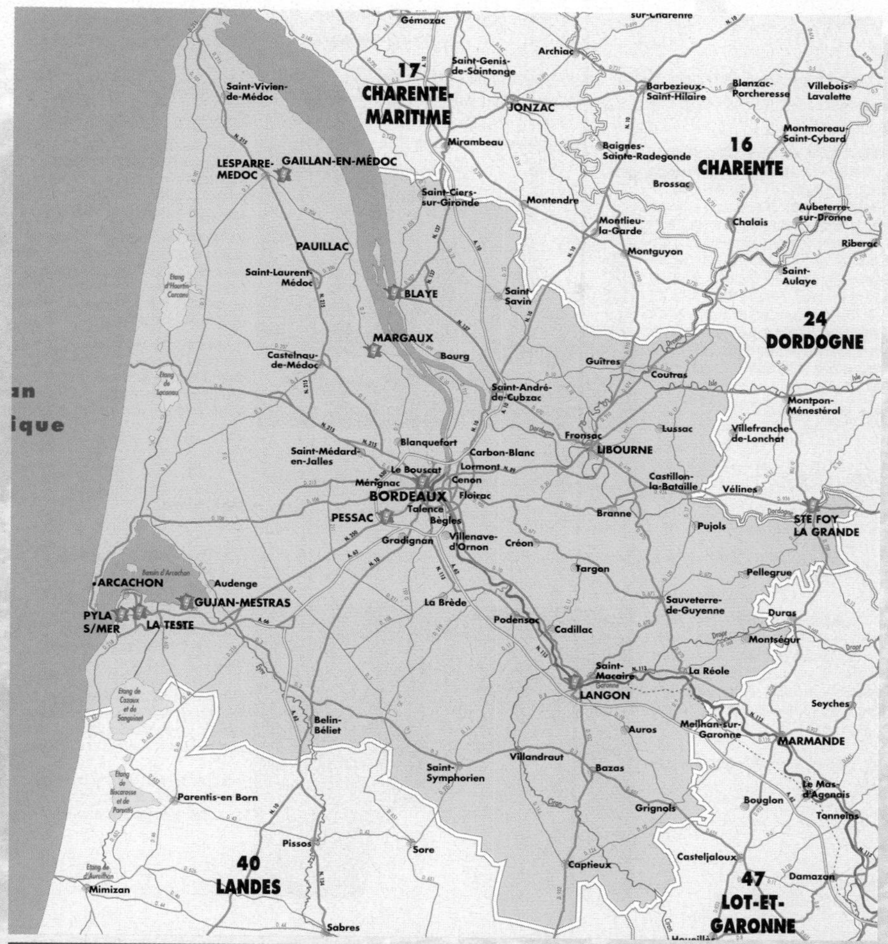

Sites Touristiques : Bordeaux, Cité Médiévale de Saint-Emilion, Bassin d'Arcachon, Citadelle de Blaye, Bastides de Gironde, Phare de Cordouan.

Saveurs de nos Terroirs : Huîtres du Bassin d'Arcachon, Canelé de Bordeaux, Entrecôte de Boeuf de Bazas, Agneau de Pauillac, Alose, Lamproie. Vignobles du Bordelais (le plus grand vignoble de vins fins du monde avec 57 appellations), Apéritif Lillet, Eau minérale des Abatilles (source située entre Arcachon et Le Pyla sur Mer).

Animations : Musée d'Aquitaine à Bordeaux, Ecomusée de la Vigne et du Vin de Montagne Saint-Emilion.

Avril/Mai/Juin : Fête des légumes oubliés à Sadirac, Fête de l'Agneau à Pauillac, Bordeaux fête le vin.

Juillet/Août : Fête de l'huître au Cap-Ferret, Foire aux huîtres à Gujan-Mestras.

Septembre/Octobre : Marathon des Châteaux du Médoc et des Graves, Fête du vin nouveau et de la brocante à Bordeaux.

Décembre : Foire au gras de Monségur.

COMITÉ DÉPARTEMENTAL DU TOURISME DE LA GIRONDE
21, Cours de l'Intendance - 33000 - BORDEAUX -Tél. : 05 56 52 61 40 - Fax : 05 56 81 09 99
www.tourisme-gironde.cg33.fr - tourisme@gironde.com

BLAYE (33390)

Auberge du Pays

AUBERGE DU PORCHE ★ ★

05 57 42 22 69

5 Rue Ernest Régnier (rond point jardin public) - Dominique & Christine LANFROID-NAZAC - Fax : 05 57 42 82 83 - www.auberge-du-porche.com Fermeture : 1 semaine fin octobre ; 1 semaine en mars ; mardi soir et mercredi (restaurant). - Menus : 9/25 € . Menu enfant : 7 € . Petit déjeuner : 5,50 € . 8 chambres : 42/56 € . Etape VRP : 59 € . Animaux : 5 € - Classement : Auberge du Pays

Dans un quartier calme et agréable, près du jardin public, cet établissement vous propose des chambres soigneusement aménagées ; à l'hôtel, une petite terrasse agrémentera vos petits déjeuners dès les beaux jours, et pour le restaurant une terrasse ombragée. Le chef vous réserve une cuisine réalisée avec des produits régionaux de qualité. Spécialités : coq au vin, assiette gourmande, cassoulet, foie frais de canard poêlé aux pommes, confit, magret entier, gâteau aux biscuits roses. Chambres avec bain ou douche+WC+TV : Toutes.Terrasse, garage fermé, parking privé, accès handicapés restaurant, chaînes satellites, salle restaurant de caractère, salle de séminaires, chèques vacances, animaux acceptés

In a calm and pleasant district, close to the park, this establishment proposes rooms carefully arranged to you; at the hotel, a small terrace will decorate your breakfasts as of the beautiful days, and for the restaurant a shaded terrace. A simple cooking with regional products of quality will be reserved to you.

En un barrio tranquilo y agradable, cerca del jardín público, este establecimiento le propone habitaciones acondicionadas con mucho esmero ; en el hotel, una pequeña terraza para sus desayunos, durante el buen tiempo, y en el restaurante una terraza sombreada. El jefe le propone una cocina elaborada con productos regionales de calidad.

In angenehmer und ruhiger Lage, nahe vom Stadtpark, bietet Ihnen dieses Haus sorgfältig eingerichtete Zimmer. Bei schönem Wetter stehen Ihnen verschiedene Terrassen zur Verfügung, im Hotel fürs Frühstück und mittags im Restaurant. Der Chefkoch bewirtet Sie mit einer Küche aus Qualitätsprodukten der Region.

BORDEAUX (33000)

Table de Prestige

JEAN RAMET - L'ARTISAN

05 56 44 12 51 - jean.ramet@free.fr

7/8 Place Jean Jaurès - Jean RAMET - Fax : 05 56 52 19 80 - Fermeture : 2/01-12/01 ; 11/04-19/04 ; 7/08-30/08. Menus : 28/56 € - Classement : Table de Prestige

Loin d'être médiatique, Jean RAMET et son épouse Raymonde aiment rassembler leurs clients et amis autour d'une table romantique à la cuisine régulière et pleine de parfums. Ils vous accueillent en toute simplicité sans prétention. Spécialités : trilogie des saveurs ; filets de soles, sauce miélée, olives grillées ; crumble aux poires, glace citron.

Climatisation, salle de séminaires, animaux acceptés au restaurant

Jean RAMET and his wife Raymonde like to gather their customers and friends around a romantic table with a regular cooking full with perfumes. They accomodate you in all simplicity without claim.

Lejos de ser popular, a Jean RAMET y su esposa Raymonde les encanta reunir sus clientes y amigos alrededor de una mesa romántica, con una cocina puntual y llena de aromas. Ellos le acogerán con toda simplicidad, sin pretensiones.

Jean Ramet und seine Frau Raymonde empfangen ihre Kunden einfach und natürlich, um einen romantischen Tisch und bewirten Sie mit ihrer regelmäßigen, geschmackvollen Küche.

BORDEAUX (33000)

Depuis le cours Victor Hugo.

Table Gastronomique

LE VIEUX BORDEAUX

05 56 52 94 36

27 Rue Buhan - Fax : 05 56 44 25 11 - Menus : 27/47 € . Menu enfant : 10 € - Classement : Table Gastronomique

GAILLAN-MEDOC (33340)

A 5 km de Lesparre et 40 km de Bordeaux.

Table Gastronomique

CHÂTEAU LAYAUGA ★ ★ ★ ★

05 56 41 26 83

RN 215 - Fax : 05 56 41 19 52 - Menus : 35/68,70 € . Petit déjeuner : 10 € . 7 chambres à partir de 100 € - Classement : Table Gastronomique

GUJAN-MESTRAS (33470)

Table Gastronomique

LA GUÉRINIÈRE ★ ★ ★

05 56 66 08 78 - laguerininiere@wanadoo.fr

18 Cours de Verdun - Fax : 05 56 66 13 39 - Menus : 35/70 € . Menu enfant : 16 € . 25 chambres : 85/185 € - Classement : Table Gastronomique

LANGON (33210)

A 40 km de Bordeaux.

Table de Prestige

HÔTEL-RESTAURANT CLAUDE DARROZE ★ ★ ★

05 56 63 00 48

95 Cours du Général Leclerc - Claude DARROZE - Fax : 05 56 63 41 15 - Fermeture : 5/01-17/01 ; 15/10-6/11 ; dimanche soir, lundi midi. Menus : 38/68 € . Menu enfant : 10/12 € . Petit déjeuner : 12 € . 16 chambres : 58/110 € . Demi pension : 98/106 € . Etape VRP : 64 € - Classement : Table de Prestige

Vous serez séduit par le confort, le charme, et l'ambiance de cet établissement. Au restaurant, une attention particulière sera réservée à chacun dans une atmosphère jeune et dynamique. Vous y dégusterez une cuisine d'exception élaborée avec les meilleurs produits du terroir sans oublier la somptueuse carte des vins (Bordeaux, Bourgogne, Armagnac).

Chambres avec bain ou douche+WC+TV : Toutes. Terrasse, garage fermé, parking privé, chaînes satellites, canal+, climatisation, salle de séminaires, animaux acceptés

You will be allured by comfort, the charm, and the environment of this establishment. For the restaurant, a detailed attention will be reserved for each one in a young and dynamic atmosphere. You will taste there a cooking of exception worked out with best products of the soil without forgetting the sumptuous chart of the wines (Bordeaux,Burgundy, Armagnac).

Usted quedará encantado con la comodidad, el encanto y el ambiente de este establecimiento. En el restaurante, una atención particular le espera en una atmósfera joven y dinámica. Usted podrá saborear una excepcional cocina, elaborada con los mejores productos regionales, sin olvidar la sumptuosa carta de vinos.

Lassen Sie sich vom Charme, dem Komfort und dem Ambiente dieses Hauses verführen. Im Restaurant ist die Atmosphäre jung und dynamisch, das Personal aufmerksam. Kosten Sie dort eine außerordentliche Küche aus besten Landprodukten zubereitet. Die großartige Weinkarte ist nicht zu vergessen (Bordeaux, Bourgogne, Armagnac).

MARGAUX (33460)

A 20 km de Bordeaux.

Table Gastronomique

RELAIS DE MARGAUX ★ ★ ★ ★

05 57 88 38 30 - relais-margaux@relais-margaux.fr

Chemin de l'Isle Vincent - B.P. 9 - Marc BONIVERT - Fax : 05 57 88 31 73 - www.relais-margaux.fr - Ouvert toute l'année. Restaurant fermé le samedi midi et le lundi du 1/12 au 28/02. - Menus : 37/75 € . Menu enfant : 18 € . Petit déjeuner buffet : 19 € . 63 chambres dont 5 suites : 129/335 € . Demi pension : 205/525 € - Classement : Table Gastronomique

Cette résidence privilégiée toute de pierre dorée est située au milieu d'un domaine de 55 ha (ancien château viticole) le long de la Gironde. Vous serez séduit par des chambres uniques, spacieuses et calmes, décorées différemment mais également par une gastronomie légère, raffinée et inventive, inspirée des produits du terroir accompagnée d'une exceptionnelle carte des vins. Spécialités : foie gras du sud-ouest poêlé, crémeux d'artichauts à la cardamone et jus perlé au vinaigre de Xéres ; soufflé au caramel, crème glacée aux pépites de nougatine et à la fleur de sel. Chambres avec bain ou douche+WC+TV : Toutes. Terrasse, jardin, parking privé, piscine d'été, tennis, ascenseur, accès handicapés, chaînes satellites, climatisation, petit déjeuner buffet, salle restaurant de caractère, salle de séminaires, chèques vacances, animaux acceptés

This very privileged gilded stone residence is located at the medium of a field of 55 ha (old wine castle) along the Gironde. You will be allured by single, roomy rooms and calm, decorated differently but also by a light, refined and inventive gastronomy, inspired of the products of the soil accompanied by an exceptional chart of the wines.

Esta privilegiada residencia de piedra dorada está ubicada en medio de un dominio de 55 ha (antiguo castillo vitícola) a lo largo del Gironde. Usted quedará encantado con sus espaciosas y tranquilas habitaciones, decoradas diferentemente ; con su gastronomía liviana, delicada e inventiva, inspirada con productos regionales y acompañada de una excepcional liste de vinos.

Diese privilegierte Residenz aus goldfarbenem Stein liegt mitten in einem 55 ha großen Landgut (früheres Weingebiet) an der Gironde. Sie werden nicht nur von den einzigartigen Zimmern verzaubert sein, geräumig und ruhig und unterschiedlich dekoriert, sondern auch von einer leichten Gastronomie, fein und ideenreich von ländlichen Produkten inspiriert und von außergewöhnlichen Weinen begleitet.

PESSAC (33600)

A 5 km de Bordeaux.

Table Gastronomique

HÔTEL-RESTAURANT LA RÉSERVE ★ ★ ★

05 57 26 58 28 - la-reserve@hotel-la-reserve.com

74 Avenue du Bourgailh - Fax : 05 57 26 58 00 - Menus : 17/45 € . Menu enfant : 11 € . 22 chambres : 56/95 € - Classement : Table Gastronomique

PYLA SUR MER/LA TESTE (33115)

A 100 m de la plage, à 2 km de la dune du Pyla

RESTAURANT GÉRARD TISSIER

05 56 54 07 94

35 Boulevard de l'Océan - Gérard TISSIER - Fax : 05 56 83 20 98 - Fermeture : 15/11-5/12 ; 15/01-5/02 ; lundi et mardi.
Menus : 19/49 € - Classement : Table Gastronomique

Vous serez accueillis dans un cadre intime et raffiné au sein de cette maison du Pyla agréablement fleurie en saison, située au milieu des pins. Une cuisine fine élaborée à partir des meilleurs produits satisfera plus d'un gourmet. Spécialités : noisettes de lotte et foie frais de canard poêlés, brochette de saint jacques aux girolles, pigeonneau rôti aux épices pommes anna, ris de veau aux morilles gratin au piment doux, nougat glacé maison croquant à la nougatine coulis de fruits rouges, macarons déguisés glaces aux trois parfums.

Terrasse, climatisation, salle restaurant de caractère, chèques vacances

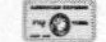

You will be accomodated within a framework intimate and refined within this house of Pyla agreeably flowered in season, located at the medium of the pines. An elaborate fine cooking from best produced will satisfy more than one gourmet.

Usted será acogido en un ambiente íntimo y delicado en el seno de esta casa del Pyla ubicada en medio de pinos y agradablemente florida según la estación. Una cocina delicada elaborada con excelentes productos, encantará a más de un goloso.

Sie werden in diesem Haus von Pyla in einem intimen und feinen Rahmen empfangen, blühend und inmitten von Pinien. Eine feine, ausgearbeitete Küche aus besten Erzeugnissen wird jeden Feinschmecker zufrieden stellen.

PYLA SUR MER (33115)

A 15 km d'Arcachon.

LA CORNICHE ★ ★

05 56 22 72 11 - corniche@chez.com

46 Avenue Louis Gaume - Francine GAUME - Fax : 05 56 22 70 21 - www.corniche-pyla.com
Fermeture : 3/11-1/04 ; mercredi sauf juillet et août. - Menus : 15/23 €. Menu enfant : 10 €. Petit déjeuner : 7 €.
15 chambres : 30/80 €. Demi pension : 54/77 € - Classement : Table de Terroir

Adossé à la Dune du Pilat, dominant le bassin d'arcachon, cet établissement situé en bord de mer (accès à une immense plage surveillée par un escalier) vous propose son restaurant panoramique avec des spécialités de fruits de mer, de poissons et aussi de plats landais. Spécialités : plateaux de fruits de mer, filet de boeuf aux huîtres, méli mélo de poissons, dune du pilat en dessert.

Chambres avec bain ou douche+WC+TV : 13 chambres. Terrasse, jardin, salle restaurant de caractère, salle de séminaires, animaux acceptés

Near the Dune du Pilat, overlooking the bassin d'Arcachon, this establishment situated at the edge of the sea (access to the beach by the stairs) offers a gastronomic restaurant with seafood specialities, fishes and traditional meals.

Adosado a la Duna del Pilat, dominando la cuenca de Arcachon, este establecimiento situado a orillas del mar (con acceso por una escalera a una immensa playa vigilada) le propone su restaurante panorámico con especialidades de mariscos, pescados y también de platos landeses.

In der Nähe von der Dune du Pilat , die das Bassin d'Arcachon überragt, bietet Ihnen dieses Haus am Meer mit seinem Panoramarestaurant Spezialitäten aus Meeresfrüchten, Fisch und regionalen Erzeugnissen.

STE FOY LA GRANDE (33220)

LA VIEILLE AUBERGE

05 57 41 95 96

10 Rue Louis Pasteur - Laurent BAETMAN - Fax : 05 57 41 95 97
Menus : 15/38 €. Petit déjeuner : 6,80 €. 5 chambres : 35/50 €
Classement : Table de Terroir

Venez découvrir le cadre authentique et chaleureux de cet établissement. Un accueil personnalisé vous sera réservé. Spécialités : carpaccio de saint jacques aux truffes du Périgord, cuisses de grenouilles et ris d'agneau aux morilles, parmentier de foie gras aux poires Bordeaux Ste Foy.

Chambres avec bain ou douche+WC+TV : Toutes. Terrasse, salle restaurant de caractère

Come to discover the authentic and warm setting of this establishment. A personalized room will be reserved for you.

Venga a descubrir el ambiente auténtico y caluroso de este establecimiento. Una acogida personalizada le aguarda.

Entdecken Sie den authentischen und gemütlichen Rahmen dieses Hauses, wo Sie persönlich empfangen werden.

Sites Touristiques : Cirque de Navacelles, Canal du Midi, Saint Guilhem de Désert, Minerve, Lac du Salagou.

Saveurs de nos Terroirs : Tielle Sétoise, ragoût d'escoubilles, beurre de Montpellier, canard aux olives, oreillettes, blanc manger.
Vignobles : Noilly Prat.
Vins : Faugères, Saint Chinian, Picpoul de Pinet, Terrasses du Larzac, Grès de Montpellier, Pic Saint Loup, Minervois, Côtes de Thongue, Terrasse de Béziers.

Animations : Agropolis Muséum à Montpellier.
Le Printemps des Comédiens, Festival Montpellier danse, Saison Musicale de Saint Guilhem le Désert.

COMITÉ DÉPARTEMENTAL DU TOURISME DE L'HERAULT
Maison du Tourisme Avenue des Moulins - 34184 - MONTPELLIER CEDEX 4
Tél. : 08 25 34 00 34/04 67 67 71 71 - Fax : 04 67 67 71 77
www.herault-en-languedoc.com - cdt@cdt-herault.fr

AGDE (34300)

A 3 km d'Agde (quai du Grau d'Agde).

RESTAURANT L'ADAGIO

04 67 21 13 00

3 Quai Commandant Méric LE GRAU D'AGDE - Claude ALRIC - Fax : 04 67 21 13 00 - www.restaurant-ladagio.com
Fermeture : 4/01-18/01. - Menus : 22/45 € . Menu enfant : 12 € - Classement : Table Gastronomique

Situé sur les berges de l'Hérault, avec vue imprenable sur la mer, l'Adagio vous réserve un accueil des plus attentifs et une table gastronomique de qualité mettant en avant les produits du terroir. Spécialités : écume de gambas, poissons frais suivant l'arrivage et les saisons, boeuf de l'Aubrac, veau fermier de Lacaune. Terrasse, accès handicapés restaurant, climatisation, salle restaurant de caractère, salle de séminaires, chèques vacances, animaux acceptés au restaurant

Situated on the banks of Hérault, with panoramic view on the sea, L'Adagio reserves you a warm welcome and a gastronomic cooking of quality, with traditional products.

A las orillas del Hérault, sin servidumbre de vistas al mar, L'Adagio le ofrece una atenta acogida y una comida gastronómica de calidad, que realza los productos regionales.

Am Ufer der Herault, mit beeindruckendem Blick aufs Meer, bereitet Ihnen L'Adagio einen äußerst herzlichen Empfang und eine hervorragende Feinschmeckerküche, wobei die regionalen Produkte in den Vordergrund gestellt werden.

ANIANE (34150)

A 35 km de Montpellier.

HOSTELLERIE SAINT BENOIT ★ ★

04 67 57 71 63 - hostellerie.st-benoit@wanadoo.fr

Route de Saint Guilhem - Jacques RAOUL - Fax : 04 67 57 47 10 - Fermeture : Mi décembre-début mars.
Menus : 20/36 € . Menu enfant : 8 € . Petit déjeuner : 7 € .
30 chambres : 52/61 € - Classement : Table de Terroir

Faites une halte au creux de la vallée de l'Hérault. L'Hostellerie Saint Benoît vous accueille chaleureusement, vous propose des chambres confortables et une cuisine traditionnelle gastronomique. Spécialités : écrevisses de Saint Guilhem à la persillade, saumon à l'huile de noix, truite de Saint Guilhem aux petits lardons.

Chambres avec bain ou douche+WC+TV : Toutes (10 chambres climatisées).
Terrasse, jardin, parking privé, piscine d'été, accès handicapés, climatisation, animaux acceptés

Make a halt in the hollow of the valley of Hérault. The Hostellerie Saint Benoit accomodates you cordially, proposes comfortable rooms and a gastronomic traditional kitchen to you.

Deténgase en el camino que da al valle del Hérault. La Hostellerie Saint Benoit le acoge calurosamente, le propone habitaciones confortables y una cocina tradicional gastronómica.

Machen Sie im Tal des Héraults eine Pause. Die Hostellerie Saint Benoit empfängt Sie warmherzig, bietet Ihnen gemütliche Zimmer und eine traditionelle gastronomische Küche.

CAP D'AGDE (34300)

LE NAUTIC

04 67 26 90 01

3 Rue de l'Estacade Avant Port - Franck et Nathalie GRENET - Fax : 04 67 26 90 01
Fermeture : 12/12-31/01 ; fermé le soir de novembre à mars sauf le samedi. - Menus : 10,50/25 € . Menu enfant : 6 €
Classement : Table de Terroir

Au bout du Cap d'Agde, l'avant port est un village dans la ville, avec son port de petits pêcheurs, ses étals de poissons frais, la plage entourée par les falaises de roches brunes. Le Nautic vous recevra dans cette ambiance de bord de mer, chaleureuse, vraie et se fera un plaisir de préparer pour vous ses meilleures spécialités : gratinée de moules à la crème de Picpoul, dorade au four au Nouilly, filet de loup au citron confit.
Terrasse, chèques vacances, animaux acceptés au restaurant

At the end of the course of the Cap d'Agde, the outer harbour is a village in the city, with its port of small fishermens, its fresh fishes stands, the beach surrounded by cliffs of brown rocks. Le Nautic will receive you in this environment of edge of sea, cordial, true and will be made a pleasure to prepare for you its best specialities.

En la punta de Cap d'Agde, el antepuerto es un pueblo en una ciudad, con su puerto de pequeños pescadores, sus puestos de pescados frescos, la playa rodeada por los pardos acantilados rocosos. Le Nautic le recibirá en este ambiente de paseo marítimo, caluroso, verdadero y tendrá el placer de prepararle sus mejores especialidades.

Am Ende von Cap d'Agde, ist der vordere Hafen ein Dorf in der Stadt mit seinen kleinen Fischern, dem frischem Fisch auf den Ständen, dem Strand umgeben von Klippen aus braunem Fels. Im Nautic empfängt man Sie in dieser Atmosphäre, herzlich, ehrlich und bereitet mit Vergnügen die besten Spezialitäten für Sie zu.

CLERMONT L'HÉRAULT (34800)

A75 sortie 57. A 40 km de Montpellier et Béziers.

HÔTEL-RESTAURANT DE SARAC ★ ★

04 67 96 06 81

Route de Nébian - Paulette DUNAND - Fax : 04 67 88 07 30 - Fermeture : Janvier.
Menus : 16/22 € . Menu enfant : 8 € . Petit déjeuner : 7,50 € .
22 chambres : 32/46 € - Classement : Auberge du Pays

Venez découvrir l'ambiance chaleureuse de cette maison où il fait bon vivre et où tout le monde aime se rencontrer gaiement. Au restaurant, une cuisine régionale, délicate et généreuse accompagnera pour votre plus grand plaisir les meilleurs vins du Languedoc. Spécialités : terrine de rougets aux tomates confites, noisettes d'agneau au caviar d'aubergines, jarret de porc au miel de romarin, éventail de noix de saint jacques et saumon frais sauce corail, fondant au chocolat crème anglaise.
Chambres avec bain ou douche+WC+TV : Toutes.
Terrasse, jardin, garage fermé, parking privé, petit déjeuner buffet, chèques vacances

Come to discover the cordial atmosphere of this house where it is good to live. In the restaurant, a regional, delicate and generous kitchen will accompany you for your greater pleasure the best wines of Languedoc.

Venga a descubrir el caluroso ambiente de esta casa, en donde se vive bien y a todo el mundo le gusta encontrarse alegremente. En el restaurante, usted tendrá el placer de saborear una cocina regional, delicada y generosa, acompañada con los mejores vinos del Languedoc.

Entdecken Sie die Gastfreundschaft dieses Hauses, wo Sie die Freuden des Lebens genießen können und in fröhlichem Kreis neue Bekanntschaften schließen werden. Im Restaurant begleiten regionale, reichhaltige Gerichte die besten Weine des Languedocs.

FABRÈGUES (34690)

A 10 km de Montpellier.

RELAIS DE FABRÈGUES ★ ★

04 67 85 11 79

42 Avenue Clémenceau B.P. 32 - Michèle & Jean-Claude LEU - Fax : 04 67 85 29 54 - Fermeture : 15/01-20/02 ; samedi midi, dimanche soir et lundi (restaurant). - Menus : 18,95/29,95 € . Menu enfant : 10,60 € . Petit déjeuner : 7,20 € . 26 chambres : 49,90/60 € . Appartement : 138 € . Demi pension : 48/56 € . Etape VRP : 60/65 € - Classement : Table de Terroir

Situé à peine à 12 km des plages, le Relais de Fabrègues vous propose un hôtel moderne et confortable. Pour vos banquets, repas d'affaires, le restaurant vous accueille chaleureusement ; Michèle et Jean-Claude seront ravis de préparer pour vous leurs spécialités en fonction des saisons et des produits du terroir : escalope de foie frais de canard aux pommes confites et sa sauce madère, chaud et froid de coquillages, sabayon glacé au muscat de Frontignan.

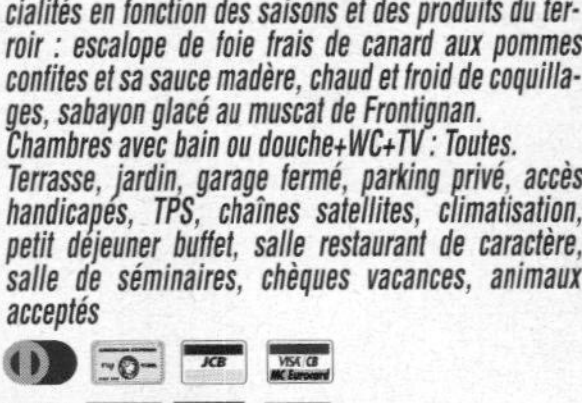

Chambres avec bain ou douche+WC+TV : Toutes.
Terrasse, jardin, garage fermé, parking privé, accès handicapés, TPS, chaînes satellites, climatisation, petit déjeuner buffet, salle restaurant de caractère, salle de séminaires, chèques vacances, animaux acceptés

Situated at only 12 km of the beaches, the Relais de Fabrègues offers a modern and comfortable hotel. For your dinners, business meals, the restaurant offers a warm welcome, Michèle and Jean Claude will be glad to prepare specialities.

A sólo12 km de las playas, el Relais de Fabrègues le propone un hotel moderno y confortable. Para sus banquetes, comidas de negocios, el restaurante le acoge calurosamente ; Michèle y Jean-Claude estarán encantados de prepararle sus especialidades, siguiendo las estaciones y los productos regionales.

Das Relais de Fabrègues ist ein modernes und komfortables Hotel, kaum 12 km vom Strand entfernt. Michèle und Jean-Claude freuen sich anläßlich von Festessen und Geschäftsessen für Sie ihre Spezialitäten zuzubereiten.

MÈZE (34140)

Sur l'étang de Thau, RN 113, à 40 km de Montpellier.

LA MARMITIÈRE

04 67 43 84 99

38 Rue du Port - Corinne & Adrien LEFORT - Fax : 04 67 43 47 28 - Fermeture : 15/11-15/12 ; Jeudi, vendredi midi et dimanche soir. Menus : 15,50/35,50 € . Menu enfant : 9 € - Classement : Table de Terroir

Meze, village de pêcheur avec son port est situé sur l'étang de Thau, région ostréicole et vinicole. La salle de restaurant est aménagée dans une ancienne muraille du 12ème et 13ème siècle, vous y dégusterez les spécialités de la maison : zarzuela, huîtres gratinées, coquillages de Thau... Vins : Picpoul de Pinet, Les Yeuses Muscat rosé.

Terrasse, climatisation, salle restaurant de caractère, salle de séminaires, chèques vacances, animaux acceptés au restaurant

Meze, a fishermen's village with its harbour, is located on the pond of Thau, well-known oyster bed and wine growing. The restaurant used to be a defensive wall of the 12th and 13th century. You will appreciate seafood cooked in many different ways.

Meze es un pueblo de pescadores con un puerto ubicado en la albufera de Thau, en una región ostrícola y vinícola. La sala del restaurante ha sido construída en el interior de una anciana muralla del siglo XII y XIII. Usted podrá saborear las especialidades de la Casa.

Meze, ein Fischerdorf, mit seinem Hafen am Teich von Thau, ist ein Wein- und Austerngebiet. Im Speisesaal mit alten Mauern aus dem 12. und 13. Jh. kosten Sie die Spezialitäten des Hauses.

MONTPELLIER (34000)

A 5 km de l'aéroport de Montpellier. A 60 km de Nîmes.

LE JARDIN DES SENS ★ ★ ★ ★

04 99 58 38 38 - contact@jardindessens.com

11 Avenue Saint-Lazare - Jacques & Laurent POURCEL - Fax : 04 99 58 38 39 - www.jardindessens.com Fermeture : 1/01-30/01 ; Dimanche, Lundi et Mercredi midi. - Menus : 92/122 € . 14 chambres : 150/390 € - Classement : Table de Prestige

Jacques et Laurent POURCEL, ainsi qu'Olivier CHÂTEAU, ont donné libre cours à leur rêve dans un havre de calme où règne une atmosphère chaude et feutrée. Ils préparent une cuisine personnelle, raffinée et créative en hommage aux saveurs du Languedoc et de la Méditerranée. Ils vous accueillent dans leur établissement où la salle à manger aux murs de verre, lumineuse, s'ouvrant sur un jardin méditerranéen, est devenue leur espace de création culinaire.... Parmi les spécialités : bonbons de foie gras de canard, filet de loup cuit longuement au four et doré aux citrons, coco/chocolat craquant de chocolat, bananes rôties... Jardin, garage fermé, parking privé, piscine d'été, tennis, ascenseur, chaînes satellites, canal+, climatisation,salle de séminaires, animaux acceptés

Jacques and Laurent POURCEL, like Olivier Château, gave free course to their dream in a harbour of calms where reign a hot and felted atmosphere. They prepare a personal cooking, refined and creative in homage to savours of Languedoc and the Mediterranean.

Jacques y Laurent POURCEL, como también Olivier CHATEAU, han dado libre curso a sus sueños en un remanso de paz en donde reina un ambiente cálido y delicado. Preparando para usted una cocina personal, refinada y creativa rindiendo culto a los sabores de Languedoc y del Mediterráneo.

Jacques und Laurent Pourcel, sowie Olivier Château haben ihre Träume in einem Zufluchtsort mit warmer und gedämpfter Atmosphäre verwirklicht. Sie bereiten für Sie eine persönliche, erlesene und kreative Küche, die die Geschmäcker des Languedoc und Mittelmeers hervorhebt.

MONTPELLIER (34000)

Centre historique.

Table Gastronomique

RESTAURANT CELLIER-MOREL

04 67 66 46 36 - cellier-morel@wanadoo.fr

Maison de la Lozère - 27 Rue de l'Aiguillerie - Fax : 04 67 66 23 61 - Menus : 22/55 € .
Classement : Table Gastronomique

MONTPELLIER (34000)

Entre la place de la Comédie et la Gare.

Table Gastronomique

RESTAURANT L'OLIVIER

04 67 92 86 28

12 Rue Aristide Ollivier - Fax : 04 67 92 10 65 - Menus : 27/44 €
Classement : Table Gastronomique

MONTPELLIER (34000)

Table de Terroir

RESTAURANT LE VIEIL ECU

04 67 66 39 44 - norbert.ferao@wanadoo.fr

Place de la Chapelle Neuve - Norbert FERAO - Fax : 04 67 66 39 44 - Fermeture : Vacances scolaires de février ; dimanche et lundi midi.
Menus : 12/22 € . Carte : 25 € . Menu enfant : 6,10 €
Classement : Table de Terroir

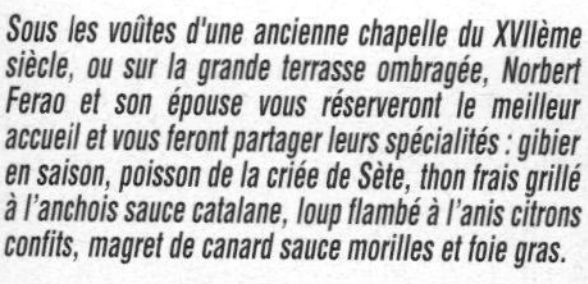

Sous les voûtes d'une ancienne chapelle du XVIIème siècle, ou sur la grande terrasse ombragée, Norbert Ferao et son épouse vous réserveront le meilleur accueil et vous feront partager leurs spécialités : gibier en saison, poisson de la criée de Sète, thon frais grillé à l'anchois sauce catalane, loup flambé à l'anis citrons confits, magret de canard sauce morilles et foie gras.

Terrasse, jardin, accès handicapés restaurant, salle restaurant de caractère, chèques vacances, animaux acceptés au restaurant

Under the vaults of an ancient chapel of the XVII century or on the shaded terrace, Norbert Ferao and his wife will reserve you the best welcome and make you share their specialities.

Bajo las bóvedas de una antigua capilla del siglo XVII, o en la gran terraza sombreada, Norbert Ferao y su esposa le brindarán una gran acogida y le harán saborear sus especialidades.

Unter den Gewölben einer Kapelle aus dem 17. Jh. oder auf der großen, schattigen Terrasse, heißt Sie Norbert Ferao und seine Frau herzlich willkommen und bereitet Ihnen die Spezialitäten des Hauses zu.

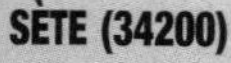

SÈTE (34200)

La Corniche

Table Gastronomique

LES TERRASSES DU LIDO ★ ★ ★

04 67 51 39 60

Rond point de l'Europe La Corniche - Philippe MOULS - Fax : 04 67 51 28 90 - Fermeture : Dimanche soir, lundi hors saison (restaurant).
Menus : 25/52 € . Menu enfant : 12 € . Petit déjeuner : 10 € .
9 chambres : 68/80 € . Demi pension : 73/80 € . Etape VRP : 68 € - Classement : Table Gastronomique

Vous découvrirez ici une cuisine d'inspiration méditerranéenne, retrouverez les saveurs des spécialités locales et apprécierez les coquillages, crustacés et poissons frais du marché. Spécialités : bourride, bouillabaisse, grand aïoli de la mer, saint pierre en écailles de chorizo, assiette grand chocolat.

Chambres avec bain ou douche+WC+TV : Toutes.
Terrasse, jardin, garage fermé, parking privé, piscine d'été, ascenseur, accès handicapés restaurant, climatisation, salle de séminaires, chèques vacances, animaux acceptés

You will discover there a cooking of mediterranean inspiration, refind the savours of regional specialities and wil enjoy seafood and fres fishes of market.

Usted descubrirá aquí una cocina con inspiración mediterránea, encuentre los sabores de las especialidades locales y aprecie los mariscos, crustáceos y pescados frescos del mercado.

Sie entdecken hier eine Küche vom Mittelmeer inspiriert mit den Geschmäckern der lokalen Spezialitäten und genießen Muscheln, Krebstiere und Fisch frisch vom Markt.

SÈTE (34200)

A 27 km de Montpellier.

Table Gastronomique

LE GRAND HÔTEL - LA ROTONDE ★ ★ ★

04 67 74 71 77

17 Quai de Tassigny - Fax : 04 67 74 29 27 - Menus : 19/51 € . Menu enfant : 10,67 € . Petit déjeuner : 8,50 € .
43 chambres : 60/126 € - Classement : Table Gastronomique

ST JEAN DE LA BLAQUIÈRE (34700)

A 15 km de Lodève.

HÔTEL-RESTAURANT LE SANGLIER ★ ★ ★

04 67 44 70 51 - hotreslesanglier@aol.com

Domaine de Cambourras - Monique & Pierre LORMIER - Fax : 04 67 44 72 33 - www.logassist.fr/sanglier - Fermeture : 25/10-25/03. Menus : 15,25/37 € . Menu enfant : 9,45 € . Petit déjeuner : 8,72 € . 10 chambres : 69/83 € . Demi pension : 140/150 € /2 pers. Etape VRP : 60 € - Classement : Table de Terroir

Monique & Pierre LORMIER vous recevront dans l'ambiance chaleureuse et rustique de leur hôtel-restaurant situé dans un site d'un calme exceptionnel au milieu des vignes et de la garrigue. Spécialités : foie gras maison, daube de sanglier à la Cambourras, ravioles de petits gris, faux filet grillé à la cheminée à la souche de vigne et tapenade, cabillaud ensoleillado, parfait glacé au miel de lavande. Sélection des meilleurs vins de l'Hérault.
Chambres avec bain ou douche+WC+TV : Toutes.
Terrasse, jardin, parking privé, piscine d'été, tennis, accès handicapés restaurant, TPS, chaînes satellites, salle restaurant de caractère, salle de séminaires, chèques vacances, animaux acceptés

Monique & Pierre LORMIER welcome you into the rustic and warm ambiance of their hotel-restaurant located in an exceptional quiet site in the middle of a vineyard

Monique y Pierre LORMIER le recibirán en el ambiente cálido y rústico de su hotel-restaurante situado en un lugar de una calma excepcional, en medio de viñedos y del carrascal. Selección de los mejores vinos de Hérault.

Monique & Pierre LORMIER empfangen Sie in der warmen und rustikalen Atmosphäre ihres Hotel- Restaurants, in einer außergewöhnlich ruhigen Lage mitten in Weinbergen und Heide.

VIC LA GARDIOLE (34110)

A 3 km de Frontignan et 8 km de Sète.

HÔTELLERIE DE BALAJAN ★ ★ ★

04 67 48 13 99 - balajanvic@aol.com

41 Route de Montpellier (RN112) - Pierrette DENEU-ROQUES - Fax : 04 67 43 06 62 - www.hotel-balajan.com Fermeture : 24/12-04/01 ; 1/02-28/02 ; samedi midi, lundi midi ; dimanche soir hors saison. - Menus : 16/48 € . Menu enfant : 9 € . Petit déjeuner : 8 € - 18 chambres : 58/92 € . Demi pension : 56/63 € . Etape VRP : 60/65 € - Classement : Table de Terroir

Au milieu du vignoble de Frontignan, face aux collines de la Gardiole et à quelques km de la plage des Aresquiers (site protégé), l'Hôtellerie de Balajan vous offre un emplacement privilégié et vous propose une cuisine du terroir inventive en fonction du marché. Spécialités : brochettes de gambas papillon, salade de mangue et ananas sauce piquante ; noisette d'agneau dorée aux épices, sauce soja ; gratinée de saint jacques au sabayon pastis-verveine.
Chambres avec bain ou douche+WC+TV : Toutes.
Jardin, garage fermé, parking privé, piscine d'été, chaînes satellites, canal+, climatisation, petit déjeuner buffet, salle restaurant de caractère, salle de séminaires, chèques vacances

In the medium of the vineyard of Frontignan, facing the hills of Gardiole and to a few km of the beach of Aresquiers (protected site), the Hôtellerie de Balajan offers a privileged site to you and proposes to you an inventive cooking of the soil according to the market .

En medio del viñedo de Frontignan, frente a las colinas de la Gardiole y a algunos km de la playa de los Aresquiers (lugar protegido), la Hôtellerie de Balajan le brinda una ubicación privilegiada y le propone una cocina regional inventiva que sigue el ritmo del mercado.

Mitten in den Weinbergen von Frontignan, mit Blick auf die Hügel von Gardiole und ein paar Kilometer von den Aresquier Stränden (geschützte Stätte), bietet Ihnen die Hôtellerie de Balajan eine bevorzugte Lage und eine ideenreiche, ländliche Küche nach den Marktprodukten ausgerichtet.

La Reconnaissance Professionnelle

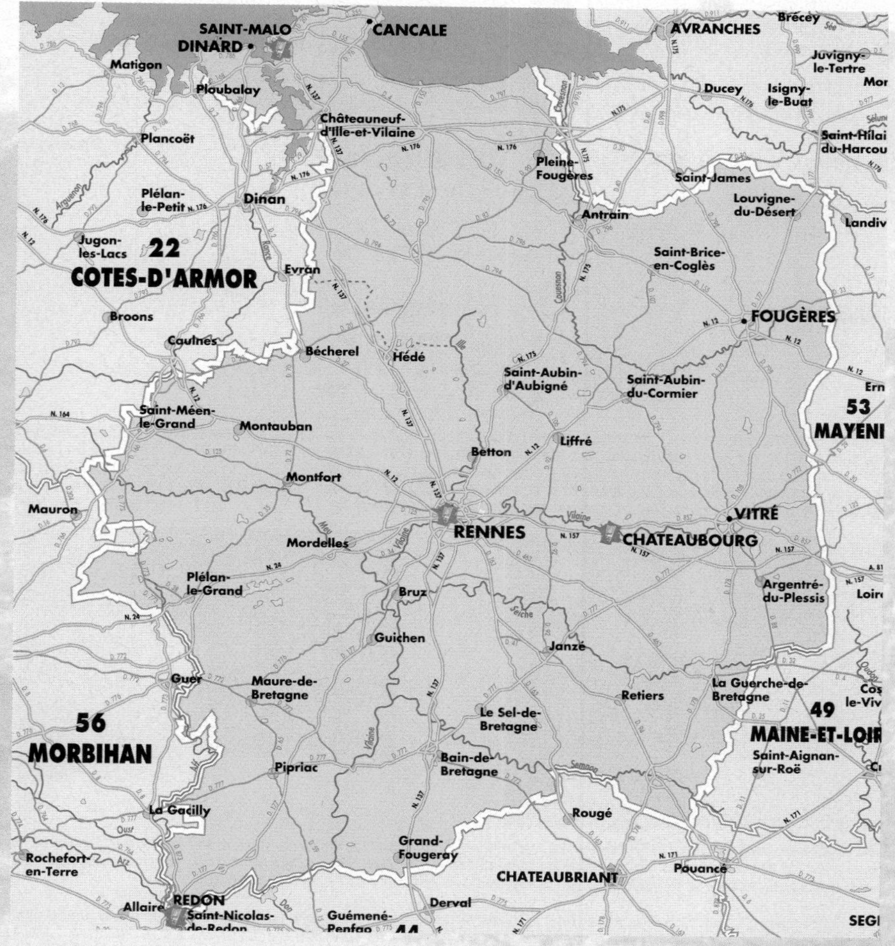

Sites Touristiques : Saint Malo, Cancale, Dinard, Rennes, Fougères, Forêt de Brocéliande, Vitré, Redon

Saveurs de nos Terroirs : Patate de Saint Malo, huîtres de Cancale, moules de Bouchots du Vivier sur Mer, poulet de Janzé, craquelin de Saint Malo, marrons de Redon, parlementin de Rennes.

Cidre, Pommeau, Bouchinot (liqueur de Saint Meen Le Grand).

Animations : Le Grand Aquarium de Saint Malo.

Juin : Etonnants voyageurs à Saint Malo.

Juillet/Août : Tombées de la nuit à Rennes, Etincelles aquatiques à Martigné Ferchaud.

COMITÉ DU TOURISME DE HAUTE-BRETAGNE ILLE-ET-VILAINE

4, Rue Jean Jaurès B.P. 60149 - 35101 - RENNES CEDEX 3 -Tél. : 02 99 78 47 47 - Fax : 02 99 78 33 24

www.bretagne35.com - tourisme35.cdt@wanadoo.fr

CHATEAUBOURG CEDEX (35221)

A 20 km de Rennes.

AR MILIN' ★ ★ ★

02 99 00 30 91 - resa.armilin@wanadoo.fr

*30 Rue de Paris BP 72118 - Fax : 02 99 00 37 56 - Menus : 25/41 € . Formule bistrot : 15/20 € . Menu enfant : 10 € .
32 chambres : 67/170 € - Classement : Table Gastronomique. Bistrot du Moulin ouvert du lundi au verndredi midi*

REDON (35600)

LE MOULIN DE VIA

02 99 71 05 16

*Route de La Gacilly - Fax : 02 99 71 08 36 - Menus : 20/55 € . Menu enfant : 13 € .
Classement : Table Gastronomique*

RENNES (35000)

LE SERMENT DE VIN

02 99 30 99 30

*20 Boulevard de la Tour d'Auvergne - M. DESTRADE - Fax : 02 99 31 19 33 - www.sermentdevin.com
Fermeture : août ; samedi midi ; dimanche soir - Menus : 13/35 €
Classement : Table de Terroir*

Dans une ambiance feutrée et chaleureuse, Le Serment de Vin vous fait la promesse de passer un bon moment à la découverte d'une cuisine traditionnelle et raffinée. Le Serment de Vin est le premier restaurant charolais label rouge en Bretagne. Et si la viande est l'une des spécialités, le poisson y tient aussi sa place, avec chaque jour, un choix de poissons en provenance de petits bateaux. Cette maison vit parce qu'elle pétrit et cuit son pain deux fois par jour. Et puis Le Serment de Vin c'est aussi la possibilité de déguster une quarantaine de crus au verre. Spécialités : entrecôte charolais label rouge sauce bordelaise, menu tout saint jacques (en saison), assiette du chocolatier. Chèques vacances, animaux acceptés au restaurant

In a felted and cordial environment, the Serment de Vin makes you the promise to spend a good moment to discovered a traditional and refined kitchen. The Serment de Vin is the first restaurant charolais red label in Brittany. And if the meat is one specialitie, the fish holds its place, with each day, a choice of fish coming from small boats. This house lives because twice kneads and cooks its bread per day. And then the Serment de Vin is also the possibility of tasting forty vintages to glass.

En un ambiente calmo y caluroso, Le Serment de Vin le promete pasar un buen momento descubriendo una cocina tradicional y refinada. Le Serment de Vin es el premier restaurante charolais con sello de calidad en Bretagne. Si la carne es una de sus especialidades, el pescado guarda su lugar, con cada día, un surtido de pescados provenientes de pequeños barcos. Esta casa vive porque ella amasa y hace su pan dos veces al día. Además Le Serment de Vin es también la posibilidad de catar una cuarentena de vinos al vaso.

In einem gedämpften und warmen Ambiente verspricht Ihnen der Serment de Vin, einen Moment der feinen und traditionellen Gastronomie. Es ist das erste Restaurant mit der Auszeichnung charolais label rouge in der Bretagne. Auch wenn das Fleisch die Spezialität ist, so hat ebenfalls der Fisch seinen Platz, mit dem täglichen Fischfang der kleinen Boote. Dieses Haus lebt, weil man das Brot zweimal am Tag knetet und bäckt. Und Sie können 40 verschiedene Weine kosten.

ST MALO (35400)

LE CHALUT

02 99 56 71 58

8 Rue de la Corne de Cerf - Fax : 02 99 56 71 58 - Menus : 21/48 € - Classement : Table Gastronomique

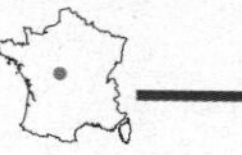

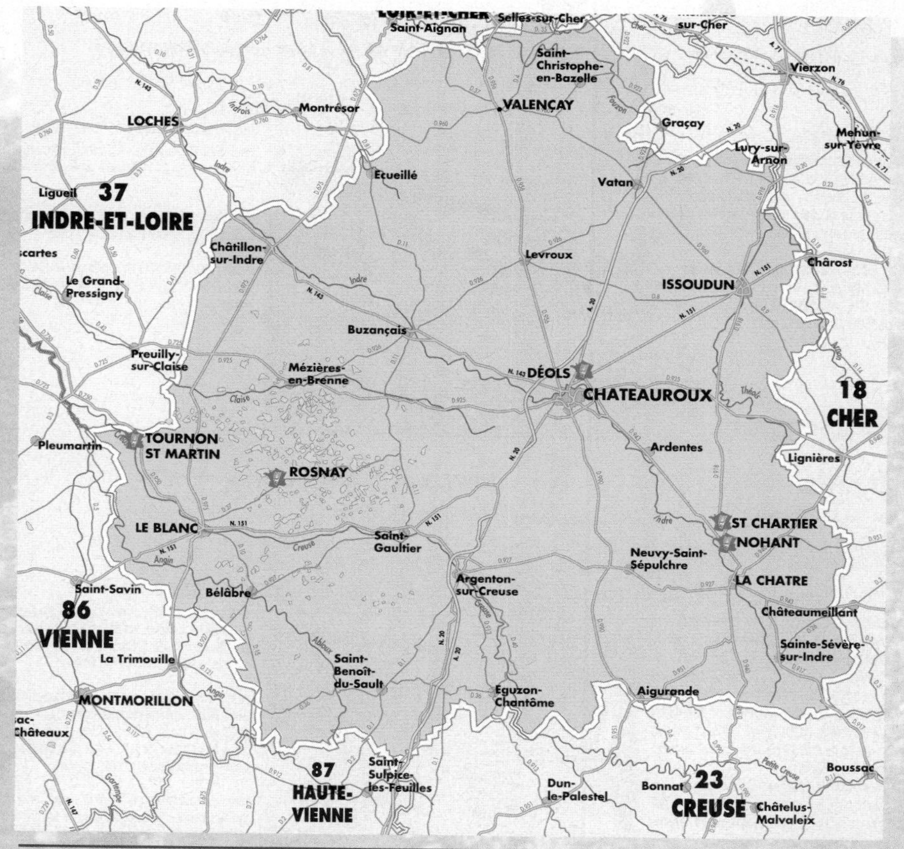

Sites Touristiques : Château de Valençay, Maison de George Sand à Nohant, Parc Naturel Régional de la Brenne, Parc Zoologique de la Haute Touche, Lac d'Eguzon.

Saveurs de nos Terroirs : Fromage de chèvre de Valençay (A.O.C.) et Pouligny-Saint-Pierre (A.O.C.), Paté de Paques berrichon, Poulet en barbouille, Lentilles vertes du Berry, Galette de pomme de terre.

Vin de Reuilly (A.O.C.), Vin de Valençay (V.D.Q.S.).

Animations : Musée archéologique et Site d'Argentomagus, Musée de l'Automobile à Valençay.

Juin : Fêtes Romantiques de Nohant.

Juillet/Août : Festival de Luthiers et Maitres Sonneurs à Saint Chartier, Festival Darc à Chateauroux, Festival de Harpe à Gargilesse.

Octobre : Festival Les Lisztomonias à Châteauroux.

COMITÉ DÉPARTEMENTAL DU TOURISME DE L'INDRE

1, Rue Saint-Martin B.P. 141 - 36003 - CHATEAUROUX CEDEX -Tél. : 02 54 07 36 36 - Fax : 02 54 22 31 21

www.tourisme.cyberindre.org - tourisme@cyberindre.org

DEOLS (36130)

A20 sortie 12. A 5 km de Châteauroux.

RELAIS SAINT JACQUES ★ ★ ★

02 54 60 44 44 - saint-jacques@wanadoo.fr

Coings - Pierre JEANROT - Fax : 02 54 60 44 00 - www.relais-st-jacques.com - Fermeture : Dimanche soir (restaurant).
Menus : 17,80/44,55 € . Menu enfant : 14,10 € . Petit déjeuner : 7 € .
46 chambres : 55,10/60,45 € . Demi pension : 48,52/51,76 € . Etape VRP : 64,90 € - Classement : Table Gastronomique.

Dans une ambiance chaleureuse et conviviale, Pierre JEANROT et son équipe se feront un plaisir de préparer pour vous leurs spécialités : oeufs brouillés aux truffes, homard juste poêlé beurre meunière, confit de canard fait maison aux pommes de terre.

Chambres avec bain ou douche+WC+TV : Toutes.
Terrasse, parking privé, accès handicapés, chaînes satellites, canal+, climatisation,salle de séminaires, chèques vacances, animaux acceptés

Pierre JEANROT and his team will warmly welcome you and make you appreciate his specialities in a warm and convivial ambiance.

Pierre JEANROT y su equipo le brindarán una cálida acogida y le harán saborear las especialidades de la Casa.

In einer geselligen und herzlichen Atmosphäre, freuen sich Pierre JEANROT und seine Mitarbeiter, für Sie ihre Spezialitäten zuzubereiten.

NOHANT (36400)

A 4 km de La Chatre.

AUBERGE DE LA PETITE FADETTE ★ ★ ★

02 54 31 01 48

Place du Château - Bernard Gabriel CHAPLEAU - Fax : 02 54 31 10 19 - www.aubergepetitefadette.com - Ouvert toute l'année.
Menus : 17/48 € . Menu enfant : 12 € . Petit déjeuner : 10 € .
9 chambres : 60/125 € . Demi pension : 87/132 € . Etape VRP : 58/78 € - Classement : Table Gastronomique

Sur la place de Nohant, à deux pas de la maison musée de George Sand, cette belle demeure tenue par la même famille depuis trois générations, la petite fadette d'ici s'appelle Katy Chapleau, Chef de Cuisine. Vous y découvrirez une cuisine de qualité élaborée spécialement pour vous avec les meilleurs produits. Spécialités : roulade de langouste en feuille de choux et mousse citronnelle, queue de lotte poêlée olive sauce caramélisée craquant de poivrons.
Chambres avec bain ou douche+WC+TV : Toutes.
Terrasse, jardin, parking privé, accès handicapés restaurant, chaînes satellites, salle restaurant de caractère, salle de séminaires, animaux acceptés

On the Nohant square, 2 steps from the George Sand's museum, this beautiful residence has been run by the same family for 3 generations. You will discover cooking of qualitty prepared for you with the best products by Katy Chapleau.

En la plaza de Nohant, a dos pasos de la casa-museo de George Sand, esta bella morada es mantenida
por la misma familia desde hace tres generaciones. Aquí, Katy Chapleau es la Jefa de Cocina. Usted descubrirá una cocina de calidad elaborada con excelentes productos.

Diese nette Gaststätte auf dem Platz Nohant, ganz in der Nähe des Museums George Sand, befindet sich seit drei Generationen in Familienbesitz. Entdecken Sie eine erstklassische Küche, speziell für Sie mit den besten Produkten von Kay Chapleau zubereitet.

ROSNAY (36300)

A 15 km de Le Blanc et 43 km de Châteauroux.

Auberge du Pays

LE CENDRILLE

02 54 28 64 94 - le.cendrille@wanadoo.fr

1 Place de la Mairie - Luc & Florence JEANNEAU - Fax : 02 54 28 64 93 - Fermeture : Mardi et mercredi (15/12-15/01).
Menus : 15/24 € . Menu enfant : 8 € .
Classement : Auberge du Pays

Au coeur de la Brenne, ce restaurant, entièrement rénové vous réservera le meilleur accueil et saura vous régaler de ses spécialités : foie gras, filet de carpe fumée, filet de sandre, tarte fine aux pommes tièdes sirop d'agrumes, moelleux au chocolat.

Terrasse, accès handicapés restaurant, salle restaurant de caractère, chèques vacances, animaux acceptés au restaurant

In the heart of Brenne, this restaurant, completly renovated will reserve the best welcome and will let you appreciate their specialities.

En el corazón de Brenne, este restaurante, totalmente renovado le brindará una excelente acogida, usted podrá regalarse con sus especialidades.

Im Herzen der Brenne bereitet Ihnen das vollständig renovierte Restaurant einen netten Empfang und weiß Sie mit seinen Spezialitäten zu verwöhnen.

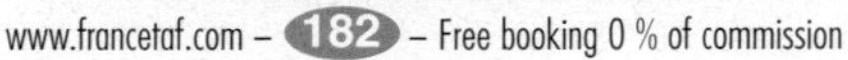

ST CHARTIER (36400)

A 7 km de La Châtre.

Table Gastronomique

CHÂTEAU DE LA VALLÉE BLEUE ★ ★ ★

02 54 31 01 91 - valleebleu@aol.com

Route de Verneuil - Gérard GASQUET - Fax : 02 54 31 04 48 - www.chateauvalleebleue.com - Fermeture : Mi-novembre-mi-mars ; dimanche soir et lundi (1/04-30/06 et 1/09-30/11). Restaurant fermé le midi en semaine sauf jours fériés.- Menus : 29/39 € . Menu enfant : 14 € . Petit déjeuner : 11 € .10 chambres : 95/130 € . 2 appartements : 150/190 € . Demi pension : 90/115 € - Classement : Table Gastronomique

Au coeur de la Vallée Noire, en Berry, le Château de la Vallée Bleue allie le charme des demeures anciennes au confort le plus recherché. Le restaurant vous offrira le meilleur de son terroir et vous proposera une très belle carte des vins. Spécialités : filet de sandre beurre rouge, poulet George Sand sauce écrevisses, feuillantin aux amandes coulis de mûres.

Chambres avec bain ou douche+WC+TV : Toutes. Terrasse, jardin, parking privé, piscine d'été,petit déjeuner buffet, salle restaurant de caractère, salle de séminaires, chèques vacances

In the heart of the Vallée Noire, in Berry, the Château de la Vallée Bleue combines the charm of old houses to comfort . The restaurant will offer you the best of its soil and will propose you a very good card of wines.

En el corazón del Valle Negro, en Berry, el Château de la Vallée Bleue une el encanto de las antiguas moradas a un esmerado confort. El restaurante le brindará lo mejor de su región y le hará conocer una excelente carta de vinos.

Im Herzen der Vallée Noire im Berry, verbindet das Château de la Vallée Bleue den Charme alter Häuser mit ausgesuchtem Komfort. Das Restaurant bietet Ihnen das Beste vom Land mit einer reichhaltigen Weinkarte.

TOURNON ST MARTIN (36220)

A 12 km de Le Blanc.

Table de Terroir

AUBERGE DU CAPUCIN GOURMAND ★ ★

02 54 37 66 85 - auberge@capucin.com

7 bis Route de Le Blanc - Michel PELEGRIN - Fax : 02 54 37 87 54 - www.capucin.com Fermeture : 15/11-5/12 ; 1 semaine en février ; dimanche soir et lundi hors saison. - Menus : 18/40 € . Menu enfant : 10 € . Petit déjeuner : 6,80 € .7 chambres : 27/61 € . Demi pension : 35/40 € . Etape VRP : 48 € - Classement : Table de Terroir

Aux portes du Parc naturel Régional de la Brenne, cette bâtisse du siècle dernier située au calme, au milieu de jardins et vergers vous accueillera avec une équipe de vrais professionnels qui vous régaleront d'une cuisine gastronomique du terroir. Spécialités : filet de boeuf du Diable Boiteux ou des sortilèges, gibier en saison (daim de la région), poissons des mille étangs : filets de silure, sandre et chartreuse de carpe, escargots frais gros gris du Berry en croustade, fromages de Pouligny AOC.
Chambres avec bain ou douche+WC+TV : 1-2-4-5-6-7-8. Terrasse, jardin, parking privé, accès handicapés, salle restaurant de caractère, salle de séminaires, chèques vacances, animaux acceptés

A the gates of the Regional Parc of Brenne, this house of the last century will welcome you in a quiet setting in the middle of gardens and orchards. You will enjoy the gastronomic cooking of a team of real professionnals.

A las puertas del Parque Natural Regional de la Brenne, en un ambiente tranquilo, en medio de jardines y huertos, este caserón del siglo pasado le acogerá con un equipo de auténticos profesionales. Usted podrá saborear una cocina gastronómica regional.

Am regionalen Nationalpark wird Sie dieses, aus dem letzten Jahrhundert stammende Gebäude, inmitten von Gärten, mit professionellem Team begrüßen, das Sie mit einer gastronomischen Küche verwöhnen wird.

Charme & Authenticité

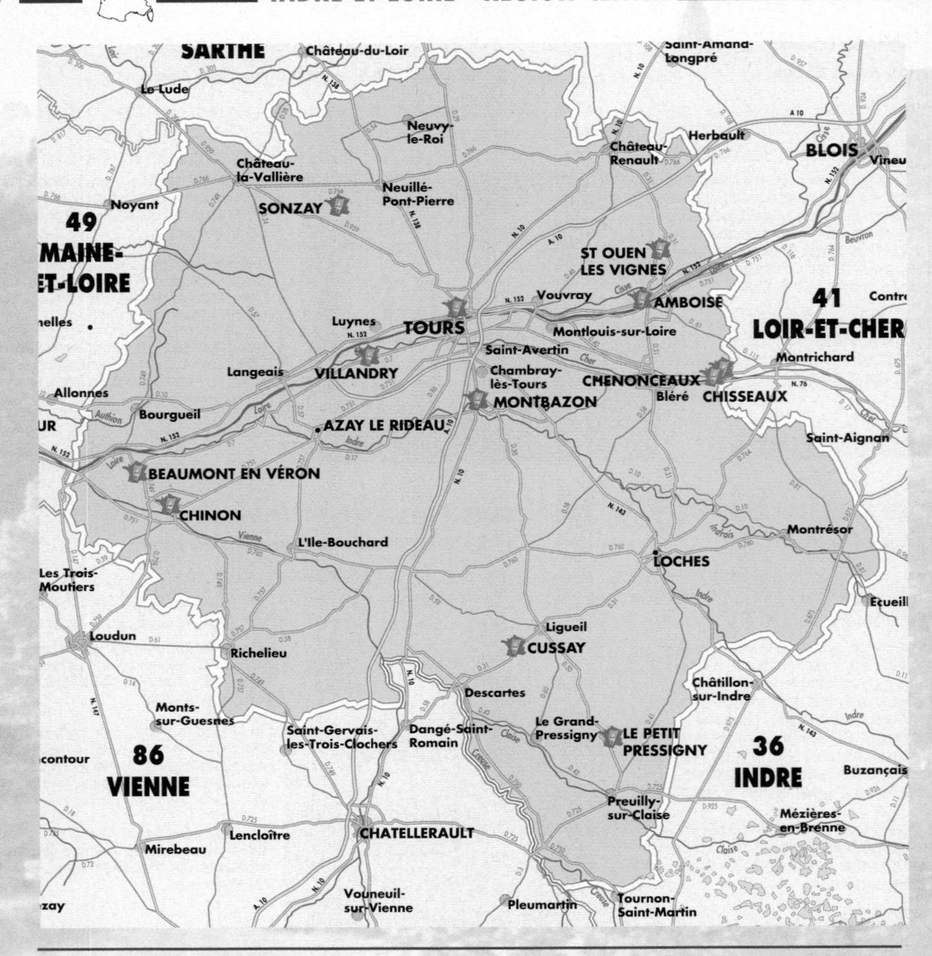

Sites Touristiques : Château de Chenonceau, Château d'Azay-le-Rideau, Château et jardins de Villandry, Château Royal d'Amboise, Château de Chinon, Forteresse médiévale de Loches.

Saveurs de nos Terroirs : Rillons et rillettes, fromage de sainte-maure, sandre, poires tapées, géline.

A.O.C. Chinon (vin rouge), A.O.C. Vouvray et montlouis (vins blancs secs et moelleux pétillants), A.O.C. touraine (vin blanc et rouge), A.O.C. bourgueil et saint nicolas de bourgueil (vin rouge).

Animations :

Mai/Septembre : Spectacles Son et Lumière dans les principaux châteaux, Jour de Loire, Journées de la Rose au Prieuré de Saint Cosme, Fêtes Musicales en Touraine

COMITÉ DÉPARTEMENTAL DU TOURISME DE TOURAINE

9, Rue de Buffon B.P. 3217 - 37032 - TOURS CEDEX -Tél. : 02 47 31 47 48 - Fax : 02 47 31 42 76

www.tourism-touraine.com - tourism.touraine@wanadoo.fr

AMBOISE (37400)

A10 sortie 18 Amboise.

Table Gastronomique

LE CHOISEUL ★ ★ ★ ★

02 47 30 45 45 - choiseul@grandesetapes.fr

36 Quai Charles Guinot - Fax : 02 47 30 46 10 - Menus : 46/80 €. Menu enfant : 23 €. Petit déjeuner : 21 €.
32 chambres : 125/335 €. Classement : Table Gastronomique

BEAUMONT EN VÉRON (37420)

A 5 km à l'ouest de Chinon.

Table de Terroir

MANOIR DE LA GIRAUDIÈRE ★ ★

02 47 58 40 36 - giraudiere@hotels-france.com

La Giraudière - Sandra PITAULT - Fax : 02 47 58 46 06 - www.hotels-france.com/giraudiere - Ouvert toute l'année.
Menus : 19/35 €. Menu enfant : 9 €. Petit déjeuner : 6,50 €.
25 chambres : 40/100 €. Demi pension : 42/70 € /pers. Etape VRP : 65 € - Classement : Table de Terroir

Cette élégante gentilhommière du XVIIème siècle environnée de vignes et de prairies est au centre des circuits de la Loire et de l'Anjou. Sa cuisine traditionnelle et gastronomique vous comblera. Spécialités : terrine de foie gras de canard maison, fouasse de silure au thym citron, risotto farci au homard et son émulsion au basilic, papillotte de gianduja noisette et sa sauce vanille.
Chambres avec bain ou douche+WC+TV : Toutes.
Terrasse, jardin, parking privé, accès handicapés restaurant, chaînes satellites, canal+, salle restaurant de caractère, salle de séminaires, chèques vacances, animaux acceptés

This elegant country house of the XVIIth Century, surrounded by vineyard and fields is at the centre of tours of Loire and Anjou and offers you a traditional and gastronomic cooking.

Esta elegante casa solariega del siglo XVII, rodeada de viñas y de prados está en el centro de los circuitos del Loire y del Anjou. Usted sabrá apreciar su cocina tradicional y gastronómica.

Dieses elegante Herrenhaus aus dem 17. Jh. von Weinbergen und Wiesen umgeben, liegt auf der Rundreise der Loire und des Anjou. Sie genießen dort eine traditionelle und gastronomische Küche.

CHENONCEAUX (37150)

A 30 km de Tours.

Table de Prestige

HÔTEL DU BON LABOUREUR ★ ★ ★

02 47 23 90 02 - laboureur@wanadoo.fr

6 Rue du Docteur Bretonneau - Fax : 02 47 23 82 01 - Menus : 29/69 €. Petit déjeuner : 10 €. 3 appartements : 145/190 €.
23 chambres : 85/135 € - Classement : Table de Prestige

CHENONCEAUX (37150)

A 10 km d'Amboise.

Table de Terroir

RELAIS CHENONCEAUX ★ ★ ★

02 47 23 98 11 - info@chenonceaux.com

10 Rue du Docteur Bretonneau - Bertrand PAUTOUT - Fax : 02 47 23 84 07 - www.chenonceaux.com
Fermeture : 20/11-1/02 ; mercredi hors saison (restaurant). - Menus : 11/24 €. Menu enfant : 9 €. Petit déjeuner : 6 €.
22 chambres : 40/89 €. Demi pension : 68 € - Classement : Table de Terroir

Cet ancien Relais de Poste est une étape pleine de charme à 500 mètres à peine du prestigieux château de Chenonceau. Vous y apprécierez le repos et le calme de la Touraine, ainsi qu'une cuisine traditionnelle de qualité. Spécialités : sandre de Loire au beurre blanc, andouillette au vin de Vouvray, feuilleté de Sainte Maure.

Chambres avec bain ou douche+WC+TV : 11, 101-103 -201-202-204 à 210, 301 à 303, 401-402
Terrasse, parking privé, salle restaurant de caractère, animaux acceptés

This ancient Post Relay is a charming stage just a t 500 meters from the prestigious castle of Chenonceaux. You will enjoy the rest and calm of the Touraine and a traditional cooking of quality.

Esta antigua Parada del Correo es una etapa llena de encanto a sólo 500 m del prestigioso castillo de Chenonceau. Usted podrá apreciar la tranquilidad del Touraine, como así también la calidad de una cocina tradicional.

Kaum 500 m von dem grandiosen Château de Chenonceau entfernt, lädt dieses ehemalige Postgebäude voller Charme regelrecht zu einem Halt ein. Genießen Sie die Ruhe der Touraine und die erstklassige, tradionelle Küche.

CHENONCEAUX (37150)

A 12 km d'Amboise, 6 km de Blère.

Auberge du Pays

HOSTEL DU ROY ★ ★

02 47 23 90 17 - hostelduroy@wanadoo.fr

9 Rue Bretonneau - Ghislaine GOUPIL - Fax : 02 47 23 89 81 - www.hostelduroy.com - Fermeture : 11/11-15/02.
Menus : 12/32 € . Menu enfant : 7 € . Petit déjeuner : 7 € .
32 chambres : 38/93 € . Demi pension : 42,50/77,50 € . Etape VRP : 55 € - Classement : Auberge du Pays

Venez découvrir le cadre convivial et chaleureux de cet établissement qui vous réservera un accueil personnalisé et vous fera partager sa cuisine traditionnelle. Spécialités : civet de sanglier, salade maison (saumon et canard fumé), tournedos Chenonceaux, pomme en l'air au sabayon, escalope de saumon grillé.

Chambres avec bain ou douche+WC+TV : Toutes. Terrasse, jardin, parking privé, accès handicapés, chaînes satellites, petit déjeuner buffet, salle restaurant de caractère, salle de séminaires, chèques vacances, animaux acceptés.

Come to discover this warm and friendly establishment that will give you a personal welcome and will make you savour traditional cooking.

Venga a descubrir el ambiente caluroso de este establecimiento que le brindará una acogida personalizada y le hará compartir su cocina tradicional.

Entdecken Sie den gastfreundlichen und warmherzigen Rahmen dieses Hauses, das Ihnen einen persönlichen Empfang bereitet und eine traditionelle Küche bietet.

CHINON (37500)

Au centre ville face à la Vienne. 45 km de Tours.

Table Gastronomique

LA BOULE D'OR ★ ★

02 47 93 03 13

66 Quai Jeanne d'Arc - Annie & Jean-Claude DELAVEAU - Fax : 02 47 93 24 25 - Fermeture : 15/12-31/01 et lundi midi.
Menus : 15,09/35,06 € . Petit déjeuner : 6,86 € . 22 chambres : 44,21/53,36 € . Demi pension : 48,78/53,36 € .
Etape VRP : 56,50 € - Classement : Table Gastronomique

Cet ancien relais de diligences vous propose une cuisine du terroir soignée et un grand choix de vins régionaux. Vous profiterez du jardin ombragé et de la terrasse donnant sur une rue pietonne. Spécialités : foie gras cru mariné au Vouvray moelleux, sandre sur lie de vin rouge et pleurottes. Chinon rouge, blanc et rosé. Animaux acceptés avec supplément : 5,30 € .

Chambres avec bain ou douche+WC+TV : Toutes. Terrasse, jardin, accès handicapés restaurant, canal+, salle restaurant de caractère, salle de séminaires, chèques vacances, animaux acceptés

This former coaching inn offer you a traditional cooking with a good regional wine list. You will enjoy the shaded garden and the terrace kooking onto the pedestrian street. Animals accepted with charge : 5,30 €.

Esta anciana parada de diligencias, le propone una esmerada cocina local y una gran variedad de vinos regionales. Usted disfrutará de su jardín sombreado y de la terraza que dan a una calle peatonal. Los animales pagan un suplemento : 5,30 €.

Dieses alte Gasthaus erwartet Sie mit einer ländlichen, gepflegten Küche und einer großen Auswahl an regionalen Weinen. Tiere mit Zuschlag akzeptiert : 5,30 €.

CHISSEAUX-CHENONCEAUX (37150)

A 7 km de Blère ou Montrichard et 10 km d'Amboise.

Auberge du Pays

CLAIR COTTAGE ★ ★

02 47 23 90 69 - hotel.clair.cottage@wanadoo.fr

27 Rue de l'Europe - Max BOURBONNAIS - Fax : 02 47 23 87 07 - www.claircottage.com
Fermeture : 15/11-1/03 ; dimanche soir, lundi et mardi midi. - Menus : 15/32 € . Menu enfant : 9 € . Petit déjeuner : 7 € .
10 chambres : 47/56 € . Demi pension : 47/52 € . Etape VRP : 58 € - Classement : Auberge du Pays

Situé au coeur du circuit des châteaux de la Loire et des vignobles des côteaux du Cher, cet établissement vous accueillera chaleureusement pour une étape agréable et vous proposera une cuisine de terroir. Spécialités : pavé de saumon grillé aux 2 sauces, filet de sandre beurre blanc sur son lit de fondue de poireaux, filet de canard aux cerises, tarte tatin et sa boule de glace vanille, nougat de Tours, omelette norvégienne.

Chambres avec bain ou douche+WC+TV : Toutes. Terrasse, jardin, parking privé, piscine d'été, petit déjeuner buffet, salle de séminaires, chèques vacances, animaux acceptés

Situated in the heart of the circuit of the Loire castles and vineyards of Cher, this establishment will cordially welcome you for a pleasant stage and will offer you a traditional cooking.

Ubicado en el corazón de los circuitos de los castillos del Loire y de los viñedos del Cher, este establecimiento le acogerá calurosamente, usted pasará una estancia agradable y descubrirá una cocina regional.

Inmitten der Reiseroute der Schlösser der Loire und den Weinbergen von Cher, bereitet Ihnen dieses Haus einen netten Empfang für eine angenehme Etappe und bietet Ihnen eine territoriale Küche.

CUSSAY (37240)

A 3 km de Ligueil, 19 km de Loches, 40 km de Tours

AUBERGE DU PONT NEUF

02 47 59 66 37

William GELLOT - Fax : 02 47 59 67 53 - Fermeture : Vacances scolaires de février, Toussaint ; mardi soir et mercredi.
Menus : 16/55 € . Menu enfant : 11 € . Petit déjeuner : 7,60 € .
4 chambres : 35/46 € . Demi pension : 65 € . Etape VRP : 46 € - Classement : Table Gastronomique

William GELLOT et son personnel sont heureux de vous accueillir dans leur auberge et vous proposent une cuisine gastronomique dans un cadre chaleureux, et préparée avec le plus grand soin en fonction du marché.

Chambres avec bain ou douche+WC+TV : Toutes. Terrasse, jardin, garage fermé, parking privé, accès handicapés restaurant, salle de séminaires, animaux acceptés

William Gellot and his team are glad to welcome ou in their in and offers you a gastronomic cooking in a warm setting prepared with great care.

William GELLOT y su personal le acogerán con gran placer y le harán descubrir en un cálido ambiente la cocina gastronómica, preparada con gran esmero en función del mercado.

William Gellot und sein Personal freuen sich, Sie in ihrem Gasthaus zu begrüßen und bieten Ihnen eine gastronomische Küche in einem warmen Rahmen und mit Sorgfalt aus frischen Marktprodukten zubereitet.

LE PETIT PRESSIGNY (37350)

A 27 km de Loches.

RESTAURANT DALLAIS - LA PROMENADE

02 47 94 93 52

11 Rue du Savoureux - Jacky DALLAIS - Fax : 02 47 91 06 03 - Fermeture : 5/01-4/02 ; 20/09-6/10 ; dimanche soir, lundi et mardi.
Menus : 37/73 € - Classement : Table de Prestige

Jacky DALLAIS vous propose une cuisine régionale préparée à partir de vrais produits, bien choisis. Une touche de modernité, un zeste d'imagination et vous découvrirez une cuisine tourangelle pleine de saveur que vous apprécierez pleinement.
Spécialités : bouillon de carottes aux fèves, sarriette et lard ; géline de touraine rôtie au jus de roquette ; lièvre à la royale et raviole de foie gras truffée. Climatisation

Jacky Dallais proposes you a regional cooking prepared starting from truths products, quite selected. A key of modernity, a peel of imagination and you will discover a tourangelle cooking full with savour which you will appreciate fully.

Jacky DALLAIS le propone una cocina regional preparada con verdaderos productos, bien elegidos. Un toque de modernidad, una pizca de imaginación y usted descubrirá y apreciará una cocina turonense llena de sabores.

Jacky Dallais bietet Ihnen eine regionale Küche aus echten, ausgesuchten Erzeugnissen. Genießen Sie eine geschmackvolle eine Küche mit einem Hauch an Modernität und Einfallsreichtum.

MONTBAZON (37250)

A 10 km de Tours. A10 ou RN10.

CHANCELIÈRE JEU DE CARTES

02 47 26 00 67 - lachanceliere@lachanceliere.fr

1 Place des Marronniers - Jean-Luc HATET et Jacques de POUS - Fax : 02 47 73 14 82 - www.lachanceliere.fr
Fermeture : 3 semaines en février ; dimanche et lundi.
Menus : 29/37 € . Menu enfant : 10 € - Classement : Table Gastronomique

Sur la route touristique de la vallée de l'Indre, au coeur du village de Montbazon, cette maison tourangelle vous propose, dans un décor élégant, une cuisine de qualité élaborée par le Chef Michel GANGNEUX. Spécialités : ravioles d'huitres au champagne, coquetiers morilles surprise à la crème de foie gras.

Accès handicapés restaurant, climatisation, salle restaurant de caractère, salle de séminaires, chèques vacances, animaux acceptés au restaurant

On the touristic road of the valley of the Indre, in the heart of the village of Montbazon, this Tourangelle house proposes you, in an elegant setting, a cooking of quality made by the Chief Michel Gangneux.

Por la ruta turística del valle del Indre, en el centro del pueblo de Montbazon, esta casa turonense, con su ambiente elegante, le propone una cocina de calidad elaborada por su Jefe Michel GANGNEUX.

Auf der touristischen Straße im Indre-Tal, inmitten des Dorfs Montabazon, bietet Ihnen dieses Haus im eleganten Dekor, eine hervorragende Küche vom Küchenchef M. GAGNEUX zubereitet.

MONTBAZON (37250)

A 15 km de Tours.

Table Gastronomique

CHÂTEAU D'ARTIGNY ★ ★ ★ ★

☎ 02 47 34 30 30 - artigny@grandesetapes.fr

92 Rue de Monts - Fax : 02 47 34 30 39 - Menus : 49/81 € . Menu enfant : 23 € .
65 chambres : 155/395 € - Classement : Table Gastronomique

MONTBAZON (37250)

A 10 km de Tours.

Table Gastronomique

DOMAINE DE LA TORTINIÈRE ★ ★ ★

☎ 02 47 34 35 00 - domaine.tortiniere@wanadoo.fr

Les Gués de Veigné - Fax : 02 47 65 95 70 - Menus : 39/69 € . Menu enfant : 16/22 € .
29 chambres : 98/280 € - Classement : Table Gastronomique

SONZAY (37360)

A 24 km de Tours.

Auberge du Pays

AUBERGE DU CHEVAL BLANC ★

☎ 02 47 24 70 14

5 Place de la Mairie - Isabelle TRIFILIO - Fax : 02 47 24 54 30 - Fermeture : Février.
Menus : 15/20,50 € . Menu enfant : 8 € . Petit déjeuner : 6 € .
9 chambres : 33/46 € . Demi pension : 38 € . Etape VRP : 46 € - Classement : Auberge du Pays

Situé à la campagne, près de châteaux célèbres, de vignobles et de forêts, cette petite auberge vous propose un cadre chaleureux et vous réserve un accueil personnalisé, un service et une cuisine soignés.

Chambres avec bain ou douche+WC+TV : Toutes.
Jardin, salle de séminaires, chèques vacances, animaux acceptés au restaurant

VISA CB MC Eurocard

Situated in countryside, close to famous castles, vineyards and forests, this small inn will reserve a personalized greeting to you and will make you share its specialities

En el campo, cerca de célebres castillos, viñedos y bosques, este pequeño hostal le brindará una acogida personalizada y le hará compartir sus especialidades.

Mitten auf dem Land, nahe der bekannten Schlösser, der Weinberge und der Wälder, bietet Ihnen diese kleine Herberge einen persönlichen Empfang und seine Spezialitäten.

ST OUEN LES VIGNES (37530)

A 7 km d'Amboise.

Table Gastronomique

L'AUBINIÈRE

☎ 02 47 30 15 29 - j.arrayet@libertysurf.fr

29 Rue Jules Gautier - Fax : 02 47 30 02 44 - Menus : 26/65 € . Menu enfant : 22 € .
6 chambres : 98/125 € - Classement : Table Gastronomique

TOURS (37000)

Table Gastronomique

LES TUFFEAUX

☎ 02 47 47 19 89

19 Rue Lavoisier - Jocelyne & Gildas MARSOLLIER - Fermeture : Dimanche, lundi midi et mercredi midi.
Menus : 19/35 € . Menu enfant : 8 € .
Classement : Table Gastronomique

Situé en centre ville, cet établissement de caractère vous acueille dans un cadre chaleureux et convival et se fera un plaisir de préparer pour vous ses spécialités : sandre poêlé sur sa peau et petits oignons rôtis en écharpe de lard fumé, pigeonneau de grains à la rhubarbe et au gingembre, escalopines de thon tièdes et émincé de courgettes à l'huile de noix et vinaigre balsamique.

Accès handicapés restaurant, climatisation, salle restaurant de caractère, animaux acceptés au restaurant

VISA CB MC Eurocard

Situated in the town centre, this establishment of character welcomes you in a warm and friendly setting and will be glad to prepare you its specialities.

Situado en el centro de la ciudad, este típico establecimiento le acogerá en un ambiente cálido, amistoso y tendrá el placer de prepararle sus especialidades.

Dieses charaktervolle Haus im Stadtzentrum empfängt Sie in herzlicher und geselliger Atmosphäre und freut, sich für Sie die Spezialitäten des Hauses zuzubereiten.

VILLANDRY (37510)

A 20 km de Tours.

AUBERGE LE COLOMBIEN ★ ★

02 47 50 07 27

2 Rue de la Mairie - Béatrice SALGUEIRO - Fax : 02 47 50 04 69 - *Fermeture : Vacances de février ; mercredi (juillet/août) ; mardi soir, mercredi et dimanche soir hors saison. - Menus : 15/31 € . Menu enfant : 8 € . Petit déjeuner : 6 € .8 chambres : 30/46 € . Demi pension : 40/45 € . Etape VRP : 50 € - Classement : Auberge du Pays*

Situé dans un village touristique, à 100 mètres du château de Villandry, au confluent du Cher et de la Loire, cet établissement met à votre disposition des chambres confortables aménagées avec les meubles rustiques de la région et vous propose une cuisine traditionnelle régionale et familiale. Confort, calme et convivialité seront les bons ingrédients de votre séjour. Spécialités : tarte tourangelle, magret de canard fumé, foie gras maison, sandre à la lie de vin rouge.

Terrasse, accès handicapés restaurant, salle restaurant de caractère, salle de séminaires, chèques vacances, animaux acceptés

Located in a tourist village, at 100 meters of the castle of Villandry, at the confluence of the Cher and the Loire, this establishment offers comfortable rooms equiped with rustic piece of furnitures of the region and proposes you a regional and family traditional cooking. Comfort, calm and conviviality will be the good ingredients of your stay.

En un pueblo turístico, a 100 m del castillo de Villandry, en el confluente del Cher y del Loire, este establecimiento pone a su disposición cómodas habitaciones con muebles rústicos de la región y le propone una cocina tradicional, regional y familiar. La comodidad, la tranquilidad y la buena convivencia serán los buenos ingredientes para su estancia.

In einem touristischen Ort, 100m vom Schloss von Villandry entfernt, am Zusammenfluss von der Cher und der Loire, bietet Ihnen dieses Haus komfortable Zimmer mit rustikalen Möbeln der Region und traditionelle, familiäre und regionale Küche. Komfort, Ruhe und Gastfreundlichkeit werden Ihren Aufenthalt bestimmen.

La Reconnaissance Professionnelle

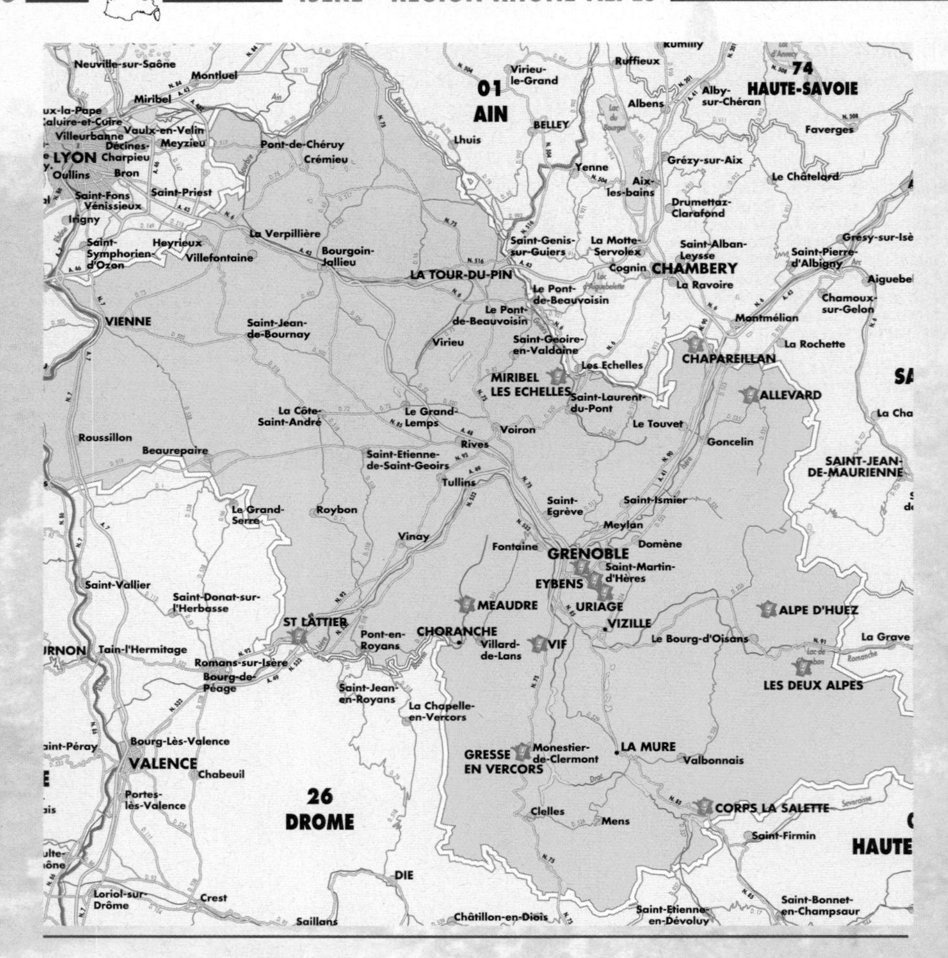

Sites Touristiques : Grottes de Choranche, Chemin de Fer de la Mure, Caves de Chartreuse, Téléphérique de Grenoble, Domaine de Vizille.
Saveurs de nos Terroirs : Noix de Grenoble, Fromage Saint Marcellin, Fromage Bleu du Vercors, Sassenage, Ravioles du Royans, Gratin Dauphinois. Liqueur de Chartreuse, Liqueur Cherry-Rocher, Liqueurs et Sirops Bigallet.
Animations : Musée de Grenoble (peinture et sculpture), Musée Dauphinois, Musée de la Révolution à Vizille, Musée de Bourgoin-Jallieu (tissus), Musée de la Draperie à Vienne.
Juin/Juillet : Festival Jazz à Vienne.
Septembre : Festival du Film de vol libre - Coupe Icare à Saint Hilaire du Touvet.

COMITÉ DÉPARTEMENTAL DU TOURISME DE L'ISERE
14, Rue de la République B.P. 227 - 38019 - GRENOBLE CEDEX -Tél. : 04 76 54 34 36 - Fax : 04 76 51 57 19
www.isere-tourisme.com - informations.cdt@isere-tourisme.com

ALLEVARD LES BAINS (38580)

40 km Nord-Est de Grenoble A41/D523+D525.

Table Gastronomique

LES ALPES ★ ★

04 76 45 94 10 - hotel@lesalpesallevard.com

Place du Temple - Bernard CHAUMY - Fax : 04 76 45 80 81 - www.lesalpesallevard.com - Fermeture : 10 jours fin octobre ; 10 jours en avril ; dimanche soir et mercredi hors saison. - Menus : 15/42 €. Menu enfant : 8,50 €. Petit déjeuner : 8 €. 20 chambres : 49/56 €. Demi pension : 51/57 €. Etape VRP : 54/56 € - Classement : Table Gastronomique

Dans un village verdoyant au coeur du Massif de Belledonne, au pied de 2 stations de ski, Florian CHAUMY, Chef de cuisine se fera un plaisir de préparer pour vous ses spécialités : foie gras de canard mi cuit au magret fumé ; filet de saint pierre à la vanille, noix de saint jacques et langoustines rôties ; profiterolles d'escargots au foie gras, petit breton façon tatin... Possibilité de séjour avec circuits accompagnés et différents forfaits.
Chambres avec bain ou douche+WC+TV : Toutes.
Terrasse, jardin, piscine d'été, accès handicapés restaurant, , chaînes satellites, petit déjeuner buffet, salle de séminaires, chèques vacances, animaux acceptés

In a green village in the heart of the Belledonne Massif, at the foot of 2 skiing station, Florian Chaumy will let you appreciate his specialities. Stay with accompanied tours.

En el verdor de un pueblo situado en el corazón del Macizo de Belledonne, a los pies de 2 estaciones de esquí, Florian CHAUMY, Jefe de cocina preparará para usted sus especialidades. Posibilidad de estancia con circuitos acompañados y diferentes precios globales.

In einem grünen Dorf mitten im Massif Belledonne, am Fuß von zwei Skigebieten, erwartet Sie der Chefkoch Florian CHAUMY und bereitet Ihnen mit viel Vergnügen seine Spezialitäten zu.

ALLEVARD LES BAINS (38580)

A 40 km de Chambéry et Grenoble.

Table de Terroir

LES PERVENCHES ★ ★

04 76 97 50 73 - hotelpervenches@aol.com

Route de Grenoble - M. et Mme MICOUD Denis - Fax : 04 76 45 09 52 - www.hotel-pervenches.com - Fermeture : 15/04-5/05 ; 10/10-5/02 ; dimanche (hors saison) et dimanche soir (restaurant sauf résidents). - Menus : 15/38 €. Menu enfant : 10 €. Petit déjeuner : 7 €. 28 chambres : 60/72 €. Demi pension : 48/66 €. Etape VRP : 56,50 € .Classement : Table de Terroir

Venez découvrir l'atmosphère reposante de cet établissement situé au sein d'un parc de 2 ha. Vous apprécierez le calme, une table de qualité, et pour votre détente diverses animations seront à votre disposition : piscine, tennis, jeux de boules. Spécialités : ravioles gratinées, salade d'escargots et cèpes, soufflé glacé à la chartreuse. Chambres avec bain ou douche+WC+TV : Toutes. Terrasse, jardin, parking privé, piscine d'été, accès handicapés restaurant, TPS, petit déjeuner buffet, chèques vacances

Come to discover the resting atmosphere of this establishment located in a park of 2 ha. You will appreciate calms, a table of quality, and for your relaxation various animations will be at your disposal : swimming pool, tennis, sets of balls.

Venga a descubrir la atmósfera tranquila de este establecimiento ubicado en el seno de un parque de 2 ha. Usted apreciará la quietud, una mesa de calidad y para su esparcimiento variadas animaciones están a su disposición : piscina, tenis, juego de bolos.

Entdecken Sie die beruhigende Atmosphäre dieses Hauses in einem 2 ha großen Park. Sie genießen dort Ruhe, eine hervorragende Küche, und für Ihre Entspannung verschiedene Animationen: Swimmingpoll, Tennis, Boules-Spiel

ALLEVARD LES BAINS (38580)

A 35 km de Grenoble, de Chambéry et d'Albertville.

Auberge du Pays

LA BONNE AUBERGE ★

04 76 97 53 04 - SVial10258@aol.com

10 Rue Laurent Chataing - Serge et Véronique VIAL - Fax : 04 76 45 84 62 - www.bonne-auberge.fr
Fermeture : Dimanche soir et lundi hors saison (restaurant) ; mi-octobre/fin novembre. - Menus : 9/29 € . Menu enfant : 9 € .
Petit déjeuner : 5,34 € .14 chambres : 35/38 € . Demi pension : 40/42 € . Etape VRP : 39 € - Classement : Auberge du Pays

Profitez du cadre exceptionnel du Pays d'Allevard, venez vous reposer dans des chambres tout confort, partager la chaleur de la salle à manger et vous régaler de la cuisine préparée à partir des meilleurs produits locaux. Spécialités : flan d'escargots de Belledonne, faux filet poêlé poivre mignonette et foie gras maison, omble chevalier en papillotte confiture d'oignons, fromage blanc de Theys au miel et aux noix, soufflé glacé à l'argousier et aux pralines.
Chambres avec bain ou douche+WC+TV : Toutes.
Garage fermé, chaînes satellites, canal+, petit déjeuner buffet, salle restaurant de caractère, chèques vacances, animaux acceptés

Enjoy the exceptional surroundings of the Pays d'Allevard, relax in the fully equipped rooms, share the warmth of the dining room and appreciate the cooking prepared with the best local products.

Aproveche del ambiente excepcional del Pays d'Allevard, este establecimiento le invita a descansar en las cómodas habitaciones, a compartir la calidez de su comedor y a saborear una cocina preparada con los mejores productos locales.

Profitieren Sie von dem außergewöhnlichen Rahmen des Allevard Lands, ruhen Sie sich in den komfortablen Zimmern aus, teilen Sie die Wärme des Speisesaals und genießen Sie die Küche aus besten lokalen Erzeugnissen zubereitet.

ALPE D'HUEZ (38750)

A 60 km de Grenoble.

Table Gastronomique

AU CHAMOIS D'OR ★ ★ ★ ★

04 76 80 31 32 - chamoisdor@alpedhuez.com

Rond Point des Pistes - Fax : 04 76 80 34 90 - Menus : 26/48 € . Petit déjeuner : 13 € . 40 chambres : 150/270 €
Classement : Table Gastronomique

CHAPAREILLAN (38530)

A 13 km de Chambéry et 10 km de Pontcharra.

Auberge du Pays

AUBERGE AU PAS DE L'ALPETTE ★ ★

04 76 45 22 65 - lepasdelalpette@libertysurf.fr

Bellecombe - Jean-Luc LETELLIER - Fax : 04 76 45 25 90 - www.alpette.com - Fermeture : Mardi soir et mercredi. Vacances de Toussaint.
Menus : 15/34 € . Menu enfant : 7,50 € . Petit déjeuner : 6 € .
13 chambres : 38/53 € . Demi pension : 45 € . Etape VRP : 49 € - Classement : Auberge du Pays

Cette auberge savoyarde, avec ses chambres douillettes est située en pleine nature au coeur du Massif de la Chartreuse, sur la route du Col du Granier, face à la chaine de Belledonne et du Mont Blanc. Vous découvrirez ici des espaces encore préservés. Elle vous réservera une ambiance familiale et un accueil chaleureux à la découverte de la gastronomie régionale. Spécialités : cabri aux morilles, poulet aux écrevisses, fondues régionales, spécialités locales et savoyardes autour du buffet de hors d'oeuvre. Chambres avec bain ou douche+WC+TV : Toutes. Terrasse, jardin, garage fermé, parking privé, piscine d'été, accès handicapés restaurant, salle restaurant de caractère, salle de séminaires, chèques vacances, animaux acceptés

This typical inn of Savoie, with its cosy bedrooms is located in the heart of the Massif de la Chartreuse on the way to Granier's pass, in front of Belledonne' s and Mont Blanc's range. A familial ambiance and a warm welcome will be reserved for you and you will discover traditional cooking.

Esta mesón saboyana, con sus cómodas habitaciones está ubicada en plena naturaleza, en el corazón del Macizo de la Chartreuse, por la ruta del Paso Granier, frente a los macizos de Belledonne y del Mont-Blanc. Aquí usted encontrará espacios aún preservados. Un ambiente familiar y una acogida calurosa para descubrir una gastronomía regional.

Die Herberge im Stil der Sayoyen liegt mitten in der Natur, im Herzen vom Massif de la Charteuse, auf dem Weg zum Col du Granier, vor der Gebirgskette von Belledonne und dem Montblanc. Sie können hier noch unbefleckte Natur in familiärem Rahmen mit warmherziger Begrüßung und gemütlichen Zimmern kennenlernen und die regionale Gastronomie kosten.

CORPS LA SALETTE (38970)

Au Sud de Grenoble (N85).

Table Gastronomique

HÔTEL-RESTAURANT DE LA POSTE ★ ★

04 76 30 00 03 - DELAS-hotel-restaurant@wanadoo.fr

Route Napoléon - Gilbert DELAS - Fax : 04 76 30 02 73 - www.hotel-restaurant-delas.com - Fermeture : 2/01-15/02. Menus : 19/38 € .
Menu enfant : 10,50 € . Petit déjeuner : 7 € . 20 chambres : 38/69 € . Demi pension : 45/65 € . Etape VRP : 45/58 € - Classement : Table Gastronomique

Situé au coeur des Alpes, au centre d'un petit village, l'Hôtel de la Poste vous réserve une étape grand charme et gastronomie. Christiane et Gilbert vous feront les honneurs de la Maison et vous proposeront une cuisine traditionnelle et des spécialités dauphinoises : tourte montagnarde, poulet sauté aux écrevisses, gratin de ris de veau aux morilles, gâteau au chocolat au Grand Marnier. A 10 km sur la Route Napoléon : même maison Château des Herbeys Hôtel-Restaurant 3: Tél 04 92 55 26 83 Fax : 04 76 30 02 73. Chambres avec bain ou douche+WC+TV : Toutes.Terrasse, jardin, garage fermé, parking privé, accès handicapés, climatisation, salle restaurant de caractère, salle de séminaires, chèques vacances, animaux acceptés*

In the heart of the Alps, the Hôtel-Restaurant de la Poste is situated in the centre of a small village. Christiane and Gilbert will be show you around the house and will offer you a traditional cooking and specialities from the region.

Ubicado en el corazón de los Alpes, en el centro de un pequeño pueblo, el Hôtel-Restaurant de la Poste le brindará una parada de encanto y de gastronomía. Christiane y Gilbert le propondrán una cocina tradicional y diversas especialidades que hacen honor a la Casa. .

Mitten in den Alpen, im Zentrum eines kleinen Dorfs, ist das Hôtel de la Poste eine bezaubernde und gastronomische Zwischenstation. Christiane und Gilbert verwöhnen Sie mit einer traditionellen Küche und lokalen Spezialitäten.

CORPS LA SALETTE (38970)

Entre Grenoble (63 km) et Gap.

HÔTEL-RESTAURANT DU TILLEUL ★ ★

04 76 30 00 43 - jourdan@hotel-restaurant-du-tilleul.com

Route Napoléon - Claude JOURDAN - Fax : 04 76 30 06 12 - www.hotel-restaurant-du-tilleul.com - Fermeture : 1/11-15/12.
Menus : 12,10/29 €. Menu enfant : 8 €. Petit déjeuner : 5,7 €.
17 chambres : 31/55 €. Demi pension : 40/55 €. Etape VRP : 49 € - Classement : Table de Terroir

Au pied du sanctuaire Notre Dame de la Salette, à proximité du Parc National des Ecrins, venez découvrir une maison accueillante, de caractère familial où il fait bon profiter des traditions régionales et des saveurs du terroir.
Spécialités : gigot d'agneau, chevreau du pays, civet de viande, oreilles d'ânes.

Chambres avec bain ou douche+WC+TV : 1 à 6 - 11-12 - 14 à 18.
Terrasse, garage fermé, chèques vacances, animaux acceptés

At the foot of the sanctuary Notre Dame de Salette, near the National park des Ecrins, come to discover a welcoming house with a family atmospherer where it is good to enjoy the regional traditions and savours of the soil.

Al pie del santuario Notre Dame de la Salette, en las cercanías del Parque Nacional des Ecrins, venga a descubrir una acogedora casa, en un ambiente familiar donde es grato aprovechar de tradiciones y sabores regionales.

Entdecken Sie dieses gastfreundliche Haus mit familiärem Charakter. Am Fuße des Heiligtums Notre-Dame de la Salette, nahe dem Nationalpark des Ecrins gelegen. Hier können Sie alte Traditionen und die regionale Küche genießen.

EYBENS (38320)

Rocade sud sortie 5.

CHÂTEAU DE LA COMMANDERIE ★ ★ ★

04 76 25 34 58 - info@commanderie.fr

17 Avenue d'Echirolles - Fax : 04 76 24 07 31 - Menus : 19/62 €. Menu enfant : 18,29 €.
25 chambres : 93/150 € - Classement : Table Gastronomique

GRESSE EN VERCORS (38650)

A 45 km de Grenoble.

LE CHALET ★ ★ ★

04 76 34 32 08 - lechalet@free.fr

Le Village - Fax : 04 76 34 31 06 - Menus : 17/48 €. Menu enfant : 10 €. Petit déjeuner : 8,50 €.
25 chambres : 53/78 €. Demi pension : 60/76 € - Classement : Table de Terroir

LES DEUX ALPES (38860)

A 70 km de Grenoble.

HÔTEL LA FARANDOLE ★ ★ ★ ★

04 76 80 50 45 - hotellafarandole@free.fr

18 Rue du Cairou BP 10 - Christian FONCLARA - Fax : 04 76 79 56 12 - www.ch-demeures.com/farandole ou utaf.com/lafarandole
Fermeture : 18/04-4/12. - Menus : 45 €. Menu enfant : 25 €. Petit déjeuner : 15 €.
60 chambres : 150/330 € - Classement : Table Gastronomique

Au calme, à quelques pas du centre de la station, La Farandole, majestueux chalet tout en bois et pierres de taille offre tous les services d'un hôtel 4 étoiles et une vue imprenable et exceptionnelle plein sud face au Parc National des Ecrins. Pour que votre plaisir soit parfait, hospitalité, service attentif et équipements donneront une dimension de très grand confort. Spécialités : filet de loup en écailles de pomme de terre à l'émulsion barigoule. Animaux acceptés avec supplément : 10 €. Chambres avec bain ou douche+WC+TV : Toutes.Terrasse, jardin, garage fermé, parking privé, piscine d'été, piscine d'hiver, ascenseur, accès handicapés restaurant, chaînes satellites, petit déjeuner buffet, salle restaurant de caractère, salle de séminaires, animaux acceptés à l'hôtel

Situated in a peaceful setting, a few steps from the station, La Farandole,superb chalet ,give you all the services of a 4 stars hotel and a beautiful view facing the Ecrins National Park. So that your pleasure is perfect, hospitality, attentive service and equipment will give a dimension of very great comfort. Animals accepted with charge : 10 €.

En un lugar tranquilo, a algunos pasos del centro de la estación, La Farandole, majestuoso chalet en madera y piedra tallada brinda todos los servicios de un hotel de 4 estrellas y una vista excepcional del lado sur del Parque Nacional de los Ecrins. Hospitalidad, esmerado servicio e instalaciones de un gran confort. Los animales pagan un suplemento : 10 €.

In ruhiger Lage, gleich beim Skigebiet, bietet La Farandole, ein majestätisches Chalet ganz in Holz und gehauenem Stein, alle Dienstleistungen eines 4-Sterne-Hotels und eine herrliche Aussicht auf den Nationalpark Ecrins. Gastfreundlichkeit, aufmerksamer Service und die Einrichtung verschaffen Ihnen einen großen Komfort. Tiere mit Zuschlag akzeptiert : 10 €

MEAUDRE (38112)

A 35 km de Grenoble et 10 km de Villard de Lans.

AUBERGE DU FURON ★ ★

04 76 95 21 47 - leydierl@wanadoo.fr

Le Châtelard - Luc LEYDIER - Fax : 04 76 95 24 71 - www.auberge-furon.com - Fermeture : 12/11-12/12 ; 15/04-30/04.
Menus : 12,20/25,91 €. Menu enfant : 8,38 €. Petit déjeuner : 6,40 €.
9 chambres : 41/76 €. Demi pension : 43/58 €. Etape VRP : 45 € - Classement : Auberge du Pays

Située dans le Parc Naturel du Vercors, au pied des pistes de ski alpin et au départ des pistes de ski nordique, l'Auberge du Furon occupe une situation qui privilégie une vie à un rythme reposant hiver comme été. Cuisine traditionnelle et spécialités locales vous seront servies dans une salle à manger au décor chaleureux et rustique. Spécialités : gâteau de foie de volaille maison, filet de truite aux ravioles sauce aux noix, grenadin de veau de Meaudre sauce au bleu gratin du Vercors. Chambres avec bain ou douche+WC+TV : Toutes. Terrasse, jardin, accès handicapés restaurant, chaînes satellites, salle de séminaires, chèques vacances, animaux acceptés à l'hôtel

Situated in the Natural reserve of Vercors, at the foot of the alpine ski pistes and at the departure of the Scandinavian ski pistes, the Auberge du Furon occupy a situation which privilegied a life a resting rate in winter as well as in summer. A traditional kitchen and local specialities will be served to you in a dining room with cordial and rustic setting.

Ubicado en el Parc Naturel du Vercors, al pie de las pistas de esquí alpino y al comienzo de las pistas de esquí nórdico, el Auberge du Furon ocupa un lugar privilegiado donde la vida tiene un ritmo descansado en invierno como en verano. Usted descubrirá en el cálido y rústico ambiente del comedor, una cocina tradicional y especialidades locales.

Im Naturpark des Vercors, am Fuß der Skipisten, ist die Auberge du Furon ideal gelegen und hat einen entspannten Rhythmus im Sommer wie im Winter. Eine traditionelle Küche und lokale Spezialitäten werden Ihnen in einem warmen rustikalen Speisesaal serviert.

MIRIBEL LES ECHELLES (38380)

6 km de St Laurent du Pont, 30 km de Grenoble.

LES 3 BICHES

04 76 55 28 02

2 Rue de la Poste - Daniel COMBA - Fax : 04 76 55 49 37 - Fermeture : 2/01-31/01 ; 20/06-30/06 ; 1/09-10/09 ; mercredi hors saison.
Menus : 10/25 €. Menu enfant : 8,40 €. Petit déjeuner : 4,80 €.
2 chambres : 35/44 €. Demi pension : 35/40 €. Etape VRP : 44/46 € - Classement : Auberge du Pays

A Miribel les Echelles, Claudie et Daniel COMBA sont à votre disposition pour satisfaire vos goûts gastronomiques. Ils vous proposeront des menus choisis tout spécialement pour vous et se feront un plaisir de vous accueillir. Spécialités : ravioles d'escargots forestière, gratin de queues de langoustines et crevettes, boeuf braisé à l'ancienne, foie gras de canard cuit en terrine aux 3 Biches. Vins de Savoie. Chambres avec bain ou douche+WC+TV : 14. Garage fermé, accès handicapés restaurant, salle restaurant de caractère, salle de séminaires, chèques vacances, animaux acceptés

At Miribel les Echelles, Claudie and Daniel COMBA offer different menus chosen especially for you, and that and will satisfied your demands, as well as will be glad to welcome you.

A Miribel les Echelles, Claudie y Daniel COMBA tendrán el placer de acogerle y estarán a su disposición para satisfacer sus gustos gastronómicos, proponiéndole menús elegidos especialmente para usted.

In Miribel les Echelles, geben Claudie und Daniel Comba ihr Bestes, mit ausgesuchten Menüs, extra für Sie zubereitet, Ihre gastronomischen Geschmäcker zu befriedigen.

ST LATTIER (38840)

A 12 km de St Marcellin et de Romans.

AUBERGE DU VIADUC ★ ★ ★

04 76 64 51 65

RN92 Saint Lattier la Rivière - Fax : 04 76 64 30 93 - Menus : 28/48 €. Petit déjeuner : 10 €.
7 chambres : 75/110 € - Classement : Table Gastronomique

URIAGE LES BAINS (38410)

A 12 km de Grenoble

LE GRAND HÔTEL & RESTAURANT LES TERRASSES ★ ★ ★

04 76 89 10 80

Stéphane CANO - Chef : Philippe BOUISSOU - Fax : 04 76 89 04 62 - www.grand-hotel-uriage.com - Fermeture : Hôtel : 27/12-23/01 ; rest. : dimanche, lundi, mardi midi, mercredi midi, jeudi midi ; 16/08-30/08 ; 27/12-23/01. - Menus : 60/110 € . Menu enfant : 20 € . Petit déjeuner : 20 € - 39 chambres et 3 suites : 88/216 € - Classement : Table de Prestige

Situé dans un site privilégié, au cœur de la chaîne de Belledonne, le Grand Hôtel créé sous Napoléon III offre une multitude de loisirs et un panorama exeptionnel. Pour votre repos et votre détente, des chambres au confort contemporain, un espace forme et une piscine chauffée sont à votre disposition. Un accueil chaleureux, un service attentif, un restaurant reconnu font de ce lieu particulièrement apprécié des gourmets et gourmands un havre de détente. Spécialités : pressé de pigeon au foie gras de canard et artichauts, salade d'herbes ; noix de coquilles saint jacques grillées au curry, pommes fruit et oignons blancs des Cévennes ; feuille de chocolat et mousse thé cacao.
Terrasse, jardin, parking privé, piscine d'été, piscine d'hiver, ascenseur, chaînes satellites, canal+,

Located in a privileged site, in the heart of the chain of Belledonne, the Grand Hôtel created under Napoleon III offers a multitude of leisures and an exceptionnal view. A cordial reception, an attentive service, a recognized restaurant make of this place particularly appreciated of the gourmets and greedy a harbour of relaxation.

En un lugar privilegiado, en el centro de la cadena montañosa Belledonne, Le Grand Hôtel crée durante el imperio de Napoléon III brinda una multitud de distracciones y un panorama excepcional. Una acogida calurosa, un servicio atentivo, un restaurante famoso hacen de este lugar, especialmente apreciado por golosos y gastrónomos un remanso de tranquilidad.

Wundervoll gelegen, inmitten der Bergkette von Belledonne, bietet das Grand Hôtel unter Napoleon III gegründet, eine Vielzahl an Freizeitmöglichkeiten und ein außergewöhnliches Panorama. Ein herzlicher Empfang, ein aufmerksamer Service, ein renommiertes Restaurant machen aus diesem Ort, der von Feinschmeckern und Schlemmern geschätzt wird, einen Hafen der Entspannung.

VIF (38450)

A 15 km de Grenoble.

HÔTEL-RESTAURANT DE LA PAIX ★ ★

04 76 72 46 75 - hotel-de-la-paix2@wanadoo.fr

10 Rue Desaix - Jean-Luc ANTOULY - Fax : 04 76 72 74 99 - www.hoteldelapaix-vif.com - Fermeture : 1 week-end par mois de septembre à mai. Menus : 13/29 € . Menu enfant : 10 € . Petit déjeuner : 5,80 € . 7 chambres : 33/48 € - Classement : Auberge du Pays

Aux portes de Grenoble, Odile à l'accueil et Jean-Luc en cuisine, feront tout pour rendre votre séjour des plus agréables. Ils vous proposeront une cuisine de terroir que vous pourrez apprécier en terrasse ou l'hiver, au coin de la cheminée.
Spécialités : poulet aux écrevisses, ragout de saint jacques aux ravioles de royans, marcelline et son mesclun, caillettes et rissoles dauphinoises, grillades.

Chambres avec bain ou douche+WC+TV : 1-2-4-5-7.
Terrasse, jardin, parking privé, salle de séminaires, animaux acceptés

At the gates of Grenoble, Odile in reception and Jean-Luc in kitchen, will make everything to make your stay the most pleasant. They will offer you a traditional cooling which you will be able to appreciate in terrace in summer or in winter, at the corner of the chimney.

A las puertas de Grenoble, Odile en la recepción y Jean-Luc en la cocina, le harán pasar una estancia muy agradable. Le proponen una cocina regional que usted apreciará en la terraza o al lado de la chimenea, en invierno.

Vor Grenoble, tun Odile am Empfang und Jean-Luc in der Küche alles um Ihnen einen angenehmen Aufenthalt zu bieten. Territoriale Küche, die Sie auf der Terrasse oder im Winter vor dem Kamin genießen können.

Charme & Authenticité

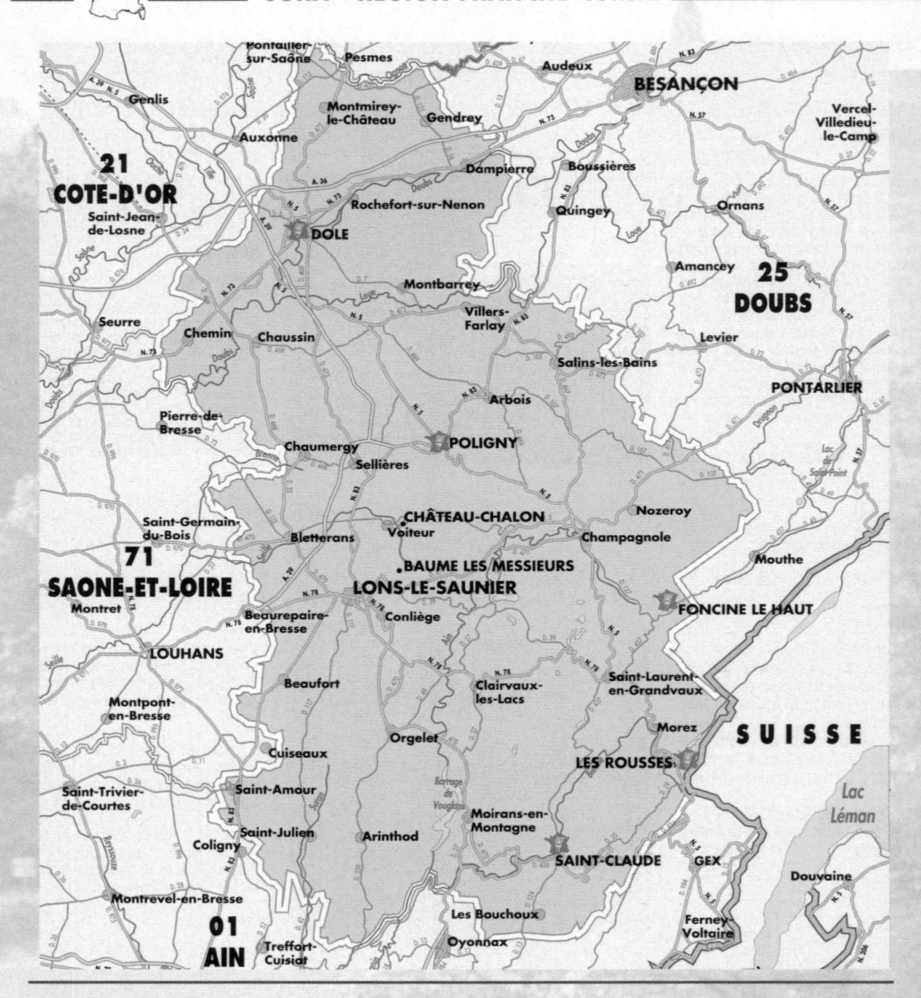

Sites Touristiques : Reculée et Abbaye à Baume-les-Messieurs, Cascades du Hérisson, Village de Château-Chalon, Région des Hautes Combes, Région des Lacs, vieille ville de Dole, lac de Vauglans.

Saveurs de nos Terroirs : Poularde au vin jaune, Poulet aux morilles. Fromage : Comté, Morbier, Bleu de Gex. Les Gaudes
Arbois, Vin Jaune, Vin de Paille, Château-Châlon, Savagnin, Ploussard, Trousseau. Côtes du Jura, appellation L'Etoile, Bière Rouget de Lisle.

Animations :

Février : Percée du Vin Jaune, La Transjurassienne (traversée du Jura à ski de fond).
Juillet : Fête du Haut Jura.
Décembre : Noël au Pays du Jouet à Moirans en Montagne.

COMITÉ DÉPARTEMENTAL DU TOURISME DU JURA
8, Rue Louis Rousseau B.P. 458 - 39006 - LONS-LE-SAUNIER CEDEX -Tél. : 03 84 87 08 88 - Fax : 03 84 24 88 70
www.jura-tourism.com - cdt@jura-tourism.com

DOLE (39100)

Table de Prestige

LA CHAUMIÈRE - RESTAURANT LA DÉCOUVERTE ★ ★ ★

03 84 70 72 40 - hotelrestaurantlachaumiere@wanadoo.fr

346 Avenue du Maréchal Juin - Fax : 03 84 79 25 60 - Menus : 25/70 € . Menu enfant : 11,50 € .
18 chambres : 60,22/91,47 € - Classement : Table de Prestige

DOLE (39100)

Arrivée Lyon, Châlon accès direct par Av. Duhamel.

Table de Terroir

HÔTEL POURCHERESSE ★ ★

03 84 82 01 05

8 Avenue Jacques Duhamel - Hervé GARLANTEZEC - Fax : 03 84 72 81 50 - Fermeture : Dernière semaine de décembre/1ère semaine de janvier.
Menus : 17,50/28 € . Menu enfant : 9 € . Petit déjeuner : 6 € - 18 chambres : 39/58 € .
Demi pension : 44/58 € . Etape VRP : 48,50 € - Classement : Table de Terroir

Situé à deux pas du centre historique, cet établissement vous offre un excellent confort et une cuisine soignée dans une ambiance chaleureuse.
Spécialités : escalope franc-comtoise, mont d'or au vin blanc (en saison), foie gras maison (spécialité), confit de canard, magret.

Chambres avec bain ou douche+WC+TV : Toutes.
Terrasse, canal+, chèques vacances, animaux acceptés

Close by the historic center, this establishment has excellent comfort and refined cooking in a cosy ambiance

A dos pasos del centro histórico, este establecimiento le ofrece en un caluroso ambiente, un gran confort y una esmerada cocina.

Nahe dem historischen Zentrum, bietet Ihnen das Haus exzellenten Komfort und gepflegte Küche in warmherzigem Ambiente.

VISA CB MC Eurocard

FONCINE LE HAUT (39460)

A 22 km de Champagnole

Auberge du Pays

AUBERGE LE JARDIN DE LA RIVIÈRE ★ ★

03 84 51 90 59 - eve5@club-internet.fr

6 Rue des Isles - KAPLIA Stéphane et Evelyne - Fax : 03 84 51 94 69 - bourgogne-restaurants.com/jardindelariviere
Fermeture : Dimanche soir hors saison et lundi. - Menus : 15,50/25,50 € . Menu enfant : 6,80 € . Petit déjeuner : 6,50 € .
10 chambres : 44/50 € . Demi pension : 39/42 € . Etape VRP : 42 € - Classement : Auberge du Pays

Aux portes du parc naturel du Haut Jura, niché au pied du mont noir, l'Auberge Le Jardin de la Rivière offre à ses visiteurs un lieu calme en bordure de rivière. Pour régaler les papilles : truite du vivier au bleu beurre blanc et vin jaune, filet de canard au caramel de Macuin, écrevisses du vivier au vin jaune.

Chambres avec bain ou douche+WC+TV : 7 chambres.
Terrasse, jardin, garage fermé, parking privé, piscine d'été, chaînes satellites, chèques vacances, animaux acceptés

At the gate of the natural reserve of the High Jura, nestled at the foot of the black mount,the Auberge Le Jardin de la Rivière offers to its visitors a calm place in edge of river

A las puertas del parque natural del Haut Jura, acurrucado al pie del monte negro, el Auberge Le Jardin de la Rivière propone a sus visitantes un lugar tranquilo a orillas del río. Usted podrá apreciar su cocina.

Vor dem Nationalpark des Haut Jura, am Fuße des Mont noir, bietet die Herberge Le Jardin de la Rivière seinen Gästen einen ruhigen Ort am Ufer eines Flusses.

VISA CB MC Eurocard

La Reconnaissance Professionnelle

LES ROUSSES (39220)

RN5 Paris/Genève. A 10 km de Morez.

Auberge du Pays

AUBERGE DES PILES ★

03 84 60 00 44

768 Rte des Jouvencelles Les Cressonnières - Danièle & Marc PAGET-BLANC - Fax : 03 84 60 01 08

Fermeture : 18/04-18/05 ; vendredi soir et dimanche soir. - Menus : 12/20 € . Menu enfant : 6,50 € .
Petit déjeuner : 6,50 € . 12 chambres : 51/61 € . Demi pension : 55,50 € . Etape VRP : 46 € - Classement : Auberge du Pays

A proximité de la Suisse, dans un cadre montagnard, venez découvrir l'accueil familial et la cuisine régionale de cette ancienne ferme rustique. Pour vos loisirs : ski alpin, ski de fond, randonnées, VTT...
Spécialités : fondue, raclette, croûte au fromage, morbiflette. Vins du Jura.

Chambres avec bain ou douche+WC+TV : Toutes.
Terrasse, parking privé, accès handicapés restaurant, petit déjeuner buffet, salle restaurant de caractère, chèques vacances, animaux acceptés

Close to Switzerland, in a mountain setting, come and discover the family welcome and the regional cooking of the ancient rustic farmhouse. For your leisure : alpine skiing, cross-country skiing, hiking, mountain bikes.

Cerca de Suiza, en una ambiente montañés, venga a descubrir la acogida familiar y la cocina regional de esta antigua y rústica granja. Para sus ratos de ocio: esquí alpino, esquí de fondo, excursiones,BTT. Platos regionales, vinos del Jura.

In der Nähe der Schweiz, in bergiger Umgebung, entdecken Sie den familiären Empfang und die regionale Küche dieses ehemaligen rustikalen Bauernhofs. Für Ihre Freizeit: alpiner Skilauf, Skilanglauf, Wandern, Radfahren..

POLIGNY (39800)

A39 Sortie N°7.

Table Gastronomique

DOMAINE DU MOULIN VALLÉE HEUREUSE ★ ★ ★

03 84 37 12 13 - valleeheureuse@wanadoo.fr

Route de Genève - Fax : 03 84 37 08 75 - *Menus : 37/64 € . Menu enfant : 12 € . Petit déjeuner : 13 € .*
13 chambres dont 2 suites : 95/220 € - Classement : Table Gastronomique

ST CLAUDE (39200)

Route de Genève. A 500 m de la cathédrale.

Table de Terroir

RESTAURANT LE LOFT HÔTEL SAINT HUBERT ★ ★

03 84 45 10 70 - andre.jannet@libertysurf.fr

3 Place Saint Hubert - André JANNET - Franck DESMEDT - Fax : 03 84 45 64 76 - www.hotel-saint-hubert.fr

Fermeture : 22/12 -8/01 ; dimanche soir, samedi midi hors saison (restaurant uniquement). - Menus : 12,95/27,25 € . Menu enfant : 7,65 € .
Petit déjeuner : 5,65 € - 30 chambres : 38/65 € . Demi pension : 43/52 € . Etape VRP : 47/58 € - Classement : Table de Terroir

Au coeur de la capitale du Haut-Jura, un établissement de standing avec un personnel à votre écoute, pour se ressourcer et se revitaliser.
Spécialités : salade de langue de boeuf fumée froide, entrecôte aux morilles. Belle carte des vins.

Chambres avec bain ou douche+WC+TV : Toutes.
Terrasse, garage fermé, ascenseur, accès handicapés restaurant, chaînes satellites, canal+, climatisation, petit déjeuner buffet, salle de séminaires, chèques vacances, animaux acceptés

In the heart of the capital of Haut-Jura, this establishment of high-standing has a team who will give you the best attention to help your relax.

En el corazón de la capital del Haut-Jura, este establecimiento de categoría, con un personal a su escucha para enriquecerse y revitalizarse, le hará descubrir sus especialidades. Cautivante lista de vinos.

Im Herzen der Hauptstadt des Hohen Jura liegt dieses anspruchsvolle Haus mit einem aufmerksamen Personal, wo Sie Kraft und Energie schöpfen können.

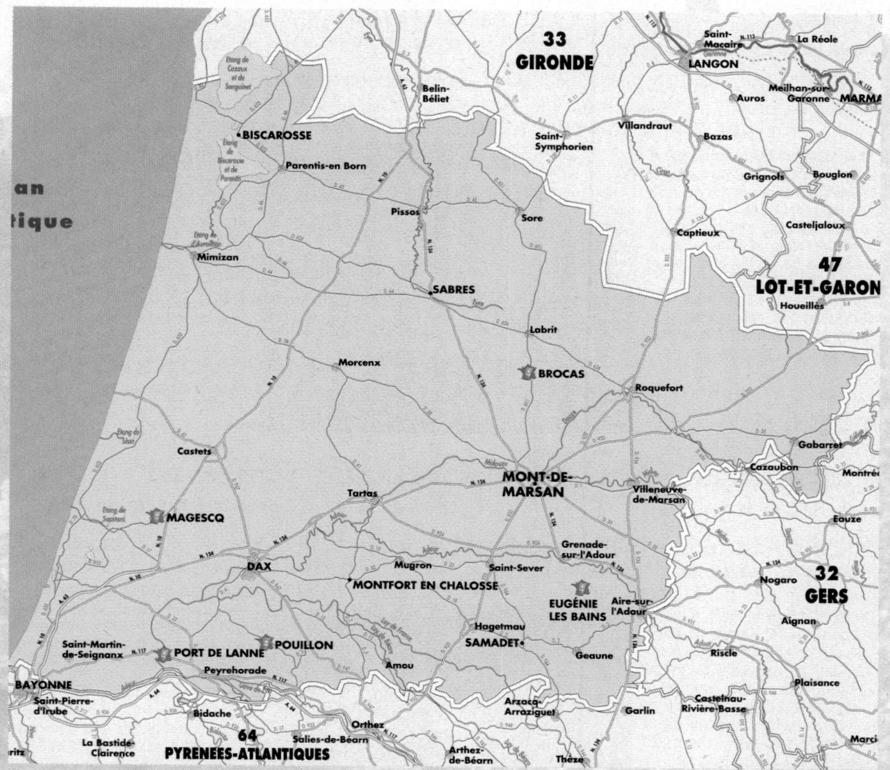

Sites Touristiques : Ecomusée de la Grande Lande - Marquèze à Sabres, Musée Despiau-Wlérick à Mont de Marsan, Musée de la Faïence et des Arts de la Table à Samadet, Musée de la Chalosse à Montfort en Chalosse, Musée historique de l'Hydraviation à Biscarrosse.

Saveurs de nos Terroirs : Canard fermier des Landes et volailles fermières des Landes (label rouge), foie gras, asperge des sables, boeuf de Chalosse (label rouge), kiwi (label rouge).

Bas-Armagnac landais, Vins du Tursan, vins de Chalosse.

Animations :

Juin/Juillet : Festival des Abbayes, Festival Arte Flamenco à Mont de Marsan, Festival de Contes à Capbreton.

Août : Festival Musicalarue à Luxey, Rip Curl Pro Surf à Hossegor.

COMITÉ DÉPARTEMENTAL DU TOURISME DES LANDES

4 Avenue Aristide Briand B.P. 407 - 40012 - MONT-DE-MARSAN CEDEX -Tél. : 05 58 06 89 89 - Fax : 05 58 06 90 90

www.tourismelandes.fr - cdt.landes@wanadoo.fr

BROCAS (40420)

A 20 km de Mont de Marsan.

HÔTEL DE LA GARE ★

05 58 51 40 67 - taris-nicolas@wanadoo.fr

Route de Bélis - Nicolas TARIS - Fax : 05 58 51 60 93 - www.hotelgare-brocas.com - Fermeture : Dimanche soir et lundi.
Menus : 10/70 € . Menu enfant : 9 € . Petit déjeuner : 6 € .
7 chambres : 32/39 € . Demi pension : 37/49 € . Etape VRP : 45 € - Classement : Auberge du Pays

La gare et les voyageurs ont disparu mais le nom de L'Hôtel de la Gare est resté. Voilà 50 ans déjà que la famille TARIS exploite l'hôtel, situé à deux pas du lac de Brocas et des forêts de pins. L'Hôtel-Restaurant est un havre de paix. M. TARIS vous régalera de ses spécialités alliant produits du terroir et spécialités de poissons parmi lesquelles vous pourrez déguster : soupe de palombe aux cèpes, filets de sole au foie gras.
Chambres avec bain ou douche+WC+TV : Toutes.
Terrasse, jardin, parking privé, accès handicapés restaurant, salle restaurant de caractère, salle de séminaires, chèques vacances, animaux acceptés

The station and the travellers disappeared but the name of The Hôtel de la Gare remained. There was 50 years that the family Taris exploits the hotel, located at two steps of the Lake Brocas and the forests of pines. The Hôtel-restaurant is a haven of peace. Mr. Taris will make you discover his specialities combining traditional products and specialities of fishes.

La estación y los viajeros han desaparecido, pero el nombre del Hôtel de la Gare quedó. Hace ya 50 años que la familia TARIS explota el hotel, ubicado a dos pasos del lago de Brocas y de bosques de pinos. El Hotel-Restaurante es un remanso de paz. M.TARIS le hará descubrir sus platos que unen los productos regionales a especialidades en pescados.

Den Bahnhof und die Reisenden gibt es nicht mehr, aber der Name Hôtel de la Gare ist geblieben. Seit 50 Jahren betreibt die Familie TARIS das Hotel, das nahe dem See von Brocas und den Pinienwäldern liegt. Das Hotelrestaurant ist ein wahrer Zufluchtsort.

EUGÉNIE LES BAINS (40320)

A 10 km d'Aire s/l'Adour, 50 km de Pau.

LES PRÉS D'EUGÉNIE - MICHEL GUÉRARD ★ ★ ★ ★

05 58 05 06 07 - guerard@relaischateaux.com

Michel GUÉRARD - Fax : 05 58 51 10 10 - www.michelguerard.com - Fermeture : 6/01-27/03 ; 1/12-20/12 ; lundi (restaurant).
2 restaurants : Le premier, gastronomique Menus : 120/165 € ; le deuxième vous invite à la découverte d'une grande table de terroir.
Menus à 39 € .75 chambres et suites : 125/490 € . Petit déjeuner : 17/28 € - Classement : Table de Prestige

Magie des saveurs, fraicheur et subtilité, sont les maîtres mots de Michel GUÉRARD. Couverts étincelants, vaisselle fine, argenterie ancienne, peintures et portraits du XVIIJ sont amoureusement choisis par Christine GUÉRARD. Que la fête commence !
Spécialités : oreiller moelleux de mousserons et de morilles aux asperges vertes, demi-homard rôti et légèrement fumé à la cheminée, gâteau mollet du marquis de béchamel et glace fondue à la rhubarbe.
Chambres avec bain ou douche+WC+TV : Toutes.
Terrasse, jardin, parking privé, piscine d'été, piscine d'hiver, tennis, ascenseur, accès handicapés,canal+, climatisation, salle restaurant de caractère, salle de séminaires, animaux acceptés à l'hôtel

Magic of savours, freshness and subtlety, are the Masters words of Michel GUÉRARD. Forks and spoons, fine crockery, old silverware, paintings and portraits of the XVIII are lovingly chosen by Christine GUÉRARD. How the festival starts!

La magia de sabores, el frescor y la delicadeza, son las palabras esenciales de Michel GUERARD. Cubiertos resplandecientes, vajilla fina, objetos de plata antigua, pinturas y retratos del siglo XVIII han sido amorosamente elegidos por Christine GUERARD. Que la fiesta comience !

Magie der Geschmäcker, Frische und Subtilität werden bei Michel Guérard groß geschrieben. Blitzblankes Besteck, feines Geschirr, altes Silber, Gemälde und Portraits aus dem 18. Jh. werden liebevoll von Christine Guérard ausgesucht.

MAGESCQ (40140)

A 18 km de Dax.

RELAIS DE LA POSTE ★ ★ ★

05 58 47 70 25 - coussau@wanadoo.fr

24 Avenue de Marenne - Jean COUSSAU - Fax : 05 58 47 76 17
Fermeture : 12/11-20/12 ; lundi et mardi (1/10-30/04) ; lundi, mardi midi, jeudi midi (1/05-30/09 restaurant).
Menus : 50/70 € . Menu enfant : 25 € . Petit déjeuner : 18 € - 13 chambres : 122/230 € - Classement : Table de Prestige

Situé sur un grand parc arboré, cet établissement d'une solide renommée, une institution dans le pays, vous propose des chambres douillettes et une cuisine régionale fine, généreuse, authentique. Carte des vins remarquable.

Chambres avec bain ou douche+WC+TV : Toutes.
Terrasse, jardin, garage fermé, parking privé, piscine d'été, tennis, accès handicapés restaurant, TPS, chaînes satellites, climatisation, salle restaurant de caractère, salle de séminaires, chèques vacances, animaux acceptés

Located on a large raised park, this welll-known establishment, an institution in the country, proposes cosy rooms and a fine, generous, authentic regional cooking to you. Remarkable chart of the wines.

Ubicado en un gran parque arbolado,este famoso establecimiento, toda una institución en el país, le propone habitaciones calmas y una cocina regional delicada, generosa, auténtica. Remarcable carte de vinos.

In einem großen, bebaumten Park gelegen, genießt dieses Haus einen soliden Ruf und ist im Land eine Institution. Es erwarten Sie gemütliche Zimmer, eine feine, großzügige und authentisch regionale Küche. Bemerkenswerte Weinkarte.

PORT DE LANNE (40300)

A 7 km de Peyrehorade.

LA VIEILLE AUBERGE ★ ★ ★

05 58 89 16 29

Place de l'Eglise - Fax : 05 58 89 12 89 - 8 chambres : 49/69 € . 2 suites : 76/95 € . Petit déjeuner : 7 € .

POUILLON (40350)

A 10 km de Dax.

AUBERGE DU PAS DE VENT

05 58 98 34 65 - fredericdubern@libertysurf.fr

281 Avenue du Pas de Vent - Frédéric DUBERN - Fax : 05 58 98 34 65
Fermeture : Vacances de Toussaint ; 1/01-15/01 ; lundi, mercredi soir et dimanche soir hors saison.
Menus : 10,50/31,50 € . Menu enfant : 7,50 € - Classement : Auberge du Pays

Située au coeur d'un petit village landais, cette auberge sera pour vous une étape reposante et gourmande où vous découvrirez une cuisine préparée à partir des meilleurs produits. Spécialités : foie gras à l'armagnac, boeuf de chalosse, escargots petits gris, lamproie, ris de veau fermier, pain de campagne maison.

Terrasse, jardin, parking privé, accès handicapés restaurant, salle restaurant de caractère, animaux acceptés au restaurant

Situated in the heart of a small village landais, this inn will be for you a resting and greedy stage where you will discover a kitchen prepared from best products

En el corazón de un pueblito landés, esta posada le brindará una estancia tranquila y golosa , usted descubrirá una cocina preparada con los mejores productos.

Im Herzen eines kleinen Dorfs, ist dieses Gasthaus eine erholsame Schlemmeretappe, wo Sie eine Küche aus besten Erzeugnissen entdecken.

La Reconnaissance Professionnelle

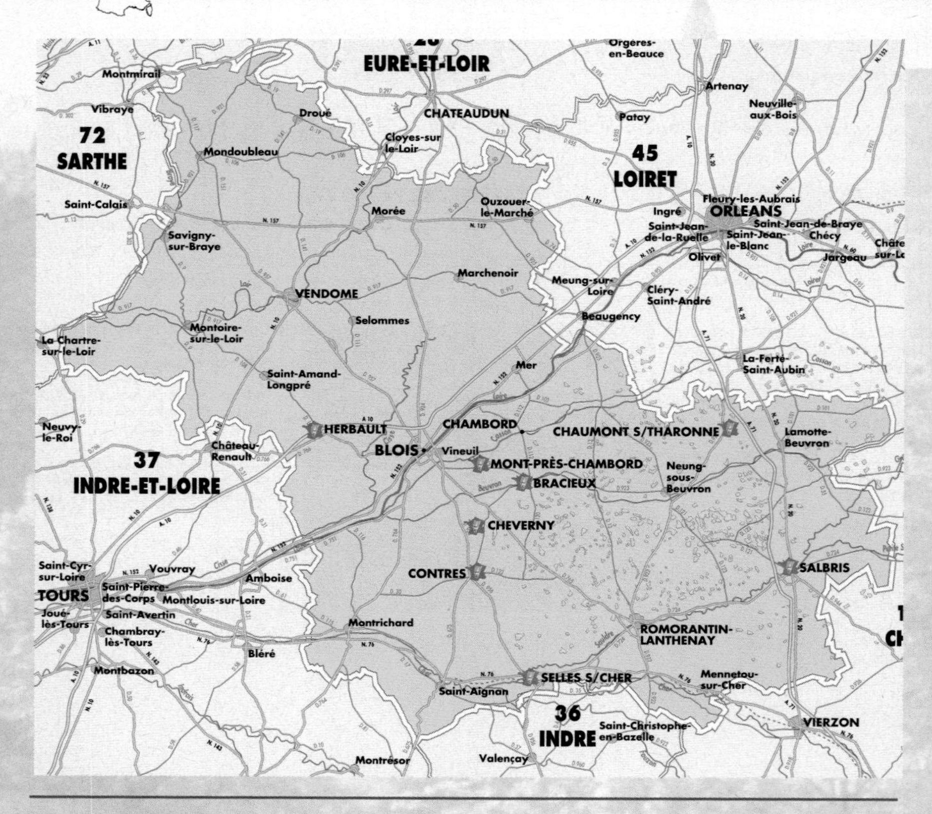

Sites Touristiques : Château de Chambord, Zooparc de Beauval, Château de Cheverny, Commanderie des Templiers, Château de Blois, Manoir de la Possonnière.

Saveurs de nos Terroirs : Fraises, Asperges et Miel de Sologne, Palet solognot, A.O.C. Selles sur Cher (fromage de chèvres), Tarte Tatin.

A.O.C. Cheverny, A.O.C. Cheverny-Cour Cheverny, A.O.C. Touraine, A.O.C. Touraine-Mesland, A.O.C. Côteaux du Vendômois, Jus de pomme du Perche.

Animations : Maison de la Magie à Blois, Musée Musikenfête à Montoir sur le Loir.

Mai/Octobre : Festival International des Jardins à Chaumont sur Loire, Festival des Folklores du Monde à Montoire sur le Loir, Les Métamorphoses de Chambord, Journées Gastronomiques de Sologne à Romorantin-Lanthenay, Son et Lumière du Château de Blois.

COMITÉ DÉPARTEMENTAL DU TOURISME DU LOIR-ET-CHER
Maison du Loir-et-Cher 5, Rue de la Voûte du Château B.P. 149 - 41005 - BLOIS CEDEX
Tél. : 02 54 57 00 41 - Fax : 02 54 57 00 47
tourismeloir-et-cher.com - info@cdt41.com

BLOIS (41000)

Auberge du Pays

CÔTÉ LOIRE

02 54 78 07 86 - info@coteloire.com

2 Place de la Grève - Thierry LODE et Laurent MORIN - Fax : 02 54 56 87 33 - www.coteloire.com
Fermeture : 23/12-31/01 ; dimanche et lundi (restaurant). Menus : 13/22 € . Menu enfant : 10 € . Petit déjeuner : 6 € .
7 chambres : 33/65 € . Demi pension : 46/80 € . Etape VRP : 55/65 € - Classement : Auberge du Pays

Situé en bord de Loire, à 5 mn du château et du centre ville, cet établissement vous propose le charme d'une auberge du XVIème siècle au confort simple et convivial.
Spécialités : terrine de campagne "maison", coq au vin, blanquette de veau à l'ancienne

Salle restaurant de caractère, animaux acceptés

Situated on the edge of the Loire, to 5 mn of the castle and the center, this establishment offers the charm of an inn of tje XVIth century with simple and friendly comfort.

BRACIEUX (41250)

A 20 km de Blois.

Table de Prestige

LE RELAIS DE BRACIEUX

02 54 46 41 22 - relaisbracieux.robin@wanadoo.fr

1 Avenue de Chambord - Fax : 02 54 46 03 69 - Menus : 38/115 € - Classement : Table de prestige

CHAUMONT SUR THARONNE (41600)

A 35 km d'Orléans et 12 km de Lamotte Beuvron.

Table Gastronomique

LA CROIX BLANCHE DE SOLOGNE ★ ★ ★

02 54 88 55 12 - lacroixblanchesologne@wanadoo.fr

5 Place Robert Mottu - Valérie HOUDYER GOACOLOU et Michel Pierre GOACOLOU - Fax : 02 54 88 60 40 - www.hotel-sologne.com
Fermeture : Mercredi midi. - Menus : 24/55 € . Menu enfant : 4/12 € . Petit déjeuner : 8 € .
18 chambres : 47/90 € Appartements : 100/120 € . Demi pension : 70/90 € - Classement : Table Gastronomique

Venez découvrir une cuisine traditionnelle gastronomique avec des spécialités de Sologne et du Périgord, dans le cadre exceptionnel du village de charme de Chaumont. Vélos à disposition. Spécialités : mique royale, délicatesse des étangs de Sologne, confit de canard, foie gras maison. Belle cave (500 vins différents). Chambres avec bain ou douche+WC+TV : Toutes. Terrasse, jardin, parking privé, accès handicapés, salle restaurant de caractère, salle de séminaires, chèques vacances, animaux acceptés

Come to discover the traditional gastronomic cooking with the specialities from Sologne and Périgord, in village de Chaumont an out standing place. Possibility to borrow bikes. Beautiful cellar (500 different wine).

En el ambiente excepcional de este pueblo de Chaumont, venga a descubrir una cocina gastronómica, tradicional : especialidades de Sologne y de Périgord. Bicicletas a su disposición. Bella bodega (500 vinos diferentes).

Entdecken Sie eine traditionelle, gastronomische Küche mit den Spezialitäten der Sologne und des Périgord in dem außergewöhnlichen Rahmen des Dorfs Chaumont. Fahrräder zur Verfügung. Große Weinauswahl.

La Reconnaissance Professionnelle

CHAUMONT SUR THARONNE (41600)

A 12 km de Lamotte Beuvron

BRETAGNE SOLOGNE

02 54 88 55 04

7 Route de Romorantin - Danielle GOACOLOU - Fax : 02 54 88 60 40 - www.hotel-sologne.com Fermeture : Lundi soir, mardi, jeudi soir.
Menus : 13/20 €. Menu enfant : 6/10 €.
Classement : Auberge du Pays

A Chaumont sur Tharonne, village de charme au coeur de la Sologne, le Bretagne-Sologne vous propose une restauration simple mais raffinée. Spécialités : salades terroir, terrines artisanales, galettes, crêpes, pâtisseries maison. Dégustation de vins de Touraine.

Accès handicapés restaurant, salle restaurant de caractère, chèques vacances, animaux acceptés au restaurant

At Chaumont sur Tharonne, charming village in the heart of Sologne, le Bretagne-Sologne offers you a simple cooking but refined. Tasting of tourain's vines.

En Chaumont sur Tharonne, encantador pueblo en el corazón de Sologne, el Bretagne Sologne le propone una restauración simple pero esmerada. Degustación de vinos de Touraine.

In Chaumont sur Tharonne, ein bezauberndes Dorf in der Sologne, erwartet Sie im Bretagne-Sologne eine einfache, aber feine Küche. Kostprobe von Weinen der Touraine.

CHEVERNY (41700)

Autoroute A10, à 15 km de Blois.

LA ROUSSELIÈRE

02 54 79 23 02 - contact@golf-cheverny.com

Golf du Château de Cheverny - M. SALMON - Fax : 02 54 79 25 52 - www.golf-cheverny.com
Ouvert tous les jours le midi, le soir du 12/06 au 12/09.
Menus : 22/32 € . Menu enfant : 12 € - Classement : Table Gastronomique

Situé en Sologne, au coeur des Châteaux de la Loire, le Golf du Château de Cheverny vous invite pour une étape reposante et vous propose une pause gourmande au sein de La Rousselière. Une cuisine fine et soignée vous sera proposée.

Terrasse, jardin, parking privé, piscine d'été, accès handicapés restaurant, chaînes satellites, salle restaurant de caractère, salle de séminaires, animaux acceptés au restaurant

Located in the Sologne, in the heart of the Loire castle, the Golf of the Castle of Cheverny invites you for a resting stage and a greedy pause in La Rousselière. A fine and neat cooking will be proposed to you.

Ubicado en Sologne, en el corazón de los Castillos del Loire, el Golf du Château de Cheverny le invita a hacer una escala tranquila y le propone un momento gastronómico en el seno de La Rousselière. Una cocina delicada y esmerada le será propuesta.

In der Sologne im Herzen der Loire Schlösser, lädt Sie der Golf des Château de Cheverny zu einer erholsamen Etappe ein und bietet Ihnen im Rousselière eine Schlemmerpause mit einer gepflegten, feinen Küche.

CONTRES (41700)

A 20 km de Blois.

LA BOTTE D'ASPERGES

02 54 79 50 49

52 Rue P.H. Mauger - Fax : 02 54 79 08 74 - Menus : 14,50/49 € . Menu enfant : 8 €
Classement : Table Gastronomique

CONTRES (41700)

A 19 km de Blois.

Table Gastronomique

HÔTEL DE FRANCE ★ ★ ★

02 54 79 50 14 - metivier@mond.net

37/39 Rue P. H. Mauger - Jean-Claude METIVIER - Fax : 02 54 79 02 95 - www.hoteldefrance-contres.com
Fermeture : 1/02-10/03 (restaurant); Dimanche soir et Lundi de Toussaint aux Rameaux. - Menus : 18/48 € . Menu enfant : 12 € .
30 chambres : 41/79 € - Classement : Table Gastronomique

Dans un cadre convivial et chaleureux, Jean-Claude METIVIER et son équipe se feront un plaisir de vous recevoir confortablement et de vous faire partager une cuisine soignée, élaborée au fil des saisons. Spécialités : escalopes de coquilles st jacques à l'huile de vanille boubon ; poule de Contres au vieux vinaigre d'Orléans ; millefeuille d'asperges de Contres au beurre mousseux d'herbes nouvelles ; gibiers et champignons en saison.
Terrasse, garage fermé, parking privé, piscine d'été, tennis, ascenseur, accès handicapés, TPS, chaînes satellites, petit déjeuner buffet, salle de séminaires, chèques vacances, Menu Tables & Auberges de France

In a warm and friendly setting, Jean-Claude Métivier and his team will be glad to welcome you and make you share a neat cooking, following the seasons.

En un ambiente sociable y caluroso, Jean-Claude METIVIER y su equipo tendrán el placer de recibirle cómodamente y de hacerle compartir una esmerada cocina, preparada según las estaciones.

In einem gastlichen und gemütlichen Rahmen, freuen sich Jean-Claude Metivier und sein Personal, Sie zu empfangen und mit Ihnen eine gepflegte Küche zu teilen, den Jahreszeiten angepasst.

HERBAULT (41100)

A 15 km de Blois.

Table de Terroir

AUBERGE DES TROIS MARCHANDS

02 54 46 12 18

34 Place de l'Hôtel de Ville - Alain CUVIER - Fax : 02 54 46 12 18 - Fermeture : Janvier ; dimanche soir, lundi soir et mardi.
Menus : 14/36 € . Menu enfant : 10 € .
Classement : Table de Terroir

A proximité des Châteaux de la Loire, cet ancien Relais de Poste situé au centre du village vous réservera un accueil des plus chaleureux et vous fera découvrir ses spécialités : filet de cane aux airelles, brochet beurre blanc, tarte tatin.

Salle restaurant de caractère, chèques vacances, animaux acceptés au restaurant

Near the Châteaux de la Loire, this ancient Post Relay situated in the centre of the village will reseve you a warm welcome and you will be able to discover its specialities.

Esta antigua Parada del Correo situada en el centro del pueblo y cerca de los Castillos del Loire, le brindará una calurosa acogida y le hará descubrir sus especialidades.

In der Nähe der Schlösser der Loire, bereitet Ihnen dieses alte Postgebäude in Dorfmitte einen äußerst herzlichen Empfang. Genießen Sie die Spezialitäten des Hauses.

Charme & Authenticité

MONT PRÈS CHAMBORD (41250)

A 10 km de Blois.

AUBERGE LE SAINT FLORENT ★ ★

02 54 70 81 00

14 Rue de la Chabardière - M. et Mme GILLMETT Alain - Fax : 02 54 70 78 53 - www.hotel-saint-florent.com - Fermeture : 1/01-15/02 ; dimanche soir et lundi (1/10-31/03) ; lundi midi (restaurant). - Menus : 13,50/38 € . Menu enfant : 10,50 € . Petit déjeuner : 5,50 € 18 chambres : 56/72 € . Demi pension : 48/58 € . Etape VRP : 54 € - Classement : Table de Terroir

Située aux portes de la Sologne, entre deux forêts, à 10 km de Blois, Chambord et Cheverny, cette très belle maison bourgeoise vous attend et vous réserve un accueil chaleureux. Table couronnée marmite d'or. Spécialités : pied de porc à la solognote (désossé et farci au foie gras), escalope de foie gras au vinaigre de miel, marmite d'anguille au Chinon. Chambres avec bain ou douche+WC+TV : Toutes. Terrasse, jardin, garage fermé, parking privé, accès handicapés, chaînes satellites, salle restaurant de caractère, salle de séminaires, chèques vacances, animaux acceptés au restaurant, Menu Tables & Auberges de France

Located at the gates of the Sologne, between two forests, 10 km of Blois, Chambord and Cheverny, this very beautiful middle-class house awaits you and reserves a warm welcome to you.

A las puertas de la Sologne, entre dos bosques, a 10 km de Blois, Chambord y Cheverny, esta bella casa burguesa con su calurosa acogida le espera. Mesa premiada por la marmite d'or (marmita de oro).

An den Türen der Sologne zwischen zwei Wäldern, 10 km von Blois, Chambord und Cheverny, empfängt man Sie herzlich in diesem wunderschönen Bürgerhaus. Tafel mit dem Preis Marmite d'Or ausgezeichnet.

SALBRIS (41300)

LE PARC ★ ★ ★

02 54 97 18 53

8 Avenue d'Orléans - Fax : 02 54 97 24 34 - Menus : 24/47 € . Menu enfant : 8,50 € . 23 chambres : 53/91 € / 2 pers - Classement : Table Gastronomique

SELLES SUR CHER (41130)

A 30 km au sud-est de Blois.

AUBERGE A/C (ALEXANDRE ET CÉLINE) ★ ★

02 54 97 48 59 - ametivier@mond.net

29 Route de Blois - Jean-Claude METIVIER - Fax : 02 54 97 48 09 - auberge-ac.com - Fermeture : 1/01 au soir au 1/02 ; dimanche soir. Menus : 15/32 € . Menu enfant : 9,50 € . Petit déjeuner : 6,65 € . 11 chambres : 49,50 € . Demi pension : 49,50/67,50 € . Etape VRP : 58,40 € - Classement : Table de Terroir

Situé dans un cadre de verdure, cet établissement vous propose calme et détente. Au restaurant, une cuisine de terroir vous permettra de découvrir les spécialités de la région. Spécialités : salade de bûche et lardons, civet divers de biche et autres gibiers, entremet le petit solognot. Animaux acceptés avec supplément.

Chambres avec bain ou douche+WC+TV : Toutes. Terrasse, parking privé, accès handicapés, TPS , petit déjeuner buffet, salle restaurant de caractère, salle de séminaires, animaux acceptés

Locatedin a green setting, this establishment proposes you calms and relaxation. At the restaurant, a traditional cooling will enable you to discover the specialities of the region. Pets accepted with supplement.

En un marco de follaje, este establecimiento le propone tranquilidad y reposo. En el restaurante, una cocina regional le permitirá descubrir las especialidades de la región. Los animales pagan un suplemento.

Mitten im Grünen, bietet Ihnen dieses Haus Ruhe und Entspannung. Im Restaurant entdecken Sie eine ländliche Küche mit Spezialitäten aus der Region.

Sites Touristiques : Château de la Bastie d'Urfe à Saint-Etienne-Le-Molard, Saint-Etienne et les Gorges de la Loire, Charlieu, Chartreuse de Sainte-Croix-en-Jarez (Un des plus beaux villages de France).

Saveurs de nos Terroirs : Fourme de Montbrison (fromage A.O.C.), Râpée, Patia Forézien.

A.O.C. Côtes du Forez, A.O.C. Côte Roannaise, Côtes du Rhône Septentrionales : A.O.C Saint-Joseph, A.O.C. Condrieu, A.O.C. Château Grillet.

Animations : Musée du Chapeau à Chazelles-sur-Lyon, Musée d'Art et d'Industrie et Musée d'Art Moderne à Saint-Etienne.

Eté Musical Loire en Rhône-Alpes (festival musical), Les Nuits de la Bastide d'Urfe (représentations théâtrales).

COMITÉ DÉPARTEMENTAL DU TOURISME DE LA LOIRE

5, Place Jean-Jaurès - 42021 - SAINT-ETIENNE CEDEX 1 -Tél. : 04 77 43 24 42 - Fax : 04 77 47 16 39

www.loire.fr - tourisme@cg42.fr

CHARLIEU (42190)

A 20 km de Roanne.

Table de Terroir

LE RELAIS DE L'ABBAYE ★ ★

04 77 60 00 88

Le Pont de Pierre - Annick PARENTI & André KLEIN - Fax : 04 77 60 14 60 - www.hotelroanne.com - Fermeture : Janvier ; 24/08-1/09 ; dimanche soir et lundi midi ; vendredi soir et samedi midi hors saison. - Menus : 16,50/36,50 € . Menu enfant : 8 € . Petit déjeuner : 6,50 € 27 chambres : 52/53,60 € . Demi pension : 45,80 € . Etape VRP : 57,80 € - Classement : Table de Terroir

Situé au calme dans un cadre de verdure, en bordure de la rivière et à proximité de la charmante cité médiévale de Charlieu, cet établissement vous propose une étape reposante et une cuisine du terroir alliant créativité et saveurs du terroir. Animaux acceptés avec supplément. Spécialités : salade d'andouille de Charlieu, foie gras de canard maison et son pain grillé, viande charolaise, crumble aux pommes.
Chambres avec bain ou douche+WC+TV : Toutes.
Terrasse, jardin, parking privé, chaînes satellites, canal+, petit déjeuner buffet, salle de séminaires, chèques vacances, animaux acceptés

Located in calms within a framework of greenery, in edge of the river and near charming medieval city of Charlieu, this establishment proposes a resting stage and a kitchen of the soil combining to you creativity and savours of the soil. Animals accepted with supplement.

En un lugar tranquilo, lleno de verdor, a orillas del río y en las cercanías de la encantadora ciudad medieval de Charlieu, este establecimiento le propone una estancia tranquila y una cocina regional que une la creatividad a los sabores regionales. Los animales pagan un suplemento.

Ruhig am Fluss gelegen, mitten im Grünen und in der Nähe einer reizvollen mittelalterlichen Stätte von Charlieu, bietet Ihnen dieses Haus eine erholsame Rast und eine Küche, die Geschmäcker des Lands und Kreativität verbinden.

L'ETRAT (42580)

A 3 km de Saint Etienne nord.

Table Gastronomique

RESTAURANT YVES POUCHAIN

04 77 93 46 31

Route de Saint Heand - Yves POUCHAIN - Fax : 04 77 93 90 71
Fermeture : 2ème quinzaine de janvier ; 2ème quinzaine d'août ; dimanche soir, lundi, mercredi soir.
Menus : 22/68 € . Menu enfant : 12,50 € - Classement : Table Gastronomique

Située en pleine campagne, au calme, cette ancienne ferme rénovée vous propose une halte gastronomique dans un cadre authentique (pierres et poutres apparentes). Vous y découvrirez une cuisine soignée préparée en fonction des saisons. Spécialités : escalope de foie gras au coulis de pommes et gingembre, homard dans son jus en cassolette.
Terrasse, parking privé, accès handicapés restaurant, salle restaurant de caractère, salle de séminaires, animaux acceptés au restaurant

Located in full shift, with calms, this old renovated farm proposes to you a gastronomic halt in an authentic framework (stones and visible beams). You will discover there a neat cooking prepared according to the seasons

En pleno campo, esta antigua granja renovada le propone una parada gastronómica en un ambiente tranquilo y auténtico (piedras y vigas a la vista). Usted descubrirá una esmerada cocina que sigue el ritmo de las estaciones.

Mitten auf dem Land, ruhig gelegen, bietet Ihnen dieser ehemalige Bauernhof einen gastronomischen Aufenthalt in einem authentischen Rahmen (sichtbare Steine und Balken). Sie entdecken dort eine gepflegte, nach den Jahreszeiten ausgerichtete Küche.

LE COTEAU (42120)

A 1 km de Roanne.

Table Gastronomique

ARTAUD HÔTEL RESTAURANT ★ ★ ★

04 77 68 46 44 - hotel.restaurant.artaud@wanadoo.fr

133 Avenue de la Libération - Fax : 04 77 72 23 50 - Menus : 19/50 € . 25 chambres : 59/78 € - Classement : Table Gastronomique

ST ETIENNE (42000)

Proche de la gare.

Table Gastronomique

RESTAURANT LA LOCO ★ ★ ★

04 77 32 48 47 - hotel.forez@wanadoo.fr

31 Avenue Denfert Rochereau - Jacques STRIBICK - Fax : 04 77 34 03 30 - www.hotel-terminusforez.com
Fermeture : 27/07-24/08 ; 21/12-28/12 - Menus : 14/28 € . Menu enfant : 7,50 € . Petit déjeuner : 7/8 € .
66 chambres : 60/67 € . Etape VRP : 72/79 € - Classement : Table Gastronomique

Venez découvrir l'ambiance et le style victorien de cet établissement, avec boiserie acajou, collections de miroirs XIXème, peintures originales, suspensions et appliques de cuivres anciennes. Spécialités : salade de caille en crapaudine, son oeuf miroir et gastrique au vinaigre de framboises ; tournedos périgourdine et sa bouchée forestière ; filets de rougets de roche à l'étuvée de petits légumes et anis étoilé.
Chambres avec bain ou douche+WC+TV : Toutes.
Garage fermé, parking privé, ascenseur, chaînes satellites, canal+, climatisation, salle restaurant de caractère, salle de séminaires, chèques vacances, animaux acceptés

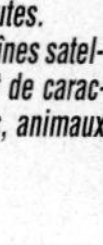

Come to discover the atmopshere and the victorien style of this establishment, with woodwork mahogany tree, collections of XIX century mirrors, original paintings , old copper suspensions and brackets.

Venga a descubrir el ambiente y el estilo victoriano de este establecimiento con revestimiento de caoba, colecciones de espejos del siglo XIX, pinturas originales, arañas y lámparas de pared en cobre antiguo.

Entdecken Sie die Atmosphäre des viktorianischen Stils von diesem Haus, aus Mahagoni Holz, Spiegelkollektion, originellen Malereien und anderen antiken Objekten.

ST GALMIER (42330)

A 20 km de St Etienne. A72 sortie 9.

LA CHARPINIÈRE ★ ★ ★

04 77 54 10 20 - charpiniere.hot-rest@wanadoo.fr

Fax : 04 77 54 18 79 - Menus : 12,50/42 € . Menu enfant : 10,50 € .
49 chambres. - Classement : Table Gastronomique

USSON EN FOREZ (42550)

A 45 km de Saint Etienne.

HÔTEL RIVAL ★

04 77 50 63 65 - hotelrival@msn.com

Rue Centrale - Guy RIVAL - Fax : 04 77 50 67 62 - Fermeture : Vacances scolaires Février ; Lundi hors saison.
Menus : 11/37 € . Menu enfant : 8 € . Petit déjeuner : 5,50 € .
10 chambres : 24/45 € . Demi pension : 29/38 € . Etape VRP : 28/46 € - Classement : Auberge du Pays

Dans les monts du Forez, aux portes de l'Auvergne, près des bois et du plan d'eau, venez découvrir la cuisine de terroir de cet établissement familial où la convivialité est de rigueur. Spécialités : galantine chaude aux escargots, saumon fumé maison, foie gras, glace maison : glace à la verveine. Possibilité de location de studio au week-end ou à la semaine.

Terrasse, garage fermé, parking privé, salle restaurant de caractère, salle de séminaires, chèques vacances, animaux acceptés

In the Forez mountains, at the doors of the region Auvergne, close to woods and at the edge of a small lake, come and discover the traditional cooking of this familial establishment where conviviality is essential.

En los montes del Forez, a las puertas de la Auvergne, cerca del bosque y del estanque, venga a descubrir la cocina regional de este establecimiento familiar donde la buena convivencia es primordial. Posibilidad de alquilar un apartamento de una sola habitación para el fin de semana o a la semana.

In den Bergen der Forez, an den Toren der Auvergne, in der Nähe von Wäldern und einem kleinen See, entdecken Sie in diesem familiären Haus eine regionale Küche, wo Gastlichkeit groß geschrieben wird.

VIVANS (42310)

A 26 km de Roanne.

AUBERGE DU VIEUX PUITS

04 77 64 17 22

Au Bourg - Olivier FRECHET - Fax : 04 77 64 17 22 - Fermeture : Mardi et mercredi.
Menus : 14/20 € . Menu enfant : 6,89 € .
Classement : Table de Terroir

Située dans un cadre agréable, au calme, proche de la forêt de Lespinasse, cette auberge de campagne, entièrement rénovée, vous propose de faire une pause gourmande et de découvrir une cuisine soignée que vous apprécierez, dès les beaux jours, en terrasse. Spécialités : oeufs en meurette, suprême de volaille au munster enrobé d'une fine croûte de pain d'épice jus réduit au cassis.

Terrasse, parking privé, accès handicapés restaurant, salle restaurant de caractère, animaux acceptés au restaurant

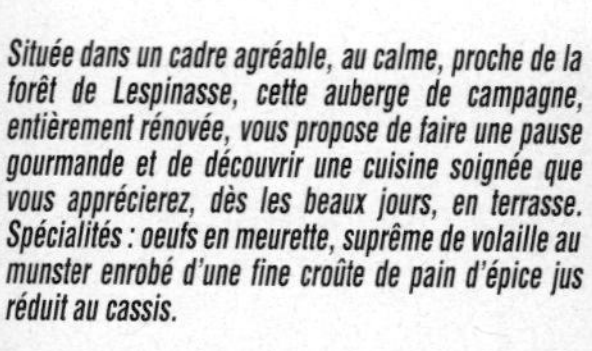

Located in a pleasant framework, with calms, near the forest of Lespinasse, this country inn, entirely renovated, proposes to you to make a greedy pause and to discover a neat cooking which you will appreciate, as of the beautiful days, in terrace.

En un ambiente agradable, tranquilo, cerca del bosque de Lespinasse, esta mesón de campo, totalmente acondicionada, le propone hacer una parada golosa y descubrir una esmerada cocina que usted apreciará en la terraza, con buen tiempo.

In einem angenehmen, ruhigen Rahmen, in der Nähe des Walds Lespinasse, lädt Sie dieses völlig renovierte Landgasthaus ein, zu einer Schlemmerpause, wo Sie die gepflegte Küche bei schönem Wetter auf der Terrasse genießen können.

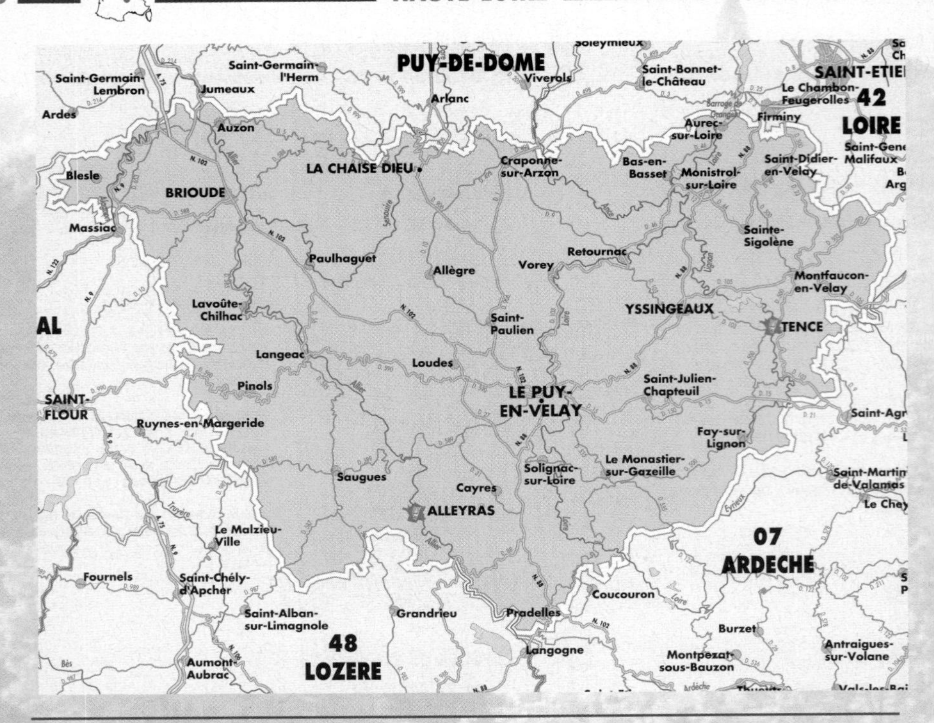

Sites Touristiques : Mont Mézenc, Gorges de l'Allier, Le Puy-en-Velay, Gorges de la Loire, La Chaise-Dieu.

Saveurs de nos Terroirs : Lentille verte du Puy.
Verveine du Velay, apéritif Maurin, bière la Vallevia, apéritif la Batavia.

Animations : Château Musée La Fayette, Musée de la Paléontologie, Musée des Arts et Traditions Populaires de la Haute-Loire, Musée du Fer Blanc, Musée Crozatier, Musée des Manufactures de Dentelles, Musée de la Faulx.
Juillet/Août : Festival de Musique de Country et Western de Craponne-sur-Arzon, Festival de Musique de la Chaise-Dieu, Festival La Musique des Cuivres du Monastier-sur-Gazeille.
Septembre : Fêtes Renaissance du Roi de l'Oiseau au Puy-en-Velay.

COMITÉ DÉPARTEMENTAL DU TOURISME DE LA HAUTE-LOIRE
Hôtel du Département 1 Place Mgr de Galard B.P. 332 - 43012 - LE-PUY-EN-VELAY CEDEX
Tél. : 04 71 07 41 54 - Fax : 04 71 07 41 55
www.midiedelauvergne.com - cdt@midiedelauvergne.com

ALLEYRAS (43580)

A 29 km du Puy en Velay.

LE HAUT-ALLIER ★ ★

04 71 57 57 63 - hot.rest.hautallier@wanadoo.fr

*Pont d'Alleyras - Fax : 04 71 57 57 99 - Menus : 23/78 € . Menu enfant : 15 € . Petit déjeuner : 10 € .
15 chambres : 48/100 € - Classement : Table Gastronomique*

TENCE (43190)

A 50 km de St Etienne et du Puy en Velay.

HOSTELLERIE PLACIDE ★ ★ ★

04 71 59 82 76 - placide@hostellerie-placide.fr

*Route d'Annonay - Véronique & Pierre Marie PLACIDE - Fax : 04 71 65 44 46 - www.hostellerie-placide.fr
Fermeture : 01/01-31/03 ; dimanche soir, lundi et mardi hors saison. Lundi midi et mardi midi (1/07-31/08). - Menus : 15/49 € .
Menu enfant : 16 € . Petit déjeuner : 10 € .13 chambres : 70/100 € . Demi pension : 64/84 € .
Etape VRP : 84 € - Classement : Table Gastronomique*

Dans le calme d'un village du Velay, cet ancien relais de diligences vous propose des nuits paisibles dans des chambres spacieuses. C'est une étape idéale pour une cuisine de goûts qui privilégie le terroir, la qualité et la créativité. Spécialités : pain soufflé aux écrevisses sauce cardinal, foie gras à la lie de myrtille, toasts à la farine de lentilles. Animaux acceptés avec supplément : 12 €.
Chambres avec bain ou douche+WC+TV : Toutes. Terrasse, jardin, parking privé, accès handicapés restaurant, salle restaurant de caractère, salle de séminaires, chèques vacances, animaux acceptés à l'hôtel

In the quietness of the village of Velay, this ancient relay of stagecoachs offers peaceful nights in spacious bedrooms. It is an ideal stop for a delicious cooking that is promotes traditional products, quality and creativity.

En la calma de un pueblo del Velay, esta antigua parada de diligencias le brinda noches tranquilas en habitaciones espaciosas. Es una etapa ideal para una cocina que hace resaltar los gustos del terruño, la calidad y la creatividad.

In der Ruhe eines Dorfs von Velay, bietet Ihnen diese alte Poststation friedliche Nächte in geräumigen Zimmern. Es ist eine ideale Etappe für eine geschmackvolle Küche, die Land, Qualität und Kreativität bevorzugt.

Sites Touristiques : Océarium du Croisic, Planète sauvage (Saint Père en Retz), Escal'Atlantic (Saint Nazaire), Zoo de la Boissière du Doré, La Garenne Lemot.

Saveurs de nos Terroirs : Beurre blanc, mâche nantaise, berlingots, rigolettes, curé nantais, gâteau nantais, petit mouzillon, châteaubriant, bar en croûte de sel, bottereaux, salicorne, fouace, fleur de sel.
Nantillais, Muscadet, Malvoisie, Mûroise, vignoble nantais (VDQS), Côteaux d'Ancenis.

Animations : Musée des Beaux Arts, Muséum d'Histoire Naturelle à Nantes.
Expositions : Le Grand Répertoire à Nantes, A bord du Queen Mary 2 à Escal'Atlantic à Saint Nazaire.
Janvier : Les Folles Journées à Nantes, Les Escales à Saint Nazaire.
Août : Festival Les Rendez-vous de l'Erdre à Nantes.

COMITÉ DÉPARTEMENTAL DU TOURISME DE LA LOIRE-ATLANTIQUE
2, Allée Baco B.P. 20502 - 44005 - NANTES CEDEX 1 -Tél. : 02 51 72 95 30 - Fax : 02 40 20 44 54
www.loire-atlantique-tourisme.com - info@loire-atlantique-tourisme.com

CLISSON (44190)

N149 ; à 30 km de Nantes

LA BONNE AUBERGE

02 40 54 01 90

1 Rue Olivier de Clisson - Serge POIRON - Fax : 02 40 54 08 48
Fermeture : 15/02-28/02 ; 10/08-31/08 ; dimanche soir, lundi, mardi midi et mercredi soir.
Menus : 18,50/56,50 . Menu enfant : 12 € - Classement : Table Gastronomique

Cette maison du XIXème siècle située au coeur de la ville historique a été reconstruite en style italien après les guerres de Vendée. La Bonne Auberge vous propose une cuisine du marché accompagnée des meilleurs Muscadets et d'une sélection des grands vins de France. Serge POIRON vous y présente sa cuisine, harmonie de légèreté et de tradition personnalisée d'un brin de terroir. Spécialités : millefeuille léger de homard crème de homard jus de basilic, ravioles d'écrevisses, sandre rôti fumet Saint Emilion, croustillant de tourteaux au jus d'herbes. Vins : Muscadet.
Terrasse, jardin, accès handicapés restaurant, salle de séminaires, chèques vacances, animaux acceptés au restaurant

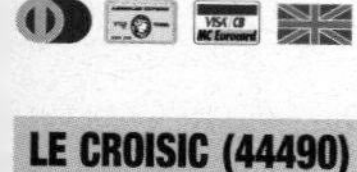

This house of the XIX century in the heart of historic city, was build in Italian style since the Vendée wars. La Bonne Auberge offers regional cooking and a selected wine list. Serge POIRON offers his cooking : which is a harmony of lightness and tradition.

Esta casa del siglo XIX situada en el centro de la ciudad histórica, ha sido reconstruida al estilo italiano después de las guerras de Vendée. La Bonne Auberge le propone una cocina con productos del mercado, acompañada con los mejores Muscadets y con una selección de grandes vinos de Francia. Serge POIRON le presentará su cocina, armoniosa mezcla de estilo y tradición con un toque local.

La Bonne Auberge bietet Ihnen eine Küche des Markts begleitet von den besten Muskatweinen und einer Auswahl großer französischer Weine. S. POIRON präsentiert seine harmonische und leichte Küche mit einem Anhauch seiner Region.

LE CROISIC (44490)

A 10 km de La Baule.

CASTEL MOOR ★ ★

02 40 23 24 18 - castel@castel-moor.com

Baie du Castouillet - Evelyne & Daniel BARON - Fax : 02 40 62 98 90 - www.castel-moor.com
Fermeture : 24/12-30/01, 13/11-20/11, dimanche soir et lundi hors saison. - Menus : 22/36 € . Menu enfant : 10 € .
Petit déjeuner : 7 € .19 chambres : 40/66 € . Demi pension : 51/62 € . Etape VRP : 56 € - Classement : Table de Terroir

A 1 km du centre ville, face à la mer, sur la côte sauvage de la presqu'île, le Castel Moor vous offrira quiétude et lumière. Vous apprécierez le confort de ses chambres et serez séduit par sa table gastronomique élaborée à base de produits frais, le plus souvent régionaux. Spécialités : fruits de mer, poissons, croquants de langoustines, noix de saint jacques poêlées, trilogie de poissons au beurre de bière brune. Vins : Muscadets, vins fins de la Loire. Carte des vins avec J.M. POULARD, sommelier conseil.
Chambres avec bain ou douche+WC+TV : Toutes.
Terrasse, jardin, parking privé, accès handicapés,salle de séminaires, chèques vacances, animaux acceptés

On the wild coast of the peninsula, the Castel Moor will offer you calm and light. You will appreciate the comfort of rooms and be captivated by the menus made from fresh and traditional products, most of the time of the region.

A 1 km del centro de la ciudad, frente al mar, en la costa salvaje de la península, el Castel Moor le brindará luz y quietud. Usted apreciará el confort de sus habitaciones y quedará cautivado por su mesa gastronómica elaborada a base de productos frescos, en su mayor parte regionales. Carta de vinos con el consejo de J.M. POULARD, sumiller.

An der wilden Küste der Halbinsel, bietet Ihnen das Castel Moor Ruhe und Licht. Sie werden den Komfort der Zimmer schätzen und die gastronomische Küche genießen, in der frische Landprodukte verarbeitet werden.

NANTES (44300)

SAN FRANCISCO

02 40 49 59 42 - informations@sanfrancisco.fr

3 Chemin des Bateliers - Fax : 02 40 68 99 16 - Menus : 24/48 € . Menu enfant : 13 € .
Classement : Table Gastronomique

PORNICHET (44380)

SUD-BRETAGNE ★ ★ ★ ★

02 40 11 65 00 - sud-bretagne@wanadoo.fr

42 Boulevard de la République - Fax : 02 40 61 73 70 - Menus : 38 € . Petit déjeuner : 12 € .
30 chambres : 92/183 € - Classement : Table Gastronomique

ST MARC SUR MER (44600)

A 7 km de St Nazaire et de La Baule.

Table de Terroir

HÔTEL DE LA PLAGE ★ ★ ★

02 40 91 99 01 - hotel.de.la.plage44@wanadoo.fr

37 Rue du Commandant Charcot - Aline PAVIET - Fax : 02 40 91 92 00 - www.hotel-de-la-plage-44.com
Fermeture : 8/01-4/02 ; dimanche soir en hiver. - Menus : 15/50 € . Menu enfant : 10 € . Petit déjeuner : 8 € .
30 chambres : 71/109 € . Etape VRP : 99 € sauf juillet et août - Classement : Table de Terroir

Cet hôtel-restaurant construit sur les sables, face à la mer, vous offre non seulement le calme et le confort pour organiser vos repas et vos fêtes (salles insonorisées, ascenseur) mais également une vue remarquable. Au restaurant, le Chef vous réserve ses spécialités : poissons, fruits de mer, godaille. Vins de Loire. Chambres avec bain ou douche+WC+TV : Toutes. Terrasse, parking privé, ascenseur, accès handicapés, chaînes satellites, petit déjeuner buffet, salle restaurant de caractère, salle de séminaires, chèques vacances, animaux acceptés

This hotel restaurant build on sand facing to the sea, offers calm and comfort to organize dinners or party with a remarquable view. The restaurant has the particularity of seafood cooking.

Este hotel-restaurante construido en la arena, frente al mar, le propone, no solamente, la tranquilidad y el confort para organizar sus comidas y fiestas (salas insonorizadas, ascensor) sino también una vista excelente. El jefe de cocina le hará descubrir sus especialidades.

Dieses Hotel-Restaurant bietet Ihnen nicht nur Ruhe und Komfort für die Organisation von Essen und Festen, sondern auch einen beeindruckenden Ausblick. Im Restaurant erwartet Sie der Küchenchef mit seinen Spezialitäten.

ST NAZAIRE (44600)

Table Gastronomique

AU BON ACCUEIL ★ ★ ★

02 40 22 07 05 - au-bon-accueil44@wanadoo.fr

39 Rue François Marceau - Fax : 02 40 19 01 58 - Menus : 19,80/49 € . Menu enfant : 8,50/12,20 € . Petit déjeuner : 7,55/8,55 € .
12 chambres : 68,60/73,20 € - Classement : Table Gastronomique

SUCÉ SUR ERDRE (44240)

A 6 km de Carquefou et La Chapelle sur Erdre.

Table de Prestige

LA CHATAIGNERAIE

02 40 77 90 95 - contact@delphin.fr

156 Route de Carquefou - Jean-Louis DELPHIN - Fax : 02 40 77 90 08 - www.delphin.fr - Fermeture : 3 semaines début janvier, dernière semaine de juillet et 1ère d'août ; dimanche soir, lundi et mardi. - Menus : 29/75 € . Menu enfant : 16,50 € - Classement : Table de Prestige

Situé au milieu d'un parc de 3 ha, surplombant l'Erdre, ce manoir du 19ème siècle vous séduira par sa beauté et sa quiétude. Vous y découvrirez une cuisine fine, recherchée, élaborée à partir des meilleurs produits. Spécialités : sandre au beurre blanc nantais, cuisses de grenouilles, ris de veau pané sauce au Porto poêlée de champignons des bois, émincé de filet de boeuf aux morilles à la crème, gratin de fruits rouges au cointreau, croquant aux fraises émincées coulis et sorbet framboise. Terrasse, jardin, parking privé, accès handicapés restaurant, salle de séminaires, animaux acceptés au restaurant

Situated in the middle of a park of 3 ha, overhanging the Erdre this manor of the 19th century will allure you by its beauty and its quietude. You will discover there a fine cooking, required, elaborate from best products.

Ubicada en medio de un parque de 3 ha, dominando el Erdre esta morada del siglo XIX le encantará por su belleza y tranquilidad. Usted descubrirá una delicada cocina, elaborada a partir de productos de excelente calidad.

Mitten in einem 3ha großen Park über der Edre wird Sie dieser Herrensitz aus dem 19. Jh. mit seiner Schönheit und Stille entzücken. Entdecken Sie dort eine feine, ausgearbeitete Küche aus besten Erzeugnissen.

THARON PLAGE (44730)

Table Gastronomique

LE BELEM

02 40 64 90 06 - loirat-thierry@wanadoo.fr

56 Avenue de la Convention - Thierry LOIRAT - Fax : 02 40 39 43 14 - www.restaurant-le-belem.com - Fermeture : 2/01-7/02 ; dimanche soir et lundi hors saison. - Menus : 15/35 € . Menu enfant : 10 € - Classement : Table Gastronomique

Vous souhaitez passer un moment convivial, dans un cadre agréable, alors retrouvez-vous autour d'une bonne table de tradition, pour déguster les saveurs de l'Océan ou découvrir les spécialités que Thierry aura préparées pour vous minutieusement : marmite de coquilles saint jacques à notre façon, joues de porc cuites trois heures à la façon de nos grands mères, filet de julienne rôtie aux haricots cocos tomates et lardons jus de volaille, millefeuille aux deux sorbets gaspacho d'ananas au jus de fruit de la passion, soupe de fraises au basilic crème mousseuse à la vanille.
Terrasse, accès handicapés restaurant, climatisation, chèques vacances, animaux acceptés

You wish to spend one convivial moment, within a pleasant framework, then find you around a good table of tradition, to taste savours of the Ocean or to discover the specialities that Thierry will have prepared for you thoroughly

Usted desea pasar un momento sociable, en un ambiente agradable, entonces encuéntrese alrededor de una buena mesa tradicional, para paladear los sabores del Océano o descubrir las especialidades que Thierry habrá preparado minuciosamente para usted.

Wenn Sie einen gemütlichen Moment in angenehmer Umgebung verbringen wollen, laden wir Sie ein, an unserer traditionellen Tafel, die Köstlichkeiten des Ozeans und die hervorragenden Spezialitäten von Thierry zu genießen.

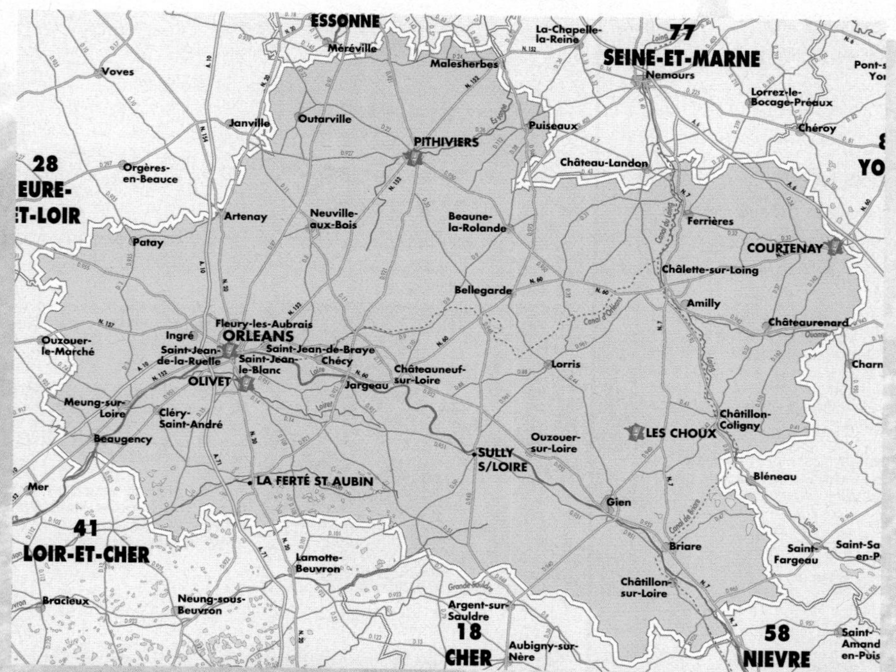

Sites Touristiques : Parc floral d'Orléans, Muséum d'Orléans, Château de Sully sur Loire, Château de la Ferté Saint Aubin, Château de Chamerolles à Chilleurs aux Bois, Hôtel Groslot et Cathédrale Sainte Croix à Orléans, Domaine du Ciran à Ménestreau en Villette, Basilique de Saint Benoît sur Loire, Musée de la Mosaïque et des Emaux à Briare, Musée de la Marine de Loire à Châteauneuf sur Loire, Musée de la Faïencerie à Gien.

Saveurs de nos Terroirs : Vinaigre d'Orléans, Cotignac d'Orléans, Safran du Gâtinais, Praslines de Montargis, Andouille de Jargeau, moutarde et macarons aux fruits d'Orléans, miel du Gâtinais, fruits et légumes du Val de Loire.
Vins de l'Orléanais, vins du Giennois, Poire d'Olivet, cidre du Gâtinais, jus de fruits.

Animations :

Février : Carnaval de Jargeau.
Mai/Juin : Fêtes Johanniques d'Orléans, Festival International de musique de Sully sur Loire, Festival de Jazz d'Orléans, Carnaval de Jargeau.
Juillet/Août : Animations au Parc Floral de la Source à Orléans, aux Châteaux de Chamerolles, Sully sur Loire et Meung sur Loire. Spectacles nocturnes aux Châteaux de Beaugency et Meung sur Loire à Cléry Saint André.
Septembre : Festival de Loire à Orléans.

COMITÉ DÉPARTEMENTAL DU TOURISME DU LOIRET
8, Rue d'Escures - 45000 - ORLEANS -Tél. : 02 38 78 04 04 - Fax : 02 38 77 04 12
www.tourismeloiret.com - info@tourismeloiret.com

COURTENAY-LES QUATRE CROIX (45320)

A 25 km de Montargis.

Table de Prestige

AUBERGE LA CLÉ DES CHAMPS ★ ★ ★

02 38 97 42 68

Route de Joigny - Fax : 02 38 97 38 10 - Menus : 18,29/53,36 € .7 chambres : 65,55/96,04 € .
Classement : Table de Prestige

LES CHOUX (45290)

A 13 km de Gien et 25 km de Montargis.

Auberge du Pays

LA BONNE AUBERGE

02 38 31 82 96

Place de l'Eglise - Alain MORELLE - Fax : 02 38 31 91 85 - Fermeture : Dimanche soir. - Menus : 9,15/18,30 € . Menu enfant : 6,85 € .
Petit déjeuner : 5,35 € .5 chambres : 27,45/45,75 € . Demi pension : 35,05/45,75 € . Etape VRP : 35,05 €
Classement : Auberge du Pays

Aux confins de la Puysaye, du Gatinais et de la Sologne, dans un petit village à deux pas de la Loire, vous apprécierez calme, repos, balades. Pêche en 1ère catégorie à 13 km. Au restaurant, pour votre plus grand plaisir, les produits du terroir seront à l'honneur. Spécialités : andouillette au Chablis, brochet au foin, lapin en gibelotte.

Chambres avec bain ou douche+WC+TV : Toutes. Jardin, accès handicapés restaurant, canal+, salle restaurant de caractère, animaux acceptés

On the borders of the Puysaye, Gatinois and Sologne, in a little village at 2 steps from the Loire, you will appreciate calm, walks and rest. Fish in 1st category at 13 km. Traditional products are prepared for your pleasure.

En los confines de Puysaye, du Gâtinais y de Sologne, en un pueblito a dos pasos del Loire, usted apreciará la tranquilidad, el descanso y los paseos. Pesca en 1era. categoría a 13 km. En el restaurante, los productos regionales serán preparados para hacerle pasar un momento de placer.

An der Grenze zu Puysaye, Gatinois und der Sologne, in einem kleinen Dorf in der Nähe der Loire, genießen Sie Ruhe, Erholung und Spaziergänge. Angeln erster Kategorie, zu Ihrem Vergnügen, die Küche aus ländlichen Erzeugnissen.

OLIVET (45160)

Table Gastronomique

RESTAURANT LA LAURENDIÈRE

02 38 51 06 78 - laurendiere@netup.com

68 Avenue du Loiret - Eric BOUTON - Fax : 02 38 56 36 20 - www.ifrancecom/lalaurendiere
Fermeture : 22/02-10/03 ; 05/07-21/07 ; lundi soir, mardi soir et mercredi. - Menus : 21/45 € . Menu enfant : 10 € .
Classement : Table Gastronomique

Dans un cadre chaleureux et convivial, toute l'équipe se fera un plaisir de vous recevoir, vous réservera un service attentionné et vous fera partager une cuisine de qualité.

Terrasse, climatisation, salle de séminaires, chèques vacances, animaux acceptés au restaurant

In a warm an convivial setting, all the team will be glad to receive you, will give you a thoughtful service and will offer you a cooking of quality.

En un ambiente cálido y convivial, todo el equipo tendrá el placer de recibirle. Un esmerado servicio y una cocina de calidad le esperan.

In einem warmen und freundlichen Rahmen freut sich das ganze Team, Sie mit einem aufmerksamem Service zu empfangen und mit Ihnen die hervorragende Küche zu teilen.

Charme & Authenticité

ORLÉANS (45000)

LES ANTIQUAIRES

02 38 53 52 35 - contact@restaurantlesantiquaires.com

2/4 Rue Au Lin - Fax : 02 38 62 06 95 - Menus : 34/55 € . Menu enfant : 16,92 € .
Classement : Table de Prestige

PITHIVIERS (45300)

A 42 km d'Orléans.

LE RELAIS DE LA POSTE ★ ★

02 38 30 40 30 - le-relais-de-la-poste@wanadoo.fr

10 Mail Ouest - Richard DZIEDZIC - Fax : 02 38 30 47 79 - www.relais-de-la-poste45.com - Fermeture : Dimanche soir (restaurant).
Menus : 17/29 € . Menu enfant : 9 € . Petit déjeuner : 6 € .
32 chambres : 45/52 € - Classement : Table de Terroir

Situé sur la route des Châteaux de la Loire, cet ancien Relais de Poste du 16ème siècle vous reçoit dans un cadre agréable et chaleureux et se fera un plaisir de préparer pour vous une cuisine soignée élaborée avec les meilleurs produits. Spécialités : pithiviers feuilleté et fondant.

Garage fermé, parking privé, TPS , chèques vacances, animaux acceptés

Located on the road of the Loire castles, this old Post Relay of the 16th century receives you in a pleasant and cordial framework and will be glad to offer you an elaborate neat cooking with the best products.

Por la ruta de los Castillos del Loire, esta antigua Parada del Correo del siglo XVI le recibe en un ambiente agradable, caluroso y tendrá el placer de prepararle una esmerada cocina elaborada con excelentes productos.

Auf der Straße der Loire Schlösser, empfängt man Sie in dieser ehemaligen Poststation aus dem 16. Jh in einem angenehmen und warmen Rahmen, wo Sie eine gepflegte und ausgearbeitete Küche aus besten Produkten erwartet.

Charme & Authenticité

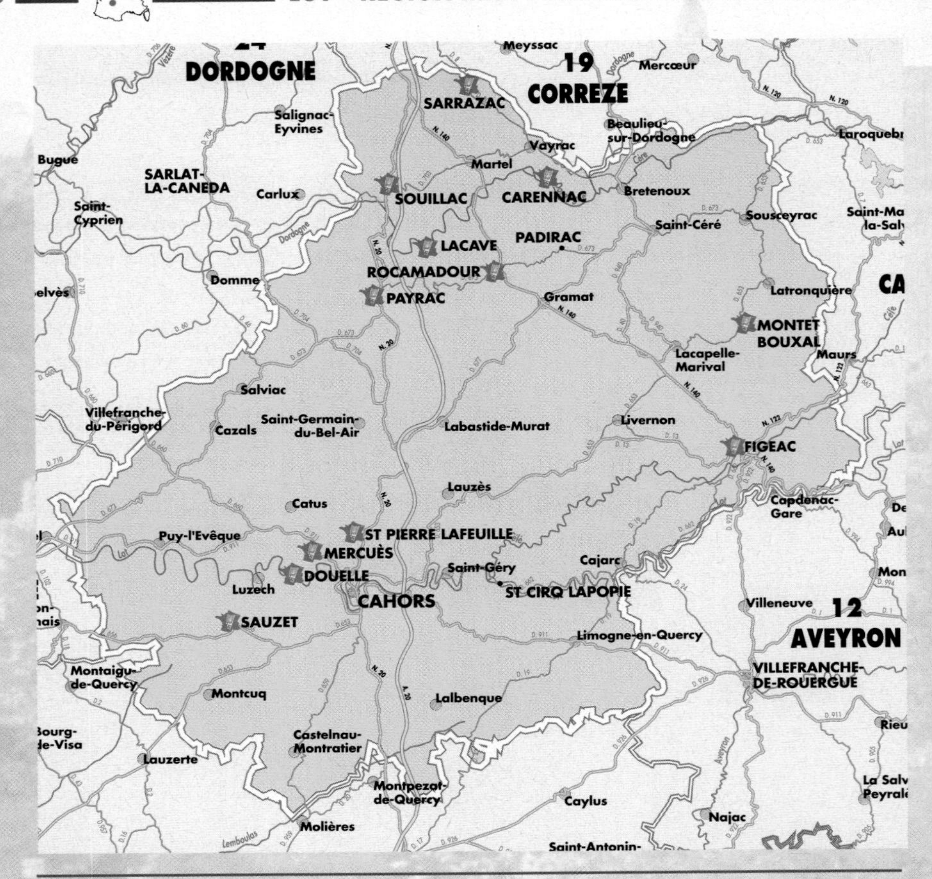

Sites Touristiques : Rocamadour (2ème site de France), Cahors et son Pont Valentré classé à L'Unesco, Saint Cirq Lapopie (un des plus Beaux Villages de France), Figeac (ville natale de Champollion), Gouffre de Padirac.

Saveurs de nos Terroirs : Truffe, Rocamadour (fromage de chèvre), Agneau fermier du Quercy, Safran, Melon du Quercy, Foie Gras, Magret de Canard, Noix.

Vin de Cahors, Côteaux du Quercy, Vieille Prune, Eau de Noix, Ratafia.

Animations : Musée des Automates à Souillac, Musée Champollion à Figeac. Festival d'Art Lyrique à Saint-Ceré, Festival de Blues à Cahors, Festival de Jazz à Souillac.

COMITÉ DÉPARTEMENTAL DU TOURISME DU LOT
107, Quai Cavaignac B.P.7 - 46001 - CAHORS CEDEX 9 -Tél. : 05 65 35 07 09 - Fax : 05 65 23 92 76
www.tourisme-lot.com - info@tourisme-lot.com

CARENNAC (46110)

D20, à 20 km au Nord de Rocamadour

AUBERGE DU VIEUX QUERCY ★ ★ ★

05 65 10 96 59 - contact@vieuxquercy.com

Jean-François CHAUMEIL - Fax : 05 65 10 94 05 - www.vieuxquercy.com - Fermeture : 15/11-15/03 ; lundi hors saison.
Menus : service du dîner uniquement, menu carte valeur 26 € (sauf samedi et dimanche).
22 chambres : 57/75 €. Demi pension : 58/75 €. Etape VRP : 60 € - Classement : Table Gastronomique

Cette auberge authentique et conviviale agrémentée d'un parc verdoyant et de jardins fleuris avec une vue imprenable sur le merveilleux village médiéval de Carennac vous propose une cuisine traditionnelle et régionale de qualité arrosée de vins de Cahors ou de vins des côteaux. Spécialités : pasti quercynois, croustillant de foie gras au miel, chartreuse de confit de canard, magrets, cèpes.
Chambres avec bain ou douche+WC+TV : Toutes.
Terrasse, jardin, garage fermé, parking privé, piscine d'été, accès handicapés restaurant, petit déjeuner buffet, salle restaurant de caractère, salle de séminaires, chèques vacances, animaux acceptés

This convivial and authentic inn has a green grounds and flowered gardens with a fantastic view on the medieval marvelous village of Carennac, one of the most beautiful village of the region. The restaurant offers a traditional cooking with a remarkable list of wine of Cahors or local wines.

El Auberge du Vieux Quercy, auténtico y convivial, con su parque y jardines floridos ofrece una maravillosa vista de la ciudad medieval de Carennac. El restaurante propone una cocina tradicional y regional rociada con vinos de Cahors o vinos locales.

Dieses authentische und freundliche Gasthaus mit einem herrlichen Blick auf das wunderschöne mittelalterliche Dorf von Carennac, bietet Ihnen eine traditionelle und regionale Küche mit Weinen aus dem Cahors.

CARENNAC (46110)

A 15 km de St Céré et Rocamadour, 38 km de Brive.

HÔTEL DES TOURISTES ★ ★

05 65 10 94 31 - boudriaux@hotel-touristes.com

France et Stéphane BOUDRIAUX - Fax : 05 65 39 79 85 - www.hotel-touristes.com - Fermeture : 15/12-15/01 ; samedi midi.
Menus : 14/24 €. Menu enfant : 7,50 €. Petit déjeuner : 6 €.
8 chambres : 40 €. Demi pension : 43 €. Etape VRP : 39,60 € - Classement : Auberge du Pays

Situé dans un petit village médiéval au bord de la Dordogne, cette bâtisse en pierre, rénovée vous propose une ambiance familiale, des chambres calmes avec vue sur le jardin et un restaurant donnant sur la rivière. Vous pourrez y déguster toutes les spécialités du terroir. Spécialités : escalope de foie gras de canard chaud, filet de pintade aux noix du Périgord, pastis quercynois.

Chambres avec bain ou douche+WC+TV : Toutes.
Terrasse, jardin, garage fermé, parking privé, accès handicapés restaurant, salle restaurant de caractère, chèques vacances, animaux acceptés

Located in a small medieval village at the edge of the Dordogne, this stone masonry, renovated proposes you a family atmosphere, calm rooms with sight on the garden and a restaurant giving on the river. You will be able to taste all the specialities of the soil there.

Ubicado en un pueblito medieval a orillas del Dordogne, este caserón de piedra, renovado le propone un ambiente familiar, tranquilas habitaciones con vista al jardín y un restaurante que da al río. Usted podrá saborear todas las especialidades regionales.

In einem kleinen mittelalterlichen Dorf in der Dordogne steht dieses renovierte Gebäude aus Stein, in dem Sie ein familiäres Ambiente und ruhige Zimmer mit Blick aufs Meer erwarten. Kosten Sie dort die ländlichen Spezialitäten.

DOUELLE (46140)

A 10 km de Cahors.

AUBERGE DU VIEUX DOUELLE ★

05 65 20 02 03 - aubergededouelle@aol.com

Janine MALIQUE - Fax : 05 65 30 96 81 - - Fermeture : 22/12-29/12. - Menus : 10/40 €. Menu enfant : 7 €. Petit déjeuner : 4 €.
17 chambres : 23/40 €. Demi pension : 30,50/40 €. Etape VRP : 40 €.
Classement : Auberge du Pays

En bordure du Lot (navigable), aux portes du vignoble de Cahors, venez découvrir cette belle demeure du XVème siècle avec ses pierres apparentes, sa cheminée intérieure et sa cuisine du terroir. Le meilleur accueil vous sera réservé. Spécialités : tête de veau, confit, friton de canard, pommes sautées à la quercynoise, omelette aux cèpes, magret grillé. Grand choix de vins de Cahors.
Chambres avec bain ou douche+WC+TV : 1-6-8-9-12 à 17.
Terrasse, jardin, piscine d'été, accès handicapés restaurant, canal+, salle restaurant de caractère, salle de séminaires, chèques vacances, animaux acceptés

At the edge of the Lot (navigable), to the gates of the vineyard of Cahors, come to discover this beautiful residence of XVème century with its apparent stones, its interior chimney and its traditional cooking. The best greeting will be reserved to you.

A orillas del Lot (navegable), a las puertas del viñedo de Cahors, venga a descubrir esta bella morada del siglo XV con sus piedras a la vista, su chimenea interior y su cocina regional. Una agradable acogida le espera. Gran elección de vinos de Cahors.

Entdecken Sie diese schöne Residenz aus dem 15. Jahrhundert mit der Küche der Region. Am Rande des Lot, vor den Weinbergen von Cahors. Bester Empfang.

FIGEAC (46100)

Près de la rivière et du pont Gambetta. 50 km de Cahors.

L'HOSTELLERIE DE L'EUROPE LA TABLE DE MARINETTE ★ ★

05 65 34 10 16/05 65 50 06 07 - restaurant.marinette@wanadoo.fr

51 Allée Victor Hugo - Michel & Marinette BALDY - Fax : 05 65 50 04 57
Fermeture : 3/11-4/12 ; vendredi et samedi hors saison ; vendredi midi et samedi midi en saison.
Menus : 14/39 € . Menu enfant : 10 € - Classement : Table Gastronomique

Venez découvrir cette auberge de charme (très belle salle au décor 1930) avec son restaurant gastronomique et sa cuisine du terroir créative et conviviale. Vous y dégusterez des produits fermiers, artisanaux ou labellisés. Spécialités : magret de canard réduction vin de Cahors, foie gras de canard fermier en terrine aux épices douces, agnelet du Lot, pastis du Quercy... Vins : AOC Cahors, Gaillac, Bourgogne.

Garage fermé, parking privé, piscine d'été, chaînes satellites, petit déjeuner buffet, salle restaurant de caractère, salle de séminaires, chèques vacances, animaux acceptés

Come to discover this inn of charm (very beautiful room with the decoration of 1930) with its gastronomic restaurant and its traditional and convivial cooking. You will taste there farm, artisanal or labellized products.

Venga a descubrir esta encantadora hostelería (bellísima sala decorada como en los años 30) con su restaurante gastronómico y su cocina local, creativa y convivial. Usted podrá saborear los productos de granjas artesanales o de marca.

Entdecken Sie dieses reizende Gasthaus (sehr schöner Saal im Dekor von 1930) mit seinem gastronomischen Restaurant und seiner regionalen Küche, kreativ und freundlich. Sie kosten dort bäuerliche Landprodukte oder mit Gütezeichen versehen.

LACAVE (46200)

A 10 km de Souillac.

LE PONT DE L'OUYSSE ★ ★ ★

05 65 37 87 04 - pont.ouysse@wanadoo.fr

Fax : 05 65 32 77 41 - Menus : 35/120 € . Menu enfant : 15 € . Petit déjeuner : 15 € .
14 chambres : 138/160 € - Classement : Table de Prestige

MERCUÈS (46090)

A 8 km de Cahors.

CHÂTEAU DE MERCUÈS ★ ★ ★ ★

05 65 20 00 01 - mercues@relaischateaux.com

Bernard DENEGRE - Fax : 05 65 20 05 72 - chateaudemercues.com
Fermeture : De Toussaint à Pâques ; lundi ; mardi midi, mercredi midi, jeudi midi (restaurant). - Menus : 52/95 € . Petit déjeuner : 18/20 €
24 chambres : 160/260 € . 6 suites : 270/400 € - Classement : Table de Prestige

Cette ancienne demeure des comtes-évêques de Cahors vous invite à la vie de château. A table, une cuisine inventive, mariant les accents du Quercy aux parfums de la Méditerranée vous séduira. Spécialités : risotto de truffes au jus de céleri et croustille parmesane, noisette et carré d'agneau en papillote de lard jus au beurre de noix.

Terrasse, jardin, parking privé, piscine d'été, tennis, ascenseur, chaînes satellites, petit déjeuner buffet, salle restaurant de caractère, salle de séminaires

This old residence of the count-bishops of Cahors invites you to the life of castle. With table, an inventive cooking, marrying the accents of Quercy to the perfumes of the Mediterranean will allure you.

Esta antigua morada de condes-obispos de Cahors le invita a compartir la vida de castillo. A la mesa, una cocina inventiva, ligando los acentos del Quercy a los perfumes del Mediterráneo le seducirá.

Dieses frühere Graf- und Bischofshaus von Cahors bietet Ihnen ein Leben im Schloss. Zu Tisch, verführt Sie eine einfallsreiche Küche mit dem Akzent des Quercy und den Düften des Mittelmeers.

Charme & Authenticité

MONTET ET BOUXAL (46210)

A 18 km de Figeac.

HÔTEL GOUZOU ★

05 65 40 28 56

La Vitarelle - Didier PECHEYRAN - Fax : 05 65 40 22 20 - Fermeture : Vacances de Toussaint.
Menus : 11,50/22 €. Menu enfant : 7,50 €. Petit déjeuner : 5,30 €.
14 chambres : 41,50 €. Demi pension : 37 €. Etape VRP : 39,90 € - Classement : Auberge du Pays

Etape idéale pour le repos et la remise en forme, l'hôtel Gouzou vous propose une cuisine régionale et traditionnelle. Pour vos loisirs, étang de pêche, piscine, ping-pong, sentiers pédestres sont à votre disposition. Spécialités : confit de canard, cèpes...

Chambres avec bain ou douche+WC+TV : 6-9-14 à 19. Terrasse, jardin, parking privé, piscine d'été, accès handicapés restaurant, salle restaurant de caractère, chèques vacances, animaux acceptés

Ideal spot for rest and sport, the Hôtel Gouzou offers you regional and traditional cooking. For your leisure, swimming-pool, pedestrian paths, fishing lake...

Parada ideal para descansar y sentirse bien, el Hotel Gouzou le ofrece una cocina regional y tradicional. Para sus ratos de ocio : estanque para pescar, piscina, tenis de mesa, senderos pedestres están a su disposición.

Das Hotel Gouzou, idealer Aufenthaltsort für Erholung und Sport, bietet Ihnen eine regionale und traditionelle Küche. Für Ihre Freizeit: Schwimmbad, Angelsee, Wanderwege...

PAYRAC (46350)

A 20 km de Rocamadour.

HOSTELLERIE DE LA PAIX ★ ★

05 65 37 95 15 - host.la.paix@escalotel.com

RN 20 - Christian DESCHAMPS - Fax : 05 65 37 90 37 - www.escalotel.com/host.la.paix - Fermeture : 1/01-15/02.
Menus : 14/28 €. Menu enfant : 7,50 €. Petit déjeuner : 7 €.
50 chambres : 48/60 €. Demi pension : 46/55 €. Etape VRP : 52 € - Classement : Table de Terroir

Le charme de cet établissement de caractère aménagé dans un ancien Relais de Poste entièrement rénové vous séduira. Une cuisine de terroir aux goûts authentiques, élaborée avec les meilleurs produits cuisinés dans le respect de la tradition vous sera proposée, accompagnée bien sûr des meilleurs vins de Cahors et de Bergerac. Spécalités : salade aux gésiers d'oie confits au vinaigre de framboise, brouillade aux truffes, faux filet aux cèpes et à la crème, confit de canard à la pomme fruit, magret de canard aux baies de cassis, délice quercynois à la vieille prune, soufflé glacé aux noix et à l'eau de noix.
***Chambres avec bain ou douche+WC+TV :** Toutes. Terrasse, jardin, parking privé, piscine d'été, accès handicapés, salle restaurant de caractère, salle de séminaires, chèques vacances, animaux acceptés*

The charm of this establishment of character arranged in an old Post Station will seduce you. A traditional cooking, elaborate with best products cooked in the respect of the tradition will be proposed to you, accompanied of course by the best wines of Cahors and Bergerac.

Este original establecimiento, acondicionado y totalmente renovado en una antigua Parada del Correo le encantará. Usted podrá saborear una cocina regional con gustos auténticos, elaborada con los mejores productos cocinados a la manera tradicional y acompañados con los mejores vinos de Cahors y de Bergerac.

Lassen sie sich von diesem vollständig renoviertem Haus in einer ehemaligen Poststation verzaubern. Territoriale, traditionsbewusste Küche mit natürlichem Geschmack, zubereitet mit besten Produkten, begleitet von den besten Weinen von Cahors und Bergerac.

ROCAMADOUR (46500)

Au coeur de la cité médiévale. A 50 km de Brive.

Auberge du Pays

SAINTE-MARIE ★ ★

05 65 33 63 07 - hotelsaintemarie@wanadoo.fr

Place des Senhals - Marie-Claude CARICONDO & Yves LEBASTARD - Fax : 05 65 33 69 08 - www.hotel-sainte-marie.fr

Fermeture : De Toussaint aux Rameaux. - Menus : 13/55 € . Menu enfant : 7 € . Petit déjeuner : 7 € .
22 chambres : 29/57 € . Demi pension : 40/55 € - Classement : Auberge du Pays

L'hôtel-restaurant Sainte-Marie situé au coeur du site, à proximité des sanctuaires, avec ses deux terrasses ombragées surplombant le village et la vallée, vous accueillera en amis du Quercy. Yves et Marie-Claude vous feront partager authenticité, goût et fraîcheur. Spécialités : omelette aux truffes, feuilleté aux truffes, escalope de foie gras de canard poêlée au caramel de vinaigre de truffes, tournedos de canard rossini dariole aux cèpes, filet d'agneau fermier du Quercy en croûte aux deux saveurs.

Terrasse, jardin, parking privé, chèques vacances, animaux acceptés à l'hôtel

L'Hôtel Restaurant Sainte-Marie situated in the heart of the medieval city, close to sanctuaries, this establishment and its two terraces overhanging the village and the valley will welcome you as friends of Quercy. Yves and Marie-Claude will make you appreciate an authentic cooking based on regional fresh products.

El hotel-restaurante Sainte-Marie ubicado en el corazón de este paraje, cerca de santuarios, con sus dos terrazas sombreadas que dominan el pueblo y el valle, le acogerá como un amigo del Quercy. Yves y Marie-Claude le harán apreciar la autenticidad, el gusto y el frescor de su cocina.

Das Hotel-Restaurant Sainte-Marie, im Herzen der mittelalterlichen Anlage, überragt mit seinen zwei schattigen Terrassen Stadt und Tal. Hier werden Sie als Freunde des Quercys begrüßt. Yves und Marie-Claude teilen mit Ihnen eine frische, authentische Küche.

SARRAZAC (46600)

A 12 km de Martel.

Table de Terroir

LA BONNE FAMILLE ★ ★

05 65 37 70 38 - hotel.restaurant@labonnefamille.fr

Chantal & Michel GUERBY AUSSEL - Fax : 05 65 37 74 01 - www.labonnefamille.fr *- Fermeture : Vendredi soir & samedi soir hors saison.*
Menus : 16/40 € . Menu enfant : 7,50 € . Petit déjeuner : 5,50 € .
16 chambres : 30/65 € . Demi pension : 40/50 € . Etape VRP : 42/48 € - Classement : Table de Terroir

C'est ici, aux confis du Lot que Michel et Chantal vous accueillent chez eux, en amis. Autrefois maison du forgeron où l'aïeule servait les premières soupes aux clients de la forge, le restaurant possède le charme de l'ambiance candide d'autrefois, et l'on y sert une cuisine soignée, pleine des saveurs du terroir. Spécialités : salade quercynoise, magret de canard à la moutarde violette, terrine de foie gras aux oranges caramélisées, flognarde aux poires. Vins de cahors et de la région. Chambres avec bain ou douche+WC+TV : Toutes. Terrasse, jardin, parking privé, piscine d'été, tennis, salle restaurant de caractère, salle de séminaires, chèques vacances, animaux acceptés

Nestled in a green setting, facing the romanesque church of Sarrazac, the Hotel-Restaurant of La Bonne Famille will welcome you for a stage or a stay in a quileless and familial atmosphere of the old days. Chantal and Michel Guerby represent the third generation.

Acurrucado en un paisaje verde encantador,frente a la iglesia románica de Sarrazac, el Hotel-Restaurante de La Bonne Famille le acogerá para una parada o una estancia en un ambiente cándido y familiar de otro tiempo. Chantal y Michel GUERBY representan la 3era.generación. Vinos de Cahors y de la región.

Im Grünen, gegenüber der romanischen Kirche von Sarrazac, empfangen Chantal und Michel Sie in aufgeschlossener und familiärer Atmosphäre wie zu alten Zeiten. Beide führen dieses Haus in 3. Generation.

La Reconnaissance Professionnelle

SAUZET (46140)

A 17 km de Cahors.

AUBERGE DE LA TOUR ★ ★

05 65 36 90 05 - M_POL@club-internet.fr

Michel POL - Fax : 05 65 36 92 34 - www.aubergedelatour.com - Fermeture : 15/11-30/11. - Menus : 14/22 €. Menu enfant : 8 €. Petit déjeuner : 6 €.13 chambres : 33/50 €. Demi pension : 39,50 €. Etape VRP : 50 €. Classement : Auberge du Pays

Depuis 4 générations, l'Auberge de la Tour s'est bâtie la réputation de servir de bons plats typiques quercynois. C'est une cuisine traditionnelle, essentiellement élaborée à partir de produits frais du marché et de produits régionaux. Spécialités : cassoulet quercynois, magret de canard grillé sauce poivre vert, omelette aux truffes, pastis. Chambres avec bain ou douche+WC+TV : 1-2-3-4-10-11-12-14. Terrasse, jardin, piscine d'été, TPS, chaînes satellites, chèques vacances, animaux acceptés

For 4 generations, the Auberge de la Tour has the reputation of serving typical dishes. It offers traditionnal cooking, elaborated with fresh and regional products.

Desde hace 4 generaciones, el Auberge de la Tour ha construído su reputación a través de sus buenos platos típicos de Quercy. Cocina tradicional elaborada esencialmente con productos frescos del mercado y con productos regionales.

Seit 4 Generationen hat die Auberge de la Tour den Ruf gute und typische Gerichte zu servieren. Traditionelle Küche mit frischen Produkten direkt vom Markt.

SOUILLAC (46200)

AUBERGE DU PUITS ★ ★

05 65 37 80 32 - aubpuits@souillac.net

5 Place du Puits - Jean-Pierre ARNAL - Fax : 05 65 37 07 16 - www.auberge-du-puits.fr Fermeture : Décembre, janvier, dimanche soir et lundi hors saison. - Menus : 14/25 €. Menu enfant : 8 €. Petit déjeuner : 6 €.19 chambres : 25/48 €. Demi pension : 32/42 €. Etape VRP : 41/46 € - Classement : Auberge du Pays

Située au centre ville, sur une petite place calme et ombragée, vous découvrirez ici un cadre authentique, chaleureux et une cuisine généreuse élaborée à partir des meilleurs produits. Spécialités : foie gras, confit de canard, tripoux à la quercynoise, pieds de porc à la moutarde violette, gratin de poisson.

Chambres avec bain ou douche+WC+TV : 1-9-10-12-13-15-16-17-18-21-22-23-24. Terrasse, parking privé, chaînes satellites, salle restaurant de caractère, animaux acceptés

Located at the centre town, on a small calm and shaded place, you will discover here an authentic, cordial framework and an elaborate generous kitchen from best products.

Ubicado en el centro de la ciudad, en una placita tranquila y sombreada, usted descubrirá aquí un ambiente original, caluroso y una cocina abundante elaborada con excelentes productos.

In der Stadtmitte, auf einem kleinen, schattigen Platz, entdecken Sie hier einen authentischen und warmen Rahmen, wo Sie mit einer großzügigen Küche aus besten Erzeugnissen bewirtet werden.

ST PIERRE LAFEUILLE (46090)

A 5 mn de la sortie de Cahors nord.

LA BERGERIE ★ ★ ★

05 65 36 82 82 - hotel.bergerie@wanadoo.fr

Route de Brive RN 20 - Fax : 05 65 36 82 40 - Menus : 24/57 €. Menu enfant : 9,50 €. Petit déjeuner : 9 €. 10 chambres : 51/82 € - Classement : Table Gastronomique

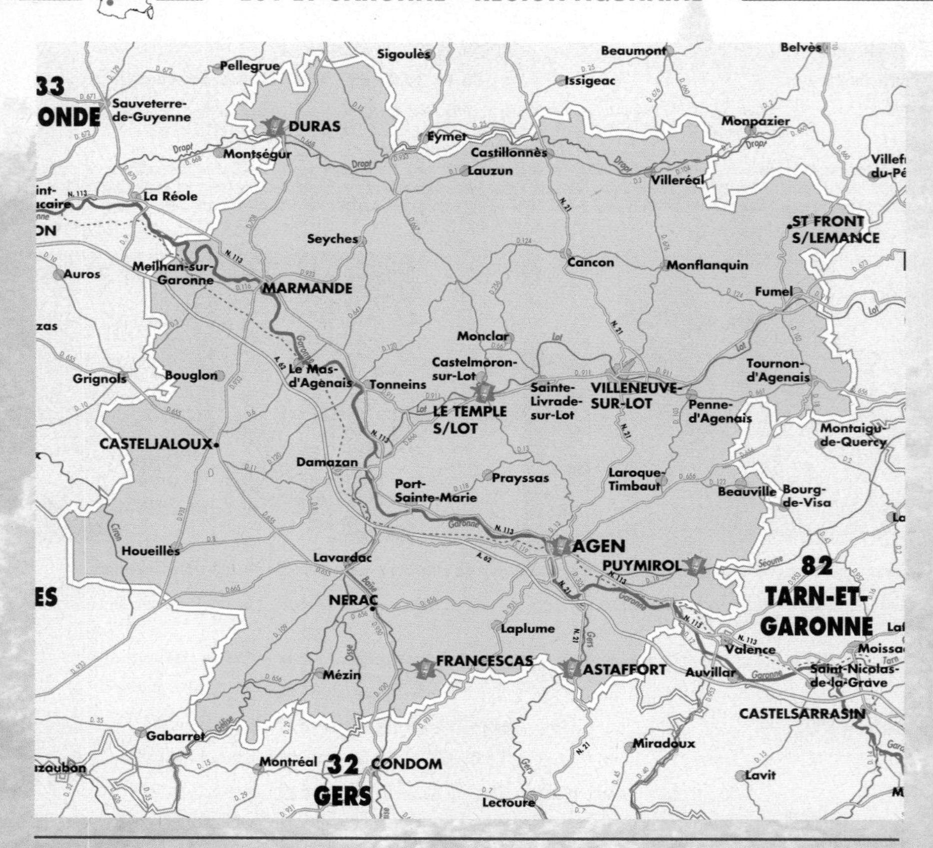

Sites Touristiques : Château de Bonaguil à Saint Front sur Lemance, Château Henri IV à Nérac, Château des Ducs à Duras, Jardin des Nénuphars La Tour Marliac au Temple sur Lot.

Saveurs de nos Terroirs : Pruneau sous toutes ses formes (nature, fourré, au chocolat...), cuisine du canard, confits, foies gras... tourtières. A.O.C. Côtes de Duras, A.O.C. Côtes du Marmandais, A.O.C. Vignerons de Buzet.

Animations : Musée du foie gras à Frespech, musée des Bastides à Monflanquin, musée des Beaux Arts à Agen.
Août : Festival de Bonaguil, Fête des Menteurs à Moncrabeau, Festival Lyrique en Marmandais.

COMITÉ DÉPARTEMENTAL DU TOURISME DU LOT-ET-GARONNE
Maison du Tourisme 4, Rue André Chénier B.P. 158 - 47005 - AGEN CEDEX -Tél. : 05 53 66 14 14 - Fax : 05 53 68 25 42
www.lot-et-garonne.fr - cdt47@wanadoo.fr

AGEN (47000)

Au coeur d'Agen, dans le quartier des Jacobins.

Table de Prestige

RESTAURANT MARIOTTAT

05 53 77 99 77 - restaurant-mariottat@wanadoo.fr

25 Rue Louis Vivent - Fax : 05 53 77 99 79 - Menus : 18/48 €. Menu enfant : 11 € - Classement : Table de Prestige

AGEN (47000)

En ville, à proximité du Théatre et de la Mairie.

Table Gastronomique

LAS AUCOS

05 53 48 13 71 - lasaucos@nomade.fr

35 Rue Voltaire - Jean-Luc SOISSON - Fax : 05 53 48 13 71 - www.restaurant-lasaucos.com
Fermeture : 1ère quinzaine de janvier, 2ème quinzaine d'août ; lundi soir, mardi, samedi midi.
Menus : 24/39 € - Classement : Table Gastronomique

Situé dans le quartier historique des Jacobins, cet établissement vous recevra chaleureusement pour une étape gastonomique où vous aurez plaisir à déguster une cuisine créative élaborée à partir des meilleurs produits du sud ouest. Spécialités : médaillons de foie gras poché et caramel de pimientos, carpaccio de canard à l'huile de pruneaux, dessert au foie gras et pain d'épices bourbon.

Climatisation, salle restaurant de caractère, chèques vacances, animaux acceptés

Located in the historical district of the Jacobins, this establishment will cordially receive you for a gastonomic stage where you will have pleasure to taste an elaborate creative kitchen starting from best western south products .

En el barrio histórico de los jacobinos, este establecimiento le recibirá calurosamente para una escala gastronómica, donde tendrá el placer de saborear una cocina creativa, elaborada con los mejores productos del sudoeste.

Im historischen Viertel der Jakobiner, werden Sie in diesem Haus herzlich zu einem gastronomischen Halt empfangen. Genießen Sie eine kreative Küche aus besten Erzeugnissen des Südwestens.

ASTAFFORT (47220)

A 19 km d'Agen.

Table de Prestige

RESTAURANT MICHEL LATRILLE - HÔTEL LE SQUARE ★ ★ ★

05 53 47 20 40 - latrille.michel@wanadoo.fr

5/7 Place de la Craste - Fax : 05 53 47 10 38 - Menus : 21/56 €. Menu enfant : 12 €. Petit déjeuner : 9 €.
14 chambres : 54/110 € - Classement : Table de Prestige

DURAS (47120)

A 25 km de Marmande.

Table Gastronomique

HOSTELLERIE DES DUCS ★ ★

05 53 83 74 58 - hostellerie.des.ducs@wanadoo.fr

Boulevard Jean Brisseau - Jean-François BLANCHET - Fax : 05 53 83 75 03 - www.hostellerieducs-duras.com
Fermeture : Dimanche soir et lundi du 1/10 au 30/06. Lundi midi et samedi midi (1/07-30/09) - Menus : 15/57 €. Menu enfant : 10 €.
Petit déjeuner : 7,50 €. 15 chambres : 54/95 €. Demi pension : 58/72 €. Etape VRP : 54/57 € - Classement : Table Gastronomique.

Situé près du château des Ducs de Duras, cet établissement est un havre de calme avec des chambres accueillantes et une ambiance conviviale. Les extérieurs sont particulièrement agréables avec possibilité de déjeuner et de diner sur la terrasse. En cuisine, Jean-François Blanchet marie à merveilles les différentes saveurs du terroir. Spécialités : terrine de l'hostellerie au foie gras et prune d'Ente des vergers de Duras. Carte exceptionnelle de vins de Duras. Chambres avec bain ou douche+WC+TV : Toutes.Terrasse, jardin, garage fermé, parking privé, piscine d'été, tennis, accès handicapés restaurant, chaînes satellites, canal+, climatisation, petit déjeuner buffet, salle restaurant de caractère, salle de séminaires, chèques vacances, animaux acceptés

Near the Ducs de Duras' castle, this establishment is an haven of peace with welcoming rooms and a convivial atmosphere. The exterior is very pleasant with the possibility to have lunch and dinner on the terrace.

Situado cerca del castillo de los Duques de Duras, este establecimiento es un remanso de paz con acogedoras habitaciones y un ambiente convivial. El exterior es particularmente agradable, con la posibilidad de almorzar y cenar en la terraza. En la cocina, Jean-François Blanchet une maravillosamente los diferentes sabores regionales.

Ganz in der Nähe des Schlosses Ducs de Duras gelegen, ist dieses Hotel ein Zufluchtsort der Ruhe mit einladenen Zimmern und einem geselligen Ambiente. Die Außenanlagen sind besonders angenehm, mit der Möglichkeit, auf der Terrasse zu frühstücken oder zu Abend zu essen. Jean-François Blanchet versteht es aufs Beste, die verschiedenen, regionalen Geschmacksrichtungen zu harmonisieren.

FRANCESCAS (47600)

A 12 km de Nérac.

LE RELAIS DE LA HIRE

05 53 65 41 59 - la.hire@wanadoo.fr

11 Rue Porte Neuve - Jean-Noël PRABONNE - Fax : 05 53 65 86 42 - http://perso.wanadoo.fr/la.hire
Fermeture : Semaine de Toussaint ; dimanche soir et lundi. - Menus : 23/32 €. Menu enfant : 13 €.
Classement : Table Gastronomique

Cette très belle demeure du XVIIème siècle, agrémentée d'un jardin d'aromates et bien fleurie vous séduira. Une cuisine de qualité, originale et soignée satisfaira plus d'un gourmet. Parmi les spécialités, vous pourrez déguster : fleurs de foie gras de canard et vin moelleux, salade tiède de noix de saint jacques à l'orange vanillée, lièvre à la royale, palombe rôtie au foie gras, cake aux fruits frais.

Terrasse, jardin, parking privé, accès handicapés restaurant, salle de séminaires, animaux acceptés au restaurant

This very beautiful residence of the XVIIème century, decorated with a flowered garden of herbs will allure you. A cooking of quality, original and neat will satisfy more than an epicure.

Esta bella morada del siglo XVII, adornada con un jardín de plantas aromáticas y bien florida le seducirá. Una cocina de calidad, esmerada y original encantará a más de un goloso.

Dieses wunderschöne Herrenhaus aus dem 17. Jh, mit einem blühenden Garten aus Gewürzen wird Sie verzaubern. Eine hervorragende Küche, originell und gepflegt erfreut mehr als einen Feinschmecker.

LE TEMPLE SUR LOT (47110)

A 18 km de Villeneuve sur Lot.

LES RIVES DU PLANTIÉ ★ ★ ★

05 53 79 86 86 - rives.du-plantie@libertysurf.fr

Route de Castelmoron - Marc CHALMEL - Fax : 05 53 79 86 85 - www.rivesduplantie.fr.st - Fermeture : 1ère semaine de novembre ; janvier ; dimanche soir hors saison, lundi et samedi midi. - Menus : 14/38 €. Menu enfant : 11 €. Petit déjeuner : 9 €.
10 chambres : 58/65 €. Demi pension : 130 €. Etape VRP : 52 € - Classement : Table Gastronomique

Cette maison de maître du XIXème siècle, aménagée dans le style ancienne grange avec une atmosphère chaleureuse, vous réserve une étape savoureuse et reposante en bordure du Lot. Spécialités : clafoutis de petits gris et pistache ; tournedos de magret de canard au foie gras glacé aux épices ; canon de biche, jambon de vendée et jus aux airelles ; nougat glacé, zestes de citrons confits, nougatine de pignons de pin et pruneaux.
Chambres avec bain ou douche+WC+TV : Toutes.
Terrasse, jardin, parking privé, piscine d'été, accès handicapés, TPS, chaînes satellites, salle restaurant de caractère, salle de séminaires, animaux acceptés à l'hôtel

This house of Master of XIXth century, build in the style old barn with a cordial atmosphere, reserve you a tasty stage and resting in edge of the Lot.

Esta propiedad del siglo XIX, acondicionada al estilo de granja antigua con un ambiente caluroso le propone una etapa sabrosa y descansada a orillas del Lot.

In diesem Herrenhaus aus dem 19. Jh., im Stil einer ehemaligen Scheune eingerichtet, mit warmer Atmosphäre, bereitet man Ihnen eine köstliche, erholsame Rast am Ufer des Lot.

PUYMIROL (47270)

A 15 km d'Agen.

LES LOGES DE L'AUBERGADE ★ ★ ★ ★

05 53 95 31 46 - trama@aubergade.com

52 Rue Royale - Michel TRAMA - Fax : 05 53 95 33 80 - www.aubergade.com
Fermeture : 18/01-10/02 ; lundi midi en saison ; lundi, mardi midi et dimanche soir hors saison. - Menus : 66/130 €. Menu enfant : 20 €.
Petit déjeuner : 20 €. 11 chambres : 168/267 €. Demi pension : 480 € - Classement : Table de Prestige

Cette table incontournable de la région vous propose une cuisine créative éblouissante, issue de produits du terroir, alliant un mélange de traditionnel et de nouveautés.
Spécialités : pigeonneau rôti aux épices kumfats moelleux, papillotte de pomme de terre à la truffe, double corona trama et sa feuille de tabac aux poires, assiette des 5 sens.

Chambres avec bain ou douche+WC+TV : Toutes.
Terrasse, garage fermé, piscine d'été, accès handicapés, chaînes satellites, climatisation, salle de séminaires, animaux acceptés

This table impossible to circumvent of the area proposes a creative cooking to you dazzling, resulting from products of the soil, combining a mixture of traditional and innovations.

Esta mesa ineludible de la región le propone, una deslumbrante cocina creativa, salida de los productos locales, uniendo una mezcla de tradición y novedad.

Diese unumgängliche Tafel der Region bietet Ihnen eine kreative, blendende Küche aus Landprodukten, die Tradition und Neuheiten verbindet.

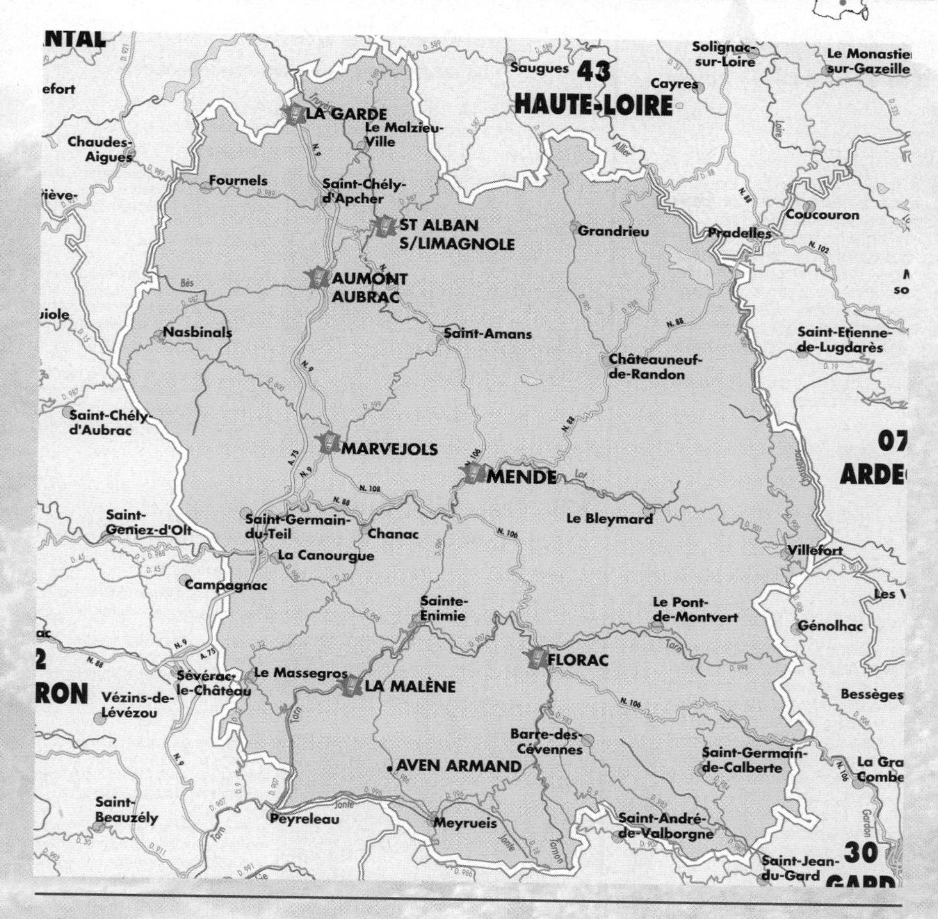

Sites Touristiques : Aven Armand, Parc à Loups du Gévaudan, Vallon du Villaret, Réserve des Bisons d'Europe, Belvédère des Vautours.

Saveurs de nos Terroirs : Aligot, charcuterie, tripoux, truffade, fouace, coupetade.

Cartagene, vin de noix, liqueur de châtaigne.

Animations :

Avril/Mai : Printemps de l'Accordéon, Fête de la Transhumance.

Juin/Septembre : Festival Nature du Parc National des Cévennes, Festival Pluri Artistique Marvejols en Fête.

COMITÉ DÉPARTEMENTAL DU TOURISME DE LA LOZERE
14, Bd Henri Bourrillon B.P. 4 - 48001 - MENDE CEDEX -Tél. : 04 66 65 60 00 - Fax : 04 66 49 27 96
www.lozere-tourisme.com - cdt.lozere@lozere-tourisme.com

AUMONT-AUBRAC (48130)

A 10 km de Saint Chely d'Apcher.

HÔTEL PROUHÈZE ★ ★ ★

04 66 42 80 07 - prouheze@prouheze.com

2 Route du Languedoc - Guy PROUHEZE - Fax : 04 66 42 87 78 - www.prouheze.com

Fermeture : 2/11/03-27/03/04 ; dimanche soir, lundi, mardi midi (sauf juillet/août fermé uniquement lundi midi).
Menus : 33/100 € . 27 chambres : 67/90 € - Classement : Table de Prestige

Etape idéale sur le sentier de Saint Jacques de Compostelle, cette hostellerie de charme vous propose des chambres tout confort, décorées avec goût. Le restaurant vous réserve une cuisine locale, inspirée de recettes traditionnelles. Spécialités : ragoût de légumes de saison, des jeunes pousses, bouillon à la citronelle ; galette de museau de porcelet aux escargots petit gris jus à la ciboulette ; filet de boeuf fleur d'Aubrac petite caillette gourmande, sauce aux sucs de morilles ; feuillantines aux fraises, glace à la graine de vanille bourbon.
Garage fermé, parking privé, canal+, salle restaurant de caractère, animaux acceptés

Ideal stage on the path of Saint Jacques de Compostelle, this fashionable country inn of charm proposes rooms any comfort, decorated withtaste. The restaurant offers a local cooking, inspired of
traditional receipts.

Escala ideal por el sendero de Saint-Jacques de Compostelle, esta encantadora hostelería le propone habitaciones con todas las comodidades, decoradas con gusto. El restaurante le hará descubrir una cocina local, inspirada con las recetas tradicionales.

Ideale Zwischenstation auf dem Weg nach St Jacques de Compostelle, bietet Ihnen dieses Hotel de Charme hochkomfortable Zimmer geschmackvoll eingerichtet. Das Restaurant bietet Ihnen eine lokale Küche von traditionellen Rezepten inspiriert.

FLORAC (48400)

GRAND HÔTEL DU PARC ★ ★ ★

04 66 45 03 05 - grand-hotel-du-parc@wanadoo.fr

17 Avenue Jean Monestier - Jean-Claude GLEIZE - Fax : 04 66 45 11 81 - www.grandhotelduparc.fr

Fermeture : 15/11-15/03 ; dimanche soir et lundi hors saison ; lundi midi en saison. - Menus : 16/32 € . Menu enfant : 7,80 € .
Petit déjeuner : 6,80 € . 60 chambres : 42/60 € . Demi pension : 42/58 € . Etape VRP : 60 € - Classement : Table de Terroir

Situé dans un superbe parc aux arbres centenaires, aux portes des Gorges du Tarn et au coeur du Parc National des Cévennes, cet établissement de bon confort vous réservera un accueil attentionné et vous fera découvrir une cuisine de terroir. Spécialités : escalope de foie gras poêlé aux endives confites, blinis à la chataîgne et petit jus au Porto ; truite de langlade poêlée aux amandes ; écrevisses à l'américaine ; escalope de ris de veau aux morilles. Chambres avec bain ou douche+WC+TV : Toutes.Terrasse, jardin, parking privé, piscine d'été, ascenseur, accès handicapés, petit déjeuner buffet, salle de séminaires, chèques vacances, animaux acceptés au restaurant

Located in a superb park of centenaries trees , at the doors of the Gorges of the Tarn and in the heart of the National park of the Cevennes, this establishment of good comfort will hold an attentive reception for you and will make you discover a cooking of soil.

En un magnífico parque con árboles centenarios, a las puertas de las Gorges du Tarn y en el corazón del Parc National des Cévennes, este cómodo establecimiento le brindará una atenta acogida y le hará descubrir una cocina regional.

In einem wundervollen Park mit hundertjährigen Bäumen, vor den Toren der Tarn Schluchten und im Herzen des Nationalparks, bietet Ihnen dieses komfortable Haus einen aufmerksamen Empfang und eine ländliche Küche.

Charme & Authenticité

LA GARDE (48200)

A 8 km de St Chély d'Apcher. A75 sortie A32.

Table de Terroir

CHÂTEAU D'ORFEUILLETTE ★ ★ ★

04 66 42 65 65 - orfeuillette48@aol.com

Philippe GARDEREAU - Fax : 04 66 42 65 66 - www.chateau-orfeuillette.com

Fermeture : 7/01-7/02 ; mercredi hors saison et hors vacances scolaires. - Menus : 21/38 € . Menu enfant : 12 € . Petit déjeuner : 11 € . 23 chambres : 40/150 € . Demi pension : 63,50/111 € . Etape VRP : 59,50 € - Classement : Table de Terroir

Situé au coeur de la Lozère, dans un parc de 12 ha, cet établissement vous propose une halte confortable, au calme. Le restaurant vous fera apprécier les saveurs du terroir. Spécialités : gibier et champignons frais en saison. Animaux acceptés avec supplément.

Chambres avec bain ou douche+WC+TV : Toutes. Terrasse, jardin, parking privé, piscine d'été, ascenseur, accès handicapés, chaînes satellites, canal+, salle restaurant de caractère, salle de séminaires, chèques vacances, animaux acceptés

Located at the heart of Lozere, in a park of 12 ha, this establishment proposes you a comfortable halt, with calms. The restaurant will make you appreciate savours of the soil. Animals accepted with supplement.

En el corazón de Lozère, en un parque de 12 ha., este establecimiento le ofrece una estancia cómoda y tranquila. En el restaurante usted podrá apreciar los sabores regionales. Los animales se aceptan pagando un suplemento.

Im Herzen der Lozère, in einem 12 ha großen Park, bietet Ihnen dieses Haus eine angenehme, ruhige Rast. Im Restaurant genießen Sie Geschmäcker vom Land. Tiere gegen Aufpreis gestattet.

LA MALENE (48210)

D907b Ispagnac/La Malène. A 43 km de Mende.

Table Gastronomique

MANOIR DE MONTESQUIOU ★ ★ ★

04 66 48 51 12 - montesquiou@demeures-de-lozere.com

La Malène - Bernard & Evelyne GUILLENET - Fax : 04 66 48 50 47 - www.manoir-montesquiou.com - Fermeture : 1/11-31/03.

Menus : 21,50/40,40 € . Menu enfant : 11 € . Petit déjeuner : 11/12,50 € .
12 chambres : 73/139 € . Demi pension : 76,50/109,50 € - Classement : Table Gastronomique

Au coeur des Gorges du Tarn, le Château-Hôtel de la Malène vous souhaite la bienvenue. Evelyne et Bernard GUILLENET sont heureux de vous y recevoir et vous proposent de déguster une cuisine ayant pour base les produits du terroir. Spécialités : soupe à la truffe de nos terres, tatin d'endives à la tomme de chèvre vinaigrette caramel de cidre, filet de boeuf en croûte d'herbes aux morilles.

Chambres avec bain ou douche+WC+TV : Toutes.
Terrasse, jardin, parking privé, accès handicapés restaurant, petit déjeuner buffet, salle restaurant de caractère, animaux acceptés

Mr and Mrs GUILLENET reserve you a cordial reception in their castle of Malène in the heart of the Gorges of the Tarn and will let you savour their cooking made of regional products.

En el corazón de las Gargantas del Tarn, el Castillo-Hotel de la Malène le da la bienvenida. Evelyne y Bernard GUILLENET estarán encantados de recibirle y le propondrán saborear una cocina femenina a base de productos locales.

Mitten in den Schluchten des Tarn heisst Sie das Schlosshotel La Malène herzlich willkommen. Evelyne und Bernard GUILLENET bewirten Sie mit Ihrer Küche aus ländlichen Produkten.

MARVEJOLS (48100)

L'AUBERGE DOMAINE DE CARRIÈRE

Table Gastronomique

04 66 32 47 05

Quartier de l'Empery - Carine MIALANES - Ramon CARMONA - Fax : 04 66 32 47 21

Fermeture : 1 semaine en septembre, janvier, dimanche soir, mercredi soir et lundi hors saison ; lundi en été.
Menus : 22/30 € . Menu enfant : 10 € - Classement : Table Gastronomique

Dans un cadre de verdure, ce bâtiment du 17ème siècle vous réserve une ambiance chaleureuse, un décor soigné et une cuisine raffinée. Spécialités : tourte au bleu du malzieu et jambon de canard fumé, blinis de maïs et truite fumée de nos rivières, faux filet de boeuf pure race d'aubrac poêlée de girolles de nos montagnes, tartine de légumes à l'anchoïade et son pavé de cabillaud, moelleux au chocolat et pistaches, soufflé glacé à la noix de coco.
Terrasse, jardin, parking privé, accès handicapés restaurant, salle restaurant de caractère, animaux acceptés au restaurant

In a framework of greenery, this building of the 17th century offers you a cordial environment, a pleasant setting and a refined cooking.

En un marco de follaje, este caserón del siglo XVII le propone un ambiente caluroso, un decorado esmerado y una refinada cocina.

Mitten im Grünen, bietet man Ihnen in diesem Bau aus dem 17. Jh ein warmes Ambiente, einen gepflegten Dekor und eine feine Küche.

MENDE (48000)

HÔTEL DU PONT ROUPT ★ ★ ★

Table de Terroir

04 66 65 01 43 - hotel-pont-roupt@wanadoo.fr

2 Avenue du 11 Novembre - Ginette GERBAIL - Fax : 04 66 65 22 96 - www.hotel-pont-roupt.com

Fermeture : 1/03-31/03 ; le week-end hors saison. - Petit déjeuner : 8,50 € .
26 chambres : 46/85 € . Demi pension : 60/76 € . Etape VRP : 50/62 € - Classement : Table de Terroir .

A 5 mn à pied du centre de Mende, cet établissement calme et confortable est tenu par la même famille depuis 4 générations. C'est l'étape idéale pour vos vacances ou pour une escapade gourmande en week-end. Vous y apprécierez également l'espace détente avec piscine intérieure, sauna, hammam, hydromassage, UVA, musculation. Spécialités : manonts de Lozère, paupiettes de truite au lard et cuisses de grenouilles, ris d'agneau aux morilles, foie gras maison.
Chambres avec bain ou douche+WC+TV : Toutes.
Terrasse, jardin, garage fermé, parking privé, piscine d'hiver, ascenseur, TPS, chaînes satellites, salle de séminaires, chèques vacances, animaux acceptés

At 5 mn with foot of the center of Mende, this calm and comfortable establishment is held by the same family since 4 generations. It is the ideal stage for your holidays or a greedy escapade in weekend. You will also appreciate there space relaxation with interior swimming pool, sauna, hammam, hydromassage, UVA, musculation.

A 5 mn a pie del centro de Mende, este establecimiento tranquilo y cómodo es tenido por la misma familia desde hace 4 generaciones. Esta estancia ideal para sus vacaciones o para una escapatoria gastrónoma de fin de semana. Usted apreciará también el espacio de esparcimiento con piscina interior, sauna, baño turco, hidromasaje, UVA, musculación.

5 Min zu Fuß von der Stadtmitte, wird dieses ruhige und komfortable Hotel seit 4 Generationen von der gleichen Familie betrieben, eine ideale Etappe für Ihren Urlaub oder eine Schlemmereskapade übers Wochenende. Genießen Sie zu Ihrer Entspannung das Hallenschwimmbad, Sauna, Hammam, Hydromassage, UVA und Muskeltraining.

ST ALBAN SUR LIMAGNOLE (48120)

A 14 km de Saint Chély d'Apcher.

RELAIS SAINT ROCH - LA PETITE MAISON ★ ★ ★

04 66 31 55 48 - rsr@relais-saint-roch.fr

Château de la Chastre - Christian CHAVIGNON - Fax : 04 66 31 53 26 - www.relais-saint-roch.fr - *Fermeture : 2/11-31/03 ; Lundi midi en saison ; Lundi et Mardi midi hors saison. - Menus : 20/65 € . Menu enfant : 15/25 € .
9 chambres : 108/180 € - Classement : Table Gastronomique*

Située au sein d'un écrin de verdure, cette demeure est un véritable havre de paix. Christian CHAVIGNON et son équipe vous réserveront un accueil attentionné et chaleureux, ils vous proposeront des chambres agréables, reposantes et une table authentique et généreuse qui mérite un clin d'oeil gourmand. Spécialités : pièce de bison aux baies de genièvre, magrets de canard au vinaigre de miel et racines de gentiane.

Terrasse, jardin, parking privé, piscine d'été, chaînes satellites, climatisation, salle restaurant de caractère, chèques vacances, animaux acceptés

Located in a bosky bower, this residence is a true haven of peace. Christian CHAVIGNON and his team will reserve an attentive and cordial reception to you, they will propose pleasant rooms, resting and an authentic and generous table to you which deserves a greedy wink.

En el seno de un lugar lleno de verdor, esta morada es un verdadero remanso de paz. Christian CHAVIGNON y su equipo le brindarán una acogida solícita y calurosa, le propondrán agradables y tranquilas habitaciones y una mesa auténtica y copiosa que merece una complicidad gastrónoma.

Mitten im Grünen, ist dieses Haus einen wahrer Zufluchtsort. Christian Chavignon und seine Mitarbeiter empfangen Sie herzlich und aufmerksam. Es erwarten Sie angenehme und ruhige Zimmer und eine authentische, reichhaltige Tafel.

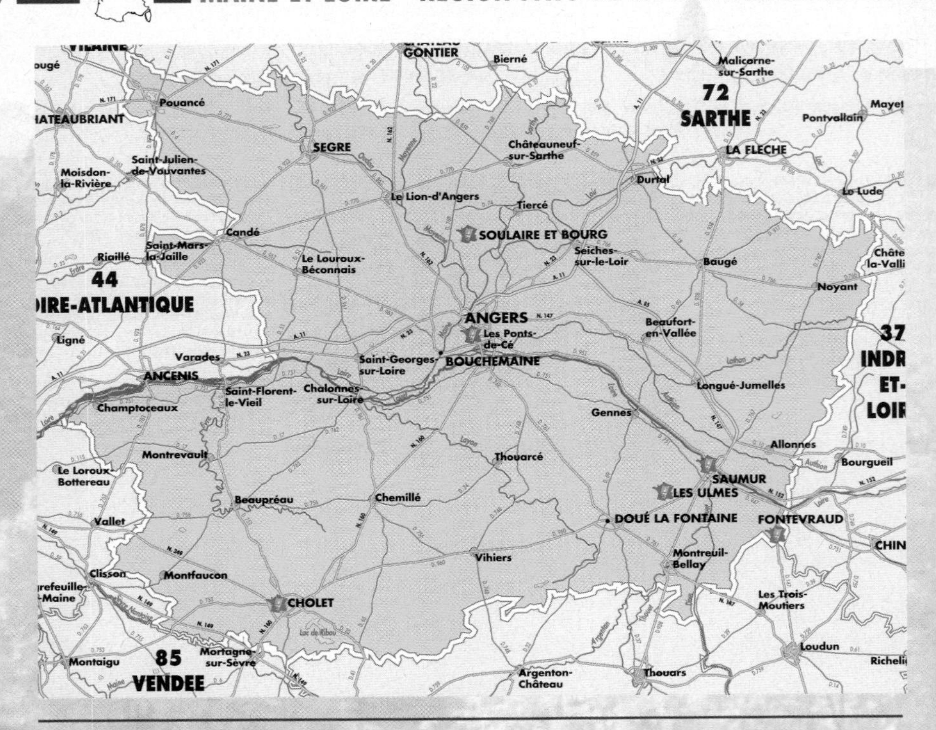

Sites Touristiques : Abbaye Royale de Fontevraud, Château d'Angers, Château de Saumur, Parc Zoologique de Doué la Fontaine, Habitats Troglodytiques du Sud Saumurois.

Saveurs de nos Terroirs : Poisson au beurre blanc, Friture de Loire, Rillettes, Rillauds d'Anjou (poitrine de porc confite), Champignons de Paris, Paté aux prunes (tourte), Cremets d'Anjou, Fouaces ou Fouées. 29 A.O.C. : Anjou blanc, rosé ou rouge ; Saumur blanc, rouge ; Saumur Champigny, Côteaux du Layon, Savennières, Quarts de Chaume, Crémant de Loire, Cabernet d'Anjou... Cidre et Jus de Pomme du Haut-Anjou. Cointreau.

Animations : Ecole Nationale d'Equitation (cadre noir).
Mars/Octobre : Présentations publiques du Cadre Noir.
Avril/Mai : Carnaval de Cholet.
Juin/Juillet : Carrousel militaire à Saumur, Journées de la Rose à Doué, Festival d'Anjou (théatre de plein air).

COMITÉ DÉPARTEMENTAL DU TOURISME DE L'ANJOU
6 Place Kennedy B.P. 32147 - 49021 - ANGERS CEDEX 02 -Tél. : 02 41 23 51 51 - Fax : 02 41 88 36 77
www.anjou-tourisme.com - infos@anjou-tourisme.com

ANGERS (49100)

Face à la gare TGV.

HÔTEL DE FRANCE - RESTAURANT LES PLANTAGENÊTS ★ ★ ★

02 41 88 49 42 - hdf.angers@wanadoo.fr

8 Place de la Gare - Antoine et Vincent BOUYER - Fax : 02 41 86 76 70 - www.destination-anjou.com/hoteldefrance - Ouvert toute l'année.
Menus : 20/55 € . Menu enfant : 12 € . Petit déjeuner : 11 € .
55 chambres : 73/120 € - Classement : Table Gastronomique

A deux pas du centre ville et de son château-forteresse médiéval se dresse l'Hôtel de France, majestueusement centenaire (Famille BOUYER depuis 1893). Le restaurant vous réserve une cuisine régionale de saison que vous accorderez à merveille avec les vins sélectionnés pour vous avec la plus grande attention. Spécialités : salade de rouget et foie gras poêlé, sandre du bassin de Loire rôti jus de volaille au thym, beignets de fruits granité à la menthe.
Chambres avec bain ou douche+WC+TV : Toutes.Terrasse, garage fermé, ascenseur, accès handicapés, chaînes satellites, canal+, climatisation, petit déjeuner buffet, salle de séminaires, chèques vacances, animaux acceptés

At two steps of the centre town and its castle-fortress medieval draws up the Hotel of France, centenary (Family BOUYER since 1893). The restaurant offers a regional cooking of season to you that you will grant to wonder with the wines selected for you with the greatest attention

A dos pasos del centro de la ciudad y de su castillo medieval, se levanta el Hôtel de France, majestuosamente centenario (Familia BOUYER desde 1893) . El restaurante le propone una cocina regional de estación , que usted armonizará maravillosamente eligiendo con gran atención los vinos propuestos.

Ein paar Meter von der Stadtmitte und seiner mittelalterlichen Burg ist das Hotel de France majestätische errichtet (Familie Boyer seit 1893). Im Restaurant werden Sie mit einer regionalen Küche bewirtet, nach den Jahreszeiten ausgerichtet und von ausgezeichneten Weinen begleitet.

BOUCHEMAINE (49080)

A 11 km d'Angers. CD111.

L'ANCRE DE MARINE/LA TERRASSE ★

02 41 77 14 46

2 Place Ruzebouc - La Pointe - Bernard PROUST - Fax : 02 41 77 25 71 - Fermeture : Dimanche soir hors saison (restaurant).
Menus : 15,50/52 € . Menu enfant : 12 € . Petit déjeuner : 5,50 € .
8 chambres : 31/54 € . Demi pension : 38/48 € . Etape VRP : 54/61 € - Classement : Auberge du Pays

Au confluent de la Maine et de la Loire, cet établissement vous offre sa vue panoramique sur la Loire et vous propose sa cuisine gastronomique. Spécialités : escalope de saumon à la fondue d'oseille, sandre beurre blanc, terrine de poisson en gelée au Savennières.

Chambres avec bain ou douche+WC+TV : 3-4-5-6-8-9-10.
Accès handicapés restaurant, salle de séminaires, chèques vacances, animaux acceptés au restaurant

At the confluence of two rivers : the Maine and the Loire, this establishment offers you a panoramic view of the Loire and offers gastronomic cooking.

En el confluente del Maine y del Loire, este establecimiento le ofrece una vista panorámica del Loire y le propone una cocina gastronómica.

Im Zusammenfluss der Maine und der Loire, bietet Ihnen dieses Haus einen Panoramablick über die Loire und gastronomische Küche.

CHOLET (49300)

RESTAURANT LA TOUCHETIÈRE

02 41 62 55 03

41 Rue du Docteur Roux - Jean-Marc TERRIEN & Bruno BOLZER - Fax : 02 41 58 82 10
Fermeture : 3 premières semaines d'août ; samedi midi, dimanche soir et mardi soir. - Menus : 14,48/31,25 € . Menu enfant : 10,67 € . Classement : Table Gastronomique

Venez découvrir ce restaurant, situé dans une ferme du XVIème siècle entièrement rénovée aux poutres d'époque et au cadre rustique. Spécialités : poêlée de foie gras chaud aux poires, coquilles saint jacques, dos de bar au beurre blanc, tournedos Rossini.

Terrasse, jardin, parking privé, salle restaurant de caractère, salle de séminaires, chèques vacances, animaux acceptés

Come to discover this restaurant which is situated in a farm of the XVIth century with former beams and rustic setting.

Venga a descubrir este restaurante acondicionado en una granja del siglo XVI, totalmente renovada con vigas de la época y en un ambiente rústico.

Entdecken dieses Restaurant auf einem komplett renovierten Bauernhof des 16. Jh. mit Balken und rustikaler Atmosphäre.

FONTEVRAUD (49590)

A 15 km de Saumur et de Chinon.

HOSTELLERIE LA CROIX BLANCHE ★ ★

02 41 51 71 11 - la_croix_blanche@hotmail.com

7 Place des Plantagenets - Philippe JEAN - Fax : 02 41 38 15 38 - wwwfontevraud.net
Fermeture : 6/01-4/02 ; 17/11-27/11 ; lundi (restaurant). - Menus : 19,50/40,80 € . Menu enfant : 9,30 € . Petit déjeuner : 7,40 € . 21 chambres : 49,50/83,20 € . Demi-pension : 56,90/72,80 € . Etape VRP : 56 € - Classement : Table de Terroir

Vous découvrirez ici la quiétude d'un lieu où il fait bon vivre. La Croix Blanche a su préserver le charme d'antan et le confort d'aujourd'hui pour offrir à ses hôtes les plaisirs de la table composée de recettes à l'ancienne et le charme douillet de ses chambres. Une large carte des vins a été sélectionnée. Spécialités : foie gras maison, filet de sandre beurre blanc, salade de boudins aux pommes.
Chambres avec bain ou douche+WC+TV : Toutes.
Terrasse, jardin, garage fermé, parking privé, accès handicapés restaurant, TPS, chaînes satellites, climatisation, petit déjeuner buffet, salle restaurant de caractère, salle de séminaires, chèques vacances, animaux acceptés

You will discover here the quietude of a place where it makes good food. The Croix Bmanche knew to preserve the charm of antan and the comfort of to today offer to its hosts the pleasures of the table made up of receipts to old and the soft charm of its rooms. A broad chart of the wines was selected.

Usted descubrirá aquí la tranquilidad de un lugar donde se vive bien. Le Croix Blanche ha sabido conservar el encanto de antaño y la comodidad de hoy día, para ofrecer a sus húspedes el placer de una mesa con recetas antiguas y la comodidad de sus habitaciones. Extensa carte de vinos.

Entdecken Sie hier die Ruhe eines Orts, an dem es sich gut leben lässt. La Croix Blanche konnte den Charme von damals bewahren, aber mit dem Komfort von heute. Die Gäste kommen in den Genuss einer Tafel aus Rezepten von früher zusammengestellt, und den Charme der gemütlichen Zimmer.

LES ULMES (49700)

A 7 km de Saumur et de Doué la Fontaine.

LA TAVERNE D'ANTOINE

02 41 59 57 10 - jean-pierre.kausz@wanadoo.fr

Le Moulin Cassé D960 - Jean-Pierre KAUSZ - Fermeture : 24/12-10/01 ; lundi sauf férié.
Menus : 12/28 € . Menu enfant : 8,50 € - Classement : Table de Terroir

La Taverne d'Antoine vous propose un cadre authentique et chaleureux. Vous découvrirez une cuisine paysanne créative et pourrez déguster des produits régionaux et artisanaux en toute convivialité. Spécialités : fouées, confit de canard fermier à l'ancienne, saumon aux petits légumes et velouté au vin de Saumur, filet mignon de cochon grand'mère, riz au lait et sa crème anglaise, saumurois à la vanille.

Terrasse, jardin, parking privé, accès handicapés restaurant, salle restaurant de caractère, salle de séminaires, chèques vacances, animaux acceptés au restaurant

La Taverne d'Antoine proposes an authentic and cordial framework to you. You will discover a creative country cooking and will be able to taste regional and artisanal products in all user-friendliness.

La Taverne d'Antoine le brinda un ambiente auténtico y caluroso. Usted descubrirá una cocina campesina creativa y podrá saborear los productos regionales y artesanales en buena convivencia.

Die Taverne d'Antoine bietet Ihnen einen authentischen und warmen Rahmen. Kosten Sie in aller Gastlichkeit eine bäuerliche, kreative Küche aus regionalen Bauernprodukten.

SAUMUR (49400)

HÔTEL ANNE D'ANJOU RESTAURANT LES MENESTRELS ★ ★ ★

☎ 02 41 67 30 30 - anneanjou@saumur.net

*32 Quai Mayaud - Fax : 02 41 67 51 00 - Menus : 30/55 € . Menu enfant : 13 € .
45 chambres : 76/165 € - Classement : Table Gastronomique*

SOULAIRE ET BOURG (49460)

A 12 km d'Angers.

AUBERGE AU RELAIS DU PLESSIS BOURRÉ

☎ 02 41 32 06 07

*7 Route d'Angers - Daniel LUCAS - Ouvert toute l'année. - Menus : 15/35 € . Menu enfant : 10 € . Petit déjeuner : 6 € .
6 chambres : 26/48 € . Demi pension : 34/42 € . Etape VRP : 42/50 € .
Classement : Auberge du Pays*

*C'est dans cet ancien Relais postal, à 3 km du château du Plessis Bourré, que M. et Mme LUCAS vous accueillent dans leur auberge et vous proposent une cuisine traditionnelle du terroir.
Spécialités : terrine maison, filet de poisson sauce du relais ou beurre blanc, salade d'oranges au cointreau.*

*Chambres avec bain ou douche+WC+TV : 5-6.
Terrasse, jardin, salle restaurant de caractère, animaux acceptés au restaurant*

It is in this ancient postal relay, 3 km from of the castle of Plessis Bourré, that Mr and Mrs LUCAS will welcome you in their inn and will offer traditional cooking of quality.

Es en esta antigua Parada de Correo, a 3 km del castillo del Plessis Bourré, que el Sr.y la Sra.LUCAS le acogen en su posada y le proponen una cocina tradicional y regional.

In dieser alten Poststation, 3km vom Schloss von Plessis Bourré entfernt, empfangen Sie Herr und Frau LUCAS in ihrer Herberge und bieten regionale, traditionelle Küche.

Charme & Authenticité

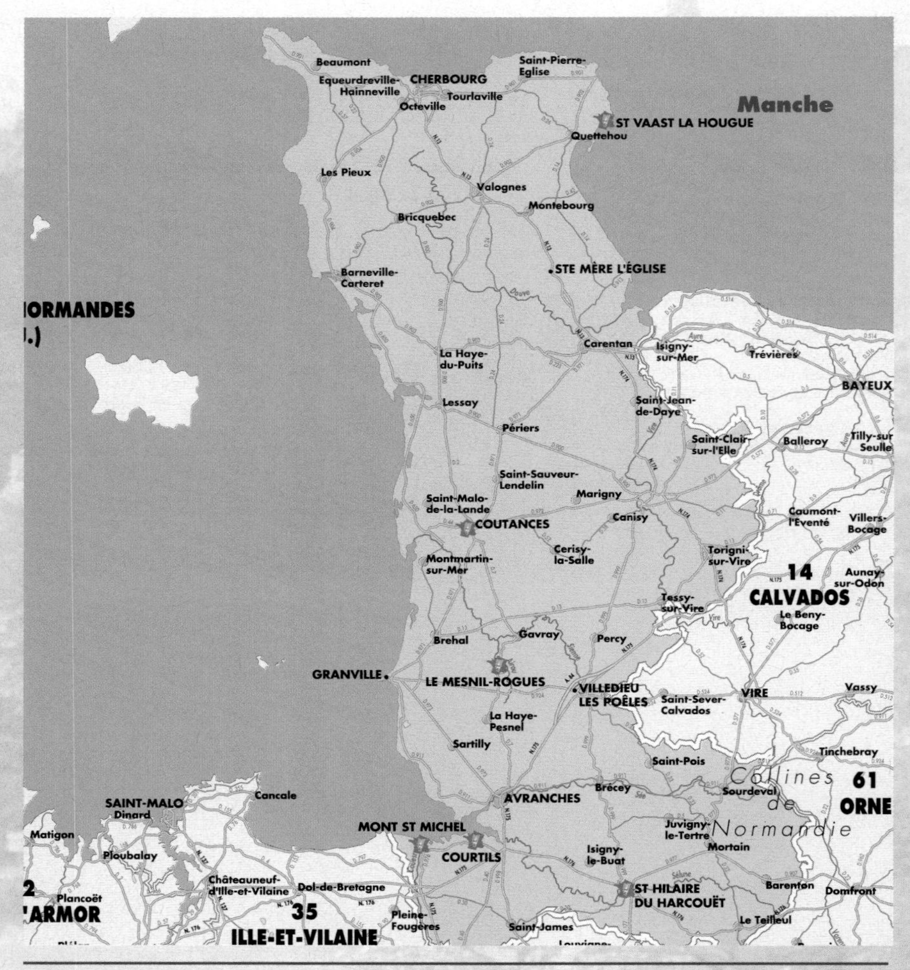

Sites Touristiques : Mont Saint-Michel, Cité de la Mer à Cherbourg, Plages du Débarquement (Otan Beach, Sainte Mère Eglise), Villedieu-les-Poêles (zoo de Champrépus), station de Granville avec le Musée Dior.

Saveurs de nos Terroirs : Produits de la mer (bulots et praires). Huîtres, moules, homards (Granville, 1er port de pêche française). Agneau de pré salé, Teurgoule.

Cidre, Pommeau, Jus de Pomme, Calvados.

Animations : 60ème anniversaire du Débarquement.

Mai : Jazz sous les Pommiers à Coutances.

Juillet/Août : Traversées de Tatihou, Normandy Horse Show, Tour des Ports de la Manche.

COMITÉ DÉPARTEMENTAL DU TOURISME DE LA MANCHE
Maison du Département - 50008 - SAINT-LÔ CEDEX -Tél. : 02 33 05 98 70
www.manchetourisme.com - manchetourisme@cg50.fr

COURTILS (50220)

A 9 km du Mont Saint Michel.

MANOIR DE LA ROCHE TORIN ★ ★ ★

02 33 70 96 55 - manoir.rochetorin@wanadoo.fr

34 Route de la Roche Torin - Danielle & Guy BARRAUX - Fax : 02 33 48 35 20 - www.manoir-rochetorin.com

Fermeture : 4/01-13/02 ; 12/11-15/12 ; lundi ; tous les midis sauf le week-end (restaurant). - Menus : 22/50 € . Menu enfant : 10 € . Petit déjeuner : 11,50 € .15 chambres : 78/198 € . Demi pension : 78/137 € . Etape VRP : 75 € - Classement : Table de Terroir

Situé dans un cadre de verdure au bord des grèves du Mont Saint Michel, cet établissement offre une vue panoramique sur la baie. Au restaurant, vous découvrirez une cuisine savoureuse préparée à partir de beaux produits régionaux. Spécialités : huîtres et homards de la côte, agneau de pré salé, omelette montoise.

Chambres avec bain ou douche+WC+TV : Toutes. Terrasse, jardin, parking privé, chaînes satellites, climatisation, petit déjeuner buffet, chèques vacances, animaux acceptés

Located in a framework of greenery at the edge of the strikes of the Mount St Michel, this establishment offers a panoramic sight on bay. At the restaurant, you will discover a tasty kitchen prepared starting from beautiful regional products.

En un marco de follaje, a orillas de las playas arenosas del Mont Saint Michel, este establecimiento le ofrece una vista panorámica de la bahía. En el restaurante, usted descubrirá una sabrosa cocina elaborada con excelentes productos regionales.

Gelegen im Grünen, an den Stränden von Mont Saint Michel, bietet Ihnen dieses Haus einen Rundblick über die Bucht. Entdecken Sie die kulinarische Küche, zubereitet mit guten regionalen Produkten.

COUTANCES (50200)

HÔTEL COSITEL ★ ★

02 33 19 15 00 - hotelcositel@wanadoo.fr

Route de Coutainville - Claude HOLLEY - Fax : 02 33 19 15 02 - www.hotelcositel.com - Fermeture : 24/12 au soir (restaurant). Petit déjeuner : 8,80 € . 55 chambres : 53/58 € . Demi pension : 51 € . Etape VRP : 58,50 € Classement : Table de Terroir

Cette étape de charme, au calme dans la nature, au centre du Cotentin est idéalement située pour vos diverses visites. Un accueil chaleureux, une cuisine régionale de terroir et un service attentionné vous seront proposés. Spécialités : fruits de mer, poissons, Chambres avec bain ou douche+WC+TV : Toutes.Terrasse, jardin, garage fermé, parking privé, accès handicapés, chaînes satellites, canal+, petit déjeuner buffet, salle de séminaires, chèques vacances, animaux acceptés

This stage of charm, with calms in nature, at the center of Cotentin is ideally located for your various visits. A cordial reception, a regional cooking of soil and an attentive service will be proposed to you.

Una etapa de encanto, tranquilidad en la naturaleza, en el centro del Cotentin , idealmente ubicada para diversas visitas. Una acogida calurosa, una cocina regional y un servicio atento le esperan.

Diese charmante Etappe, in der Stille der Natur, im Zentrum des Cotentin liegt ideal für Ihre verschiedenen Besichtigungen. Freuen Sie sich auf den herzlichen Empfang, die ländliche, regionale Küche und den aufmerksamen Service.

LE MESNIL ROGUES (50450)

A 14 km de Villedieu lès Poeles.

Auberge du Pays

AUBERGE DU MESNIL ROGUES

☏ 02 33 61 37 12 - joseph.cotentin@wanadoo.fr

Le Bourg - Joseph COTENTIN - Fax : 02 33 61 77 17

Fermeture : 12/01-5/02 ; 27/09-15/10 ; lundi, mardi ; dimanche soir et mercredi soir (1/10-30/04).
Menus : 17/40 € . Menu enfant : 7 € - Classement : Auberge du Pays

Joseph COTENTIN est un Chef... un maître rôtisseur... comme on n'en fait plus. Ici la cuisine du terroir et les spécialités normandes sont à l'honneur.
Spécialités : grillades au feu de bois (magret, cochon de lait, boeuf), poule au pot à la crème fermière, jambon à la broche, langoustines à la crème de Calvados (selon saison), la teurgoule, fraises au pommeau.

Terrasse, jardin, parking privé, accès handicapés restaurant, salle restaurant de caractère, salle de séminaires, chèques vacances, animaux acceptés au restaurant

Joseph COTENTIN is a Chief...a Master grill-room owner... like one does not make any more. Here the cooking of the soil and the Normans specialities are with the honor.

Joseph COTENTIN es un Jefe... un maestro del asado... como ya no los hay más. Aquí la cocina regional y las especialidades normandas se destacan.

Joseph Cotentin ist ein Küchenchef,...ein Grillmeister, wie es sie nicht mehr gibt. Hier werden eine ländliche Küche und normannische Spezialitäten in Ehre gehalten.

LE MONT ST MICHEL (50116)

A 20 km d'Avranches.

Table de Prestige

LA MÈRE POULARD ★ ★ ★

☏ 02 33 89 68 68 - hotel.mere.poulard@wanadoo.fr

Grande Rue - Françoise et Michel BRUNEAU - Fax : 02 33 89 68 69 - www.mere-poulard.com - Ouvert toute l'année.
Menus : 35/75 € . Menu enfant : 15 € . Petit déjeuner : 15 € .
27 chambres : 95/245 € . Demi pension : 155/370 € - Classement : Table de Prestige

Aujourd'hui, Françoise et Michel BRUNEAU réveillent la flamme d'Annette et Victor POULARD et conjuguent désormais leurs passions et leurs talents pour célébrer les noces gourmandes de la tradition et de la création, de la Normandie et de la Bretagne. Spécialités : giboulée d'ormeaux juvéniles des polders des Becs, homard breton rôti à la broche, crémeux de crustacés, nonnettes de sole saint-jacques au coeur de carottes, meilleur de l'agneau de pré-salé en 3 façons tradition Mère Poulard, omelette Mère Poulard cuisinée au chocolat fondant des hauts plateaux.
Chambres avec bain ou douche+WC+TV : Toutes.
Accès handicapés restaurant, chaînes satellites, canal+, salle restaurant de caractère, chèques vacances, animaux acceptés

Today, Francoise and Michel BRUNEAU awake the flame of Annette and Victor POULARD and combine from now on their passions and their talents to celebrate the greedy weddings of the tradition and creation, Normandy and Brittany.

Hoy, Françoise y Michel BRUNEAU encienden la pasión de Annette y Victor POULARD y aunan desde ahora sus pasiones y talentos para celebrar las bodas golosas de la tradición y de la creación, de Normandie y de Bretagne.

Heute wecken Françoise und Michel Bruneau die Flamme von Annette und Victor Poulard, sie gehen jetzt zusammen ihrer Leidenschaft und Talente nach, um Schlemmernächte nach Tradition und Kreation zu feiern von der Normandie bis zur Bretagne.

MONT-ST-MICHEL (50170)

A 2 km du Mont Saint Michel.

Table de Terroir

HÔTEL DE LA DIGUE ★ ★ ★

☏ 02 33 60 14 02 - hotel-de-la-digue@wanadoo.fr

Michel et Sylvie BOURDON - Fax : 02 33 60 37 59 - www.ladigue.fr - Fermeture : 5/11-25/03.
Menus : 16,50/36 € . Menu enfant : 9,50 € . Petit déjeuner : 8,70 € .
36 chambres : 62/82 € - Classement : Table de Terroir

Le Mont Saint Michel est le spectacle permanent offert par l'Hôtel de la Digue, situé à 2 km du mont, juste au départ de la fameuse digue. Entre mer et terre, ce petit hôtel de charme vous présente son restaurant panoramique. Spécialités : carré d'agneau de pré salé, poêlée de sardines fraîches aux pommes, ragoût de saint jacques au cidre.

Chambres avec bain ou douche+WC+TV : Toutes.
Terrasse, parking privé, chaînes satellites, petit déjeuner buffet, salle restaurant de caractère, chèques vacances, animaux acceptés au restaurant

The Mont Saint Michel is a constant show that is offered to you by the Hôtel de la Digue. Located from 2 km from the mount, just at the beginning of the dike, between mountain and sea, this little charming hotel presents its restaurant with a panoramic view.

El Hôtel de la Digue le ofrece un espectáculo permanente, Le Mont Saint Michel. Situado a 2 km del monte, al comienzo del famoso dique, entre mar y tierra, este pequeño y encantador hotel, le hará conocer su restaurante panorámico.

Den immerwährenden Anblick, den Ihnen das Hotel de la Digue bietet, ist der Mont Saint Michel, nur 2 km weit entfernt, gleich am Anfang des berühmten Deichs. Zwischen Meer und Bergen, präsentiert Ihnen dieses kleine Hôtel de Charme ein Restaurant mit Rundblick.

ST HILAIRE DU HARCOUET (50600)

A 22 km d'Avranches.

Table de Terroir

LE CYGNE ET RÉSIDENCE ★ ★ ★

02 33 49 11 84 - hotel-le-cygne@wanadoo.fr

99 Rue W. Rousseau - Hervé LEFAUDEUX - Fax : 02 33 49 53 70 - www.hotellecygne.com - Fermeture : 3/01-24/01. Menus : 16/61 €. Menu enfant : 7 €. Petit déjeuner : 6,5 €. 30 chambres : 50/62 €. Demi pension : 52 €. Etape VRP : 52 € - Classement : Table de Terroir

Dans un cadre de verdure, en centre ville, au bord de la piscine, nous vous ferons découvrir une cuisine normande où le poisson est à l'honneur. Spécialités : chausson de homard et saint jacques au foie gras, homard au pommeau, saint pierre rôti aux épices douces.

Chambres avec bain ou douche+WC+TV : Toutes. Terrasse, jardin, garage fermé, parking privé, piscine d'été, ascenseur, accès handicapés, canal+, petit déjeuner buffet, , salle de séminaires, chèques vacances, animaux acceptés

In a green setting, in the town centre, on the edge of the swimming pool, we will let you discover a Normand cooking made with fish.

En un marco de follaje, en el centro de la ciudad, al borde de la piscina, le haremos descubrir una cocina normanda en la cual el pescado ocupa un sitio de honor.

Kosten Sie die normannische Küche dieses Hauses im Grünen, im Stadtzentrum, am Schwimmbad, das auf Fisch spezialisiert ist.

ST VAAST LA HOUGUE (50550)

30 km Est Cherbourg D901+D355+D26

Table Gastronomique

RESTAURANT DES FUCHSIAS & HÔTEL DE FRANCE ★ ★

02 33 54 42 26 - france-fuchsias@wanadoo.fr

20 Rue Maréchal Foch - Jean-Pierre BRIX - Fax : 02 33 43 46 79 - www.france-fuchsias.com - Fermeture : Janvier, février ; lundi, mardi midi (sauf juillet/août) ; mardi soir en novembre, décembre, mars. - Menus : 17/55 €. Menu enfant : 10 €. Petit déjeuner : 7,50/8,50 €. 33 chambres : 29/95 €. Demi pension : 42/73 €. Etape VRP : 55/57 € - Classement : Table Gastronomique

A une encablure du port de pêche et de plaisance, l'établissement plus que centenaire, situé en plein coeur de la ville est un véritable havre de verdure (parc privé clos, végétation subtropicale due à la douceur du climat). Produits du terroir, directement issus de la ferme familiale et de la mer. Spécialités : huîtres chaudes de saint vaast au cidre, feuilleté de pommes tièdes à la crème de Calvados, poêlée de saint jacques au velouté de cèpes. Vins : Calvados. Chambres avec bain ou douche+WC+TV : Toutes sauf 2-12-16.
Terrasse, jardin, accès handicapés restaurant, chaînes satellites, climatisation, petit déjeuner buffet, salle restaurant de caractère, salle de séminaires, chèques vacances, animaux acceptés

Situated in the heart of the town and close by the harbour, this establishment is a haven of peace (with private park). Traditional products that come from the familial's farm and from the sea.

En las cercanías del puerto de pesca y de recreo, este establecimiento más que centenario, ubicado en el corazón de la ciudad es un verdadero remanso de verdor (parque privado, cercado, vegetación subtropical gracias al clima benigno). Productos locales salidos directamente de la granja familiar y del mar.

Unweit vom Fischereihafen, im Herzen der Stadt, ist dieses Hotel ein wahrer Zufluchtsort inmitten von Pflanzen (geschlossener Privatpark, subtropische Vegetation wegen des milden Klimas). Lokale Erzeugnisse, direkt vom Familienbauernhof oder aus dem Meer.

La Reconnaissance Professionnelle

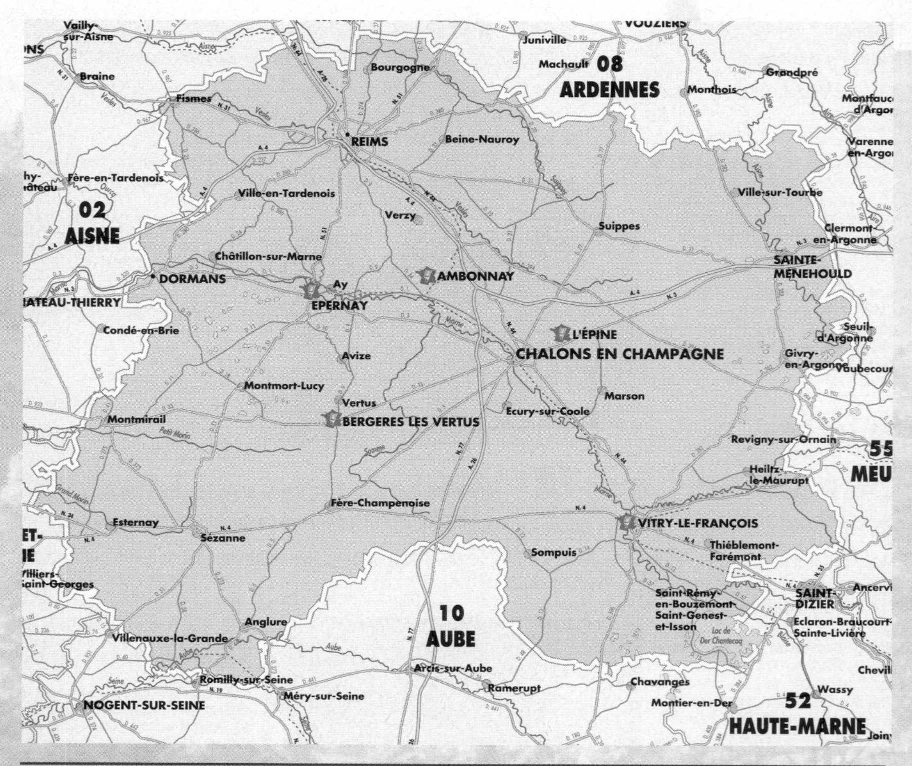

Sites Touristiques : Cathédrale de Reims, Basilique Notre Dame de l'Epine, Mémorial des Batailles de la Marne à Dormans, Lac du Der, Route du Champagne (Massif de Saint Thierry et Vallée de l'Ardre, Montagne de Reims et Parc Naturel Régional, Vallée de la Marne et Hauteurs d'Epernay, Côte des Blancs et Coteaux du Sezannais...).

Saveurs de nos Terroirs : Jambon de Reims, Pied de porc de Sainte Ménehould, Lentillon rosé de Champagne, Vinaigre de vin provenant de la Champagne, Moutarde au vinaigre de vin de la Champagne, Biscuits roses de Reims, Croquignoles, Bonbons Mau Nau.
Champagne, Coteaux Champenois, Marc de Champagne, Fine de Champagne, Ratafia.

Animations : Palais du Tau à Reims, Phare de Verzenay/Musée de la vigne, Musées d'Oeuilly : Maison Champenoise/Ecole 1900, Musée de la Goutte, Musée du Pays du Der à Sainte Marie du Lac, Musée du Cloître Notre Dame en Vaux à Châlons en Champagne.
Juin/Août : Fêtes Johanniques et Flâneries Musicales d'été à Reims, Festival Furies à Châlons en Champagne, Fête Henri IV à Ay Champagne (tous les 2 ans).
Octobre : Fête des vendanges à l'ancienne du Massif de Saint Thierry.

COMITÉ DÉPARTEMENTAL DU TOURISME DE LA MARNE
13, Bis Rue Carnot B.P. 74 - 51006 - CHALONS-EN-CHAMPAGNE CEDEX -Tél. : 03 26 68 37 52 - Fax : 03 26 68 46 45
www.tourisme-en-champagne.com - cdt51@tourisme-en-champagne.com

AMBONNAY (51150)

A 20 km d'Epernay, de Reims.

AUBERGE SAINT VINCENT ★ ★

03 26 57 01 98 - info@auberge-st-vincent.com

1 Rue Saint Vincent - Anne-Marie et Jean-Claude PELLETIER - Fax : 03 26 57 81 48 - www.auberge-st-vincent.com - Fermeture : 9/02-9/03 ; 16/08-31/08 ; dimanche soir et lundi. - Menus : 27/70 € . Menu enfant : 11 € . Petit déjeuner : 9 € . 10 chambres : 49/65 € . Demi pension : 145/151 € à partir de 2 nuits. - Classement : Table Gastronomique

Situé au coeur d'un village champenois, dans le Parc Naturel Régional de la Montagne de Reims, l'Auberge Saint Vincent vous offrira un séjour inoubliable. Pour votre repos, des chambres au confort moderne, d'une décoration sobre et personnalisée vous seront proposées. Au restaurant, le sourire d'Anne-Marie saura vous guider dans votre choix, tandis que Jean-Claude vous concoctera des plats originaux, élaborés à partir de recettes anciennes et traditionnelles. Spécialités : boudin de lapin et brochettes d'escargots du terroir, déclinaison de veau, nems de banane crème au lait de coco sauce chocolat noir. Chambres avec bain ou douche+WC+TV : Toutes.Garage fermé, accès handicapés restaurant, climatisation, petit déjeuner buffet, salle restaurant de caractère, salle de séminaires, animaux acceptés au restaurant

Located at the heart of a Champagne village, in the Regional Natural reserve of the Mountain of Rheims, the Auberge St Vincent will offer an unforgettable stay to you. At the restaurant, the smile of Anne-Marie will be able to guide you in your choice, while Jean-Claude will offer you original dishes, elaborated starting from old and traditional receipts.

Ubicado en el corazón de un pueblo champenés, en el Parque Natural Regional de la Montaña de Reims, el Auberge Saint Vincent le brindará una estancia inolvidable. En el restaurante, la sonrisa de Anne-Marie le guiará en su elección, mientras que Jean-Claude preparará municiosamente platos originales, elaborados a partir de recetas antiguas y tradicionales.

Mitten im Dorf, in dem regionalen Naturpark der Berge von Reims, erleben Sie in der Auberge Saint Vincent einen unvergesslichen Aufenthalt. Im Restaurant erwartet Sie die gute Laune von Anne-Marie, die Sie bei Ihrer Wahl gekonnt berät. Jean-Claude bereitet für Sie liebevoll originelle Gerichte nach früheren, traditionellen Rezepten.

BERGERES LES VERTUS (51130)

A 20 km d'Epernay.

HOSTELLERIE DU MONT AIMÉ ★ ★ ★

03 26 52 21 31 - mont.aime@wanadoo.fr

4/6 Rue de Vertus - Fax : 03 26 52 21 39 - Menus : 20/64 € . Menu enfant : 11,50 € . 46 chambres : 68,50/95 € - Classement : Table Gastronomique

EPERNAY (51200)

LES BERCEAUX ★ ★ ★

03 26 55 28 84 - les.berceaux@wanadoo.fr

13 Rue des Berceaux - Fax : 03 26 55 10 36 - Menus : 27/59 € . Menu enfant : 12 € . Petit déjeuner : 11 € . 29 chambres : 66/75 € - Classement : Table de Prestige

L'ÉPINE (51460)

A 10 km de Châlons en Champagne.

AUX ARMES DE CHAMPAGNE ★ ★ ★ ★

03 26 69 30 30 - aux.armes.de.champagne@wanadoo.fr

31 Avenue du Luxembourg - Jean-Paul PÉRARDEL - Fax : 03 26 69 30 26 - www.aux-armes-de-champagne.com Fermeture : 4/01-13/02 ; dimanche soir et lundi du 1/11 au 5/04. - Menus : 40/88 € . Menu enfant : 16 € . 37 chambres : 100/160 € - Classement : Table de Prestige

Au coeur de la plaine champenoise, une hostellerie de charme aux chambres confortables, qui renferme le savoir-faire de Philippe ZEIGER ancien élève de Jean BARDET et Bernard LOISEAU et met son talent au service d'une cuisine respectueuse des traditions. Spécialités : mijotée de pied de cochon en croustille pommes de terre, morue fraîche et chipirons piments d'espelette, pigeonneau à la goutte de sang.

Chambres avec bain ou douche+WC+TV : Toutes. Terrasse, jardin, garage fermé, parking privé, tennis, TPS, salle de séminaires, animaux acceptés

In the heart of the Champagne plain, an hostellery of charm with comfortable rooms, which contains the know-how of Philippe ZEIGER,student of Jean BARDET and Bernard LOISEAU and puts his talent at the service of a traditional cooking.

En el corazón del llano de Champaña, en una encantadora hostelería con cómodas habitaciones, usted descubrirá la habilidad de Philippe ZEIGER ex discípulo de Jean BARDET y Bernard LOISEAU, quien pone su talento al servicio de una cocina que respecta las tradiciones.

Im Herzen der Champagne Ebene, in einer reizvollen Gastwirtschaft mit bequemen Zimmern, entfaltet Philippe Zeiger, einstiger Schüler von Jean Bradet und Bernard Loiseau sein Können und sein Talent mit einer Küche, die die Traditionen respektiert.

VITRY LE FRANÇOIS (51300)

RN4 et RN44.

HÔTEL DE LA CLOCHE ★ ★

03 26 74 03 84 - chef.sautetdomicile@wanadoo.fr

34 Rue Aristide Briand - Jacques SAUTET - Fax : 03 26 74 15 52 - Fermeture : 21/12-5/01 ; samedi midi (restaurant) ; dimanche soir du 1/10 au 1/06 (hôtel-restaurant). - Menus : 21/43 € . Menu enfant : 11 € . Petit déjeuner : 6 € . 22 chambres : 50/70 € /pers . Etape VRP : 60 € - Classement : Table Gastronomique

Situé au centre de la ville cet établissement vous propose des chambres de bon confort. Le restaurant, un des fleurons de la cuisine régionale saura vous séduire avec ses diverses spécialités locales préparées avec le plus grand soin. Spécialités : matelote du père Sautet, foie gras poêlé aux réglisses, macaron. Chambres avec bain ou douche+WC+TV : Toutes.Terrasse, jardin, garage fermé, accès handicapés restaurant, chaînes satellites, canal+, salle de séminaires, chèques vacances, animaux acceptés à l'hôtel

Located at the center of the city this establishment proposes rooms of good comfort to you. The restaurant, one of the florets of the regional cooking will be able to allure you with its various local specialities prepared with the greatest care.

Ubicado en el centro de la ciudad, este establecimiento le propone cómodas habitaciones. El restaurante uno de los florones de la cocina regional, le encantará con sus diversas especialidades locales preparadas con el más grande esmero.

Mitten im Stadtzentrum bietet Ihnen dieses Haus komfortable Zimmer. Das Restaurant, eines der Prunkstücke der regionalen Küche, verführt Sie mit seinen diversen, lokalen Spezialitäten, mit Sorgfalt zubereitet.

Charme & Authenticité

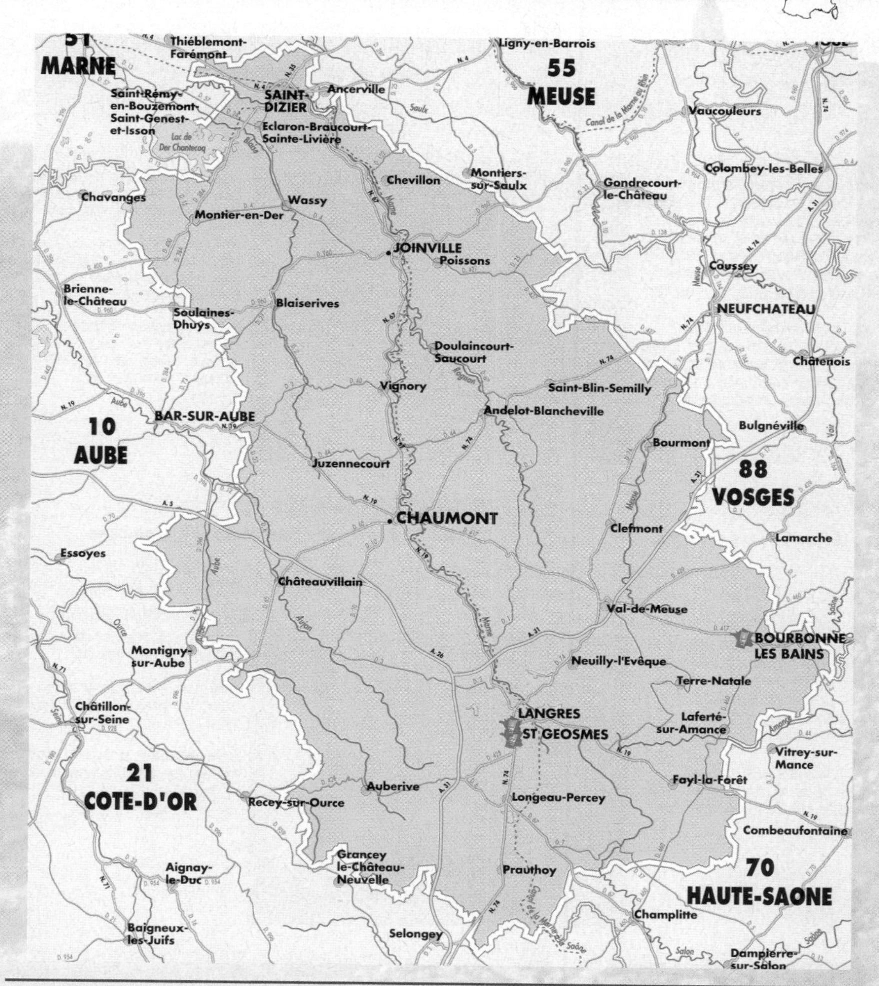

Sites Touristiques : Ville fortifiée de Langres, Chaumont, Lac du Der, Mémorial et Boisserie à Colombey les Deux Eglises, Château du Grand Jardin à Joinville, Station thermale à Bourbonne les Bains.

Saveurs de nos Terroirs : Fromage de Langres (Le Quemeu), la Truffe, le Gibier, Patisseries (petites meringues aux amandes : Les Caisses de Wassy, l'Idéal Chaumontais (crème praliné/amandes). Vins de Coiffy et de Montsaugeon, Champagne, Rubis de Groseille et Renne de Groseille, Bière blonde, blanche, brune

Animations : Musée de la Coutellerie à Nogent, Musée d'Art et d'Histoire à Langres.
Juin : Festival de l'Affiche à Chaumont.
Août : Estival des Hallebardiers à Langres (visite spectacle historique à travers la cité fortifiée), Salon Plaisirs de la Chasse et de la Nature à Chateauvillain.
Novembre : Festival de la photo animalière et de nature à Montier en Der.

COMITÉ DÉPARTEMENTAL DU TOURISME ET DU THERMALISME DE LA HAUTE-MARNE
40, Bis Avenue Foch - 52000 - CHAUMONT -Tél. : 03 25 30 39 00
www.tourisme-hautemarne.com - cdt@tourisme-hautemarne.com

BOURBONNE LES BAINS (52400)

Au sud de Vittel. A 40 km de Langres.

Table Gastronomique

RESTAURANT LES ARMOISES HÔTEL JEANNE D'ARC ★ ★ ★

03 25 90 46 00 - hoteljda@free.fr

12 Rue Amiral Pierre - Philippe BOULAND - Fax : 03 25 88 78 71 - www.hotel-jda.com - Fermeture : 27/10-21/04.
Menus : 18/35 €. Menu enfant : 10 €. Petit déjeuner : 8 €.
29 chambres : 42/110 € suite. Demi pension : 55/90 €. Etape VRP : 60 € - Classement : Table Gastronomique

Venez découvrir cet établissement à caractère familial où bien être et convivialité sont les règles de la maison depuis 3 générations. Le restaurant vous assure une cuisine légère et raffinée sans oublier la carte des desserts. Spécialités : émincé de boeuf au fromage de Langres, blanc de volaille au vin jaune et morilles, fricassée d'escargots au vin de Coiffy, pannequet glacé aux griottes.
Chambres avec bain ou douche+WC+TV : Toutes.
Terrasse, jardin, garage fermé, parking privé, piscine d'été, ascenseur, accès handicapés restaurant, chaînes satellites, petit déjeuner buffet, salle restaurant de caractère, chèques vacances, animaux acceptés

Come and appreciate this family establishment of character that has been run by the same family for 3 generations. You will be offered light and refined cooking and a large choice of desserts.

Venga a descubrir este establecimiento familiar donde bienestar y convivialidad son las reglas de la casa desde hace 3 generaciones. El restaurante le propone una cocina liviana y fina, sin olvidar la carta de postres.

Entdecken Sie dieses Haus in familiärem Stil, wo Wohlbefinden und Freundlichkeit Grundregeln seit 3 Generationen sind. Das Restaurant verspricht eine leichte, feine Küche, wobei die Nachtische nicht zu vergessen sind.

LANGRES (52200)

A31 sortie Langres Nord et Langres Sud.

Table Gastronomique

HÔTEL LE CHEVAL BLANC ★ ★ ★

03 25 87 07 00 - info@hotel-langres.com

4 Rue de l'Estres - Yves-Denis CHEVALIER - Fax : 03 25 87 23 13 - www.hotel-langres.com
Fermeture : 15/11-30/11 ; mercredi midi (restaurant). - Menus : 24/68 €. Menu enfant : 9,50/13 €. Petit déjeuner : 9 €.
22 chambres : 60/82 €. Demi pension : 140/240 €. Etape VRP : 69/80 € - Classement : Table Gastronomique

Aménagé dans une ancienne église, cet établissement vous offre des chambres spacieuses et confortables et une table réputée. Spécialités : noix de saint jacques à la vinaigrette de pomme verte, tournedos de filet d'agneau au lait d'amandes, foie gras de canard chaud au miel d'épices tatin d'échalotes.

Chambres avec bain ou douche+WC+TV : Toutes.
Terrasse, garage fermé, chaînes satellites, canal+, petit déjeuner buffet, salle restaurant de caractère

Arranged in an old church, this establishment offers roomy and comfortable rooms and a famous table.

Acondicionado en una antigua iglesia, este establecimiento le propone espaciosas y confortables habitaciones y una cocina famosa.

In einer ehemaligen Kirche eingerichtet, bietet Ihnen dieses Haus geräumige, komfortable Zimmer und eine renommierte Tafel.

LANGRES-LAC DE LA LIEZ (52200)

A 5 km de Langres.

Table Gastronomique

AUBERGE DES VOILIERS ★ ★

03 25 87 05 74 - auberge.voiliers@wanadoo.fr

1 Rue des Voiliers Lac de la Liez - Jeanne et Joël BOURRIER - Fax : 03 25 87 24 22 - www.hotel-voiliers.com
Fermeture : 1/12-1/03 ; lundi. - Menus : 13/31 €. Petit déjeuner : 7 €.
8 chambres : 50/90 € - Classement : Table Gastronomique

L'Auberge des Voiliers, c'est avant tout le partage des coups de coeur de son chef dont les plats étonnent et ravissent les personnes qui font l'effort de quitter autoroutes et nationales. Les 8 chambres 2 bien entretenues vous permettront de passer la nuit au bord du plus grand des 4 lacs du Pays de Langres et de prendre le petit déjeuner sur la terrasse si le temps le permet. Spécialités : faisselle de Langres au saumon fumé maison, filet de brochet soufflé à l'ortie sauvage, nougat glacé maison au miel haut-marnais.*
Chambres avec bain ou douche+WC+TV : Toutes.
Terrasse, accès handicapés restaurant, petit déjeuner buffet, chèques vacances, animaux acceptés

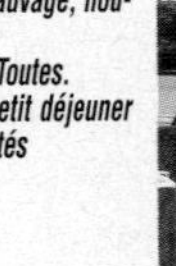

The Auberge des Voiliers, it is before all the sharing of the blows of heart of its Chef. 8 rooms 2 * will enable you to spend the night at the edge of the largest 4 lakes of the Country of Langres and to have the breakfast on the terrace if time allows it.

El Auberge des Voiliers, es ante todo el lugar donde su jefe encanta y sorprende con sus platos a las personas que quitan las autopistas y nacionales. Las 8 habitaciones** bien cuidadas le permitirán pasar una noche a orillas del más grande de los 4 lagos de Langres y desayunar en la terraza, si el tiempo lo permite.

Die Auberge des Voiliers, bedeutet vor allem das Teilen der Lieblingsspeisen des Chefkochs, der mit seinen Gerichten diejenigen erstaunt, die Autobahnen oder Nationalstraßen verlassen. In einem der 8 gepflegten zwei Sterne Zimmer können Sie am größten der 4 Seen des Langrelandes übernachten und bei schönem Wetter auf der Terrasse frühstücken.

ST GEOSMES (52200)

A 3 km de Langres.

AUBERGE DES 3 JUMEAUX ★ ★

03 25 87 03 36

17 Route Auberive - Jean-Luc ROBLOT - Fax : 03 25 87 58 68 - www.auberge-3-jumeaux.com
Fermeture : 11/11-10/12 ; 1 semaine en mars ; dimanche soir et lundi. - Menus : 15/48 € . Menu enfant : 7 € .
Petit déjeuner : 5,50 € . 10 chambres : 37/53 € . Demi pension : 48 € . Etape VRP : 50 € - Classement : Table de Terroir

Dans un cadre agréable, à proximité des 4 lacs, Jean-Luc ROBLOT et son équipe se fera un plaisir de vous recevoir dans son auberge et de vous faire partager une cuisine de terroir. Spécialités : salade au fromage de Langres, coq au vin montsongeon, sandre au lard, tarte mirabelle.

Chambres avec bain ou douche+WC+TV : Toutes.
Terrasse, parking privé, salle restaurant de caractère, chèques vacances, animaux acceptés

In a pleasant framework, near the 4 lakes, Jean-Luc ROBLOT and his team will have a pleasure of receiving you in his inn and of making you share a cooking of soil.

En un ambiente agradable, cerca de 4 lagos, Jean-Luc ROBLOT y su equipo tendrán el placer de recibirle en su posada y de hacerle compartir una cocina regional.

In einem angenehmen Rahmen, in der Nähe der 4 Seen, freuen sich Jean-Luc Roblot und sein Team, Sie in ihrem Gasthaus zu empfangen und mit Ihnen ihre ländliche Küche zu teilen.

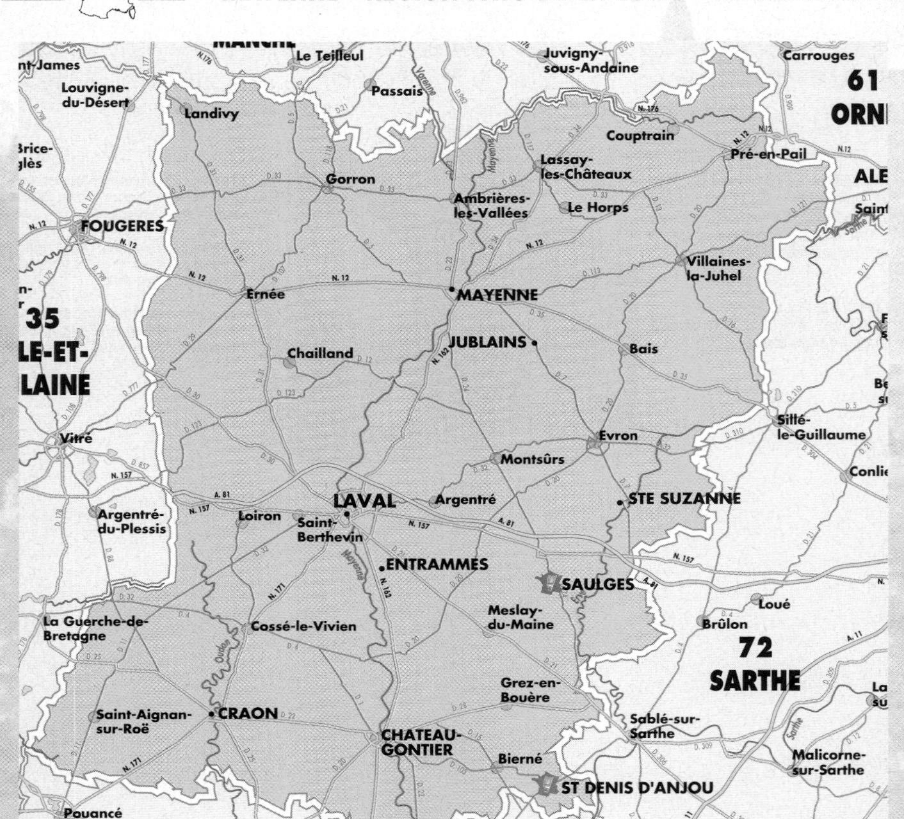

Sites Touristiques : Villes de Laval, Sainte-Suzanne, Château-Gontier, Mayenne, Jublains, Entrammes, Château de Craon (XVIIIème), Vallée de la Mayenne. ...

Saveurs de nos Terroirs : Produits laitiers. Poissons de rivière. Pommes : pomme fréquin, Bedan, Damelot. Boeuf fermier du Maine. Pommeau. Cidre. Eau de vie.

Animations : Musée Robert Tatin à Cossé le Vivien, Musée archéologique départemental de Jublains.
Juillet/Août : Festival des Nuits de la Mayenne.

COMITÉ DÉPARTEMENTAL DU TOURISME DE LA MAYENNE
Maison du Tourisme 84, Avenue Robert Buron B.P. 1429 - 53014 - LAVAL CEDEX -Tél. : 02 43 53 18 18 - Fax : 02 43 53 58 82
www.tourisme-mayenne.com - info@tourisme-mayenne.com

SAULGES (53340)

A 19 km de Sablé s/Sarthe et 30 km de Laval.

L'ERMITAGE ★ ★ ★

02 43 64 66 00 - ermitage.saulges@dial.oleane.com

3 Place Saint Pierre - Famille HENRY-SEVESTRE - Fax : 02 43 64 66 20 - www.hotel-ermitage.fr
Fermeture : 2 semaines en novembre ; 1/02-28/02 ; dimanche soir et lundi du 30/09 au 15/04. - Menus : 19/44 €. Menu enfant : 11,50 €
Petit déjeuner : 8,90 €. 36 chambres : 52/115 €. Demi pension : 56/92 €. Etape VRP : 62/75 € - Classement : Table Gastronomique

Au coeur de la campagne mayennaise, l'Ermitage est une belle demeure toute fleurie qui abrite bien-être et gourmandise pour le bonheur de vos week-end, de vos vacances ou de vos séminaires. Pour vos loisirs : sauna, bronzarium, snooker, mini-golf, ping-pong. Spécialités : filet de sandre tomate confite au basilic, comté du Maine et son coulis d'orange.

Chambres avec bain ou douche+WC+TV : Toutes. Terrasse, jardin, garage fermé, parking privé, piscine d'été, piscine d'hiver, tennis, accès handicapés, TPS, chaînes satellites, climatisation, petit déjeuner buffet, salle restaurant de caractère, salle de séminaires, chèques vacances, animaux acceptés

In the heart of the Mayennaise country, l'Ermitage is a beautiful house where you will be welcomed in a quiet and pleasant atmosphere for your week-ends, vacations or meetings.

En el campo, l'Ermitage es una bella morada florida que brinda bienestar y glotonería para pasar agradables fines de semana, vacaciones o seminarios. Para sus momentos de ocio : sauna, un lugar para broncearse, snooker, minigolf, ping-pong...

Im Herzen der mayennaisischen Landschaft ist l'Ermitage ein schönes und blumengeschmücktes Haus, das Wohlbefinden und Gourmetküche großschreibt, und damit für Ihr Glück an Wochenenden, in Ihren Ferien oder auf Ihren Seminaren sorgt.

ST DENIS D'ANJOU (53290)

A 10 km de Sablé et 40 km d'Angers.

AUBERGE DU ROI RENÉ

02 43 70 52 30 - contact@roi-rene.fr

4 Grande Rue - Pierre de VAUBERNIER - Fax : 02 43 70 58 75 - www.roi-rene.fr - Fermeture : Mardi soir et mercredi.
Menus : 15/40 €. Menu enfant : 8/10 €. Petit déjeuner : 8 €.
4 chambres : 65/85 €. Demi pension : 115 €. Etape VRP : 60/90 € - Classement : Table Gastronomique

Situé dans un village médiéval classé, cette demeure du XVème siècle vous reçoit en ami pour une étape gourmande reposante. Une cuisine de saison, élaborée avec les meilleurs produits vous sera réservée.

Chambres avec bain ou douche+WC+TV : Toutes.
Terrasse, jardin, parking privé, salle restaurant de caractère, salle de séminaires, chèques vacances, animaux acceptés au restaurant

Located in a classified medieval village, this residence of XVth century receives you as a friend for a resting greedy stage. A cooking of season, elaborate with the best produced will be reserved to you.

Ubicado en un pueblo medieval declarado de interés turístico, esta morada del siglo XV le recibe como un amigo para pasar una estancia golosa y tranquila. Usted podrá saborear una cocina de estación, elaborada con excelentes productos.

In einem mittelalterlichen Dorf unter Denkmalschutz, empfängt man Sie in diesem Haus aus dem 15. Jh. als Freund zu einer erholsamen Schlemmeretappe.

Charme & Authenticité

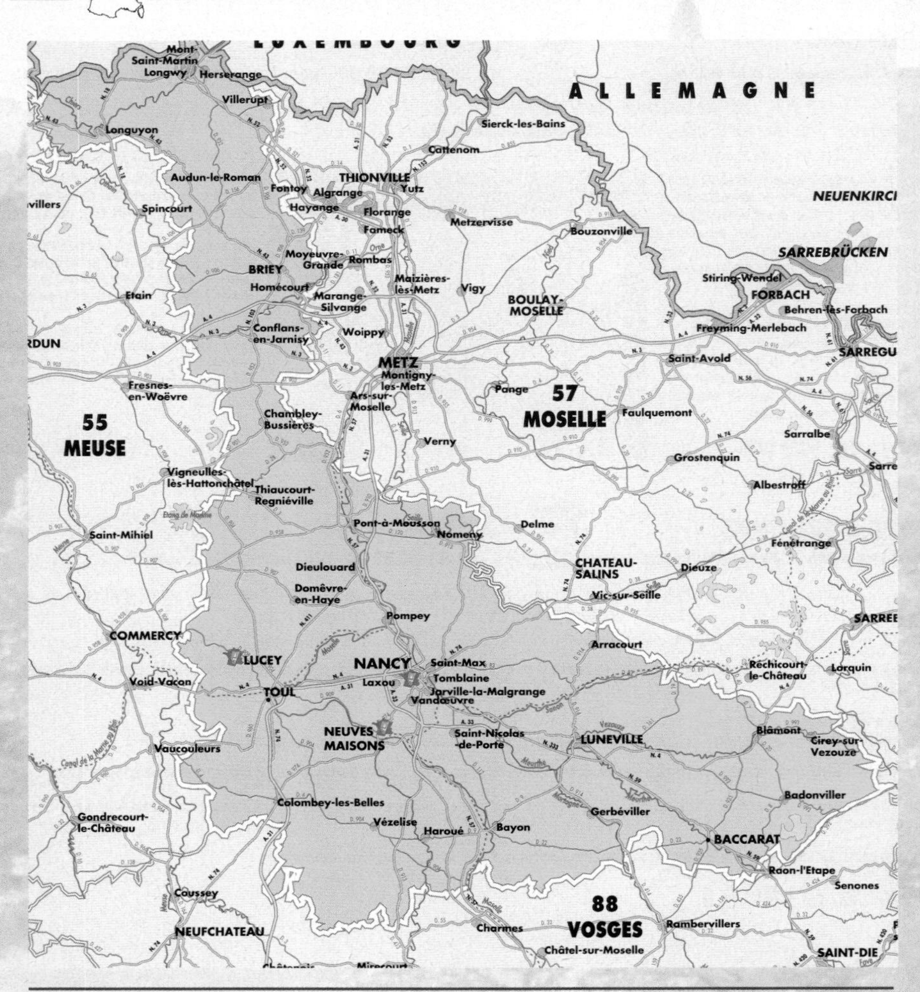

Sites Touristiques : Place Stanislas Nancy, Château de Lunéville, Musée Ecole de Nancy, Cathédrale de Toul, Musée du Cristal de Baccarat.

Saveurs de nos Terroirs : Macaron de Nancy, Bergamote, Quiche Lorraine. Vins des Côtes de Toul (A.O.C.), Alcool de Mirabelle.

Animations :

Juillet/Août : Mondial Air Ballons à Chambley Bussières.

Septembre : Le Livre sur la Place à Nancy.

Octobre/Décembre : Nancy Jazz Pulsation, Festival du Film Italien à Villerupt, Fête de la Saint Nicolas à Nancy.

COMITÉ DÉPARTEMENTAL DU TOURISME DE MEURTHE-ET-MOSELLE

48, Rue du Sergent Blandand B.P. 65 - 54062 - NANCY CEDEX -Tél. : 03 83 94 51 90 - Fax : 03 83 94 51 99

www.cdt-meurthe-et-moselle.fr - tourisme54@wanadoo.fr

LUCEY (54200)

A 21 km de Nancy.

AUBERGE DU PRESSOIR

03 83 63 81 91

7 Place des Pachenottes - Reynald STESCHENKO - Fax : 03 83 63 81 38 - www.aubergedupressoir.com
Fermeture : 15/08-4/09 ; dimanche soir, lundi, mercredi soir et samedi midi.
Menus : 12,90/25 € . Menu enfant : 9 € - Classement : Table Gastronomique

Sur la route du Vin et de la Mirabelle, Reynald STESCHENKO vous propose une halte gourmande à l'Auberge du Pressoir. Dans un cadre rénové et chaleureux, vous pourrez déguster des spécialités gastronomiques et traditionnelles : filet Mignon au vinaigre de mirabelle, croustillant à l'émincé de bergamottes confites.

Terrasse, parking privé, accès handicapés restaurant, chèques vacances, animaux acceptés au restaurant

On the wine trail and Mirabelle plum, Reynald STESCHENKO proposes you a greedy halt at the Auberge du Pressoir. Within a renovated and cordial framework, you will be able to taste gastronomical and traditional specialities

Por la carretera del vino y de la Mirabelle, Reynald STESCHENKO le propone una parada golosa en el Auberge du Pressoir. En un ambiente renovado y caluroso, usted podrá saborear las especialidades gastronómicas y tradicionales.

Auf der Route du Vin und der Mirabelle, bietet Ihnen Reynald Steschenko eine Schlemmerpause in der Auberge du Pressoir. Neu renoviert, kosten Sie in warmem Ambiente die gastronomischen und traditionellen Spezialitäten.

NANCY (54000)

GRAND HÔTEL DE LA REINE ★ ★ ★ ★

03 83 35 03 01 - nancy@concorde-hotels.com

2 Place Stanislas - Fax : 03 83 32 86 04 - Menus : à partir de 29 € .
42 chambres : 140/360 € - Classement : Table Gastronomique

NEUVES MAISONS (54230)

A 15 km de Nancy.

RESTAURANT L'UNION

03 83 47 30 46

1 Rue Aristide Briand - Fax : 03 83 47 33 42 - Menus : 17/33 € . Menu enfant : 9,15 € .
Classement : Table Gastronomique

La Reconnaissance Professionnelle

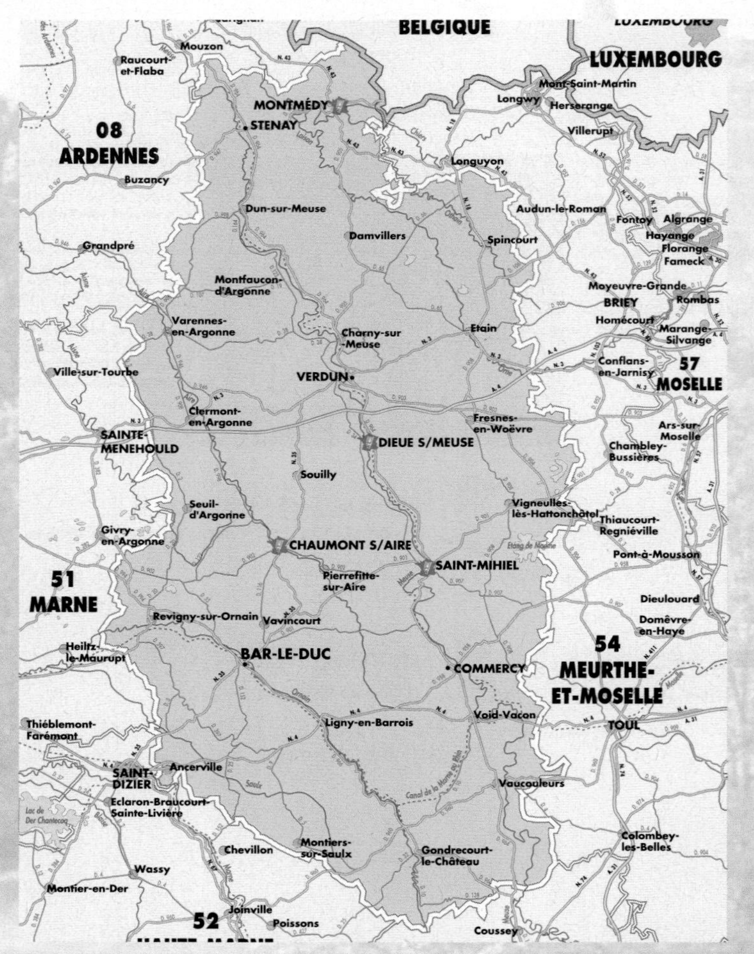

Sites Touristiques : Verdun, Montmédy, Bar le Duc, Stenay, Madine, Commercy, Saint Mihiel, Vaucouleurs.
Saveurs de nos Terroirs : Dragées de Verdun, Madeleines de Commercy, Confiture de Groseilles épépinée à la plume d'oie (Bar le Duc). Eau de vie à la Mirabelle, Vin des Côtes de Meuse, Bière de Meuse.
Animations : Les dimanches de mai à Azannes : Fête des Vieux Métiers. Juin/Juillet : Des Flammes à la Lumière, le son et lumière de la Bataille de Verdun, Festival Renaissances à Bar le Duc, Le Vent des Forêts : créations de nouvelles oeuvres sur le sentier d'art en paysage autour de Lahaymeix.

COMITÉ DÉPARTEMENTAL DU TOURISME DE LA MEUSE
33 Rue des Grangettes - 55000 - BAR-LE-DUC -Tél. : 03 29 45 78 40 - Fax : 03 29 45 78 45
www.tourisme-meuse.com - contact@tourisme-meuse.com

CHAUMONT SUR AIRE (55260)

A 27 km de Bar le Duc. Au Sud de Verdun.

Table Gastronomique

L'AUBERGE DU MOULIN HAUT

03 29 70 66 46 - auberge@moulinhaut.fr

Route de Saint Mihiel - Rinia et Marc IMBACH - Fax : 03 29 70 60 75 - www.moulinhaut.fr - Fermeture : Dimanche soir et lundi.

Menus : 23/90 € . Menu enfant : 8,50 € . Petit déjeuner : 6 € .

2 chambres à 45 € - Classement : Table Gastronomique

Auberge de charme dans le cadre d'un moulin du XVIIIème siècle sur un parc de 3 hectares. Site idéal pour la pêche (rivière à truite et étang sur la propriété). Spécialités : escalopes de foie gras frais de Meuse aux mirabelles flambées, blaff de poissons et crustacés, croustillante flambée aux mirabelles.
Chambres avec bain ou douche+WC+TV : Toutes.
Terrasse, jardin, parking privé, accès handicapés restaurant, salle restaurant de caractère, salle de séminaires, chèques vacances, animaux acceptés au restaurant

Charming inn and former windmill of the XVIIIth century in a aprc of 3ha. Ideal site for fishing (river of trouts).

Molino del siglo XVIII transformado en encantador hostal, rodeado de un parque de 3 hectáreas. Lugar ideal para la pesca (río de truchas y estanque en la propiedad). Usted podrá saborear las especialidades de la casa.

Zauberhaftes Gasthaus in einer Mühle aus dem 18. Jh. mitten in einem 3 Ha großen Park.

DIEUE SUR MEUSE (55320)

A 12 km de Verdun.

Table de Prestige

HOSTELLERIE DU CHÂTEAU DES MONTHAIRONS ★ ★ ★ ★

03 29 87 78 55 - accueil@chateaudesmonthairons.fr

Meuse la Vallée - Famille THOUVENIN - Fax : 03 29 87 73 49 - www.chateaudesmonthairons.fr - Fermeture : 1/01-7/02 ;
du dimanche soir au mardi midi (16/11-31/03) ; 1/04-15/06 et 21/09-15/11: lundi et mardi midi (rest) ; 16/06-20/09 : lundi midi et mardi midi (rest uniquement). - Menus : 22/58 € . Carte enfant : 12,50 € . Petit déjeuner : 13,50 € .
24 chambres dont 8 appartements : 88,50/190 € . Demi pension : 80,25/130 € - Classement : Table de Prestige

Offrez vous une étape d'exception parce que l'art de recevoir est avant tout notre passion. Ce très beau château du XIXème siècle vous offre un havre de calme, avec un vaste parc d'agrément de 14 ha, bordé en partie par la Meuse, une plage privée sur la Meuse, VTT, canoë-kayak, forfait équitation, pêche. Au restaurant, une table réputée vous attend. Spécialités : mille feuilles de foie gras et jambon de sanglier, aile de pigeonneau de pays et son soufflé à la truffe de Meuse.
Chambres avec bain ou douche+WC+TV : Toutes. Terrasse, jardin, garage fermé, parking privé, ascenseur, accès handicapés, chaînes satellites, salle restaurant de caractère, salle de séminaires, chèques vacances, animaux acceptés

Offer yourself an exceptionnal stop because the art of welcome is first of all our passion. This beautiful castle of the XIX century offers you an haven of calm, with a large park of 14 ha, bordered by the Meuse, private beach, VTT, canoë, fishing... In the restaurant, a well-known cooking waits for you.

Una etapa excepcional, pues nuestra pasión es el arte de recibir. En un remanso de paz, este bellísimo castillo del siglo XIX con su extenso parque de 14 ha. le ofrece una playa privada a orillas del Meuse, BTT, canoa kayak, equitación (precio global), pesca. En el restaurante, usted podrá descubrir su famosa mesa.

Gönnen Sie sich einen außergewöhnlichen Aufenthalt, denn wir verstehen es aufs Beste, Sie zu empfangen. Dieses schöne Château aus dem 19. Jh. ist ein Zufluchtsort der Ruhe mit einer riesigen Parkanlage von 14 Ha , teilweise von der Meuse umsäumt, privater Strand, Mountainbike, Kanu, Kajak, Reiten, Angeln. Im Restaurant erwartet Sie eine renommierte Küche.

MONTMEDY (55600)

A 42 km de Verdun.

LE PANORAMIQUE

03 29 80 11 68

9/11 Rue du Docteur Poulain - Thierry PICOT - Fax : 03 29 80 09 24 - Fermeture : 01/01-20/01 ; jeudi soir, dimanche soir et vendredi. Menus : 11/37 € . Menu enfant : 8,50 € - Classement : Table de Terroir

M. et Mme PICOT vous proposent de faire une halte gastronomique dans leur restaurant situé dans un cadre verdoyant, en bordure de rivière, avec une vue exceptionnelle sur la prestigieuse citadelle du 18ème siècle. Ils vous réserveront un accueil chaleureux et une cuisine de terroir. Spécialités : foie gras maison cuisiné à la fleur de sel, mariné au vin gris des côtes de Toul et parfumé à la fine champagne, sur toasts chauds ; truite du Dorlon à la montmédienne, braisée de son jambon du pays, marinée au cidre du pays de Montmédy aux câpres citronnés.

Terrasse, accès handicapés restaurant, salle restaurant de caractère, salle de séminaires, chèques vacances, animaux acceptés

M. and Mme Picot offer you to make a gastronomic stay in their restaurants situated in a green setting, in the edge of a river, with an exceptional sight on the prestigious citadel of the XVIII century. They will reserve you a warm welcome and a traditional cooking.

El Sr. y la Sra. PICOT le invitan a realizar una parada gastronómica en su restaurante , a orillas del río, con una magnífica vista de la prestigiosa ciudadela del siglo XVIII. Una calurosa acogida y una cocina regional le esperan.

Das Ehepaar PICOT bietet Ihnen eine gastronomische Pause in ihrem Restaurant, mitten in Grünen, am Fluß und mit einem einzigartigen Blick auf die bezaubernde Hochburg aus dem 18. Jahrhundert. Ein warmherziger Empfang und einer territoriale Küche werden Ihnen geboten.

ST MIHIEL (55300)

A 15 km du Lac de La Madine.

RIVE GAUCHE ★ ★

03 29 89 15 83

Place de l'Ancienne Gare - M. ROLLET PIQUARD - Fax : 03 29 89 15 35 - Ouvert toute l'année. Menus : 12,96/23,63 € . Menu enfant : 7,62 € . Petit déjeuner : 5,50 € . 20 chambres : 27,44/38,11 € . Demi pension : 28,97/39,64 € . Etape VRP : 28,97 € - Classement : Auberge du Pays

Un accueil chaleureux et une cuisine de qualité composée de produits du terroir vous seront proposés. Spécialités : magret de canard aux mirabelles, feuilleté d'escargots crème de persil, croustillant de sandre.

Chambres avec bain ou douche+WC+TV : Toutes. Terrasse, jardin, garage fermé, canal+, climatisation, salle de séminaires, chèques vacances, animaux acceptés

A warm welcome and a cooking of quality based on traditional products will be offer to you.

Una acogida calurosa y una cocina de calidad elaborada con productos regionales le aguardan.

Es erwarten Sie ein herzlicher Empfang und eine Küche aus ländlichen Erzeugnissen.

Charme & Authenticité

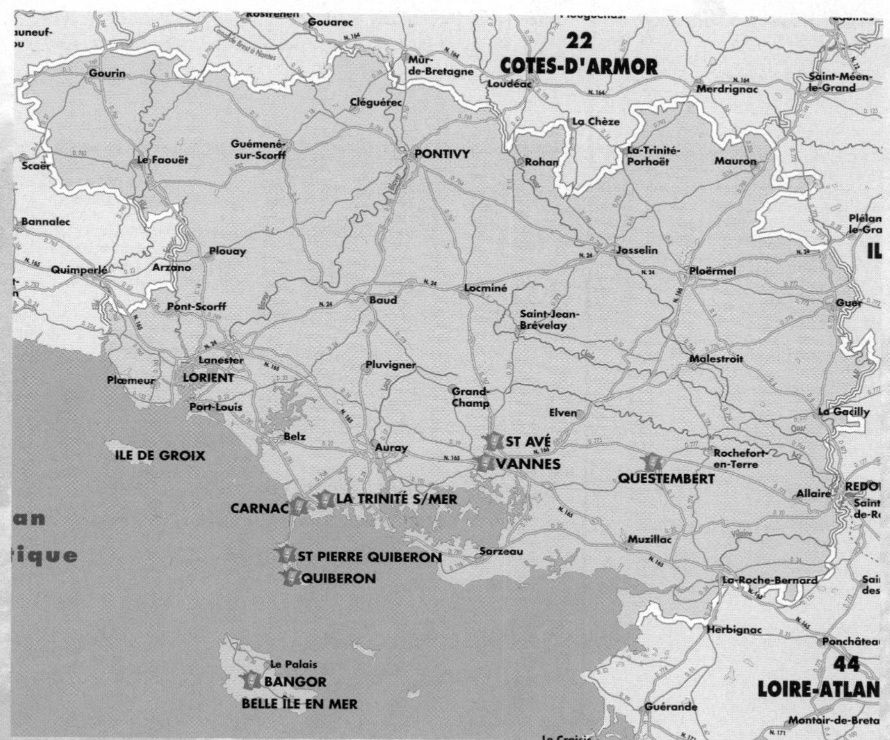

Sites Touristiques : Carnac et les Sites Mégalithiques, Golfe du Morbihan, Forêt de Brocéliande, Belle-Ile-en-Mer , Côte Sauvage, Baie de Quiberon.

Saveurs de nos Terroirs : Crêpes, Niniches de Quiberon, Gochtial de la Presqu'île de Rhuys, Andouille de Guemene, Huîtres, Moules de Bouchot, Conserveries de Sardines, Confiture de Lait, Caramels au Beurre salé, Maenig, Kouign-Amann.
Cidre (notamment le Guillevic, Label Rouge), Bière, Cervoise, Pommeau, Chufere, Chouchen.

Animations : Musée de la Compagnie des Indes (Port-Louis).
Mai : Semaine du Golfe (tous les 2 ans).
Août : Festival Interceltique de Lorient, Fêtes Historiques et Médiévales, Grand Prix Cycliste de Plouay.

COMITÉ DÉPARTEMENTAL DU TOURISME DU MORBIHAN
PIBS - Kérino Allée Nicolas Leblanc B.P. 408 - 56010 - VANNES CEDEX -Tél. : 02 97 54 06 56 - Fax : 02 97 42 71 02
www.morbihan.com - informations-touristiques@morbihan.com

BANGOR BELLE ILE EN MER (56360)

LA DÉSIRADE ★ ★ ★

02 97 31 70 70 - hotel-la-desirade@libertysurf.fr

Le Petit Cosquet - Stéphanie et Nicolas LE NAGARD - Fax : 02 97 31 89 63 - www.hotel-la-desirade.com
Fermeture : 5/11-27/12 ; 7/01-1/04. - Menu suggestion : 30,48 € . Petit déjeuner : 11,55 € .
24 chambres : 98/122,85 € . Demi pension : 162/220,50 € (2 pers.).- Classement : Table Gastronomique

Situé en plein coeur de l'île, et à deux pas de la plage de Donnant, cet hôtel de charme vous réservera un accueil personnalisé et se fera un plaisir de vous faire partager une cuisine soignée élaborée avec les meilleurs produits. Spécialités : tartare de saumon au caviar d'aubergines et petite salade au balsamique ; pavé de lotte rôti, darphin de pommes de terre au basilic et niçoise de légumes ; grenadin de veau, échalotes grises glacées et petits grelots au parfum de girolles ; craquant de mousse au chocolat au parfum de framboise. Chambres avec bain ou douche+WC+TV : Toutes. Terrasse, jardin, parking privé, piscine d'été, accès handicapés, chaînes satellites, canal+, petit déjeuner buffet, salle restaurant de caractère, salle de séminaires, chèques vacances, animaux acceptés

Located in full heart of the isle, and at two steps of the beach of Donnant, this hotel of charm will reserve a personalized reception to you and will be made a pleasure of making you share an elaborate neat kitchen with best products.

Ubicado en el corazón de la isla y a dos pasos de la playa de Donnant, este encantador hotel le brindará una acogida personalizada y tendrá el placer de hacerle compartir su esmerada cocina elaborada con excelentes productos.

Im Herzen der Insel und gleich am Strand von Donnant, bietet Ihnen dieses Hotel de Charme einen persönlichen Empfang und teilt mit Ihnen eine erlesene Küche aus besten Erzeugnissen.

CARNAC (56340)

A 30 km de Vannes et 2 km du centre de Carnac.

RESTAURANT LA CÔTE

02 97 52 02 80 - restaurant.lacote@wanadoo.fr

Kermario - Fax : 02 97 52 02 80 - Menus : 23/65 € . Menu enfant : 8 €
Classement : Table Gastronomique

CARNAC (56340)

LE DIANA ★ ★ ★ ★

02 97 52 05 38 - contact@lediana.com

Boulevard de la Plage - Bruno PETIT - Fax : 02 97 52 87 91 - www.lediana.com - Fermeture : 3/11-08/04 (hôtel) ; 4/10-1/05 (restaurant).
Menus : 25/56 € . Menu enfant : 13 € . Petit déjeuner : 15 € .
31 chambres : 120/230 € . Demi pension : 210/320 € - Classement : Table Gastronomique

Situé face à la mer, cet hôtel de grand confort vous offre une superbe vue et vous réserve un accueil attentionné. Vous y découvrirez une cuisine soignée que vous pourrez apprécier, dès les beaux jours, en terrasse. Spécialités : homard tiède, légumes confits à l'huile vierge ; blanc de barbue cuite moelleuse, tartare d'andouille aux fines herbes, galette de sarrasin ; fondant citron vert mousseux, crème glacée noix de coco. Chambres avec bain ou douche+WC+TV : Toutes. Terrasse, parking privé, piscine d'été, ascenseur, accès handicapés, chaînes satellites, chèques vacances, animaux acceptés

Located facing the sea, this hotel great comfort offers a superb sight to you and reserves an attentive reception to you. You will discover there a neat kitchen which you will be able to appreciate, as of the beautiful days, in terrace.

Ubicado frente al mar, este hotel muy cómodo le ofrece una magnífica vista y le brinda una atenta acogida. Usted descubrirá una esmerada cocina que podrá apreciar en terraza, con buen tiempo.

Mit Blick aufs Meer bietet Ihnen dieses luxuriöse Hotel einen aufmerksamen Empfang. Sie entdecken dort eine gepflegte Küche, die Sie bei schönem Wetter auf der Terrasse genießen können.

CARNAC PLAGE (56340)

A 12 km d'Auray.

Table de Terroir

HÔTEL CELTIQUE RESTAURANT ANDAOL ★ ★ ★

02 97 52 14 15 - reservation@hotelceltique.com

17 Avenue de Kermario - Robert HUON - Fax : 02 97 52 71 10 - www.hotel-celtique.com - Ouvert toute l'année.
Menus : 19,85/38 € . Menu enfant : 9,90 € . Petit déjeuner : 8,90/10,90 € .
56 chambres : 54,30/169 € . Demi pension : 106,30/199,70 € . Etape VRP : 64/74 € - Classement : Table de Terroir

Situé au milieu des pins, au calme, à 50 m de la grande plage, cet hôtel familial tenu par la même famille depuis 3 générations vous accueille chaleureusement et vous propose un confort 3 étoiles avec centre de remise en forme et balnéothérapie. Au restaurant, une cuisine du terroir vous sera proposée.
Spécialités : poissons et fruits de mer.
Chambres avec bain ou douche+WC+TV : Toutes.
Terrasse, garage fermé, parking privé, piscine d'été, piscine d'hiver, ascenseur, accès handicapés, chaînes satellites, petit déjeuner buffet, salle restaurant de caractère, chèques vacances, animaux acceptés

Located in the middle of pines, in calm, 50 m of the great beach, this family hotel held by the same family since 3 generations accomodates you cordially and proposes to you a 3 stars comfort with a spa and balneotherapy. At the restaurant, a traditional cooking will be proposed to you.

En un lugar tranquilo, en medio de pinos, a 50 m de la gran playa, este hotel familiar llevado por la misma familia desde hace 3 generaciones le acoge calurosamente y le propone la comodidad de un hotel 3 estrellas con un centro para estar en excelente condición física y también balneoterapia. El restaurante propone una cocina regional.

Mitten im Pinienwald, 50m vom Strand entfernt, begrüßt Sie dieses Hotel, seit 3 Generationen von der gleichen Familie verwaltet. Es bietet Ihnen 3-Sterne- Komfort mit eigenem Kurbad. Das Restaurant bietet Ihnen regionale Küche.

ILE DE GROIX (56590)

Au large de Lorient (45 mn de bateau).

Table Gastronomique

HÔTEL DE LA MARINE ★ ★

02 97 86 80 05 - hotel.dela.marine@wanadoo.fr

7 Rue du Général de Gaulle - Valentine D'ESTIVAUX - Fax : 02 97 86 56 37 - www.hoteldelamarine.com
Fermeture : Janvier, dimanche soir et lundi hors saison et hors vacances scolaires. - Menus : 14/25 € . Menu enfant : 8 € .
Petit déjeuner : 7,5 € .22 chambres : 36/78 € . Demi pension : 42/63 € - Classement : Table Gastronomique

Au coeur de l'ile de Groix, à mi chemin de la côte sauvage et de la seule plage convexe d'europe (véritable paradis pour les randonneurs et amateurs de pêche), cette maison bourgeoise aux meubles anciens vous propose des chambres claires au confort moderne, un bar à l'ambiance marine et un restaurant de caractère avec des recettes venues de la mer. La fraîcheur des poissons et des crustacés se dispute avec l'originalité et le raffinement de leur préparation. Spécialités : brochette de lotte, cocotte de saint jacques aux légumes du littoral.
Terrasse, jardin, petit déjeuner buffet, salle restaurant de caractère, salle de séminaires, chèques vacances, animaux acceptés

In the heart of the island of Groix, between the wild coast and the unic convex beach of Europ (real paradise for walkers and fishers) this family residence with old furniture is offering bright bedrooms and modern comfort. A bar with marien decoration and a restaurant of character with food recipes.

En el corazón de la isla de Groix, a medio camino de la costa salvaje y de la sola playa convexa de europa (verdadero paraíso para los excursionistas y aficionados a la pesca), se encuentra esta casa burguesa amueblada a la anciana que propone habitaciones luminosas y confortables, un bar con ambiente marino y un típico restaurante con recetas venidas del mar. El frescor de los pescados y crustáceos rivaliza con la originalidad y el refinamiento de su preparación.

Mitten auf der Insel Groix bietet Ihnen dieses Bürgerhaus, im alten Stil möbliert, helle Zimmer mit modernem Komfort, eine Bar mit Schiffsatmosphäre und ein charaktervolles Restaurant mit Rezepten vom Meer. Die Frische des Fischs und der Schalentiere konkurrieren mit der Originalität und Feinheit der Zubereitung.

LA TRINITÉ SUR MER (56470)

Table de Terroir

L'OSTREA ★ ★

02 97 55 73 23

34 Cours des Quais - Thierry LEFEBVRE - Fax : 02 97 55 86 43 - www.hotel-ostrea.com
Fermeture : Fin novembre ; fin janvier ; dimanche soir et lundi. - Menus : 18/32 € . Menu enfant : 9,50 € . Petit déjeuner : 8 € .
12 chambres : 50/75 € . Demi pension : 70 € - Classement : Table de Terroir

Cet établissement de charme bénéficie d'une situation privilégiée, dans un cadre marin, avec vue exceptionnelle sur le port de plaisance. Pour votre plus grand plaisir, des chambres agréables avec vue sur le port sont à votre disposition, le restaurant panoramique vous propose de découvrir une cuisine traditionnelle avec des produits de la mer.
Spécialités : fruits de mer, homard.
Chambres avec bain ou douche+WC+TV : Toutes.
Terrasse, parking privé, accès handicapés restaurant, salle restaurant de caractère, salle de séminaires, chèques vacances, animaux acceptés au restaurant

This establishment of charm profits of a privileged situation, in a marine framework, with exceptional sight on the marina. For your greater pleasure, pleasant rooms with sight on the harbor are at your disposal, the panoramic restaurant proposes you to discover a traditional kitchen with products of the sea.

Este encantador establecimiento beneficia de una ubicación privilegiada, en un ambiente marino, con una vista excepcional del puerto deportivo. Para su gran placer, agradables habitaciones con vista al puerto y un restaurante panorámico para descubrir una cocina tradicional con productos del mar.

Dieses reizvolle Haus sehr schön am Meer gelegen, mit außergewöhnlichem Blick auf den Hafen bietet Ihnen angenehme Zimmer und ein Panoramarestaurant, wo Sie eine traditionelle Küche aus Meeresprodukten entdecken.

QUESTEMBERT (56230)

A 25 km de Vannes.

Table de Prestige

LE BRETAGNE ★ ★ ★ ★

02 97 26 11 12 - lebretagne@wanadoo.fr

13 Rue Saint Michel - Fax : 02 97 26 12 37 - Menus : 37/98 € . Menu enfant : 18,30 € . Petit déjeuner : 16,80 € .
9 chambres : 90/185 € - Classement : Table de Prestige

QUIBERON (56170)

Table de Terroir

LA CHAUMINE

02 97 50 17 67

36 Place du Manemeur - Cyril GRAFF - Fax : 02 97 50 17 67 - Fermeture : 10/03-31/03 ; 3/11-17/12 ; dimanche soir et lundi.
Menus : 13/45 € . Menu enfant : 8,50 € .
Classement : Table de Terroir

Situé à proximité de la côte sauvage, dans un village de pêcheurs, cet établissement vous réserve une ambiance calme et conviviale dans un décor inspiré par la mer. Spécialités : huîtres gratinées au muscadet et aux noisettes, sole meunière.

Terrasse, accès handicapés restaurant, salle de séminaires, animaux acceptés au restaurant

Located near the wild coast, in a village of fishermen, this establishment holds for you a calm and convivial environment in a decoration inspired by the sea.

En las cercanías de la costa salvaje, en un pueblo de pescadores, este establecimiento le brinda un ambiente tranquilo y caluroso inspirado por el mar. Usted podrá descubrir sus especialidades.

In der Nähe einer wilden Küste, in einem Fischerdorf, erwartet Sie in diesem Haus ein ruhiges und freundschaftliches Ambiente in einem vom Meer inspirierten Dekor.

ST AVÉ (56890)

A 4 km de Vannes.

Table de Prestige

LE PRESSOIR

02 97 60 87 63 - le.pressoir.st-ave@wanadoo.fr

7 Rue de l'Hôpital - Bernard RAMBAUD - Fax : 02 97 44 59 15 - www.le-pressoir-st-ave.com
Fermeture : 1/03-15/03 ; 1/07-10/07 ; 1/10-25/10 ; dimanche soir, lundi et mardi. - Menus : 30/80 € . Menu enfant : 18 € .
Classement : Table de Prestige

Venez découvrir les charmes du Pressoir. Aménagé dans un ancien bistrot de gare, ce sanctuaire de la gastronomie vous propose une cuisine inventive dans un cadre rafiné. Chaleureusement accueilli par Ghislaine, vous serez séduit par cette ambiance : terre et mer, tradition et modernité, inspiration d'hier et créativité d'aujourd'hui. Spécialités : homard à la tête de veau, vinaigrette façon ravigote ; galette de rouget aux pommes de terre et au romarin ; kuign patatez à l'andouille de Guémené et pied de porc ; petites crêpes à l'écorce d'orange et sorbet orange ; granny smith rôtie sur un fin Kouing Amann, glace vanille et réduction de cidre. Parking privé, climatisation, salle de séminaires, chèques vacances, animaux acceptés au restaurant

Come to discover the charms of the Pressoir. Arranged in an old bar of station, this sanctuary of the gastronomy proposes to you an inventive cooking within a refined framework. Cordially accomodated by Ghislaine, you will be allured by this environment: ground and sea, tradition and modernity, inspiration of yesterday and creativity of today.

Venga a descubrir los encantos del Pressoir. Acondicionado en una antigua taberna de estación, este santuario de la gastronomía le propone una cocina inventiva, en un delicado ambiente. Usted será recibido calurosamente por Ghislaine y quedará seducido por este lugar : tierra, mar, tradición y modernidad, inspiración de ayer y creatividad de hoy día.

Entdecken Sie den Charme des Pressoir! In einem ehemaligen Bahnhofsbistro eingerichtet, bietet Ihnen dieses Heiligtum der Gastronomie eine einfallsreiche Küche in einem feinen Rahmen. Herzlich von Ghislaine empfangen, werden Sie von dieser Atmosphäre verzaubert sein: Erde und Meer, Tradition und Modernität, Inspiration von gestern und Kreativität von heute.

Charme & Authenticité

ST PIERRE QUIBERON (56510)

A 4 km de Quiberon.

Table de Terroir

HÔTEL DE LA PLAGE ★ ★ ★

02 97 30 92 10 - bienvenue@hotel-la-plage.com

25 Quai d'Orange - B.P. 6 - Fax : 02 97 30 99 61 - www.hotel-la-plage.com - Fermeture : De fin septembre à début avril.
Menus : 21/27 € . Menu enfant : 9 € . Petit déjeuner : 9 € .
43 chambres : 47/105 € . Demi pension : 53/82 € . Etape VRP : 70/99 € - Classement : Table de Terroir

Situé dans un environnement privilégié, à quelques mètres de la plage, cet établissement vous offre une vue panoramique sur la Baie de Quiberon et des prestations de bon confort mettant en avant une table de qualité. Spécialités : cotriade de la presqu'île, barbue en coiffe de bonne femme, crumble de blé noir aux pommes et fruits rouges sur son coulis.

Chambres avec bain ou douche+WC+TV : Toutes. Terrasse, parking privé, ascenseur, accès handicapés, chaînes satellites, petit déjeuner buffet, chèques vacances, animaux acceptés à l'hôtel

Located in a privileged environment, at a few meters of the beach, this establishment offers a panoramic sight to you on Bay of Quiberon and the services of good comfort proposing a table of quality.

En un medio ambiente privilegiado, a algunos metros de la playa, este establecimiento le ofrece una vista panorámica de la Bahia de Quiberon y cómodos servicios que resaltan una mesa de calidad.

Dieses Haus in privilegiertem Umfeld, nur einige Meter vom Strand entfernt, bietet Ihnen einen Rundblick über die Bucht von Quiberon. Gehobener Komfort und qualitätsvolle Küche.

VANNES (56000)

Table de Prestige

RESTAURANT RÉGIS MAHÉ LE RICHEMONT

02 97 42 61 41

Place de la Gare - Fax : 02 97 54 99 01 - Menus : 25,15/57,93 € . Menu enfant : 18,29 € .
Classement : Table de Prestige

VANNES (56000)

Table Gastronomique

RESTAURANT DE ROSCANVEC

02 97 47 15 96 - roscanvec@wanadoo.fr

17 Rue des Halles - Fax : 02 97 47 86 39 - Menus : 17/74 € . Menu enfant : 12 € .
Classement : Table Gastronomique

La Reconnaissance Professionnelle

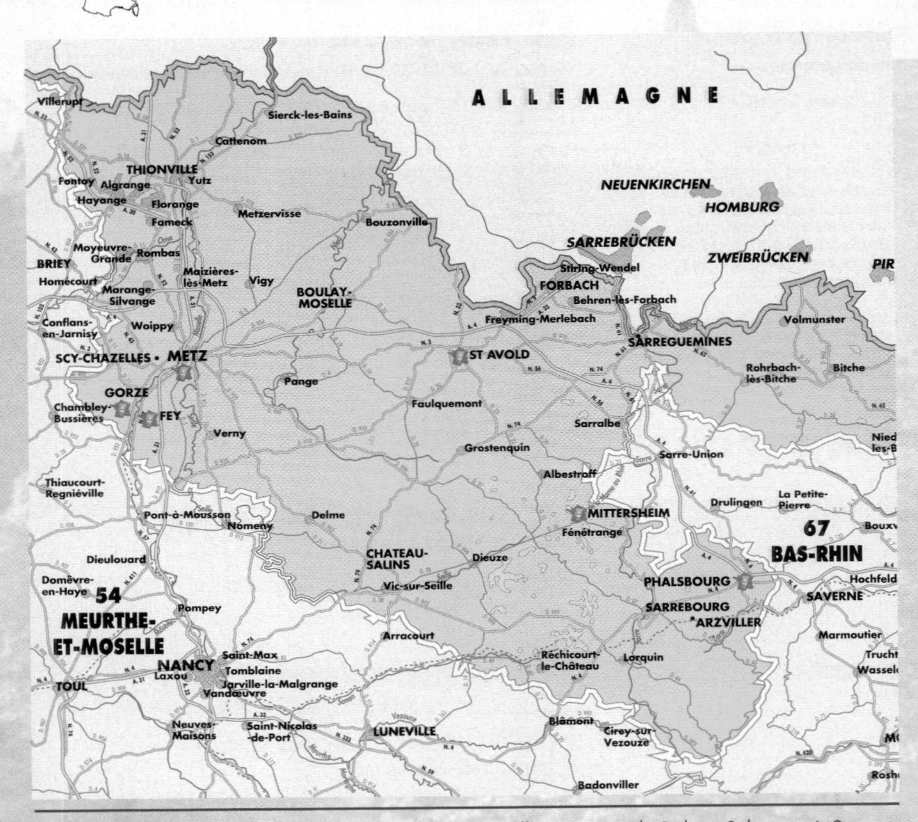

Sites Touristiques : Plan incliné de Saint-Louis Arzviller, Maison de Robert Schuman à Scy-Chazelles, La Route des Orgues, Parc animalier de Sainte Croix, Parc archéologique européen de Bliesbruck, Circuit de la Faïence à Sarreguemines, Château de Malbrouck, Musée Georges de La Tour à Vic sur Seille, Ecomusée des mines de fer de Lorraine à Neufchef, Musée du Sel à Marsal, le Simserhof (fort de la ligne Maginot), citadelle de Bitche, zoo d'Amnéville.

Saveurs de nos Terroirs : Mirabelle. Liqueurs et eaux de vie de Mirabelle. Tartes. Gibier. Foie gras de Phalsbourg. Macarons de Boulay.

Côtes de Vaux (Château de Vaux chez M. et Mme MOLOZAY).

Le Vignoble de Moselle est composé de 5 cépages différents : le Muller-Thurgau, l'Auxerrois, le Pinot Noir, le Pinot Gris et le Pinot Blanc.

Animations :

Mai/Juin : Festival Interrégional Jeune Public Alsace Lorraine, Théatrales de Rodemack (Théatre et Contes), XIVèmes

Septembre/Octobre : Fête de la Vigne et des traditions lorraines à Marange-Silvange, Fête des Vendanges à Marieulles-Vezon.

Décembre/Janvier : Fête du foie gras, Fête de la Saint Vincent, leçons de cuisine de la Moselle gourmande.

COMITÉ DÉPARTEMENTAL DU TOURISME DE LA MOSELLE

Hôtel du Département 1, Rue du Pont Moreau B.P. 11096 - 57036 - METZ CEDEX 1 -Tél. : 03 87 37 57 80 - Fax : 03 87 37 58 84

www.cdt-moselle.fr - cdt57@cg57.fr

FEY (57420)

Au coeur de la Lorraine, entre Metz (12 km) et Nancy.

Table Gastronomique

LES TUILERIES ★ ★

03 87 52 03 03 - lestuileries@wanadoo.fr

Route de Cuvry - M. VADALA - Fax : 03 87 52 84 24 - www.hotel-lestuileries.fr - Fermeture : Dimanche soir (restaurant).
Menus : 21/55 € . Menu enfant : 12 € . Petit déjeuner : 12 € .
41 chambres : 58/62 € . Demi pension : 54/68 € . Etape VRP : 72 € - Classement : Table Gastronomique

Dans un cadre des plus agréables avec vue sur le parc, un accueil chaleureux vous sera réservé. Spécialités : aumonière de grenouilles fraîches aux morilles et cuisses rôties à la provençale, dégustation d'agneau et cannelloni d'aubergines à la semoule jus épicé.
Chambres avec bain ou douche+WC+TV : Toutes.
Terrasse, jardin, parking privé, ascenseur, accès handicapés, TPS , canal+, climatisation, petit déjeuner buffet, salle de séminaires, chèques vacances, animaux acceptés

In a charming environment with views of a park, you will be warmly welcomed.

En un agradable lugar con vista al parque, una cálida acogida le espera. Usted podrá saborear las especialidades de la casa.

In einem äußerst angenehmen Rahmen mit Blick auf den Park erwartet Sie ein herzlicher Empfang.

GORZE (57680)

Au sein du Parc Régional de Lorraine. A 15 km de Metz.

Table Gastronomique

HOSTELLERIE DU LION D'OR ★ ★

03 87 52 00 90

105 Rue du Commerce - Lucien ERMAN - Fax : 03 87 52 09 62 - Fermeture : Dimanche soir et lundi.
Menus : 17/38 € . Menu enfant : 10 € . Petit déjeuner : 7 € .
16 chambres : 46/53 € . Demi pension : 61 € 1 pers. / 94 € 2 pers. Etape VRP : 60 € - Classement : Table Gastronomique

Les menus de l'Hostellerie du Lion d'Or mettent l'accent sur les produits frais et les spécialités du terroir lorrain. Sa carte se distingue en particulier par des plats réputés et une cave riche en crus de célèbre lignée. Spécialités : filet de truites aux queues d'écrevisses, grenouilles fraîches, gibier en saison. Vins : Côtes de Meuse, Côtes de Toul.

Chambres avec bain ou douche+WC+TV : Toutes.
Terrasse, jardin, accès handicapés restaurant, salle restaurant de caractère, salle de séminaires, chèques vacances, animaux acceptés

Menus in Hostellerie du Lion d'Or are especially made from fresh products of the market and traditional cooking. You will be able to taste well known recipes and appreciate the complete wine list.

Los menús de la Hostellerie du Lion d'Or hacen hincapié en los productos frescos y las especialidades lorenesas. Su carta se distingue sobre todo por sus platos famosos y por una estupenda bodega proveniente de célebres viñedos.

Die Menüs der Hostellerie du Lion d'Or heben besonders Frischprodukte und die ländlichen Spezialitäten der Lorraine hervor. Die Speisekarte zeichnet sich vor allem durch bekannte Gerichte und erlesene Weine aus.

METZ (57000)

A 300 m de la cathédrale.

Table Gastronomique

RESTAURANT A LA VILLE DE LYON

03 87 36 07 01

7 Rue des Piques - Michel VAUR - Fax : 03 87 74 47 17 - Fermeture : 26/07-23/08 ; dimanche soir ; lundi.
Menus : 19,82/47,30 € . Menu enfant : 6,90 € - Classement : Table Gastronomique

Michel VAUR vous réservera le meilleur accueil et vous fera partager sa cuisine traditionnelle.
Spécialités : queue de homard au Sauterne, tournedos rossini, rognons de veau grillés, soufflé glacé à la mirabelle, coupe lorraine.

Accès handicapés restaurant, climatisation, salle restaurant de caractère, salle de séminaires, chèques vacances, animaux acceptés au restaurant

Michel VAUR will reserve you the best welcome and will make you savour his specialities.

Michel VAUR le brindará una cálida acogida y le hará compartir su cocina tradicional.

Michel VAUR empfängt Sie bestens und teilt mit Ihnen seine traditionelle Küche.

MITTERSHEIM (57930)

A 20 km de Sarrebourg.

L'ESCALE ★ ★

03 87 07 67 01

33 Route de Dieuze - Jean-Paul NOE - Fax : 03 87 07 54 57 - Ouvert toute l'année.
Menus : 10/43 € . Menu enfant : 8,38 € . Petit déjeuner : 6,10 € .
13 chambres : 32/43 € . Demi pension : 48 € . Etape VRP : 48 € - Classement : Auberge du Pays

Situé au bord du lac de Mittersheim, avec vue sur le lac depuis les chambres, L'Escale est une halte gourmande. Des chambres tranquilles et confortables vous y attendent et une cuisine traditionnelle régionale vous est proposée.
Spécialités : choucroute, gibier, escargots du pays.

Chambres avec bain ou douche+WC+TV : Toutes.
Terrasse, parking privé, salle restaurant de caractère, salle de séminaires, chèques vacances, animaux acceptés

At the edge of the Mittersheim's lake, with view on the lake from the rooms, L'Escale is a pleasant halt. Rooms are quiet and comfortable and a traditional cooking is offered to you.

Ubicado a orillas del lago de Mittersheim, con vista del lago desde las habitaciones, L'Escale es una parada golosa. Usted podrá descubrir sus habitaciones tranquilas y cómodas y una cocina tradicional regional.

Am Ufer des Sees von Mittersheim, ist L'Escale eine Schlemmeretappe. Es erwarten Sie ruhige und bequeme Zimmer mit Blick auf den See und eine traditionelle, regionale Küche.

PHALSBOURG (57370)

A4 sortie Phalsbourg - nationale 4

AU SOLDAT DE L'AN II

03 87 24 16 16 - info@an2.com

1 Route de Saverne - Fax : 03 87 24 18 18 - Menus : 34/79 € . Menu enfant : 23 € .
Classement : Table de Prestige

ST AVOLD (57500)

A4 Sortie Saint Avold.

HÔTEL-RESTAURANT DE L'EUROPE ★ ★ ★

03 87 92 00 33 - sodextel@wanadoo.fr

7 Rue Altmayer - Fax : 03 87 92 01 23 - Menus à partir de 27 € . Menu enfant : 25 € .
34 chambres : 65/70 € - Classement : Table Gastronomique

Charme & Authenticité

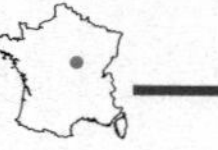

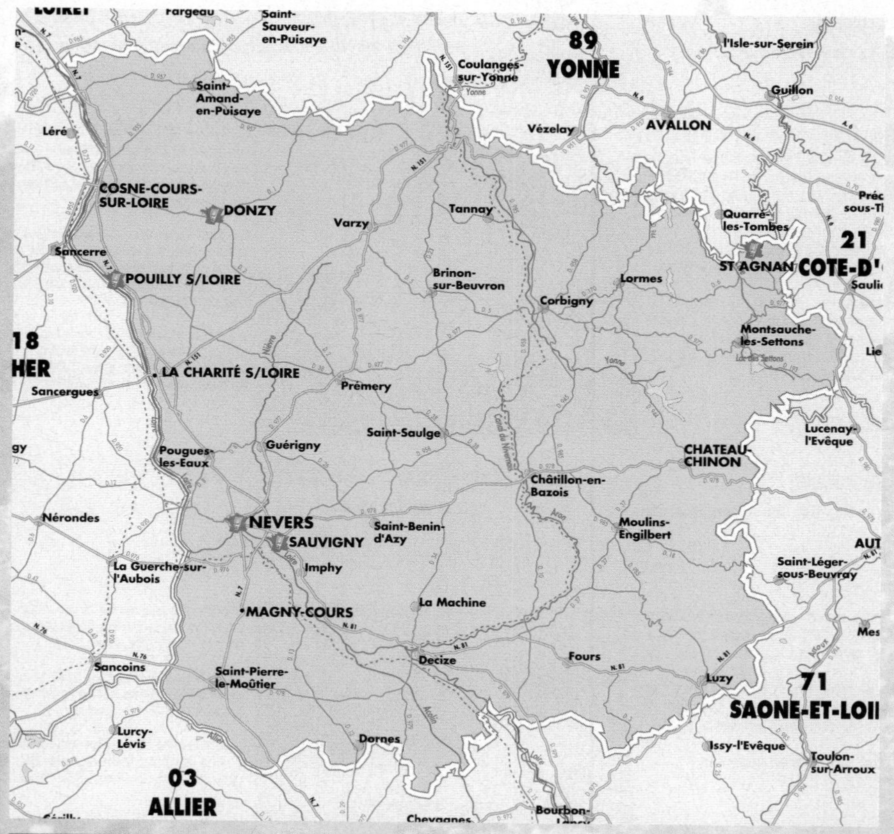

Sites Touristiques : Ville médiévale et ville du livre de la Charité-sur-Loire (inscrite à l'UNESCO), ancienne ville gallo-romaine de Bibracte, Centre Archéologique et musée de la Civilisation Celtique, Circuit international automobile et moto de Nevers-Magny-Cours, Canal du Nivernais (plaisance), Lac des Settons (Morvan).

Saveurs de nos Terroirs : Viande charolaise, salaisons du Morvan, poissons de loire, miel du Morvan.

Pouilly-sur-Loire et Pouilly fumé, Côteaux du Giennois, Côteaux Charitois.

Animations : Musée du Septennat à Château-Chinon, Musée Blandin de la Faïence à Nevers.

Juillet : Grand prix de France de Formule 1 au Circuit de Nevers-Magny-Cours, Festival de la Chanson Française à Lormes.

Novembre : Festival de Jazz à Nevers.

COMITÉ DÉPARTEMENTAL DU TOURISME DE LA NIEVRE

3, Rue du Sort - 58000 - NEVERS -Tél. : 03 86 36 39 80 - Fax : 03 86 36 36 63

www.nievre-tourisme.com - cdt.nievre58@wanadoo.fr

DONZY (58220)

A 15 km de Cosne sur Loire.

LE GRAND MONARQUE ★ ★

03 86 39 35 44 - monarque.jacquet@laposte.net

10 Rue de l'Etape - Joséphine JACQUET - Fax : 03 86 39 37 09
Fermeture : 10/01-10/02 ; dimanche soir et lundi (15/10-15/04). - Menus : 14/36 € . Menu enfant : 9 € .
Petit déjeuner : 7 € .11 chambres : 45/69 € . Demi pension : 65/91 € . Etape VRP : 54,50 € - Classement : Table Gastronomique

Situé au calme dans la plus belle rue de Donzy, avec sa façade en pierre apparente et son escalier hélicoïdal du XVIème siècle, c'est l'hôtel le plus typique de la Nièvre. Vous y apprécierez le confort des chambres spacieuses et fonctionnelles avec douches multijets.
Spécialités : jambon en saupiquet donziais, andouillette au pouilly, sole farcie sur son émincé de poireaux.

Chambres avec bain ou douche+WC+TV : Toutes.
Terrasse, garage fermé, parking privé, accès handicapés restaurant, salle restaurant de caractère, salle de séminaires, chèques vacances, animaux acceptés, Menu Tables & Auberges de France

Located in calm in the most beautiful street of Donzy, with its apparent stone façade and its helical stairs of XVIth century, it is the most typical hotel of the Nievre. You will appreciate the comfort of the roomy and functional rooms .

En la tranquilidad y en la calle más bonita de Donzy, con su fachada de piedra aparente y su escalera helicoidal del siglo XVI, este es el hotel más típico de la Nièvre. Usted apreciará la comodidad de las habitaciones funcionales, espaciosas y podrá descubrir una cocina con platos regionales.

Das Hotel ist mit seiner Steinfassade und seiner Wendeltreppe aus dem 16. Jahrhundert typisch für das Nièvre. Ruhig, an der schönsten Strasse von Donzy gelegen. Genießen Sie den Komfort großer und komfortabel eingerichteter Zimmer.

NEVERS (58000)

Direction parking Saint Pierre, église St Etienne

RESTAURANT JEAN-MICHEL COURON

03 86 61 19 28

21 Rue Saint Etienne - Jean-Michel COURON - Fax : 03 86 36 02 96
Fermeture : 2/01-16/01 ; 17/07-7/08 ; dimanche soir, lundi et mardi.
Menus : 20/42 € - Classement : Table de Prestige

Sous les voûtes de cette ancienne chapelle du XIVème siècle, Jean-Michel COURON vous propose une cuisine inventive de grande qualité qui satisfera plus d'un gourmet.
Parmi les spécialités : tarte de tomates au chèvre frais et jambon du Morvan, boeuf charolais, soupe tiède de chocolat aux épices et palmiers feuilletés au beurre.

Climatisation, salle restaurant de caractère

Under the vaults of this old vault of XIVth century, Jean-Michel COURON proposes you an inventive cooking of great quality which will satisfy more than one gourmet.

Bajo las bóvedas de esta antigua capilla del siglo XIV, Jean-Michel COURON le propone una cocina inventiva de gran calidad, que encantará a más de un gastrónomo.

Unter den Gewölben dieser früheren Kapelle aus dem 14. Jh. bietet Ihnen Jean-Michel Couron eine ideenreiche, vorzügliche Küche, die mehr als einen Feinschmecker zufrieden stellen.

SAUVIGNY LES BOIS (58160)

A 4 km d'Imphy et 10 km de Nevers.

AUBERGE DE SAUVIGNY

03 86 37 17 83 - aubergedesauvigny@wanadoo.fr

27 Route de l'Etang - Nathalie BOULAY et Cyril FONT - Fax : 03 86 37 17 83 - Fermeture : Lundi soir et mardi soir.
Menus : 7,65/24,40 € . Menu enfant : 8 € - Classement : Table de Terroir

Proche des bords de Loire et de Nevers, dans un petit village boisé et vallonné, Nathalie BOULAY et Cyril FONT, chef de cuisine, vous proposent de découvrir dans un cadre chaleureux et une ambiance conviviale, une cuisine de terroir, semi-gastronomique préparée avec la plus grande attention. Spécialités : hamburger de foie gras de canard maison et sa daube forestière, vinaigrette au jus de truffe ; crêpe de maïs et foie de volaille confits, déglacés au vinaigre de framboise ; mijoté de noix de joue de boeuf au vin rouge ; carpaccio d'ananas et pain d'épice aux 2 façons.
Terrasse, jardin, parking privé, accès handicapés restaurant, alle restaurant de caractère, salle de séminaires, animaux acceptés au restaurant

Near from the edge of the Loire and Nevers, in a small wooded and undulating village, Nathalie Boulay and Cyril Font proposes you to discover, in a cordial framework, a cooking of soil prepared with the greatest care.

Cerca de las orillas del Loire y del Nevers, en un pueblito arbolado y ondulado, Nathalie BOULAY y Cyril FONT, jefe de cocina, le proponen descubrir en un ambiente caluroso y sociable, una cocina regional, semi-gastronómica preparada con gran esmero.

In einem kleinen Dorf, in bewaldeter und hügeliger Umgebung bei Nevers, bieten Ihnen Nathalie Boulay und Cyril Font, der Chefkoch, eine ländliche, halbgastronomische Küche, die sie mit Sorgfalt zubereiten, in einer warmen und gastlichen Atmosphäre.

ST AGNAN (58230)

Au Nord de Château Chinon, à 13 km de Saulieu.

LA VIEILLE AUBERGE ★ ★

03 86 78 71 36

Annick GAURIAT - Fax : 03 86 78 71 57 - Fermeture : 2/12-26/12 ; 5/01-10/02 ; lundi et mardi.
Menus : 15/35 € . Menu enfant : 9 € . Petit déjeuner : 7,50 € .
8 chambres : 42/55 € . Demi pension : 45 € - Classement : Auberge du Pays

A 4 km de la Maison du Parc Naturel du Morvan, cette auberge vous offrira un accueil familial, des chambres douillettes, le tout dans un cadre chaleureux et rustique. Cuisine traditionnelle préparée par le patron. Spécialités : travers de porc au miel, pavé de charolais, persillade d'escargots et sa roulade de pieds de porc panés, oeufs pochés à la crème d'échalotes. Chambres avec bain ou douche+WC+TV : Toutes. Accès handicapés, petit déjeuner buffet, salle restaurant de caractère, salle de séminaires, animaux acceptés

4 kilometres from of the Natural Park of Morvan, this inn offers you a friendly welcome and traditional cooking in a rustic and warm setting.

A 4 km de la Casa del Parque Natural del Morvan, este hostal le brindará una acogida familiar, en un ambiente caluroso y rústico. Cómodas habitaciones. Cocina tradicional preparada por el dueño.

4 km vom Nationalpark von Morvan entfernt, bietet Ihnen diese Herberge einen gastfreundlichen Empfang, gemütliche Zimmer und das Ganze in einem rustikalen und warmherzigen Rahmen. Die traditionelle Küche wird vom Küchenchef zubereitet.

La Reconnaissance Professionnelle

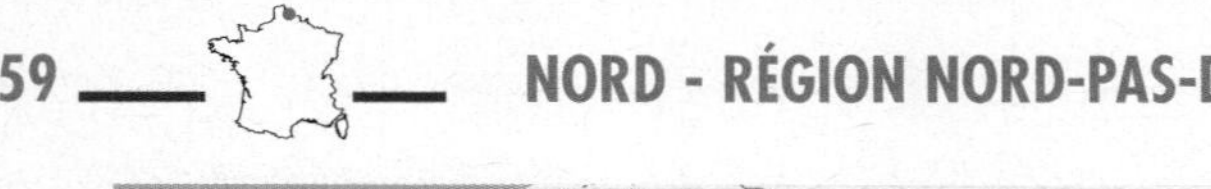

Sites Touristiques : Palais des Beaux Arts de Lille, Musée d'Art et d'Industrie de Roubaix (La Piscine), Centre Historique Minier de Lewarde, Eco Musée de Fourmies, Musée Matisse Le Cateau Cambrésis, Musée des Beaux Arts de Valenciennes, Musée portuaire de Dunkerque.

Saveurs de nos Terroirs : Maroilles, Potjevleesch, Waterzooi, Carbonades flamandes, flamiche au maroilles, langue lucullus, Gaufres à la vergeoise, Chicorée, Bétises de Cambrai.

Bières (3 Monts, Esquelbecq, Jenlain, Choulette), Genièvre de Wambrechies, Limonade à la Violette, Jus de Pomme de l'Avesnais.

Animations :

Février/Mars : Carnaval de Dunkerque.
Juin : Journées Nationales des Moulins, Brocante de Maroilles.
Juillet : Fêtes de Gayant, Festival des Folklores du Monde.
Septembre/Octobre : Braderie de Lille, Cucurbitades de Marchiennes.
Décembre : Braderie de l'Art à Roubaix.

COMITÉ DÉPARTEMENTAL DU TOURISME DU NORD
6 Rue Gauthier de Châtillon B.P. 1232 - 59013 - LILLE CEDEX -Tél. : 03 20 57 59 59 - Fax : 03 20 57 52 70
www.cdt-nord.fr - contact@cdt-nord.fr

BONDUES (59910)

A 8 km de Lille.

AUBERGE DE L'HARMONIE

03 20 23 17 02

36 Place de l'Abbé Bonpain - Fax : 03 20 23 05 99 - Menus : 25/80 € . Menu enfant : 15 € .
Classement : Table Gastronomique

CAMBRAI CEDEX (59403)

CHÂTEAU DE LA MOTTE FÉNÉLON ★ ★ ★

03 27 83 61 38

Allée Saint Roch B.P. 174 - Fax : 03 27 83 71 61 - Menus : 22/38 € . Menu enfant : 15 € .
40 chambres : 50/230 € - Classement : Table Gastronomique

LIGNY EN CAMBRÉSIS (59191)

A 3 km de Caudry et 15 km de Cambrai.

LE CHÂTEAU DE LIGNY ★ ★ ★ ★

03 27 85 25 84 - contact@chateau-de-ligny.fr

2 Rue Pierre Curie - Jean & Paulette LENGLET - Fax : 03 27 85 79 79 - www.chateau-de-ligny.fr
Fermeture : Lundi ; février. - Menus : 48/82 € . Menu enfant : 20 € .
26 chambres dont 16 suites : 120/440 € - Classement : Table de Prestige

Dans un parc de 2 ha, îlot de quiétude, se dresse le château de Ligny, l'une des plus belles demeures au nord de Paris. Découvrez l'hospitalité raffinée, les salons intimes, les salles à manger personnalisées. Les chefs perpétuent la tradition d'une cuisine gastronomique novatrice aux saveurs inédites. La cave est un festival de vins rares. Spécialités : tarte friande de rouget barbet au romarin, macération d'herbes à la fleur de sel, tourte de volaille de Licques au foie gras, soufflé chaud à la chicorée.
Chambres avec bain ou douche+WC+TV : Toutes.
Terrasse, jardin, garage fermé, parking privé, ascenseur, accès handicapés, chaînes satellites, climatisation, salle de séminaires

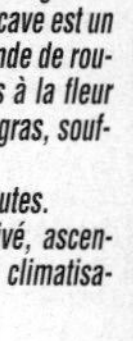

In a park of 2 ha, small island of quietness, draws up the castle of Ligny, one of the most beautiful house in the north of Paris.Discover refined hospitality, intimate lounges, personalized dining rooms. The Chiefs perpetuate the tradition of an innovative gastronomic kitchen The cellar is a festival of rare wine.

En la calma de un parque de 2 ha., espacio de quietud, se destaca el Château de Ligny, una de las más bellas moradas del norte de París. Descubra su delicada hospitalidad , la intimidad de sus salones y sus finos comedores. Los jefes perpetúan la tradición de una cocina gastronómica añadiendo sabores inéditos. La bodega es un festival de vinos raros.

In einem 2 ha großen Park, Insel der Ruhe, erhebt sich das Château de Ligny, eines der schönsten Häuser im Norden von Paris. Entdecken Sie feine Gastlichkeit, intime Salons und personalisierte Speisesäle. Die Küchenchefs lassen die Tradition einer gastronomischen, neuen Küche von noch nicht dagewesenen Geschmäckern fortbestehen. Außerordentlicher Weinkeller mit seltenen Weinen.

LILLE (59000)

RESTAURANT LE SÉBASTOPOL

03 20 57 05 05 - n.germond@restaurant-sebastopol.fr

1 Place Sébastopol - Jean-Luc GERMOND - Fax : 03 20 40 11 31 - www.restaurant-sebastopol.fr
Fermeture : Samedi midi, dimanche soir et lundi midi. - Menus : 28/44 € . Carte : 65 € . Menu enfant : 14 € .
Classement : Table de Prestige

A quelques pas du Palais des Beaux Arts, Jean-Luc et Nicole GERMOND vous accueillent dans leur jolie maison. Ils vous feront découvrir une cuisine pleine de vérité, renouvelée au rythme des saisons.
Spécialités : gâteau de brochet aux pieds de porc, poissons de petits bateaux, assiette gourmande à la chicorée du nord.

Climatisation, animaux acceptés au restaurant

With some steps of the Palate of Beautiful Arts, Jean-Luc and Nicole GERMOND accomodate you in their pretty house. They will make you discover a cooking full with truth, renewed at the rate/rhythm of the seasons.

A algunos pasos del Palais des Beaux Arts, Jean-Luc y Nicole GERMOND le acogen en su bonita casa. Le harán descubrir una verdadera cocina, que se renueva al ritmo de las estaciones.

Ein paar Meter vom Palais des Beaux Arts, empfangen Sie Jean-Luc und Nicole Germond mit Freude in ihrem schönen Haus. Entdecken Sie dort eine Küche voller Wahrheit, je nach Jahreszeit neu erstellt.

MAUBEUGE (59600)

LE GRAND HÔTEL - RESTAURANT DE PARIS ★ ★

03 27 64 63 16 - grand.hotel.maubeuge@wanadoo.fr

1, Porte de Paris - Fax : 03 27 65 05 76 - Menus : 18/55 € . Menu enfant : 8 € . Petit déjeuner : 6 € .
30 chambres : 42/68 € - Classement : Table Gastronomique

SECLIN (59113)

A 10 km de Lille.

L'ESCALE DES FLANDRES ★ ★

03 20 90 09 59 - escale-flandres@wanadoo.fr

59 Rue Carnot - Michel GALERNE - Fax : 03 20 96 80 97 - www.escaledesflandres.com - Fermeture : 25/12-5/01 ; 15 jours en août ; samedi.
Menus : 16/45 € . Menu enfant : 10 € . Petit déjeuner : 5,50 € .
10 chambres : 46/53 € . Demi pension : 53/60 € . Etape VRP : 53/60 € - Classement : Table de Terroir

Les fresques murales relatant l'histoire de Seclin donnent le ton de l'établissement. Il s'agit avant tout d'une table locale, présentant des produits maison de qualité ainsi qu'un bon choix de vins. Ambiance chaleureuse, accueil et service à l'image des gens du nord. Spécialités : duo de foie gras maison sur toasts et magret de canard fumé, tournedos de filet de boeuf à la saveur des sous bois et son foie gras maison, moelleux au chocolat noir et ses écorces d'oranges confites à la mandarine impériale. Chambres avec bain ou douche+WC+TV : Toutes.Terrasse, garage fermé, parking privé, accès handicapés restaurant, chaînes satellites, petit déjeuner buffet, salle restaurant de caractère, salle de séminaires, chèques vacances, animaux acceptés

The mural frescos reporting the history of Seclin give the tone of the establishment. It acts above all of a local table, presenting products house of quality as well as a good choice of wines. Cordial environment, reception and service with the image of people of north.

Los frescos murales relatando la historia de Seclin dan el tono al establecimiento. Se trata, ante todo de una mesa local, presentando los productos caseros de calidad, así como una buena elección de vinos. Ambiente caluroso, acogida y servicio a la imagen de la gente del norte.

Die Wandfresken, die die Geschichte von Seclin erzählen, geben den Ton von diesem Haus wieder. Es handelt sich in erster Linie um eine lokale Tafel, die hochwertige, hausgemachte Produkte, sowie eine gute Auswahl an Weinen bietet. Warmes Ambiente, Empfang und Service ganz nach der Art des Nordens.

TOURCOING (59200)

Au nord de Lille. A22 sortie 15 ou 17

RESTAURANT LA BARATTE

03 20 94 45 63 - la.baratte@wanadoo.fr

395 Rue du Clinquet - Didier & Christine BAJEUX - Fax : 03 20 03 41 84 - http://perso.wanadoo/labaratte
Fermeture : 31/07-22/08 ; vacances scolaires Pâques ; samedi midi, dimanche soir et lundi. - Menus : 19/50 € .
Menu enfant : 10 € - Classement : Table Gastronomique

Christine et Didier BAJEUX seront heureux de vous accueillir à la Baratte et de vous faire découvrir une cuisine à la fois traditionnelle et inventive rythmée par les saisons. Spécialités : noix de saint jacques rôties au jus de viande et endives, suprême de faisan rôti purée de pommes de terre et girolles, pigeonneau rôti aux poires et endives, escalopes de ris de veau aux échalotes rôties, duo de chocolats en biscuit pogrès, pain perdu brioché à la cassonade.

Jardin, climatisation, salle restaurant de caractère, salle de séminaires, animaux acceptés au restaurant

Christine and Didier BAJEUX will be happy to welcome you at the Baratte and to make you discover a traditional and inventive cooking following the seasons

Christine y Didier BAJEUX estarán contentos de acogerle en La Baratte y de hacerle descubrir una cocina tradicional e inventiva que sigue el ritmo de las estaciones.

Christine und Didier BAJEUX freuen sich Sie in la Baratte zu empfangen und Ihnen eine traditionelle, einfallsreiche und den Jahreszeiten folgende Küche zu servieren.

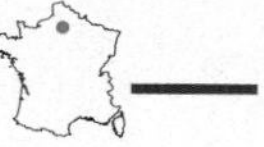

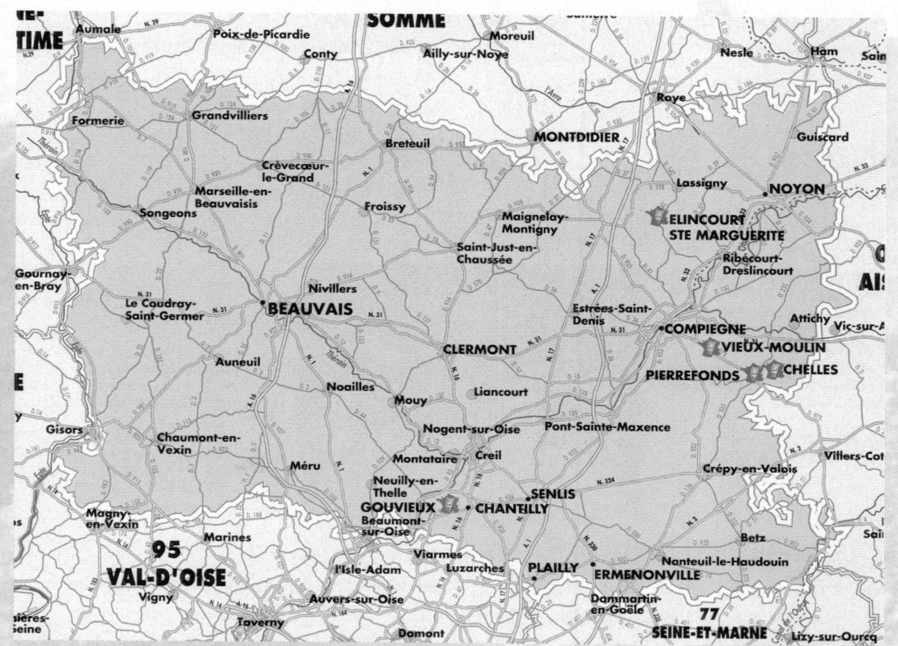

Sites Touristiques : Mer de sable à Ermenonville, Parc Astérix à Plailly, Parc Saint-Paul à Saint-Paul, Cathédrale Saint-Pierre et l'Horloge Astronomique, Cathédrales de Beauvais, Senlis, Noyon ; Châteaux de Chantilly, Compiègne, Pierrefonds.

Saveurs de nos Terroirs : Fruits rouges du Noyonnais, crème Chantilly, tome au foin, foie gras, fromage de chèvre.

Cidre, Cidre de Poire, Poirette de Picardie, Bière (brasserie Saint Rieul), nectar de rhubarbe.

Animations : Musée Départemental de l'Oise à Beauvais, Musée de la Nacre et de la Tabletterie à Méru, Moulin-Musée de la Brosserie à Saint-Félix, Musée Condé et Musée Vivant du Cheval à Chantilly, Musées Nationaux du Château de Compiègne, Musée de l'Armistice à Rethondes, Musée Jacquemart André à Fontaine-Chaalis.

Juin : Prix de Diane Hermès à Chantilly, Nuits de Feu dans l'Oise à Chantilly.

Septembre : Les 35 clochers de la Vallée de l'Automne.

COMITÉ DÉPARTEMENTAL DU TOURISME DE L'OISE

19, Rue Pierre Jacoby B.P. 80822 - 60008 - BEAUVAIS CEDEX -Tél. : 03 44 45 82 12 - Fax : 03 44 45 16 19

www.oisetourisme.com - cdt@oisetourisme.com

ELINCOURT STE MARGUERITE (60157)

A 15 km de Compiègne.

Table Gastronomique

CHÂTEAU DE BELLINGLISE ★ ★ ★ ★

03 44 96 00 33 - chateaudebellinglise@wanadoo.fr

Fax : 03 44 96 03 00 - Menus : 34/83 € . Menu enfant : 23,50 € . Petit déjeuner : 17 € (si servi en chambre). 35 chambres : 230/420 € - Classement : Table Gastronomique

GOUVIEUX (60270)

A 5 km de Chantilly.

Table Gastronomique

LA RENARDIÈRE

03 44 57 08 23

2 Rue des Frères Segard - Frédéric BAREI - Isabelle BLAINEAU - Fax : 03 44 57 30 37 - Fermeture : 1/08-15/08 ; dimanche soir et lundi. Menus : 16/46 € . Menu enfant : 8 € - Classement : Table Gastronomique

A 5 mn du Château de Chantilly, Chantilly capitale du cheval, toute l'équipe se fera le plaisir de vous recevoir dans un cadre chaleureux et rustique pour vous faire découvrir une cuisine raffinée et traditionnelle avec une carte de vins généreuse.
Spécialités : cuisses de grenouilles panées, coulis de persil ; noix de saint jacques aux fruits frais, tournedos rossini, merveilleux au chocolat.

Parking privé, accès handicapés restaurant, salle de séminaires, animaux acceptés au restaurant

To 5 mn of the Castle of Chantilly, Chantilly capital of the horse, all the team will be made the pleasure of receiving you in a cordial and rustic framework to make you discover a refined and traditional kitchen with a generous wine chart.

A 5 mn del Château de Chantilly, Chantilly capital del caballo, este establecimiento con todo su equipo, tendrá el placer de recibirle en un ambiente caluroso, rústico, para hacerle descubrir una cocina delicada y tradicional, con una amplia carta de vinos.

5 Min. vom Château de Chantilly (Chantilly - die Hauptstadt der Pferde), freut sich das ganze Team, Sie in einem warmen, rustikalen Rahmen zu empfangen. Entdecken Sie die erlesene und traditionelle Küche mit einer reichhaltigen Weinkarte.

PIERREFONDS (60350)

A 12 km de Compiègne

Auberge du Pays

HÔTEL DES ETRANGERS ★ ★

03 44 42 80 18 - info@hotel-pierrefonds.com

10 Rue du Baudon - Marie-Claude & Bernard DUCATILLON - Fax : 03 44 42 86 74 - www.hotel-pierrefonds.com Fermeture : Dimanche soir et lundi hors saison (restaurant) sauf réservation. - Menus : 16,50/30,50 € . Menu enfant : 11 € . Petit déjeuner : 8,50 € .18 chambres : 40/56 € . Demi pension : 80/95 € / 2 pers. Etape VRP : 60 € - Classement : Auberge du Pays

Venez découvrir l'ambiance chaleureuse et fleurie de cet établissement qui vous réservera un accueil personnalisé et saura vous faire partager sa gastronomie.
Spécialités : aumonière de Saint Jacques, magret de canard aux fruits rouges, camembert au lait cru flambé au Calvados, foie gras aux figues.
Chambres avec bain ou douche+WC+TV : 0-1-2-3-4-6-7-14-17-00.
Terrasse, jardin, accès handicapés restaurant, salle restaurant de caractère, salle de séminaires, chèques vacances, animaux acceptés

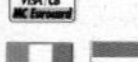

Come to discover the warm and floral ambiance of this establishment that will welcome you and let you savour its gastronomic cooking.

Venga a descubrir el ambiente caluroso y florido de este establecimiento que le brindará una acogida personalizada y le hará compartir su gastronomía.

Entdecken Sie das warmherzige und blühende Ambiente dieses Hauses. Hier wird Ihnen ein persönlicher Empfang bereitet und seine Gastronomie vorgestellt.

VIEUX MOULIN (60350)

A 7 km de Compiègne, 6 km de Pierrefonds.

Table Gastronomique

AUBERGE DU DAGUET

03 44 85 60 72

Face à l'Eglise - Anne-Marie COADOU - Fax : 03 44 85 61 28 Fermeture : 5/01-23/01 ; 12/07-23/07 ; lundi soir et mardi sauf jours fériés et groupes. - Menus : 22/41 € . Menu enfant : 15 € Classement : Table Gastronomique

Au coeur de la forêt de Compiègne, dans un petit village historique et touristique, l'Auberge du Daguet vous accueille dans un superbe décor médiéval et vous propose de découvrir une cuisine de passion, riche en goût, originale, de grande tradition française ou d'origine picarde. Spécialités : soufflé glacé de foie gras truffes et pêche, caillette de homard à la montijo, filet de canard à la rhubarbe, assiette saint hubert (noisettes de biche, sauté de sanglier, boudin maison sauce myrtilles), gâteau au chocolat, entremet de crêpes Suzette. Parking privé, accès handicapés restaurant, salle restaurant de caractère, salle de séminaires, animaux acceptés au restaurant

In the heart of the forest of Compiegne, in a small historical and touristic village, the Auberge du Daguet accomodates you in a superb medieval scenery and proposes to you to discover a cooking of impassioned, rich in taste, original, of great French tradition or Picardy origin.

En el corazón del bosque de Compiègne, en un pueblito histórico y turístico, el Auberge du Daguet le acoge en una magnífica decoración medieval y le propone descubrir una cocina hecha con pasión, rica en gusto, original, de gran tradición francesa o de origen picardo.

Mitten im Wald von Compiegne, in einem kleinen historischen und touristischen Dorf, empfängt man Sie in der Auberge du Daguet in einem prächtigen mittelalterlichen Dekor. Entdecken Sie dort eine leidenschaftliche Küche, geschmackvoll, originell nach französischer Tradition.

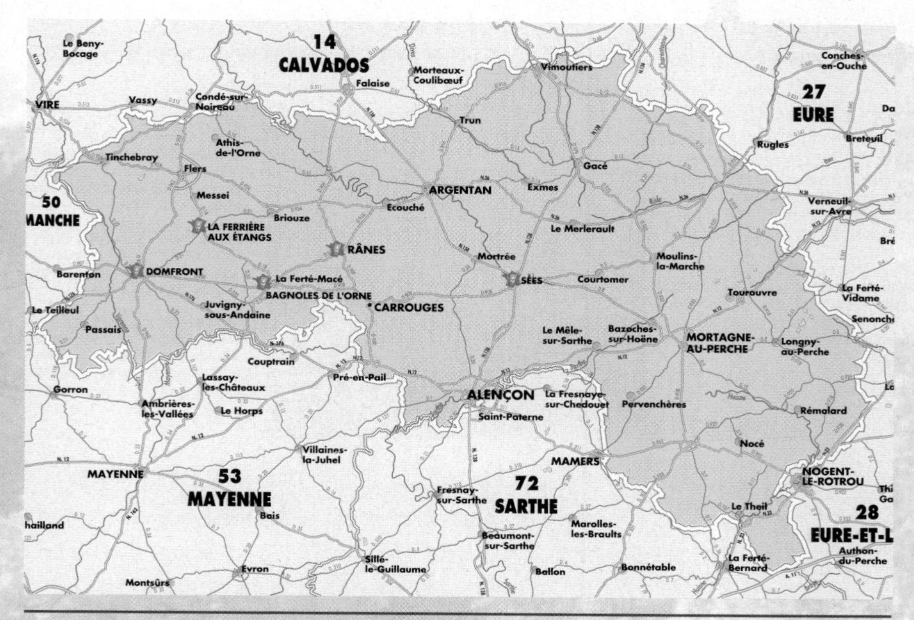

Sites Touristiques : Haras National du Pin, Station touristique de Bagnoles de l'Orne, Alençon et son musée des Beaux-Arts et de la Dentelle, Château de Carrouges.

Saveurs de nos Terroirs : Camembert, Produits laitiers en général dont la Teurgoule (spécialité de riz), Produits cidricoles (Calvados, Cidre, Pommeau, Poiré) et toutes les spécialités à base de pommes dont le Bourdin (tarte), Foie gras, Boudin noir de Mortagne au Perche.

Vergers de pommes donnant les A.O.C Calvados du Pays d'Auge, Cidre du Pays d'Auge ou Calvados du Domfrontais (à base de pommes et poires) et Pommeau de Normandie.

Vergers de poires donnant l'A.O.C. Poiré Domfront (le Domfrontais étant la seule région de production de Poiré en France).

Animations : Musée des Beaux-Arts et de la Dentelle à Alençon, Musée Mémorial de Montormel, Ferme Président à Camembert, Ecomusée du Perche à Saint-Cyr-la-Rosière.

Août/Septembre : Festival du Septembre Musical de l'Orne.

COMITÉ DÉPARTEMENTAL DU TOURISME DE L'ORNE
86, Rue Saint Blaise B.P. 50 - 61002 - ALENCON CEDEX -Tél. : 02 33 28 88 71 - Fax : 02 33 29 81 60
www.ornetourisme.com - info@ornetourisme.com

BAGNOLES DE L'ORNE (61140)

A 45 km d'Alençon.

Table de Prestige

LE MANOIR DU LYS ★ ★ ★

02 33 37 80 69 - manoirdulys@lemel.fr

Marie-France & Paul QUINTON - Fax : 02 33 30 05 80 - www.manoir-du-lys.fr

Fermeture : 2/01-14/02 ; dimanche soir et lundi de Toussaint à Pâques. - Menus : 27/76 €. Menu enfant : 13 €. Petit déjeuner : 13 €. 30 chambres : 60/160 €. Appartement : 190/280 €. Demi pension : 80/170 €. Etape VRP : 80 € - Classement : Table de Prestige

En lisière de forêt, la famille Quinton vous accueille dans son chaleureux manoir entièrement rénové et vous propose une cuisine très inventive aux couleurs de la Normandie. Egalement week-end à thèmes : champignons, foie gras, cuisine du cochon.

Chambres avec bain ou douche+WC+TV : Toutes. Terrasse, jardin, garage fermé, parking privé, piscine d'été, piscine d'hiver, tennis, ascenseur, accès handicapés, chaînes satellites, canal+, petit déjeuner buffet, salle restaurant de caractère, chèques vacances, animaux acceptés

In skirt of forest, the Quinton family accomodates you in her cordial entirely renovated manor and proposes you a very inventive cooking with the colors of Normandy. Also weekend with topics: mushrooms, foie gras, cooking of the pig

Lindera a un bosque, la familia Quinton le acoge en su morada completamente renovada y le propone una cocina muy inventiva con los colores de Normandía.También hay fines de semana a temas : hongos, cocina con cerdo...

Am Waldrand, empfängt Sie Familie Quinton in Ihrem komplett renovierten Landsitz und bietet Ihnen eine sehr ideenreiche Küche aus den Farben der Normandie. Speziell am Wochenende: Pilze, Entenleberpastete, Spezialitäten vom Schwein.

BAGNOLES DE L'ORNE (61140)

Auberge du Pays

LE CELTIC ★ ★

02 33 37 92 11 - leceltic@club-internet.fr

Rue du Docteur Noal - Erick ALIROL - Fax : 02 33 38 90 27 - www.leceltic.fr *- Fermeture : 20/01-5/03 ; dimanche soir et lundi hors saison. Menus : 15/28 €. Petit déjeuner : 6,80 €. 11 chambres : 38/45 €. Classement : Auberge du Pays*

Pour un soir, un week-end ou un séjour, venez découvrir tout le charme d'une demeure bourgeoise qui respire le calme et le bien-être. Autour de vous les petits soins attentifs d'une famille à votre écoute, heureuse de vous accueillir.
Spécialités : ravioli d'escargots en feuille de riz à la normande, ballotine de pigeon aux ris de veau et foie gras, blanc de turbot marmelade de bar et volaille, croque agrumes croustillante et sa mousse au citron.

Accès handicapés restaurant, petit déjeuner buffet, chèques vacances, animaux acceptés

For one night, a week-end or a longer stay, you will be welcomed with the charm of this quiet and cheerful place. The members of the house will treat you as a family host, happy to make you feel comfortable.

Para una noche, un fin de semana o una estancia, venga a descubrir el encanto de esta morada burguesa que refleja tranquilidad y bienestar. A su alrededor las mil delicadezas de una familia que está a su escucha, feliz de acogerle.

Für einen Abend, ein Wochenende oder einen längeren Aufenthalt, entdecken Sie den Charme eines Bürgerhauses, das Ruhe und Wohlergehen ausstrahlt. Um Sie herum erleben Sie die Aufmerksamkeiten einer Familie, die auf Sie eingeht und die Sie mit Freude empfängt.

La Reconnaissance Professionnelle

DOMFRONT (61700)

A 80 km de Caen.

Table de Terroir

LE RELAIS SAINT MICHEL ★ ★

02 33 38 64 99 - Relais.Saint.Michel.Prodhomme@wanadoo.fr

5 Rue du Mont Saint Michel - Claudine & Michel PROD'HOMME - Fax : 02 33 37 37 96 - www.hotellerelaisstmichel.com - Fermeture : 22/12-18/01 ; vendredi et dimanche soir hors saison sauf réservations. - Menus : 11/25 € . Menu enfant : 6,50 € . 13 chambres : 22/46 € (1 pers). Soirée normande : 64/94 € 2/pers. (dîner, nuitée, petit déjeuner). Demi pension : 35/50 € /1 pers. Etape VRP : 33/62 € - Classement : Table de Terroir

Sur un des circuits des plus beaux détours de France, sur la route du Mont Saint Michel, tout près de la cité médiévale de Domfront où subsistent de nombreux vestiges d'un riche passé historique, Le Relais Saint Michel est l'étape idéale où vous serez accueilli en qualité d'hôte ! Spécialités : foie gras maison, andouille grillée à la moutarde à l'ancienne, tripes faites par le patron, potée normande, pétales ou navarin de saint jacques, douillon aux pommes, délice normand. Chambres avec bain ou douche+WC+TV : 1-6-7-9-11-12-14-15-16-19. Terrasse, garage fermé, parking privé, accès handicapés restaurant, TPS, chaînes satellites, salle de séminaires, chèques vacances, animaux acceptés

On one of the circuits of the most beautiful turnings of France, on the road of the Mount St Michel, very close to the medieval city of Domfront where remain of many relics, the Relais St Michel is the ideal stop where you will be welcome like guest !

Por uno de los circuitos más bellos de Francia, muy cerca de la ciudad medieval de Domfort, en donde subsisten numerosos vestigios de un rico pasado histórico y por la ruta del Mont Saint Michel, Le Relais Saint Michel le brindará una agradable acogida y le hará descubrir sus especialidades.

Ganz in der Nähe der mittelalterlichen Stadt Domfront, wo zahlreiche Überreste einer reichen historischen Vergangenheit überlebt haben, ist Le Relais Saint Michel der ideale Zwischenstopp auf dem Weg zu Mont Saint Michel, einem der schönsten Routen Frankreichs. Hier werden sie als wahrer Gast empfangen.

LA FERRIERE AUX ETANGS (61450)

A 12 km de Flers.

Table Gastronomique

AUBERGE DE LA MINE

02 33 66 91 10

Le Gué Plat - Fax : 02 33 96 73 90 - Menus : 19/49 € . Menu enfant : 10 €
Classement : Table Gastronomique

RANES (61150)

A 16 km de Bagnoles de l'Orne et Argenton.

Table de Terroir

HÔTEL SAINT PIERRE ★ ★

02 33 39 75 14 - info@hotelsaintpierreranes.com

6 Rue de la Libération - Marc DELAUNAY - Fax : 02 33 35 49 23 - www.hotelsaintpierreranes.com - Fermeture : Vendredi soir (restaurant). Menus : 13/35 € . Menu enfant : 8 € . Petit déjeuner : 7 € . 12 chambres : 40/55 € . Demi pension : 50 € . Etape VRP : 55 € - Classement : Table de Terroir

Dans un paisible village au coeur du bocage normand, cet établissement vous réserve une halte de détente et de gastronomie. Accueil familial, raffinement du décor et saveurs du terroir sont les maîtres mots de cette maison. Parmi les spécialités : tripes, boeuf, cuisses de grenouilles, camembert.

Chambres avec bain ou douche+WC+TV : Toutes. Terrasse, garage fermé, parking privé, accès handicapés restaurant, salle restaurant de caractère, salle de séminaires, chèques vacances, animaux acceptés

In a peaceful village in the heart of the Norman farmland, this establishment holds you a halt of relaxation and gastronomy. Family reception, refinement of the decoration and savours of the soil are the Masters words of this house.

En un tranquilo pueblo en el corazón del boscaje normando, este establecimiento le propone una estancia de descanso y gastronómica. Acogida familiar, delicado ambiente y sabores regionales son las palabras claves de esta casa.

In einem friedlichen Dorf im Herzen der Normannischen Knicklandschaft, erwartet Sie in diesem Haus Entspannung und Gastronomie. Familiärer Empfang, feiner Dekor und Geschmäcker des Lands werden hier groß geschrieben.

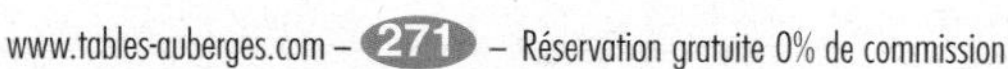

SÉES (61500)

A 15 km au Nord d'Alençon (N138).

LE CHEVAL BLANC ★ ★

02 33 27 80 48

1 Place Saint Pierre - Dominique PLESSIS - Fax : 02 33 28 58 05 - Fermeture : 3/02 -16/02 ; 10/11-30/11 ; vendredi.
Menus : 10,50/38 € . Menu enfant : 6,50 € . Petit déjeuner : 4,50 € .
9 chambres : 27/44,50 € . Demi pension : 40/50,50 € . Etape VRP : 42 € - Classement : Table de Terroir

Dominique PLESSIS vous souhaite un bon séjour au Cheval Blanc. Salles de restaurant et chambres donnent sur le square Place Saint Pierre, au calme. Spécialités : omelette au boudin, pavé de vire au Pommeau, ris de veau, pavé de loup aux coquillages.

Chambres avec bain ou douche+WC+TV : 6 à 12-14.
Terrasse, garage fermé, salle restaurant de caractère, chèques vacances

Dominique PLESSIS wishes you a pleasant stay at the Cheval Blanc. The dining-room and bedrooms have a view of the square of Saint Pierre.

Dominique Plessis le desea una buena estancia en el Cheval Blanc. Las salas del restaurante y las habitaciones dan al tranquilo jardincillo público de la Plaza Saint Pierre.

Dominique PLESSIS wünscht Ihnen einen angenehmen Aufenthalt im Cheval Blanc. Speisesäle und Zimmer gehen auf den Platz Saint Pierre.

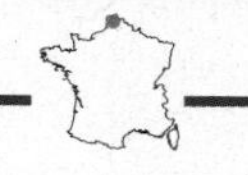

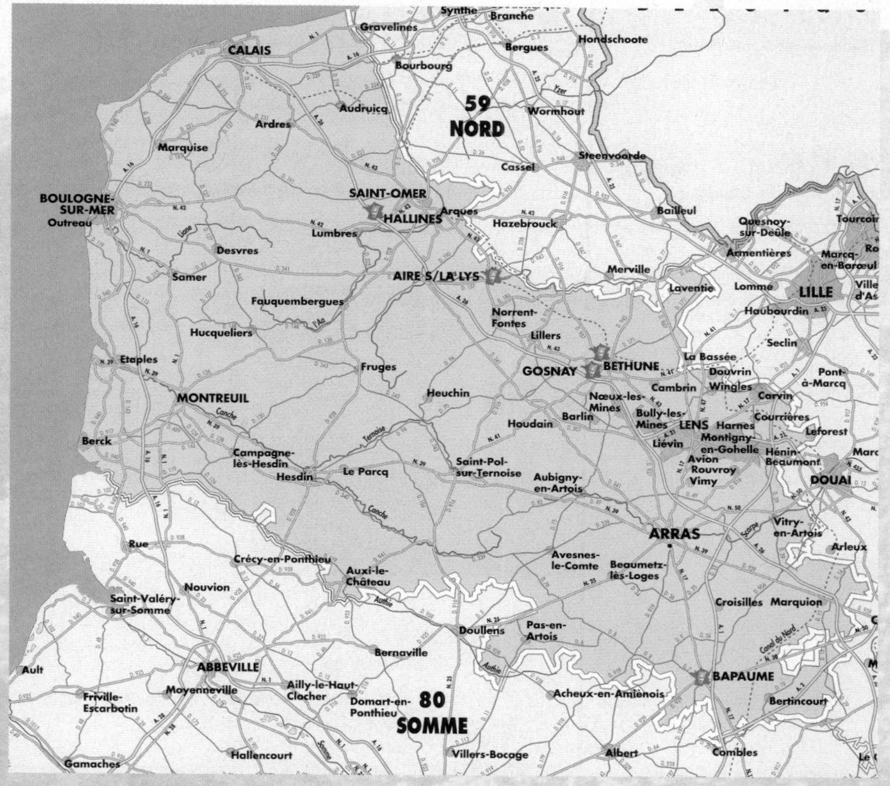

Sites Touristiques : Grand Site National des 2 Caps, Le Marais Audomarois, Les Places d'Arras.

Saveurs de nos Terroirs : Poissons et Fruits de mer, Fromage. Bière, Genièvre.

Animations : Nausicaa, Centre National de la Mer à Boulogne sur Mer ; La Coupole, Centre d'Histoire de la guerre et des Fusées à Saint Omer.
Avril : Rencontres Internationales de Cerfs-Volants à Berck sur Mer.
Juin : Festival de Sculptures de sables géantes à Hardelot.
Novembre : Fête du Hareng à Etaples sur Mer et Boulogne sur Mer.

COMITÉ DÉPARTEMENTAL DU TOURISME DU PAS-DE-CALAIS
Route de la Trésorerie B.P. 79 - 62930 - WIMEREUX -Tél. : 03 21 10 34 60
www.pas-de-calais.com - accueil@pas-de-calais.com

AIRE SUR LA LYS (62120)

Entre Béthune et Saint Omer.

Table Gastronomique

HOSTELLERIE LES TROIS MOUSQUETAIRES ★ ★ ★ ★

03 21 39 01 11 - phvenet@wanadoo.fr

*Château du Fort de la Redoute - Fax : 03 21 39 50 10 - Menus : 21/44 € . Menu enfant : 11 € .
33 chambres : 50/130 € - Classement : Table Gastronomique*

BAPAUME (62450)

A 25 km d'Arras et Cambrai.

Auberge du Pays

LE GOURMET ★

03 21 07 20 00 - legourmet.bapaume@wanadoo.fr

*10 Rue de la Gare - Martine RINGARD - Fax : 03 21 07 98 81 - http://site.voila.fr/legourmet - Fermeture : Dimanche soir.
Menus : 9,50/27 € . Menu enfant : 7 € . Petit déjeuner : 4,20 € .
8 chambres : 28/34 € . Demi pension : 40/47 € . Etape VRP : 42 € - Classement : Auberge du Pays*

Au coeur d'une cité sympatique et dynamique, M. et Mme Ringard seront heureux d'organiser avec vous vos repas de fête, ou tout simplement votre étape du jour. Une cuisine simple et soignée vous sera proposée. Spécialités : ficelle bapelmoise (crêpe fourrée aux endives), potchevelsch maison, pavé de boeuf sauce maroilles.

*Chambres avec bain ou douche+WC+TV : 8.
Accès handicapés restaurant, salle de séminaires, chèques vacances, animaux acceptés au restaurant*

In the heart of a sympatic and dynamic city, Mr. and Mrs. Ringard will be happy to organize with you your meals of fests, or quite simply your stage of the day. A simple cooking will be proposed to you.

En el corazón de una ciudad simpática y dinámica, el Sr. y la Sra Ringard estarán encantados de organizar para usted una comida de fiesta o simplemente la del día de su etapa. Cocina esmerada y sencilla.

Im Herzen einer sympathischen und dynamischen Stadt, freuen sich M. und Mme. Ringard darauf mit Ihnen Ihre Festessen zu planen oder einfach Ihre Tagesetappe zu organisieren. Einfache gepflegte Küche.

BETHUNE (62400)

Table de Prestige

LE MEURIN ★ ★ ★

03 21 68 88 88

*15 Place de la République - Marc MEURIN - Fax : 03 21 68 88 89 - www.le-meurin.fr - Fermeture : 2/01-10/01 ; 1/08-22/08.
Menus : 33,54/83,85 € . Menu enfant : 22,87 € . Petit déjeuner : 10,67 € .
7 chambres : 83,85/129,58 € - Classement : Table de Prestige*

*Cette maison bourgeoise avec jardin d'hiver vous accueille chaleureusement et vous propose une cuisine créative.
Parmi les spécialités : feuilleté de foie gras de canard au chou rouge, turbot cotier, croustille de pieds de porc.*

*Chambres avec bain ou douche+WC+TV : Toutes.
Animaux acceptés*

This middle-class house with wintergarden accomodates you cordially and proposes to you a creative cooking.

Esta casa burguesa con jardín de invierno le acoge calurosamente y le propone una cocina creativa. Usted podrá saborear sus especialidades.

Dieses Bürgerhaus mit Wintergarten bietet Ihnen herzliche Gastlichkeit und eine kreative Küche.

La Reconnaissance Professionnelle

GOSNAY (62199)

A 4 km de Béthune.

LA CHARTREUSE DU VAL SAINT ESPRIT ★ ★ ★ ★

03 21 62 80 00 - levalsaintesprit@lachartreuse.com

1 Rue de Fouquières - Jean CONSTANT - Fax : 03 21 62 42 50 - www.lachartreuse.com - Ouvert toute l'année.
Menus : 29/62 € . Petit déjeuner : 10 € . 67 chambres : 80/297 € . Demi pension : 80/135 € . Etape VRP : 86 €
Classement : Table Gastronomique

Dans le décor raffiné du restaurant gastronomique La Chartreuse, savourez une cuisine novatrice et traditionnelle. Toute l'équipe vous réservera un service attentionné. Spécialités : escalope de ris de veau et grosse langoustine, poêlée de courgettes au thym, émulsion et son jus à la réglisse ; dos de turbot en briochine, poêlée de girolles, lasagne de céleri à la crème de verjus.

Chambres avec bain ou douche+WC+TV : Toutes. Terrasse, jardin, parking privé, tennis, ascenseur, accès handicapés, canal+, petit déjeuner buffet, salle de séminaires, animaux acceptés

In a warm and convivial setting, all the team will reserve you a thoughtful service and will offer you a cooking of quality.

En un ambiente cálido y convivial, todo el equipo le brindará un esmerado servicio y le hará compartir una cocina de calidad.

In einem warmen und freundlichen Rahmen, erwartet Sie ein aufmerksamer Service und eine hervorragende Küche.

HALLINES (62570)

A 7 km de Saint Omer.

HOSTELLERIE SAINT HUBERT ★ ★ ★ ★

03 21 39 77 77

1 Rue du Moulin - Fax : 03 21 93 00 86 - Menus : 34/54 € . Menu enfant : 16 € .
8 chambres : 70/122 € - Classement : Table Gastronomique

La Reconnaissance Professionnelle

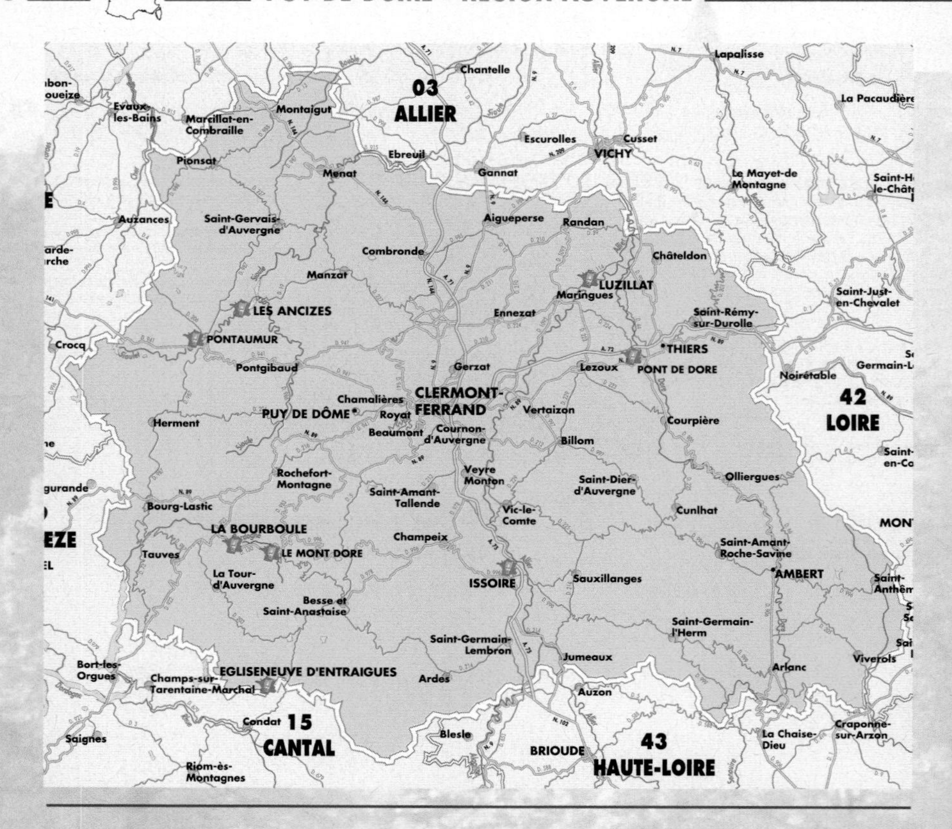

Sites Touristiques : Le Puy de Dôme (1463 m), Le Puy de Sancy (1886 m), Vulcania (Centre Européen du Volcanisme), Thiers (capitale de la Coutellerie), Ambert (ville papetière).

Saveurs de nos Terroirs : Potée auvergnate, gigot brayaude, pintade aux choux, tourte au bleu d'Auvergne, clafoutis aux cerises.

Boudes, Chanturgue, Chateaugay, Madargues & Corent (Côtes d'Auvergne VDQS)

Animations : Maison des Couteliers à Thiers, Moulin Richard de Bas à Ambert, Musée d'Art Roger Quilliot à Clermont Ferrand, Manoir de Veygoux à Charbonnières-les-Varennes.

Mai/Octobre : Son et lumière : La Nuit où le volcan se réveille au Puy de Lemptegy à Saint-Ours-les-Roches, Soirées de Chazeron. au Château de Chazeron à Loubeyrat, Saison de la Jasserie du Coq Noir à Saint-Anthème.

ASSOCIATION DÉPARTEMENTALE DE DEVELOPPEMENT TOURISTIQUE DU PUY-DE-DÔME
Place de la Bourse - 63038 - CLERMONT-FERRAND CEDEX 1 -Tél. : 04 73 42 22 50 - Fax : 04 73 42 22 65
www.planetepuydedome.com - tourisme.63@planetepuydedome.com

EGLISENEUVE D'ENTRAIGUES (63850)

A 16 km de Besse en Chandeze.

HÔTEL D'ENTRAIGUES

04 73 71 90 09

Place de la Poste - Michelle & Michel CHANET - Fax : 04 73 71 90 09 - Ouvert toute l'année.
Menus : 13,50/22 € . Menu enfant : 6,10 € . Petit déjeuner : 4,50 € .
23 chambres : 21,50/34,50 € . Demi pension : 26/30 € . Etape VRP : 30,50 € - Classement : Auberge du Pays

Situé au coeur de l'Auvergne, au carrefour de grandes randonnées (GR4 et GR30), cet établissement vous réservera un accueil personnalisé et vous fera partager les spécialités de sa région. Spécialités : tarte saint nectaire, truffade, potée, aligot, chou farci, saumon au cantal.
Terrasse, salle restaurant de caractère, salle de séminaires, chèques vacances, animaux acceptés

Located in the heart of Auvergne, at the heart of hiking country (GR4 and GR30), this establishment will reserve you a personal welcome and will make you savour specialities from the region.

En el corazón de Auvergne, en la encruzijada de grandes senderismos (GR4 y GR30), este establecimiento le brindará una acogida personalizada y le hará compartir las especialidades de su región.

Im Herzen der Auvergne bereitet Ihnen das Haus an der Kreuzung zweier großen Wanderwege einen persönlichen Empfang und stellt Ihnen die regionalen Spezialitäten vor.

ISSOIRE (63500)

Au sud de Clermont-Ferrand

LE RELAIS

04 73 89 16 61

1 Avenue de la Gare - Jean-Louis MALLET - Fax : 04 73 89 55 62 - Fermeture : 15/02-28/02, 25/10-5/11, dimanche soir, lundi hors saison.
Menus : 10/35 € . Menu enfant : 9 € . Petit déjeuner : 5,50 € . 6 chambres : 31/55 € .
Demi pension : 36,50/48 € . Etape VRP : 48/54 € - Classement : Auberge du Pays

Au centre d'Issoire, face au parc et à l'église Saint Austremoine, Le Relais vous réservera un accueil convivial et vous proposera sa cuisine traditionnelle faite par M. MALLET, Chef de Cuisine.
Spécialités : escalope de saumon au champagne, pavé d'autruche à la graine de moutarde, vacherin maison, spécialités régionales.

Chambres avec bain ou douche+WC+TV : 3-4-5-6.
Terrasse, garage fermé, salle de séminaires, chèques vacances, animaux acceptés

In the heart of Issoire, in front of a public garden and close to the Saint Austremoine church, Le Relais will reserve you the best welcome and will offer you a traditional cooking made by M. Mallet, Chef of cooking.

En el centro de Issoire, frente al parque y a la iglesia Saint Austremoine, Le Relais le propone una calurosa acogida y una cocina tradicional hecha por M. MALLET, Jefe de Cocina.

Im Herzen der Issoire, vor einem Park und der Saint-Austremoine Kirche, bietet Ihnen Le Relais einen gastfreundlichen Empfang und traditionelle Küche von M.MALLET, dem Küchenchef.

LA BOURBOULE (63150)

En centre ville, face aux Thermes.

Auberge du Pays

LES SOURCES ★

04 73 81 01 48 - moniqueterpereau@wanadoo.fr

30 Place Choussy - Monique TERPEREAU - Fax : 04 73 81 15 32 - www.chez.com/lessources - Fermeture : 1/10-31/01
Menus : 8,50/14 € . Menu enfant : 6,50 € . Petit déjeuner : 4,30 € .
18 chambres : 18,50/32 € . Demi pension : 24,50/34 € . Etape VRP : 25,50/34 € - Classement : Auberge du Pays

Oasis de calme au coeur de la station, l'Hôtel des Sources, situé au centre du Massif du Sancy, point de départ de nombreuses randonnées offre un hébergement confortable et une cuisine soignée.
Spécialités : tripoux d'auvergne, truite au bleu d'auvergne, truffade et son jambon de pays.

Chambres avec bain ou douche+WC+TV : 1-3-4-5-7-9-10-11-18.
Accès handicapés restaurant, salle restaurant de caractère, chèques vacances, animaux acceptés

This place in the heart of the spa is an oasis of calm.The Hôtel des Sources (situated in the middle of the Massif du Sancy starting point of several hikes) offers comfortable accomodations and a well done cooking

Un oasis tranquilo en el corazón de la estación. El Hôtel des Sources, ubicado en el centro del Massif du Sancy, es el punto de partida de numerosas excursiones. Usted descubrirá un cómodo hospedaje y una esmerada cocina.

Das Hotel des Sources ist eine Oase der Ruhe im Herzen einer Station im Zentrum vom Massif du Sancy. Sie ist Ausgangspunkt für zahlreiche Wanderungen, bietet bequeme Übernachtungsmöglichkeiten und eine gepflegte Küche.

LE MONT DORE (63240)

A 50 km de Clermont Ferrand.

Table Gastronomique

HÔTEL DE LA PAIX - RESTAURANT LE TSAR ★ ★

04 73 65 00 17 - contact@hotel-de-la-paix.info

8 Rue Rigny - M. & Mme Gilles PERROT - Fax : 04 73 65 00 31 - www.hotel-de-la-paix.info - Fermeture : 10/10 -22/12.
Menus : 19/49 € . Menu enfant : 11 € . Petit déjeuner : 8,50 € . 36 chambres : 37/60 € . Demi pension : 55 € /1 pers.)/83 € .
Pension complète : 60 € /1 pers./100 € - Classement : Table Gastronomique

Au coeur du pays des volcans, dans une salle fin du XVIIIème siècle, le chef cuisinier Benoît HOBON vous fera découvrir sa cuisine gastronomique et ses spécialités à base de produits du terroir : foie gras mi-cuit aux figues, filet mignon de porc en croûte au saint nectaire, langouste à l'impériale...

Chambres avec bain ou douche+WC+TV : Toutes.
Parking privé, ascenseur, accès handicapés restaurant, TPS, chaînes satellites, petit déjeuner buffet, salle restaurant de caractère, chèques vacances, animaux acceptés

In the heart of the volcano region and in a belle epoque building, the Chief Benoît Hobon will make you discover a gastronomic cooking and specialities based on regional products.

En el corazón del país de los volcanes, en un salón de fines de siglo XVIII, el jefe cocinero Benoît HOBON le hará descubrir una cocina gastronómica y sus especialidades a base de productos regionales.

Im Herzen der Vulkanlandschaft, entdecken Sie den Speisesaal im Jugendstil, in dem Sie die gastronomische Küche und regionale Spezialitäten des Chefkochs Benoît Hobon kosten können.

LE MONT DORE (63240)

A 45 km de Clermont Ferrand.

Table de Terroir

HÔTEL MON CLOCHER ★ ★

04 73 65 05 41

5 Rue Sauvagnat - M. et Mme PERIOU - Fax : 04 73 65 03 72 - Fermeture : 6/10-20/12 ; 7/03-4/05.
Menus : 13,80/16,80 € . Menu enfant : 6,90 € . Petit déjeuner : 5,70 € .
29 chambres : 38/43 € . Demi pension : 38,40/47 € - Classement : Table de Terroir

Situé dans un site privilégié, au coeur du secteur piétonnier et à 30 mètres des thermes, cet établissement vous accueillera dans un cadre rustique et vous proposera des chambres confortables et une table réputée pour ses spécialités auvergnates : truffade, potée auvergnate, coq au vin, filet de sandre, aligot.

Chambres avec bain ou douche+WC+TV : Toutes.
Accès handicapés restaurant, petit déjeuner buffet, salle restaurant de caractère, chèques vacances

Situated in a flavored site, in the heart of the pedestrian sector and at 30 meters of the thermal baths, this establishment will accomodate you in a rustic framework and will propose you comfortable rooms and a table, well-known for its regional specialities.

Ubicado en un lugar privilegiado, en el corazón de la zona peatonal y a 30 metros de las termas, este establecimiento le acogerá en un ambiente rústico y le propondrá cómodas habitaciones y una mesa famosa por sus especialidades auvernesas.

In einer einzigartigen Stätte, in der Fußgängerzone und 30 m von den Thermen, erwartet man Sie in diesem Haus in einem rustikalen Rahmen mit bequemen Zimmern und seiner Tafel bekannt für seine Spezialitäten aus der Auvergne.

LES ANCIZES (63770)

A 37 km de Clermont-Ferrand.

Auberge du Pays

LA VIEILLE FERME ★ ★

04 73 86 81 25

Avenue du Plan d'eau - Claude VAST - Fax : 04 73 86 92 31 - Fermeture : 1/02-28/02 ; vendredi soir et dimanche soir.
Menus : 10/32 € . Menu enfant : 7,50 € . Petit déjeuner : 5,20 € .
12 chambres : 35,85/45 € . Demi pension : 40,50/42,50 € . Etape VRP : 45/47,30 € - Classement : Auberge du Pays

'enez apprécier une halte sympathique et conviviale 'ans cette ancienne ferme rénovée, au cadre rustique. Jne cuisine de qualité à base de produits frais et du erroir sera préparée tout spécialement pour vous. ;pécialités : salade de boudin frit, truite au lard, jarret 'e veau à la verveine du Velay...

;hambres avec bain ou douche+WC+TV : Toutes. 'errasse, jardin, parking privé, TPS, animaux acceptés u restaurant

Come to appreciate this pleasant and convivial halt in this renovated ancient farm. A cooking of quality made with fresh and traditional product will be prepared especially for you.

Venga a apreciar una parada simpática y amistosa, en el ambiente rústico de esta antigua granja renovada. Una cocina de calidad a base de productos frescos y regionales será preparada especialmente para usted.

Schätzen Sie eine sympathische und gastfreundliche Pause auf einem alten renovierten Bauernhof mit rustikalem Rahmen. Eine hochwertige Küche mit frischen regionalen Produkten wird für Sie zubereitet.

LUZILLAT (63350)

A 6 km de Puy Guillaume.

Auberge du Pays

AUBERGE DE VENDÈGRE

04 73 68 63 24

Vendègre - Gérard VAURIS - Fax : 04 73 68 63 24 - Fermeture : Lundi et mardi.
Menus : 17,50/28,50 € . Réservation souhaitée. - Classement : Auberge du Pays

'n pleine campagne, une auberge comme on les aime 'our une cuisine de terroir pas compliquée, mais goû-euse : foie gras de limagne chaud, étouffé de coquilles aint jacques, viande de salers...

'errasse, jardin, parking privé, climatisation, animaux cceptés au restaurant

In full shift, an inn as one likes them for a kitchen of soil not complicated.

En pleno campo, este hostal donde uno se siente bien prepara una cocina regional simple pero sabrosa.

Mitten auf dem Land, ein Gasthaus so wie man sie mag mit einer regionalen, unkomplizierten, aber geschmackvollen Küche.

PONT DE DORE (63920)

A 2 km de Thiers.

Table Gastronomique

LA FERME DES 3 CANARDS

04 73 51 06 70 - restaurant.3.canards@wanadoo.fr

Biton - Fax : 04 73 51 06 71 - Menus : 22/67 € . Menu enfant : 12,20 € - Classement : Table Gastronomique

PONTAUMUR (63380)

0941 Clermont Ferrand (40 km)/ Aubusson.

Table de Terroir

HÔTEL DE LA POSTE ★ ★

04 73 79 90 15 - hotel-poste2@wanadoo.fr

Avenue du Marrronnier - Jean-Paul QUINTY - Fax : 04 73 79 73 17 - Fermeture : 20/12-1/02, dimanche soir et lundi hors saison.
Menus : 15/40 € . Menu enfant : 8 € . Petit déjeuner : 6 € .
15 chambres : 37/45 € . Demi pension : 38/40 € . Etape VRP : 48 € - Classement : Table de Terroir

'ans les Combrailles, près du Parc des Volcans 'Auvergne, Jean-Paul Quinty vous fera découvrir une uisine imaginative et conviviale à partir de produits ocaux.
'pécialités : pièce de charolais à la pourpre de Saint 'ourçain, filet d'omble aux choux et jambon grillé.

'hambres avec bain ou douche+WC+TV : Toutes. 'errasse, garage fermé, chaînes satellites, canal+, alle restaurant de caractère, salle de séminaires, hèques vacances, animaux acceptés

In the Combrailles, close to the Volcano Park of Auvergne, Jean-Paul QUINTY offers you imaginative and convivial cooking using local products.

En la región de Combrailles, cerca del Parque de Volcanes d'Auvergne, Jean-Paul QUINTY le hará descubrir una cocina imaginativa y convivial con productos locales.

In den Combrailles neben dem Vulkan-Park der Auvergne, entdecken Sie die ideenreiche und leckere, aus Landprodukten zubereitete Küche von J.P. QUINTY.

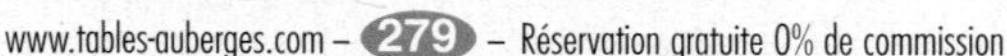

Sites Touristiques : Train de la Rhune, Train d'Artouste, Grottes de Bétharram, Château de Pau, Musée de la Mer.

Saveurs de nos Terroirs : Jambon de Bayonne, Garbure, Poule au pot, Piment d'Espelette, Porc basque, Agneau de lait, Fromage Ossau-Iraty, Confiture de Cerise d'Itxassou, Taloas (galette de maïs), Chocolat, Gâteau basque, Touron, Macaron.
A.O.C. Irouléguy (rouge, blanc, rosé), Cidre basque, Eau de Vie de Poire Brana, Liqueur Izarra (jaune ou verte). Vins du Jurançon, Vins du Madiran, Vins de Bellocq. Pacherenc du Vic Bilh.

Animations : Musée Basque et de l'Histoire de Bayonne, Musée Bonnat, Falaise aux Vautours, Cité des Abeilles.
Juillet/Août : Fêtes de Bayonne
Septembre en Béarn : Fête du Sel, Fête des Bergers, La Garburade, Foire aux Fromages.

COMITÉ DÉPARTEMENTAL DU TOURISME BÉARN - PAYS BASQUE
4 Allée des Platanes B.P. 811 - 64108 - BAYONNE CEDEX -Tél. : 05 59 46 52 52 - Fax : 05 59 46 52 46
www.tourisme64.com - infos@tourisme64.com

AINHOA (64250)

A 25 km de Biarritz.

Table Gastronomique

HÔTEL ARGI-EDER-AÏNHOA ★ ★ ★

05 59 93 72 00 - argi.eder@wanadoo.fr

Route de la Chapelle - Fax : 05 59 93 72 13 - Menus : 20/32 € . Menu enfant : 11 € .
32 chambres : 61/115 € - Classement : Table Gastronomique

ANGLET (64600)

Table Gastronomique

RESTAURANT LA FLEUR DE SEL

05 59 63 88 66

5 Avenue de la Forêt - Jean-François FAVEIRA
Fermeture : 1 semaine vac. février, 1 semaine fin juin, 3 semaines fin nov./début déc. ; dimanche soir, lundi, mercredi midi
Menus : 26,50 € . Menu carte unique - Classement : Table Gastronomique

Niché dans un quartier résidentiel en plein coeur de la forêt de Chiberta, cet établissement situé au calme, à l'écart de l'effervescence des plages vous propose une cuisine soignée dans un cadre chaleureux agréable en terrasse l'été, au coin de la cheminée en hiver.

Spécialités : escalope de foie gras frais aux pommes, ravioles de chèvre frais artichauts et fèves, rable de lapereau aux girolles, dorade royale cuite dans une pate de sel de Guérande, gratin de bananes et passion, carpaccio d'ananas et blanc manger coco.

Terrasse, salle restaurant de caractère, salle de séminaires, animaux acceptés au restaurant

Nested in a residential district in full heart of the forest of Chiberta, this establishment located at calms, the variation of the effervescence of the beaches proposes to you a kitchen looked after within a pleasant cordial framework.

Acurrucado en un barrio residencial en pleno corazón del bosque de Chiberta, este establecimiento en un entorno tranquilo, apartado de la efervescencia de las playas le propone una esmerada cocina en un ambiente caluroso, agradable.

In einem vornehmen, ruhigen Viertel mitten im Chiberta Wald, abseits des Tumults vom Strand, bietet Ihnen dieses Haus eine gepflegte Küche in einer angenehmen, warmen Atmosphäre.

ASCAIN (64310)

Près de St Jean de Luz. Pays Basque.

Table de Terroir

HÔTEL DU PARC TRINQUET LARRALDE ★ ★

05 59 54 00 10 - parcascain@aol.com

Place de l'Eglise, Route d'Olhette - Jeanne SALHA - Fax : 05 59 54 01 23 - Fermeture : 2/01-28/02, dimanche soir & lundi hors saison.
Menus : 15/32 € . Menu enfant : 8 € . Petit déjeuner : 8 € . 24 chambres : 47/69 € .
Demi pension : 50/61 € . Etape VRP : 56 € - Classement : Table de Terroir

A 6 km de la mer, des golfs, au pied des montagnes, cet établissement de caractère vous réservera le meilleur accueil et vous fera découvrir les spécialités de la région.
Spécialités : pipérade, soupe de pêcheurs, salmis de palombes (en saison), omelette aux cèpes, agneau du pays.

Chambres avec bain ou douche+WC+TV : Toutes.
Terrasse, jardin, chaînes satellites, petit déjeuner buffet, salle restaurant de caractère, salle de séminaires, chèques vacances, animaux acceptés

You can have a good time in this establishment situated near the sea (6 km away), the bays and lower mountains. You will be given a cordial welcome and taste the regional specialities.

Este establecimiento ubicado a 6 km del mar, de terrenos de golf, al pie de montañas, le brindará una cálida acogida y le hará descubrir las especialidades de la región.

Dieses charaktervolle Gasthaus 6 km vom Meer entfernt, mit Golfplätzen, am Fuß der Berge empfängt Sie herzlich und bietet Ihnen die Spezialitäten der Region.

BAYONNE (64100)

Table de Prestige

AUBERGE LE CHEVAL BLANC

05 59 59 01 33

68 Rue Bourgneuf - Fax : 05 59 59 52 26 - Menus : 23/70 € . Menu enfant : 15 € - Classement : Table de Prestige

BIARRITZ (64200)

A64 + A63 (aéroport de Biarritz : 6 km).

Table de Prestige

HÔTEL DU PALAIS ★ ★ ★ ★

05 59 41 64 00 - manager@hotel-du-palais.com

1 Avenue de l'Impératrice - Jean-Louis LEIMBACHER - Fax : 05 59 41 67 99 - www.hotel-du-palais.com - Fermeture : 1/02-28/02.
Menus : 50/85 € . Menu enfant sur demande : 25 € .154 chambres : 250/1350 € (y compris 22 suites).
Classement : Table de Prestige

Surplombant la grande plage de Biarritz et bercé depuis plus d'un siècle par les vagues océanes qui courtisent ses ors, le Palais vous invite à goûter la douceur et l'harmonie de ce Pays. Raffiné en toutes choses, l'accueil se teint ici de mille attentions. Fidèle à la grande tradition d'un Art de Vivre oublié, l'Hôtel du Palais conjugue ses fastes avec l'élégante sobriété des moments rares et privilégiés.
Chambres avec bain ou douche+WC+TV : Toutes.
Terrasse, jardin, parking privé, piscine d'été, ascenseur, accès handicapés, chaînes satellites, canal+, climatisation, salle restaurant de caractère, salle de séminaires, animaux acceptés à l'hôtel

Overhanging the great beach of Biarritz and rocked since more than one century by the océanes waves which court its golds, the Hôtel du Palais invites you to taste the softness and the harmony of this Country. Refined in all things, the reception is tinted here of thousand attentions.

Dominando la gran playa de Biarritz y acunada desde hace más de un siglo por las olas del Océano que corteja su oro, el Palais le invita a gozar de la dulzura y la armonía de este País. Todo es refinado, la acogida se tiñe aquí de mil atenciones.

Über den großen Stränden von Biarritz und seit einem Jahrhundert von den Wellen des Ozeans geschaukelt, lädt Sie das Hôtel du Palais ein, die Sänfte und Harmonie des Landes zu kosten. Erlesen in allem, Gastfreundlichkeit spiegelt sich in tausend Aufmerksamkeiten wider.

BIARRITZ (64200)

Table Gastronomique

AUBERGE DU RELAIS ★ ★

05 59 24 85 90 - hotellerelaisbiarritz@wanadoo.fr

44 Avenue de la Marne - René LACAM - Fax : 05 59 22 13 94 - Fermeture : 25/11-15/12 ; 6/01-1/02 ; mardi hors saison (restaurant).
Menus : 20/28,50 € . Petit déjeuner : 7,20 € .12 chambres : 38/112 € .
Demi pension : 41/52 € . Etape VRP : 42/53 € - Classement : Table Gastronomique

L'Auberge du Relais a tout pour vous séduire, convivialité, sincérité, cuisine gastronomique... L'ambiance respire la joie de vivre et les maîtres mots de la maison sont efficacité et gentillesse. Au restaurant, M. LACAM cuisine selon les caprices du marché des produits frais de terroir en fonction des saisons accompagnés de préférence par des vins de propriétaires-récoltants.
Spécialités : foie gras de canard maison mi cuit, escalope de saumon sauce oseille, navarin d'agneau.

Chambres avec bain ou douche+WC+TV : 10 chambres.
Garage fermé, etit déjeuner buffet, salle restaurant de caractère,chèques vacances, animaux acceptés

The Auberge du Relais has all to allure you, user-friendliness, sincerity, gastronomic kitchen... The atmosphere breathes the joy in life and the Masters words of the house are effectiveness and kindness. At the restaurant, Mr. LACAM cooks according to whims' of the market fresh products of soil according to the seasons accompanied preferably by wines by owner-collecting.

El Auberge du Relais posee todo para seducirle, buena convivencia, sinceridad, cocina gastronómica... El ambiente respira la alegría de vivir y las palabras claves de la casa son la eficacia y la ambilidad. En el restaurante, el Sr.LACAM cocina según los caprichos del mercado, con productos frescos regionales acompañados preferentemente con vinos de propietarios que realizan su propia vendimia.

Die Auberge du Relais hat alles, um Sie zu verzaubern, Gastfreundlichkeit, Offenheit, eine gastronomlische Küche...Das Ambiente besteht aus Lebensfreude, Effizienz und Freundlichkeit werden groß geschrieben. Im Restaurant kocht M. Lacam mit ländlichen Frischprodukten je nach Markt und Saison, die Gerichte werden hauptsächlich begleitet mit Weinen aus der eigenen Lese.

BIARRITZ (64200)

Auberge du Pays

LE BISTROT DES HALLES

05 59 24 21 22

1 Rue du Centre - Benoît MATHELIÉ-GUINLET - Fax : 05 59 24 21 22 - Fermeture : 1/10-15/10 ; dimanche.
Plat du jour : 7,62 € . Carte : 19 € environ - Classement : Auberge du Pays

Situé dans une petite rue calme du quartier des halles, Le Bistrot des Halles vous servira une cuisine goûteuse rehaussée d'une pointe d'originalité. Une salle simple, que le jaune des murs ensoleille, vous livrera sa collection d'affiches anciennes à la gloire des vieux apéritifs, de la mer et de la corrida.
Spécialités : marinade de poissons, espadon au poivre et à l'aïoli, gambas, chipirons à l'encre, dorade à l'espagnole.

Chèques vacances

Located in a small calm street of the district of the markets, the Bistrot des Halles will serve a raised cooking to you. A simple room, that the yellow of the shined walls will deliver you its collection old bills at the glory of old aperitifs, the sea and the bullfight.

En la callecita tranquila del barrio del mercado, Le Bistrot des Halles le servirá una sabrosa cocina con un toque de originalidad. Una sala simple, donde el amarillo de las paredes llena el ambiente de sol, con su colección de carteles antiguos a la gloria de viejos aperitivos, del mar y de corridas.

In einer kleinen ruhigen Straße im Viertel des Halles, werden Sie im Bistrot des Halles mit einer geschmackvollen, originellen Küche bewirtet. Ein einfacher Speisesaal, nur das Gelb sonniger Wände und eine Kollektion alter Plakate zum Ruhm des Aperitifs, des Meers und des Stierkampfs.

BIDARRAY (64780)
A 15 km de St Jean Pied de Port et 24 km de Bayonne

Table de Terroir

AUBERGE IPARLA
05 59 37 77 21 - iparla2@wanadoo.fr

Chemin de l'Eglise - Bordaberria - Fax : 05 59 37 78 84
Menus : 20 €. Carte : 32 € - Classement : Table de Terroir

BIDART (64210)
A 8 km de Biarritz et 7 km de Saint Jean de Luz.

Table de Prestige

LA TABLE ET L'HOSTELLERIE DES FRÈRES IBARBOURE
05 59 54 81 64 - contact@freresibarboure.com

Chemin de Ttalienea - Fax : 05 59 54 81 64 - Menus : 32/78 €. Menu enfant : 15,24/18,29 €.
Chambres : 115/198 € - Classement : Table de Prestige

BIRIATOU-HENDAYE (64700)
A 3,5 km d'Hendaye.

Table de Prestige

HÔTEL-RESTAURANT BAKEA ★ ★
05 59 20 76 36 - bakea@fr.st

Rue Herri-Alde - Eric DUVAL - Fax : 05 59 20 58 21 - www.bakea.fr.st - Fermeture : 26/01-14/02 ; lundi midi et mardi midi (1/04-30/09) ; dimanche soir et lundi (1/10-31/03). - Menus : 30/57 €. Petit déjeuner : 8,50 €.
30 chambres : 39/62 €. Demi pension : 58/69,50 €. Etape VRP : 69,50/92,50 € - Classement : Table de Prestige

Situé dans un cadre de verdure face à la vallée de la Bidassoa, cet établissement de charme bénéficie d'une vue imprenable sur les montagnes espagnoles. Vous apprécierez la douceur de vivre de cette maison où une table de saveurs toute imprégnée des parfums du terroir vous sera proposée. Spécialités : lasagne d'anchois frais marinés au basilic, foie chaud en aigre doux des soeurs tatins, duo de blanc de poireaux foie gras au torchon, gigot de lotte rôti à la paysanne, gibier en saison : râble de lièvre sauce poivrade.
Chambres avec bain ou douche+WC+TV : Toutes.
Terrasse, jardin, parking privé, accès handicapés restaurant, TPS , salle restaurant de caractère, salle de séminaires, animaux acceptés

Located in a framework of greenery facing the valley of Bidassoa, this establishment of charm profits of an exceptional view on the Spanish mountains. You will appreciate the softness of living of this house where an impregnated table of savours all perfumes of the soil will be proposed to you.

En el verdor de este paisaje, frente al valle de la Bidassoa, este encantador establecimiento posee una incomparable vista de las montañas españolas. Usted apreciará la dulzura de vivir de esta casa y podrá descubrir una mesa de sabores impregnada con perfumes regionales.

Im Grünen vor dem Tal von Bidadossoa gelegen, verfügt dieses charmante Haus über einen einmaligen Blick auf die spanischen Berge. Genießen Sie die Sanftheit des Lebens dieses Hauses, das Ihnen eine geschmacksvolle Küche der Region bietet.

ITXASSOU (64250)
A proximité de Cambo les Bains. Pays Basque.

Table Gastronomique

RESTAURANT BONNET - HÔTEL DU FRONTON ★ ★
05 59 29 75 10 - ostatu@aol.com

La Place - Jean-Paul BONNET - Fax : 05 59 29 23 50 - Fermeture : 12/11-19/11 ; 1/02-18/02 ; mercredi.
Menus : 13/27 €. Menu enfant : 7 €. Petit déjeuner : 8 €. 25 chambres : 32/54 €.
Demi pension : 38/47 €. Etape VRP : 40/48 € - Classement : Table Gastronomique

Au coeur du village d'Itxassou, blotti au pied de la montagne basque, avec vue panoramique sur la montagne, Le Fronton est un typique hôtel au cadre rustique et à l'accueil familial pour un repos douillet. La cuisine de son restaurant, préparée à partir des meilleurs produits de la région, vous enchantera. Spécialités : pipérade basquaise, filets de canard aux cerises, merlu koskera, coupe Itxassou, gâteau basque...
Chambres avec bain ou douche+WC+TV : Toutes.
Terrasse, jardin, parking privé, piscine d'été, ascenseur, accès handicapés hôtel, climatisation, petit déjeuner buffet, salle restaurant de caractère, salle de séminaires, chèques vacances, animaux acceptés au restaurant

Situated in the heart of Itxassou, down the basque mountain the Fronton is a place of caracter to have some relaxing time. The cooking is made with best regional products, and you will be amazed.

En el corazón del pueblo Itxassou, al pie de la montaña vasca, con vista panorámica de la montaña, el Fronton es un típico hotel familiar para un confortable reposo. Usted quedará encantado con la cocina de su restaurante, preparada con los mejores productos de la región.

Mitten im Dorf Itxassou und am Fuße der baskischen Berge, ist das typische Hotel Le Fronton bekannt für seinen familiären Empfang und eine erholsame Entspannung. Die Küche, nur mit besten Regionalprodukten zubereitet, wird Sie begeistern.

LURBE ST CHRISTAU (64660)
A 6 km d'Oloron Sainte Marie.

Table Gastronomique

RESTAURANT THIERRY LASSALA - HÔTEL AU BON COIN ★ ★ ★
05 59 34 40 12 - thierrylassala@wanadoo.fr

Route des Thermes - Fax : 05 59 34 46 40 - Menus : 23/58 €. Menu enfant : 10 €. Petit déjeuner : 8 €.
18 chambres : 49/78 €. Classement : Table Gastronomique

MENDIONDE (64240)

Auberge du Pays

HÔTEL-RESTAURANT ETCHEBARNE ★ ★

05 59 29 62 63

Le Bourg - Jeanne & Charles ETCHEBARNE - Fax : 05 59 70 23 26 - Fermeture : 15/10-15/11 ; samedi hors saison.

Menus : 13/20 € . Petit déjeuner : 5 € . 7 chambres : 37/39 € .
1/2 pension : 38/40 € - Classement : Auberge du Pays

Entre mer et montagne, au coeur d'un charmant village vert, vous découvrirez ici un accueil familial et une cuisine basque typique.
Spécialités : merlu Vert Pré, pipérade au jambon, poulet basquaise, ris d'agneau, agneau de lait (de décembre à juin).

Chambres avec bain ou douche+WC+TV : Toutes.
Terrasse, jardin, accès handicapés restaurant, salle restaurant de caractère, salle de séminaires, chèques vacances

Between sea and mountain, in the heart of a charming green village, you will discover here a family welcome and a typical cooking from the country Basque.

Entre mar y montaña, en el corazón de un adorable pueblo, usted descubrirá aquí una acogida familiar y una típica cocina vasca.

Zwischen Meer und Bergen, im Herzen eines charmanten, grünen Dorfes, werden Sie in familiären Rahmen empfangen und können die typisch baskische Küche entdecken.

MONTORY (64470)

A 3 km de Tardets et 20 km d'Oloron Sainte Marie.

Table de Terroir

AUBERGE DE L'ETABLE ★ ★ ★

05 59 28 69 69 - auberge-etable@wanadoo.fr

Michel TURON-BARRERE - Fax : 05 59 28 69 78 - www.auberge-etable.com - Fermeture : 4/01-18/01.

Menus : 15/32 € . Menu enfant : 8 € . Petit déjeuner : 5 € .
29 chambres : 35/62 € . Demi pension : 38/55 € . Etape VRP : 49 € - Classement : Table de Terroir

En pays de Soule, entre Béarn et Pays Basque, aux portes de Tardets, notre auberge vous accueille dans un cadre rustique avec tout le confort moderne. Carte de produits régionaux cuisinés de façon traditionnelle ou réactualisés par nos chefs (foie frais aux raisins, jambon à la broche sur commande, et palombes grillées au feu de bois en saison).

Chambres avec bain ou douche+WC+TV : Toutes.
Terrasse, jardin, parking privé, piscine d'été, accès handicapés, chaînes satellites, canal+, salle restaurant de caractère, salle de séminaires, chèques vacances, animaux acceptés

In the Soule, at the frontier of the Béarn and the basque'country at the doors of Tardets, our inn welcomes you in a rustic setting with modern comfort . Menus with regional products cooked the ancient way or updated by our chef.

En el país de Soule, en la frontera del Bearn y del País Vasco, a las puertas de Tardets, nuestra posada le acoge en un ambiente rústico, con todo el confort moderno. Carta de productos regionales cocinados tradicionalmente o reactualizados por nuestros jefes.

Im Land des Soult, an der Grenze des Béarn und Baskenlands, empfängt Sie unser Gasthaus in rustikalem Rahmen mit modernem Komfort. Speisekarte mit regionalen Produkten, traditionell gekocht oder von unserem Küchenchef aktualisiert.

La Reconnaissance Professionnelle

OLORON STE MARIE (64400)

A 3 km d'Oloron Ste Marie direction Col du Somport

Table de Terroir

RELAIS ASPOIS ★ ★

05 59 39 09 50 - relaisaspois@wanadoo.fr

Gurmençon Village - Cyril CASENAVE - Fax : 05 59 39 02 33 - www.relais-aspois.com - Fermeture : 2ème quinzaine de novembre ; lundi midi. Menus : 16/30 € . Menu enfant : 7 € . Petit déjeuner : 6 € . 21 chambres : 48/50 € . Demi pension : à partir de 50 € . Etape VRP : 45/60 € - Classement : Table de Terroir

Situé au pied des Pyrénées, au départ de nombreuses randonnées entre Lourdes et Biarritz, Le Relais Aspois est le lieu idéal pour des vacances nature. Dans le cadre authentique de l'ancien Relais de transhumance, dans le patio, sous les ombrages pour se rafraîchir, ou autour de la cheminée qui crépite dès l'automne, vous apprécierez les spécialités du Béarn et du Pays Basque parmi lesquelles vous pourrez déguster : garbure, foie gras chaud, salmis de palombe... Boutique de produits régionaux. Relais équestre. Relais des pêcheurs à la truite. Chambres avec bain ou douche+WC+TV : 20 chambres.Terrasse, jardin, garage fermé, parking privé, accès handicapés restaurant, petit déjeuner buffet, salle restaurant de caractère, salle de séminaires, chèques vacances

Located at the foot of the Pyrenees, between Lourdes and Biarritz, the Aspois Relay is the ideal place for holidays nature. In an authentic framework, in the patio, under the shades to refresh itself, or around the chimney , you will appreciate the specialities of Béarn and Basque Country. Relay of the fishermen of trout.

A los pies de los Pirineos, punto de partida de numerosas excursiones, entre Lourdes y Biarritz, Le Relais Aspois es el lugar ideal para unas vacaciones en la naturaleza. En el auténtico ambiente de esta antigua Parada de transhumancia, en el patio, bajo la sombra para refrescarse, o alrededor de la chimenea que crepita a partir del otoño, usted podrá apreciar las especialidades del Béarn y del País Vasco. Tienda de productos regionales. Parada ecuestre. Parada de pescadores de trucha.

Am Fuße der Pyrenäen, Ausgangspunkt zahlreicher Wanderungen zwischen Lourdes und Biarritz, ist Le Relais Aspois der ideale Ort für Ferien in der Natur. Im authentischen Rahmen einer früheren Almauftriebshütte genießen Sie die Spezialitäten des Béarn und Pays Basque im Innenhof, bei kühlem Schatten oder am Kamin in der kälteren Jahreszeit.

PAU- JURANÇON (64110)

A 2 km de Pau.

Table Gastronomique

CASTEL DU PONT D'OLY ★ ★ ★

05 59 06 13 40 - castel.oly@wanadoo.fr

2 Avenue Rausky RN 134 - Fax : 05 59 06 10 53 - Menus : 19/56 € . Menu enfant : 13 € . Petit déjeuner : 10 € . 6 chambres : 69/112 € - Classement : Table Gastronomique

ST ETIENNE DE BAÏGORRY (64430)

A 10 km de St Jean Pied de Port.

Table Gastronomique

HÔTEL ARCÉ ★ ★ ★

05 59 37 40 14 - reservations@hotel-arce.com

Fax : 05 59 37 40 27 - Menus : 23/35 € . Menu enfant : 11 € . 23 chambres : 60/160 € - Classement : Table Gastronomique

ST JEAN PIED DE PORT (64220)

A 50 km de Bayonne.

Auberge du Pays

HÔTEL-RESTAURANT RAMUNTCHO ★ ★

05 59 37 03 91

1 Rue de France - André BIGOT - Fax : 05 59 37 35 17 - Fermeture : 15/11-29/12 ; mercredi. Menus : 11,70/25,50 € . Menu enfant : 8,50 € . Petit déjeuner : 7 € . 17 chambres : 44/62 € . Demi pension : 43/55 € . Etape VRP : 49,50/52,50 € - Classement : Auberge du Pays

Dans une vraie maison basque à colombages, au calme, venez découvrir une cuisine de terroir et une ambiance chaleureuse.
Spécialités : salmi de palombes, poulet Irouleguy, spécialités basques.

Chambres avec bain ou douche+WC+TV : Toutes.
Terrasse, parking privé, salle restaurant de caractère, chèques vacances, animaux acceptés

In an authentic house in Colombages, come and discover the traditional cooking where the ambiance is cosy.

En una típica casa vasca con entramados, en un lugar tranquilo, venga a descubrir una cocina regional y un ambiente caluroso.

Entdecken Sie die regionale Küche und das warmherzige Ambiente in einem ruhigen, authentisch baskischen Haus.

ST PEE SUR NIVELLE (64310)

15 km Est St Jean de Luz D918. Pays Basque.

HÔTEL-RESTAURANT DE LA NIVELLE ★ ★

05 59 54 10 27 - hnivelle@club-internet.fr

Joseph BERROTARAN - Fax : 05 59 54 19 82 - www.h-nivelle.com - Fermeture : 15/01-15/03 ; 15/11-25/12 ; lundi (hors saison).

Menus : 14,48/24,39 € . Menu enfant : 7,62 € . Petit déjeuner : 6,10 € . 30 chambres : 33,54/53,36 € .
Demi pension : 42,69/53,36 € . Etape VRP : 39,64/42,69 € - Classement : Table de Terroir

Etablissement situé à la campagne, au pied de la Rhune (900 m) à deux pas des ventas espagnoles, proche des plages de Saint Jean de Luz (15 km) et Biarritz (20 km). Spécialités : noix de Saint Jacques au jus de palourdes, chipirons sautés aux piments, merlu grillé à l'espagnole, gâteaux basques, gâteaux au chocolat.

Chambres avec bain ou douche+WC+TV : Toutes.
Jardin, parking privé, chaînes satellites, salle restaurant de caractère, salle de séminaires, chèques vacances, animaux acceptés

Establishment located in the country, at the foot of the Rhunes (900m) and close to the spanish vantas, Saint Jean de Luz (15 km) and Biarritz's beaches (20 km).

Establecimiento situado en el campo, al pie de la Rhune (900 m) a dos pasos de las posadas españolas, cerca de las playas de Saint Jean de Luz (15 km) y Biarritz (20 km). Usted podrá saborear las especialidades de la Casa.

Auf dem Land, am Fuße der Rhune (900m) bei Spanien und nahe der Strände von St Jean de Luz (15km) und Biarritz (20km), erwartet Sie dieses Gasthaus mit seinen Spezialitäten.

Charme & Authenticité

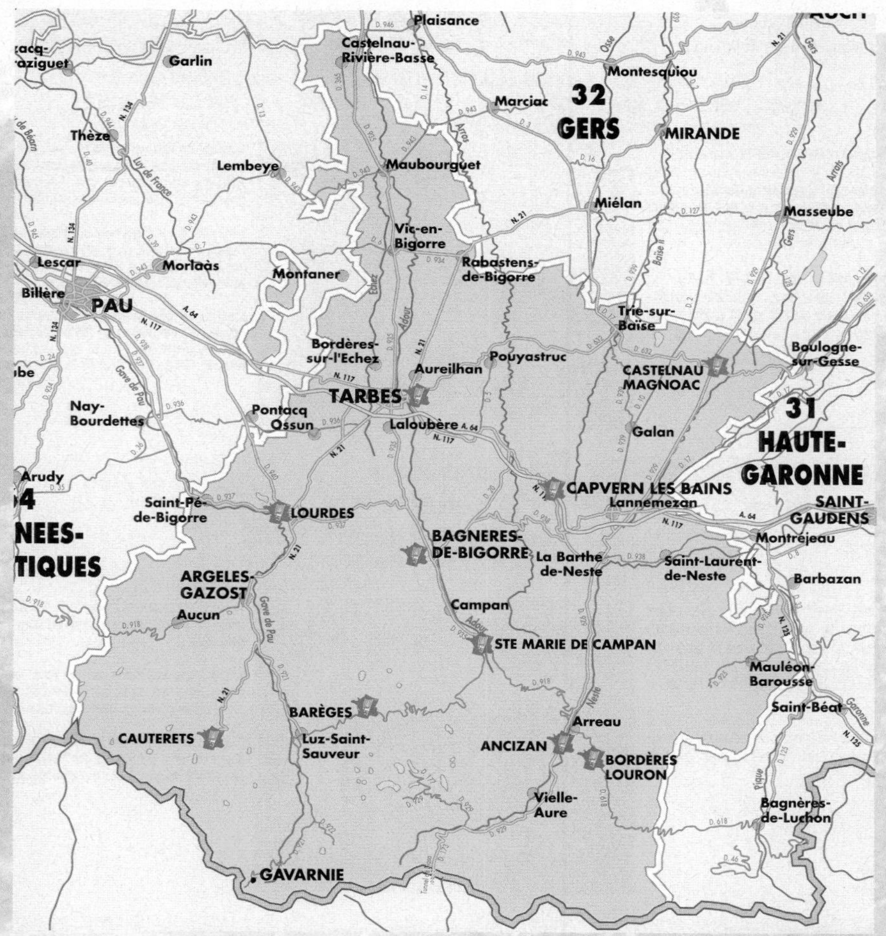

Sites Touristiques : Pic du Midi Le Vaisseau des Etoiles, Lourdes, Gavarnie et les Grands Cirques Glaciaires, Parc National des Pyrénées, Réserve Naturelle du Néouvielle, Pont d'Espagne, Cauterets.

Saveurs de nos Terroirs : Haricot Tarbais, Porc Noir Gascon, Agneau Fermier des Pyrénées-Garonne, Mouton de Barèges-Gavarnie, Oignon de Trébons, Carotte d'Aste, Garbure, Gâteau à la Broche, Berlingot de Cauterets. Madiran (2 vins) Madiran (vin rouge) et Pacherenc (vin blanc).

Animations :

Avril : Festival de Musique Sacrée à Lourdes.

Juillet/Août : Festival de Gavarnie, Equestria Tarbes, Festival Pianos aux Pyrénées-Hautes-Pyrénées.

HAUTES-PYRÉNÉES TOURISME ENVIRONNEMENT

11 Rue Gaston Manent B.P. 9502 - 65950 - TARBES CEDEX 9 -Tél. : 05 62 56 70 65 - Fax : 05 62 56 70 66

tourisme.hautes-pyrenees@cg65.fr

ANCIZAN (65440)

A 4 km d'Arreau et 6 km de St Larry.

Auberge du Pays

AU LOGIS DE L'ARBIZON ★

✆ 05 62 39 90 08

9/11 Route d'Arreau - Bruno & Christine GAZAUD - Fax : 05 62 39 92 42 - www.aulogisdelarbizon.com
Fermeture : week-end de Mai et d'Octobre. - Menus : 10/26 € . Menu enfant : 7 € . Petit déjeuner : 6,50 € .
7 chambres : 35/40 € . Demi pension : 36/39 € . Etape VRP : 38 € - Classement : Auberge du Pays

Bruno et Christine vous accueillent dans un cadre montagnard, au pied de la Hourquette d'Ancizan, sur la route des stations de Piau Engaly et Saint Lary, à 30 km des Pyrénées Aragonaises (Espagne) pour déguster les spécialités du pays : garbure, salade du berger, civet de mouton, pied de veau.

Chambres avec bain ou douche+WC+TV : 1-2-3-4.
Terrasse, jardin, parking privé, accès handicapés restaurant, petit déjeuner buffet, chèques vacances, animaux acceptés

Bruno and Christine welcome you in a mountain setting, at the foot of the Hourquette d'Aurigen, on the road of skiing stations of Piau Engaly and Saint Lary, at 30 km of Pyrenees Aragonaises (Spain) to make you discover regional specialities.

Bruno y Christine le acogen en un ambiente montañés, al pie de la Hourquette d'Aurigen, por la ruta de las estaciones de esquí : Piau Engaly y Saint Lary, a 30 km de los Pirineos Aragoneses para saborear las especialidades de la región.

Bruno und Christiane begrüßen Sie im typischen Rahmen der Pyrenäen, auf dem Weg zu den Skistationen Piau Engaly und Saint Lary gelegen, 30 km von der spanischen Grenze entfernt. Hier können Sie die Spezialitäten der Region kosten.

BAGNERES DE BIGORRE (65200)

A 20 km de Lourdes.

Table de Terroir

LE BIGOURDAN

✆ 05 62 95 20 20

14 Rue Victor Hugo - Francis BRUNE - Fax : 05 62 95 20 20
Fermeture : 2 semaines en janvier et 2 semaines au printemps ; dimanche soir et lundi.
Menus : 9,30/28 € . Menu enfant : 8,50 € - Classement : Table de Terroir

Cette maison de caractère sur 3 niveaux, avec poutres apparentes, murs en pierre et façade à colombages vous réservera un accueil chaleureux et saura vous faire partager ses spécialités régionales : magret de canard, pâtes fraîches et gambas, gratin de framboises au citron.

Accès handicapés restaurant, salle restaurant de caractère, salle de séminaires, chèques vacances, animaux acceptés au restaurant

This house of character, with obvious beams, wall of stones will reserve you a warm welcome and make you share its traditional specialities.

Esta típica casa con 3 niveles, con vigas vistas, paredes de piedra y fachada de entramados le brindará una calurosa acogida y le hará compartir sus especialidades regionales.

Dieses charaktervolle Haus auf 3 Niveaus, mit sichtbaren Balken, Mauern aus Stein und Fassaden aus Fachwerk, empfängt Sie ganz herzlich und teilt mit Ihnen die regionalen Spezialitäten.

BAREGES (65120)

30 km de Lourdes, 7 km du Col du Tourmalet.

Table de Terroir

AUBERGE DU LIENZ CHEZ LOUISETTE

✆ 05 62 92 67 17

Le Lienz - Louisette CORRET - Fax : 05 62 92 65 15 - Fermeture : 1/11-30/11 ; 2 semaines fin avril début mai.
Menus : 23 € . Menu personnalisé sur commande. Menu enfant : 7,50 € .
Classement : Table de Terroir

A 1600 m d'altitude, en lisière de forêt de sapins et de hêtres, face au Pic du Midi de Bigorre, au départ des sentiers de randonnée vers les lacs du Néouvielle, sur les pistes de ski de Barèges/Tourmalet, l'Auberge (chalet rustique en pierre et bois créé en 1905) perpétue l'accueil et la cuisine traditionnelle.
Spécialités : mouton AOC Barèges Gavarnie, côte de veau fermier à l'oignon de Trébons confit, jambon persillé à la bourguignonne, tranche de cake à l'oreille de cochon. Vins : Madiran, Château Bouscassé, A. Brumont.
Terrasse, parking privé, salle restaurant de caractère, chèques vacances, animaux acceptés au restaurant

At an altitude of 1600 m, in skirt of forest of fir trees and beeches, in front of the Pic du Midi of Bigorre, this inn (created in 1905), is the ideal place to eat a traditional cooking and for hikes (start of hiking tracks toward lakes of Néouvielle and skiing stations of Barèges/Tourmalet).

A 1600 m de altitud, lindero a un bosque de pinos y hayas, frente al Pic du Midi de Bigorre, punto de partida de senderos a pie hacia los lagos del Néouvielle, por las pistas de esquí de Barèges/Tourmalet, el Auberge (rústico chalet de piedra y madera creado en 1905) perpetúa una acogida y una cocina tradicional.

In 1600 m Höhe, gegenüber des Pic du Midi, am Anfang der Wanderwege zu den Seen von Néouvielle, auf den Skipisten Barèges/Tourmalet, lässt dieses Gasthaus (rustikale Stein- u. Holzhütte von 1905) den guten Empfang und die traditionelle Küche weiterbestehen.

BORDÈRES-LOURON (65590)

A 5 km d'Arreau.

HÔTEL DU PEYRESOURDE ★ ★

05 62 98 62 87

Yolande MARSALLE - Fax : 05 62 99 62 28 - - Fermeture : 1/10-20/10. - Menus : 12/20 € . Menu enfant : 6,20 € . Petit déjeuner : 5 € . 19 chambres : 25/44 € . Demi pension : 30/43 € . Etape VRP : 40 € . Classement : Auberge du Pays

Situé au coeur des Pyrénées, dans un cadre merveilleux de la Vallée du Louron, l'Hôtel du Peyresourde vous réserve son meilleur accueil. Vous y apprécierez sa cuisine traditionnelle et ses produits du terroir. Spécialités : garbure royale, truites meunières, confit forestier.

Chambres avec bain ou douche+WC+TV : 16 chambres. Terrasse, jardin, parking privé, tennis, accès handicapés restaurant, salle de séminaires, chèques vacances, animaux acceptés à l'hôtel, Menu Auberge du Pays

Situated in the heart of the Pyrénées, in a marvelous setting of the Valley of the Louron, the Hôtel du Peyresourde reserves you its best welcome. You will enjoy its traditional cooking and its products of the soil.

Ubicado en el corazón de los Pirineos, en el maravillo paisaje del Vallée du Louron, el Hôtel du Peyresourde le brinda una excelente acogida. Usted apreciará su cocina tradicional y sus productos regionales.

Mitten im Herzen der Pyrenäen, im wunderschönen Tal von Louron, garantiert Ihnen das Hotel von Peyresourde besten Empfang. Hier werden Sie die traditionelle Küche und die territoriale Produkte schätzen können.

CAPVERN LES BAINS (65130)

A 8 km de Lannemezan.

HÔTEL SAINT PAUL ★ ★

05 62 40 95 00 - au-saint-paul@wanadoo.fr

1371 Rue de Provence - François LABOISSETTE - Fax : 05 62 40 95 01 - Fermeture : 1/01-1/05 ; 19/10-31/12. Menus : 13/20 € . Menu enfant : 6 € . Petit déjeuner : 5,50 € . 27 chambres : 40/58 € . Demi pension : 48/68 € . Etape VRP : 50/70 € - Classement : Table Gastronomique

Au pied des Pyrénées, à la limite des Baronnies, notre équipe vous accueille dans un hôtel rénové au coeur de la station thermale, pour un séjour sportif, de détente ou de cure. L'équipe de cuisine vous propose une carte aux influences exotiques qui peut se décliner en diététique. Spécialités : foie gras entier de canard mi-cuit au piment d'espelette accompagné de toast, rôti de lotte au romarin sur lit d'épinard accompagné d'une rougail tomate, magret de canard grillé au combawa sauce banane fruits rouges ou cèpes, carpaccio d'ananas frais sur coulis de fruits rouges.
Chambres avec bain ou douche+WC+TV : Toutes.
Terrasse, jardin, parking privé, ascenseur, chaînes satellites, canal+, petit déjeuner buffet, chèques vacances, animaux acceptés à l'hôtel

At the foot of Pyrenees , at the limit of Baronnies, our team accomodate you in a renovated hotel in the heart of the thermal spa, for a sporting stay, of release or cure. Te team of kitchen proposes a chart with exotic influences which can be dietetic.

Al pie de los Pirineos, en el límite de los Baronnies, nuestro equipo le acoge en un hotel renovado en el corazón de la estación termal para una estancia deportiva, de descanso o de cura. El equipo de la cocina le propone una carta con influencias exóticas que puede adaptarse en dietética.

Am Fuß der Pyrenäen, an die Baronnies angrenzend, erwartet Sie unser Personal in einem renovierten Hotel mitten im Kurort, für einen sportlichen Aufenthalt zur Entspannung oder zur Kur.

La Reconnaissance Professionnelle

CASTELNAU MAGNOAC (65230)

D 929 entre Auch et Lannemezan (20 km).

HÔTEL DUPONT ★ ★

05 62 39 80 02

Place de l'Eglise - Pierre DUPONT - Fax : 05 62 39 82 20 - Ouvert toute l'année.
Menus : 10/23,08 € . Menu enfant : 7 € . Petit déjeuner : 4 € .
32 chambres : 31 € . Demi pension : 37 € . Etape VRP : 37 € - Classement : Table de Terroir

Au coeur d'une bourgade typique, venez découvrir le charme d'une maison familiale (ancien Relais de Poste). Vue agréable sur les Pyrénées et sur les côteaux du Gers. La famille DUPONT vous fera partager art de vivre et gastronomie et préparera pour vous des spécialités à base de produits du terroir : confit de canard, magret en cocotte, aiguillettes aux échalottes, escalope de saumon aux asperges, jambon de porc noir gascon. Vins du pays : Madiran, Buzet...
Chambres avec bain ou douche+WC+TV : Toutes.Terrasse, jardin, piscine d'été, tennis, accès handicapés restaurant, salle restaurant de caractère, salle de séminaires, animaux acceptés

In the heart of a typical small town, come to discover the charm of a familial house (ancient postal's relay). Pleasant view on the Pyrénées and the hills of the Gers. The Dupont' family will let you enjoy an art of living and gastronomy and will offer you its regional specialities. Local wines.

En el corazón de un lugar típico, venga a descubrir el encanto de una casa familiar (anciana Parada del Correo). Agradable vista de los Pirineos y de los viñedos de Gers. La familia DUPONT, que une el arte de vivir a la gastronomía, preparará para usted sus especialidades a base de productos locales. Vinos del país.

Mitten in einem typischen Marktflecken entdecken Sie den Scharm eines familiären Hauses (ehemalige Poststation). Dort teilt Familie Dupont mit Ihnen Lebenskunst und Gastronomie.

CAUTERETS (65110)

A 28 km au Sud de Lourdes (D920).

HÔTEL LE SACCA ★ ★

05 62 92 50 02 - hotel.le.sacca@wanadoo.fr

11 Boulevard Latapie-Flurin - Jean-Marc et Michelle CANTON - Fax : 05 62 92 64 63 - http://perso.wanadoo.fr/hotel.le.sacca
Fermeture : 10/10-20/12. - Menus : 12/28 € . Menu enfant : 8,50 € . Petit déjeuner : 6,50 € .
44 chambres : 40/58 € . Demi pension : 36/46 € . Etape VRP : 43/46 € - Classement : Table de Terroir

Michelle CANTON se réjouit à l'idée de vous recevoir et Jean-Marc, Chef de cuisine, met toute son imagination au service de la gastronomie pour que vous soyez comblés. Pour votre détente : sauna, salle fitness.

Spécialité : magret de pigeonneau au foie gras et au jus à la réglisse.

Chambres avec bain ou douche+WC+TV : Toutes. Parking privé, ascenseur, accès handicapés hôtel, chaînes satellites, climatisation, petit déjeuner buffet, salle restaurant de caractère, salle de séminaires, chèques vacances, animaux acceptés à l'hôtel

Michelle CANTON is glad to have the idea of welcomming you. Jean-Marc, the Chef, put all his imagination in the gastronomic cuisine, that way you will be satisfied. For your leisures : sauna, fitness room.

Michelle CANTON se alegra de poder recibirle y Jean-Marc, Jef de cocina, pone toda su imaginación al servicio de la gastronomía para que usted quede satisfecho. Para sus ratos de ocio sauna, sala de fitness.

M. CANTON freut sich, Sie begrüßen zu dürfen und Jean-Marc der Chefkoch, widmet seine ganze Phantasie der Gastronomie...zu Ihrem Genuss.

STE MARIE DE CAMPAN (65710)

A 13 km de La Mongie, 30 km de Lourdes.

HÔTEL LES DEUX COLS ★

05 62 91 85 60

Sainte Marie de Campan - Jean-Bernard LACOME - Fax : 05 62 91 85 31 - Fermeture : 15/10-15/12.
Menus : 11/22 € . Menu enfant : 7 € . Petit déjeuner : 4,50 € .
19 chambres : 24/42 € . Demi pension : 26,50/32 € - Classement : Auberge du Pays

Au coeur d'un petit village authentique des Pyrénées, cet hôtel sympathique situé au pied du col d'Aspin, du Tourmalet et du Pic du Midi vous accueillera dans la tradition et vous fera découvrir une cuisine régionale mettant en valeur les produits de la vallée.
Spécialités : garbure, agneau de la vallée de Campan, foie gras maison, gratin de framboises, cerises flambées.

Chambres avec bain ou douche+WC+TV : 3-7-11-14 à 19-20-21-22-23.
Terrasse, jardin, parking privé, accès handicapés restaurant, chaînes satellites, chèques vacances, animaux acceptés

In the heart of an authentic village of the Pyrénées, this pleasant hotel, located at the foot of the Aspin pass and Tourmalet pass, will welcome you in the traditional way and will let you discover a regional cooking made with the products from the valley.

En el corazón de un auténtico pueblito de los Pirineos, este simpático hotel ubicado al pie del paso de Aspin, del Tourmalet y del Pic du Midi le acogerá a su manera tradicional y le hará descubrir una cocina regional que resalta los productos del valle.

Dieses sympathische Hotel liegt mitten in einem authentischen Pyräneendorf am Fuß des Aspin, des Tourmalet und des Pic du Midi. Sie werden dort nach Tradition mit einer regionalen Küche empfangen, bevorzugt mit Produkten aus dem Tal zubereitet.

TARBES (65000)

L'AMBROISIE

05 62 93 09 34

48 Rue Abbé Torne - Fax : 05 62 93 09 24 - Menus : 27,44/44,21 € . Menu enfant : 9,15 €
Classement : Table de Prestige

Charme & Authenticité

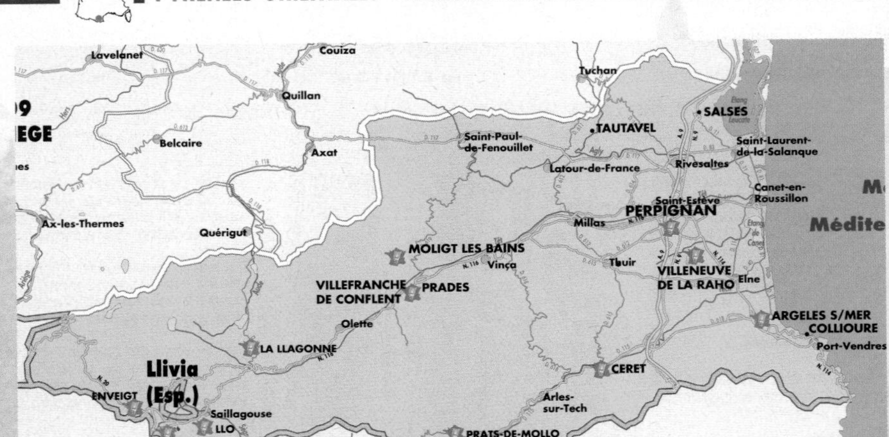

Sites Touristiques : Palais des Rois de Majorque à Perpignan, Forteresse de Salses, Château Royal de Collioure, Musée d'Art Moderne de Céret, Centre Européen de la Préhistoire à Tautavel.

Saveurs de nos Terroirs : Cargolade (escargots grillés), Ouillade (ragoût catalan à base de pieds et oreilles de porc et choux), Crème catalane, Rousquilles, Mel y Mato (miel et fromage de chèvre).
A.O.C. vins secs : Collioure, Côtes du Roussillon, Côtes du Roussillon Villages et 4 A.O.C. (communales).
Vins doux naturels : Rivesaltes, Muscat de Rivesaltes, Maury, Banyuls, Banyuls Grand Cru.

Animations :
Juillet : Festival Les Estivales à Perpignan.
Septembre : Festival Visa pour l'Image à Perpignan, Festival Les Méditerranéennes à Argelès sur Mer.

COMITÉ DÉPARTEMENTAL DU TOURISME DES PYRÉNÉES-ORIENTALES
16 Avenue des Palmiers B.P. 540 - 66005 - PERPIGNAN CEDEX -Tél. : 04 68 51 52 53 - Fax : 04 68 51 52 50
www.pyreneesorientalestourisme.com - tourisme.roussillon.france@wanadoo.fr

ARGELES SUR MER (66700)

A 20 km de Perpignan. N114.

Table de Prestige

AUBERGE DU ROUA/HÔTEL LA BELLE DEMEURE ★ ★ ★

04 68 95 85 85 - belle-demeure@fr.oleane.com

Chemin du Roua - Magalie et Petter TONJUM - Fax : 04 68 95 83 50 - www.belle-demeure.com - Fermeture : 15/11-6/02 ; mercredi soir hors saison et tous les midis sauf le dimanche. - Menus : 31/75 €. Menu enfant : 15/20 €. Petit déjeuner : 10 €. 14 chambres : 60/119 €. 3 suites : 109/159 €. Demi pension : 101/241 €. Etape VRP : 75 € - Classement : Table de Prestige

Authentique mas catalan entièrement rénové, l'Auberge du Roua vous invite à savourer la cuisine gastronomique aux accents méditerranéens de notre chef. Ambiance conviviale, intime et délicate, chambres et suites grand confort. Spécialités : anchois frais marinés sur une compotée oignons et poivrons, loup aux herbes fraîches, poitrine de pigeon cuite sur l'os cuisses confites et crème brûlée au foie gras, chocolat dans tous ses états.
Chambres avec bain ou douche+WC+TV : Toutes.
Terrasse, jardin, parking privé, piscine d'été, ascenseur, accès handicapés, TPS, chaînes satellites, climatisation, salle restaurant de caractère, salle de séminaires, animaux acceptés

Authenticate Catalan farmhouse entirely renovated, the Auberge du Roua invites you to enjoy the gastronomic cooking with the Mediterranean accents of our chief. Convivial, intimate and delicate environment, rooms and suites great comfort.

Auténtico mas catalán completamente renovado, el Auberge du Roua le invita a saborear una cocina gastronómica con los acentos mediterráneos de nuestro jefe. Ambiente sociable, íntimo y delicado, habitaciones y suites muy cómodas.

L'Auberge du Roua, ein echtes, katalanisches Landhaus, komplett renoviert, lädt Sie ein, die gastronomische Küche unseres Chefkochs mit einem Hauch an Mittelmeer zu genießen. Gastfreundliche Atmosphäre, intim und delikat, hochkomfortable Zimmer und Suiten.

ARGELES SUR MER (66700)

A 15 km de Perpignan.

Table Gastronomique

LES ALBÈRES ★ ★ ★

04 68 95 31 31 - lesalberes@wanadoo.fr

Chemin de Neguebous - Daniel BESSON - Fax : 04 68 95 32 32 - www.les-alberes.com - Fermeture : 6/01-2/02. Menus : 23 €. Menu enfant ; 9 €. Petit déjeuner : 8 €. 50 chambres : 55/145 €. Demi pension : 54/115 €. Etape VRP : 60 € - Classement : Table Gastronomique

L'Hôtel Les Albères vous accueille dans un parc arboré et fleuri de 10 ha et vous propose de découvrir le confort de ses 50 chambres mais également les bienfaits de la balnéothérapie. Au restaurant, dans un cadre chaleureux, une cuisine raffinée vous sera proposée. Spécialités : carré de veau la rosée des Pyrénées aux cèpes à la ventrèche, fenouillade à l'anchois de Collioure et suc de Banyuls.

Chambres avec bain ou douche+WC+TV : Toutes.
Terrasse, jardin, parking privé, piscine d'été, tennis, ascenseur, accès handicapés, chaînes satellites, canal+, climatisation, petit déjeuner buffet, salle de séminaires, chèques vacances

The Hôtel Albères accomodates you in a park raised and flowered of 10 ha and proposes you to discover the comfort of its 50 rooms but also the benefits of the balneotherapy. At the restaurant, in a cordial framework, a refined cooking will be proposed to you.

El Hôtel Les Albères le acoge en un parque arbolado y florido de 10 ha y le propone descubrir la comodidad de sus 50 habitaciones, como también los beneficios de la balneoterapia. En el caluroso ambiente de su restaurante, usted podrá apreciar una delicada cocina.

Das Hotel Les Albères empfängt Sie in einem bebaumten und blühenden Park und lädt Sie ein, den Komfort seiner 50 Zimmer zu entdecken, aber auch die Wohltaten der Balneotherapie. Im Restaurant mit warmem Ambiente kosten Sie eine erlesene Küche.

CÉRET (66400)

A 30 km de Perpignan.

Table Gastronomique

LA TERRASSE AU SOLEIL ★ ★ ★ ★

04 68 87 01 94 - terrasse-au-soleil.hotel@wanadoo.fr

Route de Fontfrède - Pascal LEVEILLE-NIZEROLLE - Fax : 04 68 87 39 24 - www.la-terrasse-au-soleil.fr - Ouvert toute l'année. Menus : 43/61 €. Menu enfant : 19 €. Petit déjeuner : 13 €. 44 chambres : 97/296 € /2 pers. Demi pension : 220/357 € / 2 pers. - Classement : Table Gastronomique

Venez découvrir la douceur et le charme d'un vieux mas catalan niché dans la verdure au dessus de Céret, situé entre mer et montagne, avec le mont Canigou en toile de fond. Vous y trouverez le luxe dans la simplicité. Spécialités : escalopes de foie gras frais de canard poêlées aux raisins, grenadin de veau des Pyrénées au Maury champignons des bois, moelleux au chocolat amer poêlée de griottes au Banyuls.
Chambres avec bain ou douche+WC+TV : Toutes.
Terrasse, jardin, parking privé, piscine d'été, tennis, accès handicapés, TPS, chaînes satellites, climatisation, petit déjeuner buffet, salle restaurant de caractère, salle de séminaires, chèques vacances, animaux acceptés

Come to discover the softness and the charm of an old Catalan farmhouse nestled in the greenery with above Céret, located between sea and mountain, with the Canigou mount in background. You will find there the luxury in simplicity.

Entre el mar y la montaña, con el monte Canigou como cuadro de fondo, venga a descubrir en este paisaje de verdor, encima de Céret, la dulzura y el encanto de esta vieja venta catalana. Usted encontrará el lujo de una manera natural y podrá saborear las especialidades de la casa.

Entdecken Sie den Charme eines alten katalanischen Bauernhofes im Grünen über Céret, zwischen Meer und Bergen und mit dem Canigougipfel im Hintergrund. Sie werden dort den Luxus der einfachen Dinge vorfinden.

CÉRET (66400)

A 30 km de Perpignan.

Table Gastronomique

HÔTEL-RESTAURANT LES FEUILLANTS

04 68 87 37 88 - contact@feuillants.com

1 Boulevard Lafayette - David TANGUY - Fax : 04 68 87 44 68 - www.feuillants.com - Fermeture : Dimanche soir et lundi (restaurant).
Menus : 30/100 €. Brasserie : 21 € + carte 28 €. Menu enfant : 19,50 €. Petit déjeuner : 12,20 €.
6 chambres : 66/140 €. Demi pension : 71/107 € - Classement : Table Gastronomique

Cette villa de charme début du siècle est située à l'ombre des platanes de la place Picasso et donne sur le vieux Céret, à deux pas du musée d'arts modernes. Des chambres de grand confort vous sont proposées pour un séjour des plus agréable avec une cuisine gastronomique de qualité.
Spécialités : supions persillés au chorizo, tuiles de parmesan, jus à l'encre ; rôti d'agneau cuit dans sa barde en croûte de sel aux algues, jus au thym-laurier ; biscuit de chocolat coulant, sirop chocolaté à la menthe.
Chambres avec bain ou douche+WC+TV : Toutes.
Terrasse, garage fermé, ascenseur, accès handicapés, climatisation, salle de séminaires, animaux acceptés

This charming house is situated under the shaded plane trees of the Picasso place and looks onto the old Céret, at 2 steps from the museum of modern arts. Rooms very comfortable are proposed for a very pleasant stay with a gastronomic cooking of quality.

Este encantador chalet de principios de siglo está situado en la plaza Picasso, bajo la sombra de plátanos, en el viejo Céret, a dos pasos del museo de artes modernas. Usted pasará una agradable estancia en sus confortables habitaciones y podrá saborear su cocina gastronómica de calidad.

Diese charmante Villa unter dem Schatten der Platane des Place Picasso, liegt zum alten Céret hin, ganz in der Nähe des Museums für moderne Kunst. Um Ihren Aufenthalt so angenehm wie möglich zu gestalten, werden Ihnen komfortable Zimmer und eine erstklassige Feinschmeckerküche geboten.

LA LLAGONNE (66210)

A 10 km de Font Romeu, 3 km de Mont Louis.

Table de Terroir

HÔTEL CORRIEU ★ ★

04 68 04 22 04 - hotel.corrieu@wanadoo.fr

Brigitte & Alain CORRIEU - Fax : 04 68 04 16 63 - hotel-corrieu.com - Fermeture : 20/03-8/06 ; 23/09-22/12.
Menus : 19,60/29,50 €. Menu enfant : 9,50 €. Petit déjeuner : 7,50 €.
25 chambres : 48/72 €. Demi pension : 45/59 €. Etape VRP : 52/88 € - Classement : Table de Terroir

En bordure du pittoresque village de La Llagonne, départ de nombreuses randonnées, au coeur du domaine de ski de fond et carrefour de 8 stations, cette ancien relais de diligences entièrement rénové vous offre des chambres au confort douillet, une cuisine traditionnelle à base des produits du terroir et fera de votre séjour un moment privilégié.
Spécialités : tourte au jambon et banyuls, coq braisé au vieux byrh, crème catalane.
Chambres avec bain ou douche+WC+TV : 3-4-5-14-15-16-20-21-22-28-29-38.
Terrasse, parking privé, tennis, salle restaurant de caractère, salle de séminaires, chèques vacances, animaux acceptés à l'hôtel

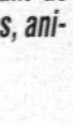

At the edge of the picturesque village of Llagonne, departure of many excursions, in the heart of the field of lang-lauf and crossroads of 8 stations, this old relay of diligences entirely renovated offers you rooms with cosy comfort, a traditional cooking based on traditional products and will make your stay one privileged moment.

Lindera a un pintoresco pueblo de la Llagonne, punto de partida de numerosas excursiones, en el centro de pistas de esquí de fondo y en la encrucijada de 8 estaciones, esta anciana parada de diligencias totalmente renovada, le brindará una agradable estancia con sus cómodas habitaciones y su cocina tradicional a base de productos locales.

Am Rand des malerischen Dorfs La Llagonne, Ausgangspunkt von zahlreichen Wanderungen, im Herzen eines Langlaufskigebiets und Anlaufstelle von 8 Wintersportplätzen, bietet Ihnen diese ehemalige, komplett renovierte Poststation Zimmer mit gemütlichem Komfort und eine traditionelle Küche aus ländlichen Erzeugnissen. Ein einzigartiger Moment!

LLO-SAILLAGOUSE (66800)

A 2 km de Saillagouse.

Table Gastronomique

L'ATALAYA ★ ★ ★

04 68 04 70 04 - atalaya66@aol.com

Llo - Fax : 04 68 04 01 29 - Menus : 27/63 €. Menu enfant : 12,20 €.
13 chambres : 85/130 € - Classement : Table Gastronomique

Charme & Authenticité

MOLITG LES BAINS (66500)

A 7 km de Prades, 45 km de Perpignan.

Table Gastronomique

CHÂTEAU DE RIELL ★ ★ ★ ★

04 68 05 04 40

Molitg les Bains - Fax : 04 68 05 04 37 - Fermeture : 3/11-31/03 ; restaurant fermé le midi en semaine sauf le samedi midi et dimanche midi. - Menus : 41/63 € . Menu enfant : 23 € . Petit déjeuner : 16 € .
19 chambres : 130/355 € . Demi pension : 182/465 € - Classement : Table Gastronomique

Dans ce nid d'aigle du pays catalan, une noble demeure vous attend, protégée de ses épaisses murailles. Tout n'est qu'une question d'harmonie, confort douillet des vastes chambres, chaleur d'une cheminée, moelleux d'une tenture, on se sent hors du temps ! Là, dans les jardins d'en bas, sous les arches blondes du village blotti, vous serez tenté par une cuisine du soleil, tout en goûts et senteurs aux vrais saveurs du terroir. Spécialités : marmite du pêcheur dans un bouillon aïoli, grosse pomme de terre à la braise fourrée tout cochon, soufflé léger à la gousse de vanille. Chambres avec bain ou douche+WC+TV : Toutes. Terrasse, jardin, garage fermé, parking privé, piscine d'été, tennis, ascenseur, chaînes satellite, salle restaurant de caractère, salle de séminaires, animaux acceptés à l'hôtel

All then is only one question of harmony, a soft of the vast rooms, heat of chimney,marrowy comfort a hanging, one feels out of time! There, in the gardens of in bottom, under the fair arches of the village nestled, you will be tried by a cooking of the sun, all in tastes and scents with truths savours of the soil.

Es el nido de águila del país catalán, una distinguida morada, le espera, protegida por gruesas murallas. Luego, solo es una cuestión de armonía, la comodidad de amplias habitaciones, el calor de la chimenea, un delicado empapelado, uno se siente fuera del tiempo ! Allá en los jardines, bajo las arcas blondas del pueblo agazapado, usted quedará seducido por una cocina luminosa, impregnada de gusto y olores con verdaderos sabores del terruño.

Hier ist alles Harmonie.... gemütlicher Komfort, geräumige Zimmer, die Wärme des Kamins, sanfte Wandbehänge, man fühlt sich zeitlos! Freuen Sie sich in den Gärten, unter den hellen Bögen des Dorfs auf eine sonnige Küche, voll von Geschmack und Düften aus den echten Gewürzen des Lands.

MOLITG LES BAINS (66500)

A 7 km de Prades, 45 km de Perpignan.

Table Gastronomique

GRAND HÔTEL THERMAL ★ ★ ★

04 68 05 00 50

Thermes de Molitg les Bains - Fax : 04 68 05 02 91 - Fermeture : 1/01-30/03 ; 1/12-31/12.
Menus : 21 € . Menu enfant : 6 et 11,50 € . Petit déjeuner : 8,50 € .
64 chambres : 49/110 € . Demi pension : 73/77 € /pers. - Classement : Table Gastronomique

Ancré dans une oasis luxuriante de verdure, un paysage incomparable et lumineux où se mêlent palmiers, oliviers et lauriers, Le Grand Hôtel vous attend. Des chambres paisibles et sereines ; un accueil prévenant, spontané et sincère ; des produits généreux nés de la nature, jardins et vergers, des recettes tout en saveur pour votre palais, sont les atouts du Grand Hôtel pour un séjour authentique, privilégié, agréable et chaleureux. Spécialités : gazpacho accompagné des rosties de cochonnailles, émincé de boeuf poêlé sauce cacaotée, dessert tout chocolat de la fabrique. Chambres avec bain ou douche+WC+TV : 49. Terrasse, jardin, garage fermé, parking privé, piscine d'été, tennis, ascenseur, petit déjeuner buffet, salle restaurant de caractère, salle de séminaires, chèques vacances, animaux acceptés à l'hôtel

Anchored in a luxuriant oasis of greenery, an incomparable and luminous landscape where palm trees, olive-trees and bay-trees mix, the Grand Hotel awaits you. Peaceful and serene rooms; an attentive, spontaneous and sincere reception; generous products born from nature, gardens and orchards, receipts all in savour for your palate, are the assets of the Grand Hotel for a stay authentic, privileged, pleasant and cordial.

Anclado en un oasis lujuriante de verdor, un paisaje incomparable y luminoso, en donde se mezclan palmeras, oliveras y laureles, Le Grand Hôtel , que une las prestaciones de calidad a un auténtico bienestar, le esperaProductos generosos venidos de la naturaleza, jardines y huertos, sabrosas recetas, son el triunfo de este hotel para una estancia auténtica, privilegiada, agradable y cálida.

In einer üppigen grünen Oase verankert, erwartet Sie im Grand Hôtel eine unvergleichliche, leuchtende Landschaft in der sich Palmen, Oliven- und Lorbeerbäume vermischen. Friedliche, ruhige Zimmer, zuvorkommende, spontane und echte Gastlichkeit; großzügige Naturprodukte, Obstgärten, geschmackvolle Rezepte für ihren Gaumen sind die Trümpfe des Grand Hotel für einen authentische privilegierten, angenehmen und warmen Aufenthalt.

PERPIGNAN (66000)

Table Gastronomique

PARK HÔTEL - RESTAURANT LE CHAPON FIN ★ ★ ★

04 68 35 14 14 - accueil@parkhotel-fr.com

18 Boulevard Jean Bourrat - Fax : 04 68 35 48 18 - Menus : 19,82/45,73 € . Menu enfant : 10,67 € .
67 chambres : 55/95 € - Classement : Table Gastronomique

PERPIGNAN (66000)

A9 sortie N°42 puis direction Argelès

Table Gastronomique

VILLA DUFLOT ★ ★ ★ ★

04 68 56 67 67 - contact@villa-duflot.com

Rond Point Albert Donnezan - Fax : 04 68 56 54 05 - Carte : 30,49/38,11 € . Menu enfant : 16/22 € .
24 chambres : 105/135 € - Classement : Table Gastronomique

PRATS DE MOLLO LA PRESTE (66230)

A9 D115

HÔTEL-RESTAURANT RIBES ★ ★

04 68 39 71 04 - hotel.ribes@free.fr

La Preste - Alain RIBES - Fax : 04 68 39 78 02 - http://hotel.ribes.free.fr - Fermeture : 20/10-31/03.
Menus : 9,50/25 € . Menu enfant : 6,50 € . Petit déjeuner : 5,50 € .
24 chambres : 26/53 € . Demi pension : 29/42,50 € - Classement : Table de Terroir

A 1130 m d'altitude, dans un cadre naturel exceptionnel avec vue panoramique sur la vallée du Tech, l'Hôtel-Restaurant RIBES vous réserve un accueil familial et une cuisine traditionnelle du terroir. Spécialités : assiette montagnarde (charcuterie du Haut Vallespir), Agneau Catalan, rosée des Pyrénées au Banyuls, truite du Haut Vallespir aux amandes, tarte maison aux myrtilles.

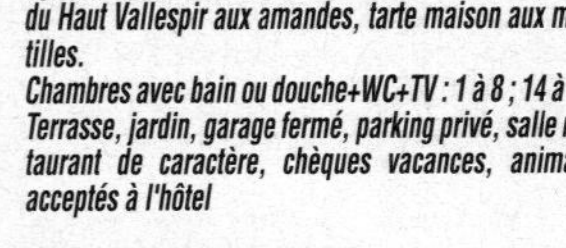

Chambres avec bain ou douche+WC+TV : 1 à 8 ; 14 à 17. Terrasse, jardin, garage fermé, parking privé, salle restaurant de caractère, chèques vacances, animaux acceptés à l'hôtel

In an exceptional natural's setting at 1130 metres of altitude with panoramic scene of Valley of Tech, the hotel-restaurant RIBES will reserve you a familial welcome as well as a traditional cooking.

A 1130 metros de altitud, en un lugar excepcional con vista panorámica al valle del Tech, el Hotel-Restaurante RIBES le propone una acogida familiar y una cocina tradicional-regional.

In 1130 m Höhe, in einem außergewöhnlichen natürlichen Rahmen mit Rundblick ins Tal des Tech, bereitet Ihnen das Hotel-Restaurant Ribes einen familiären Empfang und eine traditionelle ländliche Küche.

UR (66760)

A 2 km de Bourg Madame et 12 km de Font Romeu.

LES 5 CAILLOUX D'OR

04 68 04 87 92

Rue François Fabre - Fax : 04 68 04 87 92 - Menus : 22/38 € . Menu enfant : 9 € - Classement : Table Gastronomique

VILLEFRANCHE DE CONFLENT (66500)

A 6 km de Prades.

AUBERGE SAINT PAUL

04 68 96 30 95 - auberge-st-paul@wanadoo.fr

7 Place de l'Eglise - Charles GOMEZ - Fax : 04 68 96 30 95 - www.auberge.st.paul.free.fr
Fermeture : Fin novembre (1 semaine), 3ème semaine de juin ; 6/01-28/01 ; dimanche soir, lundi et mardi du 1/10 à Pâques
Menus : 27/75 € . Menu enfant : 15 € - Classement : Table Gastronomique

Aménagé dans une ancienne chapelle du XIIIème siècle, au sein d'une cité fortifiée, ce restaurant vous accueille dans un cadre authentique et chaleureux. Vous y dégusterez une cuisine préparée avec soin en fonction des saisons.

Jardin, salle restaurant de caractère, animaux acceptés au restaurant

Arranged in an old vault of XIIIème century, in strengthened city, this restaurant welcome you in an authentic and cordial framework. You will taste there a cooking prepared carefully according to the seasons.

Acondicionado en una antigua capilla del siglo XIII, en el seno de una ciudadela, este restaurante le acoge en un ambiente auténtico y caluroso. Usted podrá saborear una esmerada cocina que sigue el ritmo de las estaciones.

In einer ehemaligen Kapelle (13. Jh.) eingerichtet, inmitten einer Burgstadt, werden Sie in diesem Restaurant in einem authentischen und warmen Rahmen empfangen. Kosten Sie dort eine ausgezeichnete den Jahreszeiten angepasste Küche.

VILLENEUVE DE LA RAHO (66180)

A 7 km de Perpignan, entre Villeneuve et Bages.

AUBERGE DU VAL MARIE

04 68 55 95 55 - malescot35@aol.com

Route de Montescot - Norbert et Sylvie MALESCOT - Fax : 04 68 55 07 96 - www.aubergeduvalmarie.com - Fermeture : mi janvier-1er février ; lundi hors saison. - Menus : 17,50/45 € . Menu enfant : 8,50 € - Classement : Table de Terroir

Entre montagne et mer, dans le vignoble du Roussillon, le calme et la détente vous attendent. Dans un mas catalan rustique et chaleureux, Sylvie et Norbert vous feront partager leur passion et leurs spécialités : effilochés d'escargots à la catalane, saint jacques dans sa persillade, foie gras au Banyuls, pavé de boeuf aux douceurs du Roussillon. Un moment de bonheur entre Villeneuve et Bages.

Terrasse, parking privé, accès handicapés restaurant, climatisation, salle restaurant de caractère, chèques vacances, animaux acceptés au restaurant

Betwen mountain and sea in the vineyard of the Roussillon the peace and the relaxion waits for you. In a catalan rustic ad warm mas Sylvie and Norbert will make you share their passion and their specialities. One moment of happiness among Villeneuve and Bages.

Entre montaña y mar, en el viñedo del Roussillon, la tranquilidad y el descanso le esperan. En un mas catalán rústico y caluroso, Sylvie y Norbert le harán compartir su pasión y sus especialidades. Un rato de felicidad entre Villeneuve y Bages.

Zwischen Bergen und Meer, in den Weinbergen des Roussillon, erwarten Sie Ruhe und Entspannung. In einem katalanischen, rustikalen und warmen Landhaus teilen Sylvie und Norbert mit Ihnen ihre Leidenschaft und Spezialitäten.

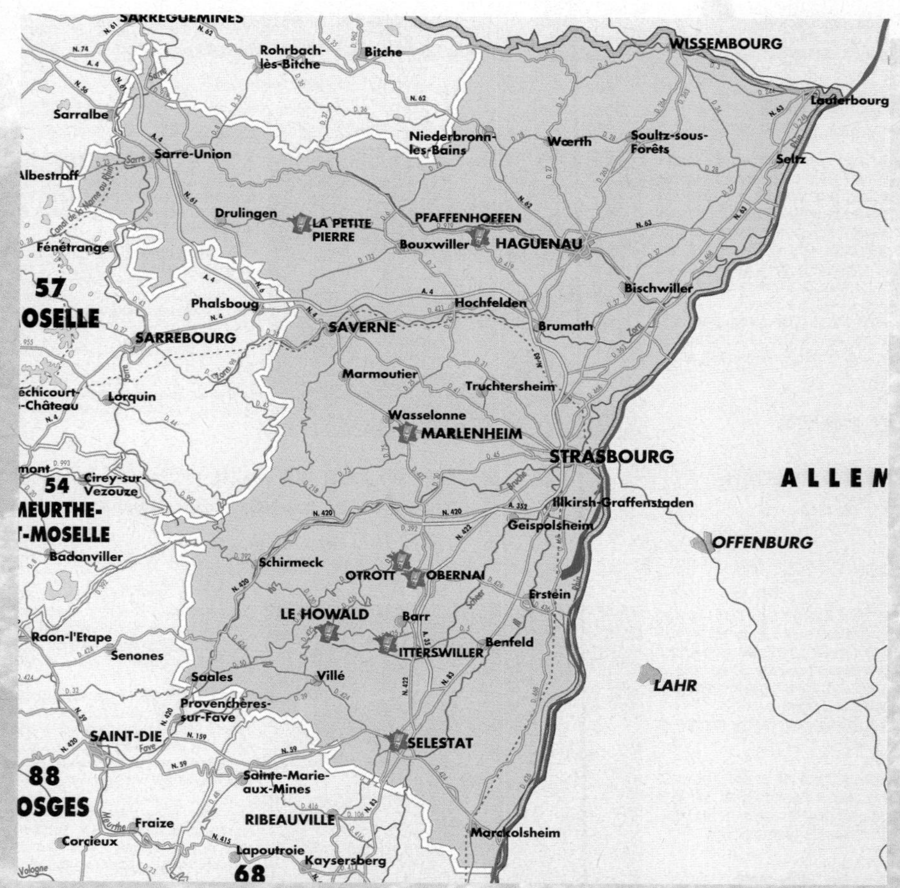

Sites Touristiques : Mont Saint Odile, Haut-Koenigsbourg, Strasbourg, Obernai, Parc Naturel des Vosges du Nord.

Saveurs de nos Terroirs : Choucroute, foie gras, matelotte de poissons, baeckeoffe, tarte flambée.

Vins blancs (Riesling, Gewurztraminer, Tokay-Pinot gris, Sylvaner, Pinot blanc, Muscat), Vin rouge et rosé : Pinot noir. Eaux de Vie, Bière.

Animations :

Juillet/Août : Mariage de l'Ami Fritz à Marlenheim, Streisselhochzeit (mariage traditionnel) à Seebach.

Octobre : Fête des Vendanges

Décembre : Marchés de Noël.

Musée Alsacien de Strasbourg, Maison Rurale de l'outre-forêt à Kutzenhausen, Musée de la Chartreuse et de la Fondation Bugatti à Molsheim, Bibliothèque humaniste à Sélestat, Musée Oberlin à Waldersbach, Musée de l'image populaire à Pfaffenhoffen.

AGENCE DE DÉVELOPPEMENT TOURISTIQUE DU BAS-RHIN

9, Rue du Dôme B.P. 53 - 67061 - STRASBOURG CEDEX -Tél. : 03 88 15 45 88 - Fax : 03 88 75 67 64

www.tourisme67.com - info@tourisme67.com

ITTERSWILLER (67140)

A 30 km de Strasbourg.

HÔTEL-RESTAURANT ARNOLD ★ ★ ★

03 88 85 50 58 - arnold-hotel@wanadoo.fr

98 Route des Vins - Bruno SIMON - Fax : 03 88 85 55 54 - www.hotel-arnold.fr
Fermeture : 23/02-8/03 (restaurant) ; dimanche soir et lundi (1/11-31/05) ; lundi (1/06-31/10). - Menus : 22/45 €. Menu enfant : 10 €. Petit déjeuner : 10 €. 30 chambres : 76/140 €. Demi pension : 73/ 93 €. Etape VRP : 68/72 € - Classement : Table Gastronomique

Niché au coeur du vieux vignoble alsacien, l'Hôtel Arnold respire le bonheur et bénéficie d'une superbe vue panoramique. Venez découvrir cette atmosphère raffinée que vous offre le salon ainsi que la douceur de vivre des chambres. Au restaurant vous dégusterez les spécialités régionales, votre séjour sera inoubliable. Spécialités : choucroute royale et ses 8 garnitures, baeckhoffe à l'ancienne aux 3 viandes, foie gras d'oie.

Terrasse, jardin, garage fermé, parking privé, accès handicapés, chaînes satellites, salle restaurant de caractère, salle de séminaires, animaux acceptés

Nestled in the heart of the old Alsatian vineyard, the Arnold Hotel breathes happiness and profits from a superb panoramic sight. Come to discover this refined atmosphere which the living room as well as the softness of living offers to you by the rooms. At the restaurant you will taste the regional specialities, your stay will be unforgettable.

Amparado en el corazón del viejo viñedo alsaciano, el Hôtel Arnold deja sentir su alegría y beneficia de una magnífica vista panorámica. Venga a descubrir el delicado ambiente de su salón y el bienestar de sus habitaciones. En el restaurante usted podrá saborear las especialidades regionales, su estancia será inolvidable.

Mitten in den Elsässer Weinstöcken eingenistet, strahlt das Hotel Arnold Glück aus und profitiert von einem großartigen Panorama. Entdecken Sie die feine Atmosphäre im Salon, sowie die Sanftheit der Zimmer. Im Restaurant kosten Sie regionale Spezialitäten, Ihr Aufenthalt bleibt unvergesslich!

LA PETITE PIERRE (67290)

A 22 km de Saverne.

RESTAURANT - HÔTEL DES VOSGES ★ ★

03 88 70 45 05 - hotel-des-vosges@wanadoo.fr

30 Rue Principale - Eric WEHRUNG - Fax : 03 88 70 41 13 - www.hotel-des-vosges.com
Fermeture : Mi-février /mi-mars ; fin juillet ; mardi (restaurant). - Menus : 20,50/53 €. Menu enfant : 10 €. Petit déjeuner : 9,50 €. 30 chambres : 52/76 €. Demi pension : 59/67 €. Etape VRP : 58 € - Classement : Table Gastronomique

Cette maison créée en 1924 et tenue depuis 4 générations par la même famille est située au centre du village et bénéficie d'une vue panoramique sur la vallée et les forêts environnantes. Winstub, salons, salle de séminaires, espace de remise en forme, restaurant de tradition connu dans la région. Spécialités : écrevisses, truites du vivier, foie gras, coq au riesling, gibier.

Terrasse, jardin, garage fermé, parking privé, ascenseur, accès handicapés, chaînes satellites, petit déjeuner buffet, salle restaurant de caractère, salle de séminaires, chèques vacances, animaux acceptés

This house created in 1924 and run for 4 generations by the same family is situated in the center of the village and has a panoramic view of the valley and the neighbouring forests. Winstub, meeting rooms, traditional restaurant well-known in the region.

Esta casa creada en 1924 y dirigida desde hace 4 generaciones por la misma familia , está ubicada en el centro del pueblo y posee una vista panorámica del valle y de los bosques circundantes. Usted podrá aprovechar de sus salones, winstub, sala para seminarios, un espacio para estar en forma y un restaurante tradicional conocido en la región.

Dieses Haus, erbaut im Jahre 1924, ist seit 4 Generationen in Familienbesitz und befindet sich in der Dorfmitte mit Panorama auf das Tal und die umliegenden Wälder. Veranstaltungsräume, Konferenzräume und traditionelles Restaurant mit regional bekannter Küche.

LE HOHWALD (67140)

Entre Strasbourg et Colmar (50 km), à 20 km d'Obernai.

BEAU REGARD

03 88 08 30 49

37 Rue du Eck - Jean-Paul ZUGMEYER - Fax : 03 88 08 30 49 - Fermeture : En hiver, hors congès scolaires.
Menus : 11,50/23 €. Menu enfant : 8,50/9,50 €. Petit déjeuner : 5 €.
14 chambres : 16/30 €. Demi pension : 28/32 €. Pension complète : 31/35 € - Classement : Auberge du Pays

A mi chemin entre Strasbourg et Colmar, à proximité du Mont Saint Odile et du champ de feu, de nombreux circuits touristiques s'offrent à vous. Cet établissement, situé au calme en bordure de la forêt, à 650 m d'altitude, vous accueille dans un cadre chaleureux et une ambiance familiale. Vous y découvrirez une cuisine régionale soignée. Spécialités : choucroute garnie, bäecheoffe, pot au feu à l'ancienne, gibier, sur réservation. Vins d'Alsace et carte de vins sélectionnés.

Terrasse, jardin, parking privé, salle restaurant de caractère, chèques vacances, animaux acceptés à l'hôtel

Between Strasbourg and Colmar, near the Mont St Odile and the field of fire, many touristic tours are offered to you. This establishment is located in a quiet environment at the edge of a forest. You will be welcome in a warm and friendly atmosphere, and you will discover carefully prepared regional cooking.

A medio camino entre Strasbourg y Colmar, en las cercanías del Mont Saint Odile y del campo de fuego, numerosos circuitos turísticos le esperan. Este establecimiento, ubicado en un lugar tranquilo, lindero a un bosque, a 650 m de altitud, le acoge en un ambiente caluroso y familiar. Usted podrá descubrir una esmerada cocina regional.

Zwischen Straßburg und Colmar, nahe dem Mont Saint Odile, öffnen sich Ihnen zahlreiche Ausflugsmöglichkeiten. Dieses Haus, am ruhigen Waldrand, in 600m Höhe gelegen, empfängt Sie in warmherzigem Rahmen und familiärem Ambiente. Entdecken Sie die gepflegte regionale Küche.

MARLENHEIM (67520)

A 15 km de Strasbourg.

Table de Prestige

LE CERF ★ ★ ★

03 88 87 73 73

30 Rue du Général de Gaulle - Michel et Cathy HUSSER - Fax : 03 88 87 68 08 - www.lecerf.com - Fermeture : Mardi et mercredi.
Menus : 50/95 € . Menu enfant : 20 € . Petit déjeuner : 15 € .
13 chambres : 90/200 € - Classement : Table de Prestige

Depuis 1930 la Famille HUSSER a transformé cet ancien relais postal en exquise hostellerie où des chambres confortables personnalisées et élégantes vous accueillent. Le restaurant vous propose une atmosphère raffinée, conviviale où vous apprécierez une cuisine élaborée avec les meilleurs produits régionaux. Spécialités : presskopf de tête de veau poêlé sur un lit de salade de saison, choucroute au cochon de lait rôti et foie gras fumé.

Chambres avec bain ou douche+WC+TV : Toutes. Terrasse, jardin, parking privé, chaînes satellites,climatisation, salle de séminaires, chèques vacances, animaux acceptés

Since 1930 Family HUSSER transformed this old postal relay into exquisite fashionable country inn where personalized and elegant comfortable rooms accomodate you. The restaurant proposes a refined atmosphere to you, convivial where you will appreciate a cooking worked out with best regional products.

Desde 1930 la familia HUSSER, ha transformado esta antigua parada del correo en una encantadora hostelería, habitaciones cómodas , personalizadas y elegantes le esperan. El restaurante, en un ambiente sociable y delicado, le propone saborear una cocina elaborada con los mejores productos regionales.

Seit 1930 hat die Familie Husser diese frühere Poststation in ein exquisites Hotel mit komfortablen, personalisierten und eleganten Zimmern umgebaut. Im Restaurant erwartet Sie eine feine, gastliche Atmosphäre, wo Sie eine ausgearbeitete Küche aus besten regionalen Erzeugnissen genießen.

OBERNAI (67210)

A35 Strasbourg/Colmar sortie Obernai.

Table Gastronomique

A LA COUR D'ALSACE ★ ★ ★ ★

03 88 95 07 00 - info@cour-alsace.com

3 Rue de Gail - M. Ernest UHRY - Fax : 03 88 95 19 21 - www.cour-alsace.com - Fermeture : 24/12-25/01.
Menus : 25,15/69 € . Menu enfant : 13,70 € . Petit déjeuner : 11 et 14,50 € .
43 chambres : 79/149 € - Classement : Table Gastronomique

Venez découvrir le cadre chaleureux et convivial de cet établissement qui vous réservera le meilleur accueil et saura vous régaler de ses spécialités : filet d'omble chevalier et sa brochette de homard, pressé de veau au foie gras et asperges, dos de bar de ligne grillé, croustillant aux griottes marinées au streusel, gratin de fraises et rhubarbe.

Chambres avec bain ou douche+WC+TV : Toutes. Terrasse, jardin, parking privé, ascenseur, accès handicapés, chaînes satellites, petit déjeuner buffet, salle restaurant de caractère, salle de séminaires, animaux acceptés

Come and discover the warm setting of this establishment that will reserve you the best welcome and will be able to make you enjoy its specialities.

Venga a descubrir el ambiente caluroso y convivial de este establecimiento que le brindará una excelente acogida. Usted podrá regalarse con sus especialidades.

Entdecken Sie den warmen und gastlichen Rahmen dieses Hauses, wo Sie bestens mit den Spezialitäten des Hauses empfangen werden.

OTTROTT LE HAUT (67530)

A 2 km d'Obernai.

Table de Terroir

LE CLOS DES DÉLICES ★ ★ ★

03 88 95 81 00 - contact@leclosdesdelices.com

17 Route de Klingenthal - Désiré SCHAETZEL - Fax : 03 88 95 97 71 - www.leclosdesdelices.com
Fermeture : 1/02-11/02 ; dimanche soir, mercredi (restaurant). - Menus : 22,85/56,55 € . Menu enfant : 15,24 € . Petit déjeuner : 11 € .
23 chambres : 58/168 € . Demi pension : 71/93 € . Etape VRP : 74 € - Classement : Table de Terroir

Situé au coeur d'un parc naturel de 6 ha, à 20 minutes de l'aéroport et 30 minutes de Strasbourg, cet établissement vous propose une halte reposante avec des prestations de qualité : piscine couverte, solarium, sauna où vous apprécierez une cuisine régionale de terroir. Spécialités : carpaccio de thon, escalopine de foie d'oie poêlée, filet de canette rôti au miel, caille en timbale rôtie à la fleur de sel ; fine feuille craquante de chocolat amer, sa mousse chocolat blanc à la lavande, son sorbet cacao épicé. Chambres avec bain ou douche+WC+TV : Toutes. Jardin, parking privé, piscine d'été, piscine d'hiver, tennis, ascenseur, accès handicapés, chaînes satellites, petit déjeuner buffet, salle de séminaires, chèques vacances, animaux acceptés

Located at the heart of a natural reserve of 6 ha, at 20 minutes of the airport and 30 minutes of Strasbourg, this establishment proposes you a halt resting with services of quality: covered swimming pool, solarium, sauna where you will appreciate a regional cooking of soil.

Ubicado en el corazón de un parque natural de 6 ha., a 20 minutos del aeropuerto y a 30 minutos de Strasbourg, este establecimiento le propone una estancia tranquila con servicios de calidad : piscina cubierta, solario, sauna y una cocina regional-local que usted sabrá apreciar.

Mitten in einem 6 ha großen Naturpark, 20 Min. vom Flughafen und 30 Min. von Straßburg, bietet Ihnen dieses Haus einen erholsamen Aufenthalt mit: Hallenschwimmbad, Solarium, Sauna und ein ländliche, regionale Küche.

PFAFFENHOFFEN (67350)

A 30 km de Strasbourg.

Table Gastronomique

HÔTEL-RESTAURANT DE L'AGNEAU ★ ★

03 88 07 72 38 - gisele.ernwein@wanadoo.fr

3 Rue de Saverne - Gisèle ERNWEIN - Fax : 03 88 72 20 24 - www.hotel-restaurant-delagneau.com - Fermeture : 25/08-10/09 ; 1ère semaine de mars ; lundi ; mardi en juillet et août. - Menus : 22/54 € . Menu enfant : 9 € . Petit déjeuner : 6 € . 12 chambres : 40/68 € . Demi pension : 43/62 € . Etape VRP : 54 € - Classement : Table Gastronomique

Entrez dans cette légendaire Alsace du bien vivre et laissez vous charmer par la coquetterie de son décor, la chaleur de ses traditions, les délices de ses recettes de toujours. Vous goûterez la cuisine personnalisée d'Anne ERNWEIN, rythmée par les saisons, alliant tradition et innovation. Spécialités : foie gras d'oie à la brunoise de truffes, homard en minestrone, médaillon de veau à la citronnelle confite, striflates aux questches. Chambres avec bain ou douche+WC+TV : Toutes. Jardin, garage fermé, accès handicapés restaurant, chaînes satellites, salle restaurant de caractère, salle de séminaires, chèques vacances, animaux acceptés au restaurant

Enter this legendary Alsace of the good food and let charm yourself by the coquettery of its decoration, the heat of its traditions, the delights of its receipts of always. You will taste the personalized cooking of Anne ERNWEIN, following the seasons, combining tradition and innovation.

Entre en esta legendaria Alsacia del buen vivir y déjese fascinar por su coqueta decoración, la calidez de sus tradiciones, el deleite de sus recetas. Usted podrá saborear la cocina personalizada de Anne ERNWEIN, que sigue el ritmo de las estaciones, uniendo tradición e innovación.

Erleben Sie die legendäre Lebenkunst des Elsass und lassen Sie sich von dem koketten, traditionsgeprägten Dekor bezaubern. Die genüsslichen Rezepte von jeher werden von Anne ERNWEIN zubereitet und verbinden Tradition und Innovation.

SELESTAT (67600)

Table de Prestige

RESTAURANT JEAN FRÉDÉRIC EDEL

03 88 92 86 55 - jfedel@wanadoo.fr

7 Rue des Serruriers - Jean-Frédéric EDEL - Fax : 03 88 92 87 26
Fermeture : 1ère semaine de janvier ; 29/07-20/08 ; dimanche soir, mardi soir et mercredi sauf jours fériés.
Menus : 62/110 € - Classement : Table de Prestige

Au coeur de l'Alsace, cette maison bourgoise des Vosges vous propose de faire une halte dans un cadre de caractère avec cheminée et poutres apparentes pour découvrir une cuisine classique pleine de saveur, élaborée avec les meilleurs produits frais de son terroir.

Spécialités : praliné de foie gras de canard aux amandes grillées, sandre aux girolles sur choucroute légère, vacherin glacé à l'alsacienne.
Terrasse

In the heart of Alsace, this house of the Vosges proposes you to make a halt within a framework of character with chimney and visible beams to discover a traditional cooking full with savour, elaborate with best fresh products of its soil.

En el corazón de Alsace, esta casa burguesa de los Vosgos le invita a detenerse en un ambiente típico con chimenea y vigas a la vista para descubrir una cocina clásica llena de sabor, elaborada con los mejores productos frescos regionales.

Im Herzen des Elsass, machen Sie Rast in diesem bürgerlichen Haus der Vogesen, in einem charaktervollen Rahmen mit Kamin und sichtbaren Balken. Entdecken Sie eine klassische, geschmackvolle Küche aus besten, frischen Landprodukten.

SELESTAT (67600)

A 6 km de Sélestat.

Table de Terroir

AUBERGE A L'ILLWALD

03 88 85 35 40

Le Schnellenbuhl - Fax : 03 88 85 39 18 - Menus : 9,50/33,50 € . Menu enfant : 8 € .
Classement : Table de Terroir

STRASBOURG (67000)

AU CROCODILE

03 88 32 13 02 - info@au-crocodile.com

10 Rue de l'Outre - Emile JUNG - Fax : 03 88 75 72 01 - www.au-crocodile.com
Fermeture : 4/07-21/07 ; 24/12-6/01 ; dimanche et lundi.
Menus : 79/145 € - Classement : Table de Prestige

Vous découvrirez ici l'univers d'un grand maître de la gastronomie. Alliant professionnalisme, rigueur et créativité, ce couple de professionnels et son équipe honorent les plaisirs de la Table à la Française le plus noblement du monde pour le plus grand bonheur de leurs hôtes les plus exigeants.
Spécialités : cuisses de grenouilles et anguille à la coriandre fraîche, foie de canard cuit en croûte de sel, noisette de faon de biche à l'écorce d'orange, quenelles de fromage blanc.

Salle de séminaires

You will discover here the universe of a large Master of the gastronomy. Combining professionalism, rigour and creativity, this couple of professionals and his team honour the pleasures of the Franch cooking for the happiness of their most demanding hosts.

Usted descubrirá aquí el universo de un gran maestro de la gastronomía. Uniendo profesionalismo, rigor y creatividad, esta pareja de profesionales y su equipo rinden un culto a los placeres de la Mesa a la francesa, de la manera más noble del mundo, para la más grande satisfacción de sus huéspedes, los más exigentes.

Entdecken Sie hier das Universum eines großen Meisters der Gastronomie. Professionalismus, Sorgfalt und Kreativität ist die Devise der Inhaber und ihrer Mitarbeiter, damit Sie auf die edelste Art und Weise in den Genuss der französischen Tafel kommen, ganz zur Freude Ihrer anspruchsvollen Gastgeber.

STRASBOURG (67000)

A 100 m de la cathédrale.

RESTAURANT FESTIN DE LUCULLUS

03 88 22 40 78

18 Rue Saint Hélène - Fax : 03 88 22 40 78 - Menu : 26 € .
Classement : Table Gastronomique

STRASBOURG (67000)

LA VIEILLE TOUR

03 88 32 54 30

1 Rue Adolphe Seyboth - Fax : 03 88 32 83 48 - Menus : 20/31 €
Classement : Table de Terroir

La Reconnaissance Professionnelle

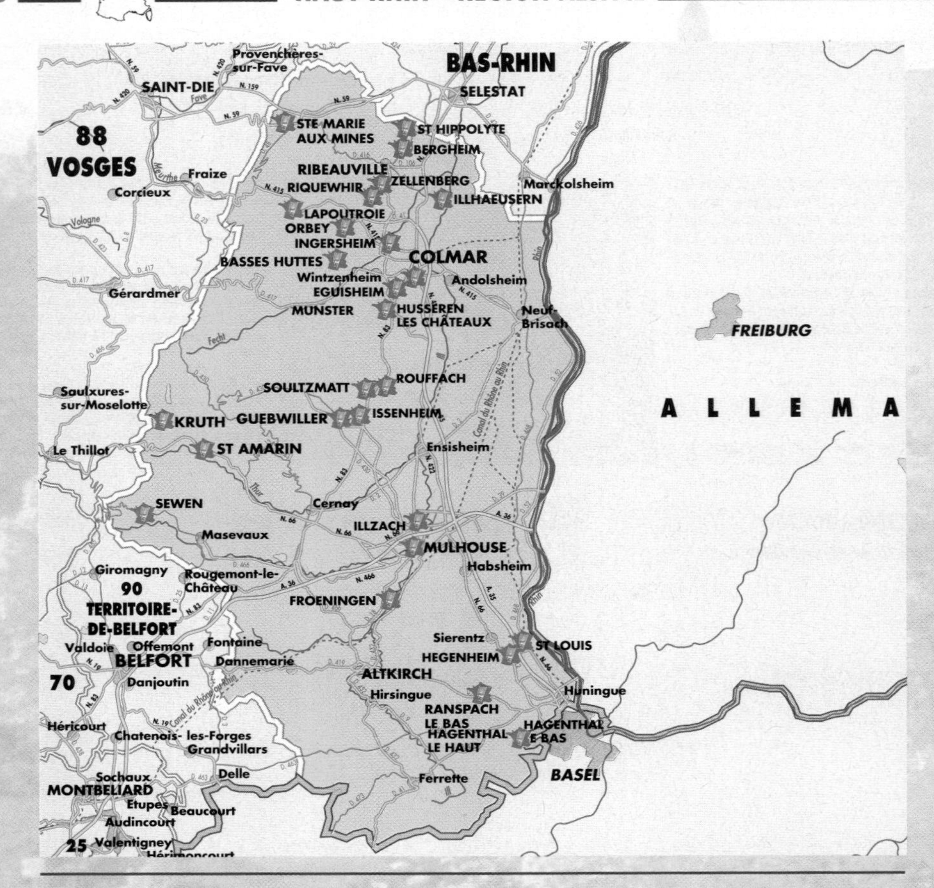

Sites Touristiques : Route des Vins d'Alsace, Colmar, Mulhouse, Massif des Vosges, Sundgau.

Saveurs de nos Terroirs : Choucroute, Foie Gras, Baeckaoffa, Tarte flambée, Kougelhopf...

Vins : (7 cépages : Sylvaner, Pinot Blanc, Riesling, Muscat, Gewurztraminer, Pinot Gris, Pinot Noir) et Crémant d'Alsace.

Bière. Eaux de vie : Kirsch, Marc de Gewurztraminer, Mirabelle...

Eaux Minérales : Wattwiller, Carola (Ribeauvillé), Lisbeth (Soultzmatt).

Animations : Ecomusée d'Alsace à Ungersheim, Musée de l'Automobile à Mulhouse, Musée Unterlinden à Colmar.

Août : Fête des Vignerons à Eguisheim.

Septembre : Fête des Ménétriers à Ribeauvillé.

ASSOCIATION DÉPARTEMENTALE DU TOURISME DU HAUT-RHIN
Maison du Tourisme de Hte-Alsace 1, Rue Schlumberger B.P. 337 - 68006 - COLMAR CEDEX
Tél. : 03 89 20 10 68 - Fax : 03 89 23 33 91
www.tourisme68.com - adt@tourisme68.com

BASSES HUTTES (68370)

Entre Orbey (3 km) et Munster, à 25 km de Colmar.

HÔTEL-RESTAURANT WETTERER ★ ★

03 89 71 20 28 - info@hotel-wetterer.com

206 Basses Huttes - Bertrand WETTERER - Fax : 03 89 71 36 50 - www.hotel-wetterer.com - Fermeture : 2/11-26/11; 7/03-1/04 ; 24/12-25/12 ; mercredi ; lundi, mardi, mercredi (5/01-8/02). - Menus : 13/30 € . Menu enfant : 7,50 € . Petit déjeuner : 7 € . 15 chambres : 32/49 € . Demi pension : 40/44 € . Etape VRP : 48 € - Classement : Auberge du Pays

Cet hôtel 2 étoiles situé dans un hameau calme à 700 m d'altitude vous propose des chambres tout confort, une cuisine bourgeoise, une cave réputée, un cadre intime et rustique. Pour vos loisirs : possibilité de ski de fond et ski alpin à 9 km.
Spécialités : truite au bleu, gibier, spécialités alsaciennes, choucroute, baeckeoffe. Grands crus d'Alsace.

Chambres avec bain ou douche+WC+TV : Toutes.
Terrasse, jardin, parking privé, ascenseur, accès handicapés, chaînes satellites, salle restaurant de caractère, chèques vacances, animaux acceptés au restaurant

This 2 stars hotel located in a calm hamlet at 700 m height, proposes rooms any comfort, a middle-class kitchen, a renowned cellar, an intimate and rustic framework. For your leisures: possibility of ski touring and Alpine skiing at 9 km

Este hotel 2 estrellas ubicado en una aldehuela tranquila, a 700 m de altitud le brinda cómodas habitaciones, una cocina casera, una bodega famosa, un ambiente íntimo y rústico. Para su esparcimiento : posibilidades de esquí de fondo y esquí alpino a 9 km.

Dieses 2-Sterne-Hotel in einem ruhigen in 700m Höhe gelegenem Ort bietet Ihnen komfortable Zimmer, eine noble Küche, einen renommierten Weinkeller und einen intimen, rustikalen Rahmen. Freizeitaktivitäten : Langlauf und Alpinski.

BERGHEIM (68750)

A 2 km de Ribeauvillé.

Table de Terroir

WISTUB DU SOMMELIER

03 89 73 69 99 - wistub.dusommelier@wanadoo.fr

51 Grand Rue - Patrick SCHNEIDER - Fax : 03 89 73 36 58 - www.wistub-du-sommelier.com
Fermeture : 2 dernières semaines de janvier ; 2 dernières semaines de juillet ; mardi soir et mercredi.
Menus : 19,90 € . Menu enfant : 8 € - Classement : Table de Terroir

Situé dans un village médiéval du XIVème siècle, cet établissement, authentique, avec kaecheloffen en faïence, vous proposera des produits du terroir accompagnés de grands vins d'Alsace.
Spécialités : choucroute paysanne, foie gras d'oie, presskopf maison.

Salle restaurant de caractère, animaux acceptés au restaurant

Situated in a medieval village of the XVI century, this establishment, authentic with eartenware kaecheloffen, will offer you traditional products with Alsacian wine.

Este auténtico establecimiento, situado en un pueblo medieval del siglo XIV, le propone productos regionales acompañados con grandes vinos de Alsace.

Dieses authentische Haus mit Kachelofen, in einem mittelalterlichen Dorf des 16. Jh. gelegen, bietet Ihnen regionale Produkte in Verbindung mit renommierten Weinen des Elsaß.

COLMAR (68000)

LA MAISON DES TÊTES ★ ★ ★ ★

03 89 24 43 43 - les-tetes@rmcnet.fr

19 Rue des Têtes - Marc et Carmen ROHFRITSCH - Fax : 03 89 24 58 34 - www.la-maison-des-tetes.com - Fermeture : Vacances de Février ; dimanche soir, lundi et mardi midi (restaurant). - Menus : 24/65 € . Menu enfant : 12 € . Petit déjeuner : 13 € .
21 chambres : 109/230 € . Demi pension : 113/181 € - Classement : Table Gastronomique

Nichée au coeur de la ville, cette superbe demeure de 1609, classée monument historique est le fleuron le plus célèbre de Colmar. Etape gastronomique unique, La Maison des Têtes vous ouvre son cadre authentique pour vous faire partager une cuisine recherchée alliant la finesse des mets et du décor.
Chambres avec bain ou douche+WC+TV : Toutes. Terrasse, parking privé, ascenseur, accès handicapés, climatisation, salle restaurant de caractère, salle de séminaires, , animaux acceptés

Brood in the heart of the city, this superb residence of 1609, classified historic building is the most famous floret of Colmar. Single gastronomical stage, La Maison des Têtes opens its authentic framework to you to make you share a required cooking combining the smoothness of the meals and the decoration.

Acurrucada en el corazón de la ciudad, esta magnífica morada de 1609, declarada de interés turístico es el florón más famoso de Colmar. Etapa gastronómica única en su género, La Maison des Têtes le abre su ambiente auténtico para hacerle compartir una cocina esmerada, que liga la delicadeza de platos y del decorado.

Im Herzen der Stadt eingenistet, ist dieses prächtige, unter Denkmalschutz stehende Haus von 1609, das Prunkstück von Colmar. Einzigartige gastronomische Etappe. La Maison des Têtes öffnet seinen authentischen Rahmen, um mit Ihnen die ausgezeichnete Küche zu teilen, wo die Feinheit der Gerichte mit dem Dekor im Einklang steht.

COLMAR (68000)

A35 sortie 23 de Strasbourg ou 24 de Mulhouse

HÔTEL BEAUSÉJOUR ★ ★ ★

03 89 20 66 66 - resa@beausejour.fr

25 Rue du Ladhof - Marie-Odile KELLER - Fax : 03 89 20 66 00 - www.beausejour.fr
Fermeture : Samedi midi et dimanche soir hors saison (restaurant). - Menus : 18/45 € . Menu enfant : 9 € . Petit déjeuner : 9 € .
38 chambres : 55/170 € . Demi pension : 40 € . Etape VRP : 60/75 € - Classement : Table Gastronomique

Au coeur de l'Alsace, dans un quartier calme à 5 mn à pied du centre ville, venez découvrir cette demeure de charme où 5 générations d'hôteliers se succèdent à votre service. Vous y serez accueilli dans la tradition, à la lumière du bon vieux temps. Lauréat national 1998 et 2003 de la cuisine du terroir. Spécialités : marbré de foie gras à la gelée de Gewurztraminer, matelotte aux 3 poissons de rivière pâtes maison, carré de porcelet caramélisé aux épices, tartes alsaciennes, poire pôchée au Gewurztraminer bouchée de fruits de berawekca en strudel. Chambres avec bain ou douche+WC+TV : Toutes.Terrasse, jardin, parking privé, ascenseur, accès handicapés, chaînes satellites, canal+, climatisation, petit déjeuner buffet, salle restaurant de caractère, salle de séminaires, chèques vacances, animaux acceptés, Menu Tables & Auberges de France

In the heart of Alsace, in a calm area at 5mn by walk of the town centre, come to discover this residence of charm where 5 generations of hotel keepers follow one another for your service. You will be welcome in the tradition, in the light of good old days.

En el corazón de Alsacia, en un barrio tranquilo a 5 mn a pie del centro de la ciudad, venga a descubrir esta encantadora morada en donde 5 generaciones de hoteleros se suceden para servirle. Usted será acogido como en los buenos tiempos, siguiendo la tradición.

Im Herzen des Elsaß, in einem ruhigen Viertel 5 Min zu Fuß vom Stadtzentrum, entdecken Sie dieses charmante Haus, wo seit 5 Generationen die Hotelliers für Ihr Wohl sorgen. Sie werden dort nach Tradition, im Licht der guten alten Zeit bewirtet. Nationaler Preisträger 1998 der ländlichen Küche.

EGUISHEIM (68420)

A 5 km de Colmar.

Table Gastronomique

HOSTELLERIE DU PAPE ★ ★ ★

03 89 41 41 21

10 Grand Rue - Fax : 03 89 41 41 31 - Menus : 17/49 € . Menu enfant : 10 € .
33 chambres : 65/95 € - Classement : Table Gastronomique

FROENINGEN (68720)

A 7 km de Mulhouse.

Table Gastronomique

AUBERGE DE FROENINGEN ★ ★ ★

03 89 25 48 48

2 Route d'Allfurth - Fax : 03 89 25 57 33 - Menus : 13/55 € . Menu enfant : 10,50 € . Petit déjeuner : 8 € .
7 chambres : 55/64 € - Classement : Table Gastronomique

GUEBWILLER (68500)

A 20 km au nord de Mulhouse.

Table de Terroir

HÔTEL-RESTAURANT DE L'ANGE ★ ★ ★

03 89 76 22 11 - hoteldelange@wanadoo.fr

4 Rue de la Gare - Alain RIETHMULLER - Fax : 03 89 76 50 08 - www.alsanet.fr/ange
Fermeture : Dimanche soir, lundi ; et tous les midis sauf le dimanche (restaurant). - Menus : 15/46,50 € . Menu enfant : 7,62 € .
Petit déjeuner : 6,80 € .36 chambres : 36/57 € . Demi pension : 48,50 € . Etape VRP : 51 € - Classement : Table de Terroir

Situé au pied du Grand-Ballon, à proximité de Colmar et Mulhouse, sur la Route des Vins, l'Hôtel-restaurant de l'Ange allie la modernité et la tradition alsacienne. Spécialités : gibier en saison, pragelfleisch à l'ancienne, ravioles d'escargots, croustillant de sandre à la moutarde de Meaux, mousse glacée au marc de Gewurztraminer. Vins d'Alsace.

Chambres avec bain ou douche+WC+TV : Toutes. Terrasse, parking privé, ascenseur, accès handicapés, petit déjeuner buffet, salle de séminaires, chèques vacances, animaux acceptés

At the foot of the Grand-Ballon, close to Colmar and Mulhouse, on the Route des Vins. This hotel restaurant mixes modernity and Alsacian's tradition. Alsacian wines stocked.

Al pie del Grand-Ballon, cerca de Colmar y Mulhouse, por la ruta de los vinos, el hotel-restaurante l'Ange une la modernidad y la tradición alsaciana. Vinos de Alsace.

Auf der Weinstraße, in der Nähe von Colmar und Mühlhausen verbindet das Hotel-Restaurant die moderne Küche mit der elsäßer Tradition.

HAGENTHAL LE BAS (68220)

A 50 m de la Suisse, 8 km de Saint Louis.

Table Gastronomique

HÔTEL-RESTAURANT JENNY ★ ★ ★

03 89 68 50 09 - reception@hotel-jenny.fr

84 Rue de Hégenheim - Monique KOEHL - Fax : 03 89 68 58 64 - www.hotel-jenny.fr - Fermeture : 23/12-6/01 ; 14/07-31/07.
Menus : 11/83 € . Menu enfant : 9/13 € . Petit déjeuner : 9 € .
26 chambres : 60/105 € . Demi pension : 75 € . Etape VRP : 84 € - Classement : Table Gastronomique

Au coeur de la région des 3 frontières, dans un cadre bucolique, à proximité d'étangs et de rivières, vous apprécierez l'ambiance chaleureuse et conviviale de cet établissement qui saura vous régaler de ses spécialités : noix de coquilles saint jacques grillées et tranche de foie d'oie poêlée accompagnées d'une mêlée de salade aux herbes ; filet de sole soufflée aux grenouilles sauce au Riesling ; côte de veau de lait rôtie aux girolles accompagnée d'un gratin de pâtisson au foie gras. Chambres avec bain ou douche+WC+TV : Toutes.Terrasse, jardin, garage fermé, parking privé, piscine d'hiver, ascenseur, accès handicapés, chaînes satellites, petit déjeuner buffet, salle restaurant de caractère, salle de séminaires, animaux acceptés

In the heart of the region of 3 borders, in a bucolic setting, near ponds and rivers, you will enjoy the warm atmosphere of this establishment .

En el centro de la región de las 3 fronteras, en un ambiente pastoril, cerca de estanques y ríos, usted apreciará el cálido y convivial ambiente de este establecimiento y podrá saborear sus especialidades.

Im Herzen der 3 Grenzen-Region, in einem ländlichen Rahmen, in der Nähe von Teichen und Bächen, werden Sie das warme und freundliche Ambiente dieses Hauses schätzen, wo man Sie mit deren Spezialitäten verwöhnt.

HAGENTHAL LE HAUT (68220)

A 15 km de Saint Louis.

Table de Prestige

RESTAURANT ANCIENNE FORGE

03 89 68 56 10 - baumannyves@aol.com

52 Rue Principale - Yves BAUMANN - Fax : 03 89 68 17 38

Fermeture : 3 dernières semaines d'août ; entre noël et nouvel an ; pâques ; dimanche et lundi.

Menus : 29/65 € - Classement : Table de Prestige

Dans une jolie maison de village arborée et fleurie, Yves BAUMANN accueille ses clients chaleureusement. On choisira l'une ou l'autre des deux salles selon l'humeur du moment, le jardin d'hiver pour les citadins en mal de verdure ou la salle principale agrémentée d'une cheminée pour les amateurs d'ambiance feutrée. La cuisine d'Emmanuel LAMBELIN, bien maitrisée, classiquement inventive met l'accord sur les produits du terroir. Spécialités : cuisses de grenouilles poêlées, risotto et coulis de cresson ; jarret de veau de lait mijoté en cocotte comme autrefois. Terrasse, animaux acceptés au restaurant

In a pretty house of wooded and flowered village, Yves BAUMANN accomodates his customers cordially. One will choose one of the two rooms according to the humor of the moment, the garden in winter for the townsmen in evil of greenery or the principal room with its chimney for the lovers of felted atmosphere. The cooking of Emmanuel LAMBELIN, classically inventive puts the accent on the products of the soil.

En una bonita casa de un pueblo arbolado y florido, Yves BAUMANN acoge sus clientes calurosamente. Eligiremos una de las dos salas según el humor del momento, el jardín de invierno para los que vienen de la ciudad con ganas de vegetación o la sala principal adornada con una chimenea para los aficionados a un ambiente tranquilo. La cocina de Emmanuel LAMBELIN, hábil, clásicamente inventiva pone en armonía los productos regionales.

In einem hübschen Dorfhaus in bewaldeter und blühender Umgebung, begrüßt Yves Baumann seine Gäste ganz herzlich. Je nach Lust und Laune wählt man zwischen den beiden Sälen, entweder den Wintergarten für Stadtmenschen auf der Suche nach Grünem oder der Hauptsaal mit Kamin, für die Anhänger einer gedämpften Atmosphäre. Die Küche von Emmanuel Lambelin ist gekonnt, klassisch und ideenreich, er bevorzugt Produkte vom Land.

HEGENHEIM (68220)

A 8 km de St Louis et 8 km de Bâle.

Table de Terroir

AUBERGE AU BOEUF ROUGE

03 89 69 40 00 - boeuf.rouge@libertysurf.fr

9 Rue de Hésingue - Martin DIRRIG - Fax : 03 89 67 78 69 *- Fermeture : Samedi et dimanche (sauf sur réservation à partir de 15 personnes).*

Menus : 10/35 €. Menu enfant : 10 € - Classement : Table de Terroir

Dans la pure tradition de cette auberge, la qualité et la convivialité sont au quotidien. Une équipe jeune et engagée vous offrira un très bon moment alsacien. Spécialités : choucroute au Crémant, fondue bacchus au vin d'alsace, entrecôte boeuf rouge aux deux sauces. Belle carte des vins.
Terrasse, parking privé, climatisation, salle de séminaires, animaux acceptés au restaurant

In the pure tradition of this inn, the quality and conviviality are daily present. A young commited team will offer you a great alsacian moment.

La auténtica tradición de esta posada es su cotidiana calidad y conviabilidad. Un equipo joven y prometedor le hará pasar un excelente momento alsaciano. Atractiva carta de vinos.

In der puren Tradition dieses Gasthauses sind Qualität und Gastfreundschaft der Alltag. Ein junges und engagiertes Team bieten Ihnen sehr schöne Elsässer Stunden.

HUSSEREN LES CHATEAUX (68420)

A 6 km au Sud de Colmar.

Table de Terroir

HÔTEL HUSSEREN-LES-CHÂTEAUX ★ ★ ★

03 89 49 22 93 - mail@hotel-husseren-les-chateaux.com

Rue du SCHLOSSBERG - Lucas de JONG - Fax : 03 89 49 24 84 - www.hotel-husseren-les-chateaux.com - Ouvert toute l'année.
Menus : 21/60 € . Menu enfant : 10 € . Petit déjeuner : 12 € . 38 chambres : 83/220 € .
Demi pension : 104,50 € . Etape VRP : 84,50 € - Classement : Table de Terroir

Situé en bordure de la route du vin, à l'orée de la forêt, cet établissement de construction moderne avec magnifique vue sur la plaine d'Alsace vous réservera le meilleur accueil.
Spécialités : foie gras, choucroute au poisson. Vins : blancs de Husseren les Châteaux.

Chambres avec bain ou douche+WC+TV : Toutes.
Terrasse, jardin, parking privé, piscine d'hiver, tennis, ascenseur, accès handicapés, chaînes satellites, petit déjeuner buffet, salle de séminaires, animaux acceptés

Situated beside the Road of Wine at the edge of the forest, at the foot of ruins of three castles, this modern establishment with magnificient view on the plain of Alsace will reserve the best welcome for you.

Este moderno establecimiento ubicado en el borde de la carretera del vino, lindero a un bosque y con una magnífica vista de la llanura de Alsace, le brindará una cálida acogida.

Am Waldrand, neben einer Weinstraße und am Fuß von drei Schlossruinen empfängt man Sie bestens in dem neugebauten Hotel mit wunderschönem Blick auf die elsässer Ebene.

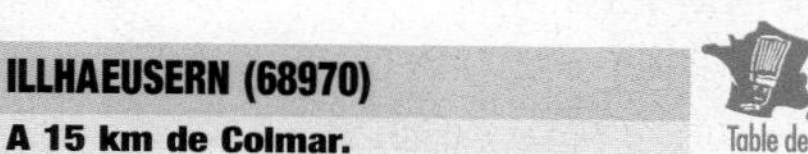

ILLHAEUSERN (68970)

A 15 km de Colmar.

Table de Prestige

AUBERGE DE L'ILL ★ ★ ★ ★

03 89 71 89 00 - auberge-de-l-ill@auberge-de-l-ill.com

2 Rue de Collonges - Fax : 03 89 71 82 83 - Menus : 106/127 € . Menu enfant : 12,20 € . Petit déjeuner : 25 € .
11 chambres : 225/415 € - Classement : Table de Prestige

ILLZACH-MODENHEIM (68110)

A 3 km de Mulhouse.

Table de Prestige

RESTAURANT LE PARC

03 89 56 61 67 - parc@sehh.com

8 Rue Victor Hugo - Jean-Pierre et Katia HUFFSCHMITT - Fax : 03 89 56 13 85 - www.sehh.com
Fermeture : 2 semaines en août ; samedi midi, dimanche soir et lundi.
Menus : 32/60 € - Classement : Table de Prestige

Jean-Pierre et Katia sont heureux de vous accueillir dans un cadre agréable au milieu d'un environnement de charme pour une étape privilégiée où la gourmandise et le bien vivre se déclinent avec bonheur. Vous découvrirez une cuisine consacrée aux produits de saison, où le mariage des goûts et des saveurs feront de votre pause repas un plaisir gastronomique de qualité. Spécialités : filets de caille et médaillon de foie gras chaud sur fondue d'endives, tournedos de chevreuil rôti aux senteurs automnales, feuillantine de poire caramélisée et glace au pralin, farandole de soufflés glacés au croquant. Terrasse, jardin, parking privé, accès handicapés restaurant, salle de séminaires, animaux acceptés au restaurant

Jean-Pierre and Katia are happy to accomodate you in a pleasant framework in the medium of an environment of charm for a privilegied stage where greediness and the good food are declining with happiness. You will discover a cooking consecrated to the products of season, where the marriage of the tatstes and savours will make your pause meal a gastronomic pleasure of quality.

Jean-Pierre y Katia estarán encantados de acogerle en un ambiente agradable, en medio de un encantador entorno para una etapa privilegiada donde el placer de saborear buenos platos y vivir bien se unen felizmente. Usted descubrirá una cocina consagrada a los productos de estación, donde la unión de gustos y sabores harán de sus almuerzos o cenas un placer gastronómico de calidad.

Jean-Pierre und Katia freuen sich, Sie in dem angenehmen Haus in charmanter Umgebung für eine Schlemmerpause zu begrüßen. Entdecken Sie eine Küche, den Jahreszeiten angepasst, ein Gemisch aus Geschmäckern, die aus Ihrer Rast einen gastronomischen, genüsslichen Moment machen.

ISSENHEIM (68500)

A 2 km de Guebwiller.

Auberge du Pays

A LA DEMI LUNE

03 89 76 83 63

9 Route de Rouffach - Pierre BARTH - Fax : 03 89 74 90 29 - Fermeture : Vendredi et samedi midi (l'hiver) ; vendredi midi et samedi midi (l'été). Menus : 8,30/30 € . Menu enfant : 8,50 € . Petit déjeuner : 5 € .9 chambres : 27/64 € . Demi pension : 32/45 € . Etape VRP : 48 € - Classement : Auberge du Pays

Au pied des Vosges et de la Route du Vin, cet établissement familial à l'accueil chaleureux est l'endroit idéal pour faire une halte gourmande afin de savourer un bon petit plat et déguster un grand cru alsacien. Spécialités : choucroute, jambonneau grillé, tartes flambées.
Chambres avec bain ou douche+WC+TV : 2-3-10-11-12-14. Terrasse, jardin, parking privé, TPS , salle restaurant de caractère, chèques vacances, animaux acceptés

At the foot of the Vosges and on the Route du Vin this friendly hotel offers a warm welcome, and is ideal for local food.

A los pies de los Vosges y de la Ruta del Vino, este establecimiento familiar con su calurosa acogida, es el lugar ideal para detenerse y saborear un buen plato acompañado de un vino fino alsaciano.

Am Fuße der Vogesen, an der Weinstrasse, ist dieses Haus der ideale Ort für eine kulinarische Pause und um große elsässische Weine zu kosten. Warmherziger Empfang.

KRUTH (68820)

A Kruth direction Col d'Oderen sur 5 km puis Le Frenz.

Auberge du Pays

LES 4 SAISONS ★ ★

03 89 82 28 61 - hotel4saisons@wanadoo.fr

Le Frenz - Roland LANG - Fax : 03 89 82 21 42 - www.hotel4saisons.com - Ouvert toute l'année. Menus : 13/35 € . Menu enfant : 9 € . Petit déjeuner : 8 € . 9 chambres : 43 € . Demi pension : 42 € . Etape VRP : 43 € - Classement : Auberge du Pays

Au coeur des Vosges, dans un cadre agréable et fleuri, venez découvrir la chaleur des 4 Saisons, un amour de chalet chouchouté par une famille qui a la passion de recevoir et qui vous fera partager une cuisine alsacienne généreuse. En terrasse ou en salle, vous pourrez profiter d'une vue panoramique exceptionnelle. Spécialités : feuilleté de munster chaud, filet de sandre au lard, poêlée de quetsches tièdes. Chambres avec bain ou douche+WC+TV : Toutes. Terrasse, parking privé, petit déjeuner buffet, salle restaurant de caractère, chèques vacances, animaux acceptés, Menu Auberge du Pays

In the heart of the Vosges, in a pleasant and flowered framework, come to discover the 4 Seasons, a love of country cottage coddled by a family which has the passion to receive and which will make you share a generous Alsatian cooking. In terrace or room, you will be able to profit of a panoramic seen exceptional.

En el corazón de los Vosges, en un ambiente agradable y florido, venga a descubrir la calidez del 4 Saisons, un encantador chalet mimado por una familia cuya pasión es recibirle y hacerle compartir una copiosa cocina alsaciana. En la terraza o en la sala, usted podrá aprovechar de una vista panorámica excepcional.

Im Herzen der Vogesen, in einem angenehmen und blühenden Rahmen, entdecken Sie die Wärme der 4 Saisons, eine liebliche Hütte, von einer Familie verhätschelt, die Sie mit Leidenschaft empfängt und mit Ihnen die großzügige elsässer Küche teilt. Auf der Terrasse oder im Speisesaal, genießen Sie das einzigartige Panorama.

LAPOUTROIE (68650)

A 20 km au Nord-Ouest de Colmar.

Table Gastronomique

HÔTEL-RESTAURANT DU FAUDÉ ★ ★ ★

03 89 47 50 35 - info@faude.com

28 Rue du Général Dufieux - Thierry BALDINGER - Fax : 03 89 47 24 82 - www.faude.com
Fermeture : 1/03-19/03 ; 2/11-26/11 ; mardi et mercredi (restaurant). - Menus : 19/69 € . Menu enfant : 10 € .
Petit déjeuner : 13 € .31 chambres : 58/88 € . Demi pension : 66/95 € . Etape VRP : 62 € - Classement : Table Gastronomique

En plein coeur du pays welche, la famille Baldinger vous accueille en costume alsacien. Vous apprécierez sa table et sa gastronomie régionale ainsi que sa cave qui représente dignement les vins du terroir. L'hôtel vous offre calme et détente avec sa piscine, son jacuzzi et son espace forme avec sauna, hamamm et solarium ainsi que son parc traversé par la rivière. Spécialités : sandre échalotes confites, tournedos sauce chicorée.2 restaurants : Le Grenier Welsche avec les spécialités du terroir et le Faudé Gourmet avec la nouvelle gastronomie. Chambres avec bain ou douche+WC+TV : Toutes.Terrasse, jardin, garage fermé, parking privé, piscine d'été, piscine d'hiver, ascenseur, accès handicapés restaurant, chaînes satellites, climatisation, petit déjeuner buffet, salle restaurant de caractère, salle de séminaires, chèques vacances, animaux acceptés

You will appreciate its regional gastronomy as well as its wines that are representative of the region. The hotel offers you calm and rest with its swimming pool, jacuzzi and its grounds crossed by a river. 2 restaurants The Grenier Welsche with specialities of the soil and the Faudé Gourmet with new gastronomy.

En el corazón del país extranjero, la familia Baldinger, en indumentaria alsaciana le acogerá y le hará apreciar su mesa, su gastronomía regional, así como su bodega, digna representante de vinos locales. El hotel le ofrece tranquilidad con su piscina, jacuzzi, sauna, baño turco, solario y un parque atravesado por un río. 2 restaurantes : Le Grenier Welsche con especialidades regionales y el Faudé Gourmet con la nueva gastronomía.

Genießen Sie dort die Tafel mit seiner regionalen Gastronomie sowie den Weinkeller der würdig die Weine vom Land repräsentiert. Das Hotel bietet Ihnen Ruhe und Entspannung, es stehen Ihnen Schwimmbad, Whirlpool und Fitnessraum mit Sauna, Hammam und Solarium zur Verfügung, sowie ein kleiner Park von einem Bach durchquert. Aperitif im Weinkeller möglich. 2 Restaurants : Le Grenier Welsche mit regionalen Spezialitäten und Le Faudé Gourmet mit moderner Gastronomie.

MULHOUSE (68100)

Au centre ville, proche des rues piétonnes.

HÔTEL BRISTOL ★ ★ ★

03 89 42 12 31

18 Avenue Colmar - Léon GUTZWILLER - Fax : 03 89 42 50 57 - www.hotelbristol.com - Ouvert toute l'année.
70 chambres : 45/230 € . Petit déjeuner : 8,50 € .
Demi pension : 36/50 € . Etape VRP : 65/85 €

L'hôtel Bristol vous propose un accueil chaleureux et familial, des chambres modernes meublées avec goût, toutes desservies par un ascenceur. Sa situation privilégiée vous donne un large éventail de possibilités de loisirs (12 musées prestigieux à proximité, centre historique de la vieille ville).

Restaurant Alsacien à proximité. Menus : 12,50/30,50 €

Chambres avec bain ou douche+WC+TV : Toutes. Garage fermé, parking privé, ascenseur, accès handicapés hôtel, chaînes satellites, canal+, climatisation, petit déjeuner buffet, salle de séminaires, chèques vacances, animaux acceptés

The hotel Bristol offers you a warm and familial welcome. Roomsare tastefull and modern all of them served by elevator. The privileged situation of the hotel gives you great possibilities of leisure (12 prestigious museums, historic centre of the old town). Near Alsacian restaurant.

El Hôtel Bristol, con su cálida y familiar acogida le propone modernas habitaciones amuebladas con gusto (todas con acceso a un ascensor). Gracias a su situación privilegiada, existen numerosas distracciones para sus ratos de ocio (12 prestigiosos museos en las cercanías, centro histórico de la vieja ciudad). Restaurante alsaciano a proximidad.

Das Hôtel Bristol bietet Ihnen einen herzlichen und familiären Empfang, moderne, geschmackvoll möblierte Zimmer und Aufzug für alle zugänglich. Durch seine privilegierte Lage haben Sie eine große Auswahl an Freizeitmöglichkeiten.

ORBEY (68370)

A l'ouest de Colmar (20 km) et à 10 km de Kaysersberg.

Table Gastronomique

AU BOIS LE SIRE ★ ★ ★

03 89 71 25 25 - boislesire@bois-le-sire.fr

20 Rue Charles de Gaulle - Mme SAULNIER Isabelle - Fax : 03 89 71 30 75 - www.bois-le-sire.fr
Fermeture : 2/01-5/02 ; lundi (sauf juillet/août) et dimanche soir hors saison. - Menus : 16/43 € . Menu enfant : 8 € . Petit déjeuner : 8,50 € .
35 chambres : 50/64 € . Suite : 145,50/158,50 € . Demi pension : 51,50/59,50 € . Etape VRP : 57 € - Classement : Table Gastronomique

Au pied de la ligne bleue des Vosges, cette maison chaleureuse vous attend. Isabelle et son équipe sauront vous faire apprécier leur cuisine gastronomique ainsi que le confort et le charme de l'établissement.

Spécialités : foie gras maison, filet de sandre à la crème de raifort, carré d'agneau jus au basilic.

Chambres avec bain ou douche+WC+TV : Toutes. Terrasse, garage fermé, parking privé, piscine d'hiver, chaînes satellites, petit déjeuner buffet, salle de séminaires, chèques vacances, animaux acceptés

At the foot of the blue line of the Vosges, this cordial house waits for you. Isabelle and her team will be able to make you appreciate their gastronomic cooking as well as the comfort and the charm of the establishment.

Al pie de los Vosges, esta cálida casa le espera. Isabelle y su equipo le harán apreciar su cocina gastronómica en un encantador y confortable ambiente.

Am Fuße der blauen Linie der Vogesen, erwartet Sie ein herzliches Haus. Isabelle und ihr Team verwöhnen Sie mit Ihrer erlesenen Küche sowie dem Komfort und dem Charme ihres Hauses.

RANSPACH LE BAS (68730)

A 15 km de St-Louis, 20 km de Mulhouse.

HÔTEL-RESTAURANT SUD ALSACE ★ ★ ★

03 89 68 48 00

37 Rue de Bâle - Achille MISLIN - Fax : 03 89 68 83 08 - Fermeture : Lundi.
Menus : 7/45 € . Menu enfant : 6 € . Petit déjeuner : 7 € .
10 chambres : 74/89 € - Classement : Table de Terroir

A la porte des 3 frontières, le Sud Alsace vous propose de passer d'agréables moments au sein de son établissement. Une ambiance des plus chaleureuse avec animations le week-end, des chambres tout confort et une table de qualité.
Spécialités : steack du boucher, filets de carpes sans arêtes, spécialités alsaciennes.

Chambres avec bain ou douche+WC+TV : Toutes.
Terrasse, jardin, garage fermé, parking privé, accès handicapés, TPS, chaînes satellites, petit déjeuner buffet, salle de séminaires, chèques vacances

At the door of the 3 borders, the South Alsace proposes you to pass pleasant moments in its establishment. An environment of most cordial with animations ithe week-end awaits you there as well as rooms any comfort and a table of quality.

A la puerta de 3 fronteras, el Sud Alsace le propone pasar agradables momentos en el seno de su establecimiento. Caluroso ambiente con animaciones durante el fin de semana. Cómodas habitaciones y una mesa de calidad le esperan.

Nahe der 3 Grenzen, verbringen Sie im Süd Elsass einen angenehmen Aufenthalt in warmer Atmosphäre, am Wochenende mit Animationen, komfortablen Zimmern und einer hervorragenden Tafel.

RIQUEWIHR (68340)

A 12 km de Colmar.

AUBERGE DU SCHOENENBOURG

03 89 47 92 28

2 Rue de la Piscine - François KIENER - Fax : 03 89 47 89 84
Fermeture : 8/01-10/02 ; Mercredi soir du 1/11 au 30/04. Fermé à midi sauf le dimanche.
Menus : 32/75 € - Classement : Table de Prestige

Venez découvrir à l'Auberge du Schoenenbourg toutes les saveurs et les traditions de l'Alsace. Dans un cadre agréable, avec vue sur les remparts et les maisons anciennes vous dégusterez une cuisine régionale empreinte de modernité et serez accueillis le temps d'une halte en hôtes privilégiés.
Spécialités : duo de foie gras d'oie et de canard cuit au torchon, quasi de veau français cuit à basse température et son accompagnement de saison, trilogie de soufflés.

Terrasse, jardin, parking privé, climatisation, animaux acceptés

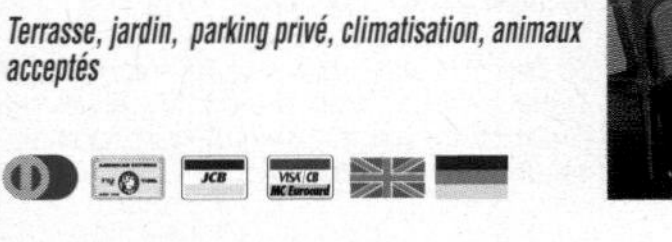

Come to discover at the Auberge of Schoenenbourg all savours and traditions of Alsace. In a pleasant framework, with sight on the ramparts and the old houses you will taste a regional cooking impressed of modernity and will be welcomed the time of an halt as privilegied hosts.

Venga a descubrir al Auberge du Schoenenbourg todos los sabores y tradiciones de Alsace. En un ambiente ambiente agradable, con vista a las murallas y casas antiguas, usted podrá saborear una cocina regional moderna y tendrá una acogida privilegiada.

Entdecken Sie in der Gaststätte Schoenenbourg alle Geschmäcker und die Traditionen des Elsaß. In einem angenehmen Rahmen mit Blick auf die Stadtmauer und die alten Häuser, kosten Sie eine regionale und moderne Küche. Sie werden dort als bevorzugter Gast bewirtet.

SEWEN (68290)

A 50 km au Nord de Belfort.

AUBERGE DU LANGENBERG

03 89 48 96 37 - aubergelangenberg@wanadoo.fr

Route du Ballon d'Alsace - Jean-Claude FLUHR - Fax : 03 89 48 32 35 - Fermeture : 15/10-5/11 ; jeudi hors saison.
Menus : 10,70/24,39 € . Menu enfant : 6,90 € . Petit déjeuner : 4 € .
7 chambres. Demi pension : 30,50/38,50 € - Classement : Auberge du Pays

Au pied des pistes de ski, à proximité du Ballon d'Alsace, venez découvrir le cadre agréable et chaleureux de cette auberge de montagne, point de départ de nombreuses randonnées.
Spécialités : baeckeoffa, cochon de lait, cochonailles, tourte au canard, tarte aux myrtilles. Vins : Pinot noir, Tokay.

Chambres avec bain ou douche+WC+TV : 6-7-8.
Terrasse, accès handicapés restaurant, chèques vacances, animaux acceptés au restaurant

At the foot of the skiing station, close to the Alsace's ballon , come to discover the pleasant and warm setting of this mountain inn, start of several hikes.

A los pies de las pistas de esquí, en las cercanías del Ballon d'Alsace, venga a descubrir el ambiente agradable y caluroso de esta mesón de montaña, punto de partida de numerosas excursiones. Usted podrá saborear los platos de la región.

Am Fuße der Skipisten, nahe des Ballon d'Alsace, entdecken Sie den angenehmen und warmherzigen Rahmen dieser Berggaststätte, Ausgangspunkt zahlreicher Wanderungen.

SOULTZMATT (68570)

A 4 km de Rouffach, 20 km de Colmar.

Auberge du Pays

HÔTEL-RESTAURANT KLEIN

03 89 47 00 10 - hotel-rest.klein@wanadoo.fr

44 Rue de la Vallée - Michel KLEIN - Fax : 03 89 47 65 03 - www.klein.fr - Fermeture : 15/01-15/02 ; lundi.
Menus : 15/38 € . Menu enfant : 11 € . Petit déjeuner : 7 € .
11 chambres : 40/56 € . Demi pension : 43/50 € . Etape VRP : 50 € - Classement : Auberge du Pays

Sur la route du Vin, au pied du Zinnkoepfle, au coeur d'un village alsacien, Michel KLEIN et son équipe vous proposent, dans leur charmante auberge à caractère familial, des spécialités variées largement inspirées des produits du terroir. Spécialités : foie gras de canard au Gewurstraminer, escalope de saumon au munster, pavé de biche aux myrtilles. Prestigieuse carte des vins avec plus de 800 références.

Chambres avec bain ou douche+WC+TV : 1-2-3-4-106-107.
Terrasse, parking privé, salle restaurant de caractère, salle de séminaires, chèques vacances, animaux acceptés

On the wine-road, at the foot of Zinnkoepfle, in the heart of an Alsacian village, Michel KLEIN and his team offer, in their charming and familial inn of character, their various specialities inspired by traditional products.

Por la ruta de los vinos, al pie del Zinnkoepfle, en el corazón del pueblo alsaciano, Michel KLEIN y su equipo le esperan en su encantador y familiar hostal, usted podrá saborear las variadas especialidades inspiradas de productos regionales. Prestigiosa lista de vinos con más de 800 referencias.

An der Weinstraße, am Fuß vom Zinnkoepfle. Michel KLEIN und sein Team bieten Ihnen in einer charmanten, im Herzen eines elsässischen Dorfes gelegenen Herberge mit familiärem Charakter abwechslungsreiche, mit regionalen Produkten zubereitete.

ST AMARIN (68550)

A 35 km de Mulhouse.

Auberge du Pays

AUBERGE DU MEHRBÄCHEL

03 89 82 60 68 - sarlkornacker@wanadoo.fr

Route de Geishouse - Famille KORNACKER - Fax : 03 89 82 66 05 - Fermeture : 25/10-5/11 ; jeudi soir, vendredi ; lundi soir.
Menus : 15,50/45 € . Menu enfant : 8,50 € . Petit déjeuner : 8 € .
23 chambres : 48/52 € . Demi pension : 44/47 € . Etape VRP : 50 € - Classement : Auberge du Pays

Dans un cadre verdoyant et chaleureux, la famille Kornacker vous propose des séjours de détente. Les chambres vous offrent calme et confort. Dans la salle à manger, vous pourrez déguster la cuisine traditionnelle du Chef et ses spécialités régionales.
Spécialités : munster pané sur salade au carvi, truite aux amandes, choucroute garnie.

Chambres avec bain ou douche+WC+TV : Toutes.
Terrasse, parking privé, salle de séminaires, chèques vacances

In a green and warm setting, the Kornaker's family is offering relaxing stay. Bedrooms offer calm and comfort. In the dining room you will savour the traditionnal cooking of the Chief.

En un ambiente natural y caluroso, la familia Kornacker le ofrece estancias de descanso. Habitaciones calmas y cómodas. En el comedor, usted podrá saborear la cocina tradicional y las especialidades regionales del Jefe.

In warmherzigem Rahmen bietet Ihnen die Familie Kornacker entspannungsreiche Aufenthalte im Grünen. Die Zimmer sind ruhig und komfortabel. Im Esszimmer können Sie traditionelle Küche und regionale Spezialitäten kosten.

ST HIPPOLYTE (68590)

A 7 km de Sélestat, 18 km de Colmar

Table Gastronomique

HOSTELLERIE MUNSCH AUX DUCS DE LORRAINE ★ ★ ★

03 89 73 00 09 - hotel.munsch@wanadoo.fr

16 Route du Vin - Christophe MEYER - Fax : 03 89 73 05 46 - www.hotel-munsch.com - Fermeture : 5/01-12/02, 26/07-5/08, 8/11-25/11.
Restaurant : lundi, vendredi midi, dimanche soir, mardi midi 1/11-15/05 - Menus : 22/55 € . Petit déjeuner : 11,50 € .
36 chambres : 68/119 € . 4 appartements : 150/175 € . Demi pension : 80/100 € . Etape VRP : 64 € - Classement : Table Gastronomique

Auberge de tradition familiale située au coeur du vignoble alsacien au pied du château du Haut-Koenigsbourg. Point de départ idéal pour tout circuit touristique. Vous y dégusterez une cuisine imprégnée du terroir et de la gastronomie, en harmonie avec les vins issus de la propriété. Spécialités : saint pierre poêlé aux légumes verts et ses champignons de saison, escalope de foie de canard aux fruits du marché, tourtière aux fruits de saison, petit kougelhopf glacé au kirsch et ses griottines. Chambres avec bain ou douche+WC+TV : Toutes. Terrasse, jardin, garage fermé, parking privé, ascenseur, accès handicapés restaurant, petit déjeuner buffet, salle restaurant de caractère, salle de séminaires, chèques vacances, animaux acceptés au restaurant

This inn of family tradition is located at the heart of the Alsacian vineyard at the foot of the castle of Haut-Koenigsbourg. You will enjoy a traditional cooking, in harmony with the wines of the property.

Esta hostelería de tradición familiar, en el corazón del viñedo alsaciano, al pie del castillo del Haut-Koenigsbourg es el punto de partida ideal para todo circuito turístico. Usted descubrirá su gastronomía, una cocina que armoniza los productos regionales con los vinos de la propiedad .

Das Familienhotel liegt mitten in den Weinbergen am Fuße des Schlosses Haut-Koenigsbourg. Idealer Ausgangspunkt für eine Vielzahl von Ausflügen. Kosten Sie dort eine vom Land geprägte Küche im Einklang mit Weinen aus eigener Produktion.

ST LOUIS (68300)

A 1 km de la frontière suisse, 2 km de la frontière allemande

Table Gastronomique

RESTAURANT LE TRIANON

03 89 67 03 03

46 Rue de Mulhouse - Bernard MULLER - Fax : 03 89 69 15 04 - Fermeture : 8/01-23/01 ; 16/07-7/08 ; dimanche soir, lundi & mardi.
Menus : 21,35/54,90 € . Menu enfant : 15,25 €
Classement : Table Gastronomique

Dans un cadre chaleureux et convivial, Bernard MULLER et son épouse se feront un plaisir de vous recevoir et de vous faire partager une cuisine élaborée au fil des saisons et du marché.
Spécialités : escalope de foie gras et coquilles saint jacques, pavé de lotte aux 3 poivres, gibier en saison, mariage de veau et de homard, terrine de foie gras parfumé au kirsch d'alsace, crêpe fin du siècle.

Parking privé, accès handicapés restaurant, climatisation,salle de séminaires

In a warm and friendly setting, Bernard Muller and his wife will be glad to welcome you and make you share a cooking created following the seasons and the market.

En un ambiente caluroso y sociable, Bernard MULLER y su esposa tendrán el placer de recibirle y de hacerle compartir una cocina de mercado, elaborada al ritmo de las estaciones.

In herzlichem und geselligem Ambiente, heißen Sie Bernard MULLER und seine Frau herzlich willkommen und freuen sich, Ihnen eine jahreszeitenangepasste Küche zuzubereiten.

STE MARIE AUX MINES (68160)

Auberge du Pays

AUBERGE DU PETIT HAUT

03 89 58 72 15

56 Petit Haut - Yvan et Sophie THEURILLAT - Daniel BENOIT - Fax : 03 89 58 77 31
Fermeture : Mardi et mercredi de novembre à mars ; uniquement le mercredi d'avril à octobre.
Menus : 15/19 € - 14 chambres : 39 € - Classement : Auberge du Pays

Au coeur de l'Alsace, dans un site calme exceptionnel, Le Petit Haut offre une étape reposante et chaleureuse avec des chambres confortables et une cuisine généreuse.
Spécialités : foie gras maison, tourte de l'auberge, les roestis, choucroute, repas terroir.

Chambres avec bain ou douche+WC+TV : Toutes.
Terrasse, jardin, parking privé, chèques vacances, animaux acceptés

In the heart of Alsace, in an exceptional calm setting, the Petit Haut offers a relaxing and warm stage with comfortable bedrooms and generous cooking.

En el corazón de Alsace, en un lugar excepcionalmente tranquilo, El Petit Haut le propone hacer una escala calma y calurosa, con cómodas habitaciones y una cocina generosa.

Im Herzen des Elsass, in einem außergewöhnlichen ruhigen Ort, bietet Ihnen Le Petit Haut einen erholsamen, warmherzigen Aufenthalt in komfortablen Zimmern und bei reichhaltiger Küche.

ZELLENBERG (68340)

A 1 km de Riquewihr.

Table de Prestige

RESTAURANT MAXIMILIEN

03 89 47 99 69

19 A, Route d'Ostheim - Fax : 03 89 47 99 85 - Menus : 31/76 € . Menu enfant : 21 €
Classement : Table de Prestige

La Reconnaissance Professionnelle

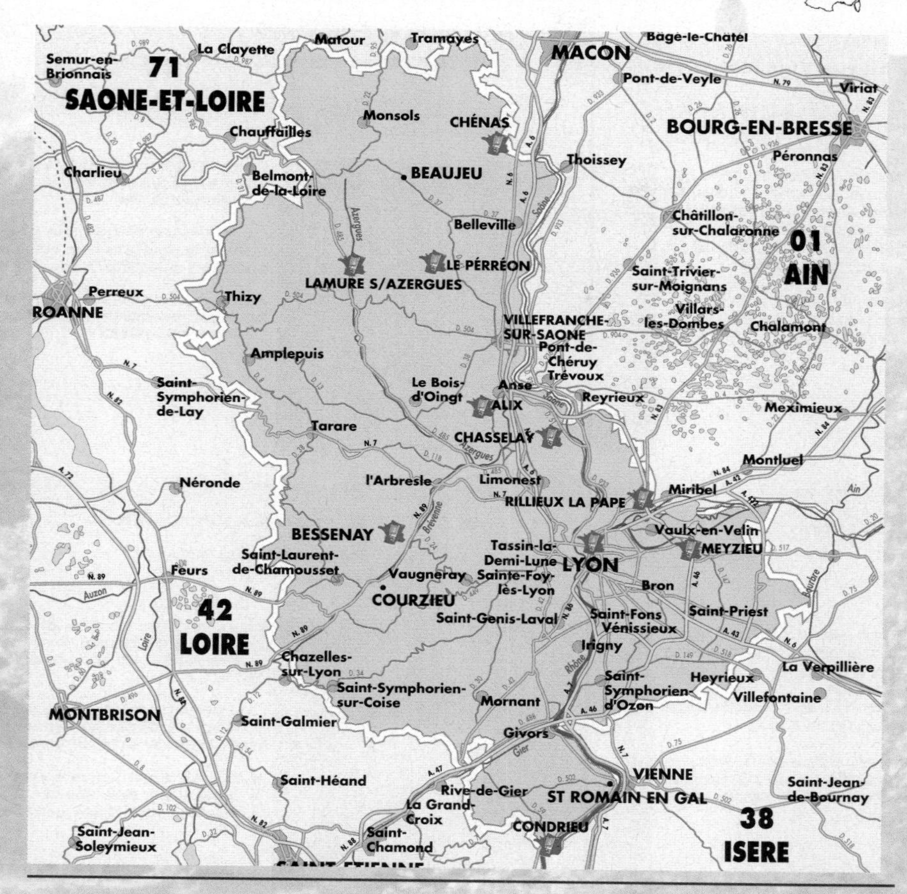

Sites Touristiques : Musée des Beaux Arts à Lyon, Musée & Site Archéologique de Saint Romain en Gal, Aquarium du Grand Lyon à La Mulatière, Parc animalier de Courzieu, les sources du Beaujolais à Beaujeu.

Saveurs de nos Terroirs : Andouillette tirée à la ficelle, sabordet, quenelles, tablier de sapeur, cardons au jus et à la moelle au gratin, cervelle de Canuts, rigotte de Condrieu, bugnes, coussins de Lyon, cocons de Lyon.

Vins du Beaujolais : Brouilly, Chénas, Chiroubles, Côte de Brouilly, Fleurie, Juliénas, Morgon, Moulin à Vent, Régnié, Saint Amour, Beaujolais Villages, Beaujolais nouveau.

Vins des Côteaux du Lyonnais : les rouges sont issus du Gamay noir à jus blanc et les blancs à partir de Pinot blanc, de Chardonnay et d'Aligoté.

Animations :

Juillet/Septembre : Festival Continents et Culture à Villefranche sur Saône, Les Nuits de Fourvière à Lyon, Biennale de la Danse à Lyon, Festival International de Musique Mécanique à Oingt.

Septembre/Janvier : Biennale d'Art Contemporain à Lyon.

COMITÉ DÉPARTEMENTAL DU TOURISME DU RHÔNE

35, Rue Saint-Jean - 69005 - LYON -Tél. : 04 72 56 70 40 - Fax : 04 72 56 70 41

www.rhonetourisme.com - mail@rhonetourisme.com

ALIX (69380)

A 29 km au Nord de Lyon, 12 km de Villefranche/Saône.

Table de Terroir

RESTAURANT LE VIEUX MOULIN

04 78 43 91 66 - lemoulindalix@wanadoo.fr

Gérard UMHAUER - Fax : 04 78 47 98 46 - Fermeture : 13/08-16/09 ; lundi et mardi sauf jours fériés et groupes. Menus : 22/47 € . Menu enfant : 10 € - Classement : Table de Terroir

Dans un vieux moulin du XVème siècle, en pleine campagne, en plein coeur du Beaujolais sud et des pierres dorées, nous vous offrons une cuisine traditionnelle de terroir avec des spécialités régionales : pintade fermière aux morilles, andouillette sauce moutarde, lotte à la fondue de poireaux, foie gras, grenouilles.

Terrasse, parking privé, accès handicapés restaurant, salle restaurant de caractère, salle de séminaires, animaux acceptés au restaurant

In an old mill of XVth century, in countryside, full heart of the southern Beaujolais and gilded stones, we offer you a traditional cooking with regional specialities

En un viejo molino del siglo XV, en pleno campo, en el corazón del Beaujolais sur y de las piedras doradas, le ofrecemos una cocina tradicional con especialidades regionales.

In einer alten Mühle aus dem 17. Jh., mitten auf dem Land im Süden des Beaujolais und seinen goldbraunen Steinen bieten wir Ihnen eine traditionelle, lokale Küche.

BESSENAY (69690)

A 25 km de Lyon.

Table de Terroir

AUBERGE DE LA BRÉVENNE ★ ★ ★

04 74 70 80 01 - auberge.labrevenne@free.fr

RN89 - Pierre COUSTURIÉ - Fax : 04 74 70 82 31 - Fermeture : Dimanche soir et lundi (restaurant). Menus : 22/37 € . Menu enfant : 15 € . Petit déjeuner : 8,50 € . 24 chambres : 65/95 € . Etape VRP : 69 € - Classement : Table de Terroir

Située au point de départ du Col de la Luère, avec vue panoramique sur les monts du Lyonnais, cette auberge de terroir vous émerveillera et vous offrira saveurs, simplicité et convivialité.
Spécialités : ragoût de homard canadien aux oreilles et pieds de cochon jus de veau estragon.

Chambres avec bain ou douche+WC+TV : Toutes. Terrasse, parking privé, ascenseur, accès handicapés, TPS, chaînes satellites, salle de séminaires, animaux acceptés à l'hôtel

Located at the starting point of the Col de la Luère, with panoramic sight on the mounts of the Lyonese, this inn of soil will fill with wonder you and will offer savours, simplicity and user-friendliness to you.

Ubicado en el punto de partida del Col de la Luère, con vista panorámica de los montes del Lyonnais, este típico albergue le fascinará y le propondrá sabores, simplicidad y sociabilidad.

Am Anfang des Luère Passes mit Panoramablick auf die Berge des Lyonnais, wird Sie dieses Landgasthaus mit seinen Geschmäckern, der Einfachheit und Gastlichkeit verzaubern.

CHASSELAY (69380)

A 15 km de Lyon.

Table de Prestige

RESTAURANT GUY LASSAUSAIE

04 78 47 62 59

Rue de Bellecize - Guy LASSAUSAIE - Fax : 04 78 47 06 19 - Fermeture : 9/02-19/02 ; mardi et mercredi. Menus : 40/80 € . Menu enfant : 16 € . Classement : Table de Prestige

Un restaurant moderne au luxe contemporain, Guy LASSAUSAIE Meilleur Ouvrier de France 1993, élabore une cuisine créative qui met en valeur les plus beaux produits, conforté par un service de qualité et une cave réputée.
Spécialités : poire de veau rôtie à la réglisse, bonbon de jarret de veau, jus au romarin ; croustillant de homard et aubergines aux câpres capucines ; pigeon cuit au foin en cocotte lutée, pommes grenailles, fenouils et lentins de chêne.

A modern restaurant with the contemporary luxury, Guy LASSAUSAIE Better Working of France 1993, works out a creative cooking which emphasizes the most beautiful products, consolidated by a service of quality and a famous cellar.

Un restaurante moderno con lujo contemporáneo, Guy LASSAUSAIE Mejor Obrero de Francia 1993, elabora una cocina creativa que pone en valor los más bellos productos, confirmados por un servicio de calidad y una bodega famosa.

Ein modernes Restaurant mit dem Luxus von heute, Guy Lassausaie, bester Ouvrier von Frankreich 1993, bereitet für Sie eine kreative Küche, die die schönsten Erzeugnisse hervorhebt, unterstützt von einem hochqualifizierten Service und bekannten Weinen.

CHÉNAS (69840)

A 12 km de Belleville et de Macon.

LES PLATANES DE CHÉNAS - L'AUBERGE DU PÈRE ROBIN

03 85 36 79 80

Lieu dit Les Deschamps - Christian GERBER - Fax : 03 85 36 78 33 - Fermeture : Février ; mardi et mercredi.

Menus : 22/49 € . Menu enfant : 12 € .

Classement : Table Gastronomique

Dans un cadre exceptionnel, au coeur du vignoble, surplombant le petit village viticole, cet établissement vous réservera le meilleur accueil et vous proposera une cuisine gastonomique de qualité.

Spécialités : ravioles de celeri et truffes, grenouilles, foie gras poêlé, croquant des mères grands du Beaujolais.

Terrasse, jardin, parking privé, salle restaurant de caractère, salle de séminaires, animaux acceptés au restaurant

In an exceptional framework, in the heart of the vineyard, overhanging the small wine village, this establishment will hold the best reception for you and a gastonomic cooking of quality will propose to you.

En un ambiente excepcional, en el corazón del viñedo, dominando el pueblito vitícola, este establecimiento le brindará una excelente acogida y le propone una cocina gastronómica de calidad.

In einer außergewöhnlichen Umgebung, mitten in den Weinbergen, über dem kleinen Weindorf, erwartet Sie in diesem Haus ein herzlicher Empfang und eine gastronomische Küche von Qualität.

CONDRIEU (69420)

A 8 km de Vienne.

HÔTELLERIE BEAU RIVAGE ★ ★ ★ ★

04 74 56 82 82 - infos@hotel-beaurivage.com

2 Rue du Beau Rivage - Famille HUMANN/DONET - Fax : 04 74 59 59 36 - www.hotel-beaurivage.com - Ouvert toute l'année.

Menus : 36/73 € . Menu enfant : 50% de la carte. Petit déjeuner : 15 € .

26 chambres : 90/210 € - Classement : Table de Prestige

Douceur et lumière des bords du Rhône, terrasses à fleur d'eau, magie d'un jardin et de ses ombrages secrets, charme particulier d'une ancienne maison de pêcheurs... autant de sensations qui font de l'Hôtellerie Beau Rivage un lieu d'art de vivre. Spécialités : quenelle de brochet au salpicon de homard, croustillant d'agneau à la fleur de thym, pavé de sandre sauce viognier. Chambres avec bain ou douche+WC+TV : Toutes. Terrasse, jardin, garage fermé, parking privé, ascenseur, accès handicapés, chaînes satellites, climatisation, salle de séminaires, animaux acceptés

A mellow atmosphere bathed in light on the banks of the Rhône, terraces overhanging the water, the enchantment of a garden and its secret shady nooks, the particular charm of a former fishermen's house... so many sensations, making the Beau Rivage just the place to enjoy a very special life-style.

Dulzura y luz de los bordes del Ródano, terrazas a flor de agua, magia de un jardín y de sus sombras secretas, encanto particular de una antigua casa de pescadores... tantas sensaciones que hacen de la Hostelería Beau Rivage un lugar del arte de vivir.

Genießen Sie das milde Licht des Rhôneufers, die Terrassen direkt am Wasser, die Magie eines Gartens und seinen geheimnisvollen Schatten, den besonderen Zauber eines ehemaligen Fischerhauses ; all diese Genüsse machen das Hotel Beau Rivage zu einem Ort der Lebenskunst.

LAMURE SUR AZERGUES (69870)

A 29 km de Villefranche s/Saône.

HÔTEL RAVEL ★

✆ 04 74 03 04 72

Michel GELY - Fax : 04 74 03 05 26 - Ouvert toute l'année.
Menus : 12,50/36 € . Petit déjeuner : 4,60 € . 8 chambres : 25/41 € .
Classement : Auberge du Pays

Venez découvrir le cadre agréable de cet établissement, un accueil chaleureux vous y attend, parmi les spécialités vous pourrez déguster : délice de saumon aux écrevisses, canard à l'orange, soufflé glacé mandarine.

Terrasse, jardin, parking privé, accès handicapés restaurant, animaux acceptés

Come to discover the pleasant setting of this establishment, a warm welcome awaits for you, where you will be able to taste many specialities.

Venga a descubrir el ambiente agradable de este establecimiento, una acogida calurosa le aguarda. Usted podrá saborear las especialidades de la Casa.

Entdecken Sie den angenehmen Rahmen dieses Hauses, wo Sie ein herzlicher Empfang und die Spezialitäten des Küchenchefs erwarten.

LE PERRÉON (69460)

A 14 km de Villefranche s/Saône et 45 km de Lyon.

CHÂTEAU DES LOGES ★ ★ ★

✆ 04 74 03 27 12 - cl-loges@netcourrier.com

Les Loges - Fax : 04 74 03 27 22 - Menus : 16/49 € . Menu enfant : 11 € . Petit déjeuner : 7 € .
10 chambres : 51/83 € - Classement : Table de Terroir

LYON (69005)

CHRISTIAN TETEDOIE

✆ 04 78 29 40 10 - restaurant@tetedoie.com

54 Quai Pierre Scize - Fax : 04 72 07 05 65 - Menus : 38/58 € . Menu enfant : 19 €
Classement : Table de Prestige

LYON (69005)

Métro Saint Jean.

LA TOUR ROSE ★ ★ ★ ★

✆ 04 78 92 69 10 - latourose@free.fr

22, Rue du Boeuf - Fax : 04 78 42 26 02 - Menus : 53/106 € .
12 chambres : 215/520 € - Classement : Table de Prestige

LYON (69001)

Métro Hôtel de Ville, 50 mètres de l'Opéra.

LE PETIT FLORE (BOUCHON LYONNAIS)

✆ 04 78 27 27 51

19 Rue du Garet - Hélène & Michel SOMONIAN - Fermeture : 22/12-8/01, 14/07-1/08 ; dimanche et lundi.
Menus : 13/17 € - Classement : Auberge du Pays

Dans un cadre agréable et chaleureux (bouchon lyonnais), Michel & Hélène SOMONIAN vous proposent leurs spécialités : quenelle de brochet, tablier de sapeur, croustillant de boudin aux pommes, desserts maison.

Climatisation, animaux acceptés au restaurant

Come and taste Michel and Hélène SOMONIAN'S specialities in a warm and pleasant restaurant.

En un ambiente cálido y agradable, Michel & Hélène SOMONIAN le proponen saborear sus especialidades.

In einem angenehmen und herzlichen Rahmen erwarten Sie Michel & Hélène SOMONIAN mit ihren Spezialitäten.

MEYZIEU (69330)

A 15 km de Lyon (rocade Est).

Table de Terroir

LA PETITE AUBERGE DU PONT D'HERBENS

04 78 31 41 09

32 Rue Victor Hugo - Le Grand Large - Philippe BERTHET - Fax : 04 78 04 34 93
Fermeture : 1/03-31/03 ; dimanche soir et lundi sauf jours fériés.
Menus : 17/39 € . Menu enfant : 10 € - Classement : Table de Terroir

Dans un cadre de verdure, face au lac, cette auberge chaleureuse vous fera partager ses spécialités élaborées essentiellement à partir de produits frais : foie gras fait maison, volaille fermière au vinaigre de framboise, civet de gibier, saumon frais mariné à l'aneth, grenouilles fraîches. Belle carte des vins (plus de 140 références).

Terrasse, jardin, parking privé, accès handicapés restaurant, salle restaurant de caractère, salle de séminaires, chèques vacances, animaux acceptés au restaurant

In a greenery setting, in front of a lake, this warm inn will let you savour their specialities made especially with fresh products. Good wine list (more than 120 classified).

En el verdor de este ambiente, frente al lago, esta cálida posada le hará descubrir sus especialidades, preparadas esencialmente con productos frescos. Bella carta de vinos (más de 120 referencias).

In diesem gemütlichen Gasthaus im Grünen, bei einem See gelegen, entdecken Sie Spezialitäten, die speziell mit frischen Produkten zubereitet werden.

RILLIEUX LA PAPE (69140)

A 6 km de Lyon.

Table de Prestige

RESTAURANT LARIVOIRE

04 78 88 50 92 - bernard.constantin@larivoire.com

Chemin des Iles - Bernard CONSTANTIN - Fax : 04 78 88 35 22 - www.larivoire.com
Fermeture : 16/08-28/08 ; dimanche soir, lundi soir et mardi. - Menus : 30/78 € . Menu enfant : 15 €
Classement : Table de Prestige

Située sur les bords du Rhône, cette ancienne maison bourgeoise au décor contemporain vous accueillera chaleureusement et vous fera partager une cuisine personnalisée de grande qualité.
Spécialités : servi comme un cocktail, tourteau frais émiétté ; gibier en saison, riz arborio en risotto crémeux et écrevisses du Léman.

Terrasse, jardin, garage fermé, parking privé, accès handicapés restaurant, salle de séminaires, animaux acceptés au restaurant

©Jeff Nalin

Located on the edges of the Rhone, this old middle-class house with the contemporary decoration will accomodate you cordially and will make you share a personalized cooking of great quality.

A orillas del Rhône, esta antigua casa burguesa decorada modernamente, le acogerá calurosamente y le hará compartir una cocina personalizada de gran calidad.

Am Rhoneufer, empfängt man Sie in diesem ehemaligen Bürgerhaus im zeitgenössischen Dekor sehr herzlich mit einer hervorragenden, personalisierten Küche.

Charme & Authenticité

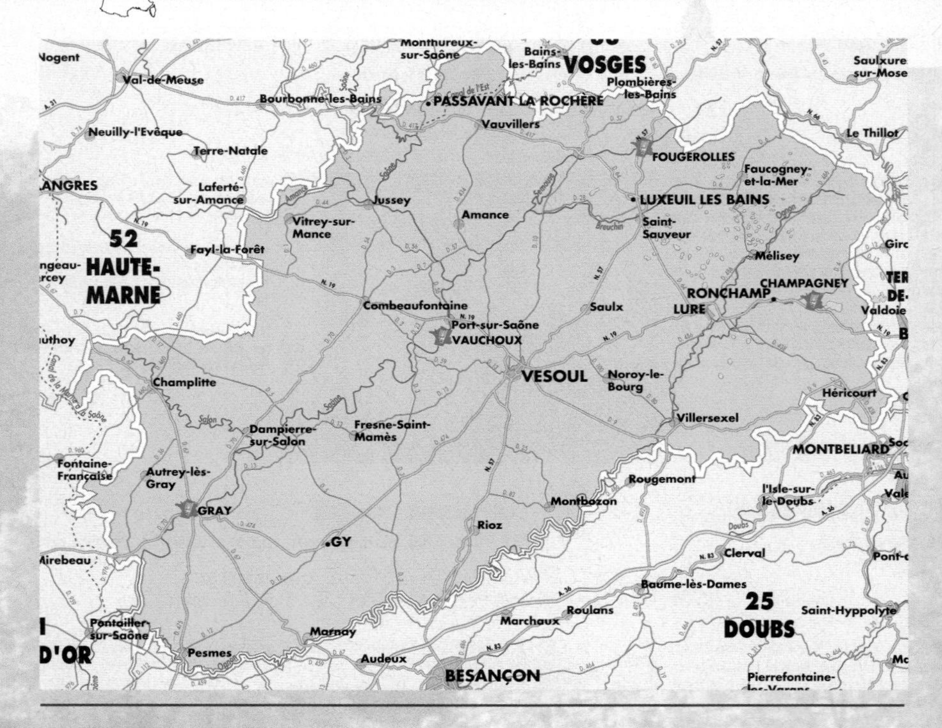

Sites Touristiques : Chapelle Notre Dame du Haut de Ronchamp, Thermes de Luxeuil-les-Bains, Verrerie-cristallerie de Passavant-la-Rochère, Vallée de la Saône, Plateau des 1000 étangs.

Saveurs de nos Terroirs : Jambon de Luxeuil, Pochouse, Cancoillotte, Biscuits de Montbozon, Griottine, Kirsch de Fougerolles.
Côteaux de Champlitte, Vins de Charcenne.

Animations : Musées de Champlitte, Musée Georges Garret à Vesoul, Ecomusée de la cerise à Fougerolles, Musée Baron Martin à Gray, Maison de la Négritude de Champagney.
Février : Festival des Cinémas d'Asie à Vesoul.
Juillet/Août : Festival Musique et Mémoire, Festival Les Pluralies à Luxeuil-les-Bains, Partie de rêve en campagne à Pesmes.
Octobre : Festival Jacques Brel à Vesoul.

SEM DESTINATION HAUTE-SAÔNE COMITÉ DÉPARTEMENTAL DU TOURISME
B.P. 57 - 70001 - VESOUL CEDEX -Tél. : 03 84 97 10 70 - Fax : 03 84 97 10 71
www.destination70.com - destination70@destination70.com

CHAMPAGNEY (70290)

A36 sortie Belfort Sud - RN19 Lure/Belfort.

Table de Terroir

LE PRÉ SERROUX ★ ★ ★

03 84 23 13 24 - hotel-du-commerce@essor-info.fr

4 Avenue du Général Brosset - C. MARCONOT - Fax : 03 84 23 24 33 - www.hotel-du-commerce-70.com
Fermeture : 22/12-11/01 ; 2/08-15/08. - Menus : 16/46 €. Petit déjeuner : 7 €.
25 chambres à 55 € - Classement : Table de Terroir

Laissez vous séduire par le cadre authentique de cet établissement, un endroit de charme et de sérénité où il fait bon vivre. Vous apprécierez une cuisine vraie, des produits du terroir et les douces effluves parfumées de la cave, des chambres calmes dans un environnement confortable et convivial.
Spécialités : marbré de lapereau et celeri, entrecôte de veau au teriyaki, truite au vin jaune.
Chambres avec bain ou douche+WC+TV : Toutes.
Terrasse, jardin, parking privé, ascenseur, accès handicapés, chaînes satellites, canal+, petit déjeuner buffet, salle de séminaires, chèques vacances, animaux acceptés

Let allure yourself by the authentic framework of this establishment, a place of charm and serenity where it makes good to live. You will appreciate a true kitchen, products of the soil and the soft scented emanations of the cellar, calm rooms in a comfortable and convivial environment.

Déjese seducir por el ambiente auténtico de este establecimiento, un lugar de encanto y tranquilidad donde se vive bien. Usted apreciará una verdadera cocina, los productos regionales y las agradables emanaciones perfumadas de la bodega. Calmas habitaciones en un ambiente cómodo y sociable.

Lassen Sie sich von dem authentischen Rahmen dieses Hauses verzaubern, einem Ort des Charmes und der Ruhe, wo es sich leben lässt. Genießen Sie eine echte Küche, Landprodukte und die süßen Düfte aus dem Keller, ruhige Zimmer in komfortabler und gastlicher Umgebung.

FOUGEROLLES (70220)

A 10 km de Luxeuil.

Table Gastronomique

RESTAURANT AU PÈRE ROTA

03 84 49 12 11 - jean-pierre-kuentz@wanadoo.fr

8 Grande Rue - Fax : 03 84 49 14 51 - Menus : 18/58 €. Menu enfant : 13,50 €.
Classement : Table Gastronomique

GRAY (70100)

A 4 km de Gray.

Table Gastronomique

CHÂTEAU DE RIGNY ★ ★ ★

03 84 65 25 01 - chateau-de-rigny@wanadoo.fr

Rigny - Fax : 03 84 65 44 45 - Menus : 29/55 €. Petit déjeuner : 10 €.
29 chambres : 65/195 € - Classement : Table Gastronomique

VAUCHOUX (70170)

A 3 km de Port sur Saône.

Table de Prestige

CHÂTEAU DE VAUCHOUX

03 84 91 53 55

Jean-Michel TURIN - Fax : 03 84 91 65 38 - www.fc-net.fr/vauchoux
Fermeture : Lundi et mardi. - Menus : 50/75 €.
Classement : Table de Prestige

Situé sur un superbe parc de 2 ha, cet ancien pavillon de chasse vous propose un restaurant élégant de style Louis XV et Louis XVI où vous découvrirez non seulement un cadre exceptionnel, avec de beaux objets, de beaux décors mais également une cuisine remarquable axée avant tout sur la qualité des produits.
Spécialités : foie gras fermier, sandre rôti au lard pommes de terre noires, rable de lapereau mère jeanne, assiette plaisir de Gâtines.

Jardin, garage fermé, parking privé, piscine d'été, salle restaurant de caractère, salle de séminaires

Located on a superb park of 2 ha, this old hunting lodge proposes you an elegant restaurant of style Louis XV and Louis XVI where you will discover not only one exceptionnal framework , with beautiful objects, beautiful decorations but also a remarkable cooking centered above all on the quality of the products.

En un magnífico parque de 2 ha , este antiguo terreno de caza, le propone un elegante restaurante al estilo Louis XV y Louis XVI donde usted podrá descubrir no solamente un encantador ambiente, con bellos objetos y decoraciones, sino también una excelente cocina que presta especial atención a la calidad de sus productos.

In einem wunderschönen 2 ha großen Park, bietet Ihnen diese ehemalige Jagdhütte ein elegantes Restaurant im Stil Louis XV und Louis XVI. Sie entdecken dort nicht nur den außerordentlichen Rahmen mit schönen Objekten, sondern auch eine bemerkenswerte Küche aus hochwertigen Produkten.

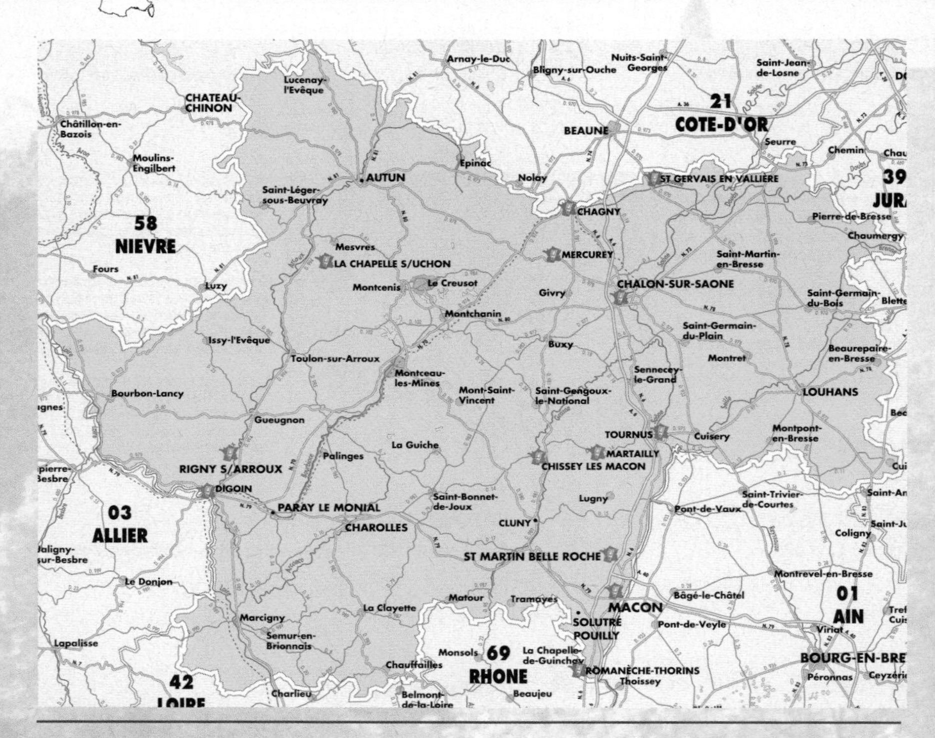

Sites Touristiques : Cluny, Tournus, Paray le Monial, Autun, Solutré-Pouilly-Vergisson, Mâcon, Louhans, Châlon sur Saône.

Saveurs de nos Terroirs : Poulet de Bresse, Pavé de Charolais, Escargots de Bourgogne, Pochouse, Jambon du Morvan, Fromages de chèvre du Maconnais.
Vignoble de la Côte Chalonnaise, du Couchois et des Maranges : Rully, Mercurey, Givry, Montagny, Bouzeron, Crémant de Bourgogne.
Vignoble du Mâconnais : Pouilly-Fuissé, Saint Véran, Viré-Clessé, Pouilly-Loché, Pouilly-Vinzelles, Mâcon-Villages.
Vignoble du Beaujolais : Saint Amour, Moulin à Vent, Chénas, Julienas.

Animations : Musée Niepce à Châlon sur Saône, Musée de la Préhistoire à Solutré, Musée de Bibracte à Saint Léger sous Beuvray. Festival Châlon dans la Rue. Les Glorieuses de Bresse à Louhans.

COMITÉ DÉPARTEMENTAL DU TOURISME DE SAÔNE ET LOIRE
Maison de la Saône et Loire 389, Avenue de Lattre de Tassigny - 71000 - MÂCON -Tél. : 03 85 21 02 20 - Fax : 03 85 38 94 36
www.bourgogne-du-sud.com - CDT71@wanadoo.fr

CHAGNY (71150)

A 15 km au sud de Beaune

Table de Prestige

LAMELOISE ★ ★ ★ ★

03 85 87 65 65 - reception@lameloise.fr

36, Place d'Armes - Jacques LAMELOISE - Fax : 03 85 87 03 57 - www.lameloise.fr
Fermeture : Mardi midi, mercredi et jeudi midi ; 17/ 12 -23/ 01. - Menus : 85/120 € .
16 chambres : 125/275 € - Classement : Table de Prestige

La famille Lameloise vous accueille avec chaleur et simplicité dans cette belle maison bourguignonne du 15ème siècle, élégante et raffinée où il règne une atmosphère de tranquillité. Dans le secret de la cuisine-laboratoire, Jacques Lameloise et son équipe cuisinent pour votre plaisir.
Spécialités : ravioli d'escargots de Bourgogne, pigeonneau à l'émiettée de truffes.

Garage fermé, ascenseur, chaînes satellites, canal+, climatisation, animaux acceptés

The family Lameloise welcome you warmly and simply in this beautiful house of XVth century, refined where it has an atmosphere of tranquility. In the secret of the laboratory kitchen Jacques Lameloise and his team cook for your pleasure.

La familia Lameloise le acoge con calor y sencillez en esta bella casa borgoñona del siglo XV, elegante y refinada en donde reina una atmósfera tranquila. En su secreta cocina-laboratorio, Jacques Lameloise y su equipo cocinan para su placer.

Die Familie Lameloise empfängt Sie herzlich und mit Einfachheit in diesem schönen, burgundischen Haus aus dem 15. Jh, elegant und fein, mit ruhigem Ambiente. In der Heimlichkeit seiner Laborküche kochen Jacques Lamelois und seine Leute für Ihren Genuss.

CHAGNY (71150)

A 13 km de Beaune et 17 km de Chalon s/Saône.

Table de Terroir

AUBERGE DE LA MUSARDIÈRE ★ ★

03 85 87 04 97 - auberge.musardiere@wanadoo.fr

30 Route de Chalon - Philippe REBILLARD - Fax : 03 85 87 20 51 - Fermeture : 15/12-15/01 ; tous les midis sauf le dimanche ; le lundi d'octobre à juin. - Menus : 12,99/38 € . Menu enfant : 7,50 € . Petit déjeuner : 5,50 € .
13 chambres : 39/43 € . Demi pension : 34/36 € . Etape VRP : 47 € - Classement : Table de Terroir

Dans un quartier tranquille au sud de Chagny, l'Auberge de la Musardière vous réservera le meilleur accueil et se fera un plaisir de vous faire partager une cuisine régionale de qualité.
Spécialités : oeufs en meurette, escargots de Bourgogne, boeuf bourguignon, crème brûlée maison.

Chambres avec bain ou douche+WC+TV : Toutes sauf N°1.
Terrasse, jardin, parking privé, chaînes satellites, chèques vacances, animaux acceptés

In a quiet area in south of Chagny, the Auberge de la Musardière will offer you the best welcome and will be glad to share with you a regional cooking of quality.

En un barrio tranquilo al sur de Chagny, el Auberge de la Musardière le brindará una excelente acogida y le hará apreciar una cocina regional de calidad.

In einem ruhigen Viertel im südlichen Chagny, werden Sie bestens in der Auberge de la Musardière mit der hervorragenden regionalen Küche empfangen.

CHALON SUR SAÔNE (71100)

Table Gastronomique

LE SAINT GEORGES ★ ★ ★

03 85 90 80 50 - reservation@lesaintgeorges71.com

32 Avenue Jean Jaurès - Fax : 03 85 90 80 55 - Menus : 22/60 € . Menu enfant : 12 € .
50 chambres : 67/130 € - Classement : Table Gastronomique

CHISSEY LES MACON (71460)

A 6 km de Cormatin, 15 km de Cluny et Tournus.

AUBERGE DU GRISON

03 85 50 18 31

Prayes - Jean-Pierre LARGE - Fax : 03 85 50 18 31 - Fermeture : 1/12-14/12 ; lundi soir et mercredi.
Menus : 10,50/17,55 € . Menu enfant : 8,40 € . Petit déjeuner : 5,15 € .
8 chambres : 30,60/68,80 € . Demi pension : 34,50 € . Etape VRP : 34,50 € - Classement : Auberge du Pays

Dans un cadre champêtre, entouré de forêts et de vignobles, l'Auberge du Grison vous réservera le meilleur accueil et vous fera partager ses spécialités du terroir : boeuf bourguignon, andouillette façon grison, poulet à la crème.

Terrasse, jardin, piscine d'été, accès handicapés restaurant, salle restaurant de caractère, animaux acceptés

VISA CB MC Eurocard

In a country setting, surrounded by forests and vineyards, the Auberge du Grison will reserve you the best welcome and offer its traditional specialities.

En un ambiente campestre, rodeado de bosques y viñedos, e Auberge du Grison le brindará una excelente acogida y le hará saborear sus especialidades.

Die Herberge du Grison bereitet Ihnen in ländlichem Rahmen umgeben von Wäldern und Weinbergen einen netten Empfang und bietet Ihnen territoriale Spezialitäten.

DIGOIN (71160)

RESTAURANT JEAN-PIERRE MATHIEU HÔTEL DE LA GARE ★ ★ ★

03 85 53 03 04 - jean-pierre.mathieu@worldonline.fr

79 Avenue du Général de Gaulle - Fax : 03 85 53 14 70 - Menus : 18/58 € . Menu enfant : 10 € . Petit déjeuner : 8 € .
13 chambres : 35/77 € - Classement : Table Gastronomique

LA CHAPELLE SOUS UCHON (71190)

A 15 km d'Autun et du Creusot.

AUBERGE DE LA GROUSSE

03 85 54 44 24 - lagrousse@club-internet.fr

Le Bourg - Eric MEUNIER - Fermeture : Mercredi, vacances scolaires de Noël et d'hiver.
Menus : 8,50/19 € . Menu enfant 6,50 € .
Classement : Auberge du Pays

Aménagée dans l'ancienne épicerie du village restaurée, cette auberge de campagne vous propose une cuisine régionale et créative à base de produits du terroir. Spécialités : salade d'oreilles de cochon grillées, grenouilles au pouilly Fuissé, gougère d'escargots sauce Mercurey, pavé de charolais sauce poivrade. Vins de Bourgogne et côte chalonnais et maconnais.

Jardin, salle panoramique, parking privé, accès handicapés restaurant, salle de séminaires, animaux acceptés

VISA CB MC Eurocard

Situated in an old grocery, this inn proposes you a regional an original cooking with traditionnal products

Acondicionada en una antigua tienda de comestibles del pueblo esta posada le propone una cocina creativa con productos regio nales. Sala Panorámica.

Im alten, restaurierten Lebensmittelgeschäft des Dorfes, biete Ihnen diese Herberge eine kreative, regionale Küche, zubereite mit traditionellen Produkten. Schöne Aussicht.

Charme & Authenticité

MACON (71000)

A proximité du centre ville, sur les bords de la Saône.

Table Gastronomique

LE POISSON D'OR

03 85 38 00 88

Allée du Parc Port de Plaisance - Pascal CALLOUD - Fax : 03 85 38 82 55
Fermeture : Vacances scolaires de novembre et février ; mardi soir et mercredi.
Menus : 19/50 € . Menu enfant : 12 € - Classement : Table Gastronomique

Sur les bords verdoyants de la Saône, Le Poisson d'Or vous accueille dans un univers de calme et de douceur, où le temps semble s'estomper. Dans le cadre chaud et raffiné de ses salles avec vue panoramique sur le port de plaisance et la Saône, ou sur la magnifique terrasse ombragée, Pascal CALLOUD, Chef de cuisine et son épouse vous réserveront un accueil chaleureux pour un moment privilégié. Spécialités : blanquette de carrelet et pétoncles aux pistils de safran, poulet de bresse aux senteurs des bois flan au potimarron, filet de boeuf charolais grillé, crème brûlée au parfum de poivre banane et fruits de la passion.Terrasse, jardin, parking privé, accès handicapés restaurant, salle restaurant de caractère, salle de séminaires, chèques vacances, animaux acceptés au restaurant

On the green edges of the Saone, the Poisson d'.Or accomodates you in a universe of calms and softness, where time seems to melt. In the warm setting of its rooms with panoramic sight on the marina and the Saone, or on the splendid shaded terrace, Pascal CALLOUD, Head of kitchen and his wife will reserve to you a cordial reception for one privileged moment

A las orillas verdeantes del Saône, Le Poisson d'Or le acoge en un universo de tranquilidad y dulzor, donde el tiempo parece borrarse. En el ambiente cálido y fino de sus salas con vista panorámica del puerto deportivo y del Saône, o en la magnífica terraza sombreada, Pascal CALLOUD, Jefe de cocina y su esposa le harán pasar un momento privilegiado.

Willkommen beim Le Poisson d´Or, einem zeitlosen Ort an den grünen Ufern der Saone. Lassen Sie sich von gastronomischer Tradition verzaubern. Entweder im angenehmen, warmen Rahmen seiner Speisesälen mit schöner Aussicht oder auf der schattigen Terrasse, bietet Ihnen das Ehepaar CALLOUD einen netten Empfang für schöne Momente.

MARTAILLY LES BRANCION (71700)

A 13 km de Tournus par D14.

Table Gastronomique

LA MONTAGNE DE BRANCION ★ ★ ★

03 85 51 12 40 - jacques.million@wanadoo.fr

Col de Brancion - Fax : 03 85 51 18 64 - Menus : 45/65 € . Menu enfant : 17 € . Petit déjeuner : 14 € .
18 chambres : 98/146 € + 1 suite 198 € - Classement : Table Gastronomique

MERCUREY (71640)

A 13 km de Châlons sur Saône.

Table Gastronomique

HÔTELLERIE DU VAL D'OR ★ ★ ★

03 85 45 13 70 - contact@le-valdor.com

140 Grande Rue - Fax : 03 85 45 18 45 - Menus : 23/70 €
Classement : Table Gastronomique

RIGNY SUR ARROUX (71160)

A 7 km de Digoin et de Gueugnon.

Table de Terroir

LES MARRONNIERS

03 85 53 31 73

Le Bourg - Jean-Yves ABADIE - Fax : 03 85 53 31 73 - Fermeture : 23/07-10/08 ; lundi soir, mercredi soir.
Menus : 20/36 € . Menu enfant : 10 €
Classement : Table de Terroir

Dans un joli petit village de Bourgogne, découvrez la Gascogne. Foies gras et confits y sont à l'honneur mais aussi spécialités régionales parmi lesquelles vous pourrez déguster : ris de veau aux écrevisses, panaché de lotte et de homard, poule farcie sauce aux morilles, poclée de foie gras aux choux, croustillant aux ananas, croustade à l'Armagnac.

Terrasse, climatisation, salle restaurant de caractère, salle de séminaires, animaux acceptés au restaurant

In a pretty small village of Burgundy, discover Gascogne. Foie gras and crystallized are there with the honor but also regional specialities.

En un bonito pueblito de Bourgogne, descubra la Gascogne. Usted podrá saborear entre otros platos, las especialidades regionales.

In einem hübschen kleinen Dorf der Bourgogne entdecken Sie die Gascogne. Genießen Sie Entenleberpastete und Confit, aber auch andere regionale Spezialitäten.

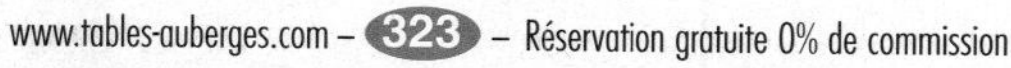

ROMANÈCHE THORINS (71570)

A 16 km de Mâcon, 50 km de Lyon.

Table Gastronomique

LES MARITONNES ★ ★ ★

03 85 35 51 70 - contact@maritonnes.com

Route de Fleurie - Willemina et Hans MEIJBOOM-SCHIPPER - Fax : 03 85 35 58 14 - www.maritonnes.com - Fermeture : 22/12-20/01.
Menus : 23/70 € . Menu enfant : 20 € . Petit déjeuner : 10 € .
20 chambres : 60/130 € . Demi pension : 90/130 € - Classement : Table Gastronomique

Avec son parc boisé et fleuri, son intérieur décoré de meubles de caractère et sa table aux saveurs authentiques, Les Maritonnes vous proposent un agréable moment de détente et vous feront partager leur art de vivre, leurs traditions culinaires dans une ambiance conviviale et chaleureuse. Spécialités : tournedos de saumon et noix de saint jacques sur glace de viande aux morilles, petites broches de légumes ; filet de boeuf charolais à la poêle ; poulet fermier façon Coq au Vin tagliatelles fraîches ; escargots de bourgogne sous différentes formes selon la saison. Chambres avec bain ou douche+WC+TV : Toutes. Terrasse, jardin, parking privé, piscine d'été, tennis, accès handicapés, chaînes satellites, climatisation, petit déjeuner buffet, salle restaurant de caractère, salle de séminaires, chèques vacances, animaux acceptés

With its wooded and flowered park, its interior decorated with pieces of furniture of character and its table with authentic savours, Maritonnes propose a pleasant moment of relaxation to you and will make you share their art of living, their culinary traditions in a convivial and cordial environment.

Con su parque arbolado y florido, su interior decorado con muebles típicos y su mesa con sabores auténticos, Les Maritonnes le propone un agradable momento de tranquilidad y l hará compartir su arte de vivir, sus tradiciones culinarias en un ambiente caluroso y sociable.

Mit seinem schönen Park, seiner geschmackvollen Innenausstattung und seiner ausgewogenen Küche, bietet Ihnen Les Maritonnes angenehme, entspannungsvolle Momente Entdecken Sie kulinarische Traditionen in warmherzigem, gastfreundlichem Ambiente.

ST GERVAIS EN VALLIÈRE (71350)

A 16 km de Beaune.

Table Gastronomique

MOULIN D'HAUTERIVE ★ ★ ★

03 85 91 55 56 - info@moulinhauterive.com

Fax : 03 85 91 89 65 - Menus : 25/62 € . Menu enfant : 15 € . Petit déjeuner : 11 € .
20 chambres : 70/170 € - Classement : Table Gastronomique

ST MARTIN BELLE ROCHE (71118)

A 8 km de Mâcon.

Table de Terroir

LE PORT SAINT NICOLAS

03 85 36 00 86

La Bejarde - Christophe GIEN - SARL Christelo - Fax : 03 85 37 53 20 - Fermeture : Dernière semaine de janvier, mardi soir et mercredi.
Menus : 12/30 € . Menu enfant : 8 € - Classement : Table de Terroir

Situé au calme au bord de la Saône, avec vue panoramique sur la rivière, Le Port Saint Nicolas vous attend pour vous offrir un moment de calme et de détente, dans un décor raffiné. Elodie et Christophe vous réserveront un accueil chaleureux et convivial et vous feront partager une cuisine soignée.
Spécialités traditionnelles et créoles : friture fraîche de la Saône, sandre de grenouilles au petit chèvre, filet de sole et gambas à la crème des îles, mousse au chocolat blanc et fruit de la passion sur son coulis de goyave, bourse des flibustiers.
Terrasse, parking privé, accès handicapés restaurant, salle restaurant de caractère, salle de séminaires, animaux acceptés au restaurant

Located at calms at the edge of the Saone, with panoramic sig on the river, the Port St Nicolas awaits you to offer you o moment of calms and relaxation, in a refined decoration. Elod and Christophe will hold a reception for you cordial and conviv and will make you share a neat cooking.

Ubicado en un lugar tranquilo, a orillas del Saône, con vista pa orámica al río, Le Port Sain Nicolas le espera para ofrecerle momento de esparcimiento, en un ambiente delicado. Elodie Christophe le brindarán una calurosa y amistosa acogida y harán descubrir una esmerada cocina. Especialidades tradic nales y criollas.

Ruhig am Saône Ufer gelegen, mit Blick auf den Fluss, erwart Sie im Port St Nicolas Momente der Ruhe und Entspannung einem feinen Dekor. Elodie und Christophe empfangen Sie ga herzlich und teilen mit Ihnen ihre gepflegte Küche.

TOURNUS (71700)

Table Gastronomique

AUX TERRASSES ★ ★

03 85 51 01 74

18 Avenue du 23 Janvier - Henriette et Michel CARRETTE - Fax : 03 85 51 09 99

Fermeture : 4/01-4/02 ; 1 semaine en juin ; dimanche soir, lundi et mardi midi - Menus : 20/60 € . Menu enfant : 9,80 € .
Petit déjeuner : 7,50 € .18 chambres : 56/65 € - Classement : Table Gastronomique

Situé non loin du centre historique de la ville, à 150 m de la Saône, cet établissement vous recevra chaleureusement et vous fera partager une cuisine bourguignonne de qualité accompagnée des meilleurs crus de la région. Spécialités : sandre cuit à la plancha et poêlée de girolles, demi homard et suprême de lotte au jus de crustacés, poulet de Bresse à la crème aux morilles au vin de Chardonnay, ris de veau poêlés aux champignons du moment jus au Porto, sorbet pomme verte au Calvados et tranches de pommes séchées. Chambres avec bain ou douche+WC+TV : Toutes.Terrasse, garage fermé, parking privé, accès handicapés, climatisation, petit déjeuner buffet, salle restaurant de caractère, salle de séminaires, animaux acceptés

Located not far from the historical center of the city, to 150 m of the Saône, this establishment will receive you cordially and will make you share a Burgundian cooking of quality accompanied by best wines of the area.

No lejos del centro histórico de la ciudad, a 150 m del Saône, este establecimiento le recibirá calurosamente y le hará compartir una cocina borgoñona de calidad, acompañada con los mejores caldos de la región.

Unweit des historischen Stadtzentrums, 150 m von der Saône, werden Sie in diesem Haus herzlich mit einer hervorragenden Küche der Bourgogne empfangen.

TOURNUS (71700)

A 150 m de l'Abbaye St Philibert . A 30 km de Mâcon.

Table Gastronomique

LE REMPART ★ ★ ★

03 85 51 10 56 - lerempart@wanadoo.fr

2/4 Avenue Gambetta - Jean-Paul MARION - Fax : 03 85 51 77 22 - www.lerempart.com - Ouvert toute l'année.
Menus : 28/68 € . Menu enfant : 15 € . Petit déjeuner : 10 € .
37 chambres : 62/125 € . Demi pension : 72/100 € . Etape VRP : 72/82 € - Classement : Table Gastronomique

Située au coeur du Maconnais, cette ancienne maison de gardes, construite au XVème siècle sur les remparts de la ville, vous propose confort et raffinement. Dans un cadre roman, toute l'équipe vous accueillera chaleureusement et vous servira une cuisine traditionnelle et inventive au gré des saisons.
Spécialités : volailles de Bresse, cuisses de grenouilles persillade, filet de boeuf de charolais.
Chambres avec bain ou douche+WC+TV : Toutes.
Terrasse, garage fermé, parking privé, ascenseur, accès handicapés, chaînes satellites, climatisation, salle restaurant de caractère, salle de séminaires, animaux acceptés

Located at the heart of Maconnais, this old house of guards, built in XVth century on the ramparts of the city, proposes comfort and refinement to you. In a Romance framework, all the team will accomodate you cordially and a traditional and inventive cooking will be useful to you following the seasons.

Ubicada en el corazón del Maconnais, esta antigua casa de custodia, construída en el siglo XV, en la murallas de la ciudad, le propone comodidad y refinamiento. En un ambiente románico, todo el equipo le acogerá calurosamente y le servirá una cocina tradicional e inventiva que sigue el ritmo de las estaciones.

Im Herzen des Maconnais, bietet Ihnen dieses frühere Wächterhaus aus dem 15. Jh. an der Stadtmauer, Komfort und Raffinement. In einer Umgebung wie im Roman empfängt Sie das ganze Personal sehr herzlich und bewirtet Sie mit einer traditionellen und ideenreichen Küche, den Jahreszeiten angepasst.

La Reconnaissance Professionnelle

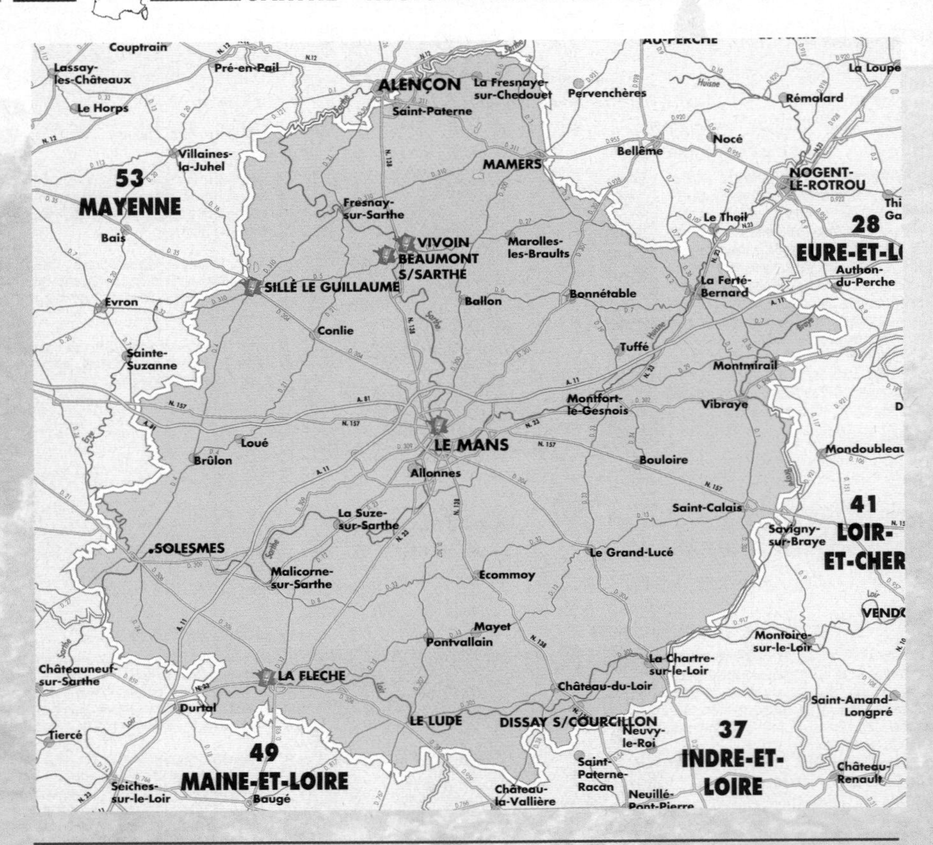

Sites Touristiques : Vieux Mans et sa cathédrale, Abbaye bénédictine de Solesmes, Château du Lude, Parc zoologique de la Flèche, Alpes Mancelles.

Saveurs de nos Terroirs : Rillettes, sablés, volailles de Loué, Marmite sarthoise. Côteaux du Loir, Jasnières, Cidre.

Animations : Musée automobile de la Sarthe.
24 heures du Mans, Festival de Musique de l'Epau, Festival de Musique Baroque de Sablé, Festival ARTEC de La Ferté Bernard.

COMITÉ DÉPARTEMENTAL DU TOURISME DE LA SARTHE
Hôtel du Département 40 Rue Joinville - 72000 - LE MANS -Tél. : 02 43 40 22 50 - Fax : 02 43 40 22 51
www.tourisme.sarthe.com - tourisme.sarthe@cg72.fr

BEAUMONT SUR SARTHE (72170)

A 20 km de Le Mans.

Table de Terroir

HÔTEL DE LA BARQUE ★ ★

02 43 97 00 16

10 Place de la Libération - Gérard VINCENT - Fax : 02 43 97 03 74
Fermeture : 4/11-19/11 ; 23/12-14/01 ; vendredi soir, dimanche soir ; samedi hors saison.
Menus : 11/40 € . Petit déjeuner : 7 € - 21 chambres : 26/65 € - Classement : Table de Terroir

Venez découvrir le cadre agréable de cet établissement, parmi les spécialités vous pourrez déguster : foie gras poêlé au vinaigre de framboise, saint jacques à la provençale, salade d'endives à l'andouillette, poulet au cidre, gratin de fruits...

Terrasse, parking privé, TPS , chèques vacances, animaux acceptés

Come to discover the pleasant setting of this establishment, among the specialities you will be able to taste

Venga a descubrir el ambiente agradable de este establecimiento, usted podrá saborear sus especialidades.

Entdecken Sie den angenehmen Rahmen dieses Hauses mit folgenden Spezialitäten

VISA CB MC Eurocard

BEAUMONT SUR SARTHE (72170)

A 25 km entre Le Mans et Alençon surla RN 138.

Auberge du Pays

AUBERGE DE LA CROIX MARGOT

02 43 33 31 07

122 Avenue de la Division Leclerc - Didier GADOIS - Fax : 02 43 33 31 07
Fermeture : Lundi soir, mardi, mercredi soir hors saison ; 14/01-27/01 ; 2ème et 3ème semaine d'octobre.
Menus : 11,50/32,50 € . Menu enfant : 8,90 € - Classement : Auberge du Pays

Dans un cadre rustique agréable et convivial, vous apprécierez les spécialités que Didier Gadois aura préparées pour vous : foie gras de canard cuit en terrine, pièce de bar aux graines de pavot bleu, feuilleté d'escargots de bourgogne à la fourme d'ambert, millefeuille de pain au miel, grenadins de veau au cognac, dorade poêlée au lait de coco riz camarguais aux raisins de corinthe, crème brûlée aux griottines, mendiant aux pommes parfumé à la violette.

Terrasse, parking privé, accès handicapés restaurant, salle restaurant de caractère, salle de séminaires, animaux acceptés au restaurant

In a rustic and convivial setting, you will enjoy the specialities that Didier Gadois prepare for you

En un ambiente rústico, agradable y caluroso, usted apreciará las especialidades que Didier Gadois preparará para usted.

Genießen Sie die Spezialitäten von Didier Gadois in rustikalem und gastfreundlichem Rahmen.

VISA CB MC Eurocard

LA FLÈCHE (72200)

N 23.

Table Gastronomique

LE MOULIN DES QUATRE SAISONS

02 43 45 12 12 - camille.constantin@wanadoo.fr

Rue Galliéni - Fax : 02 43 45 10 31 - Menus : 20,10/29 € . Menu enfant : 12 €
Classement : Table Gastronomique

La Reconnaissance Professionnelle

LE MANS (72000)

Table Gastronomique

LA RASCASSE

02 43 84 45 91

6 Rue de la Mission - Joël RAOUL - Fax : 02 43 85 01 89

Fermeture : 2 semaines fin février/début mars ; 3/08-26/08 ; samedi midi, dimanche soir et lundi.
Menus : 19/55 € . Menu enfant : 11 € - Classement : Table Gastronomique

Venez découvrir l'ambiance chaleureuse de cet établissement. Une cuisine gastronomique avec des produits frais de qualité satisfaira plus d'un gourmet.

Spécialités : salade de langoustines, filet de rascasse, fraises au poivre.

Accès handicapés restaurant, climatisation, salle restaurant de caractère, chèques vacances, animaux acceptés au restaurant

Come to discover the warm welcome of this establishment. A gastronomic cooking with fresh products will satisfy more than a gourmet.

Venga a descubrir el ambiente caluroso de este establecimiento. Su cocina gastronómica con productos frescos de calidad encantará a más de un goloso.

Entdecken Sie die warme Atmosphäre dieses Hauses. Eine gastronomische Küche mit hochwertigen Frischprodukten zubereitet wird so manchen Feinschmecker zufrieden stellen.

SILLÉ LE GUILLAUME (72140)

A 35 km du Mans, de Laval et d'Alençon.

Table Gastronomique

LE BRETAGNE ★ ★

02 43 20 10 10 - hotelrestaurantlebretagne@wanadoo.fr

1 Place de la Croix d'Or - Jean-Marie FONTAINE - Fax : 02 43 20 03 96 - www.hotelsarthe.com

Fermeture : 26/07-10/08 ; vendredi soir et dimanche soir toute l'année ; samedi midi d'octobre à mars. - Menus : 15/47 € . Menu enfant : 11 € .
Petit déjeuner : 7 € .15 chambres : 36/59 € . Demi pension : 52/70 € . Etape VRP : 54/64 € - Classement : Table Gastronomique

Cet ancien Relais de Poste situé au coeur d'une petite ville à l'orée d'une forêt domaniale, d'un lac et d'une base de loisirs, vous procurera un immense plaisir, tant par sa table gastronomique où vous apprécierez une cuisine riche en saveur et fraicheur que par le charme de ses chambres. Spécialités : foie gras chaud aux fruits, oeuf coque au foie gras, bar jus aux fines épices, carpaccio de saint jacques et saumon fumé à l'émulsion de gingembre, soufflé au grand marnier, paris brest classique.
Chambres avec bain ou douche+WC+TV : Toutes.
Jardin, parking privé, accès handicapés restaurant, chaînes satellites, canal+,salle restaurant de caractère, chèques vacances, animaux acceptés au restaurant

This old Relay of Station located at the heart of a small city at the border of a national forest, a lake and a base of leisures, will get an immense pleasure to you, so much by its gastronomical table where you will appreciate a cooking rich in savour and freshness that by the charm of his rooms.

Esta antigua Parada del Correo ubicada en el corazón de una pequeña ciudad lindera a un bosque comunal, a un lago y a una estructura de esparcimento, le brindará gran placer, tanto gastronómico donde usted apreciará una cocina rica en sabores y frescor, que por el encanto de sus habitaciones.

Diese frühere Poststation im Herzen einer Kleinstadt am Rand des Staatsforsts, bei einem See und einer Freizeitanlage, macht immens viel Spaß! Sowohl wegen seiner gastronomischen Tafel mit seiner geschmackvollen und frischen Küche, als auch dem Reiz seiner Zimmer.

VIVOIN (72170)

1 km de Beaumont /Sarthe. N138 et 6 mn A28 sortie 21.

Table de Terroir

HÔTEL DU CHEMIN DE FER ★ ★

02 43 97 00 05 - hotel-du-chemin-de-fer@wanadoo.fr

Place de la Gare - Patrick BROCHARD - Fax : 02 43 97 87 49 - www.hotel-du-chemin-de-fer.fr

Fermeture : 9/02-22/02 ; 23/08-29/08 ; 25/10-7/11 ; vendredi soir, samedi, dimanche soir de novembre à pâques. - Menus : 13,50/35 €
Menu enfant : 6,90 € . Petit déjeuner : 5 € 14 chambres : 36/66 € . Classement : Table de Terroir

En plein cœur de la Sarthe, à mi-chemin entre Le Mans et Alençon, venez découvrir ce site décontracté où il fait bon vivre, un véritable havre de paix. L'Hôtel du Chemin de Fer vous réserve un accueil souriant et sympathique et vous garantit une étape d'une grande quiétude et d'un plaisir simple en profitant du jardin ombragé.
Spécialités : marmite sarthoise, feuillantine aux pommes flambée au Calvados, dos de sandre au Chinon.

Terrasse, jardin, garage fermé, TPS , salle de séminaires, chèques vacances, animaux acceptés

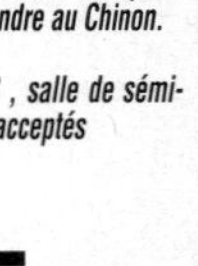

In the heart of the Sarthe, halfway between Mans and Alençon, come to discover this relaxed site where it makes good food, a true haven of peace. The Hôtel du Chemin de Fer reserves you a smiling welcome and offers a calm and resting stage in the shaded garden.

En pleno corazón del Sarthe, a medio camino entre Le Mans y Alençon, venga a descubrir este calmo lugar donde se vive bien, un verdadero remanso de paz. El Hôtel du Chemin de Fer le propone una simpática acogida , le garantiza una estancia muy calma y el placer simple de disfrutar del jardín sombreado. Usted podrá saborear su cocina.

Im Herzen der Sarthe, auf halbem Weg zwischen Le Mans und Alençon, entdecken Sie diese lockere Stätte, wo es sich gut leben lässt, ein echter Zufluchtsort. Im Hôtel du Chemin de Fer erwartet Sie ein fröhlicher und sympathischer Empfang, eine Etappe der Entspannung und einfacher Vergnügen, u.a. im schattigen Garten.

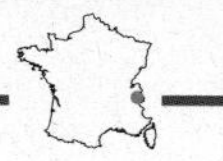

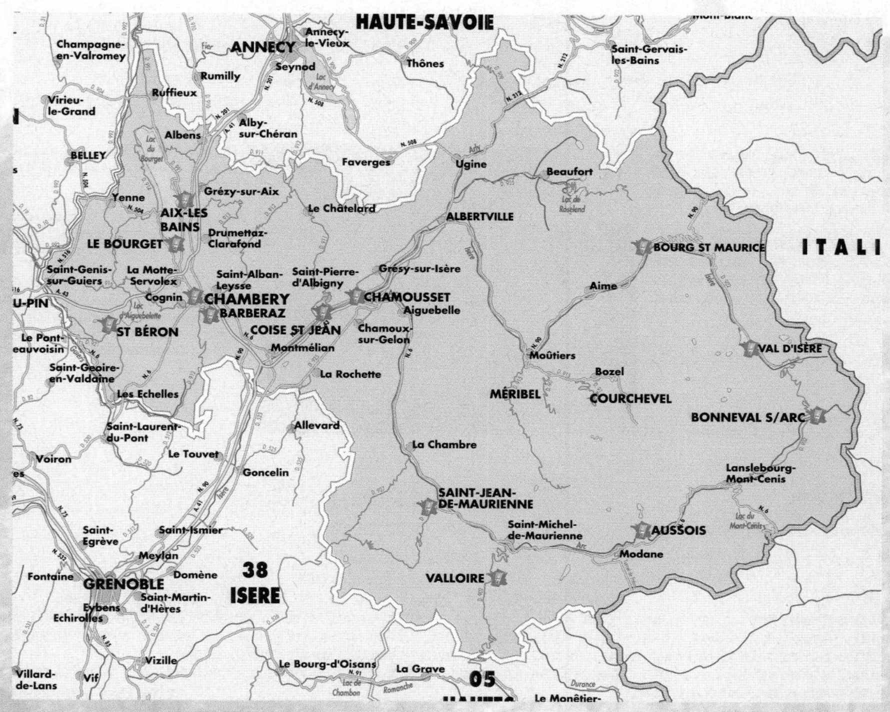

Sites Touristiques : Lac du Bourget, Lac d'Aiguebelette, Chambéry, Patrimoine fortifié en Vallée de Maurienne, Parc National de la Vanoise, Parcs Naturels Régionaux des Bauges et de la Charteuse.

Saveurs de nos Terroirs : Fromages (Beaufort, Reblochon, Tome des Bauges) ; Farcement (plat traditionnel composé de poitrine fumée, pommes de terre, raisins secs, pruneaux, poires) ; Crozets (pâtes fabriqués à partir de blé noir et de froment) ; Brioche de Saint Genix.

Vins de Savoie A.O.C. : 4 zones d'appellation controlée et 22 crus à la personnalité affirmée. Le Vermouth : apéritif blanc ou rouge.

Animations :

Mai : Festival des Nuits Romantiques à Aix les Bains.

Juillet/Août : Fête franco-italienne à Val Cenis, Festival d'Art et de Musique Baroque dans la Vallée de la Tarentaise, Fête des Guides à Bourg Saint Maurice, Fête traditionnelle du 15 août à Bramans.

AGENCE TOURISTIQUE DÉPARTEMENTALE DE LA SAVOIE
24, Bd de la Colonne - 73025 - CHAMBÉRY CEDEX -Tél. : 04 79 85 93 40 - Fax : 04 79 85 54 68
www.savoie-tourisme.com - tourisme@cdt-savoie.fr

AIX LES BAINS (73100)

AUBERGE SAINT SIMOND ★ ★

04 79 88 35 02 - auberge@saintsimond.com

130 Avenue de Saint Simond - Paola et Lucien MATTANA - Fax : 04 79 88 38 45 - www.saintsimond.com
Fermeture : 25/10-3/11 ; janvier. - Menus : 19/31 €. Menu enfant : 10 €. Petit déjeuner : 7 €.
26 chambres : 45/60 € - Classement : Table de Terroir

En bordure d'un parc de 3000 m2, cette auberge à l'ambiance romantique vous offre le confort de ses chambres et vous propose une cuisine de terroir pleine de saveurs différentes au fil des saisons.

Chambres avec bain ou douche+WC+TV : Toutes. Terrasse, jardin, garage fermé, parking privé, accès handicapés, canal+, petit déjeuner buffet, salle restaurant de caractère, salle de séminaires, chèques vacances

In edge of a park of 3000 m2, this inn with romantic environment offers the comfort of its rooms to you and a kitchen of soil full of different savours.

Lindero a un parque de 3000 m2, este albergue con su ambiente romántico, le propone cómodas habitaciones y una cocina regional llena de sabores distintos que siguen el ritmo de las estaciones.

Am Rand eines 3000m, großen Parks bietet Ihnen dieses Gasthaus in romantischem Ambiente komfortable Zimmer und eine Küche aus Landprodukten mit wechselnden Geschmäckern, die sich den Jahreszeiten anpassen.

AUSSOIS (73500)

Vallée de la Maurienne. N6 et A43. A 7 km de Modane.

HÔTEL DU SOLEIL ★ ★ ★

04 79 20 32 42

15 Rue de l'Eglise - Pascal MONTAZ - Fax : 04 79 20 37 78 - www.hotel-du-soleil.com - Fermeture : 25/04-15/06 ; 20/09 -17/12.
Menus : 19/25 €. Menu enfant : 12 €. Petit déjeuner : 9,30 €.
22 chambres : 45/107 €. Demi pension : 59/73 €. Etape VRP : 50/59 € - Classement : Table Gastronomique

Aux portes de la Vanoise, dans une station village été/hiver (ski alpin : 55 km de pistes et ski de fond : 35 km). A proximité : Val Thorens, navettes de l'hôtel. Pour votre bien être : jacuzzi, sauna, hammam, solarium, lit de massage programmable, salle de cinéma, prêt de VTT... Son restaurant vous fera découvrir ses spécialités : fondue savoyarde, filet de sandre vapeur sauce à la bière de Savoie ; croquelines glacées sur une crème de whisky.
Chambres avec bain ou douche+WC+TV : Toutes. Terrasse, jardin, garage fermé, parking privé, ascenseur, accès handicapés hôtel, chaînes satellites, canal+, petit déjeuner buffet, animaux acceptés au restaurant

At the gates of Vanoise, in resort village (downhill skiing: 55 km of runs and lang-lauf: 35 km). With proximity: Valley Thorens. The Hôtel du Soleil proposes you: jacuzzi, sauna, hammam, solarium, massage, movie theater, location of VTT... Its restaurant will make you discover its specialities

A las puertas de la Vanoise, en una estación turística, de verano/invierno (esquí alpino : 55 km de pistas y esquí de fondo : 35 km). En las cercanías : Val Thorens, vehículos del Hôtel. Para su bienestar : jacuzzi, sauna, baño turco, solario, cama con masaje programable, sala de cine, alquiler de BTT. Usted podrá descubrir las especialidades de su restaurante.

Nahe des Nationalparks der Vanoise, bietet Ihnen l'Hôtel du Soleil zahlreiche Aktivitäten: Jacuzzi im Freien, Riesenschachspiel... In seinem Restaurant Le Matafan können Sie seine Spezialitäten entdecken.

BARBERAZ - CHAMBERY (73000)

A 2 km de Chambéry.

LE MONT CARMEL

☎ 04 79 85 77 17 - montcarmel@aol.com

1 Rue de l'Eglise - - Fax : 04 79 85 16 65 - www.le-mont-carmel.com
Fermeture : 2/01-10/01 ; 20/08-31/08 ; dimanche soir, lundi, mercredi soir.
Menus : 27/65 € - Classement : Table Gastronomique

Vous serez accueillis dans un cadre exceptionnel, au calme, dans une bâtisse du siècle dernier entourée de verdure, au pied de la colline des Charmettes et à l'orée du parc de Buisson Rond. Le restaurant vous réservera une cuisine gastronomique raffinée, c'est un lieu de saveurs et de couleurs pour fin palais. Dans un décor pastel renouvelé ou sur une belle terrasse l'été, tous les ingrédients sont sur place pour passer un agréable moment.
Spécialités : filet d'omble chevalier, gâteau de grenouilles jus de persil et citron.

Terrasse, jardin, parking privé, accès handicapés restaurant, salle de séminaires

You will be welcome in an exceptional framework, with calm, in a masonry of last century surrounded by greenery, at the foot of the hill of Charmettes and at the edge of the park of Round Bush. The restaurant will offer a refined gastronomic kitchen, it's a place of savours and colors.

Usted será acogido en un ambiente excepcional, tranquilo, en un caserón del siglo pasado rodeado de follaje, al pie de la colina de los Charmettes y lindero al parque de Buisson Rond. El restaurante le propone una fina cocina gastronómica, este es un lugar de sabores y colores para paladares delicados.

Sie werden in außergewöhnlichem, ruhigem Rahmen empfangen: in einem von Pflanzen umgebenen Gebäude aus dem letzten Jahrhundert. Am Fuße des Hügels des Charmettes und am Waldrand vom Park de Buisson Rond gelegen. Das Restaurant bietet Ihnen eine raffinierte, geschmacksvolle, gastronomische Küche.

BONNEVAL SUR ARC (73480)

A 25 km au Sud de Val d'Isère. A 20 km de Val Cenis

AUBERGE LE PRÉ CATIN

☎ 04 79 05 95 07

Au village - Josiane & Daniel DELAPLACE - Fax : 04 79 05 88 07
Fermeture : 26/04-26/06 ; 19/09-24/12 ; lundi et dimanche soir ; jeudi midi.
Menus : 20,50/31 €. Menu enfant : 8,40 € - Classement : Table de Terroir

L'Auberge Le Pré Catin située dans un cadre de verdure et de calme vous réservera le meilleur accueil et vous fera partager sa cuisine savoyarde traditionnelle à base de produits frais.
Spécialités : farcement, diots au chignin, potée savoyarde. Décor rustique superbe.

Terrasse, jardin, salle restaurant de caractère, chèques vacances, animaux acceptés au restaurant

Situated in a green setting, Le Pré Catin will reserve you the best welcome in a very beautiful rustic setting and lets you appreciate its traditional savoyard cooking made of fresh products.

El Auberge Le Pré Catin, ubicado en un paisaje verde y calmo, le brindará una cálida acogida y le hará compartir su tradicional cocina savoyana a base de productos frescos. Magnífico ambiente rústico.

Das Gasthaus, Le Pré Catin, in ruhiger und grüner Lage, bereitet Ihnen den besten Empfang und teilt mit Ihnen die traditionelle savoyardische Küche, nur mit Frischprodukten zubereitet.

BOURG ST MAURICE (73700)

LA PETITE AUBERGE ★

☎ 04 79 07 37 11/04 79 07 05 86 - hotel.lapetiteauberge@wanadoo.fr

Le Reverset - LOUIS Didier - M. WHEELER Robin - Mle CHANDLER Rebecca - Fax : 04 79 07 26 51
Fermeture : Mai, octobre et novembre (hôtel) ; dimanche soir et lundi (restaurant).
Menus : 12,50/20 €. Petit déjeuner : 5,50 €. 13 chambres : 35/54 € - Classement : Auberge du Pays

La Petite Auberge vous propose un cadre agréable et chaleureux, un accueil personnalisé et vous fera découvrir ses spécialités : flan de beaufort, féra à la savoyarde, fondue royale.

Terrasse, jardin, parking privé, chèques vacances, animaux acceptés

La Petite Auberge offers a warm and pleasant setting, a personnalized welcome and will make you discover its specialities

La Petite Auberge le brinda un ambiente agradable, caluroso, una acogida personalizada y le invita a descubrir sus especialidades.

La petite Auberge bietet Ihnen in einem angenehmen warmherzigen Rahmen ein persönliches Willkommen und wird Ihnen seine Spezialitäten vorstellen.

CHAMBÉRY (73000)

Table Gastronomique

LE SAINT RÉAL

04 79 70 09 33

86 Rue Saint Réal - Nicole GIROD - Fax : 04 79 33 49 65 - Fermeture : Dimanche.
Menus : 33/88 € - Classement : Table Gastronomique

Retrouvez le goût du temps... Le temps de découvrir, au coeur du vieux Chambéry, entre le château des Ducs de Savoie et la célèbre Fontaine des Eléphants, dans une belle demeure du XVIIème siècle : le restaurant Le Saint Réal. Le temps de savourer, dans un cadre intime et unique, les multiples surprises d'une cuisine raffinée et d'un accueil de charme.
Spécialités : foie gras frais de canard poêlé aux poires à la cannelle, coquilles saint jacques aux endives à l'infusion de châtaignes, carré d'agneau rôti en croûte de noix.

Parking privé, salle restaurant de caractère

Find the taste of time... Time to discover, in the heart of the old Chambéry, between the castle of the Dukes of Savoy and the famous Fontaine of the Elephants, in a beautiful residence of the XVIIème century: the restaurant the Saint Réal. Time to enjoy, in an intimate and single framework, the multiple surprises of a refined kitchen and reception of charm.

Encuentre el gusto del tiempo... El tiempo de descubrir, en el corazón del antiguo Chambéry, entre el castillo de los Duques de Savoie y la célebre Fontaine des Eléphants, en una bella morada del siglo XVII : el restaurante Le Saint Réal. El tiempo de saborear, en un ambiente íntimo y único, las numerosas sorpresas de una cocina refinada y de una encantadora acogida.

Nehmen Sie sich Zeit... Die Zeit, im Herzen vom alten Chambéry, zwischen dem Schloss der Ducs de Savoie und des berühmten Elefantenbrunnens, in einem herrlichen Haus aus dem 17. Jh., das Restaurant Le Saint Réal zu entdecken. Die Zeit, in einem intimen und einzigartigen Rahmen, die vielfältigen Uberraschungen einer erlesenen Küche und den charmanten Empfang zu geniessen.

CHAMOUSSET (73390)

A 20 km d'Albertville. A43 sortie 23.

Table de Terroir

HÔTEL CHRISTIN ★ ★

04 79 36 42 06

La Lilette - Gilles CHRISTIN - Fax : 04 79 36 45 43 - - Fermeture : 15/09-3/10 ; 2/01-10/01 ; dimanche soir et lundi.
Menus : 11/32 € . Menu enfant : 7,70 € . Petit déjeuner : 6,10 € .
18 chambres : 38/49 € . Demi pension : 44 € . Etape VRP : 46/50 € - Classement : Table de Terroir

Non loin des grandes stations de sport d'hiver, venez découvrir la chaleur et l'authenticité de cet établissement traditionnel. Des chambres coquettes, un parc bordé par une rivière et une table de qualité vous y attendent.
Spécialités : terrine au foie de porc et au genièvre, grenouilles au beurre, vacherin maison. Vins de Savoie.

Chambres avec bain ou douche+WC+TV : Toutes. Terrasse, jardin, garage fermé, parking privé, TPS, climatisation, salle de séminaires, chèques vacances, animaux acceptés à l'hôtel

Close to the skiing stations, come to discover the warmth and the authenticity of the establishment. Cosy rooms, a park at the edge of a river and meals of quality are waiting for you. A wine list well balanced.

No lejos de las grandes estaciones de deportes de invierno, venga a descubrir la calidez y la autenticidad de este establecimiento tradicional. Bonitas habitaciones, un parque bordeado por un río y una mesa de calidad le esperan. Vinos de Savoya.

Unweit der großen Wintersportplätze, entdecken Sie die Wärme und Echtheit dieses traditionellen Hauses. Hübsche Zimmer, ein Park mit Bach und eine ausgezeichnete Küche erwarten Sie dort.

COISE ST JEAN (73800)

A43 direction Albertville sortie 23 Châteauneuf.

Table Gastronomique

CHÂTEAU DE LA TOUR DU PUITS ★ ★ ★ ★

04 79 28 88 00 - info@chateaudelatourdupuits.com

Le Puits - Raymond PRÉVOT - Fax : 04 79 28 88 01 - www.chateaudelatourdupuits.com - Fermeture : 3/11-11/12.
Menus : 29/55 € . Petit déjeuner : 20 € . 6 chambres : 120/200 € . 1 suite junior : 250 € .
Demi pension : 114/174 € - Classement : Table Gastronomique

Hôtel ? Château d'hôtes ? Un peu les deux, car le Château de la Tour du Puits est à la fois un petit hôtel au charme craquant et une résidence privée où nous recevons nos clients en amis. 7 ha de parc boisé et de vergers, des chambres qui rivalisent en confort et luxe, le petit déjeuner inoubliable, le restaurant principalement réservé aux résidents, une cuisine de terroir fraîche et exquise, l'hélicoptère privé, la piscine, la nature, les promenades. Une cachette intime, un camp de base idéal pour découvrir la Savoie. Chambres avec bain ou douche+WC+TV : Toutes.Terrasse, jardin, parking privé, piscine d'été, accès handicapés restaurant, TPS, chaînes satellites, salle restaurant de caractère, salle de séminaires, animaux acceptés

Is it a hotel or a castle awaiting its guests ? A little of both really for the Château de la Tour du Puits is at the same time a charming and cosy hotel and a private residence where our guests, are our friends. Nestling in 7 hectares of woods and gardens, its 7 rooms outdo each other in comfort and luxury.

Hotel ? Castillo de huéspedes ? Un poco los dos, ya que el Château de la Tour du Puits es a la vez un pequeño hotel encantador y una residencia privada donde recibimos nuestros clientes como amigos. Siete hectáreas de parque arbolado y de huertos, habitaciones que rivalizan en comodidad y lujo, un desayuno inolvidable.

Hotel? Gäste-Schloss? Von beiden etwas, denn das Château de la Tour du Puits ist gleichzeitig ein hinreißendes Hotel de Charme und eine Privatresidenz wo wir unsere Kunden und Freunde empfangen. 7 ha bewaldeter Park mit Weinstöcken, Zimmer eines luxuriöser und komfortabler als das andere, ein unvergessliches Frühstück.

LE BOURGET DU LAC (73370)

A 10 km d'Aix les Bains et Chambéry.

Table de Prestige

OMBREMONT LE BATEAU IVRE ★ ★ ★

04 79 25 00 23 - ombremontbateauivre@wanadoo.fr

RN 504 - Jean-Pierre JACOB - Fax : 04 79 25 25 77 - www.hotel-ombremont.com - Fermeture : Lundi ; mardi et jeudi midi.
Menus : 72/135 € . Menu enfant : 25 € . Petit déjeuner : 16 € .
12 chambres : 155/230 € . 5 suites : 248/320 € - Classement : Table de Prestige

Dominant le Lac du Bourget, dans un cadre verdoyant, l'Hôtel Ombremont vous propose le confort de ses chambres personnalisées. Au restaurant Le Bateau Ivre, vous pourrez profiter d'une cuisine originale et parfumée. Raffinement et convivialité sont réunis pour vous faire passer un agréable moment de détente. Spécialités : écrevisse et chair d'araignée, noisettes d'agneau rôties au lard croustillant aux blettes, lavaret cuit en filet. Chambres avec bain ou douche+WC+TV : Toutes.Terrasse, jardin, garage fermé, parking privé, piscine d'été, ascenseur, accès handicapés, , chaînes satellites, climatisation, petit déjeuner buffet, salle restaurant de caractère, salle de séminaires, animaux acceptés

Dominating the Lake of Le Bourget, within a green framework, the Ombremont Hotel proposes the comfort of its personalized rooms to you. At the restaurant the Bateau Ivre you will be able to benefit from an original and scented cooking. Refinement and user-friendliness are joined together to make you spend a pleasant moment of relaxation.

Dominando el Lac du Bourget, en un ambiente de verdor, el Hôtel Ombremont le propone habitaciones tranquilas, personalizadas. En el restaurante Le Bateau Ivre, usted podrá disfrutar de una cocina original y llena de aromas. Refinamiento y buena convivencia se unen para hacerle pasar un agradable momento de esparcimiento.

Über dem See von Bourget, im Grünen, bietet Ihnen das Hotel Ombrement den Komfort seiner personalisierten Zimmer. Im Restaurant Le Bateau Ivre genießen Sie eine originelle und geschmackvolle Küche. Feinheit und Gastlichkeit lassen Sie einen angenehmen Moment der Entspannung erleben.

ST BÉRON (73520)

Table Gastronomique

CHÂTEAU DE SAINT BÉRON

04 76 31 20 79

Famille BORNEY - Fax : 04 76 31 16 66 - Fermeture : Début octobre ; lundi.
Menus : 34/86 € . Menu enfant : 16 € - Classement : Table Gastronomique

Situé dans un joli parc, ce château de la fin du siècle dernier vous réserve de belles salles à manger aux boiseries avec dorures, des tapisseries prestigieuses, du mobilier d'époque. Dans une ambiance conviviale, vous dégusterez une cuisine gastronomique et variée, au ton juste, faite avec des produits nobles et le savoir faire de MM. BORNEY, père et fils. Spécialités : salade du potager d'à côté, fricassée de saint jacques ; omble chevalier des lacs alpins, rôti sur peau beurre de pommes, huile épicée ; côte de veau de lait du pays aux chanterelles et rapé de Beaufort. Terrasse, jardin, parking privé, salle restaurant de caractère, salle de séminaires

Located in a pretty park, this castle of the end of last century reserves beautiful dining rooms to you with the woodworks with gildings, prestigious tapestries, and old furniture. In a convivial environment, you will taste a gastronomic and varied kitchen, made with noble products and the knowledge to make of MM. Borney, father and son.

Este castillo de fines del siglo pasado, ubicado en un bonito parque, posee bellos comedores revestidos de madera, con detalles dorados, prestigiosas tapicerías y un mobiliario de la época. En un ambiente cálido, usted podrá saborear una variada cocina gastronómica, hecha con productos de gran calidad unidos a la habilidad de MM.BORNEY, padre e hijo.

In einem schönen Park gelegen, bietet Ihnen dieses Schloss aus dem Ende des letzten Jahrhunderts schöne Esszimmer mit Holzvertäfelung, bezaubernde Wandbehänge und aus der Jahrhundertwende stammendes Mobiliar. In einer gastfreundlichen Umgebung können Sie abwechslungsreiche Küche kosten: aus noblen Produkten und mit dem Savoir-faire von MM. BORNEY, Vater und Sohn.

ST JEAN DE MAURIENNE (73300)

Autoroute 43 ou nationale 6.

Table Gastronomique

HÔTEL-RESTAURANT DU NORD ★ ★

04 79 64 02 08 - info@hoteldunord.net

Place du Champ de Foire - M. et Mme DENIS Philippe - Fax : 04 79 59 91 31 - www.hoteldunord.net
Fermeture : 23/10-7/11 ; 4/04-18/04 ; lundi midi, dimanche soir sauf février, juillet et août. - Menus : 14,50/36 € . Menu enfant : 8 € .
Petit déjeuner : 6,50 € .19 chambres : 37/56 € . Demi pension : 48/74 € . Etape VRP : 47/49 € - Classement : Table Gastronomique

Au pied des montagnes et des stations de Maurienne, l'Hôtel du Nord, ancien relais de diligence, où l'harmonie de la pierre et du bois crée un cadre agréable vous propose une cuisine traditionnelle et soignée.

Spécialités : foie gras maison, saumon fumé maison, suprême de pintadeau au reblochon.

Chambres avec bain ou douche+WC+TV : Toutes. Parking privé, ascenseur, accès handicapés, salle restaurant de caractère, chèques vacances, animaux acceptés à l'hôtel

At the foot of the mountains and stations of Maurienne, the Hôtel of North, old relay of diligence, where the harmony of the stone and wood creates a pleasant framework proposes a traditional and neat kitchen to you

A los pies de las montañas y de las estaciones de Maurienne, el Hôtel du Nord, antigua parada de diligencias, le propone un agradable ambiente creado por la armonía de la piedra y la madera, donde podrá saborear una esmerada cocina tradicional.

Am Fuße der Berge von Maurienne, bietet Ihnen das Hotel du Nord, eine alte Kutschenstation, wo Steine und Holz einen harmonischen Rahmen schaffen, eine traditionelle und gepflegte Küche.

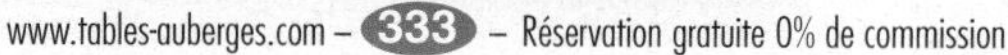

VAL D'ISERE (73152)

Auberge du Pays

LE RELAIS DU SKI - LA BAILLETTA ★ ★

04 79 06 02 06 - lerelaisduski@val-disere.com

B.P. 63 - René RAPHALEN - Fax : 04 79 41 10 64 - www.valdisere.com/lerelaisduski

Menus : 15/20 € . Menu enfant : 8,50 € . Petit déjeuner : 9,50 € .

34 chambres : 42/112 € . Demi pension : 40/87 € . Etape VRP : 60/75 € - Classement : Auberge du Pays

Venez découvrir le cadre agréable et chaleureux de cet établissement. Situé à 500 m du centre de la station et à 50 m des navettes gratuites, il est le point de départ de nombreuses randonnées. Une cuisine simple et généreuse vous fera découvrir les spécialités de la région : fondue savoyarde, tartiflette, raclette royale, pierrade de boeuf, saint félicien chaud.

Chambres avec bain ou douche+WC+TV : Toutes.
Terrasse, garage fermé, parking privé, ascenseur, accès handicapés, chaînes satellites, petit déjeuner buffet, salle restaurant de caractère, salle de séminaires, chèques vacances, animaux acceptés

Come to discover the pleasant and cordial framework of this establishment. Located at 500 m of the center of the station and at 50 m of the free shuttles, it is the starting point of many excursions. A simple and generous kitchen will make you discover the specialities of the area.

Venga a descubrir el ambiente agradable y caluroso de este establecimiento. Ubicado a 500 m del centro de la estación y a 50 m de los vehículos gratuitos, es el punto de partida de numerosas excursiones. Una cocina simple y generosa le hará descubrir las especialidades de la región.

Entdecken Sie den angenehmen und warmherzigen Rahmen dieses Hauses. Es ist Ausgangspunkt für zahlreiche Wanderungen. 500m bis zum Zentrum der Skistation, 50m bis zur kostenlosen Busstation. Einfache und reichhaltige Küche mit regionalen Spezialitäten.

VALLOIRE-LA SETAZ (73450)

A43 sortie Saint Michel.

Table Gastronomique

HÔTEL LA SETAZ RESTAURANT LE GASTILLEUR ★ ★ ★

04 79 59 01 03 - info@le-gastilleur.com

Avenue de la Vallée d'Or - Fax : 04 79 59 00 63 - *Menus : 22/44 € . Menu enfant : 11 € . Petit déjeuner : 8 € .*
22 chambres : 60/85 € - Classement : Table Gastronomique

Charme & Authenticité

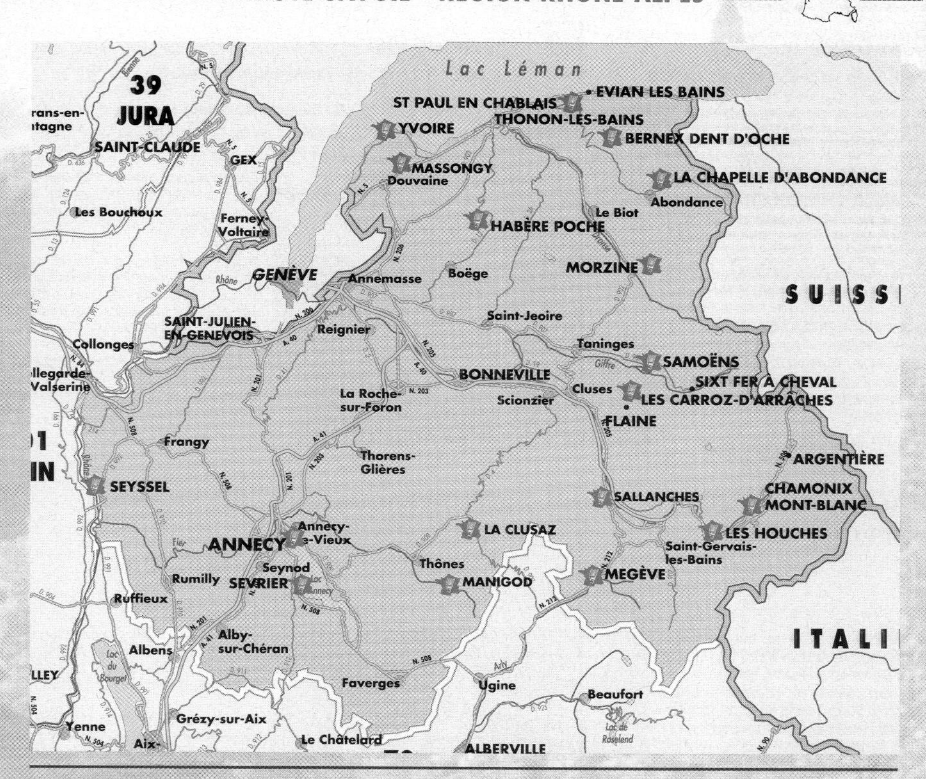

Sites Touristiques : Maison de la Réserve Naturelle des Aiguilles Rouges au Col des Montets (Argentière). Bords du Lac Léman : Yvoire, Anthy sur Léman, Thonon les Bains, Evian les Bains. Désert de Platé à Flaine. Salève (au dessus d'Annemasse). Cirque du Fer à Cheval à Sixt Fer à Cheval.

Saveurs de nos Terroirs : Poissons : féra et omble chevalier (poissons de lac). Fromage : berthouds à base de fromage d'Abondance A.O.C., pela à base de Reblochon. Farcement : spécialité à base de fruits secs, pommes de terre rapées et lard.

Jus de Fruits des vergers de Savoie : pomme et poire. Eau minérale de Thonon les Bains. Vin d'Ayze. Vin blanc de Marin. Bière blonde et bière blanche du Mont-Blanc.

Animations : Maison du Patrimoine au Grand-Bornand, Musée de la Musique Mécanique aux Gets.

Festival du Baroque à Cordon, Festival Rock'poche à Habère-Poche, Festival Au Bonheur des Mômes au Grand-Bornand, Spectacles de rue Les Fondus du Macadam à Thonon les Bains, Spectacles Les Noctibules à Talloires.

AGENCE TOURISTIQUE DÉPARTEMENTALE HAUTE-SAVOIE MONT-BLANC
56, Rue Sommeiller B.P. 348 - 74012 - ANNECY CEDEX -Tél. : 04 50 51 32 31 - Fax : 04 50 45 81 99
www.cdt-hautesavoie.fr - tourisme@cdt-hautesavoie.fr

ANNECY (74000)

A41 sortie Annecy sud direction Thônes puis Impérial.

Table de Terroir

AU FAISAN DORÉ ★ ★ ★

04 50 23 02 46 - ancytour@noos.fr

34 Avenue d'Albigny - Alain CLAVEL - Fax : 04 50 23 11 10 - www.lac-annecy.com
Fermeture : 20/12-1/02 ; dimanche soir et lundi (restaurant). - Menus : 21/31 €. Menu enfant : 9 €. Petit déjeuner : 9 €.
Chambres : 62/95 €. Demi pension : 66 €. Etape VRP : 63 € - Classement : Table de Terroir

Situé dans le quartier de l'Impérial, à 15 minutes à pied du centre ville et de la vieille ville, Au Faisan Doré vous propose des chambres douillettes, tout confort, avec un esprit savoyard et une cuisine traditionnelle de qualité.
Spécialités : cassolette de fera braisée au vin de Savoie, poêlée de filets de perchette et son coulis de tomates, filet de boeuf à la crème aux morilles, gibier en saison, coulant au chocolat tiède, spécialités traditionnelles fromagères.
Chambres avec bain ou douche+WC+TV : Toutes.
Terrasse, garage fermé, ascenseur, chaînes satellites, salle de séminaires, chèques vacances, animaux acceptés au restaurant

Situated in the quarter of Impérial, at 15 minutes with foot of the centre town and the old city, Au Faisan Doré proposes cosy rooms, any comfort to you, with a Savoyard spirit and a traditional cooking of quality.

Ubicado en el barrio del Impérial, a 15 minutos a pie del centro y de la vieja ciudad, Au Faisan Doré le propone agradables habitaciones, con todas las comodidades, al espíritu saboyano. Usted podrá descubrir las especialidades de una cocina tradicional de calidad.

Im Viertel Imperial, 15 Minuten zu Fuß vom Stadtzentrum und der Altstadt, bietet man Ihnen im Faison Doré gemütliche, sehr bequeme Zimmer im Savoyardischen Stil und eine hervorragende traditionelle Küche.

BERNEX DENT D'OCHE (74500)

A 10 km d'Evian les Bains et 50 km de Genève.

Auberge du Pays

HÔTEL STUDIOS LE GRAND CHENAY - RESTAURANT L'ECHELLE

04 50 73 60 42

B.P. 2 - Pierre MERCIER - Fax : 04 50 73 69 21 - Fermeture : 15/11-15/12 ; lundi et mardi (restaurant).
Menus : 16/30 €. Menu enfant : 10,50 €. Petit déjeuner : 6,10 €.
6 chambres : 45/60 €. 4 studios. Demi pension : prix sur demande - Classement : Auberge du Pays

A 1000 mètres d'altitude, au fond d'une magnifique vallée, dans une ambiance conviviale, l'hôtel le Grand Chenay et son restaurant l'Echelle, typiquement montagnard, vous proposent une cuisine personnalisée avec des spécialités du terroir et savoyardes : aiguillettes de canard à la mondeuse, Farch'ment, escargots en brochette à la sauce urtica sur lit de choux, filet d'omble chevalier parfumé au genièvre, truite désarêtée à la Jansonna sauvage, filet de lapereau farci à l'ancienne aux saveurs de topinambours. Vins de Savoie.
Terrasse, jardin, parking privé, accès handicapés restaurant, petit déjeuner buffet, salle restaurant de caractère, chèques vacances, animaux acceptés

With 1000 meters of altitude, at the bottom of a splendid valley, in a friendly atmosphere, the hôtel Grand Chenay and its restaurant L'Echelle, typically mountain, propose a personalized cooking with traditional and regional specialities.

A 1000 m de altitud, al fondo de un magnífico valle, en un ambiente sociable, el hotel Le Grand Chenay y su restaurante L'Echelle, típicamente montañés, le proponen una cocina personalizada con especialidades saboyanas. Vinos de Savoie.

In 1000m Höhe, am Ende eines wunderschönen Tales, in gastfreundlicher Ambiente, bieten Ihnen das Hotel le Grand Chenay und sein Restaurant l'Echelle eine Küche mit persönlicher Note, basierend auf Spezialitäten der Region. Wein aus den Savoyen.

CHAMONIX (74400)

Table de Terroir

RESTAURANT ATMOSPHÈRE

04 50 55 97 97 - infos@restaurant-atmosphere.com

123 Place Balmat - Dominique BALSON - Fax : 04 50 53 38 96 - www.restaurant-atmosphere.com - Ouvert tous les jours.
Menus : 20/28 €. Menu enfant : 6 € - Classement : Table de Terroir

Situé au coeur de Chamonix, cet établissement vous réserve un décor typique et chaleureux avec sa terrasse couverte surplombant l'Arve, et sa superbe vue sur le massif du Mont Blanc. Une cuisine de terroir élaborée avec les meilleurs produits vous sera proposée.

Spécialités : filet de féra poêlé à l'huile de sésame, carré d'agneau rôti jus parfumé au thym, cassolette d'escargots à la crème d'ail, noix de saint jacques juste saisies, pain perdu Atmosphère et glace vanille.

Terrasse, climatisation, salle restaurant de caractère, chèques vacances, animaux acceptés

Situated in the heart of Chamonix, this establishment holds for you a typical and cordial decoration with its covered terrace overhanging the Arve, and its superb sight on the solid mass of the Mount Blanc. A traditional cooking worked out with the best products will be proposed to you

En el corazón de Chamonix, este establecimiento le brinda un ambiente típico y caluroso con su terraza cubierta dominando el Arve y su magnífica vista del macizo del Mont Blanc. Usted podrá saborear una cocina regional, elaborada con productos de gran calidad.

Im Herzen von Chamonix, bietet Ihnen dieses Gebäud eine überdachte Terrasse über der Arve und einen tollen Blick über das Mont-Blanc-Massif. Typischer und warmherziger Dekor. Eine Küche der Region mit besten Produkten zubereitet.

CHAMONIX MONT BLANC (74402)

Table de Prestige

LE HAMEAU ALBERT 1ER ★ ★ ★ ★

04 50 53 05 09 - infos@hameaualbert.fr

38 Route du Bouchet - Martine & Pierre CARRIER - Fax : 04 50 55 95 48 - www.hameaualbert.fr

Fermeture : Hôtel : 14/11-2/12 ; restaurant : mercredi, jeudi midi et du 4 octobre au 2 décembre.
Menus : 48/136 €. 42 chambres : 116/1067 € - Classement : Table de Prestige

Blotti au creux de la vallée de l'Arve, cet établissement de charme, avec ses chambres de rêve et son restaurant gastronomique vous laissera un souvenir de vacances des plus délicieux. La cuisine de terroir sans cesse renouvelée au fil des saisons satisfaira les plus fins gourmets. Spécialités : jarret de veau de lait braisé au jus simple et mousserons des prés, purée de pomme de terre à la truffe blanche d'été ; foie gras de canard, filet d'omble chevalier juste saisi au miel de bourgeons de sapins et carottes nouvelles confites.
Chambres avec bain ou douche+WC+TV : Toutes.
Terrasse, jardin, garage fermé, parking privé, piscine d'été, piscine d'hiver, ascenseur, accès handicapés, chaînes satellites, canal+, salle de séminaires, animaux acceptés

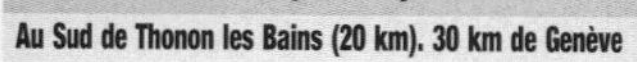

Nestled on the valley of Arve, this charming establishment, with its dreaming bedrooms and its gastronomic restaurant will let you a delightful souvenir that will satisfy the finest gourmet.

Agazapado en el hueco del valle del Arve, este encantador establecimiento, con sus habitaciones de ensueño y su restaurante gastronómico le dejará el recuerdo de unas vacaciones inolvidables. La cocina local que se renueva sin cesar según las estaciones, satisfacerá a los más finos gastrónomos.

Im Tal der Arve, hinterlässt dieses bezaubernde Haus mit seinen traumhaften Zimmern und dem gastronomischen Restaurant unvergessliche Erinnerungen. Die ländliche Küche, immer wieder im Laufe der Jahreszeiten erneuert, stellt anspruchsvollste Feinschmecker zufrieden.

HABERE POCHE (74420)

Au Sud de Thonon les Bains (20 km). 30 km de Genève

Table Gastronomique

LE TIENNOLET

04 50 39 51 01

Centre du Village - Pierre & Josette BONNET - Fax : 04 50 39 58 15

Fermeture : 15/10-15/11 ; 30/05-30/06 ; mardi soir, mercredi hors vacances scolaires.
Menus : 14,50/35 €. Menu enfant : demi tarif - Classement : Table Gastronomique

Josette, Pierre BONNET et l'équipe du Tiennolet seront heureux de vous recevoir dans leur chalet typiquement savoyard, situé dans un environnement champêtre et montagnard. Vous y dégusterez, au coin du feu ou en terrasse des spécialités savoyardes et autres plats de saison : mousselines de chou-fleur et betterave autour d'une tartelette de courge au reblochon au lard, crème de pleurottes à l'ail ; côte de veau panée aux amandes et fruits secs, jus réduit aux cornes d'abondance, chou vert au lard et polenta moelleuse. Service traiteur pour noces, banquets, séminaires. Patisserie, pains et chocolats. Terrasse, jardin, parking privé, accès handicapés restaurant, salle restaurant de caractère, chèques vacances, animaux acceptés au restaurant

Josette and Pierre BONNET and the whole team will be glad to welcome you at the Tiennolet, their typical chalet located rustic and highland environment. You will savour all kinds of locals specialities near the fireplace as well as on terrace.

Josette y Pierre BONNET así como todo su equipo, estarán encantados de recibirle a Le Tiennolet, casa de madera típicamente saboyana, en un entorno campestre y montañés. Usted podrá saborear al amor de la lumbre o en terraza, las especialidades saboyanas y otros platos de estación. Servicio de comidas, para bodas, banquetes, seminarios. Pastelería, helados, chocolates.

Josette und Pierre BONNET sowie ihre Mitarbeiter freuen sich, Sie im Tiennolet, einer typisch lokalen Hütte in ländlicher und gebirgiger Umgebung zu empfangen. Sie kosten am Kamin oder auf der Terrasse die einheimischen Spezialitäten.

HABERE POCHE (74420)

A 17 km de Thonon les Bains.

Table de Terroir

LE CHARDET ★ ★ ★

04 50 39 51 46 - chardet@wanadoo.fr

Ramble - Nathalie et Philippe DUCROT - Fax : 04 50 39 57 18 - www.chardet.com - *Fermeture : 31/03-1/06 ; 22/10-21/12.*
Menus : 18/29 €. Menu enfant : 9 €. Petit déjeuner : 7,50 €.
32 chambres : 45/74 €. Demi pension : 50/60 €. Etape VRP : 59/69 € - Classement : Table de Terroir

Situé au coeur des alpages, cet établissement vous enchantera, vous y apprécierez la douceur de vivre, la saveur des plats mijotés longtemps, les plaisirs balnéaires des piscines chauffées... Le restaurant vous réservera des plats comme les grands mères savaient les mijoter : tête de veau ravigote, daube de boeuf à la campagnarde, truite d'habère poche au vin de Savoie, diots du père Mouchet, spécialités savoyardes.

Chambres avec bain ou douche+WC+TV : Toutes.
Terrasse, jardin, garage fermé, parking privé, piscine d'été, piscine d'hiver, tennis, ascenseur, accès handicapés, salle restaurant de caractère, salle de séminaires, chèques vacances, animaux acceptés

Located on the heart of the mountain pastures, this establishment will enchant you, you will appreciate the softness of living there, the savour of the dishes cooking a long time, the balneal pleasures of the heated swimming pools... The restaurant will reserve dishes to you as large the mothers knew.

En el corazón de praderas montañosas, este establecimiento le encantará, usted apreciará la calma, el sabor de los platos cocinados a fuego lento, como sabían hacerlo las abuelas y descubrir los placeres de piscinas con agua templada...

Im Herzen der Alpagen wird Sie dieses Haus verzaubern. Genießen Sie die angenehmen Seiten des Lebens mit geschmorten Gerichten, beheizten Schwimmbecken... Das Restaurant bietet Ihnen Gerichte wie zu Großmutters Zeiten.

LA CHAPELLE D'ABONDANCE (74360)

A 35 km de Thonon les Bains.

L'ENSOLEILLÉ ★ ★

04 50 73 50 42 - info@hotel-ensoleille.com

Fax : 04 50 73 52 96 - Menus : 20/55 € . Menu enfant : 12 € . Petit déjeuner : 8,50 € .
35 chambres : 60/85 € - Classement : Table de Terroir

LA CLUSAZ (74220)

A 30 km d'Annecy.

HÔTEL BELLACHAT ★ ★

04 50 32 66 66 - hotel.bellachat@wanadoo.fr

Route des Confins - Serge & Maurice GALLAY - Fax : 04 50 32 65 84 - Fermeture : 15/10-20/12 ; 15/04-15/06.
Menus : 13/28 € . Menu enfant : 8 € . Petit déjeuner : 7 € .
31 chambres : 50/90 € . Demi pension : 54/69 € - Classement : Table de Terroir

En pleine neige l'hiver, au coeur de la verdure l'été, face à un panorama magnifique, le Bellachat, chalet sympathique où il fait bon vivre et se reposer vous invite à la gourmandise autour d'une table raffinée. Vous y découvrirez une cuisine de caractère, évolutive dans l'esprit mais traditionnelle dans sa présentation des produits du terroir.
Spécialités : fondue aux girolles, farcement savoyard, fondue vigneronne, tartiflette...

Terrasse, jardin, parking privé, salle de séminaires

In full snow in winter, in the heart of the greenery in summer, facing a splendid panorama, Bellachat, country cottage where it makes good food and to rest, invites you for greediness around a refined table. You will discover there a cooking of character , traditional in its presentation of the products of the soil.

En plena nieve durante el invierno, en el corazón de un marco de follaje en verano, frente a un panorama magnífico, el Bellachat, chalet simpático donde se vive bien y se descansa invita los golosos alrededor de una delicada mesa. Usted descubrirá una cocina original, evolutiva en espíritu pero tradicional en la presentación de los productos regionales.

Mitten im Schnee im Winter, und im Grünen im Sommer, mit wunderbarem Blick auf Bellachat, lädt Sie diese sympathische Hütte ein, zum Schlemmern um eine feine Tafel. Entdecken Sie eine charaktervolle Küche, im Geist evolutif, aber traditionell in der Präsentation seiner Landprodukte.

LES CARROZ D'ARACHES (74300)

A 12 km de Cluses.

LA CROIX DE SAVOIE ★ ★

04 50 90 00 26 - info@lacroixdesavoie.fr

768 Route du Pernand - Jean-Marc TIRET - Fax : 04 50 90 00 63 - www.lacroixdesavoie.fr - Fermeture : Dimanche soir et lundi midi.
Menus : 15,50/36 € . Menu enfant : 8 € . Petit déjeuner : 7 € .
19 chambres : 44/46 € . Demi pension : 36/51 € . Etape VRP : 46 € - Classement : Table de Terroir

A 600 mètres à peine du centre ville et des remontées mécaniques, niché dans un écrin de verdure avec vue panoramique sur la vallée et le massif des Aravis, cet établissement vous assure une étape calme et reposante et vous fera partager sa cuisine régionale de terroir.
Spécialités : foie gras à la crème de pruneaux, pavé de turbot au vinaigre de framboise, noix de saint jacques roties et confit de poireaux.
Chambres avec bain ou douche+WC+TV : 17 chambres sauf N°1 et 11.
Terrasse, jardin, parking privé, chaînes satellites, salle restaurant de caractère, chèques vacances, animaux acceptés

With 600 meters hardly of the centre town and ski lifts, nestled in a bosky bower with panoramic sight on the valley and the solid mass of Aravis, this establishment ensures you a stage calms and resting and will make you share its regional cooking of soil.

A sólo 600 metros del centro de la ciudad y de los remontes, rodeado de vegetación, con vista panorámica al valle y al macizo de los Aravis, este establecimiento le asegura una estancia tranquila, descansada y le hará compartir su cocina regional.

Knapp 600 m vom Stadtzentrum und der Skilifte, liegt dieses Haus, eingenistet im Grünen mit Panoramablick auf das Tal und das Aravis Massif. Freuen Sie sich auf eine erholsame, ruhige Etappe und eine regionale Küche vom Land.

La Reconnaissance Professionnelle

LES HOUCHES (74310)

A 7 km de Chamonix.

AUBERGE LE BEAU SITE ★ ★ ★

04 50 55 51 16

Rue de l'Eglise - Christian PERRIN - Fax : 04 50 54 53 11 - www.hotel-beausite.com

Fermeture : 20/04-10/05 ; 6/10-20/12 ; mercredi hors saison, lundi et mardi midi en saison (restaurant). - Menus : 19,20/40 € . Menu enfant : 7 € . Petit déjeuner : 7 € .18 chambres : 65/78 € . Demi pension : 58/64 € - Classement : Table de Terroir

Cette auberge vous accueillera pour vos séjours touristiques, sportifs ou professionnels dans un cadre convivial et dans un environnement calme et agréable. Des chambres confortables, spacieuses et chaleureuses avec vue sur les montagnes seront à votre disposition. Le chef Christian vous proposera toutes les saveurs de sa cuisine généreuse : des produits faits maison, un merveilleux tour d'horizon de la Haute Savoie.

Chambres avec bain ou douche+WC+TV : Toutes.
Terrasse, jardin, parking privé, piscine d'été, ascenseur, accès handicapés, chaînes satellites, salle restaurant de caractère, salle de séminaires

This inn will accomodate you for your touristic, sporting or professional stays in a convivial framework and a calm environment. Comfortable, roomy and cordial rooms with sight on the mountains will be at your disposal. The Chief Christian will propose all savours of his generous cooking to you: made products house, a marvellous review of High Savoy.

Este hostal le acogerá para sus estancias turísticas, deportivas o profesionales en un ambiente sociable y con un entorno tranquilo y agradable. Cómodas habitaciones, espaciosas y cálidas con vista a las montañas estarán a su disposición. El jefe Christian le propondrá todos los sabores de su generosa cocina : productos caseros, un maravilloso panorama de la Haute Savoie.

Dieses Gasthaus empfängt Sie zu touristischen, sportlichen oder professionellen Aufenthalten in einem gastlichen Rahmen in ruhiger und angenehmer Umgebung. Bequeme, geräumige und gemütliche Zimmer mit Blick auf die Berge stehen Ihnen zur Verfügung. Der Chefkoch Christian bietet Ihnen alle Geschmäcker seiner großzügigen, Küche aus hausgemachten Produkten, ein herrlicher Horizont der Haute Savoie.

LES HOUCHES (74310)

A 6 km de Chamonix.

CHRIS-TAL ★ ★ ★

04 50 54 50 55 - info@chris-tal.fr

242 Avenue des Alpages - Chantal et Jean-Louis GHEROLD - Fax : 04 50 54 45 77 - www.chris-tal.fr - Fermeture : 15/04-20/05 ; 5/10-20/12. Menus : 22/32 € . Menu enfant : 8,50 € . Petit déjeuner : 7,50 € .18 chambres : 62/89 € . 5 appartements : 100/145 € . Demi pension : 57/75 € - Classement : Table de Terroir

Ce petit hôtel à l'esprit montagnard, confortable et chaleureux est situé au coeur de la Vallée du Mont Blanc. Ses chambres spacieuses ouvrent leur balcon sur les sommets environnants. Dans l'ambiance de notre Savoie, vous y trouverez les délicieuses odeurs de la cuisine d'antan car ici, le bien manger est façon de vivre, dans la tradition du terroir. A cela s'ajoutent les plaisirs de la piscine, du sauna, du tennis et de la détente au coin du feu. Spécialités : farçon savoyard, coq au vin de savoie, fondue, berthoud.
Chambres avec bain ou douche+WC+TV : Toutes.
Terrasse, garage fermé, parking privé, piscine d'été, piscine d'hiver, tennis, ascenseur, chaînes satellites, petit déjeuner buffet, chèques vacances

This small hotel of mountain spirit, comfortable and cordial is situated in the heart of Valley of the Mount Blanc. Its roomy rooms open their balcony on the surrounding tops. In the atmosphere of our Savoy, you will find there the delicious odors of the formerly cooking because here, the eating well is fa way of life, in the tradition of the soil. You will also enjoy the pleasure of the swimming-pool, sauna, tennis, and the relaxation at the corner of fire.

Este pequeño hotel con espíritu montañés, cómodo y caluroso se encuentra en el corazón del Vallée du Mont Blanc. Sus espaciosas habitaciones abren su balcón a las cumbres circundantes. En el ambiente de nuestra Savoie, usted encontrará los deliciosos olores de la cocina de antaño, ya que aquí, comer bien es una manera de vivir en la tradición regional. A todo esto se añaden los placeres de la piscina, sauna, tenis y el descanso al amor de la lumbre.

Dieses kleine Hotel mit Bergsteigergeist, komfortabel und gemütlich, liegt mitten im Tal des Mont Blanc. Seine geräumigen Zimmer öffnen ihren Balkon zu den umliegenden Gipfeln. In der Atmosphäre unserer Savoie, finden Sie die köstlichen Düfte von früher, denn hier ist gutes Essen Lebenskultur und Tradition.

Charme & Authenticité

MANIGOD (74230)

A 12 km de Thônes, 6 km de La Clusaz, 30 km d'Annecy.

HÔTEL LES SAPINS

04 50 44 90 29 - les-sapins@wanadoo.fr

Col de la Croix Fry - Renée PESSEY-VEYRAT & Fils - Fax : 04 50 44 94 96 - Fermeture : 1/11-30/11 ; 1ère semaine de Mai. Menus : 23/34 € . Menu enfant : 8 € . Petit déjeuner : 6,50 € . 10 chambres : 35/58 € . Demi pension : 44/52 € - Classement : Auberge du Pays

Au Col de la Croix Fry, dans un site exceptionnel, la famille PESSEY-VEYRAT vous accueille depuis 3 générations. En toute saison, vous trouverez un confort douillet et une table sûre, où vous pourrez découvrir les saveurs d'une cuisine raffinée aux accents savoyards. Repas dansants tous les vendredi soir. Spécialités : croustillant de féra du lac à la réduction de chignin bergeron, filet de venaison en croustillant de châtaignes sauce poivrade, poêlée de langoustines aux girolles vinaigrette à l'huile de noisette. Chambres avec bain ou douche+WC+TV : 6-12-56-58. Terrasse, jardin, parking privé, accès handicapés restaurant, salle restaurant de caractère, salle de séminaires, chèques vacances, animaux acceptés, Menu Auberge du Pays

At the Col de la Croix Fry, in an exceptional site, the Pessey-Veyrat family accomodates you since 3 generations. In any season, you will find a cosy comfort and a sure table, where you will be able to discover savours of a refined cooking with the Savoyard accents. Dancing meals every Friday evening.

En el Paso de la Croix Fry, en un lugar excepcional, la familia PESSEY-VEYRAT le acoge desde hace 3 generaciones. Cualquiera sea la temporada, usted encontrará una delicada comodidad y una mesa segura donde podrá descubrir los sabores de una refinada cocina con acentos saboyanos. Comida con baile todos los viernes por la noche.

Auf dem Pass von Croix Fry, einer außergewöhnlichen Gegend, empfängt Sie die Familie Pessey-Veyrat seit drei Generationen. Zu jeder Jahreszeit finden Sie einen gemütlichen Komfort und eine feine Tafel, wo Sie die Geschmäcker einer erlesenen Küche mit Akzenten aus der Savoie entdecken. Jeden Freitag abend wird getanzt.

MASSONGY (74140)

A 1 km de Douvaine et 20 km de Thonon les Bains.

AUBERGE GOURMANDE

04 50 94 16 97

D 225 - Guy WATRIN - Fermeture : Mercredi et Jeudi - Menus : 20/45 € . Menu enfant : 12 € . Classement : Table Gastronomique

L'Auberge Gourmande se situe entre Genève et Thonon, à proximité du vignoble de Crépy, en pleine campagne. Elle vous propose l'hiver au coin du feu, sa carte et ses menus, avec chasse et plats régionaux. L'été, vous profiterez de la terrasse face au Jura, et des poissons du lac. Pour accompagner votre repas, une carte des vins représentant l'ensemble de la France avec plus de 1200 références sera à votre disposition. Spécialités : foie gras de canard en terrine mariné au vin de pissenlit, filets de cailles rôties sauce aux arachides, médaillons de veau crème au reblochon et ses ravioles, minute de homard et dos de saumon au vinaigre de Banyuls. Terrasse, jardin, , parking privé, piscine d'été, tennis, salle restaurant de caractère, salle de séminaires, animaux acceptés

The Auberge Gourmande is located between Geneve and Thonon, near the vineyard of Crépy, in full countryside. It proposes on winter its chart and its menus, with regional hunting and dishes. In summer, you will benefit from the terrace face to the Jura, and fishes of the lake. To accompany your meal, a chart of the wines representing lthe whole France with more than 1200 references will be at your disposal.

El Auberge Gourmande está ubicado entre Genève y Thonon, cerca del viñedo de Crépy, en pleno campo. Usted podrá descubrir en invierno, al amor de la lumbre, su carta y sus menús con productos de la caza, platos regionales, y en verano, en la terraza frente al Jura, los pescados del lago. Una lista de vinos de Francia, con más de 1200 referencias, está a su disposición.

Die Auberge Gourmande liegt zwischen Genf und Thonon, mitten auf dem Land nahe der Weinberge von Crépy. Im Winter bietet sie Ihnen vor dem Kamin Menüs mit regionalen und Jagdgerichten an. Im Sommer können Sie sich an der Terrasse mit Blick auf das Jura-Gebirge und Seefischen erfreuen. Als Begleitung für Ihre Gerichte bieten wir eine Weinkarte, welche die Gesamtheit der französischen Weine -mit über 1200 Sorten- repräsentiert.

MEGÈVE (74120)

A 12 km de Sallanches.

AU COEUR DE MEGÈVE ★ ★ ★

04 50 21 25 30 - info@hotel-megeve.com

46 Avenue Charles Feige - Fax : 04 50 91 91 27 - Menus : 14/29 € . Menu enfant : 8,50 € . 36 chambres : 80/350 € - Classement : Table de Terroir

MORZINE (74110)

A 30 km de Thonon les Bains et 60 km de Genève.

HÔTEL LE SAMOYEDE ★ ★ ★

04 50 79 00 79 - info@hotel-lesamoyede.com

M. et Mme BAUD PACHON - Fax : 04 50 79 07 91 - www.hotel-lesamoyede.com - Fermeture : Fin avril-début juin ; fin octobre-mi décembre.
Menus : 23/53 € . Menu enfant : 11 € . Petit déjeuner : 11 € .
26 chambres : 96/200 € . Demi pension : 83/143 € - Classement : Table Gastronomique

Situé au centre de la station, près des remontées mécaniques, ce chalet 3 étoiles respectant la tradition ancestrale des Alpes vous propose confort, modernité et chaleur pour un séjour tout en douceur. Ses chambres au décor personnalisé, toutes différentes vous feront rêver. Au restaurant, une cuisine soignée élaborée avec le plus grand soin vous sera proposée. Spécialités : terrine de foie gras de canard maison, fera du lac poêlée sauce au vin rouge poireaux et carottes fondantes, soupe de pêche au poivre de séchouan et sa glace à la verveine. Chambres avec bain ou douche+WC+TV : Toutes. Terrasse, jardin, garage fermé, parking privé, ascenseur, accès handicapés restaurant, petit déjeuner buffet, salle restaurant de caractère, chèques vacances, animaux acceptés

Located at the center of the station, close to the ski lifts, this 3 stars country cottage respecting the ancestral tradition of the Alps, proposes comfort, modernity and heat for a stay to you all carefully. Its rooms with the personalized decoration, all different will make you dream. At the restaurant, an elaborate neat cooking with the greatest care will be proposed to you.

Ubicado en el centro de la estación, cerca de los remontes, este chalet 3 estrellas que respecta la tradición ancestral de los Alpes le propone comodidad, modernidad y calidez para una estancia con toda tranquilidad. Sus habitaciones personalizadas, todas diferentes le harán soñar. En el restaurante, usted descubrirá una esmerada cocina.

Mitten im Skigebiet, nahe der Skilifte, bietet Ihnen diese 3 Sterne Hütte, wo einstige Traditionen der Alpen respektiert werden, Komfort, Modernität und Wärme für einen angenehmen Aufenthalt. Die Zimmer mit personalisiertem Dekor unterscheiden sich alle voneinander und lassen Sie träumen. Im Restaurant erwartet Sie eine gepflegte Küche mit größter Sorgfalt zubereitet.

SALLANCHES (74700)

LA CHAUMIÈRE

04 50 58 00 59

73 Ancienne Route de Combloux - Jacky HOUZET - Fax : 04 50 58 00 59 - Fermeture : 20/06-15/07 ; dimanche soir, lundi, mardi midi.
Menus : 19/38 € . Menu enfant : 9 € .
Classement : Table Gastronomique

Cette ancienne bâtisse du siècle dernier, au décor intérieur coloré et feutré vous réservera un accueil personnalisé et vous proposera une cuisine traditionnelle raffinée variant au fil des saisons.
Spécialités : taboulé de saint jacques, jus de veau à l'huile d'olives et basilic ; souris d'agneau braisé longuement au vin vieux ; sabayon glacé dans son croquant chocolat.

Parking privé, accès handicapés restaurant, salle de séminaires, animaux acceptés au restaurant

This old masonry of last century, with the coloured and felted interior decoration will reserve a personalized reception to you and will propose to you a refined traditional cooking varying in the course of the years.

Este antiguo caserón del siglo pasado, con su ambiente interior coloreado y calmo le brindará una acogida personalizada y le hará saborear una delicada cocina tradicional que sigue el ritmo de las estaciones.

In diesem alten Gebäude aus dem letzten Jahrhundert, im buntem und gedämpftem Dekor, werden Sie persönlich mit einer traditionellen feinen Küche bewirtet, den Jahreszeiten angepasst.

SAMOËNS (74340)

A 20 km de Cluses.

Table de Terroir

EDELWEISS ★ ★

04 50 34 41 32 - hotel-edelweiss@wanadoo.fr

La Piaz - Maryse SIMOND - Fax : 04 50 34 18 75 - www.hoteledelweiss.fr - Fermeture : 18/04-29/05 ; 19/09-18/12 ; à midi le restaurant (21/12-20/04) sauf pendant les vacances scolaires. - Menus : 16/32 € . Menu enfant : 8,50 € . Petit déjeuner : 7 € .
20 chambres : 50/70 € . Demi pension : 45/55 € . Etape VRP : 55 € - Classement : Table de Terroir

L'établissement, de style chalet savoyard est situé à 1 km du village, au calme sur les hauteurs du versant sud de Samoëns. Sa terrasse panoramique offre une vue superbe sur le village et la vallée.
Spécialités : poissons de lacs, rillettes de truites, foie gras maison, filet de féra fumé maison, tartiflette, raclette et fondue savoyardes. Réservation conseillée. Très grand choix de vins.

Chambres avec bain ou douche+WC+TV : Toutes.
Terrasse, jardin, parking privé, chèques vacances, animaux acceptés

The establishment in Savoyard style is situated on the heights of the Samoëns' south side. Its panoramic terrace has a magnific view on the village and the valley. Better to reserve. Large range of great wines.

El establecimiento, de estilo chalet saboyano está ubicado a un km del pueblo, en la calma de las alturas de la ladera sur de Samoëns. Su terraza panorámica le ofrece una magnífica vista del pueblo y del valle. Se aconseja reservar. Gran variedad de vinos.

In ruhiger Lage bietet dieses Gasthaus im Stil einer Berghütte, einen wunderbaren Blick auf Dorf und Tal und erwartet Sie mit seinen Spezialitäten.

SEVRIER (74320)

A 5 km d'Annecy.

Table de Terroir

RESTAURANT TOURNETTE PLAGE

04 50 52 40 48 - restaurant-la-tournette@wanadoo.fr

20 Promenade des Seines - Hervé RICHARD - Fax : 04 50 52 68 09 - www.annecy-lac.com

Fermeture : 31/12-10/03 ; dimanche soir et lundi hors saison.

Menus : 19/30 € . Menu enfant : 9,15 € - Classement : Table de Terroir

Venez découvrir cet établissement situé au bord de l'eau, vous découvrirez sa terrasse tranquille et ombragée et dégusterez une cuisine de tradition.
Spécialités : grand buffet de hors d'oeuvre en saison, poissons (lac et mer), marmite de la mer, filets de perches, petite friture.

Terrasse, jardin, parking privé, accès handicapés restaurant, salle de séminaires, chèques vacances, animaux acceptés au restaurant

This pleasant establishment located on the sea shore will cordially welcome you and offer its traditional cooking to savour on its calm and shady terrace.

Venga a descubrir este establecimiento situado a orillas del agua, usted descubrirá una terraza tranquila, a la sombra y podrá saborear una cocina tradicional.

Entdecken Sie dieses Gasthaus am Wasser, mit seiner ruhigen und schattigen Terrasse und kosten Sie die traditonelle Küche des Hauses.

SEYSSEL (74910)

Table de Terroir

RESTAURANT MICHAUD RÔTISSERIE DU FIER

04 50 59 21 64 - rotdufier@worldonline.fr

Route de Rumilly - Pierre et Jacqueline MICHAUD - Fax : 04 50 56 20 54 - www.resto-michaud.com

Fermeture : 2ème, 3ème semaine de septembre, vacances de Toussaint zone A et de février ; mardi et mercredi. - Menus : 16/40 € . Menu enfant : 11 € . Petit déjeuner : 7 € . 3 chambres : 50/60 € . Etape VRP : 50/55 € - Classement : Table de Terroir

Situé au sein d'un grand parc, en bordure du Fier, petite rivière qui se jette dans le Rhône à 100 m de là, venez découvrir une ambiance chaleureuse, au calme et découvrir une cuisine de terroir. Spécialités : charlotte de langoustes aux pommes de terre au champagne, gâteau de brochet et filets de féra aux bulles de Seyssel, dos de lapin aux pêches et à la lavande, aiguillettes de filet de boeuf aux chanterelles, escalope de foie au vinaigre de myrtilles, cuisse de lapin vallée de Thônes, pâtisseries maison au chariot, soufflé chaud à la passion sorbet et coulis. Terrasse, jardin, parking privé, salle restaurant de caractère, salle de séminaires, chèques vacances

Located in a large park, in edge of Fier, small river which is thrown in the Rhone to 100 m from there, come to discover a cordial environment, with calms and to discover a kitchen of soil.

En el seno de un gran parque, a orillas del Fier, riachuelo que desemboca en el Rhône a 100 de allí, venga a descubrir un ambiente caluroso, calmo y una cocina regional.

In einem großen Park am Fier Ufer, ein kleiner Fluss, der 100 m weiter in die Rhone mündet, entdecken Sie Ruhe, ein warmes Ambiente, und eine ländliche Küche.

ST PAUL EN CHABLAIS (74500)

A 9 km d'Evians les Bains.

LE CRO-BIDOU ET SES CHALETS ★ ★

04 50 73 10 93 - hotel-crobidou@clicevian.com

La Beunaz - Thierry CHRISTIN - Fax : 04 50 73 18 68 - www.crobidou.com - Fermeture : 10/10-30/04.
Menus : 16/26 € . Menu enfant : 7,50 € . Petit déjeuner : 6,50 € .
18 chambres : 42/50 € . Demi pension : 44/48 € - Classement : Auberge du Pays

Situé sur un parc de 3 ha, sur les bords d'un petit lac de montagne, cet établissement vous propose plusieurs formules d'hébergement : individuelles, familles, groupes avec ses 18 chambres et ses 5 chalets savoyards. Le restaurant vous servira une cuisine de qualité et vous fera découvrir des plats régionaux : berthoux, fondue savoyarde, raclette, tarte aux myrtilles.

Chambres avec bain ou douche+WC+TV : Toutes. Terrasse, jardin, parking privé, accès handicapés restaurant, petit déjeuner buffet, salle restaurant de caractère, salle de séminaires, chèques vacances, animaux acceptés, Menu

Located on a park of 3 ha, at the edges of a small lake of mountain, this establishment proposes several formulas of lodging to you: individual, families, groups with its 18 rooms and its 5 country cottages Savoyard. The restaurant will offer you a cooking of quality and will make you discover regional dishes

Ubicado en un parque de 3 ha. a orillas de un pequeño lago de montaña, este establecimiento, con sus 18 habitaciones y sus 5 chalets saboyanos le propone varias fórmulas de alojamiento : individuales, para familias, grupos. El restaurante le hará descubrir una cocina de calidad con platos regionales.

In einem 3 Hektar großen Park, am Ufer eines kleinen Bergsees, bietet Ihnen dieses Haus mehrere Formen der Beherbergung: für Einzelpersonen, Familien und Gruppen. 18 Zimmer und 5 savoyische Hütten. Das Restaurant bietet Ihnen hochwertige Küche. Lernen Sie regionale Gerichte kennen.

YVOIRE (74140)

A 15 km de Thonon et 25 km d'Evian et Genève

LE VIEUX LOGIS ★ ★ ★

04 50 72 80 24 - contact@levieuxlogis.com

Rue centrale - Serge JACQUIER-DURAND - Fax : 04 50 72 90 76 - www.levieuxlogis.com
Fermeture : 15 décembre au 15 février ; dimanche soir et lundi (restaurant). - Menus : 23/41 € . Menu enfant : 10 € .
Petit déjeuner : 7,50 € .12 chambres : 60/70 € - Classement : Table Gastronomique

Le Vieux Logis, plus qu'un hôtel-restaurant, un lieu convivial et chaleureux où, depuis 4 générations, la famille Jacquier met tout en oeuvre pour que vous soyez heureux chez elle. Vous y dégusterez des produits du terroir et dès la belle saison, les repas pourront être servis dans le jardin ou sur la terrasse. Chef de Cuisine : Alexandre Majournal. Spécialités : poissons du Lac Léman, omble chevalier, truite saumonée, fera, gibier en automne.
Chambres avec bain ou douche+WC+TV : Toutes.Terrasse, jardin, parking privé, accès handicapés restaurant, chaînes satellites, salle restaurant de caractère, salle de séminaires, chèques vacances, animaux acceptés

Le Vieux Logis, more than one hotel-restaurant, a friendly setting where, since 4 generations, the Jacquier family puts all works for your happiness. You will taste traditional products there and at the beautiful season, the meals could be served in the garden or on the terrace. Chief of kitchen : Alexandre Majournal

Le Vieux Logis, más que un hotel-restaurante, un lugar caluroso y convivial donde, desde hace 4 generaciones la familia Jacquier pone todos los medios necesarios para que se sienta satisfecho. Usted podrá saborear los productos de la región y disfrutar del jardín o la terraza, durante la buena temporada. Jefe de Cocina : Alexandre Majournal.

Le Vieux Logis - ein geselliges und gemütliches Hotel-Restaurant, wo die Familie Jacquier seit 4 Generationen alles daran setzt, damit Sie sich bei ihnen wohlfühlen. Kosten Sie hier die regionalen Produkte. In der Sommersaison kann das Essen im Garten und auf der Terrasse serviert werden.

Sites Touristiques : Tour Eiffel, Le Louvre, Centre Pompidou, Musée d'Orsay, Cité des Sciences, L'Arc de Triomphe, Notre Dame, Sacré Coeur.

Saveurs de nos Terroirs : Crèpe Suzette.
Vins de Montmartre.

Animations : Musée du Louvre, Musée d'Orsay, Centre Pompidou, Musée Picasso.

Salon de l'Agriculture, Mondial de l'Automobile, Salon du Bourget, Championnat de France de Tennis Roland Garros. Festival d'Art sacré. Marathon de Paris.

COMITÉ DÉPARTEMENTAL DU TOURISME DE PARIS
127, Avenue des Champs Elysées - 75008 - PARIS -Tél. : 08 92 68 31 12 - Fax : 01 49 52 53 00
www.paris-touristoffice.com - info@paris-touristoffice.com

1 er Arrondissement

PARIS (75001)

CARRÉ DES FEUILLANTS

01 42 86 82 82 - carre.des.feuillants@wanadoo.fr

14 Rue de Castiglione - Fax : 01 42 86 07 71 - Menus : 58/138 € - Classement : Table de Prestige

PARIS (75001)

LE GRAND VEFOUR

01 42 96 56 27 - grand.vefour@wanadoo.fr

17 Rue de Beaujolais - Fax : 01 42 86 80 71 - Menus : 71/214 €. Carte : 149/190 € - Classement : Table de Prestige

PARIS (75001)

RESTAURANT GÉRARD BESSON

01 42 33 14 74 - gerard.besson@libertysurf.fr

5 Rue Coq-Héron - Fax : 01 42 33 85 71 - Menus : 54/100 € - Classement : Table de Prestige

PARIS (75001)

LES BOUCHOLEURS

01 42 96 06 86

34 Rue Richelieu - Jacques BIDEAU - Menus : 20/35 €.
Classement : Table de Terroir

Les Boucholeurs Bar et Bistrot marin à deux pas du Palais Royal. Dans un cadre chaleureux avec un excellent service, ses produits frais, sa cuisine raffinée et ses plats traditionnels, sa carte de vins impressionnante en font un lieu très fréquenté par les parisiens et les touristes.

Boucholeurs Bar and marine Bistrot with two steps of the Royal Palate.Within a cordial framework with an excellent service, its fresh products, its refined kitchen and its traditional dishes, its impressive wine chart make of it a place very attended by the Parisian ones and the tourists.

2 ème Arrondissement

PARIS (75002)

Métro Pyramides ou 4 septembre.

HÔTEL LOUVRE MARSOLLIER OPÉRA ★ ★ ★

01 42 96 68 14 - infos@hotelmarsollier.com

13 Rue Marsollier - Xavier HUMEAU - Fax : 01 42 60 53 84 - www.hotellouvremarsollier.com - Ouvert toute l'année.
28 chambres : 85/137 €. Petit déjeuner : 10 €.

Situé au coeur du vieux Paris, dans une rue calme au centre d'un quartier prestigieux, l'Hôtel Louvre Marsollier Opéra vous propose son cadre raffiné et le confort douillet de ses 28 chambres où tout a été pensé pour votre détente.
Un petit déjeuner gourmand vous sera servi en chambre ou dans une salle conviviale.

Chambres avec bain ou douche+WC+TV : Toutes.
Ascenseur, chaînes satellites, climatisation, petit déjeuner buffet, chèques vacances, animaux acceptés à l'hôtel

Located at the heart of the old Paris, in a street calms in the center of a prestigious district, the Hotel the Louvre Marsollier Opéra proposes its refined framework to you and the soft comfort of its 28 rooms where all was thought for your relaxation. A greedy breakfast will be been useful to you in room or in a convivial room.

En el corazón del antiguo París, en una calle tranquila en el centro de un barrio prestigioso, el Hôtel Louvre Marsollier Opéra le propone el ambiente delicado y tranquilo de sus 28 habitaciones, todo ha sido pensado para su esparcimiento. Un desayuno goloso le será servido en la habitación o en una acogedora sala.

Mitten in der Pariser Altstadt, in einer ruhigen Straße eines angesehenen Viertels, bietet Ihnen das Hôtel Louvre Marsollier Opéra eine feine Atmosphäre und den gemütlichen Komfort seiner 28 Zimmer, wo alles für Ihrer Entspannung durchdacht wurde. Ein Schlemmerfrühstück wird Ihnen im Zimmer oder dem gemütlichen Saal serviert.

5 ème Arrondissement

PARIS (75005)

Métro Maubert Mutualité ou Pont Marie.

Table de Prestige

LA TOUR D'ARGENT

01 43 54 23 31

15/17 Quai de la Tournelle - Claude TERRAIL - Fax : 01 44 07 12 04 - www.latourdargent.com - Fermeture : Lundi et mardi midi.
Menus : 70/225 € - Classement : Table de Prestige

Au coeur du Vieux Paris, au bord de la Seine, vous serez séduit par ce lieu prestigieux de la gastronomie française.

Ascenseur, climatisation, salle restaurant de caractère, salle de séminaires, animaux acceptés au restaurant

In the heart of the Old Paris , at the edge of the Seine, you will be allured by this prestigious place of the French gastronomy.

En el corazón del antiguo París, a orillas del Seine, usted quedará encantado con este prestigioso lugar de la gastronomía francesa.

Im Herzen des Vieux Paris, am Seineufer, werden Sie von diesem hohen Platz der französischen Gastronomie verzaubert sein.

PARIS (75005)

Table Gastronomique

LA TRUFFIÈRE

01 46 33 29 82 - restaurant.latruffiere@wanadoo.fr

4 Rue Blainville - Christian SAINSARD - Fax : 01 46 33 64 74 - www.latruffiere.com - Fermeture : Lundi.
Menus : 60/75 € - Classement : Table Gastronomique

Christian Sainsard et son équipe seront heureux de vous accueillir dans une maison du XVIIème siècle au décor Vieux Paris de voûtes et de poutres. A la lueur des chandelles, vous partirez à la découverte de la générosité du sud-ouest en vous laissant guider par une carte qui saura satisfaire les papilles les plus gourmandes. Grande carte des vins (2200 références) et vieux digestifs.
Spécialités : foie gras poêlé, truffe fraîche toute l'année.
Climatisation

Christian Sainsard and his team will be happy to accomodate you in a house of the XVIIth century to the decoration Vieux Paris of vaults and beams. At the gleam of candles, you will discover the generosity of south-west while letting you guide by a chart which will be able to satisfy the greediest papillae. Large chart of wines (2200 references).

Christian Sainsard y su equipo estarán encantados de recibirle en una casa del siglo XVII al ambiente del antiguo París de bóvedas y vigas. Bajo el resplandor de candelas, usted descubrirá la generosidad del sudoeste dejándose guiar por una carta que encantará las papilas de los más golosos.

Ch. Sainsard und sein Team freuen sich, Sie in einem Haus aus dem 17. Jh. in einem Dekor Altes Paris mit Gewölben und Balken zu empfangen. Lassen Sie sich im Kerzenschein zu den Genüssen der südwestlichen, großzügigen Küche führen, mit einer Karte, die jeden Feinschmecker zufrieden stellt. Ausgezeichnete Weinkarte und alter Weinbrand.

PARIS (75005)

Table de Terroir

RESTAURANT PERRAUDIN

01 46 33 15 75

157 Rue Saint Jacques - Jean-Jacques RAMEAU - Fax : 01 46 33 15 75 - Fermeture : Samedi et dimanche.
Menus : 20/26 € . Carte : 28/35 € - Classement : Table de Terroir

Cet ancien bistrot du début du siècle dernier est situé au coeur du quartier latin, à deux pas du Panthéon et du Jardin du Luxembourg. Un décor d'époque vous est proposé : façade en bois peint en rouge, tables en marbre, carrelage ancien, becs à gaz, glaces murales couvertes d'affiches satiriques (début 1900). Une clientèle de professeurs et d'étudiants ainsi que d'habitués viennent déguster une cuisine de femme, traditionnelle dite bourgeoise préparée dans le respect des traditions, à base de produits de grande qualité et frais.
Spécialités : plats en sauce et mijotés (boeuf bourguignon à l'ancienne, tête de veau...), spécialités du Nord au maroilles, profiteroles maison

This old bar of the beginning of last century is located at the heart of the Latin Quarter, with two steps of the Pantheon and the Garden of Luxembourg. A decoration of time is proposed to you: frontage out of wooden painted in red, marble tables, old tiling, gas burners, mural ices glazes of satirical posters (at the beginning of 1900).

Este antiguo restaurante de principios del siglo pasado está ubicado en el corazón del barrio latino, a dos pasos del Panthéon y del Jardín de Luxembourg. Una decoración de época : fachada de madera pintada de rojo, mesas de madera, embaldosado antiguo, faroles de gaz, espejos murales cubiertos con carteles satíricos (principios de 1900).

Dieses frühere Bistrot aus dem letzten Jahrhundert, liegt mitten im Quartier Latin, gleich beim Panthéon und dem Jardin du Luxembourg. Ein Dekor von damals: eine rot angemalte Holzfassade, Marmortische, alter Fliesenboden, Wandspiegel mit satirischen Plakaten (Anfang 1900).

6 ème Arrondissement

PARIS (75006)

Métro Odeon ou Saint Michel.

Table de Prestige

RELAIS LOUIS XIII

01 43 26 75 96 - contact@relaislouis13.com

8 Rue des Grands Augustins - Manuel MARTINEZ - Fax : 01 44 07 07 80 - www.relaislouis13.com
Fermeture : 3 semaines en août ; dimanche et lundi.
Menus : 45/89 € - Classement : Table de Prestige

Découvrez les charmes d'un cadre historique dans une atmosphère conviviale. En plein coeur du vieux Paris, le Relais Louis XIII est édifié sur les vestiges du couvent des grands Augustins. Autour de ces vestiges des trésors patiemment collectionnés enrichissent et complètent un ensemble authentique.

Discover the charms of a historical framework in a convivial atmosphere. In full heart of the old Paris , the Relay Louis XIII is built on the vestiges of the convent of large Augustins. Around these vestiges the treasures patiently collected enrich and supplement an authentic unit.

Descubra las habitaciones en un ambiente histórico y sociable. En pleno corazón del viejo París, el Relais Louis XIII ha sido construído en los vestigios del convento de los grandes Augustins. Alrededor de estos vestigios, tesoros pacientemente coleccionados enriquecen y forman un conjunto auténtico.

Entdecken Sie den Charme und die gastliche Atmosphäre in einem historischen Rahmen. Mitten in der Pariser Altstadt ist das Relais Louis XIII auf den Überresten des großen Augustiner Klosters errichtet worden. In der Nähe dieser Überreste wurden geduldig Schätze gesammelt, die das Ganze vervollständigen und authentisch machen.

7 ème Arrondissement

PARIS (75007)

En voiture : par 2 Rue Fabert. Métro : station Invalides.

Table Gastronomique

CHEZ FRANÇOISE

01 47 05 49 03 - info@chezfrancoise.com

Aérogare des Invalides - Pascal MOUSSET - Fax : 01 45 51 96 20 - www.chezfrancoise.com
Menus : 19/28,50 €. Menu enfant : 10 €.
Classement : Table Gastronomique

Chez Françoise, c'est avant tout une équipe dans laquelle nos clients sont acteurs : les remarques de chacun sont prises en compte afin de vous offrir un service chaleureux et attentionné, notre souhait le plus cher est de vous satisfaire au quotidien comme à l'exceptionnel. Vous découvrirez une cuisine fine, gastronomique toute en fraîcheur mariant à la fois, selon vos souhaits, la tradition des produits du terroir et toute l'originalité dûe au talent du chef. Spécialités : jeunes poireaux tièdes, saumon de Norvège demi-fumé, huile d'olive et jus de citron ; noix de saint jacques d'Erquy à la plancha, fondue d'endives ; moelleux tiède au chocolat Guanaja, glace au fromage blanc.
Terrasse, salle de séminaires, animaux acceptés

Chez Francoise, it is before a whole team in whom our customers are actors: the remarks of each one are taken into account in order to offer you a service cordial and attentive, our most expensive wish is to satisfy you.You will discover a fine kitchen, gastronomic all in freshness marrying at the same time, according to your wishes, the tradition of the products of the soil and all the originality which had with the talent of the chief.

Chez Françoise, es ante todo un equipo en el cual nuestros clientes son actores : las observaciones de cada uno son tomadas en cuenta con el fin de ofrecerle un servicio caluroso y solícito, nuestro más gran deseo es el de darle satisfacción diariamente. Usted descubrirá una cocina de calidad, delicada, gastronómica que une a la vez, según sus deseos, la tradición de los productos regionales a la originalidad de su talentoso jefe.

Chez Françoise sind Gäste die Akteure: Bemerkungen eines jeden werden angenommen, der Service ist herzlich und aufmerksam, uns liegt daran, Sie in jeder Beziehung zufrieden zu stellen. Entdecken Sie eine feine, gastronomische Küche, frisch und ideenreich, vom Talent des Chefkochs geprägt.

La Reconnaissance Professionnelle

8 ème Arrondissement

PARIS (75008)

Métro : ligne 1 F. Roosevelt / ligne 9 Alma Marceau.

Table de Prestige

ALAIN DUCASSE AU PLAZA ATHÉNÉE ★ ★ ★ ★

01 53 67 65 00 - adpa@alain-ducasse.com

25 Avenue Montaigne - Alain DUCASSE - Fax : 01 53 67 65 12 - www.plaza-athenee-paris.com - www.alain-ducasse.com
Fermeture : Lundi, mardi, mercredi midi ; samedi et dimanche, jours fériés. - Menus : 190/280 €. Petit déjeuner : 33 € et 45 €.
188 chambres : 498/4400 € - Classement : Table de Prestige

Situé sur la prestigieuse avenue Montaigne, haut lieu de la mode, des spectacles et des affaires, l'Hôtel Plaza Athénée, entièrement rénové en 1999, a retrouvé l'éclat de son style classique d'origine. Innovations audacieuses pour un palace qui célèbre à la fois la tradition et la modernité : deux étages sont entièrement dédiés au style Art Déco, et le nouveau bar signe cette évolution chic et tendance. En septembre 2000, Alain DUCASSE installe son restaurant parisien au coeur de l'Hôtel Plaza Athénée. Le chef y supervise la restauration afin de faire du plus parisien des palaces un haut lieu de la cuisine. Horaires : déjeuner : 12h45-14h15, dîner : 19h45-22h15. Chambres avec bain ou douche+WC+TV : Toutes.Ascenseur, accès handicapés, chaînes satellites, canal+, climatisation, salle de séminaires

Located on the prestigious avenue Montaigne, high place of the mode, of the spectacles and the businesses, the Hotel Plaza Athenaeum, entirely renovated in 1999, thas refunded the glare its traditional style of origin. Daring innovations for a de luxe hotel which celebrates at the same time the tradition and modernity: two stages are entirely dedicated to the style Art Déco, and the new bar signs this smart evolution and tendency. In September 2000, Alain DUCASSE installs his Parisian restaurant in the heart of the Hotel Plaza Athénée. The chief supervises the restoration there in order to make more Parisian de luxe hotels a high place of the kitchen. Schedules: to lunch:12h45-14h15, dinner: 19h45-22h15.

Ubicado en la prestigiosa avenida Montaigne, en las altas esferas de la moda, de espéctaculos y negocios, el Hôtel Plaza Athénée, completamente renovado en 1999, ha encontrado el brillo de su estilo clásico original. Innovaciones audaciosas para un palacio que celebra al mismo tiempo la tradición y la modernidad : dos pisos dedicados en su totalidad al estilo Art Déco y el nuevo bar marcan esta evolución distinguida. En septiembre 2000, Alain DUCASSE instala su restaurante parisiense en el corazón del Hôtel Plaza Athénée. El jefe vigila la restauración para convertir el más parisiense de palacios en un prestigioso lugar gastronómico. Horarios : almuerzo: 12h45-14-15, cena : 19h45-22h15.

Auf der berühmten Avenue Montaigne, Hochburg der Mode, Unterhaltung und des Geschäftslebens, finden Sie das komplett renovierte Hotel Plaza Athénée in seinem einstigen, klassischen Stil. Gewagte Innovationen für einen Palast, der Tradition und Modernität gleichzeitig pflegt: zwei Etagen sind komplett dem Stil Art Deco gewidmet und die neue Bar unterstreicht diese Entwicklung schick und modisch. Im September 2000 richtet Alain Ducasse sein Pariser Restaurant im Herzen des Hotels Plaza Athénée ein. Der Chefkock sorgt dafür, dass dieser typisch Pariser Palast zur Hochburg der Küche wird.

PARIS (75008)

Table de Prestige

HÔTEL VERNET - RESTAURANT LES ELYSÉES ★ ★ ★ ★

01 44 31 98 98 - restauration@hotelvernet.com

25 Rue Vernet - Fax : 01 44 31 85 69 - Menus : 58/150 €. 51 chambres : 340/875 € - Classement : Table de Prestige

PARIS (75008)

Table de Prestige

PAVILLON LEDOYEN

01 53 05 10 00 - ledoyen@ledoyen.com

1 Avenue Dutuit - Patrick SIMIAND - Fax : 01 47 42 55 01 - Fermeture : Août et jours fériés ; samedi, dimanche et lundi midi.
Menus : 168/244 € - Classement : Table de Prestige

Au coeur des Champs Elysées, entouré de verdure, ce pavillon Napoléon III vous fera découvrir toutes les saveurs de la cuisine de Christian LE SQUER faite de produits de la mer et de la terre. Spécialités : grosses langoustines bretonnes croustillantes émulsion d'agrumes, noix de ris de veau en brochette de citronnelle, fines krampouz craquantes en dessert.

Parking privé, salle restaurant de caractère, salle de séminaires

In the heart of the Elysées Fields, surrounded of greenery, this house Napoleon III will make you discover all savours of the cooking of Christian Le squer made of products of the sea and the ground.

En el corazón de los Champs Elysées, rodeado de plantas, este hotelito Napoleón III le hará descubrir todos los sabores de la cocina de Christian LE SQUER, hecha con productos del mar y de la tierra.

Im Herzen des Champs Elysées, umgeben von Pflanzen, erleben Sie in diesem Pavillon Napoleon III alle Geschmäcker der Küche von Christian Le Squer aus Land- und Meerprodukten zubereitet.

PARIS (75008)

Table de Prestige

RESTAURANT LUCAS CARTON

01 42 65 22 90 - lucas.carton@lucascarton.com

9 Place de la Madeleine - Fax : 01 42 65 06 23 - Menus : 64/184 € - Classement : Table de Prestige

8 ème Arrondissement

PARIS (75008)

Métro Charles de Gaulle-Etoile ou George V.

RESTAURANT TAILLEVENT

01 44 95 15 01 - mail@taillevent.com

15 Rue Lamennais - Jean-Claude VRINAT - Fax : 01 42 25 95 18 - www.taillevent.com - Fermeture : 24/07-26/08 ; week-end.
Carte : 120/150 € . Menu Dégustation : 130 € . Menu Saveurs et Découvertes : 180 € .
Menu Suggestions : 70 € (servi uniquement à déjeuner) - Classement : Table de Prestige

Jean-Claude VRINAT n'a eu de cesse de développer le rayonnement de cette Maison, tout en lui gardant son originalité qui en fait un restaurant à part, reflet de l'art de vivre à la française.

Parking privé, accès handicapés, climatisation

Jean-Claude VRINAT has forever developing radiance of this house, being careful not take off its originality that makes of it an unique restaurant, reflecting the french art of living.

Jean-Claude VRINAT no ha dejado de incrementar el resplandor de esta casa, conservando la originalidad de este particular restaurante que refleja el arte de vivir a la francesa.

Jean-Claude VRINAT hört nicht auf, die Ausstrahlung seines Hauses zu entwickeln, wobei er trotzdem seine Originalität bewahrt. Sein ganz besonderes Restaurant spiegelt die französische Lebenskunst wider.

PARIS (75008)

RESTAURANT YVAN

01 43 59 18 40

1 Bis Rue Jean Mermoz - Yvan ZAPLATILEC - Fax : 01 42 89 30 95 - Fermeture : Samedi midi et dimanche.
Menus : 29/37 € - Classement : Table Gastronomique

A deux pas des Champs Elysées, cet établissement chaleureux vous réserve une ambiance feutrée, un service attentionné et vous propose un service voiturier (le soir).
Spécialités : terrine de lapereau à la krieck, souris d'agneau à la Leffe, rognons de veau, ravioles de langoustines, tomates farcies aux crevettes grises.

Animaux acceptés au restaurant

At two steps of the Champs Elysées, this cordial establishment offers you a feltlike atmosphere, an attentive service and proposes a carrying service (the evening).

A dos pasos de los Champs Elysées, este cálido establecimiento le brindará un ambiente calmo, una agradable prestación y un servicio con chófer (por la noche).

Unweit des Champs Elysée, bietet Ihnen dieses Haus eine intime, warme Atmosphäre und einen aufmerksamen Service (abends Wagendienst möglich).

PARIS (75008)

Métro : ligne 1 F. Roosevelt / ligne 9 Alma Marceau.

LE RELAIS PLAZA ★ ★ ★ ★

01 53 67 64 00 - reservation@plaza-athenee-paris.com

21 Avenue Montaigne - Fax : 01 53 67 66 66 - Menus : 43 € . Petit déjeuner : 33 € et 45 € .
188 chambres : 498/4400 € - Classement : Table de Terroir

12 ème Arrondissement

PARIS (75012)

Table de Terroir

LA FLAMBÉE - LE BISTROT DU SUD-OUEST

01 43 43 21 80

4 Rue Taine - Michel ROUSTAN - Fax : 01 43 47 32 04 - Fermeture : 3 premières semaines d'août ; dimanche.
Menus : 23/36,50 € (vin compris). Formule à 18 € - Classement : Table de Terroir

Ce restaurant Bistrot, rustique, comme on n'en fait plus à Paris, vous propose dans une ambiance chaleureuse des mets du sud-ouest, une cuisine généreuse avec des produits du terroir accompagnés des meilleurs vins du sud-ouest.
Spécialités : confit de canard avec ses pommes sautées à l'ail, magret de canard aux pêches (en saison), morue fraîche aux lentilles, joues de lotte au chorizo sans oublier le cassoulet et la glace aux pruneaux et à l'armagnac.

Terrasse, accès handicapés restaurant, climatisation, salle restaurant de caractère, animaux acceptés au restaurant

This rustic restaurant, like no one makes any more in Paris, proposes you in a warm setting, meals of south-west, traditional cooking with good wines of south west.

Esta taberna, rústica, como no las hacen más en París, le propone en un ambiente caluroso platos del sudoeste, una cocina generosa con productos regionales acompañados con los mejores vinos del sudoeste.

Dieses rustikale Bistro-Restaurant, wie man es kaum noch in Paris findet, bietet Ihnen in herzlichem Ambiente großzügige Gerichte des Südwestens, mit regionalen Produkten zubereitet, einhergehend mit den besten Weinen dieser Region.

13 ème Arrondissement

PARIS (75013)

Quartier des Gobelins, près de la place d'Italie.

Table de Terroir

AUBERGE ETCHEGORRY-HÔTEL VERT GALANT ★ ★ ★

01 44 08 83 51

41/43 Rue Croulebarbe - Henri LABORDE-BALEN - Fax : 01 44 08 83 69 - Fermeture : 6/08-22/08, dimanche et lundi (restaurant).
Menus : 24/30 €. Menu enfant : 6,86 €. Petit déjeuner : 7 €.
15 chambres : 87/90 € - Classement : Table de Terroir

Ne manquez pas de venir goûter aux spécialités du Sud-Ouest dans cette auberge rustique (ancien cabaret) où vous serez les bienvenus. Les chambres, au calme, donnent sur un grand jardin privatif et sur un jardin public.
Spécialités : piperade, foie gras, pimientos farcis à la morue, cou d'oie farci au boudin noir caramélisé.

Chambres avec bain ou douche+WC+TV : Toutes.
Terrasse, jardin, garage fermé, parking privé, accès handicapés, chaînes satellites, petit déjeuner buffet, salle restaurant de caractère, animaux acceptés au restaurant

Do not miss coming to savour the south-west specialities in this rustic inn (ancient cabaret) where you will welcome. The rooms, in calm, look onto a large privative garden and a park.

No deje de venir a saborear las especialidades del Sudoeste en esta rústica posada (antiguo cabaret), usted será bienvenido. En un lugar tranquilo, las habitaciones dan a un jardín privado y a un jardín público.

Versäumen Sie nicht, die Spezialitäten aus dem Südwesten in diesem rustikalen Gasthaus (altes Kabarett) zu kosten, wo Sie herzlich willkommen sind.

Charme & Authenticité

13 ème Arrondissement

PARIS (75013)

RESTAURANT LES DÉCORS

01 45 87 37 00 - lesdecorsrestaurant@minitel.net

18 Rue Vulpian - Christine SONNEFRAUD - Fax : 01 55 43 83 25
Menus : 12,20/24,50 € . Menu enfant : 9,80 € .
Classement : Table de Terroir

Dans une ambiance cosy, ce sympatique restaurant franco suisse où il est prudent de réserver vous propose de diner aux chandelles et de découvrir les meilleurs plats du terroir.
Spécialités : papet à la vaudoise, machon jurassien, perches du lac, morilles, truffes, foie gras maison.

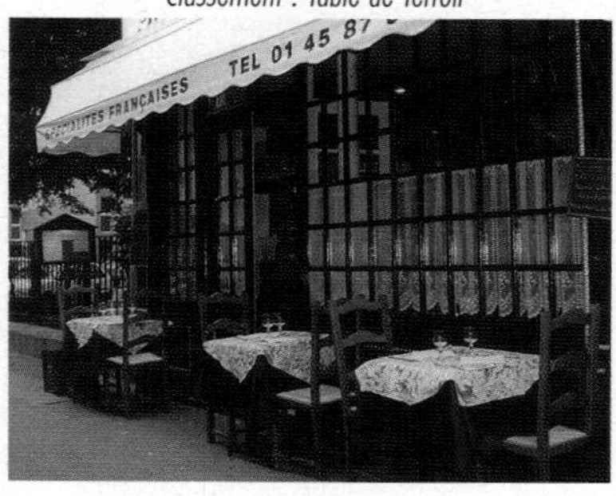

In an environment cosy, this sympatic restaurant where it is advisable to hold proposes to dinner with the candles and to discover the best dishes of the soil.

En un ambiente tranquilo, este simpático restaurante francosuizo le propone cenar a la luz de candelas y descubrir los mejores platos regionales. Se aconseja reservar.

Sie speisen in warmer Atmosphäre bei Kerzenlicht in diesem Franco-Schweizer Restaurant (besser vorher reservieren) und genießen beste ländliche Gerichte.

14 ème Arrondissement

PARIS (75014)
Métro Plaisance.

LES CAVES SOLIGNAC

01 45 45 58 59

9 Rue Decrès - Jean-François BANÉAT - Fax : 01 45 45 58 59 -
Fermeture : Ouvert tous les jours de 12h à 14h et de 19h30 à 22h. Fermé le week-end.
Menus : formule à18 € . Carte : 27 € . Menu enfant : 15 € boisson comprise - Classement : Auberge du Pays

Venez découvrir l'ambiance chaleureuse, authentique de ce bistrot qui sent bon le terroir. Ici tout est fait maison : fromage de tête, andouillettes, confit de canard, terrine de boudin, foie gras, petits salés, poissons fumés, magrets fumés... et nos fameuses pommes sarladaises et les desserts maison... bien sûr. De même, vins et alcools (cognacs, armagnacs) sont prospectés directement sur les lieux de production par le patron lui-même.
Spécialités : fromage de tête à notre façon, magret de canard rôti au sel de guérande, confit de canard croustillant, pruneaux au vin et aux épices.

Come to discover cordial, authentic environment of this bar which smells the soil good. Here all house is made: pork brawn, andouillettes, conserve of duck, pot of roll, foie gras, small salted, smoked fish, smoked steaklets... and our famous apples sarladaises and the desserts house... of course. In the same way, wines and alcohols (cognacs, armagnacs) are prospected directly on the places of production by the owner himself.

Venga a descubrir el ambiente caluroso, auténtico de esta taberna que siente el terruño. Aquí todo es casero, hasta los postres. Lo mismo, los vinos y licores son comercializados directamente de los lugares de producción por el mismo patrón.

Entdecken Sie die warme und authentische Atmosphäre dieses Bistros, das nach Land duftet. Hier ist alles hausgemacht. Sogar Weine und Alkohol (Cognac, Armagnac) werden direkt am Herstellungsort vom Wirt gekauft.

La Reconnaissance Professionnelle

15 ème Arrondissement

PARIS (75015)

Table de Terroir

LE TROQUET

01 45 66 89 00

21 Rue François Bonvin - Christian ETCHEBEST - Fax : 01 45 66 89 83 - Fermeture : Dimanche et lundi.
Menus : 24/31 € - Classement : Table de Terroir

Dans un cadre convivial, Christian Etchebest et son équipe vous recevront chaleureusement et vous feront découvrir une cuisine alliant créativité mais également mettant en avant les produits du sud-ouest, sa région d'origine.
Spécialités : agneau des Pyrénées ; terrine de paleron de boeuf au foie gras, poireau en vinaigrette ; dos de lieu noir piqué à la ventrèche et bettes au parmesan ; macaron à la crème légère clémentine au jus.

In a convivial framework, Christian Etchebest and his team will receive you cordially and will make you discover a cooking combining creativity but also proposing products of south-west.

En un ambiente de amistad, Christian Etchebest y su equipo le recibirán calurosamente y le harán descubrir una cocina creativa, que al mismo tiempo resalta los productos del sudoeste, su región de origen.

In einem freundlichen Rahmen empfangen Sie Ch. Etchebest und sein Team ganz herzlich. Entdecken Sie dort eine Küche, die mit Kreativität zubereitet wird, wobei er Produkte aus seiner südwestlichen Heimatregion, bevorzugt verwendet.

VISA/CB MC Euroard

16 ème Arrondissement

PARIS (75016)

Table de Prestige

LE PRÉ CATELAN

01 44 14 41 14

Bois de Boulogne - Elisabeth DEMAZEL - Fax : 01 45 24 43 25 - www.lenotre.fr
Fermeture : 7/02-2/03 ; 23/10-2/11 ; lundi ; dimanche sauf le midi en saison.
Menus : 60/150 € - Classement : Table de Prestige

Au cœur du Bois de Boulogne, le Pré Catelan, l'un des endroits les plus prisés de Paris, offre à ses hôtes la splendeur des lieux, l'élégance de la table et le raffinement de la cuisine. A la belle saison, la salle du restaurant s'ouvre sur une agréable terrasse fleurie, Frédéric Anton vous charmera par sa cuisine d'excellence. Spécialités : foie gras de canard aux épices, fine purée de févettes ; ris de veau cuit en casserole, jus de pomme à cidre, truffes blanches d'été en fins copeaux ; citron confit, sorbet au basilic, feuilleté caramélisé et pâte de fruit légèrement sucrée.
Terrasse, jardin, parking privé, salle restaurant de caractère, animaux acceptés au restaurant

At the heart of the Wood of Boulogne, Pre Catelan, one of the most snuffed places of Paris, offers to its hosts splendour places, the elegance of the table and the refinement of the cooking. At the beautiful season, the room of the restaurant opens on a pleasant flowered terrace, Frederic Anton will charm you by his cooking of excellence.

En el corazón del Bois de Boulogne, Le Pré Catelan, uno de los lugares más preciados de París, propone a sus huéspedes el esplendor del lugar, la elegancia de la mesa y la delicadeza de la cocina. Durante la buena temporada, el comedor se abre a una agradable terraza florida. Frédéric Anton le fascinará con su excelente cocina.

Im Herzen des Bois de Bologne, bietet Le Pré Catelan, einer der begehrtesten Orte von Paris, seinen Gästen die Pracht dieser Stätte mit der Eleganz seiner Tafel und der feinen Küche. In der warmen Jahreszeit öffnet sich der Speisesaal zu einer angenehmen, blühenden Terrasse, Frédéric Anton verzaubert Sie mit seiner ausgezeichneten Küche.

Charme & Authenticité

16 ème Arrondissement

PARIS (75016)

Proximité Roland Garros, Parc des Princes.

RELAIS D'AUTEUIL

01 46 51 09 54 - relaisdauteuil@wanadoo.fr

31 Boulevard Murat - Patrick PIGNOL - Fax : 01 40 71 05 03 - Fermeture : Noël et jour de l'an.
Menus : 48/135 € . Carte : 115/120 € .
Classement : Table de Prestige

La cuisine est une fête. C'est pourquoi nous avons voulu ravir vos sens, en vous accueillant dans une maison chaleureuse, raffinée et gaie. Tous les ingrédients pour découvrir une cuisine de saveurs. Le plaisir que vous prendrez chez nous sera notre meilleur compliment.
Spécialités : amande de foie gras de canard, ris d'agneau

Accès handicapés restaurant, animaux acceptés au restaurant

The cooking is a festival. This is why we wanted to charm your senses, by accomodating you in a cordial, refined and merry house. All ingredients to discover a cooking of savours. The pleasure that you will take on our premises will be our best compliment.

La cocina es una fiesta. Es por eso que hemos querido encanta sus sentidos,acogiéndole en una casa calurosa, fina y alegre Todos los ingredientes para descubrir una cocina de sabores. El placer que sentirá en nuestra casa será nuestra mejor expresión

Die Küche ist ein Fest! Deswegen wollen wir Ihre Sinne wecken, indem wir Sie in ein warmes, feines und fröhliches Haus einladen. Alle Zutaten für eine geschmackvolle Küche sind vereint. Das schönste Kompliment für uns ist Ihre Zufriedenheit.

17 ème Arrondissement

PARIS (75017)

Etoile puis wagram.

RESTAURANT GUY SAVOY

01 43 80 40 61 - reserv@guysavoy.com

18 Rue Troyon - Guy SAVOY - Fax : 01 46 22 43 09 - www.guysavoy.com
Fermeture : Samedi midi, dimanche et lundi toute la journée.
Menus : 200/245 € - Classement : Table de Prestige

Le restaurant a fait peau neuve en 2000. Matières brutes : bois, pierre, cuir, s'harmonisent dans un camaïeu de bruns. Un décor signé Jean-Michel Wilmotte, à l'image d'une auberge du XXIème siècle où le plaisir du convive reste l'unique désir de toute équipe soudée autour de Guy Savoy. La carte s'illustre par des plats imaginés au fil des saisons dans le plus grand respect du produit. Tels la soupe d'artichaut et sa brioche aux champignons, beurre de truffe, ou l'agneau de lait dans tous ses états. Très belle sélection de vins avec une attention particulière portée sur toutes les régions de France. Climatisation

The restaurant made new skin in 2000. Raw materials: wood stone, leather, harmonize in a monochrome of brown. A decoration signed by Jean-Michel Wilmotte, with the picture of a inn o the 21st century where the pleasure of the guest remains the onl desire of any welded team around Guy Savoy. The chart excel by dishes imagined following the seasons in the largest respec of the product.

El restaurante ha cambiado de aspecto en el año 2000. Materi bruta : madera, piedra, cuero, forman un armonioso camafe moreno. El decorado de Jean-Michel Wilmotte, a la imagen de u hostal del siglo XXI , donde el placer del invitado es el únic deseo de todo el equipo sudado alrededor de Guy Savoy. La car está ilustrada por los platos imaginados al ritmo de las estacic nes, respectando el producto.

Das Restaurant hat im Jahr 2000 ein neues Gesicht gezeigt. Holz Steine und Leder harmonisieren in braunen Fassetten : Ein Deko von Jean-Michel Wilmotte, als Abbild einer Herberge aus der 21. Jahrhundert. Das Vergnügen der Gastfreundlichkeit ist d dominierende Wunsch des ganzen eingeschweißten Teams u Guy Savoy.

PARIS (75017)

Métro Ternes.

RESTAURANT MICHEL ROSTANG

01 47 63 40 77

20 Rue de Rennequin - Fax : 01 47 63 82 75 - Menus : 59/160 € .
Classement : Table de Prestige

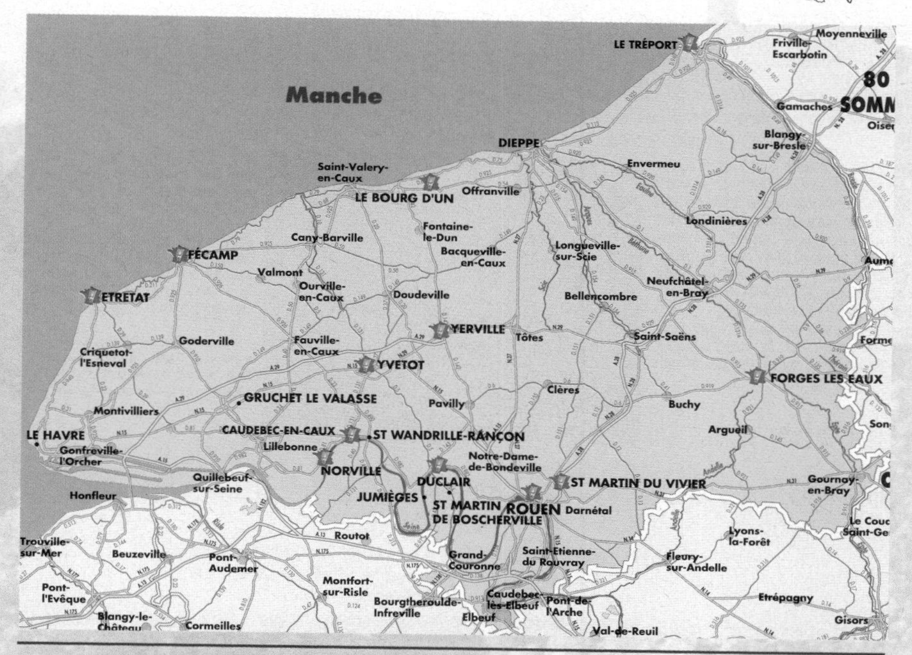

Sites Touristiques : Les Falaises de la Côte d'Albâtre, Etretat-Fécamp, Jumièges en Vallée de Seine et les Abbayes de Saint Martin de Boscherville, Saint Wandrille-Rançon, Gruchet le Valasse, Rouen, Le Havre.

Saveurs de nos Terroirs : Canard au sang, Douillon (pomme enrobée de pâte), fromage de Neufchâtel, sucre de pomme, poissons et fruits de mer, harengs.
Cidre, Pommeau, Calvados (Pays de Bray).

Animations : Palais Bénédictine à Fécamp, Musée des Beaux Arts à Rouen, Musée Malraux au Havre.
Juin/Août : Gruchet le Valasse pour un Son et Lumière.
Septembre/Octobre : Festival des Cerfs-Volants à Dieppe (tous les 2 ans), Octobre en Normandie (Festival de Musique et de Danse).

COMITÉ DÉPARTEMENTAL DU TOURISME DE SEINE-MARITIME
6, Rue Couronné B.P 60 - 76420 - BIHOREL LES ROUEN -Tél. : 02 35 12 10 10 - Fax : 02 35 59 86 04
www.seine-maritime-tourisme.com - seine.maritime.tourisme@wanadoo.fr

CAUDEBEC EN CAUX (76490)

A 10 km d'Yvetot.

Table de Terroir

LE CHEVAL BLANC ★

02 35 96 21 66 - le-cheval-blanc-info@wanadoo.fr

4 Place René Coty - M. et Mme GRENET - M. et Mme HENNETIER - Fax : 02 35 95 35 40 - www.le-cheval-blanc.fr - Fermeture : Dimanche soir. Menus : 14/33 € . Menu enfant : 9 € . Petit déjeuner : 6,50 € .14 chambres : 43/89 € . 1 chambre de 5 personnes : 89 € . Etape VRP : 52 € - Classement : Table du Terroir

Au coeur du Parc de Brotonne, à deux pas du bord de Seine, Mmes GRENET et HENNETIER et leur personnel se feront un plaisir de vous recevoir tandis que leurs époux sont à leurs fourneaux pour vous mitonner une généreuse et authentique cuisine du terroir. Spécialités : foie gras poêlé, choux rouge et artichaud ; gras double au cidre ; pressée de tomates au basilic, crème d'anchois doux ; filet de truite au cidre, rizotto au camembert ; crêpe soufflée cauchoise. Chambres avec bain ou douche+WC+TV : Toutes. Terrasse, parking privé, accès handicapés restaurant, TPS, salle de séminaires, chèques vacances, animaux acceptés

In the heart of the Brotonne Parc, at 2 steps of the Seine's bank, Mmes Grenet and Hennetier and their staff will be glad to receive you while their husbands will be in the kitchen to make you a generous and authentic traditional cooking.

En el corazón del Parc de Brotonne, a dos pasos de las orillas del Seine, las señoras GRENET y HENNETIER y su personal tendrán el placer de recibirle, mientras que sus esposos se ocupan de los hornos para prepararle cuidadosamente una cocina regional, generosa y auténtica.

Im Herzen des Parks von Brotonne, nahe der Seine-Ufer, bereitet es Frau GRENET und Frau HENNETIER ein Vergnügen Sie zu empfangen, während ihre Männer am Herd stehen, um Ihnen eine reichhaltige, natürliche, regionale Küche zuzubereiten.

DUCLAIR (76480)

Table de Terroir

LE PARC

02 35 37 50 31

721 Avenue Coty - Jean-Claude GENTY - Fax : 02 35 37 08 96 - Fermeture : Mercredi. Menus : 15/44 € . Menu enfant : 10 € Classement : Table de Terroir

Situé au sein d'un superbe parc, sur la route des abbayes, cet établissement vous réserve un cadre agréable avec vue panoramique sur la Seine et vous propose une cuisine traditionnelle soignée. Spécialités : canard au cidre, filet de rouget beurre blanc, harmonie de poissons.

Terrasse, jardin, parking privé, accès handicapés restaurant, salle de séminaires, animaux acceptés au restaurant

Located in a superb park, on the road of the abbeys, this establishment holds for you a pleasant framework with panoramic sight on the Seine and proposes to you a neat traditional kitchen.

Ubicado en el seno de un magnífico parque, por la carretera de las abadías, este establecimiento le propone un ambiente agradable con una vista panorámica al Seine y una esmerada cocina tradicional.

Mitten in einem wundervollen Park, auf der Straße der Abteien, erwartet Sie in diesem Haus ein angenehmer Rahmen mit Panoramablick auf die Seine und eine gepflegte traditionelle Küche.

ETRETAT (76790)

A 17 km de Fécamp et 30 km du Havre.

Table Gastronomique

DORMY HOUSE ★ ★ ★

02 35 27 07 88 - dormy.house@wanadoo.fr

Route du Havre - Fax : 02 35 29 86 19 - Menus : 18,50/44,50 € . Menu enfant : 15,50 € . Petit déjeuner : 13,50 € . 61 chambres : 52/195 € - Classement : Table Gastronomique

FÉCAMP (76400)

A 40 km du Havre.

Table Gastronomique

RESTAURANT LA PLAISANCE

02 35 29 38 14

33 Quai Vicomté - Fax : 02 35 28 95 76 - Menus : 20/38 € . Menu enfant : 12,50 € . Prix moyen à la carte : 38,16 € . Classement : Table Gastronomique

FORGES LES EAUX (76440)

Table de Terroir

HÔTEL-RESTAURANT LA PAIX ★ ★

02 35 90 51 22 - contact@hotellapaix.fr

15 Rue de Neufchâtel - Rémy MICHEL - Fax : 02 35 09 83 62 - www.hotellapaix.fr - Fermeture : 20/12-10/01 ; dimanche soir hors saison ; lundi midi toute l'année. - Menus : 15,25/33 € . Menu enfant : 9,95 € . Petit déjeuner : 6,10 € .
18 chambres : 52,50/69,30 € . Demi pension : 46,17/54,32 € . Etape VRP : 54 € - Classement : Table de Terroir

Situé en région du pays de Bray, au coeur du bocage Normand, cet établissement vous reçoit chaleureusement pour vous faire partager une cuisine de terroir soignée élaborée à partir des meilleurs produits. Spécialités : bavette d'aloyau poêlée aux échalottes, ris de veau braisés au madère, magret de canard aux cerises aigre-doux, suprême de bar sauce au porto, nougat glacé à la bénédictine, tourte aux poires de fisée. Chambres avec bain ou douche+WC+TV : Toutes. Jardin, parking privé, ascenseur, accès handicapés, TPS, salle restaurant de caractère, salle de séminaires, chèques vacances, animaux acceptés

Located in area of the country of Bray, in the heart of the Norman farmland, this establishment receives you cordially to make you share an elaborate neat kitchen of soil from best products.

Ubicado en la región del país de Bray, en el corazón del boscaje normando, este establecimiento le recibe calurosamente para hacerle compartir una esmerada cocina regional, elaborada con excelentes productos.

In der Region von Bray, mitten in der Knicklandschaft der Normandie, empfängt man Sie in diesem Haus sehr herzlich mit einer gepflegten, ländlichen Küche aus besten Erzeugnissen.

LE BOURG DUN (76740)

A 15 km de Dieppe et St Valéry en Caux.

Table Gastronomique

AUBERGE DU DUN

02 35 83 05 84

Route de Dieppe - Menus : 25/65 € . Menu enfant : 25 €
Classement : Table Gastronomique

LE TREPORT (76470)

Au Nord de Dieppe (D925).

Table Gastronomique

RESTAURANT LE SAINT LOUIS

02 35 86 20 70

43 Quai François 1er - Fax : 02 35 50 67 10 - Menus : 16,50/57 € .
Classement : Table Gastronomique

NORVILLE (76330)

A 7 km de Caudebec en Caux et 3 km de Villequier.

Auberge du Pays

AUBERGE DE NORVILLE ★

02 35 39 91 14

6 Rue des Ecoles - Eric & Marie-Claude ELIARD - Fax : 02 35 38 47 08 - Fermeture : Dimanche soir et lundi (restaurant).
Menus : 34/40 € . Menu enfant : 7,60 € . Petit déjeuner : 4,50 € .
10 chambres : 32/37 € . Etape VRP : 45 € - Classement : Auberge du Pays

Située en Vallée de Seine entre Le Havre et Rouen, cette petite auberge familiale vous réservera un accueil chaleureux et se fera un plaisir de vous faire partager ses spécialités du terroir : magret de canard au cidre, foie gras frais, feuilleté de coquillages à la normande, tournedos de boeuf aux morilles, nougat glacé au coulis de fruits rouges.

Chambres avec bain ou douche+WC+TV : Toutes. Jardin, parking privé, accès handicapés restaurant, salle restaurant de caractère, animaux acceptés

Situated in Valley of Seine between Le Havre and Rouen, this little family inn will reserve you he best welcome and will be glad to make you share its traditional specialities.

Ubicada en la Vallée de Seine entre Le Havre y Rouen, esta posada familiar le brindará una acogida calurosa y le hará saborear sus especialidades regionales.

Im Seine-Tal, zwischen Le Havre und Rouen, begrüsst Sie diese kleine familiäre Herberge und macht sich ein Vergnügen daraus die territorialen Spezialitäten mit Ihnen zu teilen.

ROUEN (76100)

A l'entrée sud de Rouen, à 2 pas du Jardin des Plantes.

Table Gastronomique

LE CATELIER

02 35 72 59 90 - daniel.atinault@wanadoo.fr

134 bis Avenue des Martyrs de la Résistance - Marie-France & Daniel ATINAULT - Fax : 02 35 73 96 64 - www.lecatelier-restaurant.fr

Fermeture : 25/07-17/08 ; dimanche et lundi. - Menus : 25/50 € . Menu enfant : 12 € .

Classement : Table Gastronomique

Depuis 25 ans à Rouen, dans un quartier facile d'accès et de stationnement, Marie-France vous propose sa cuisine de femme, emprunte d'authenticité, élaborée à partir de produits frais et régionaux parmi lesquels les poissons de petite pêches sont particulièrement à l'honneur, en arrivages journaliers de Dieppe. Le maître des lieux et époux, Daniel, sommelier confirmé, saura vous conseiller pour trouver parmi le vaste choix de son exceptionnelle cave, le vin qui, adapté à votre budget, saura parfaire ce moment de grand plaisir. Parmi les spécialités : coquilles saint jacques (en saison), mainardise de sole en rouge et blanc, civet de turbot à l'andouille de vire et au pommeau, rognon de veau mère simone, canard marie france, viande de race normande, escargots frais du Mont Réal, crêpe normande. Terrasse, parking privé, salle de séminaires, animaux acceptés au restaurant

For 25 years in Rouen, in an easy access district, Marie-France proposes her kitchen of woman ,borrows of authenticity, elaborate from fresh and regional products among which fishes are particularly on honor, in daily arrivals of Dieppe. The Master of the places and husband, Daniel, experienced wine waiter, will be able to advise you to find among the vast choice of his exceptional cellar, the wine which, adapted to your budget, will be able to perfect this moment of great pleasure.

A Rouen, desde hace 25 años, en un barrio de fácil acceso y estacionamiento, Marie-France da un toque femenino y auténtico a su cocina, elaborada con productos frescos y regionales. Los pescados provenientes de pequeñas pescas arriban diariamente de Dieppe. El patrón y esposo, Daniel, comprobado botillero posee una excepcional bodega, le ayudará a elegir el vino que más le convenga.

Willkommen im Catelier, in einem einfach zugänglichen Viertel von Rouen gelegen. Marie-France bietet hier seit 25 Jahren eine authentische Küche mit regionalen, frischen Produkten, worunter frische Fischgerichte einen besonderen Platz einnehmen. Der Ehemann und Chef Daniel, erfahrener Weinkenner berät Sie bei der großen Auswahl aus dem außergewöhnlichen Weinkeller.

ROUEN (76000)

Centre ville, face au musée Corneille.

Table de Terroir

RESTAURANT LE ROUENNAIS

02 35 07 55 44

Place du Vieux Marché - Gérard et Pierre COUDRAY - Fax : 02 35 71 96 38

Fermeture : Dimanche soir et lundi. - Menus : 15/44 € .

Classement : Table de Terroir

Venez découvrir le cadre agréable et convivial de cet établissement. Vous y dégusterez une cuisine traditionnelle.

Spécialités : rôtissoire en salle, votre canard cuit devant vous ou canard à la Rouennaise. Vins de Loire et vins de Bordeaux.

Terrasse

Come and discover the pleasant setting of this establishme[nt] where you will be able to enjoy a traditionnal cooking.

Venga a descubrir el ambiente agradable y sociable de este est[a]blecimiento. Usted podrá saborear una cocina tradicional. Vin[os] del Loire y vinos de Bordeaux.

Entdecken Sie die angenehme und gesellige Atmosphäre dies[es] Restaurants und genießen Sie die traditionelle Küche.

ST MARTIN DU VIVIER (76160)

A 5 km de Rouen.

LA BERTELIÈRE ★ ★ ★

02 35 60 44 00 - la-berteliere@wanadoo.fr

1641 Avenue Mesnil Grémichon - Dominique BOUCOURT - Fax : 02 35 61 56 63 - www.la-berteliere.fr - Ouvert toute l'année.

Menus : 17/65 € . Menu enfant : 10 € . Petit déjeuner : 10 € .44 chambres : 86/125 € .
Demi pension : 57/109 € /pers. Etape VRP : 73 € - Classement : Table de Terroir

Situé à 5 minutes du centre ville de Rouen, La Bertelière vous accueille dans un parc fleuri et arboré qui assure repos et tranquilité et met à votre disposition des chambres confortables et fonctionnelles.
Spécialités : langoustines poêlées tian de lentilles, escalope de bar au sabayon d'estragon, magret de canard au miel d'acacia.
Chambres avec bain ou douche+WC+TV : Toutes.
Terrasse, jardin, parking privé, piscine d'été, tennis, accès handicapés, TPS, chaînes satellites, climatisation, petit déjeuner buffet, salle restaurant de caractère, salle de séminaires, chèques vacances, animaux acceptés

Located at 5 minutes of the centre town of Rouen, La Berthelière accomodates you in a flowered and raised park which ensures rest and tranquility and places at your disposal comfortable and functional rooms.

A 5 minutos del centro de Rouen, La Berthelière le acoge en un parque florido y arbolado que garantiza descanso, tranquilidad y pone a su disposición cómodas habitaciones. Usted podrá descubrir las especialidades de la casa.

5 Minuten vom Zentrum Rouens entfernt, begrüßt Sie La Bertelière. In einem Park gelegen erfahren Sie hier Entspannung und Ruhe in komfortablen Zimmern.

YERVILLE (76760)

A 30 km de Rouen.

HOSTELLERIE DES VOYAGEURS

02 35 96 82 55 - juvoyageurs@tiscali.fr

3 Rue Jacques Ferny - André JUMEL - Fax : 02 35 96 16 86 - Fermeture : Dimanche soir et lundi sauf jours fériés.

Menus : 16,75/42 € . Petit déjeuner : 6,50 € . 6 chambres : 35/50 € . Etape VRP : 50 €
Classement : Table Gastronomique

Au coeur du village, cette auberge de charme vous réserve un accueil chaleureux dans un cadre rustique et vous propose une cuisine en fonction du marché.

Spécialités : ravioles de légumes aux morilles, millefeuille de tourteaux sauce légère au citron, brochettes de langoustines caramélisées aumônières de légumes épicés.

Chambres avec bain ou douche+WC+TV : Toutes.
Terrasse, jardin, parking privé, salle restaurant de caractère, chèques vacances, animaux acceptés

In the heart of the village, this inn of charm reserves to you a cordial reception within a rustic framework and a cooking according to the market is proposed to you.

En el corazón del pueblo, esta encantadora posada le brindará una calurosa acogida en un ambiente rústico y le propondrá una cocina en función del mercado.

Mitten im Dorf, in einem rustikalen Rahmen, werden Sie in diesem reizenden Gasthaus herzlich mit einer Küche aus frischen Marktprodukten empfangen.

YVETOT - VAL AU CESNE (76190)

A 3 km d'Yvetot.

AUBERGE DU VAL AU CESNE

02 35 56 63 06 - valaucesne@hotmail.com

Le Val au Cesne - Fax : 02 35 56 92 78 - 5 chambres : 76 € .
Classement : Table Gastronomique

La Reconnaissance Professionnelle

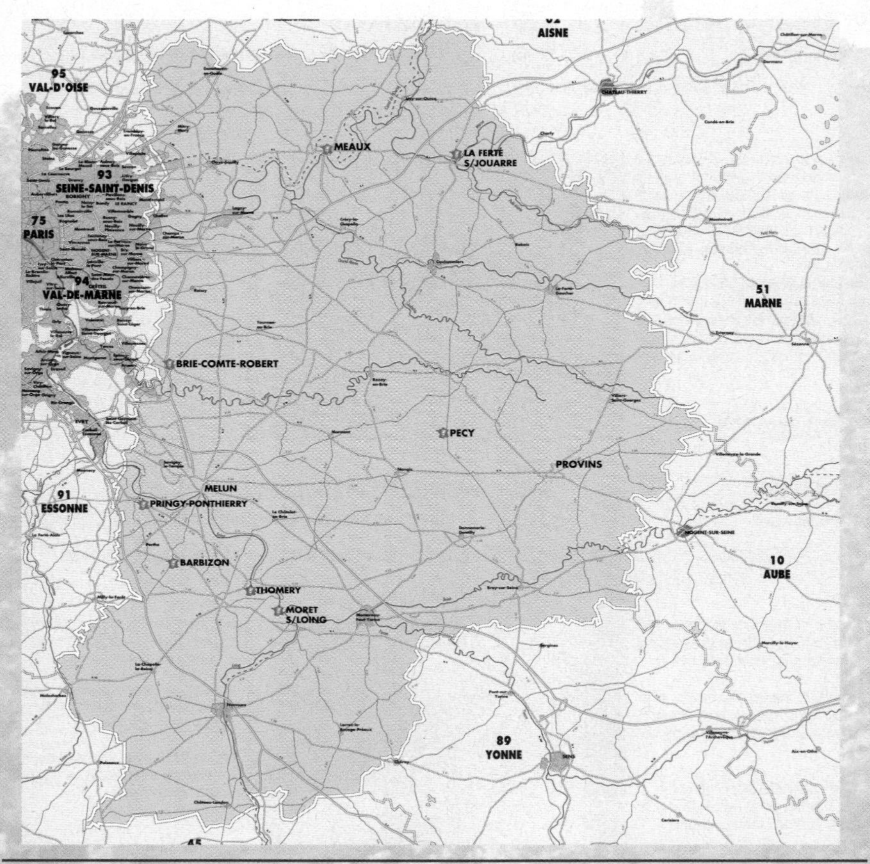

Sites Touristiques : Disneyland Paris, Fontainebleau, Vaux le Viconte, Provins, Meaux, Moret sur Loing, Barbizon.

Saveurs de nos Terroirs : Fromages de Brie (Meaux, Melun...), coquelicot de Nemours (bonbons, liqueurs), rose de Provins (bonbons, liqueur, miel, confit de pétales de roses), sucre d'orge de Moret, sablés briards, moutarde de Meaux, macarons fondants.

Bières : Bière de Brie et La Gatine.

Cidres, jus de pommes et poires.

Animations :

Pâques : 300 000 oeufs de Pâques en Seine et Marne.

Juin/Septembre : Nature et Venerie en fête à Fontainebleau, Spectacle de Meaux, Nymphéa (Spectacle de Moret), Festival de la Vapeur à Villiers sous Georges.

COMITÉ DÉPARTEMENTAL DU TOURISME DE SEINE-ET-MARNE
11 Rue Royale - 77300 - FONTAINEBLEAU -Tél. : 01 60 39 60 39 - Fax : 01 60 39 60 40
www.tourisme77.net - mdt@tourisme77.net

BARBIZON (77630)

A 8 km de Fontainebleau.

Table Gastronomique

HÔTELLERIE DU BAS-BRÉAU ★ ★ ★ ★

01 60 66 40 05 - basbreau@wanadoo.fr

22 Rue Grande - Fax : 01 60 69 22 89 - Menus : 50/73 € . Petit déjeuner : 18 € .
12 chambres : 130/350 € - Classement : Table Gastronomique

BRIE COMTE ROBERT (77170)

A 18 km de Melun.

Table de Terroir

A LA GRACE DE DIEU ★ ★

01 64 05 00 76 - gracedie@wanadoo.fr

79 Rue du Général Leclerc - Yves SOLEIROL - Fax : 01 64 05 60 57 - www.seine.et.marne.com/gracededieu ou www.gracededieu.com
Menus : 17/35 € . Menu enfant : 10 € . Petit déjeuner : 6 € . 18 chambres : 34/55 € - Classement : Table de Terroir

Au coeur de la Brie, cet ancien Relais de Poste vous propose une cuisine soignée avec des recettes originales que vous apprécierez en terrasse dès les beaux jours.
Spécialités : pièce de boeuf à la crème de brie, filet de flétan en brick, montgolfière de poissons.

Chambres avec bain ou douche+WC+TV : Toutes.
Accès handicapés restaurant, petit déjeuner buffet

In the heart of the Brie, this old Relay of Station proposes you a cooking looked after with original receipts which you will appreciate in terrace as of the beautiful days.

En el corazón de la Brie, esta antigua Parada del Correo le propone una esmerada cocina, con recetas originales que usted podrá saborear en la terraza, con buen tiempo.

Im Herzen des Brie, bietet Ihnen diese ehemalige Poststation eine gepflegte Küche mit originellen Rezepten, die Sie bei schönem Wetter auf der Terrasse genießen können.

MEAUX (77100)

Table Gastronomique

LA GRIGNOTIÈRE

01 64 34 21 48

36 Rue de la Sablonnière - Joël VERGUIN - Fax : 01 64 33 93 93 - Fermeture : Mardi soir, mercredi et samedi midi.
Menus : 26/36 € . Menu enfant : 15 € - Classement : Table Gastronomique

Joël, Anne et son équipe vous accueillent dans un cadre agréable et vous proposent une cuisine fine au fil des saisons.
Spécialités : terrine de foie gras faite à la maison, huîtres chaudes au sabayon de champagne, petite marmite de saint jacques et homard déshabillé, méli mélo de rognons et ris de veau à la moutarde ancienne.

Joël, Anne and his team welcome you in a pleasant setting and offer you a refined cooking following the seasons.

Joël, Anne y su equipo le acogen en un ambiente agradable y le proponen una cocina delicada que sigue el ritmo de las estaciones.

Joël, Anne und ihre Mitarbeiter empfangen Sie in einem angenehmen Rahmen und bieten Ihnen eine feine Küche den Jahreszeiten angepasst.

MORET SUR LOING (77250)

A 7 km de Fontainebleau.

Table de Prestige

HOSTELLERIE DU CHEVAL NOIR ★ ★

01 60 70 80 20 - chevalnoir@chateauxhotels.com

47 Avenue Jean Jaurès - Gilles DE CRICK - Fax : 01 60 70 80 21 - www.chevalnoir77.com - Fermeture : Lundi et jeudi (restaurant).
Menus : 27,44/42,69 € . Menu enfant : 12,20/15,24 € . Petit déjeuner : 10 € .
7 chambres : 61/110 € . 1 appartement : 150 € . Demi pension : 69,50/107 € - Classement : Table de Prestige

Cet ancien Relais de Poste est un merveilleux lieu de quiétude et de romantisme, au coeur de la cité médiévale. Autrefois résidence des Rois de France, il est devenu célèbre grâce à l'impressionniste Alfred Sisley. Vous profiterez de son cadre exceptionnel entre forêt et rivière où se mêlent avec harmonie, passion, art, culture et gastronomie. Spécialités : dos de sandre rôti sur peau, pommes fruits dans leur jus et granité à la cannelle ; pigeon rôti sur canapé de pain d'épices, rhubarbe et foie gras poêlé. Chambres avec bain ou douche+WC+TV : Toutes.Terrasse, jardin, parking privé, accès handicapés, chaînes satellites, salle restaurant de caractère, salle de séminaires, animaux acceptés

This ancient post Relay is a marvellous place full of romanticism and peace in the heart of the medieval town. You will enjoy its exceptionnal surroundings between river and forest.Ancient residence of Kings de France,.You will enjoy its exceptional setting between forest and river where harmony, passion, art, culture and gastronomy are mixed.

Esta antigua Parada del Correo es un maravilloso lugar de quietud y romanticismo, en el corazón de la ciudad medieval. En otro tiempo residencia de los Reyes de Francia. Usted podrá aprovechar de su ambiente excepcional entre bosque y río en el cual se mezclan con armonía, la pasión, el arte, la cultura y la gastronomía.

Dieses alte Postgebäude, inmitten einer mittelalterlichen Stadt, ist ein wunderbarer Ort der Ruhe und Romantik. Früher die Residenz von französischen Königen. Genießen Sie die einzigartige Atmosphäre zwischen Wald und Fluß, wo Leidenschaft, Kunst, Kultur und Gourmetküche harmonisch ineinander übergehen.

PRINGY-PONTHIERRY (77310)

A 40 km de Paris (A6 Sortie 12). A 10 km de Melun RN7

Table Gastronomique

AUBERGE DU BAS PRINGY

01 60 65 57 75

20 Avenue de Fontainebleau - M. et Mme Claude HOUDAYER - Fax : 01 60 65 48 57
Fermeture : 16/02-25/02 ; 1/08-31/08, lundi soir et mardi sauf veille et jours de fêtes.
Menus : 22/46 € . Menu enfant : formule 22/26 € - Classement : Table Gastronomique

Située au coeur du triangle Fontainebleau, Melun et Corbeil Essonne sur la route du sud (N7), cette auberge gastronomique agréablement fleurie vous réserve, en terrasse l'été, ou dans sa salle à manger rustique (cheminée) l'hiver, une cuisine traditionnelle personnalisée de produits frais. Spécialités : pot au feu de foie gras de canard, sole poêlée aux champignons des bois, Saint Jacques en saison, poitrine de pigeon aux foie gras et champignons. Vins : Chablis, Sancerre, Saumur, Champigny, Bourgogne et grands vins de Bordeaux. Terrasse, jardin, parking privé, salle restaurant de caractère, salle de séminaires, chèques vacances, animaux acceptés au restaurant

Situated in the triangle, Fontainebleau, Melun and Corbeil Essonnes on the road of the South (N7), this gastronomic inn reserves you its own traditional cooking made with fresh products either on its beautiful terrace in summer or in its rustic dinning-room (fireplace).

Situada en el corazón del triángulo Fontainebleau, Melun y Corbeil Essonnes, por la carretera del sur (N7) esta posada gastronómica agradablemente florida, le brinda en su terraza, durante el verano o en su rústico comedor (chimenea), en invierno, una cocina tradicional personalizada con productos frescos. Vinos : Chablis, Sancerre, Saumur, Champigny, Bourgogne y buenos vinos de Bordeaux.

Mitten im Dreieck zwischen Fontainebleau, Melun und Corbeil Essonnes liegt dieses gastronomische Gasthaus angenehm blühend mit seiner traditionellen, personalisierten Küche. Im Sommer auf der Terrasse, im Winter im rustikalen Speisesaal mit Kamin.

THOMERY (77810)

A 6 km de Fontainebleau et 50 km de Paris.

Table Gastronomique

HOSTELLERIE LE VIEUX LOGIS ★ ★ ★

01 60 96 44 77

5 Rue Sadi Carnot - Antonia PLOUVIER - Fax : 01 60 70 01 42 - www.hostellerie-vieuxlogis.com - Ouvert toute l'année.
Menus : 25/40 € . Menu enfant : 15,50 € . Petit déjeuner : 8,50 € .
14 chambres : 61 € . Demi pension : 92 € (1pers) / 125 € (2 pers) - Classement : Table Gastronomique

A 50 mn de Paris, entre bords de Seine et forêt de Fontainebleau, dans cette ancienne maison de maîtres fin XVIIIème, sobre, belle, lumineuse et fleurie, l'accueil chaleureux de l'élégante Mme PLOUVIER, les attentions souriantes du service font triompher le talent fou du jeune chef Christophe MINOST. Remarquable sélection de vins de M. PLOUVIER à prix très raisonnables. Piscine d'été chauffée. Repas sous le chêne aux beaux jours. Spécialités : poêlée de noix de saint jacques aux mangues caramélisées, crottin de chavignol en aumonière craquante, moelleux de chocolat au coeur coulant citron vert sirop à la sauge. Chambres avec bain ou douche+WC+TV : Toutes.Terrasse, jardin, parking privé, piscine d'été, tennis, accès handicapés restaurant, salle de séminaires,animaux acceptés

At 50 mn of Paris, between edges of the Seine and forest of Fontainebleau, in this old house of Masters end XVIIIth, sober, beautiful, luminous and flowered, the cordial reception of elegant Mrs. PLOUVIER, the smiling attentions of the service make triumph the insane talent over the young chief Christophe MINOST. Swimming pool of summer heated. Meal under the oak at the beautiful days.

A 50 mn de Paris, entre las orillas del Seine y el bosque de Fontainebleau, en esta antigua casa de señores de fines del siglo XVIII, sobria, bella, luminosa y florida, la acogida calurosa de la elegante Sra. PLOUVIER, las simpáticas atenciones del servicio hacen triunfar el talento excesivo del joven jefe Christophe MINOST. Piscina de verano. Comidas bajo el roble con buen tiempo.

50 Min. von Paris, zwischen dem Seine Ufer und dem Wald von Fontainebleau triumphieren in diesem früheren Herrenhaus Ende 18. Jh., schlicht, schön, hell, blühend, der herzliche Empfang der eleganten Madame Plouvier, der aufmerksame Service und das verrückte Talent des jungen Chefkochs, Christophe Minost. Geheiztes Schwimmbad. Essen unter den Eichen bei schönem Wetter.

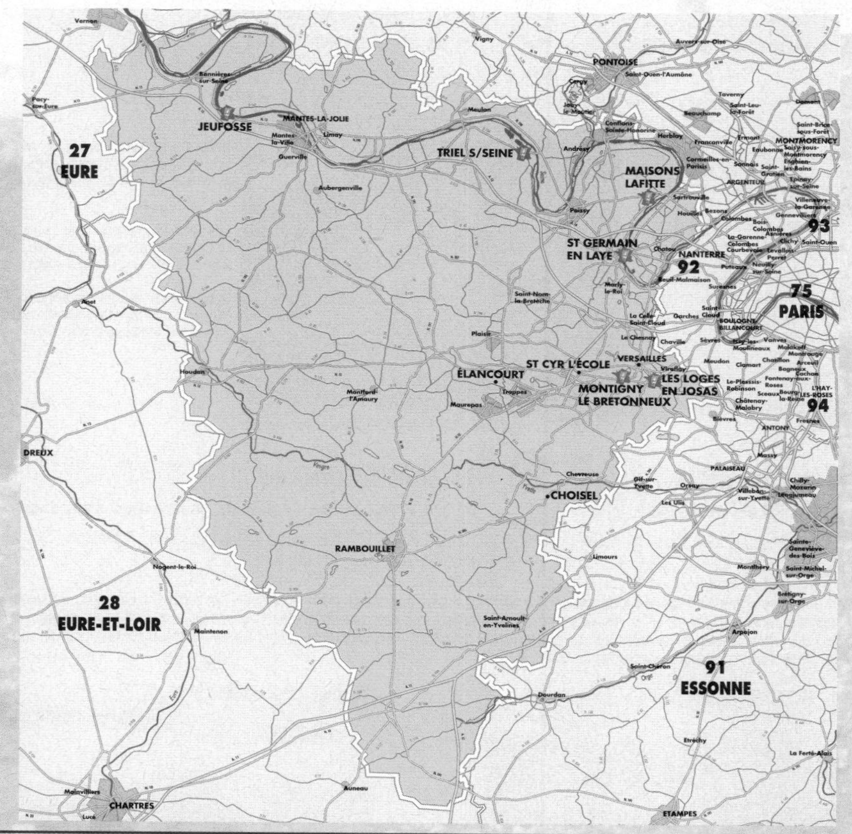

Sites Touristiques : Domaine National de Versailles, Château de Breteuil à Choisel, Réserve Zoologique de Thoiry, France Miniature à Elancourt, Ferme ouverte de Gally à Saint-Cyr l'Ecole, Serre aux Papillons à La Quelle-Lez-Yvelines, Ile des Impressionnistes à Chatou.

Saveurs de nos Terroirs : Pain d'Yvelines. Suprême de volaille fermière de Houdan. Noyon de Poissy (liqueur à base de noix), Grand-Marnier (liqueur à base de Cognac et de parfum d'orange) à Neauphle-le-Château.

Animations : Musée des Antiquités Nationales et Musée Départemental Maurice Denis de Saint-Germain-en-Laye, Château de Monte Cristo à Port-Marly, Musée de la Batellerie à Conflans-Sainte-Honorine, Musée des Grandes Heures du Parlement à Versailles.

Juin : Fête des Parcs et Jardins en Yvelines, Fête Médiévale à Houdan.

Juillet/Août : Fête des Loges à Saint-Germain-en-Laye.

Octobre : Journées Ravel à Montfort l'Amaury, Les Grandes Eaux Musicales et Nocturnes à Versailles (mars/octobre).

COMITÉ DÉPARTEMENTAL DU TOURISME DES YVELINES

Hôtel du Département 2, Place André Mignot - 78012 - VERSAILLES CEDEX -Tél. : 01 39 07 71 22 - Fax : 01 39 07 85 05

www.cg78.fr - tourisme@cg78.fr

JEUFOSSE (78270)

A 2 km de Bonnières s/Seine sur RN15.

HOSTELLERIE AU BON ACCUEIL

01 30 93 01 00

5 Route de Rouen - Logé DIRK - Fax : 01 30 93 01 00
Fermeture : 2 semaines fin janvier et 3 semaines en août ; lundi soir, mardi soir et mercredi.
Menus : 13,50/44 € . Menu enfant : 8 € - Classement : Table du Terroir

A 500 mètres à peine de la Seine (pêche, promenades), dans un cadre agréable et chaleureux, venez retrouver un accueil personnalisé et le plaisir d'une bonne table préparée au gré des saisons.
Spécialités : foie gras maison, tête de veau sauce gribiche, steack au poivre, gibier en saison.

Terrasse, parking privé, accès handicapés restaurant, salle restaurant de caractère, salle de séminaires, chèques vacances, animaux acceptés au restaurant

At only 500 meters from the Seine (fishing, walks), within a pleasant and cordial framework, come to find a personalized welcome and the pleasure of a good table prepared following the seasons.

A sólo 500 m del Seine (pesca, paseos), en un ambiente agradable y caluroso, venga a encontrar la acogida personalizada y el placer de una buena mesa que sigue el ritmo de las estaciones.

Entdecken sie den persönlichen Empfang und die gute, saisonabhängige Küche in angenehmen und warmherzigen Rahmen 500m von der Seine entfernt (Angeln, Spaziergänge).

LES LOGES EN JOSAS (78350)

A 20 km de Paris et 6 km de Versailles.

LE RELAIS DE COURLANDE

01 30 83 84 04 - relais.de.courlande@wanadoo.fr

23 Rue de la Division Leclerc - Alain GRANCHAMP - Fax : 01 30 83 84 05 - www.relais-de-courlande.com - Fermeture : 1/05.
Menus : 33/58 € . Menu enfant : 18,50 € . Petit déjeuner : 10 € .
51 chambres et 2 suites : 101/182 € . Demi pension : 123/220 € - Classement : Table Gastronomique

Dans un cadre Jolie Campagne où il fait bon vivre, venez découvrir une cuisine de création mettant en valeur les goûts et les couleurs de produits naturels. Spécialités : turbot sauvage en croûte de châtaignes, parfumé d'oursins violets, chips de légumes et cèpes ; roulé de pied de cochon au foie gras, croustilles de pleurottes. Terrasse, jardin, parking privé, ascenseur, accès handicapés restaurant, chaînes satellites, petit déjeuner buffet, salle restaurant de caractère, salle de séminaires, chèques vacances, animaux acceptés au restaurant

Located in a Pretty Countryside setting where it is good to live, come to discover a kitchen of creation with the tastes and the colors of natural products.

En un ambiente Lindo Campo donde se vive bien, venga a descubrir una cocina creativa que pone en valor los gustos y los colores de productos naturales.

In einem Rahmen Schönes Land, wo das Leben lebenswert ist, entdecken Sie eine erfinderische Küche, die die Geschmäcker und Farben der natürlichen Produkte hervorhebt.

MAISONS LAFITTE (78600)

LE TASTEVIN

01 39 62 11 67

9 Avenue Egle - Fax : 01 39 62 73 09 - Menus : 40/66 € .
Classement : Table de Prestige

MONTIGNY LE BRETONNEUX (78180)

A 10 km de Versailles.

AUBERGE DU MANET ★ ★ ★

✆ 01 30 64 89 00 - mail@aubergedumanet.com

61 Avenue du Manet - Gérard BIANCHI - Fax : 01 30 64 55 10 - www.aubergedumanet.com
Menus : 30/42 € . Menu enfant : 10 € . Petit déjeuner : 10 € . 31 chambres : 80/120 € .
Demi pension : 115 € /1pers. et 150 € /2pers. 4 appartements - Classement : Table Gastronomique

Située au calme, en bordure d'un petit étang, cette auberge de caractère vous propose des chambres confortables et une cuisine gastronomique de qualité. Vous pourrez profiter également de la terrasse, bâtie sur pilotis.
Spécialités : foie gras à la tapenade, pain brioché maison, bouillabaisse servie en tajine avec sa rouille, soufflé au chocolat mi-amer et glace vanille.
Chambres avec bain ou douche+WC+TV : Toutes.
Terrasse, jardin, parking privé, accès handicapés hôtel, chaînes satellites, canal+, climatisation, petit déjeuner buffet, salle restaurant de caractère, salle de séminaires, chèques vacances, animaux acceptés, Menu Tables & Auberges de France

Situated in calm, at the edge of a little pond. This inn offers you comfortable rooms and a gastronomic cooking of quality. You will enjoy the terrace, build on stilt.

En un lugar calmo, a orillas de un pequeño estanque, este típico hostal le propone habitaciones confortables y una cocina gastronómica de calidad. Usted podrá disfrutar de una terraza construída sobre pilotes.

Dieses charaktervolle Gasthaus der Ruhe, an einem kleinen Teich gelegen, bietet Ihnen komfortable Zimmer und eine erstklassische Feinschmeckerküche. Profitieren sie ebenfalls von der auf Pfählen erbauten Terrasse.

ST GERMAIN EN LAYE (78100)

A 20 km de Paris.

CAZAUDEHORE ET LA FORESTIÈRE ★ ★ ★ ★

✆ 01 30 61 64 64 - cazaudehore@relaischateaux.com

1 Avenue Kennedy - Fax : 01 39 73 73 88 - Menus : 50/65 € (vin compris). Menu enfant : 22 € . Carte : environ 80 € .
30 chambres : 185/200 € - Classement : Table de Prestige

TRIEL SUR SEINE (78510)

Au Sud de Cergy Pontoise, à 7 km de Poissy.

RESTAURANT SAINT MARTIN

✆ 01 39 70 32 00

2/4 Rue Galande - M. BARON Stéphane - Fermeture : 6/08-29/08 ; mercredi, dimanche.
Menus : 21/38 € + carte : 27,44/38,11 € . Menu enfant : 7 €
Classement : Table de Terroir

Dans un cadre chaleureux et convivial, Stéphane BARON et son épouse se feront un plaisir de vous recevoir et vous feront partager leurs spécialités cuisinées essentiellement à base de produits frais parmi lesquelles vous pourrez déguster : trilogie de foie gras, terrine de foie gras de canard mi-cuit, gibier en saison, pain fait maison.

Animaux acceptés au restaurant

In a convivial and warm setting, Stéphane Baron and his wife will be glad to welcome you and make you savour their specialities made essentially from fresh products.

En un ambiente cálido y convivial, Stéphane BARON y su esposa tendrán el placer de recibirle y de hacerle compartir sus especialidades cocinadas esencialmente con productos frescos.

In einem warmen und gastlichen Rahmen, freuen sich Stéphane Baron und seine Frau, Sie zu empfangen und mit Ihnen ihre Spezialitäten zu teilen, aus Frischprodukten zubereitet.

La Reconnaissance Professionnelle

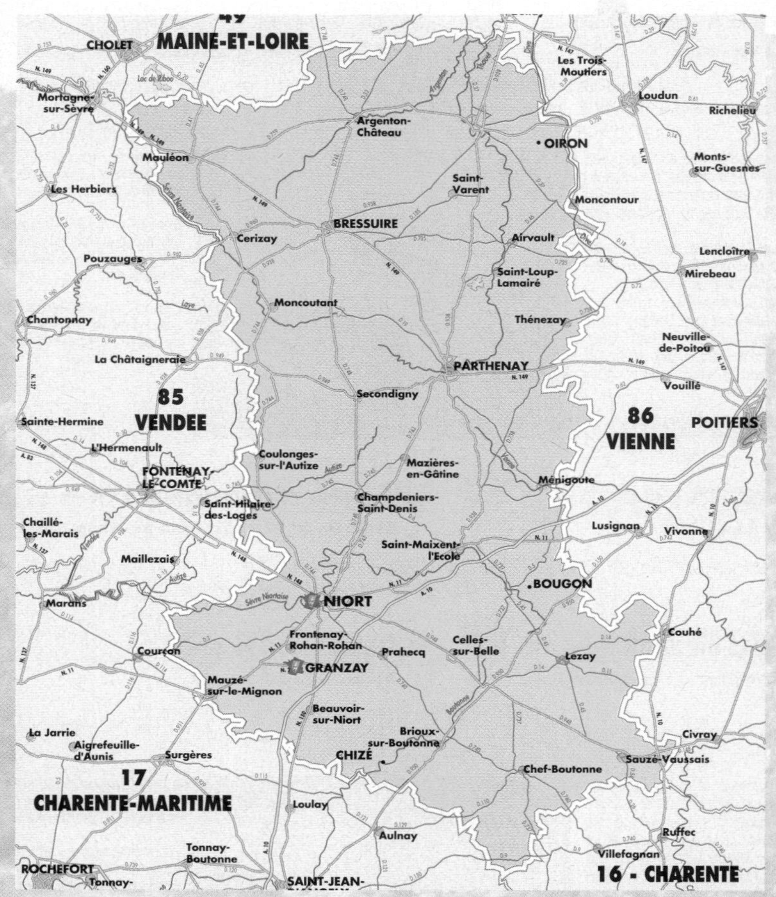

Sites Touristiques : Pescalis, Centre International Nature et Pêche ; Mouton village : espace touristique autour du mouton ; Musée des Tumulus de Bougon : musée et site sur le Néolithique ; Château d'Oiron et la collection d'art contemporain ; Mines d'Argent des Rois Francs ; Zoorama de Chizé ; Maison des Marais Mouillés (Marais Poitevin).

Saveurs de nos Terroirs : Chabichou du Poitevin, Farci Poitevin, Angélique de Niort et du Marais Poitevin, Tourteau fromager (gâteau). Vignobles du Thouarsais (A.O.C. Anjou et Saumur), Pineau des Charentes, Duhomard (apéritif à base de gentiane).

Animations :

Juillet : Festival Jazzy...Si à Niort, Festival de Peinture à Magné, Festival des Jeux à Parthenay, Festival au Village à Brioux, Festival des Danses et Musiques des Enfants du Monde à Saint Maixent l'Ecole, Festival Correspondances en Vallée du Thouet, Festival Atout Arts musiques nomades à Thouars.

Octobre/Novembre : Festival International du Film Ornitologique à Ménigoute.

COMITÉ DÉPARTEMENTAL DU TOURISME DES DEUX-SÈVRES

15, Rue Thiers B.P. 8510 - 79025 - NIORT CEDEX 09 -Tél. : 05 49 77 87 79 - Fax : 05 49 24 90 29

www.tourisme.deux.sevres.com - tourisme.deux.sevres@wanadoo.fr

GRANZAY (79360)

A 8 km de Niort.

DOMAINE DU GRIFFIER ★ ★ ★

05 49 32 62 62

RN 150 - Jean JOURDAIN - Fax : 05 49 32 62 63 - Fermeture : 24/12-2/01 ; samedi midi.
Menus : 23/47 € . Menu enfant : 12 € . Petit déjeuner : 9,15 € . 38 chambres : 56/115 € .
Demi pension : 60,15/89,65 € . Etape VRP : 75 € - Classement : Table de Terroir

Aux portes de Niort et de la Venise Verte, cet établissement aménagé dans un château du 19ème siècle entièrement rénové vous réserve le meilleur accueil et vous propose des prestations de qualité : chambres confortables pour votre repos, piscine couverte avec bar pour votre détente, salles de séminaires pour votre travail.
Spécialités : escabèche de rougets sur son bavarois d'avocat à la fine ratatouille ; rôti de sandre farci au jambon cru à l'aneth ; filet d'agneau rôti aux cèpes gratin languedocien et flan d'artichaut.
Chambres avec bain ou douche+WC+TV : Toutes.
Terrasse, jardin, parking privé, piscine d'été, accès handicapés, petit déjeuner buffet, salle restaurant de caractère, salle de séminaires, animaux acceptés

At the doors of Niort and Venice Green, this establishment arranged in a castle of the 19th century entirely renovated holds the best reception for you and proposes services of quality to you: comfortable rooms for your rest, covered swimming pool with bar for your relaxation, rooms of seminars for your work.

A las puertas de Niort y de la Venecia Verde, este establecimiento acondicionado en un castillo del siglo XIX, totalmente renovado,le brinda una excelente acogida y le propone servicios de calidad: cómodas habitaciones para su descanso, piscina cubierta con bar para su esparcimiento, salas de seminarios para su trabajo.

Vor Niort und der Venise Verte, in einem renoviertem Schloss aus dem 19. Jahrhundert, bietet Ihnen dieses luxuriöse Haus einen netten Empfang. Zum Ausruhen komfortable Zimmer, zum Entspannen ein überdachtes Schwimmbad mit Bar und zum Arbeiten Seminarräume.

NIORT (79000)

RESTAURANT A LA BELLE ETOILE

05 49 73 31 29

115 Quai Métayer - Fax : 05 49 09 05 59 - Menus : 20/71 € . Menu enfant : 11,43 € .
Classement : Table de Prestige

Charme & Authenticité

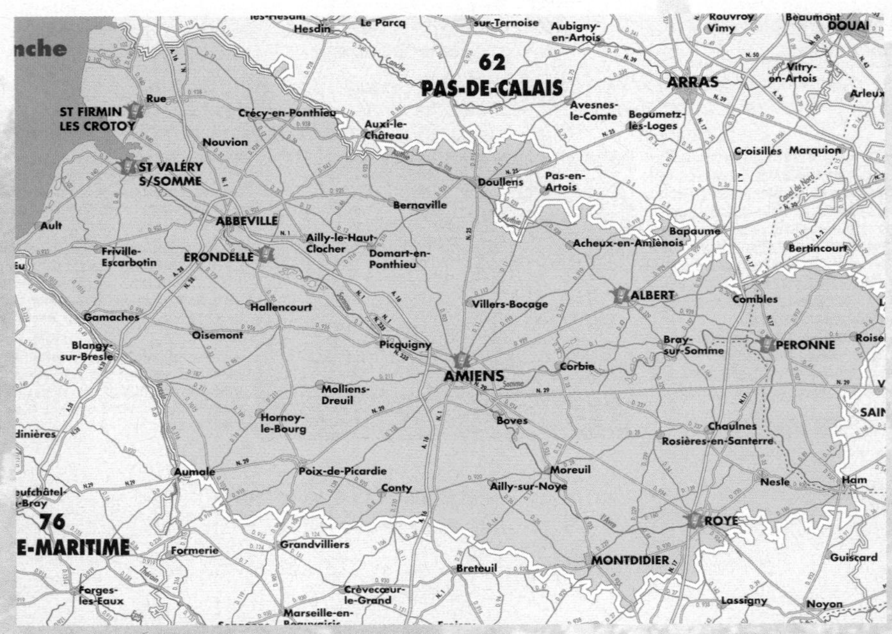

Sites Touristiques : Baie de Somme, Amiens (Cathédrale et Hortillonnages), Vallée de la Haute-Somme, Circuit du Souvenir.

Saveurs de nos Terroirs : Ficelle picarde, pâté de canard d'Amiens, poissons et coquillages, mouton de pré-salé de la Baie de Somme, gibier, gâteau battu, confiture de rhubarbe, macaron d'Amiens.

Cidre, bière de garde, jus de rhubarbe, boissons de fruits rouges et de pommes.

Animations :

Avril : Festival de l'Oiseau, Fête de la Vapeur en Baie de Somme, Rederie de Printemps et d'Automne à Amiens.

Mai/Juin : La Transbaie, course à pied à travers la Baie de Somme, Fête des Hortillons à Amiens.

Juin à Septembre et Décembre : Spectacle Amiens, la Cathédrale en Couleurs.

Parc archéologique de Samara, Parc Ornithologique du Marquenterre, Maison de l'Oiseau, Jardins et Abbayes de Valloires, Historial de la Grande Guerre.

COMITÉ DÉPARTEMENTAL DU TOURISME DE LA SOMME
21, Rue Ernest Cauvin - 80000 - AMIENS -Tél. : 03 22 71 22 71 - Fax : 03 22 71 22 69
www.somme-tourisme.com - accueil@somme-tourisme.com

ALBERT (80300)

Table Gastronomique

ROYAL PICARDIE ★ ★ ★

☎ 03 22 75 37 00 - royalpicardie@wanadoo.fr

Avenue du Général Leclerc - Claude ALTAIE - Fax : 03 22 75 60 19 - www.royalpicardie.com - Fermeture : Dimanche soir.
Menus : 27/42 € . Petit déjeuner : 10 € . 21 chambres : 78/153 €
Classement : Table Gastronomique

Sous ses allures de Château-Fort, implanté au coeur de la Somme et de son histoire, le Royal Picardie vous ouvre ses portes pour un séjour chaleureux et vous propose des chambres tout confort, personnalisées et élégantes. Dans un cadre raffiné, le restaurant invite les gourmets à venir savourer une cuisine riche et inventive. Spécialités : foie gras et saumon fumé maison ; millefeuille d'andouille de Vire et foie gras, pommes sautées au Calvados, petite salade aux légumes craquants ; homard breton rôti en carapace, paella de riz sauvage aux coquillages et basilic.
Tennis, accès handicapés, chaînes satellites, petit déjeuner buffet, salle restaurant de caractère, salle de séminaires, animaux acceptés

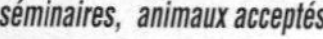

Under its paces of Castle, established at the heart of the Sum and its history, Royal Picardy opens its doors for a cordial stay and rooms any comfort are proposed to you, personalized and elegant. Within a refined framework, the restaurant invites the gourmets to come to enjoy a rich and inventive kitchen.

Con su aspecto de fortaleza, implantado en el corazón de la Somme y de su historia, el Royal Picardie le abre sus puertas para una estancia calurosa y le propone habitaciones con todas las comodidades, personalizadas y elegantes. En un delicado ambiente, el restaurante invita los golosos a saborear una cocina deliciosa e inventiva.

Die Erscheinung des Royal Picardie erinnert an eine Burg mitten in der geschichtsträchtigen Somme. Verbringen Sie dort einen gemütlichen Aufenthalt in komfortablen, personalisierten und eleganten Zimmern. In feiner Atmosphäre genießen Feinschmecker im Restaurant eine ergiebige und ideenreiche Küche.

AMIENS (80000)

Fléchage cathédrale ou parking Saint Leu.

Table de Prestige

RESTAURANT LES MARISSONS

☎ 03 22 92 96 66 - les-marissons@les-marissons.fr

Pont de la Dodane - Quartier Saint Leu - Antoine BENOIT - Fax : 03 22 91 50 50 - www.les-marissons.fr
Fermeture : Jour de Noël ; Jour de l'An ; 1er mai ; samedi midi et dimanche.
Menus : 18,50/49 € - Classement : Table de Prestige

Installé dans un vieil atelier à bateaux du 15ème siècle, au sein d'un jardin ombragé et fleuri sur les bords de la Somme, le restaurant Les Marissons vous accueille chaleureusement et vous propose des produits de terroir frais et de qualité travaillés avec respect dans le souci de la tradition.
Spécialités : foie gras maison, St-Jacques en saison, paté de canard en croute d'Amiens, anguille aux herbes, lotte rôtie aux abricots, estran (agneau de pré salé).

Terrasse, jardin, climatisation, salle restaurant de caractère, chèques vacances, animaux acceptés au restaurant

Installed in an old workshop of boats of the 15th century, in a shaded and flowered garden on the edges of the Somme, the restaurant Marissons accomodates you cordially and offers you fresh products of soil worked with respect .

Instalado en un antiguo taller de barcos del siglo XV, en el seno de un jardín sombreado y florido a orillas del Somme, el restaurante Les Marissons le acoge calurosamente y le propone productos regionales frescos y de calidad, trabajados con respeto teniendo en cuenta la tradición.

In einem früheren Schiffsatelier aus dem 15. Jh. eingerichtet, in einem schattigen und blühenden Garten am Ufer der Somme, empfängt man Sie im Restaurant Les Marissons ganz herzlich und bietet Ihnen frische, hochwertige Landprodukte mit Respekt und Tradition zubereitet.

ERONDELLE (80580)

A 8 km d'Abbeville et 35 km d'Amiens.

Table de Terroir

AUBERGE DU TEMPS JADIS

☎ 03 22 27 92 27

Route de Bray - Jean-Louis DESAILLY - Fax : 03 22 27 92 27
Ouvert du vendredi midi au dimanche midi inclus et jours de fête.
Menus : 19/38 € . Menu enfant : 10 € - Classement : Table de Terroir

Située à l'orée d'un bois, au bord du marais, cette maison de campagne vous propose en toute simplicité une cuisine gourmande et canaille de Nord-Picardie. Jean-Louis Desailly défenseur des produits authentiques du pays de Somme vous fera partager son inspiration personnelle : gourmandises charcutières de l'Auberge, gâteau picard au foie gras rôti, vinaigrette d'anguille fumée à la bière, jarret de porc rôti dans la cheminée, noisettes de biche à la bière brune et betteraves rouges, chariot de fromages régionaux, parfait glacé à la fleur de bière.
Terrasse, jardin, parking privé, accès handicapés restaurant, salle restaurant de caractère, salle de séminaires, animaux acceptés au restaurant

Located at the edge of a wood, at the edge of the marsh, this country house proposes to you in all simplicity a cooking semirabble, semi-refined. Jean-Louis Desailly defender of the authentic products of the Picard country will level you with his specialities

Esta mesón de campo, lindera a un bosque, al borde del pantano, le propone con sencillez una cocina gastrónoma y mediocanalla del Nord-Picardie. Jean Louis Desailly defensor de productos auténticos de la región de Somme, le hará compartir las especialidades, producto de su inspiración personal.

Am Waldrand neben dem Moor, bietet Ihnen dieses Landgasthaus in aller Einfachheit eine Schlemmerküche aus dem Nord-Picardie. Jean-Louis Desailly Verfechter von authentischen Landprodukten teilt mit Ihnen seine persönliche Inspiration.

PERONNE (80200)

Auberge du Pays

LE RELAIS PICARD

03 22 84 51 85

20 Route de Paris - Marie PAEZ - Fax : 03 22 84 56 13 - www.le-relais-picard.com
Fermeture : 1 semaine en février/mars, 2 semaines en fin d'été, dimanche soir. - Menus : 10/23 € . Menu enfant : 7,45 € .
Petit déjeuner : 5,25 € .10 chambres : 26/45 € . Demi pension : 37/45 € . Etape VRP : 40/50 € - Classement : Auberge du Pays

Situé au milieu de la vallée de la Somme, Le Relais Picard est à 10 minutes à peine des principaux axes routiers. Cette entreprise familiale vous recevra dans un cadre chaleureux et vous fera découvrir son pain maison, ses spécialités au maroille et sa cuisine régionale. Spécialités : ficelle picarde, flamiche aux poireaux, saucisson brioché, filet mignon au maroille, tartiflette au maroille.
Chambres avec bain ou douche+WC+TV : 1-2-6-7-8-12.
Terrasse, jardin, accès handicapés restaurant, chaînes satellites, canal+, chèques vacances, animaux acceptés

Located at the medium of the valley of the Sum, the Relais Picard is at 10 minutes hardly principal road axes. This family company will receive you within a cordial framework and will make you discover its bread house, its specialities with the maroille and its regional cooking.

En medio del valle de la Somme, Le Relais Picard está a sólo 10 minutos de los principales centros de carreteras. Esta empresa familiar le recibirá en un ambiente caluroso y le hará descubrir su pan casero, sus especialidades con el queso de Maroilles y su cocina regional.

Im Somme Tal, liegt das Relais du Picard 10 Min. von den Hauptverkehrswegen entfernt. Dieses Familienunternehmen empfängt Sie in einem warmen Rahmen und Sie entdecken dort das hausgemachte Brot, eine regionale Küche und die Spezialitäten des Hauses.

ROYE (80700)

A 40 km d'Amiens.

Table de Prestige

LA FLAMICHE ★ ★ ★ ★

03 22 87 00 56 - restaurant.flamiche@worldonline.fr

20 Place de l'Hôtel de Ville - Fax : 03 22 78 46 77 - Menus : 23/128,06 € . Menu enfant : 12,50 € - Classement : Table de Prestige

ST FIRMIN LES CROTOY (80550)

A 4 km de Le Crotoy

Auberge du Pays

AUBERGE DE LA DUNE ★ ★

03 22 25 01 88

M. Jacky CUDEK - Fax : 03 22 25 66 74 - Fermeture : 12/11-31/03 ; mardi soir et mercredi hors vacances scolaires zone B et C.
Menus : 20/30 € . Menu enfant : 8 € . Petit déjeuner : 8 € .
11 chambres : 54 € . Demi pension : 54 € . Pension : 74 € - Classement : Auberge du Pays

Venez découvrir le lieu de séjour idéal pour visiter la région du Marquenterre. L'ambiance y est chaleureuse et conviviale. Le restaurant vous fera partager sa cuisine picarde.
Spécialités : ficelle picarde, bisteu, flamiche, filet mignon de porc aux petits oignons et au cidre.
Chambres avec bain ou douche+WC+TV : Toutes.
Terrasse, parking privé, accès handicapés, petit déjeuner buffet, salle restaurant de caractère, chèques vacances, animaux acceptés au restaurant

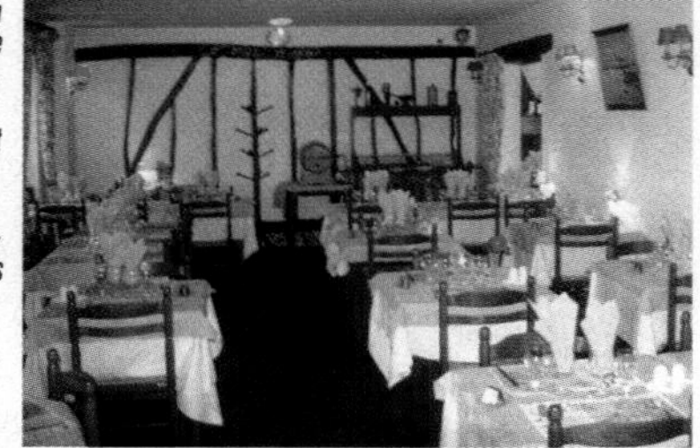

Come to discover the place of ideal stay to visit the area of Marquenterre. The atmosphere is warm there. The restaurant will make you share his Picardy cooking.

Venga a descubrir el buen lugar para una estancia ideal visitando la región del Marquenterre. El ambiente es caluroso y sociable. El restaurante le hará descubrir su cocina picarda.

Entdecken Sie den idealen Aufenthaltsort, um die Region von Marquenterre zu besichtigen. Die Atmosphäre dort ist gemütlich und gastlich. Im Restaurant kosten Sie Spezialitäten der Picardie.

ST VALÉRY SUR SOMME (80230)

Table Gastronomique

LES PILOTES ★ ★

03 22 60 80 39 - lespilotes@infonie.fr

62 Rue de la Ferté / 37 Quai Blavet - Luc DEGAGEUX - Fax : 03 22 60 72 45 - www.lespilotes.com
Fermeture : 1/12-31/01 ; lundi hors saison. - Menus : 22/75 € . Menu enfant : 9/18 € . Petit déjeuner : 8,50/10,50 € .
14 chambres : 55/95 € . Demi pension : 45/70 € . Etape VRP : 75 € - Classement : Table Gastronomique

Vue panoramique. Dans un site merveilleux dominant une baie innondée de lumière, l'hôtel Les pilotes vous offre un séjour calme et paisible. Le Chef Luc Degageux et son équipe produisent pour les deux restaurants une cuisine riche au goût et arôme dans la plus pure tradition, où les produits de la mer ont une place d'honneur. Spécialités : fruits de mer (vivier de 3000 l), grand festival de poissons (octobre et novembre), dégustation de moules. Chambres avec bain ou douche+WC+TV : Toutes. Terrasse, accès handicapés restaurant, TPS , climatisation, petit déjeuner buffet, salle restaurant de caractère, salle de séminaires, chèques vacances, animaux acceptés au restaurant

In a marvellous site with a panoramic view through a well-lit picture-window, l'Hôtel Les Pilotes offers you a calm and peaceful stay. The Chef Luc Degageux and his team propose you for the two restaurants rich cooking where seafood is in the place of honour.

Vista panorámica. En un lugar maravilloso dominando una bahía llena de luz, el hotel Les Pilotes le brinda una estancia tranquila. El jefe Luc Degageux y su equipo elaboran para los dos restaurantes una rica cocina con gusto y aroma en la más alta tradición, donde los productos del mar ocupan un sitio de honor.

Panoramablick! In wundervoller Lage, über einer Meeresbucht von Licht überflutet, erwartet Sie im Hotel Les Pilotes ein ruhiger und friedlicher Aufenthalt. Der Chefkoch Luc Degageux und sein Team bereiten für beide Restaurants eine geschmackvolle Küche voll von Aroma und nach reiner Tradition, bei der Meeresfrüchte einen Ehrenplatz einnehmen.

Sites Touristiques : Albi, Castres, Cordes-sur-Ciel, Les Bastides Albigeoises, Le Sidobre.

Saveurs de nos Terroirs : Ail Rose de Lautrec (A.O.C.), Charcuterie des Monts de Lacaune, Veau fermier du Ségala (Label Rouge), Agneau de race Lacaune, Pigeons de Lombers, Radis au foie salé, Tripes au Safran, Fabounade, Fraysinat, Petits Gris à la Tarnaise, Croquants, Navettes et Gimblettes, Janots et échaudés, Lou Tarnès, Millas.
Vignoble de Gaillac et ses 4 cépages locaux : Mauzac, Len de Lel (vins blancs secs, doux ou perlés), Duras, Baucol (vins rouges). Eau du Mont Roucous. Bière Bio La Garland.

Animations : Musée Toulouse-Lautrec à Albi, Musée Goya (Musée d'Art Hispanique) à Castres.
Juillet/Août : Fêtes du Grand Fauconnier à Cordes, Fêtes et course de l'Ail Rose de Lautrec, Fêtes des Vins de Gaillac.

COMITÉ DÉPARTEMENTAL DU TOURISME DU TARN
Moulins Albigeois B.P. 225 - 81006 - ALBI CEDEX 06 -Tél. : 05 63 77 32 10 - Fax : 05 63 77 32 32
www.tourisme-tarn.com - documentation@cdt-tarn.fr

BRASSAC (81260)

A 24 km de Castres.

Auberge du Pays

LE CAFÉ DE PARIS

05 63 74 00 31

8 Place de l'Hôtel de Ville - Jean BIRINDELLI - Fax : 05 63 73 04 47 - - Fermeture : Vendredi et dimanche soir hors saison. Menus : 11/25,15 € . Menu enfant : 6,86 € . Petit déjeuner : 6 € .11 chambres : 27/42 € . Demi pension : 41 € . Pension complète : 48 € . Etape VRP : 39 € - Classement : Auberge du Pays

Au Café de Paris, un ancien relais de poste, une famille vous accueille. Depuis 4 générations, elle gère rigoureusement cette hôtellerie de tradition. Dans cette charmante ambiance familiale, vous apprécierez le confort de chambres douillettes comme autrefois, la douceur des petits déjeuners et les saveurs de la cuisine du terroir préparée à partir des produits du marché. Rien ne viendra troubler votre tranquilité.
Spécialités : poêlée d'écrevisses à l'anis, daube de sanglier, casse museau.
Chambres avec bain ou douche+WC+TV : Toutes.
Terrasse, accès handicapés restaurant, chaînes satellites, canal+, salle restaurant de caractère, salle de séminaires, animaux acceptés à l'hôtel

In the Café de Paris, an old Post relay, a family welcomes you. Since 4 generations,she manages this hotel trade of tradition. In this charming family atmosphere, you will appreciate the comfort of cosy rooms like in the past, the softness of the breakfasts and savours of the cooking of the soil based on products of the market. Nothing will come to disturb your tranquility.

En el Café de Paris, antigua parada del correo, una familia le acoge. Desde hace 4 generaciones, ella administra rigurosamente esta hostelería tradicional. En este encantador ambiente familiar, usted apreciará la comodidad de sus habitaciones, como en otro tiempo, los desayunos calmos y los sabores de una cocina regional preparada con productos del mercado. Nada vendrá a perturbar su tranquilidad.

Im Café de Paris, einer alten Poststation, empfängt Sie die Familie, die dieses kleine, traditionsbewusste Hotel seit 4 Generationen verwaltet. Schätzen Sie charmantes Familienambiente in behaglichen Zimmern, hergerichtet in altem Stil, gemütliches Frühstück und regionale Küche, zubereitet mit Produkten frisch vom Markt. Nichts wird Ihre Ruhe stören.

CASTELNAU DE MONTMIRAL (81140)

A 10 km de Gaillac et 25 km d'Albi.

Table de Terroir

HÔTEL-RESTAURANT DES CONSULS ★ ★

05 63 33 17 44

Place de la Mairie - Geneviève AMBLARD & Paul SALVADOR - Fax : 05 63 33 61 30 - Fermeture : 1/11-31/03. Menus : 20/26 € . Menu enfant : 10 € . Petit déjeuner : 8 € .14 chambres : 50/120 € Classement : Table de Terroir

Castelnau de Montmiral est situé sur un circuit touristique très fréquenté : Le Circuit des Bastides et de plus le rayonnement du vignoble de Gaillac tout proche. Cette bastide est le reflet du terroir et du caractère tarnais auquel nous sommes attachés : tourisme vert, produits de qualités issus de notre région, accueil simple et convivial ; le luxe en quelque sorte !
Spécialités du terroir.
Chambres avec bain ou douche+WC+TV : Toutes.
Terrasse, parking privé,ascenseur, accès handicapés, salle restaurant de caractère, salle de séminaires, animaux acceptés

Castelnau de Montmirail is located on a very attended touristic tour : The Circuit of the Bastides and the very close vineyard of Gaillac. This country house is the reflection of the soil and of the character tarnais to which we are attached: green tourism, products of qualities from the region, warm and friendly welcome...

Castelnau de Montmiral está ubicado en un circuito turístico muy frecuentado : El Circuito de Bastidas, con el resplandor del viñedo de Gaillac en sus cercanías. Esta bastida es el reflejo de la región y del carácter tarnais al que estamos ligados : turismo-natura, productos locales de calidad, acogida simple y convivial, ! el lujo en cierto modo !.

Castelnau de Montmiral liegt auf einer touristischen, viel besuchten Rundfahrt: Le Circuit de Bastide und der nahegelegene Weinberg von Gaillac. Das Bauwerk spiegelt den ländlichen Charakter des Tarn wider, an dem wir alle hängen : Grüner Tourismus, Qualitätsprodukte aus der Region, einfacher, freundlicher Empfang ;

CASTRES-LES SALVAGES (81100)

A 5 km de Castres.

Table de Terroir

CAFÉ DU PONT

05 63 35 08 21

1 Avenue du Sidobre - Suzanne BONNOT - Fax : 05 63 51 09 82 - Fermeture : Février ; dimanche soir et lundi. Menus : 16/40 € . Menu enfant : 12 € . Petit déjeuner : 6,50 € . 5 chambres : 34/44 € . Classement : Table de Terroir

Sur la route du granit, Suzanne BONNOT vous accueille chaleureusement, l'été dans un restaurant entièrement ombragé, l'hiver au coin d'un feu de bois. Cuisine du marché et produits du terroir seront à l'honneur. Cuisine et spécialités en fonction du marché et des saisons.

Terrasse, jardin, accès handicapés restaurant, salle restaurant de caractère, animaux acceptés au restaurant

On the road of granite, it is either by the fire place in winter r on the shady terrace in summer that Suzanne BONNOT will welcome you and offer refined cooking made with fresh and traditional products.

Por la ruta del granito, Suzanne BONNOT le brindará una cálida acogida, durante el verano en un restaurante a la sombra y en invierno al amor de la lumbre de leña. La cocina se destaca con los productos del mercado y del huerto, siguiendo el ritmo de las estaciones.

Auf dem Weg zum Granit empfangt Sie Suzanne BONNOT ganz herzlich, im Sommer in einem schattigen Restaurant, im Winter um ein gemütliches Kaminfeuer. Die Küche mit frischen Markt- und Regionalprodukten wird den verschiedenen Jahreszeiten angepasst.

CORDES SUR CIEL (81170)

A 22 km d'Albi.

Table de Terroir

RESTAURANT LES ORMEAUX

05 63 56 19 50

3 Rue Saint Michel - Alban MARISSAL - Fax : 05 63 56 19 50 - Fermeture : Mardi.
Menus : 22,50/52 € . Menu enfant : 10 € . Petit déjeuner : 7 € . 4 chambres : 46/69 €
Classement : Table de Terroir

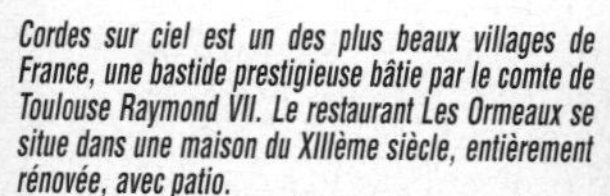

Cordes sur ciel est un des plus beaux villages de France, une bastide prestigieuse bâtie par le comte de Toulouse Raymond VII. Le restaurant Les Ormeaux se situe dans une maison du XIIIème siècle, entièrement rénovée, avec patio.
Spécialités : foie gras maison, magret de canard aux poires et framboises, coq au vin, tripes au safran, écrevisses et tagliatelles à l'armoricaine.

Accès handicapés restaurant, salle restaurant de caractère, salle de séminaires, animaux acceptés

Cordes sur Ciel is one of the most beautiful village of France, a prestigious bastide build by the count of Toulouse Raymond VII. The restaurant Les Ormeaux is situated in an house of the XIII century, renovated, with patio.

Cordes sur ciel es uno de los más bellos pueblos de Francia, una prestigiosa bastida fue construída por el conde de Toulouse Raymond VII. El restaurante Les Ormeaux es una casa del siglo XIII, con patio, totalmente renovada.

Cordes sur Ciel ist eines der schönsten Dörfer Frankreichs, eine grandiose Bastide erbaut durch den Grafen von Toulouse Raymond VII. Das Restaurant Les Ormeaux befindet sich in einem komplet renovierten Haus aus dem 13. Jh. mit Patio.

GIROUSSENS (81500)

A68 sortie N°7.

Table de Terroir

L'ECHAUGUETTE

05 63 41 63 65

Place de la Mairie - Fax : 05 63 41 63 13 - Menus : 15/43 € . Petit déjeuner : 4,50 € . chambres : 23/43 € - Classement : Table de Terroir

LACAUNE (81230)

Table Gastronomique

LE CALAS ★ ★

05 63 37 03 28 - hotelcalas@wanadoo.fr

4 Place de la Vierge - Annie et Claude CALAS - Fax : 05 63 37 09 19 - www.pageloisirs.com/calas
Fermeture : Du vendredi 16 h au samedi 16 h et dimanche soir d'octobre à mai ; 15/12-15/01. - Menus : 14/43 € . Menu enfant : 10 € .
Petit déjeuner : 4,80 € .16 chambres : 30/50 € . Demi pension : 39/50 € . Etape VRP : 44/50 € - Classement : Table Gastronomique

L'esprit de famille est, depuis 4 générations, au coeur de l'art de vivre et du bien recevoir. Dans un cadre authentique au décor convivial et charmeur, Claude CALAS vous fera découvrir une cuisine empreinte de son terroir, une cuisine du pays, les charcuteries de Lacaune, les merveilles du marché, les produits fermiers... Spécialités : crépinettes de pieds de cochons aux truffes, ragoût d'artichauds au foie gras, écrevisses en fricassée à l'ail de Lautrec et jambon de Lacaune.
Chambres avec bain ou douche+WC+TV : Toutes.
Terrasse, jardin, piscine d'été, accès handicapés restaurant, salle de séminaires, chèques vacances, animaux acceptés

The spirit of family is, since 4 generations, in the heart of the art of living and receiving. In an authentic framework with the convivial decoration, Claude Calas will make you discover a kitchen impressed of its soil, a kitchen of the country, the pork-butcheries of Lacaune, the wonders of the market, the farm products...

El espíritu familiar está representado, desde hace 4 generaciones, en el corazón del arte del buen vivir y de la buena acogida. En un ambiente auténtico con una decoración cálida y encantadora, Claude CALAS le hará descubrir una cocina que da realce a su región, una cocina del país, las charcuterías de Lacaune, las maravillas del mercado, los productos de la granja...

Der Familiengeist ist seit 4 Generationen der Mittelpunkt der Lebenskunst und Gastlichkeit. In einem authentischen Rahmen mit freundlichem und charmantem Dekor, bewirtet Sie Claude Calas mit einer von seinem Land geprägten Küche, Wurst der Lacaune, Wundervolles vom Markt, Bauernprodukte....

LACROUZETTE (81210)

A 17 km de Castres.

Auberge du Pays

L'ORÉE DES BOIS

05 63 50 64 39 - oree.des.bois@wanadoo.fr

70 Route de Vabre - Bernard GAU - Fax : 05 63 50 64 39
Fermeture : Vacances scolaires de Noël, samedi midi, dimanche soir, lundi soir sauf réservation groupe.
Menus : 11/27 € . Menu enfant : 9 € - Classement : Auberge du Pays

Situé en campagne, au calme, cet établissement vous propose un choix de menus variés à déguster, l'été sur la terrasse ombragée, l'hiver tout près de la grande cheminée.
Spécialités : ris d'agneau, gibier en saison.

Terrasse, jardin, parking privé, accès handicapés restaurant, salle restaurant de caractère, salle de séminaires, chèques vacances, animaux acceptés

Situated in countryside, in calm, this establishment offers you a large choice of varied menus, to eat, in summer on the shaded terrace.

En el campo, en un lugar tranquilo, este establecimiento le propone una elección de menús variados para saborear en la terraza sombreada durante el verano, cerca de la gran chimenea en invierno.

Auf dem Land, ruhig gelegen, bietet Ihnen dieses Haus eine Auswahl an verschiedenen Menüs, im Sommer auf der schattigen Terrasse, im Winter am großen Kamin.

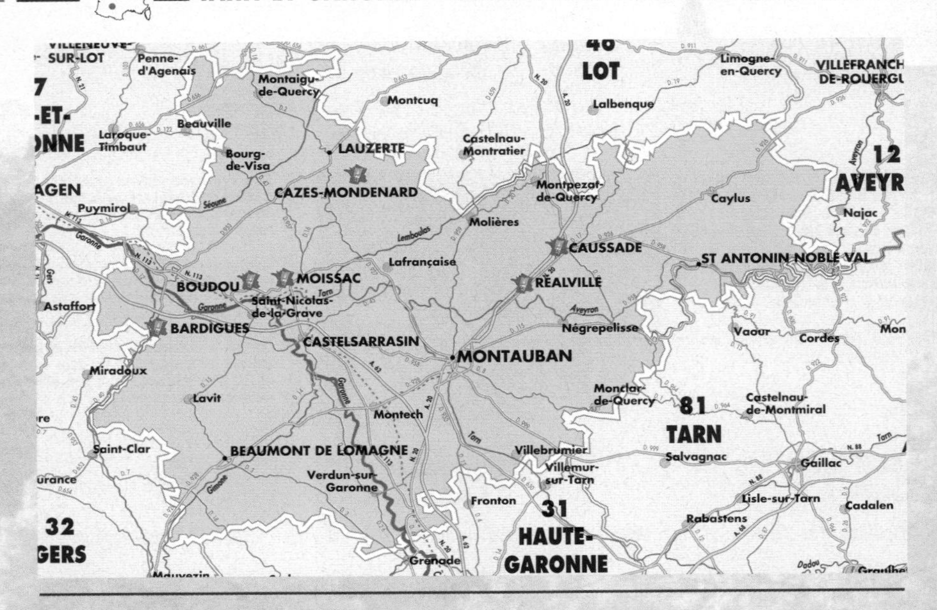

Sites Touristiques : Moissac, Montauban, Saint-Antonin-Noble-Val, Lauzerte, Beaumont-de-Lomagne, Gorges de l'Aveyron, Côteaux du Quercy, La Lomagne, Le Val de Garonne.

Saveurs de nos Terroirs : Chasselas de Moissac, Fruits (Reine-Claude, Pommes, Prunes...), Palmipèdes gras (Oie, Canard), Melons du Quercy, Truffe, Ail Blanc de Lomagne.

A.O.C. Côtes du Frontonnais, V.D.Q.S. : Côtes du Brulhois, Quercy et Lavilledieu. Vins de pays : de Saint-Sardos, des Côteaux et Terrasses de Montauban, du Comté Tolosan.

Jus et Pétillants de Fruits : Jus de Muscat, Pétillant de poires, de pommes, de muscat... Eau minérale de Saint-Antonin-Noble-Val.

Animations : Musée Ingres et Bourdelle à Montauban, Musée Marcel Lenoir à Montricoux, Conservatoire de la Ruralité et des Métiers d'Autrefois à Donzac, Maison Payrol à Bruniquel, Musée Marguerite Vidal à Moissac.

Mai : Alors Chante à Montauban.

Juillet/Août : Jazz à Montauban, Estivales du Chapeau, Cinéscénie Au Fil de L'Eau...Une Histoire, Festival du Quercy Blanc.

COMITÉ DÉPARTEMENTAL DU TOURISME DU TARN-ET-GARONNE
7 Boulevard Midi-Pyrénées B.P. 534 - 82005 - MONTAUBAN -Tél. : 05 63 21 79 09 - Fax : 05 63 66 80 36
www.tourisme82.com - cdt82@wanadoo.fr

BARDIGUES (82340)

A 9 km de Valence d'Agen.

AUBERGE DE BARDIGUES

05 63 39 05 58 - cam.ciril@free.fr

Le Bourg - Ciril SIMON - http://aubergedebardigues.free.fr - Fermeture : 1/01-28/01 ; 22/09-29/09 ; lundi.
Menus : 18/23 € . Menu enfant : 8,50 €
Classement : Table Gastronomique

Situé au calme dans un petit village pittoresque, cet établissement à l'accueil chaleureux vous propose un moment de détente, une halte gastronomique que vous apprécierez par beau temps sur sa somptueuse terrasse panoramique.
Spécialités : foie gras de canard mi-cuit, tournedos pieds de porc essence de lard, dos de sandre au beurre de mendiants, moelleux au chocolat sauce à l'orange et coriandre, tarte fine aux pommes Granny glace cannelle.

Terrasse, accès handicapés restaurant, climatisation, salle restaurant de caractère, chèques vacances, animaux acceptés au restaurant

Located in calm in a small picturesque village, this establishment with warm welcome proposes one moment of relaxation to you, a gastronomic halt which you will appreciate on good weather on its sumptuous panoramic terrace.

En la tranquilidad de un pintoresco pueblo, este establecimiento le da una acogida calurosa, le ofrece un momento de descanso y una parada gastronómica que podrá apreciar con buen tiempo en su suntuosa terraza panorámica.

Dieses Haus im Ruhigen, in einem kleinen pittoresken Ort gelegen, bietet Ihnen einen warmherzigen Empfang und Entspannung. Eine gastronomische Pause, die Sie bei schönem Wetter auf der Terrasse genießen können.

BOUDOU (82200)

A 5 km de Moissac.

AUBERGE DE LA GARONNE

05 63 04 06 82

RN 113 - Laurent COSTANTINI - Fermeture : Vacances scolaires de Toussaint et février, mercredi ; dimanche soir et mardi soir hors saison.
Menus : 13/28 € . Menu enfant : 7,50 € . Petit déjeuner : 5 € . 6 chambres : 27,50/33,50 € .
Demi-pension : 42/46 € . Etape VRP : 42/46 € - Classement : Table Gastronomique

Situé en bordure de la nationale, cet établissement au cadre champêtre bénéficie d'un point de vue agréable. Vous y serez accueilli chaleureusement pour une étape gourmande qui mettra en avant une cuisine gastronomique soignée élaborée avec les meilleurs produits.

Spécialités : filet de chapon rôti, tagliatelles de courgette à l'emmental et au melon du Quercy crème de badiane, marbré de foie gras au magret poêlé et poire caramélisée coulis de vin rouge épicé.

Chambres avec bain ou douche+WC+TV : Toutes.
Terrasse, parking privé, accès handicapés restaurant, salle de séminaires, animaux acceptés au restaurant

Located in edge of the main road, this establishment with the pastoral framework profits from a pleasant point of view. You will be accomodated there cordially for a greedy stage which will propose an elaborate neat gastronomic cooking with the best products.

Ubicado al borde de la nacional, este establecimiento en su entorno campestre posee un punto de vista agradable. Usted será acogido calurosamente, para una etapa gastrónoma que resalta una esmerada cocina elaborada con excelentes productos.

Bei der Nationalstraße, in angenehmer, ländlicher Umgebung werden Sie hier herzlich zu einer Schlemmeretappe empfangen. Kosten Sie eine gastronomische, gepflegte Küche aus besten Erzeugnissen.

CAUSSADE (82300)

A 18 km de Montauban, 38 km de Cahors.

HÔTEL-RESTAURANT LARROQUE ★ ★

05 63 65 11 77 / 05 63 26 04 21 - hotel.larroque@club-internet.fr

16 Avenue du 8 Mai - Daniel LARROQUE - Fax : 05 63 65 12 04 - http://perso-club.internet.fr/hotel.larroque
Fermeture : 21/12-15/01 ; samedi midi et dimanche soir hors saison. - Menus : 13/38 € .
Menu enfant : 8 € . Petit déjeuner : 8 € .16 chambres : 42/60 € - Classement : Table Gastronomique

Dans un cadre exceptionnel, venez découvrir cette étape de détente où 5 générations se sont succédées. De nombreuses possibilités vous seront offertes pour vos repas.
Spécialités : sandre aux 3 confits et son lard grillé, cassoulet aux petits tarbais, poule de Caussade, magret de canard aux raisins nobles et millas.

Chambres avec bain ou douche+WC+TV : Toutes.
Terrasse, jardin, garage fermé, parking privé, piscine d'été, accès handicapés restaurant, chaînes satellites, canal+, petit déjeuner buffet, salle restaurant de caractère, salle de séminaires, animaux acceptés

In an exceptional setting, come to discover this stage of relaxation where 5 generations followed one another. Many possibilities will be offered to you for your meals.

En un ambiente excepcional, haga un alto para descansar y descubra este establecimiento en donde 5 generaciones se han sucedido. El restaurante le propone numerosas posibilidades para sus almuerzos y cenas.

Entdecken Sie diese entspannungsreiche Etappe in außergewöhnlichem Rahmen. Für Ihre Mahlzeiten werden Ihnen zahlreiche Möglichkeiten geboten.

CAZES MONDENARD (82110)

A 30 km au Nord de Montauban et de Moissac.

L'ATRE ★ ★

05 63 95 81 61

Place de l'Hôtel de Ville - M. & Mme Patrick BONNANS - Fax : 05 63 95 87 22 - Fermeture : Le Lundi.
Menus : 11/32 €. Menu enfant : 6,50 €. Petit déjeuner : 4,50 €. 10 chambres : 34/54 €.
Demi pension : 31/37 €. Etape VRP : 40 € Classement : Auberge du Pays

Patrick BONNANS et son épouse vous réserveront le meilleur accueil dans leur petit hôtel de campagne, au cadre rustique avec une très belle cheminée en pierre. Vous y dégusterez une cuisine régionale raffinée.

Spécialités : foie gras poêlé au chasselas, pot au feu de canard, tarte flambée du Quercy, lotte aux morilles... Vins du Terroir.

Terrasse, garage fermé, chaînes satellites, canal+, climatisation, salle restaurant de caractère, salle de séminaires, chèques vacances, animaux acceptés

Patrick BONNANS and his wife will warmly welcome you and make you savour their specialities, in a rustic setting with its beautiful fire place. You will enjoy a regional cooking of quality.

Patrick BONNANS y su esposa le brindarán una excelente acogida en su pequeño hotel de campo, en un ambiente rústico con una bella chimenea de piedra. Usted podrá saborear una refinada cocina regional.

Patrick Bonnans und seine Frau empfangen Sie herzlich in ihrem kleinen Landhotel, in rustikalem Rahmen mit einem sehr schönen Kamin aus Stein. Kosten Sie dort eine feine regionale Küche.

MOISSAC (82200)

En bordure du Tarn avec vue sur pont Napoléon

HÔTEL RESTAURANT LE PONT NAPOLÉON ★ ★

05 63 04 01 55 - dussau.lenapoleon@wanadoo.fr

2 Allée Montébello - Michel DUSSAU - Fax : 05 63 04 34 44 - www.le-pont-napoleon.com
Fermeture : 5/01-22/01 ; dimanche, lundi midi ; lundi soir réservé aux demi pensionnaires. - Menus : 22/68 €. Menu enfant : 12 €.
Petit déjeuner : 8 €. 12 chambres : 29/54 €. Demi pension : 47,50/76 €. Etape VRP : 54 € - Classement : Table de prestige

Cet hôtel familial de charme bénéficie d'une vue panoramique sur le tarn. Derrière la façade en brique rose du pays, vous trouverez une table qui met en valeur les producteurs locaux, par des préparations simples et goûteuses, originales, gardant l'esprit des traditions.

Spécialités : foie gras de canard braisé aux fruits de Moissac, alose en civet, oeufs brouillés aux truffes.

Chambres avec bain ou douche+WC+TV : Toutes.
Garage fermé, climatisation, salle restaurant de caractère, animaux acceptés à l'hôtel

This family hotel of charm profits from a panoramic sight on the Tarn. Behind the pink brick frontage of the country, you will find a table which emphasizes the local producers, by simple preparations, original, keeping the spirit of the traditions.

Este encantador hotel familiar goza de una vista panorámica del Tarn. Detrás de su fachada en ladrillos rosa del país usted encontrará una mesa que pone en valor los productos locales, con preparaciones simples y sabrosas, originales, que conservan el espíritu de tradiciones.

Dieses familiäre Hotel de Charme, mit Panoramablick auf den Tarn, bietet Ihnen hinter einer Fassade aus den lokalen rosa Ziegeln, eine hervorragende Tafel. Bevorzugt regionale Produkte werden zu einfachen und geschmackvoll, originellen Gerichten verarbeitet, ganz im Geist der Tradition.

RÉALVILLE (82440)

A 7 km de Caussade et 15 km de Montauban.

RESTAURANT LE SAINT MARCEL

05 63 67 14 27 - saint.marcel@wanadoo.fr

Château Saint Marcel - Francis et Catherine AGUILERA - Fax : 05 63 31 03 22
Fermeture : Vacances scolaires de Toussaint et d'hiver ; dimanche soir et lundi.
Menus : 12/45 €. Menu enfant : 8 € - Classement : Table de Terroir

Dans un cadre exceptionnel, au coeur d'un grand parc arboré, cet établissement installé dans les anciennes écuries du château, vous offre une étape champêtre avec des menus où les produits du terroir sont à l'honneur. Vous y apprécierez la fraîcheur de la terrasse en été et le confort douillet de la cheminée en hiver. Parmi les spécialités, vous pourrez déguster : tourtière aux pommes et magrets fumés, feuilleté d'escargots aux cèpes, foie gras poêlé aux griottes, sans oublier les spécialités catalanes du chef : assiette de poivrons et anchois marinés, calamars farcis, crème brulée.
Terrasse, jardin, parking privé, accès handicapés restaurant, climatisation, salle restaurant de caractère, salle de séminaires, chèques vacances, animaux acceptés au restaurant, Menu Tables & Auberges de France

In an exceptional setting, in the heart of a wooded parc, this establishment installed in old stables of the castle, offers you a country stage with menus where traditional products are in honnour. You will enjoy the freshness of the terrace and in winter, the cosy comfort of the chimney.

Este establecimiento, acondicionado en las antiguas caballerizas del castillo y en el corazón de un gran parque arbolado le propone, en un ambiente excepcional, una etapa campestre con menús que resaltan los productos regionales. Usted apreciará el frescor de la terraza con buen tiempo y el confort de la chimenea en invierno.

Das Haus bietet Ihnen in den ehemaligen Pferdeställen des Schlosses eine ländliche Etappe mit Menüs aus regionalen Erzeugnissen. Außergewöhnlicher Rahmen, im Herzen einer Parks. Genießen Sie dort im Sommer die Kühle der Terrasse und im Winter den gemütlichen Kamin.

Sites Touristiques : Grand canyon du Verdon, Les Iles d'or, Abbaye du Thoronet, Couvent Royal à Saint Maximin, Circuit du Castellet, Rade de Toulon et le Mont Faron, Cité Episcopale à Fréjus, Corniche d'Or (Saint Raphaël), Parc Naturel Régional du Verdon.

Saveurs de nos Terroirs : Bouride provençale (Toulon), brouillade de truffes, tian de légumes, cade chaude (galette de pois chiche), marrons glacés de Collobrières, tarte tropézienne, huile d'olive, nougat, miel. Vins : Côtes de Provence, Bandol, Côteaux Varois, Côteaux d'Aix.

Animations : Jardin du Rayol à la Croix Valmer (Domaine du Rayol au Rayol-Canadel), Musée de l'Anonciade à Saint Tropez, Village des tortues à Gonfaron, Musée de la Mine au Pradet, Musée de la Marine à Toulon, Voiles de Saint-Tropez, la Transmed.
Fête du Millésime à Bandol. Musique en Pays de Fayence (musique de chambre). Fête des Tripettes à Barjols.

COMITÉ DÉPARTEMENTAL DU TOURISME DU VAR

Conseil Général du Var 1, Bd Foch B.P. 99 - 83003 - DRAGUIGNAN CEDEX -Tél. : 04 94 50 55 50 - Fax : 04 94 18 59 61

www.tourismvar.com - secretariat-direction@cdtvar.com

AGAY (83530)

RN 98.

HÔTEL SOL E MAR ★ ★ ★

☎ 04 94 95 25 60 - hotelsolemar@club-internet.fr

Le Dramont Saint Raphaël - Fax : 04 94 83 83 61 - Menus : 28/35 € . Menu enfant : 13 € .
50 chambres : 64/236 € - Classement : Table Gastronomique

BANDOL (83150)

A 26 km de Toulon.

L'AUBERGE DU PORT

☎ 04 94 29 42 63

9 Allée Jean Moulin - Fax : 04 94 29 44 59 - www.auberge-du-port.com - Ouvert toute l'année.
Menus : 20/40 € . Menu enfant : 13 € - Classement : Table Gastronomique

La cuisine ensoleillée et généreuse est un festival de couleurs et de senteurs qui repose sur les meilleurs produits de Provence. L'Auberge du Port fait la part belle aux produits de la Méditerranée.
Spécialités : poisson en croûte de sel, bouillabaisse, bourride.

Terrasse, accès handicapés restaurant, salle restaurant de caractère, salle de séminaires, chèques vacances

The sunny cooking is full of colours based on traditional products of Provence and Mediterranee.

La cocina soleada y copiosa es un festival de colores y olores con los mejores productos de Provenza. El Auberge du Port da una importante plaza a los productos del Mediterráneo.

Die südliche und großzügige Küche - ein Festival von Farben und Wohlgeruch, zubereitet aus den besten Erzeugnissen der Provence.

BANDOL (83150)

A 26 km de Toulon.

HÔTEL ILE ROUSSE - RESTAURANT LES OLIVIERS ★ ★ ★ ★

☎ 04 94 29 33 00 - contact@ile-rousse.com

25 Bd Louis Lumière - Fax : 04 94 29 49 49 - www.ile-rousse.com - Ouvert toute l'année. - Menus : 47/58 € . Menu enfant : 15 € .
Petit déjeuner : 18 € . 55 chambres : 112/570 € . Etape VRP : à partir de 150 € - Classement : Table Gastronomique

*A quelques pas du centre de Bandol, l'hôtel L'Ile Rousse **** bénéficie d'une implantation idyllique en bord de plage avec vue exceptionnelle sur les eaux bleues de la Baie de Rénécros et une plage de sable fin abritée. La cuisine ensoleillée et généreuse est un festival de couleurs et de senteurs qui repose sur les meilleurs produits de Provence. Spécialités : pigeonneau Lou Colombie cuit en feuilles de figuier dans sa cocotte, jus aigre doux ; canon d'agneau mariné en tapenade, infusion de girolles. Chambres avec bain ou douche+WC+TV : Toutes.Terrasse, garage fermé, parking privé, piscine d'été, ascenseur, accès handicapés restaurant, TPS, chaînes satellites, canal+, climatisation, salle restaurant de caractère, salle de séminaires, chèques vacances*

Located just a few minutes by walk from the centre of Bandol, the Hôtel Ile Rousse**** is perfectly situated right on the protecetd, fine sand beach with a magnificent view of the blue waters of Rénécros Bay. The abundant Mediterranean cooking-a profusion of colours and taste-born of the best freshest produce of Provence.

A algunos pasos del centro de Bandol, el hotel L'isle Rousse **** se encuentra en un lugar idílico al borde de una playa con arena fina y con una vista excepcional de las azules aguas de la Bahía de Rénécros. La soleada y abundante cocina es un festival de colores y olores con los mejores productos de la Provenza.

Einige Schritte vom Zentrum Bandols entfernt, profitiert das Hotel L' Ile Rousse **** von einer idyllischen Lage am Meer und einem einzigartigen Blick auf das blaue Wasser des Baie de Rénécros und den feinen Sandstrand. Die großzügige, mediterrane Küche - ein Festival von Farben und Wohlgeruch aus den besten Produkten der Provence.

BELGENTIER (83210)

A 20 km de Toulon, Hyères et Brignoles.

LE MOULIN DU GAPEAU

☎ 04 94 48 98 68 - moulin-du-gapeau@wanadoo.fr

Place Granet - Alain et Olivier MARI - Fax : 04 94 28 11 45 - Fermeture : Dimanche soir et mercredi.
Menus : 29/68 € . Menu enfant : 15 € - Classement : Table de Prestige

Au coeur de Belgentier, dans cet authentique moulin à huile du XVIIème siècle, Martine et Stéphanie MARI vous réserveront le meilleur accueil afin de vous faire découvrir la créativité de leurs époux. Les deux chefs Alain et Olivier, père et fils, revisitent une cuisine provençale avec une imagination à l'égal de leur passion. Spécialités : trilogie de foie gras de canard maison ; poêlée d'écrevisses au gingembre et à la truffe ; crapaudines de pigeonneau minute sauce salmis accompagnées d'un gratin de charlottes au thym ; selle d'agneau cuite à l'étouffée dans la feuille de figuier.
Terrasse, accès handicapés restaurant, climatisation, salle restaurant de caractère, animaux acceptés au restaurant

In the heart of Belgentier, in this authentic mill with oil of the XVIIème century, Martine and Stéphanie Mari will reserve the best welcome to you in order to make you discover the creativity of their husbands. The two Chiefs Alain and Olivier, father and son, revisit a cooking of Provence with imagination.

En el corazón de Belgentier, en este auténtico molino de aceite del siglo XVII, Martine y Stéphanie MARI le brindarán una excelente acogida y le harán descubrir su creatividad. Los dos jefes Alain y Olivier, padre e hijo presentan una cocina provenzal llena de imaginación y pasión.

Im Herzen des Belgentier begrüßen Sie Martine und Stéphanie MARI in einer Ölmühle aus dem 17. Jahrhundert. Ihre Ehemänner, die Küchenchefs Alain und Olivier, Vater und Sohn, verbinden provenzalische Küche mit ihrer kreativen Phantasie, die ihre Leidenschaft zum Kochen wiederspiegelt.

BORMES LES MIMOSAS (83230)

A 20 km de Hyères.

HÔTEL-RESTAURANT LE BELLEVUE ★ ★

04 94 71 15 15 - bellevue83@wanadoo.fr

14 Place Gambetta - Jean-Marc AUGER - Fax : 04 94 05 96 04 - www.bellevuebormes.fr.st - Fermeture : 15/11-19/01.
Menus : 14/21 €. Menu enfant : 7 €. Petit déjeuner : 6,50 €.
12 chambres : 34/45 €. Demi pension : 42 € - Classement : Auberge du Pays

Au coeur du vieux village, jolie cité médiévale (un des plus beaux villages fleuris de France), à 3 km des plages, l'hôtel Bellevue domine les iles de Porquerolles et Port Cros. Vous apprécierez sa magnifique terrasse où la brise marine viendra vous rafraîchir et vous pourrez déguster ses plats régionaux aux senteurs de Provence : filet de rascasse au poivre vert, gigotin d'agneau au four, bouillabaisse, lapin aux herbes de provence.
Chambres avec bain ou douche+WC+TV : 1-2-3-5-7-8-9-10-11-14-15.
Terrasse, accès handicapés restaurant, petit déjeuner buffet, salle restaurant de caractère, chèques vacances, animaux acceptés, Menu Tables & Auberges de France

In the heart of the old village, pretty medieval city (one of the most beautiful flowered villages of France), at 3 km of the beaches, the Bellevue hotel dominates the isles of Porquerolles and Port Cros. You will appreciate his splendid terrace where the marine breeze will come to refresh you and you will be able to taste his regional dishes with the scents of Provence

En el corazón del pueblo antiguo, bonita ciudad medieval (una de las más bellas ciudades floridas de Francia), a 3 km. de las playas, el hotel Le Bellevue domina las islas de Porquerolles y Port Cros. Usted apreciará su magnífica terraza donde la brisa marina vendrá a refrescarle y podrá saborear sus platos regionales con olores de Provence.

Im Herzen des Altorts, einer schönen mittelalterlichen Stätte (eines der schönsten, blühenden Dörfer Frankreichs), 3 km von den Stränden, liegt das Hotel Bellevue über den Insels Poquerolles und Port Cros. Sie genießen dort eine herrliche Terrasse, wo Sie die Meeresbrise erfrischt und Sie regionale Gerichte mit den Düften aus der Provence kosten können.

CAVALAIRE SUR MER (83240)

LA TABLE DES SAVEURS

04 94 64 10 31 - la-table-des-saveurs@worldonline.fr

Place du Parc - Noëline GILBERGUE - Fax : 04 94 00 40 99 - Fermeture : 20/12-1/02 ; mardi et mercredi hors saison ; le midi en semaine en saison. - Menus : 28/69 €. Menu enfant : 10 € - Classement : Table Gastronomique

Sans cesse à l'écoute de ses clients, Noëline et son équipe vous propose des produits d'une exceptionnelle fraicheur, issus de la pêche quotidienne de Tony, sur le port de Cavalaire ; des produits de la région de qualité mis en valeur avec en prime le savoir-faire du chef, le tout avec le respect d'une addition trés étudiée et raisonnable. Spécialités : croustillant de filet de rougets, farce d'épinard et tapenade sur coulis de tomate au pistou, pompon de verdure ; pièce de boeuf aux girolles et échalotes confites, rattes sautées aux truffes ; terrine d'agrumes et granité de menthe, biscuit sablé ; millefeuille de tuile cannelle vanillée, compotée de pomme et poire caramélisée en crumble.
Terrasse

Unceasingly watching for its customers, Noëline and her team offers you products of exceptional freshness, resulting from the daily fishing of Tony, on the harbour of Cavalaire; regional products of quality emphasized with the know-how of the Chief , the whole with respect of the studied and very reasonable addition.

Sin cesar de escuchar sus clientes, Noëline y su equipo le proponen productos de una frescura excepcional, procedentes de la pesca cotidiana de Tony, en el puerto de Cavalaire ; productos de calidad de la región puestos en valor por la buena mano del jefe, todo con el respecto de una adición muy estudiada y razonable.

Noëline und sein Team befriedigen ohne Unterlass die Erwartungen ihrer Kunden mit außerordentlich frischen Produkten von Tonys täglichem Fischfang im Hafen von Cavalaire. Regionale Produkte von Qualität, das Können des Küchenchefs und eine annehmbare, knapp kalkulierte Rechnung.

FAYENCE (83440)

A 35 km de Cannes.

LE CASTELLARAS

04 94 76 13 80

Route de Seillans - Fax : 04 94 84 17 50 - Menus : 43/58 €. Carte : 75 € - Classement : Table de Prestige

GIENS (83400)

A 12 km de Hyères.

HÔTEL PROVENÇAL ★ ★ ★

04 98 04 54 54 - leprovencal@wanadoo.fr

Place Saint Pierre - Fax : 04 98 04 54 50 - www.provencalhotel.com - Fermeture : 1/01-2/04 ; 25/10-31/12.
Menus : 26/50 €. Menu enfant : 13 €. Petit déjeuner : 13 €. 41 chambres : 80/140 €.
Demi pension : 80/120 €. Etape VRP : 80/110 € - Classement : Table Gastronomique

Situé dans le centre du village avec vue panoramique sur les iles de Hyères cet établissement de charme bénéficie d'un grand parc au milieu des pins face au grand large. Le restaurant, avec terrasse panoramique, vous propose de découvrir une cuisine du sud faite avec les meilleurs produits du marché, et le superbe buffet de pâtisseries. Spécialités : soupe de poissons, rouille et croutons ; selle d'agneau piquée au thym ; crêpes soufflées. Chambres avec bain ou douche+WC+TV : Toutes. Terrasse, jardin, parking privé, piscine d'été, tennis, ascenseur, chaînes satellites, canal+, petit déjeuner buffet, salle restaurant de caractère, salle de séminaires, chèques vacances, animaux acceptés

Located in the center of the village with panoramic sight on the islands of Hyères this establishment of charm profits from a large park in the medium of the pines facing large broad. The restaurant, with panoramic terrace, proposes you to discover a cooking of the south made with best market products , and the superb dresser of pastry makings.

En el centro del pueblo, con vista panorámica a las islas Hyères, este encantador establecimiento beneficia de un gran parque en medio de pinos, frente al mar. El restaurante, con terraza panorámica, le propone descubrir una cocina del sur hecha con los mejores productos del mercado y saborear su excelente repostería.

Mitten im Dorf mit Panoramablick auf die Inseln von Hyères liegt dieses reizvolle Haus in einem großen Park inmitten von Pinien gleich am Meer. Das Restaurant mit Panoramaterrasse bietet Ihnen eine südliche Küche aus besten Marktprodukten und ein hervorragendes Kuchenbüffet.

GRIMAUD (83310)

A 10 km de Saint Tropez.

LES SANTONS

04 94 43 21 02 - lessantons@wanadoo.fr

RD 558 - Fax : 04 94 43 24 92 - Menus : 33/67,50 € . Menu enfant : 18 € .
Classement : Table de Prestige

LA CADIÈRE D'AZUR (83740)

HOSTELLERIE BÉRARD ★ ★ ★

04 94 90 11 43 - berard@hotel-berard.com

Rue Gabriel Péri - Danièle & René BÉRARD - Fax : 04 94 90 01 94 - www.hotel-berard.com
Fermeture : 7/01-10/02 ; samedi midi et lundi midi (restaurant). - Menus 42/102 € . Menu enfant : 20 € . Petit déjeuner : 17,50 € .
45 chambres : 89/242 € . Demi pension : 104/181 € - Classement : Table de Prestige

Aménagées dans un couvent du XIème siècle, 45 chambres belles à vivre s'offrent à vous, de même une salle à manger s'ouvrant sur les vignobles de Bandol vous réservera les spécialités de sa région. Toute la Provence est à votre table. Spécialiés : oursin de pays en fine gelée de homard, araignée de mer en mousseline de fenouil sur lit d'algues ; filet de boeuf au mourvèdre, sa fondue d'échalotes et quelques légumes mijotés ; rouget aux trois saveurs, jus de la mer ; parfait au grand marnier comme un calisson à la crème d'amandes. Chambres avec bain ou douche+WC+TV : Toutes.
Terrasse, jardin, garage fermé, parking privé, piscine d'été, accès handicapés restaurant, chaînes satellites, canal+, climatisation, petit déjeuner buffet, salle de séminaires

Arranged in a convent of XIème century, the Hostellerie Bérard offers you 45 rooms beautiful to live, in the same way a dining room opens on the vineyards of Bandol will reserve you regional specialities. All Provence is on your table.

Acondicionado en un convento del siglo XI, 45 bellas habitaciones le aguardan, como también un comedor que da a los viñedos de Bandol con especialidades regionales. Toda la Provenza en su mesa.

In einem Kloster aus dem 11. Jh eingerichtet, erwarten Sie 45 schöne Zimmer und ein Speisesaal, der sich zu den Weinbergen von Bandol öffnet. Kosten Sie die Spezialitäten der Region, die ganze Provence ist zu Tisch.

LA CELLE (83170)

HOSTELLERIE DE L'ABBAYE DE LA CELLE

04 98 05 14 14 - contact@abbaye-celle.com

Place du Général de Gaulle - Fax : 04 98 05 14 15 - Menus : 40/74 € . Petit déjeuner : 15 € .
10 chambres : 205/330 € - Classement : Table de Prestige

LE LAVANDOU (83980)

A 35 km de Hyères et St Tropez.

RESTAURANT LE SUD

04 94 05 76 98

Aiguebelle - Menus : 59 € . Menu enfant : 20 € .
Classement : Table de Prestige

LE LUC EN PROVENCE (83340)

A 30 km de Draguignan, 20 km de Brignoles.

Table Gastronomique

LE GOURMANDIN

04 94 60 85 92 - gourmandin@wanadoo.fr

8 Place Louis Brunet - Patrick & Uta SCHWARTZ - Fax : 04 94 47 91 10
Fermeture : 20/08-20/09 ; 20/02-10/03 ; dimanche soir, lundi et jeudi soir.
Menus : 22/45 € . Menu enfant : 10,67 € - Classement : Table Gastronomique

Ancienne auberge du XIXème siècle entièrement rénovée, construite sur un cours d'eau (Le Coudonnier), sur une place ombragée à 50 mètres du château de Vintimilles, avec cheminée, table ronde et véranda climatisée.
Spécialités : fleurs de courgettes farcies, mousse de rascasse coulis d'étrille, carré d'agneau en croûte de tapenade, croustillant au miel et fruits rouges, gratin de fruits rouges au coulis d'abricot... Vins du terroir.

Accès handicapés restaurant, climatisation, salle restaurant de caractère, animaux acceptés au restaurant

Ancient inn of the XIXth century completly renovated, and built in the course of a river (Le Coudonnier), in a shaded place at 50m of the Vintimilles 's castle with a fireplace, round table and air-condition veranda.

Esta antigua posada del siglo XIX totalmente renovada, construída a orillas de un río (el Coudonnier), en una plaza sombreada a 50 m del castillo de Vintimilles, con su chimenea, su mesa redonda y su veranda climatizada, le hará descubrir sus especialidades. Vinos de la región.

Altes Gasthaus aus dem 19. Jh. komplett renoviert, auf einem Wasserlauf gebaut (Le Coudonnier), mit Kamin, rundem Tisch und klimatisierter Veranda.

LE PRADET (83220)

A 12 km de Toulon et de Hyères.

Table Gastronomique

LA CHANTERELLE

04 94 08 52 60

Le Port des Oursinières - Didier PERROT - Fermeture : 1/01-28/02 ; lundi de septembre à Pâques.
Menus : 32/42 € . Menu enfant : 15 € .
Classement : Table Gastronomique

Venez découvrir le cadre paisible de ce restaurant gastronomique au décor intérieur tout en bois sculpté du Tyrol et qui dispose d'un ravissant jardin fleuri où coule une fontaine et où vous apprécierez les mets à base de produits frais servis sur une jolie terrasse ombragée.

Spécialités : fricassée de queues de gambas au caramel de framboise, mérou grillé aux effluves de Provence, filet de canette en croûte d'épices douces, foie gras frais maison. Réservation conseillée.

Terrasse, jardin, parking privé, accès handicapés restaurant, salle restaurant de caractère, salle de séminaires, animaux acceptés au restaurant

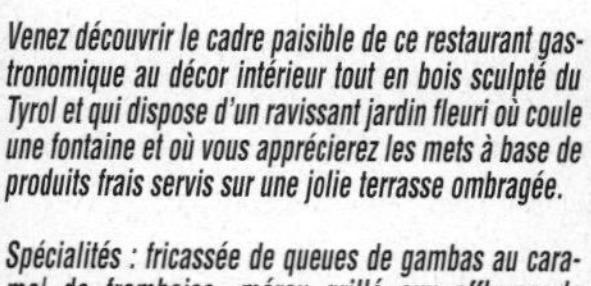

Come to discover the calm setting of this gourmet restaurant with the interior decoration of wooden sculpted of the Tyrol and which lays out a flowered garden where runs a fountain and where you will appreciate the mets containing fresh products served on a pretty shaded terrace.

Venga a descubrir el ambiente tranquilo de este restaurante gastronómico, con su interior todo esculpido en madera y su encantador jardín florido donde fluye una fuente. Usted apreciará los platos a base de productos frescos, servidos en una bonita terraza sombreada. Se aconseja reservar.

Entdecken Sie den friedlichen Rahmen dieses Restaurants mit geschnitzter Innenausstattung und einem entzückenden blühenden Garten mit Springbrunnen, wo Sie im Sommer auf der überdachten Terrasse die Gerichte aus Frischprodukten genießen können.

LE PRADET (83220)

A 10 km de Toulon.

L'ESCAPADE ★ ★ ★

04 94 08 39 39 - info@hotel-escapade.com

Les Oursinières B.P. 59 - Robert BECKMANN - Fax : 04 94 08 31 30 - www.hotel-escapade.com
Fermeture : Janvier, février. Petit déjeuner : 13 € . 14 chambres : 115/215 €

Situé entre Toulon (TGV) et Hyères (aéroport), notre établissement vous offre un cadre agréable et reposant, à 100 mètres de la mer avec possibilité de nombreuses excursions : rade de Toulon, mine de cuivre, les îles d'or.

Chambres avec bain ou douche+WC+TV : Toutes.
Terrasse, jardin, garage fermé, parking privé, piscine d'été

Situated between Toulon (TGV) and Hyères (airport), our establishment offers a pleasant and resting framework to you, with 100 meters of the sea with possibility of many excursions: split of Toulon, mines of copper, the islands of gold.

Entre Toulon (TGV) e Hyères (aeropuerto), nuestro establecimiento le ofrece un ambiente agradable y tranquilo, a 100 m del mar, con posibilidades de realizar numerosas excursiones : rada de Toulon, minas de cobre, las islas del oro.

Zwischen Toulon (TGV) und Hyères (aéroport), bietet Ihnen unser Haus einen angenehmen und erholsamen Rahmen, 100 Meter vom Meer mit zahlreichen Ausflugsmöglichkeiten.

LES ARCS SUR ARGENS (83460)

A 12 km de Draguignan.

LE LOGIS DU GUETTEUR ★ ★ ★

04 94 99 51 10

Place du Château - Max CALLEGARI - Fax : 04 94 99 51 29 - www.logisduguetteur.com
Menus : 29/48 € . Menu enfant : 9 € . Petit déjeuner : 11 € .13 chambres : 108/191 € .
Classement : Table Gastronomique

Ce château-fort du XIeme siècle, entièrement rénové a conservé tout le charme de son caractère originel. Accueil, décontraction, quiétude... un lieu enchanteur pour vivre autrement. Une cuisine raffinée, conçue avec le plus grand soin vous sera proposée.
Spécialités : chausson de truffes, poissons et crustacés du vivier, gibier et champignons en saison.

Chambres avec bain ou douche+WC+TV : Toutes.
Terrasse, jardin, parking privé, piscine d'été, chaînes satellites, climatisation, salle restaurant de caractère, salle de séminaires

This castle of the XIth century, fully renavated has conserved all the charm of its original character. Welcome, coolness, tranquility... an enchantor place to live differently. A refined cooking, made with the greatest care will be proposed to you.

Este castillo del siglo XI, totalmente renovado ha conservado todo el encanto de su carácter original. Acogida, relajamiento, tranquilidad... un encantador lugar para vivir de otro modo. Usted descubrirá una cocina esmerada y refinada.

Dieses Schloss aus dem 11. Jh., komplett renoviert, hat seinen ursprünglichen Charme und Charakter bewahrt. Empfang, Gelassenheit und Ruhe....ein bezaubernder Ort, wo man anders lebt. Sie kosten eine feine, mit Sorgfalt zubereitete Küche.

LES ISSAMBRES (83380)

A 20 km de St Raphaël et 5 km de Ste Maxime.

RESTAURANT LA RÉSERVE

04 94 96 90 41 - reserverestaurant@club-internet.fr

RN98 - Fax : 04 94 96 96 11 - Menus : 27/37 € . Menu enfant : 13 €
Classement : Table Gastronomique

LES ISSAMBRES (83380)

A 8 km de Ste Maxime et 18 km de St Tropez.

LES BASTIDES ★ ★

04 94 96 90 62

RN 98 - François GILLOZ-CARRU - Fax : 04 94 49 46 12 - Fermeture : Dimanche soir et mercredi hors saison (restaurant).
Menus : 23/32 € . Menu enfant : 10 € . 15 chambres : 58/85 € petit déjeuner inclus.
Demi pension : 104/131 € . Etape VRP : 65 € - Classement : Table de Terroir

Sur la Côte d'Azur, face à la mer, l'hôtel Les Bastides vous réserve un accueil chaleureux et vous invite à déguster sa cuisine raffinée, avec ses spécialités de poissons frais.
Spécialités : rillettes de tourteau au coulis de tomate ; saumon fumé par mes soins au bois d'olivier ; magret de canard à la confiture d'oignons et miel ; gambas rôties au pastis ; loup grillé niçoise, crêpe au citron vert coulis de mangue.

Terrasse, jardin, parking privé, accès handicapés, chaînes satellites, salle restaurant de caractère, chèques vacances, animaux acceptés à l'hôtel

On the Azur Coast , in front of the sea, the hotel Les Bastides reserves a cordial reception to you and invites you to taste his refined kitchen, with its fresh fishes specialities.

En la Côte d'Azur, frente al mar, el hotel Les Bastides le brinda una calurosa acogida y le invita a saborear su delicada cocina, con sus especialidades en pescados frescos.

An der Côte d'Azur, mit Blick aufs Meer, werden Sie im Hotel Les Bastides herzlich empfangen. Sie kosten dort eine feine Küche mit seinen Spezialitäten aus frischem Meeresfisch.

MONTAUROUX (83440)

AUBERGE DES FONTAINES D'ARAGON

04 94 47 71 65 - ericmaio@club-internet.fr

Quartier Narbonne - Fax : 04 94 47 71 65 - Menus : 37/90 € . Menu enfant : 20 € . Réservation conseillée.
Classement : Table Gastronomique

PORT GRIMAUD (83310)

A 8 km de Saint Tropez.

Table de Terroir

LA TABLE DU MAREYEUR

04 94 56 06 77 - info@mareyeur.com

10/11 Place des Artisans - Ewan & Caroline SCUTCHER - Fax : 04 94 56 40 75 - www.mareyeur.com
Fermeture : 15/11-15/12 ; 15/01-15/03 ; lundi ; mercredi et samedi midi en saison.
Menus : 25/45 € . Menu enfant : 8 € - Classement : Table de Terroir

Port Grimaud, cité lacustre unique au monde classée patrimoine du 20ème siècle. Notre terrasse au bord de l'eau, au coeur du village accueille une clientèle internationale et cosmopolite-amateurs de poissons et fruits de mer. Nous proposons également notre service de livraison à domicile (gratuit dans tout le golfe de Saint Tropez).
Spécialités : plateaux de fruits de mer, tartare de thon frais, assiette de saveurs provençales, médaillons de lotte en barigoule de violets, bourride de poissons blancs à notre façon.

Terrasse, accès handicapés restaurant, salle de séminaires, animaux acceptés au restaurant

Port Grimaud, city lake unic in the world is classifyed inheritance of the 20th century. Our terrace at the edge of water, in the heart of the village accomodates an international clientele and cosmopolitan lovers of fish and seafood. We propose our service of delivery at home (free in all the gulf of Tropez Saint).

Port Grimaud, ciudad lacustre única en el mundo declarada patrimonio del siglo XX. Nuestra terraza a orillas del agua, en el corazón del pueblo acoge una clientela internacional y cosmopolita aficionada a los pescados y mariscos. También proponemos nuestro servicio a domicilio (gratuito en todo el golfo de Saint Tropez).

Port Grimaud, eine See-Stätte einzigartig in der Welt ist Kulturerbe des 20. Jahrhunderts. Unsere Terrasse am Seeufer mitten im Dorf, empfängt internationale Gäste und kosmopolitische Anhänger von Fisch und Meeresfrüchten. Wir bieten auch Hausanlieferung (im Golf von St Tropez kostenlos).

SIX FOURS (83140)

A 6 km de Toulon, A50 et D559.

Table Gastronomique

AUBERGE SAINT VINCENT

04 94 25 70 50 - contact@auberge-saint-vincent.com

Carrefour Major F.L. Robinson - Corine et Laurent SCIRÉ - Fax : 04 94 07 43 76 - www.auberge-saint-vincent.com
Fermeture : Dimanche soir, lundi (hors juillet/août).
Menus : 24/47 € . Menu enfant : 10 € - Classement : Table Gastronomique

Située en centre ville, cette maison fondée il y a 25 ans vous attend. Découvrez à travers la variété de nos recettes, la manière la plus savoureuse de partager le meilleur de nos terroirs, au fil des saisons. Vous serez servi soit en terrasse (ombragée), soit dans une salle au ton provençal. Nous vous proposons : plateaux de coquillages, fricassée de homard et saint jacques, blanc de turbot aux palourdes gratinées poulpes et seiches, filet de loup aux salicornes et pleurotes, foie gras, gibier en saison et bien d'autres recettes à découvrir.
Terrasse, parking privé, accès handicapés restaurant, climatisation, salle de séminaires, chèques vacances, animaux acceptés au restaurant

Situated in centre town, this house founded 25 years ago awaits you. Discover our varied receipts of traditional products. You will be served either in terrace (shaded) or in a provençal room.

Situada en el centro de la ciudad, esta casa fundada hace 25 años le espera. Descubra a través de nuestras variadas recetas, la manera más sabrosa de compartir lo mejor de nuestra región, según la estación. Usted podrá saborear nuestras especialidades en la terraza (sombreada), o en la sala de estilo provenzal.

Entdecken Sie anhand der Vielfalt unserer Rezepte, die geschmackvollste Art das Beste vom Land 4 Jahreszeiten hindurch zu teilen.

La Reconnaissance Professionnelle

ST CYR SUR MER (83270)

Entre Bandol et Cassis.

GRAND HÔTEL DES LECQUES-RESTAURANT LE PARC ★ ★ ★

04 94 26 23 01 - info@lecques-hotel.com

24 Avenue du Port - Jean-Pierre VITRE - Fax : 04 94 26 10 22 - www.lecques-hotel.com - Fermeture : 5/11-22/03.
Menus : 28,50/60 € . Menu enfant : 12 € . Petit déjeuner : 14 € . 60 chambres : 89/127 € - Classement : Table Gastronomique

*Surplombant la méditerranée, dans un parc fleuri et boisé de 3 ha, à 100 m des plages de sable fin, au milieu des Lecques, Le Grand Hôtel*** établissement de charme et de caractère et son restaurant Le Parc, bénéficient d'une situation privilégiée. Venez découvrir la gastronomie provençale du terroir que vous offre notre restaurant. Sa cuisine est variée, raffinée et renouvelée suivant les saisons. Un service de qualité vous sera servi midi et soir dans un cadre d'exception. Une restauration sous forme de buffet-grill vous est proposée aux abords de la piscine de juin à septembre et le week-end hors saison. Spécialités : rillettes de tourteaux en papillote de choux et fumet de crustacés, filet de canette poché et son escalopine de foie gras poêlé, croustillant de mandarine au citron et olive de Nyons. Chambres avec bain ou douche+WC+TV : Toutes.Terrasse, jardin, parking privé, piscine d'été, tennis, ascenseur, accès handicapés, chaînes satellites, petit déjeuner buffet, salle de séminaires, animaux acceptés*

Overhanging the Mediterranée, in a flowered and timbered park of 3 ha, at 100 m of the fine sandy beaches, in the middle of Lecques, the Grand Hôtel *** , establishment of charm and character and its restaurant the Park, has a privileged situation. Come to discover the traditional gastronomy of Provence which our restaurant offers you. Its kitchen is varied, refined and renewed according to the seasons. A service of quality will be served midday and evening in an exceptional setting. A restoration in the form of dresser-grill is proposed to you near the swimming pool from June to September and the weekend except season

Dominando el Mediterráneo, en un parque florido y arbolado de 3 ha, a 100 m de playas de arena fina, en medio de Lecques, el encantador y original establecimiento Le Grand Hôtel *** y su restaurante gozan de una situación privilegiada. Venga a descubrir la gastronomía provenzal de la región, con su cocina variada y fina que se renueva según las estaciones. Servicio de calidad al mediodía y a la noche. Restauración tipo buffet-grill a orillas de la piscina de junio a septiembre y el fin de semana fuera de temporada.

Über dem Mittelmeer, in einem schönen 3ha großen Park, 100m von feinen Sandstränden entfernt, mitten in den Lecques besitzt das charmante Grand Hotel und sein Restaurant eine einzigartige Lage. Entdecken Sie die provenzalische Gastronomie. Die Küche ist vielseitig, raffiniert und saisonabhängig. Eine qualitätsvolle Bedienung wird Ihnen Mittag- und Abendessen in einem außergewöhnlichem Rahmen servieren. Eine Restauration in Form eines Grillbüffets wird Ihnen von Juni bis September und Wochenenden außerhalb der Saison am Schwimmbad angeboten.

ST RAPHAËL (83700)

RESTAURANT L'OULIVO

04 94 82 87 26

1620 RN 98 Camp Long - Laura & Patrick LABLANCHE - Fax : 04 94 82 87 63 - Fermeture : 12/11-4/12 ; mardi.
Menus : 16/32 € . Menu enfant : 10 € .
Classement : Auberge du Pays

Au coeur du massif de l'Estérel, adossé à la colline, à 100 m de la plage de Camp Long, vous découvrirez ici une cuisine provençale et traditionnelle.
Spécialités : terrine d'aubergine aux poivrons rouges, daube provençale, tarte à la courge.

Terrasse, chèques vacances, animaux acceptés au restaurant

In the heart of the Massif of the Esterel, lean with the hill, at 100m of the beach of Camp Long, you will discover a traditional cooking.

En el corazón del Macizo del Estérel, adosada a la colina, a 100 m de la playa de Camp Long, usted descubrirá aquí una cocina provenzal y tradicional.

Im Herzen des Esterel Massifs, an einen Hügel angelehnt, 100m vom Strand Camp Long, entdecken Sie eine traditionelle Küche aus der Provence.

ST RAPHAEL (83700)

L'ARISTOCLOCHE

✆ 04 94 95 28 36

15 Boulevard Saint Sébastien - Jean-Pierre RIGOLAT - Fermeture : Dimanche et lundi.

Plat du jour à 11,43 € et carte à 33,54 €.

Classement : Auberge du Pays

Vous serez surpris par le côté charmant et provençal de ce petit restaurant au centre ville où Dominique et Jean-Pierre vous réservent un accueil chaleureux, sur fond de musique classique et vous proposent leur pain maison, leurs confitures insolites, leurs produits du terroir.
Spécialités : daube de poulpe, pied paquets, chèvre au miel et huile d'olive, sorbet au basilic.

Climatisation, animaux acceptés

You will be surprised by the side charming and of Provence of this small restaurant in the centre town where Dominique and Jean-Pierre reserve you a cordial welcome, on bottom of classical music and propose to you their bread house, their strange jams, their products of the soil.

El aspecto encantador y provenzal de este pequeño restaurante ubicado en el centro de la ciudad le sorprenderá. Dominique y Jean-Pierre le brindarán una calurosa acogida, con un ambiente musical clásico y le harán descubrir su pan casero, sus insólitas mermeladas, sus productos regionales.

Sie werden erstaunt sein von dem charmanten, provenzalischen Restaurant im Stadtzentrum, wo Sie Dominique und Jean-Pierre herzlich empfangen mit klassischer Hintergrundmusik. Kosten Sie dort das hausgemachte Brot, ihre ungewöhnlichen Konfitüren und die Landprodukte.

ST TROPEZ (83990)

LEI MOUSCARDINS

✆ 04 94 97 29 00 - info@leimouscardins.com

Tour du Portalet - Laurent TARRIDEC - Fax : 04 94 97 76 39 - Fermeture : 1/11-31/01 ; mardi.

Menus : 70/90 €. Menu enfant : 30 €

Classement : Table de Prestige

Venez découvrir ce lieu unique et privilégié qui surplombe avec une vue à 180° le Golfe de Saint Tropez. Laurent TARRIDEC propose une cuisine contemporaine aux goûts du sud.
Spécialités : tomate grappe/mozzarella, grosses câpres, céviche de thon à l'avocat ; tronçon de saint pierre grillé, bolognaise de maquereau, rissole d'anchois, celeri/rave et feuilles ; carré de cochon fermier pompom, tartine de graisse salée.
Climatisation

Come to discover this single and privileged place which overhangs with a sight of 180° the Gulf of Saint Tropez. Laurent TARRIDEC proposes a contemporary cooking with the tastes of the south.

Venga a descubrir este lugar único y privilegiado que domina con una vista a 180° el Goldo de Saint Tropez. Laurent TARRIDEC propone una cocina moderna con los sabores del sur.

Entdecken Sie diesen einzigartigen, herausragenden Ort, mit einem Blick von 180° auf den Golf von Saint Tropez. Laurent Tarridec bietet Ihnen eine zeitgenössische Küche mit dem Geschmack des Südens.

ST ZACHARIE (83640)

A 35 km de Marseille et 37 km d'Aix en Provence.

RESTAURANT URBAIN DUBOIS

✆ 04 42 72 94 28 - urbain-dubois@wanadoo.fr

RN 560 La Petite Foux - Catherine et Patrice NOEL - Fax : 04 42 72 94 28 - www.urbaindubois.fr.fm

Fermeture : Du dimanche soir au mardi soir sauf jours fériés. - Menus : 20/131 €. Carte : 36 € et 49 €. Menu enfant : 12 €.

Classement : Table Gastronomique

Situé au bord de l'Huveaune, au pied du Massif Aurélien, cet établissement de caractère vous invite à découvrir sa cuisine gastronomique. Vous dégusterez les spécialités du chef dans une salle chaleureuse l'hiver ; et l'été sur la terrasse ombragée.
Spécialités : pyramide de homard en gelée et bohémienne de légumes, pigeon rôti de Pornic à la fleur de sel, moelleux d'endives aux noisettes torréfiées et jus perlé, feuilletine d'aubergines sur mousseline de chocolat au lait et banane rôtie.

Terrasse, parking privé, salle restaurant de caractère, animaux acceptés au restaurant

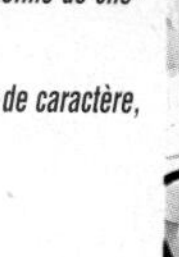

Located at the edge of the Huveaune, at the foot of the Aurélien mass, this establishment of character invites you to discover its gastronomic kitchen. You will taste the specialities of the Chief in a cordial room in winter; and on the shaded terrace in summer.

Ubicado a orillas del Huveaune, al pie del Massif Aurélien, este típico establecimiento le invita a descubrir su cocina gastronómica. Usted podrá saborear las especialidades del jefe en una cálida sala, en invierno y en la terraza sombreada, en verano.

Am Ufer des Huveaune und am Fuß des Aurélien Massifs, lädt Sie dieses charaktervolle Haus ein, seine gastronomische Küche zu entdecken. Sie kosten die Spezialitäten des Chefkochs in einem gastlichen Saal im Winter, im Sommer auf einer schattigen Terrasse.

TOULON (83000)

LES PINS PENCHÉS

04 94 27 98 98

Château La Clapière Av de la Résistance Le Cap Brun - Stéphane LELIÈVRE - www.restaurant-pins-penches.com

Fermeture : Dimanche soir, lundi, mardi midi. - Menus carte : 43 € . Menu enfant : 13 € - Classement : Table de Prestige

Le mariage de l'azur de notre Provence et de l'or de notre huile d'olive amènera dans votre assiette comme un rayon de soleil. Pour préserver l'authenticité des vrais produits, d'autres passionnés, fidèles du terroir, perpétuent le savoir-faire ancestral. Ainsi, la remontée des filets, les cueillettes du jour vous rappelleront, à notre table, les beaux produits. Comme avant... Spécialités : oursins du pays soufflés, oeuf de caille cocote, fine crème de ciboulette ; râble de lapin farci aux pitcholines et tomates confites, jus court au thym et polenta crémeuse ; millefeuille minute au whisky pur malt, petit irish coffee.
Terrasse, jardin, parking privé, accès handicapés restaurant, climatisation, salle restaurant de caractère, salle de séminaires, chèques vacances, animaux acceptés au restaurant

The combination of blues from our Provence with the gold of our olive oil gleams like a sunny day in your plate. Other passionate lovers of this beautiful region work to preserve the authenticity of genuine products and the skills handed down through the generations. Pulling in the nets, gathering the fruit and vegetables to provide sumptuous products for you at our table. The same as they have always been...

La combinación del azul de nuestra Provenza con el oro de nuestro aceite de oliva, traerá a su plato un rayo de sol. Otros apasionados, fieles al terruño, perpetúan la buena mano ancestral para preservar la autenticidad de los productos. Así, la subida de redes, las recolecciones del día evocarán los buenos productos de nuestra mesa. Como antes...

Das Azurblau unserer Provence zusammen mit dem Goldgelb des Olivenöls, ist wie ein Sonnenstrahl in Ihrem Teller. Um die Echtheit der wahren Produkte zu schützen, überliefern andere, dem Land verbundene Anhänger, das angestammte Wissen. Das Einholen der Netze, das tägliche Pflücken, so kommen die herrlichen Erzeugnisse auf Ihren Tisch. Wie früher...

TOURTOUR (83690)

A 20 km de Draguignan.

AUBERGE SAINT PIERRE ★ ★ ★

04 94 70 57 17 - aubergestpierre@wanadoo.fr

Route d'Ampus - M. & Mme MARCELLIN René - Fax : 04 94 70 59 04 - http://www.guideprovence.com/hotel/saint-pierre

Fermeture : 17/10-1/04 ; mercredi (restaurant) - Menus : 23/34 € . Menu enfant : 12,50 € . Petit déjeuner : 8,50 € .
16 chambres : 70,50/91 € . Demi pension : 66,50/77 € - Classement : Table de Terroir

Dans le cadre authentique d'une demeure du XVIème siècle sur un domaine de 90 ha calme et verdoyant, une famille du terroir vous accueille pour des séjours revitalisants ou reposants (salle de remise en forme, tir à l'arc, VTT, piscine, tennis, pêche...). Le Chef de cuisine, disciple d'Auguste Escoffier propose une cuisine où les produits de la ferme tiennent une place de choix.

Spécialités : brouillade aux truffes noires, roulade de volaille au chèvre et basilic, comte de Provence (spécialité à la figue).
Terrasse, jardin, parking privé, piscine d'été, tennis, petit déjeuner buffet, salle restaurant de caractère, animaux acceptés

In an authentic house of the XVI th Century in a green and calm estate of 90 acres, a traditional family is welcoming you for a revitalizing and relaxing. The Chef, disciple of Auguste Escoffier is offering a cooking made with traditional products.

En el ambiente auténtico de una residencia del siglo XVI, en el verdor y la calma de una hacienda de 90 ha, una familia del terruño le acoge para pasar temporadas llenas de vitalidad o descansadas (sala para estar en forma, tiro con arco, BTT, piscina, tenis, pesca..). El Jefe de cocina, discípulo de Auguste Escoffier, brinda una cocina donde los productos de la granja ocupan un lugar de preferencia.

In dem authentischem Rahmen des Hauses aus dem 16. Jh. auf einem ruhigen und blühenden Gut von 90 Ha, empfängt Sie eine einheimische Familie zu einem kräftigenden oder erholsamen Aufenthalt. Der Küchenchef, Schüler von Auguste Escoffier, bietet eine Küche aus ausgesuchten Bauernprodukten.

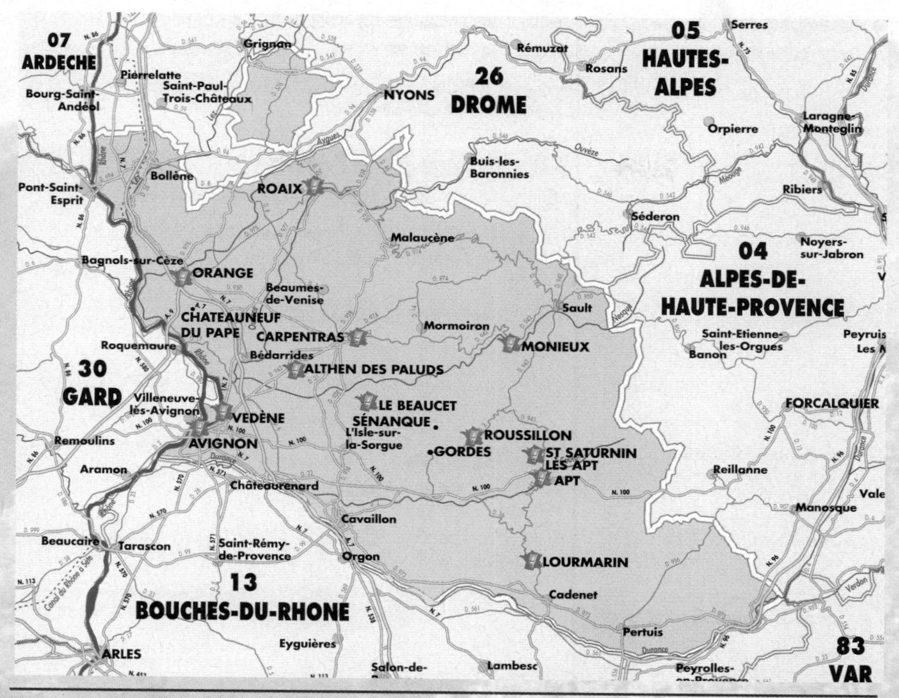

Sites Touristiques : Palais des Papes d'Avignon, Théatre Antique d'Orange, Abbaye de Sénanque, Fontaine de Vaucluse, Mont Ventoux, Luberon, Isle sur la Sorgue, Site antique de Vaison la Romaine, Ocres de Roussillon.

Saveurs de nos Terroirs : Cuisine à base de produits de terroir : truffe noire, huile d'olive, melon, plantes aromatiques, ail, épeautre, fraise, cerise, miel et ses dérivés (nougat), fruits confits.

Côtes du Rhône (Châteauneuf du Pape, Gigondas...), Côtes du Ventoux et Côtes du Luberon, Pastis.

Animations :

Juin : Nuit du Pt Saint Jean à Valréas (reconstitution historique).

Juillet/Août : Festival d'Avignon, Chorégies d'Orange (lyrique et opéra).

Musée Angladon à Avignon (Van Gogh, Cézanne, Picasso, Modigliani...), Musée Calvet à Avignon (oeuvres d'art du XVème au XXème siècle).

COMITÉ DÉPARTEMENTAL DU TOURISME DU VAUCLUSE
12 Rue Collège de la Croix B.P. 147 - 84008 - AVIGNON CEDEX 1 -Tél. : 04 90 80 47 00
www.provenceguide.com - info@provenceguide.com

ALTHEN DES PALUDS (84210)

Entre Avignon (15 km) et Carpentras.

HOSTELLERIE DU MOULIN DE LA ROQUE ★ ★ ★

04 90 62 14 62 - moulinroq@aol.com

Route de la Roque - Fax : 04 90 62 18 50 - Petit déjeuner : 9,90 € . 28 chambres : 69/135 €. Demi pension : 66,50/99,50 €
Classement : Table gastronomique

APT (84400)

AUBERGE DU LUBERON ★ ★ ★

04 90 74 12 50 - serge.peuzin@free.fr

8 Place du Faubourg de Ballet - Fax : 04 90 04 79 49 - Menus : 26/64 € . Menu enfant : 13 € . Petit déjeuner : 9 € .
14 chambres : 52/84 € - Classement : Table Gastronomique

AVIGNON (84000)

RESTAURANT HIELY-LUCULLUS

04 90 86 17 07

5 Rue de la République -Fax : 04 90 86 32 38 - Menus : 24/38 € . Menu enfant : 15 €
Classement : Table Gastronomique

CARPENTRAS (84200)

LE MARIJO

04 90 60 42 65

73 Rue Raspail - Paul MATHIEU - Fax : 04 90 60 42 65 - Fermeture : 4/01-18/01 ; 1/11-16/11 ; dimanche en hiver.
Menus : 20/35 € . Menu enfant : 10 € - Classement : Table de Terroir

Cette vieille maison au décor provençal et à l'accueil chaleureux vous propose de découvrir une cuisine régionale soignée.
Parmi les spécialités : pied et paquets d'agneau à la provençale, pavé de saumon au beurre de basilic, selle d'agneau rôtie aux girolles, plats truffés en saison.

Accès handicapés restaurant, salle restaurant de caractère, salle de séminaires, chèques vacances, animaux acceptés au restaurant

This old house with the decoration of Provence and the cordial reception proposes you to discover a neat regional kitchen.

Esta antigua casa al ambiente provenzal, con su acogida calurosa le propone descubrir una esmerada cocina regional.

In diesem alten Haus im provenzalischen Stil werden Sie herzlich mit einer regionalen, gepflegten Küche empfangen.

Charme & Authenticité

CHATEAUNEUF DU PAPE (84230)

A 10 km d'Orange et d'Avignon.

Table Gastronomique

LA MÈRE GERMAINE

04 90 83 54 37 - resa@lameregermaine.com

3 Rue du Commandant Lemaitre - Frédéric ALBAR - Fax : 04 90 83 50 27 - www.lameregermaine.com
Fermeture : De mars à octobre mardi soir et mercredi soir. - Menus : 22/85 € . Menu enfant : 6,50 € . Petit déjeuner : 7 € .
8 chambres : 50/70 € . Demi pension : 58/68 € - Classement : Table Gastronomique

Dans un cadre agréable, au centre du village, avec vue panoramique sur le vignoble, cet établissement vous recevra chaleureusement et se fera un plaisir de vous faire découvrir les spécialités de sa région parmi lesquelles vous pourrez déguster : croustillant de brandade de morue, spécialités de truffes en saison et gibier. Chambres avec bain ou douche+WC+TV : Toutes.Terrasse, jardin, parking privé, accès handicapés restaurant, chaînes satellites, petit déjeuner buffet, chèques vacances, animaux acceptés au restaurant

In a pleasant framework, in the center of the village, with panoramic sight on the vineyard, this establishment will receive you cordially and will be made a pleasure of making you discover the specialities of its region.

En un ambiente agradable, en el centro de un pueblo, con vista panorámica del viñedo, este establecimiento le recibirá calurosamente y tendrá el placer de hacerle descubrir las especialidades de su región.

Im Dorfzentrum, in einem angenehmen Rahmen, mit Blick auf die Weinberge, empfängt man Sie in diesem Haus ganz herzlich und lässt Sie Spezialitäten der Region entdecken.

LE BEAUCET (84210)

A 10 km de Carpentras.

Table Gastronomique

AUBERGE DU BEAUCET

04 90 66 10 82

Le Village - Fax : 04 90 66 00 72 - Menus à partir de 32 € . Menu enfant : 13 € - Classement : Table Gastronomique

LOURMARIN (84160)

A 30 km d'Aix en Provence et 18 km de Perthuis.

Table de Prestige

LE MOULIN DE LOURMARIN ★ ★ ★ ★

04 90 68 06 69 - infos@moulindelourmarin.com

Rue du Temple - Fax : 04 90 68 31 76 - Menus : 95/151 € . Petit déjeuner : 13/19 € .
16 chambres et 3 suites : 190/655 € - Classement : Table de Prestige

LOURMARIN (84160)

A 30 km d'Aix en Provence et 2 km de Cadenet.

Table de Prestige

AUBERGE LA FENIÈRE

04 90 68 11 79 - reine@wanadoo.fr

Route de Cadenet - Reine SAMMUT - Fax : 04 90 68 18 60 - www.reinesammut.com
Fermeture : 16/11-30/01 ; lundi, mardi midi (restaurant). - Menus : 50/100 € . Menu enfant : 20 € .
Petit déjeuner : 13 € .7 chambres : 136/200 € . Demi pension : 148/180 € - Classement : Table de Prestige

Entre Luberon et Durance, entre Lourmarin et Cadenet, l'Auberge La Fenière. Sur la terrasse, sous les voiles latines, dans le jardin sous les tentes caïdales pour la sieste dominicale d'après déjeuner, au frais sous le noyer du bout du champs, dans les hautes herbes près des roulottes, il fait bon s'y arrêter. Spécialités : carré et selle d'agneau des Pyrénées rôtis, pannequets d'aubergines et concassée de tomates ; grand ravioli safrané au lard et fenouil, anguilles de Méditerranée caramélisées ; comme un crumble aux framboises, glace à l'huile d'olive et vinaigre balsamique.
Chambres avec bain ou douche+WC+TV : Toutes.
Terrasse, jardin, garage fermé, parking privé, piscine d'été, accès handicapés, climatisation

Between Luberon and Durance, Lourmarin and Cadenet, the Auberge La Fenière. On the terrace, under the lateen sails, in the garden under the tents for the Sunday nap according to lunching, with the expenses under the walnut tree of the end of the fields, in tall grasses close to roulottes, it is good to stop there.

Entre Luberon y Durance, entre Loumarin y Cadenet, el Auberge La Fenière. En la terraza, bajo las velas latinas, en el jardín bajo las tiendas de campaña para la siesta del domingo después de almorzar, a todo momento bajo el frescor del nogal,en las altas hierbas cerca de carromatos, detenerse es un placer.

L'Auberge La Fenière liegt zwischen dem Luberon und Durance und zwischen Lourmarin und Cadenet. Auf der Terrasse unter den lateinischen Segeln, im Garten unter den herrschaftlichen Zelten für den sonntäglichen Mittagsschlaf, unter der Frische des Nussbaums am Ende des Felds, im hohen Gras, tut es gut anzuhalten.

LOURMARIN (84160)

A 18 km de Perthuis.

RESTAURANT MICHEL ANGE (MAISON OLLIER)

04 90 68 02 03

Place de la Fontaine - Michel THERON - Fax : 04 90 68 36 47 - Fermeture : 15/11-15/12 ; mardi et mercredi hors saison.
Menus : 20/45 € - Classement : Table de Terroir

Dans un magnifique village du Lubéron, toute l'équipe du Michel Ange se fera un plaisir de vous accueillir et de vous faire partager sa cuisine méditerranéenne.

Spécialités : bouillabaisse (sur commande), gibier en saison...

Jardin, accès handicapés restaurant, salle restaurant de caractère, animaux acceptés au restaurant

In a magnificent village of the Lubéron, all the team of the Michel Ange will be glad to welcome you and will let you enjoy its Mediterranean cooking.

En un magnífico pueblo del Luberón, Michel Ange y su equipo tendrán el placer de acogerle y de hacerle compartir su cocina mediterránea.

In einem wunderschönen Dorf im Luberon, freut sich das ganze Team von M. Ange, Sie zu empfangen, um mit Ihnen seine mediterrane Küche zu teilen.

MONIEUX (84390)

A 40 km de Carpentras.

LES LAVANDES

04 90 64 05 08

Place Léon Doux - Alain GABERT - Fax : 04 90 64 13 99 - Fermeture : Janvier et février ; lundi. Ouvert tous les jours en saison.
Menus : 23/36 €. Menu enfant : 10 €.
Classement : Table de Terroir

Situé à l'entrée des Gorges de la Nesque au pied du Mont Ventoux, cet établissement vous recevra chaleureusement dans un cadre agréable et authentique. Vous y découvrirez une cuisine provençale élaborée avec des produits du terroir.
Spécialités : truffe, agneau, petit épeautre, gibier.

Terrasse, accès handicapés restaurant, salle restaurant de caractère, salle de séminaires, animaux acceptés au restaurant

Located at the entry of the Throats of Nesque at the foot of the Ventoux Mount, this establishment will cordially receive you in a pleasant and authentic framework. You will discover a cooking of Provence elaborate there with products of the soil.

Ubicado a la entrada de las Gorges de la Nesque, al pie del Mont Ventoux, este establecimiento le recibirá calurosamente en un ambiente agradable y auténtico. Usted descubrirá una cocina provenzal elaborada con productos regionales.

Am Anfang der Nesque Schluchten, am Fuß des Mont Ventoux, werden Sie in diesem Haus in einem angenehmen und authentischen Rahmen herzlich empfangen. Entdecken Sie dort eine ausgearbeitete Küche der Provence aus Landprodukten zubereitet.

ORANGE (84100)

A 200 mètres du Théatre Antique.

LE FORUM

04 90 34 01 09 - leforum@fr.st

3 Rue du Mazeau - Irène et Benoît MARILLY - Fax : 04 90 34 01 09 - www.leforum.fr.st
Fermeture : 20/08-3/09 ; 15 jours en février ; samedi midi ; lundi hors saison.
Menus : 17/53 €. Menu enfant : 10 € - Classement : Table de Terroir

A deux pas du théatre antique, Irène et Benoît seront heureux de vous accueillir. Une cuisine authentique et inventive préparée avec des produits du terroir est à l'honneur chaque saison. En janvier, le diamant noir est à l'honneur, de mars à mai, festival de l'asperge de l'entrée au dessert, de juin à août les produits de la Provence et d'octobre à fin décembre menu chasse et pêche.

Accès handicapés restaurant, salle restaurant de caractère, animaux acceptés au restaurant

With two steps of the old theater, Irene and Benoît will be happy to accomodate you. An authentic and inventive cooking prepared with products of the soil is with the honor each season. In January,black diamond is with the honor, from March to May, festival of asparagus of the entry to the dessert, from June to August the products of Provence and from October at small at the end of December drives out and fishes.

A dos pasos del antiguo teatro, Irène y Benoît estarán encantados de recibirle. Una cocina auténtica e inventiva preparada con productos regionales presente a cada estación, le deleitará. En enero, el diamante negro estará presente, de marzo a mayo, festival del espárrago de la entrada al postre, de junio a agosto los productos de la Provenza y de octubre a fines de diciembre menús con productos de la caza y de la pesca.

Gleich beim antiken Theater freuen sich Irène und Benoît, Sie zu empfangen. Eine authentische und ideenreiche Küche aus feinsten Landprodukten zu jeder Jahreszeit. Im Januar gibt sich der schwarze Diamant die Ehre, von März bis Mai Festival des Spargels von Vorspeise bis Dessert, von Juni bis August Produkte aus der Provence und von Oktober bis Ende Dezember Jagd- und Fischmenü.

ROAIX (84110)

A 4 km de Vaison la Romaine. D975.

Table Gastronomique

LE GRAND PRÉ

04 90 46 18 12 - legrandpre@waika9.com

Route de Vaison - Raoul et Flora REICHRATH - Fax : 04 90 46 17 84
Fermeture : 10/01-12/02 ; mardi, samedi midi. De novembre à février, ouvert vendredi, samedi et dimanche midi.
Menus : 29/81 € . Carte : 55/85 € - Classement : Table Gastronomique

C'est dans une vieille ferme provençale de la fin du XIXème siècle aux portes de Vaison la Romaine que Raoul REICHRATH propose sa cuisine gorgée de soleil au rythme des saisons et que la souriante Flora, son épouse, accueille ses convives dans l'élégant intérieur de cette ferme, ou, aux beaux jours sur la terrasse ombragée autour d'une agréable fontaine. Très belle carte de Côtes du Rhône.
Spécialités : fondue de foie gras à l'ail confit, pigeonneau au jus de café turc, croustillant au café, sauce caramel.
Terrasse, jardin, parking privé, accès handicapés restaurant, salle restaurant de caractère, salle de séminaires

It is in an old farm of Provence of the end of the XIXème century at the doors of Vaison La Romaine that Raoul REICHRATH proposes his kitchen mouthful of sun following the seasons and that smiling Flora, his wife, accomodates her guests in the refined interior of this farm, or, at the beautiful days on the shaded terrace around the pleasant fountain. Very beautiful chart of Coasts of the Rhone.

Es en esta antigua granja provenzal de fines del siglo XIX, a las puertas de Vaison la Romaine gue Raoul REICHRATH propone su cocina impregnada de sol según las estaciones y que la risueña Flora, su esposa acoge sus huéspedes en el elegante interior de esta granja o en la terraza sombreada alrededor de una agradable fuente, con buen tiempo. Excelente carta de Côtes du Rhône.

Raoul Reichrath bietet Ihnen in einem alten provenzalischen Bauernhof aus dem 19. Jh. vor den Toren von Vaison la Romaine eine Küche voller Sonne, den Jahreszeiten angepasst. Seine vergnügte Frau Flora empfängt ihre Gäste im eleganten Inneren dieses Bauernhauses oder bei schönem Wetter auf der schattigen Terrasse um den angenehmen Brunnen.

ROUSSILLON (84220)

A 11 km d'Apt.

Table Gastronomique

MAS DE GARRIGON ★ ★ ★

04 90 05 63 22 - mas.de.garrigon@wanadoo.fr

D2 - Fax : 04 90 05 70 01 - Menus : 30/62 € . Menu enfant : 25 € . 9 chambres : 107/140 €
Classement : Table Gastronomique

ST SATURNIN LES APT (84490)

A 8 km d'Apt.

Table Gastronomique

LE SAINT HUBERT

04 90 75 42 02

1 Place de la Fraternité - Michel ROYAUX - Fax : 04 90 75 49 90 - Fermeture : Février ; lundi.
Menus à partir de 18 € . Menu enfant : 11 € . Petit déjeuner : 7 € . 8 chambres : 55 € . Demi pension : 115 €
Classement : Table Gastronomique

Au centre du village, cette maison ancienne et confortable avec un décor authentique vous réserve des chambres chaleureuses, une salle de restaurant et une terrasse avec vue panoramique sur le Lubéron.
Spécialités : terrine de foie de volaille et sa confiture d'oignons, salade d'épeautre au foie gras, daube de taureau à la provençale, magret de canard au miel et aux épices, grillade de pigeon au verjus, filet de rouget au basilic, civet d'encornets au gingembre, bourride de lotte à la sétoise, soufflet glacé au chocolat, pommes saint hubert, nougat glacé maison.
Terrasse, accès handicapés restaurant, salle restaurant de caractère, chèques vacances, animaux acceptés

In the center of the village, this old and comfortable house with an authenticate decoration reserves to you cordial rooms, a room of restaurant and a terrace with panoramic sight on Lubéron.

En el centro del pueblo, esta antigua y cómoda casa con su decoración original, le propone cálidas habitaciones , un comedor y una terraza con vista panorámica del Liberón.

Im Dorfzentrum bietet Ihnen dieses alte und komfortable Haus mit einem authentischen Dekor warme Zimmer, einen Speisesaal und Terrasse mit Panoramablick auf den Luberon.

VEDÈNE (84270)

A 10 km d'Avignon.

Table de Terroir

L'HÔTEL DU GOLF ★ ★ ★ ★

04 90 02 09 09 - contact@hotelgolfgrandavignon.com

Chemin de la Banastière - Fax : 04 90 02 09 08 - Menus : 11/38 € . Menu enfant : 12 € . 30 chambres : 101/201 € .
Classement : Table de Terroir

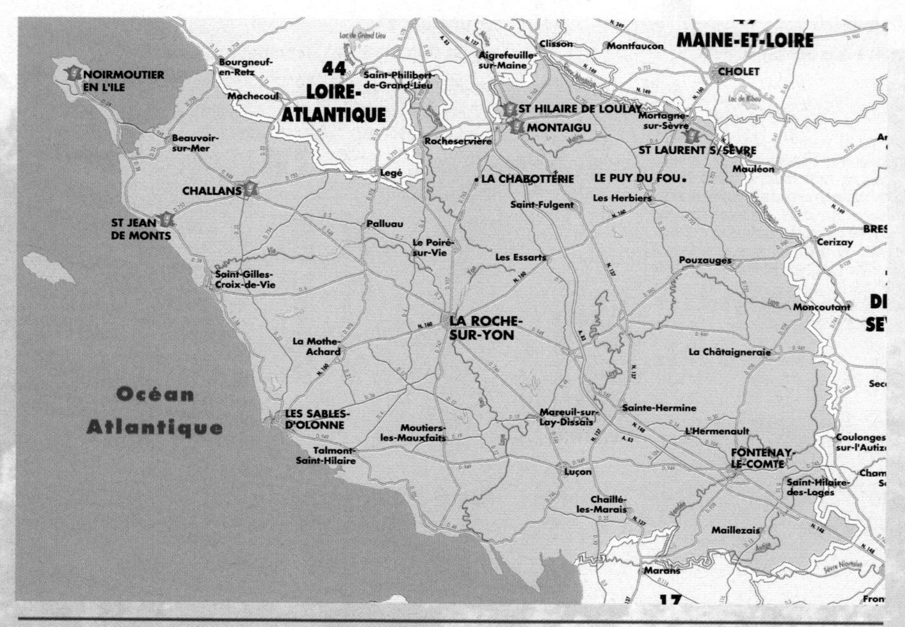

Sites Touristiques : Le Puy du Fou, Abbayes du Sud Vendée, Logis de la Chabotterie, Château de Barbe Bleue, Château de la Guignardière.

Saveurs de nos Terroirs : Brioche vendéenne, Sel de Noirmoutier, Pommes de Terre de Noirmoutier, Sardine de Saint Gilles Croix de Vie, Jambon de Vendée, Mojettes, Préfou.
Troussepinette, Kamok, Fiefs vendéens : Mareuil sur Lay, Vix, Brem sur Mer, Pissotte.

Animations :
Mai : Saint Jazz sur Vie à Saint Gilles Croix de Vie.
Juin/Septembre : Cinéscenie du Puy du Fou ; Vendée Cheval, Le Festival des Arts Equestres à La Roche sur Yon ; Autrefois Challans ; Festival de Danses et Musiques du Monde à Cugand.

COMITÉ DÉPARTEMENTAL DU TOURISME DE LA VENDÉE
8, Place Napoléon B.P. 233 - 85006 - LA ROCHE-SUR-YON CEDEX -Tél. : 02 51 47 88 20 - Fax : 02 51 05 37 01
www.vendee-tourisme.com - info@vendee-tourisme.com

CHALLANS (85300)

Entre la Roche s/Yon et Noirmoutier

Table Gastronomique

HÔTEL DU CHAMP DE FOIRE ★ ★

02 51 68 17 54

10 Place du Champ de Foire - Chantal & Yves SOREAU - Fax : 02 51 35 06 53 - www.hotel-du-champ-de-foire.fr
Fermeture : Vendredi soir et samedi hors saison. - Menus : 12/40,40 € . Menu enfant : 10 € . Petit déjeuner : 6 € .
12 chambres : 35/40 € . Demi pension : 34/43 € . Etape VRP : 45/48 € - Classement : Table Gastronomique

Situé sur la place traditionnelle du Vieux Marché, Le Champ de Foire vous réserve un accueil chaleureux. C'est une étape gastronomique à ne pas manquer pour la qualité de la cuisine traditionnelle proposée. Spécialités : navarin de homard et langoustines, pavé de canard de Challans périgourdine, panier gourmand, assiette du Champ de Foire. Chambres avec bain ou douche+WC+TV : Toutes. Accès handicapés restaurant, chaînes satellites, canal+, salle de séminaires, chèques vacances, animaux acceptés au restaurant

In the centre of Challans, Le Champ de Foire is situated on the traditional square of the vieux marché (old market). You shouldn't miss that for all the gold because the traditional cooking that is made here is simply a sense of quality.

Le Champ de Foire, ubicado en la tradicional plaza del Mercado Viejo, le ofrece una cálida acogida. Esta es una etapa a no dejar pasar por la calidad de su cocina tradicional.

Das Hotel-Restaurant Le Champ de Foire auf dem traditionellen Platz des Vieux Marché empfängt Sie ganz herzlich. Versäumen Sie es nicht, die gute, traditionnelle Küche an diesem gastronomischen Ort zu kosten.

MONTAIGU (85600)

A 35 km de Nantes.

Table Gastronomique

LE CATHELINEAU

02 51 94 26 40 - le_cathelineau_85@hotmail.com

3 Bis Place du Champ de Foire - Michel PIVETEAU - Fax : 02 51 94 26 40 - Fermeture : 23/02-8/03 ; 1/08-25/08 ; dimanche soir et lundi.
Menus : 14/46 € . Menu enfant : 8 €
Classement : Table Gastronomique

Situé face aux anciens remparts, ce restaurant de style italien vous accueille chaleureusement et vous propose une cuisine classique soignée avec une touche de modernité.
Spécialités : homard breton beurre blanc de notre vivier, filet de turbot sauce aux huîtres, saumon confit à l'orange et aux épices, gratinée de ris de veau et langoustines au parfum de morilles.

Garage fermé, parking privé, accès handicapés restaurant, climatisation

Located vis-a-vis at the old ramparts, this restaurant of Italian style accomodates you cordially and a neat traditional cooking with a key of modernity will be proposed to you.

Ubicado frente a las antiguas murallas, este restaurante de estilo italiano le acogerá calurosamente y le propondrá una esmerada cocina clásica con un toque de modernidad.

Dieses Restaurant im italienischen Stil liegt gegenüber den alten Stadtmauern. Sie werden dort herzlich mit einer gepflegten, klassischen aber trotzdem modernen Küche empfangen.

NOIRMOUTIER EN L'ILE (85330)

A 90 km de Nantes.

FLEUR DE SEL ★ ★ ★

02 51 39 09 07 - contact@fleurdesel.fr

500 m derrière l'Eglise BP 207 - Pierre WATTECAMPS (AEEH Paris 1966) - Fax : 02 51 39 09 76 - www.fleurdesel.fr
Fermeture : 1/11-15/03 ; lundi midi et mardi midi hors vacances scolaires et fériés. - Menus : 25/42 € . Menu enfant : 15 € .
Petit déjeuner : 10 € . 35 chambres : 73/130 € - Classement : Table Gastronomique

Venez découvrir cet hôtel de charme situé au calme d'un parc paysager, à l'écart de l'animation du vieux port et à proximité des plages. Le restaurant gastronomique vous propose une cuisine de la mer à base de beaux poissons de l'île. Spécialités : moules du gois gratinées à la crème d'ail ; queues de langoustines en robe des champs de Noirmoutier vinaigrette au pistou ; filet de bar à la plancha, parmentier de tourteau au fenouil, beurre iodé ; galette de chocolat tiède Erika, sorbet aux agrumes. Terrasse, jardin, parking privé, piscine d'été, tennis, accès handicapés, chaînes satellites, climatisation, petit déjeuner buffet, salle restaurant de caractère, animaux acceptés

Come to discover this hotel of charm located in calms of a landscape park, far from the animation of the old port and near the beaches. The gastronomic restaurant proposes you a cooking of the sea containing beautiful fishes of the island.

Venga a descubrir este encantador hotel ubicado en la tranquilidad de un parque jardín, apartado de la animación del viejo puerto y cerca de las playas. El restaurante gastronómico le propone una cocina del mar, elaborada con los buenos pescados de la isla.

Entdecken Sie dieses Hotel de Charme an einem Park, abseits des Umtriebs vom alten Hafen und nahe der Strände. Das gastronomische Restaurant bietet Ihnen eine Küche aus besten Meeresprodukten.

ST HILAIRE DE LOULAY (85600)

A83 sortie Montaigu direction Nantes RN137 (28 km).

LE PONT DE SÉNARD ★ ★

02 51 46 49 50 - hotel.pont.senard@wanadoo.fr

Famille BOUDAUD-JAUNET - Fax : 02 51 94 11 11 - www.hotel-pontdesenard.fr
Fermeture : 26/12-4/01 ; 26/07-8/08 ; dimanche soir (restaurant). - Menus : 15,60/46 € . Menu enfant : 10 € . Petit déjeuner : 7,50 €
23 chambres : 43,50/60 € . Demi pension : 52 € . Etape VRP : 61 € - Classement : Table de Terroir

Sur les bords de la Maine, venez découvrir cet établissement de charme très confortable où vous apprécierez le calme de la campagne vendéenne. Vous dégusterez une cuisine traditionnelle soignée élaborée à partir de produits du terroir.
Spécialités : grand choix de poissons.

Chambres avec bain ou douche+WC+TV : Toutes.
Terrasse, jardin, parking privé, accès handicapés, chaînes satellites, canal+, petit déjeuner buffet, salle restaurant de caractère, salle de séminaires, chèques vacances, animaux acceptés à l'hôtel

At the edge of the river Maine, come and discover this charming and confortable establishment where you will appreciate the calm of the country side of Vendée. You will savour a traditional cooking carefully done with traditional products.

A las orillas del Maine, venga a descubrir este encantador establecimiento, muy confortable, donde podrá apreciar la tranquilidad del campo vandeano. Usted saboreará una esmerada cocina tradicional, elaborada a partir de productos locales.

Am Ufer der Maine entdecken Sie dieses reizende und sehr komfortable Haus, wo Sie die Ruhe auf dem Land genießen werden. Sie kosten eine traditionelle und gepflegte Küche aus ländlichen Erzeugnissen.

ST JEAN DE MONTS (85160)

20 km de l'Ile de Noirmoutier, 15 km de Challans

Table de Terroir

LE ROBINSON ★ ★

02 51 59 20 20 - infos@hotel-lerobinson.com

28 Boulevard Leclerc - B.P. 211 - Bernard & Arlette BESSEAU - Fax : 02 51 58 88 03 - www.hotel-lerobinson.com
Fermeture : 1/12 -31/01. - Menus : 13/39 € . Menu enfant : 9 € . Petit déjeuner : 6,50 € .
78 chambres : 40/73 € . Demi pension : 43/56 € . Etape VRP : 53 € - Classement : Table de Terroir

Douillettement installé entre la forêt de pins maritimes et le coeur du bourg, à 900 mètres de l'immense plage, proche des commerces, Le Robinson vous offre une table de qualité et vous réserve d'agréables surprises. Cuisine traditionnelle des produits de la mer. Animaux acceptés à l'hôtel avec supplément.

Chambres avec bain ou douche+WC+TV : Toutes. Terrasse, jardin, garage fermé, , piscine d'été, piscine d'hiver, ascenseur, accès handicapés, canal+, climatisation, petit déjeuner buffet, salle de séminaires, chèques vacances, animaux acceptés

Snugly situated between a pine forest and the village centre, 900 metres from the large sandy beach, Robinson offers a table of quality to you and reserves the pleasant surprised ones to you. Traditional cooking of the products of the sea. Animals accepted in the hotel with supplement.

Instalado entre el bosque de pinos marítimos y el centro del pueblo, a 900 metros de la inmensa playa, cerca de los comercios, Le Robinson le propone una cocina de calidad. Agradables sorpresas le esperan. Cocina tradicional con productos del mar. Los animales pagan un suplemento.

Häuslich niedergelassen, zwischen den Pinien des Mittelmeers und der Marktmitte, 900 m vom riesigen Sandstrand entfernt und in der Nähe von Geschäften, erwarten Sie im Robinson eine hervorragende Küche und andere angenehme Überraschungen. Traditionelle Küche aus Meerprodukten. Tiere gegen Aufpreis im Hotel gestattet.

ST JEAN DE MONTS-OROUET (85160)

D38 direction les Sables d'olonne, 6 km de St Jean de Monts.

Table de Terroir

AUBERGE DE LA CHAUMIÈRE ★ ★

02 51 58 67 44 - chaumieresarl@wanadoo.fr

Orouët (lieu dit sur CD38) - Famille BOUCHER - Fax : 02 51 58 98 12 - Fermeture : 31/10-1/03.
Menus : 16/39,64 € . Menu enfant : 12,20 € .33 chambres : 43/71 € .
Demi pension : 53/71 €. Etape VRP : 56/60 € - Classement : Table de Terroir

Dans un cadre verdoyant et reposant, à 3 km de la plage, venez découvrir l'accueil chaleureux de cet établissement. Une cuisine variée et raffinée composée de produits de la mer et du terroir vous sera proposée. Spécialités : poissons, anguille à la provençale, canard de Challans, desserts maison. Grande carte des vins.

Chambres avec bain ou douche+WC+TV : 116 à 123-128 à 131, 140-141, 143 à 150. Terrasse, jardin, garage fermé, parking privé, piscine d'été, piscine d'hiver, tennis, accès handicapés hôtel, salle restaurant de caractère, salle de séminaires, chèques vacances, animaux acceptés à l'hôtel

In a greenery and relaxing setting, from 3 kilometres of the beach, come and discover the warm welcome of this establishment. A refined cooking made from seafood or traditional's products will be offer to you.

En un ambiente verde y calmo, a 3 km de la playa, este establecimiento le brindará una acogida calurosa y le hará descubrir su variada y delicada cocina hecha con productos del mar y de la región. Gran carta de vinos.

In einer grünen, erholsamen Umgebung, 3 km vom Strand, entdecken Sie den herzlichen Empfang dieses Hauses. Freuen Sie sich auf eine abwechslungsreiche, feine Küche aus Meer- und Landprodukten. Großartige Weinkarte.

ST LAURENT SUR SÈVRE (85290)

A 10 km de Cholet.

Table Gastronomique

LA CHAUMIÈRE AUBERGE VENDÉENNE ★ ★ ★

02 51 67 88 12

15 Route de Poitiers - Fax : 02 51 67 82 87 - Menus : 18/59 € . Menu enfant : 12 € . Petit déjeuner : 8/11 € .
20 chambres : 60/120 € - Classement : Table Gastronomique

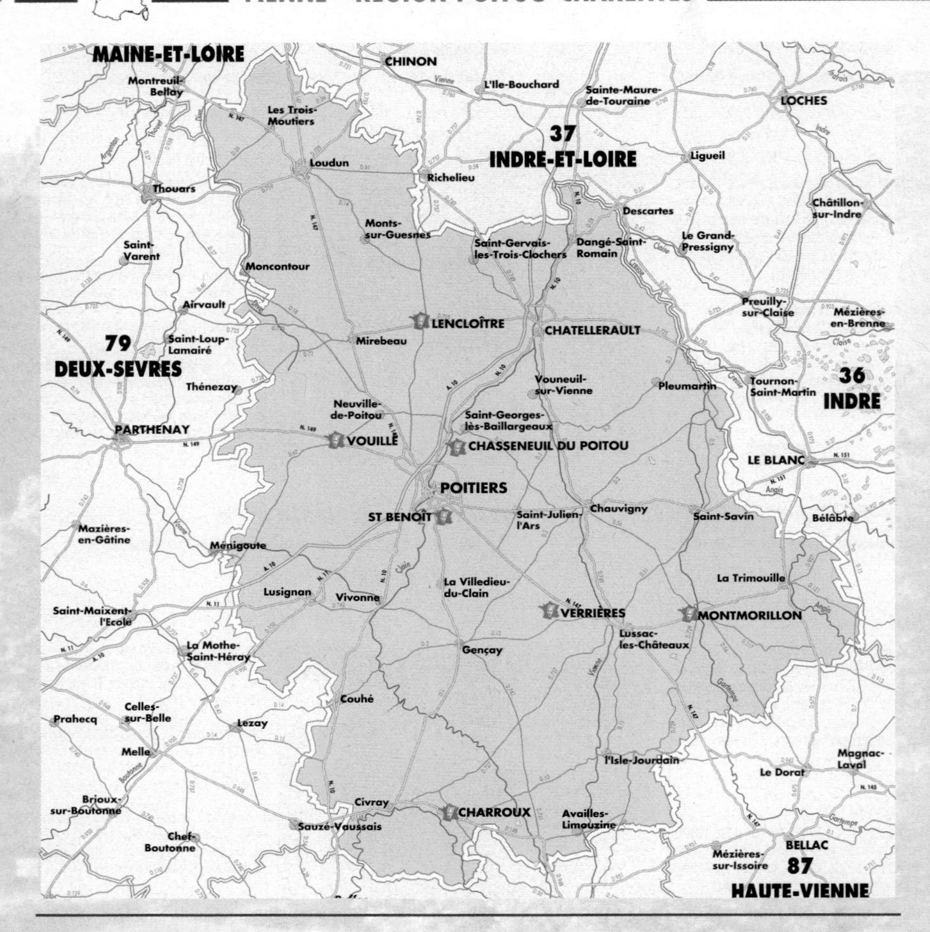

Sites Touristiques : Futuroscope, Vallée des Singes, Géants du Ciel, L'Ile aux Serpents, Cité de l'Ecrit et des Métiers du Livre.

Saveurs de nos Terroirs : Farci poitevin, Chabichou de Poitou (fromage de chèvre), Le Broyé (gâteau), Tourteaux, Grimolle, Macarons.

Vignoble A.O.C. du Haut Poitou, A.O.C. Saumur Vienne.

Animations : Musée Le Vieux Cormenier à Champniers.

Mai : Festival International de Chants à Vivonne.

Juin : Spectacle L'Epée de Justice à Nouaillé.

Juillet/Août : Figaro si Figaro la ! (opéra comique) à Montmorillon. Spectacles de chez Bernardeau (parcours illuminé et animations au musée rural du Vieux Cormenier à Champniers).

COMITÉ DÉPARTEMENTAL DU TOURISME DE LA VIENNE
33 Place Charles de Gaulle B.P. 287 - 86007 - POITIERS CEDEX -Tél. : 05 49 37 48 48 - Fax : 05 49 37 48 49
www.tourisme-vienne.com - cdt@tourisme-vienne.com

CHARROUX (86250)

A 12 km de Civray.

HOSTELLERIE CHARLEMAGNE

05 49 87 50 37

7 Rue de Rochemeau - Menus : 15/35 € . Petit déjeuner : 5,50 € . 7 chambres : 25/35 € - Classement : Table Gastronomique

CHASSENEUIL DU POITOU (86360)

A 10 km de Poitiers.

Table Gastronomique

CHÂTEAU DU CLOS DE LA RIBAUDIÈRE ★ ★ ★

05 49 52 86 66 - ribaudiere@ribaudiere.com

10 Place du Champ de Foire - William MIGEON - Fax : 05 49 52 86 32 - www.ribaudiere.com - Ouvert toute l'année. Menus : 22/47 € . Menu enfant : 15 € . Petit déjeuner : 11 € . 41 chambres : 85/135 € . Demi pension : 83/91 € . Etape VRP : 75 € - Classement : Table Gastronomique

Située dans un parc de 1 ha en bordure d'une rivière, cette demeure du XIXème siècle, entièrement restaurée vous offre un décor d'exception. Venez découvrir l'ambiance sereine, le confort et l'élégance de cet établissement. Une table de qualité, qui conjugue harmonieusement tradition et créativité vous sera proposée. Parmi les spécialités : rascole de petits gris crémée de champignons, pigeonneau rôti en robe des champs navets et champignons, aumonière de bargon à la crème de roquefort. Chambres avec bain ou douche+WC+TV : Toutes. Terrasse, jardin, parking privé, piscine d'été, ascenseur, accès handicapés, chaînes satellites, climatisation, salle de séminaires, chèques vacances, animaux acceptés

Located in a park of 1 ha in edge of a river, this residence of the XIXth century, entirely restored offers a decoration of exception to you. Come to discover serene environment, the comfort and the elegance of this establishment. A table of quality, which combines tradition harmoniously and creativity will be proposed to you.

Ubicada en un parque de 1 ha a orillas del río, esta morada del siglo XIX, completamente renovada le ofrece una original. Venga a descubrir el ambiente tranquilo, la comodidad y la elegancia de este establecimiento. Usted podrá saborear una mesa de calidad, que une armoniosamente tradición y creatividad.

In einem 1 ha großen Park am Rand eines Flusses bietet Ihnen dieses komplett restaurierte Haus einen außergewöhnlichen Dekor. Entdecken Sie ein heiteres Ambiente, den Komfort und die Eleganz dieses Hauses. Sie genießen eine ausgezeichnete Tafel, die harmonisch Tradition und Kreativität in Einklang bringt.

LENCLOITRE (86140)

A 17 km de Chatellerault.

Table Gastronomique

LE CHAMP DE FOIRE

05 49 90 74 91

Richard TOIX - Fax : 05 49 93 33 76 - Fermeture : Dimanche soir, lundi et mardi soir. - Menus : 16,50/36 € . Menu enfant : 10 € . Classement : Table Gastronomique

Situé sur le Champ de Foire, cet établissement vous réserve un accueil agréable et vous propose une cuisine de saison élaborée avec les meilleurs produits du marché.

Terrasse, accès handicapés restaurant, salle de séminaires, chèques vacances

Situated on the fairground, this establishment will reserve you a pleasant welcome and offers you a cooking of season made with best products of market.

Ubicado en el Champ de Foire, este establecimiento le propone una acogida agradable y una cocina de estación, elaborada con los mejores productos del mercado.

Auf dem Champ de Foire, erwarten Sie in diesem Haus ein angenehmer Empfang und eine Küche aus besten Markterzeugnissen von den Jahreszeiten geprägt.

MONTMORILLON (86500)

LE ROMAN DES SAVEURS

05 49 91 52 06

2 Rue Montebello - Franck FAVIER - Fax : 05 49 84 11 63 - Fermeture : Janvier ; dimanche soir. - Menus : 13,50/25 € . Menu enfant : 7 € . Classement : Table de Terroir

Situé au bord de la Gartempe, au pied de la cité de l'écrit, en plein coeur d'un quartier médiéval entièrement réhabilité, cet établissement vous réservera le meilleur accueil et saura vous faire partager une cuisine traditionnelle généreuse.
Spécialités : crêpes de saumon fumé maison, mijoté de veau aux cèpes, suprême de volaille aux écrevisses, aumonière de pommes et chocolat, gourmandise du roman.
Jardin, accès handicapés restaurant, climatisation, salle restaurant de caractère, salle de séminaires, chèques vacances, animaux acceptés au restaurant

Located at the edge of Gartempe, with the foot of the city of the écrit, in full heart d.un entirely rehabilitated medieval district, this establishment will hold the best reception for you and will be able to make you share a generous traditional kitchen.

A orillas del Gartempe, al pie de la ciudad de lo escrito, en el corazón del barrio medieval totalmente rehabilitado, este establecimiento le brindará una excelente acogida y le hará compartir una generosa cocina tradicional.

Am Ufer der Gartempe und am Fuße der Schriftstätte, mitten im mittelalterlichen, restaurierten Viertel, werden Sie in diesem Haus bestens mit einer traditionellen großzügigen Küche empfangen.

ST BENOIT BOURG-POITIERS (86280)

A 5 km de Poitiers.

Table de Prestige

LE CHALET DE VENISE ★ ★ ★

05 49 88 45 07

6 Rue du Square - Serge et Margaret MAUTRET - Fax : 05 49 52 95 44 - Fermeture : 1ère semaine d'Août ; vacances de Février ; dimanche soir, lundi, mardi midi. - Menus : 19/45 € . Menu enfant : 14 € . Petit déjeuner : 7 € . 12 chambres : 46/61 € . Demi pension : 76,22/114,34 € . Etape VRP : 61 € - Classement : Table de Prestige

Le Chalet de Venise vous reçoit dans un cadre de verdure et vous propose son salon bar à l'accueil, une grande salle à l'atmosphère saumonée pour les petits déjeuners, des chambres à l'atmosphère chaleureuse. Aux beaux jours, vous profiterez également de la terrasse pour apprécier une cuisine soignée et inventive.
Spécialités : dariole de foie gras aux morilles, vol au vent de ris de veau et langoustines, suprême de canard au miel et poivre doux.
Chambres avec bain ou douche+WC+TV : Toutes.
Terrasse, jardin, garage fermé, parking privé, accès handicapés, chaînes satellites, salle restaurant de caractère, salle de séminaires, animaux acceptés

The Chalet de Venise receives you in a framework of greenery and proposes you its living room bar at the reception, large room with the salmon atmosphere for the breakfasts, rooms with cordial atmosphere. At the beautiful days, you will also benefit from the terrace to appreciate a neat and inventive cooking.

Le Chalet de Venise le recibe en un ambiente de verdor y le propone un salón bar a la recepción, una gran sala al ambiente salmonado para los desayunos, acogedoras habitaciones. Con buen tiempo, usted podrá aprovechar de la terraza para apreciar una cocina esmerada e inventiva.

Im Chalet de Venise empfängt man Sie im Grünen und bietet Ihnen seine Bar und Salon am Empfang, einen großen Frühstücksraum in lachsfarbenen Tönen, sowie Zimmer mit warmer Atmosphäre. An schönen Tagen genießen Sie die Terrasse, auf der Sie eine gepflegte und ideenreiche Küche kosten.

VERRIERES (86410)

A 10 km de Lussac les Châteaux.

Table Gastronomique

LE COMME CHEZ SOI

05 49 42 05 44

Place du Champ de Foire - Jean-Philippe MOREAU - Fax : 05 49 42 05 44 - Fermeture : Dimanche soir, lundi, mardi soir. Menus : 13/35 € . Menu enfant : 7,50 € Classement : Table Gastronomique

Situé au coeur du village, notre restaurant au cadre chaleureux vous invite à mettre vos sens en éveil, en dégustant des plats raffinés, joliment présentés et accompagnés de vins judicieusement sélectionnés. Possibilité de plats à emporter.
Spécialités : foie gras, joue de porc braisée, poissons de mer et de rivière, fromage.

Terrasse, accès handicapés restaurant, salle de séminaires, animaux acceptés au restaurant

Located at the heart of the village, our restaurant with the cordial framework invites you to put your directions in awakening, by tasting refined dishes, nicely presented and accompanied by judiciously ;selected wines. Possibility of dishes to carry.

Ubicado en el corazón del pueblo, nuestro restaurante con su ambiente caluroso le invita a despertar sus sentidos, saboreando delicados platos perfectamente presentados y acompañados con vinos escogidos inteligentemente. Posibilidad de platos para llevar.

Im Herzen des Dorfs, in einem warmen Rahmen, lädt Sie unser Restaurant ein, Ihre Sinne zu nutzen für feine Gerichte, schön präsentiert und von ausgesuchten Weinen begleitet.

VOUILLÉ (86190)

A 10 km de Poitiers.

Table Gastronomique

CHÂTEAU DE PÉRIGNY ★ ★ ★

05 49 51 80 43 - info@chateau-perigny.com

Route de Nantes RN 149 - Philippe BINI - Fax : 05 49 51 90 09 - www.chateau-perigny.com - Ouvert toute l'année, tous les jours. Menus : 28/50 € . Menu enfant : 13 € . Petit déjeuner : 12 € . 42 chambres : 75/150 € . Demi pension : 80/100 € . Etape VRP : 75 € - Classement : Table Gastronomique

Le restaurant gastronomique conjugue harmonieusement tradition et créativité. L'hôtel vous offre un décor d'exception, confort et élégance riment ici avec raffinement et accueil, ces attentions qui font l'art de vivre français.
Spécialités : foie gras au pineau des Charentes, saumon au bleu, agneau du Poitou, moëlleux tiède à l'Angélique.
Chambres avec bain ou douche+WC+TV : Toutes.
Terrasse, jardin, garage fermé, parking privé, piscine d'été, tennis, ascenseur, accès handicapés restaurant, chaînes satellites, petit déjeuner buffet, salle restaurant de caractère, salle de séminaires, chèques vacances, animaux acceptés

The gourmet restaurant combines tradition and creativity. The hotel offers you an exceptionnal decoration which made the French way if life.

El restaurante gastronómico unifica armoniosamente tradición y creatividad. El hotel le ofrece un excellente ambiente, comodidad y elegancia riman aquí con delicadeza y acogida, atenciones que forman parte del buen vivir francés.

Dieses gastronomische Restaurant bringt Tradition und Kreativität in Einklang. Das Hotel bietet Ihnen einen außerordentlichen Dekor, Komfort, Eleganz und Feinheit. Der Empfang und Service entsprechen der französischen Lebenskunst.

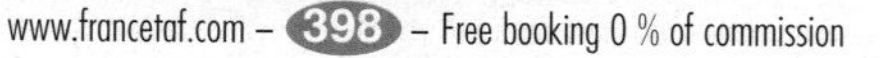

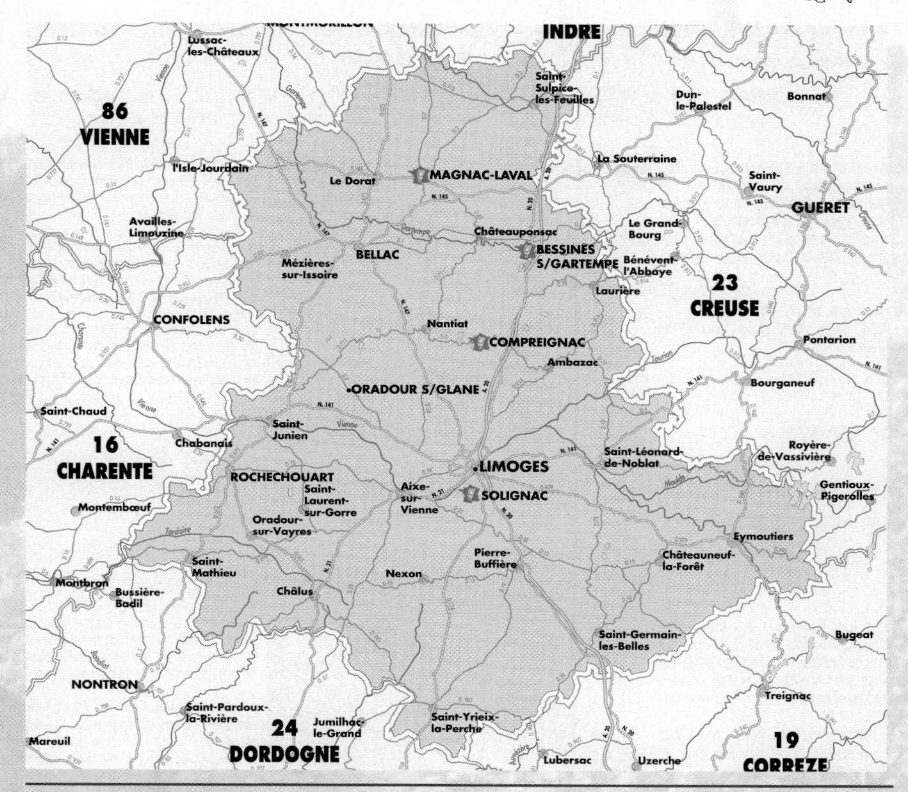

Sites Touristiques : Limoges, Oradour sur Glane, Lac de Vassivière, Lac de Saint Pardoux.

Saveurs de nos Terroirs : Viande bovine limousine, Agneau baronnet, Paté de pommes de terre, Boudin aux châtaignes, Potée limousine, Clafoutis aux cerises.
Liqueur de châtaigne.

Animations : Musée Adrien Dubouché (musée de la porcelaine) à Limoges, Musée de l'Evêché (émaux) à Limoges , Musée d'Arts & Traditions Populaires à Châteauponsac.
Festival du Théatre francophone.

COMITÉ DÉPARTEMENTAL DU TOURISME DE LA HAUTE-VIENNE
Maison du Tourisme 4, Place Denis Dussoubs - 87031 - LIMOGES CEDEX -Tél. : 05 55 79 04 04
www.tourisme-hautevienne.com - cdt87@inext.fr

BESSINES SUR GARTEMPE (87250)

A 2 km de Bessines, au Nord de Limoges

MANOIR HENRI IV ★ ★

05 55 76 00 56

La Croix du Breuil - Jean-Marc BROUSSAC - Fax : 05 55 76 14 14 - Fermeture : Dimanche soir et lundi hors saison.
Menus : 19/30 € . Menu enfant : 10 € . Petit déjeuner : 6 € . 11 chambres : 43/56 € .
Classement : Table Gastronomique

Dans le cadre de cet ancien manoir du XVIème siècle où séjourna le bon roi Henri afin de chasser avec son ami Sornin de la Plagne, Jean-Marc et son équipe se feront un plaisir de vous recevoir et vous feront partager leurs spécialités : foie gras aux châtaignes, filet de boeuf limousin aux châtaignes, charlotte de magret aux poires.

Chambres avec bain ou douche+WC+TV : Toutes.
Terrasse, jardin, parking privé, salle restaurant de caractère, salle de séminaires

In an ancient manor of the XVI th century, where the good king Henri stayed let to hunt with his friend Sornin de la Plagne, Jean-Marc and his team will be glad to welcome you and make you savour their specialities.

En el ambiente de esta anciana casa de campo del siglo XVI, donde residió el buen rey Henri para cazar con su amigo Sornin de la Plagne, Jean-Marc y su equipo tendrán el placer de recibirle y de hacerle compartir sus especialidades.

Im Rahmen dieses ehemaligen Herrensitzes aus dem 16. Jh., wo sich der gute alte König Heinrich aufhielt, um mit seinem Freund Sornin de la Plaque zu jagen, freuen Sich J. Marc und sein Team, Sie zu empfangen und ihre Spezialitäten mit Ihnen zu teiten.

COMPREIGNAC (87140)

A 18 km de Limoges. A20 sortie 26 et 27.

Auberge du Pays

HÔTEL LE FLORID ★

05 55 71 30 30

Nepoulas - René BERNARD - Fax : 05 55 71 32 79 - Ouvert toute l'année. - Menus : 14/30 € . Menu enfant : 7 € . Petit déjeuner : 4,80 € .
18 chambres : 22/32 € . Demi pension : 40 € . Etape VRP : 40 € .
Classement : Auberge du Pays

Au coeur de la forêt limousine, sur la route de vos déplacements ou de vos vacances, le Florid vous tend les bras. Le maître des lieux vous proposera des menus variés, aux bons goûts du terroir agrémentés de recettes à l'ancienne et un large éventail de crus de grande qualité.
Spécialités : salade limousine aux gésiers confits, filet de sandre à la crème d'oseille, palet de veau poélé aux girolles, viandes limousines.

Chambres avec bain ou douche+WC+TV : 5.
Terrasse, jardin, accès handicapés restaurant, TPS, canal+, salle restaurant de caractère, salle de séminaires, chèques vacances, animaux acceptés

Whether on holyday or while you are away on business, the Florid will greet you with open arms. The master of the house will make various menus to you, offering traditional recipes and a wide range of vintage wines.

En el corazón del bosque lemosina, por la ruta de sus viajes o vacaciones, Le Florid le abre los brazos. El dueño del lugar le propone variados menús, con buenos gustos regionales salidos de recetas a la antigua y una gama de vinos de gran calidad.

Mitten im Wald des Limousin, auf Ihrem Weg in den Urlaub, empfängt man Sie im Florid mit offenen Armen. Der Wirt bietet Ihnen abwechslungsreiche Menüs, mit dem guten Geschmack vom Land und mit Rezepten von früher, dazu Wein von hervorragender Qualität.

MAGNAC-LAVAL (87190)

A 3 km de Magnac Laval, 12 km de Bellac (A20 sortie 23b).

LA FERME DU LOGIS

05 55 68 57 23 - etiennemuller@aol.com

La Thibarderie - Etienne et Lydie-France MULLER - Fax : 05 55 68 52 80 - www.resa-france.com
Fermeture : Janvier-mi février ; dimanche soir et lundi hors saison. - Menus : 14,50/31 € . Menu enfant : 8 €
Classement : Table de Terroir

Dans un cadre campagnard, calme et verdoyant, au bord d'un plan d'eau privé, cette ancienne ferme rénovée vous offre une ambiance chaleureuse et musicale, un cadre authentique, une cuisine vraie, copieuse, élaborée avec les meilleurs produits locaux.
Parmi les spécialités, vous pourrez déguster : foie gras de canard poêlé aux pommes, magret de canard au miel acidulé, moelleux aux châtaignes.

Terrasse, jardin, parking privé, accès handicapés restaurant, salle restaurant de caractère, chèques vacances, animaux acceptés au restaurant

In a country framework, calm and green, at the edge of a private fishpond, this old renovated farm offers you a cordial and musical environment, an authentic framework, a true cooking, generous, worked out with best local products.

En un marco campesino, tranquilo y verdoso, a orillas de un estanque privado, esta granja antigua renovada le ofrece una ambiente caluroso, musical, auténtico y una verdadera cocina, abundante, elaborada con los mejores productos locales.

In einem ländlichen Rahmen, ruhig und grün, am Ufer eines kleinen Privatsees, bietet Ihnen dieser ehemalige renovierte Bauernhof eine warme und musikalische Atmosphäre in einem authentischen Rahmen, eine echte Küche aus besten lokalen Erzeugnissen zubereitet.

SOLIGNAC (87110)

A 12 km au Sud de Limoges.

Table Gastronomique

LE SAINT ELOI ★ ★ ★

05 55 00 44 52 - lesaint.eloi@wanadoo.fr

66 Avenue Saint Eloi - Didier PAGANI - Fax : 05 55 00 55 56 - www.lesainteloi.fr - Fermeture : 1/01-25/01 ; dimanche soir et lundi. Menus : 14/38 € . Menu enfant : 10 € . Petit déjeuner : 5,50 € .15 chambres : 43,50/59 € . Demi pension : 60/72 € . Etape VRP : 55 € - Classement : Table Gastronomique

Le Saint Eloi, halte gastronomique dans un véritable havre de paix, vous propose calme, raffinement, bien-être. Cave sympathique, grande terrasse. Chambres avec balnéo, toutes différentes à l'esprit provençal.

Spécialités : fricassée de Saint Jacques, filets de caille au vin doux, financier et son duo de chocolats.

Chambres avec bain ou douche+WC+TV : Toutes. Terrasse, accès handicapés, chaînes satellites, canal+, petit déjeuner buffet, salle restaurant de caractère, salle de séminaires, chèques vacances, animaux acceptés

The Saint Eloi a gastronomic stop in a real heaven of peace, offering you a refined calm, a well being. Pleasant cave, spacious terrace. Each bedrooms are different in the same spirit of Provence.

El Saint Eloi, parada gastronómica en un verdadero remanso de paz, le propone calma, refinamiento, bienestar. Simpática bodega, gran terraza. Diferentes habitaciones al estilo provenzal.

Der Saint Eloi, gastronomische Raststätte in einem echten Zufluchtsort, bietet Ihnen Ruhe, Feinheit und Wohlbefinden. Sehr schönes Café mit Bildern und Skulpturen.

La Reconnaissance Professionnelle

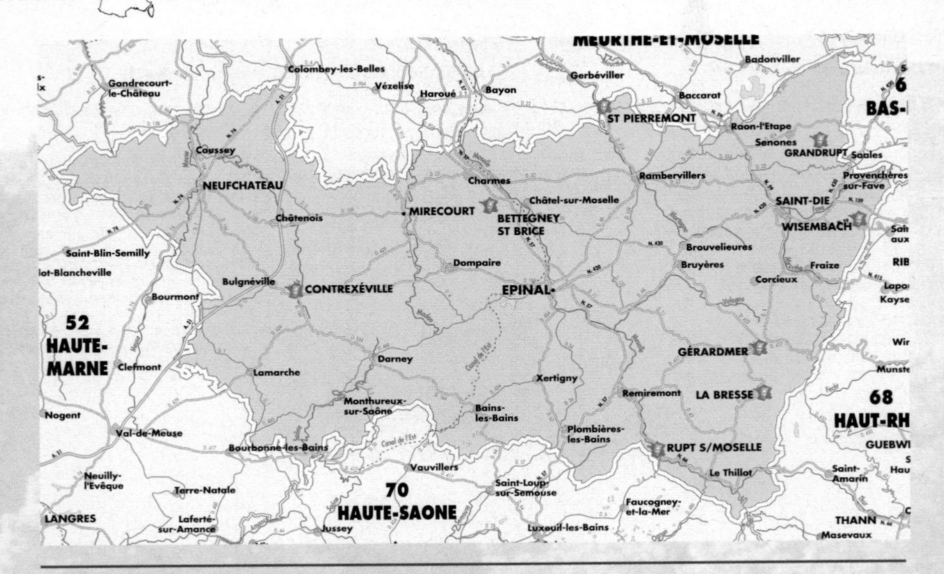

Sites Touristiques : Site Gallo-Romain de Grand, Domrémy (Pays de Jeanne d'Arc), Mirecourt capitale de la lutherie, de la dentelle et de la musique mécanique, l'Imagerie d'Epinal, Bussang Le Théatre du Peuple, Vallée des Lacs, Gérardmer, Forteresse de Chatel sur Moselle.

Saveurs de nos Terroirs : Produits fumés (lard, saucisse, jambon, andouille...), menus marcaires (constitués à base de produits fermiers : fromage Munster, viandes fumées, tourtes, tartes aux myrtilles...), fromages (emmental grand cru, vacherin, brouère, munster), myrtilles, confitures, miels, plantes médicinales, bonbons des Vosges.
Vins de rhubarbe, de groseille, de fleur de pissenlit. Vignoble Oberlin 595 et Kuhlmann. Eaux de vie de mirabelle, baie de houx, alisier, kirsch...

Animations : Marché Bio de Bleurville, tous les 1ers samedi du mois. Tradition des pendus et du sotré (carnaval) sans oublier la tradition des Champs Golots (Jeudi Saint) qui annonce le retour du printemps.
Janvier/Février : Festival Fantastic'Arts à Gérardmer, Foire aux Andouilles au Val d'Ajol.
Juin : Feux de la Saint-Jean sur les sommets de la Haute-Vallée de la Moselle.
Septembre : Foire biologique de Thaon-les-Vosges.
Décembre : Les Marchés de Noël, la Fête de la Saint-Nicolas.

COMITÉ DÉPARTEMENTAL DU TOURISME DES VOSGES
7, Rue Gilbert B.P. 332 - 88008 - EPINAL CEDEX -Tél. : 03 29 82 49 93 - Fax : 03 29 64 09 82
tourismevosges@wanadoo.fr

BETTEGNEY-ST-BRICE (88450)

A 10 km de Mirecourt, 5 km axe Nancy/Epinal.

AUBERGE LE SAINT BERNARD (TOURISME)

03 29 67 21 87

232 Grande Rue - Chantal VIRION - Fax : 03 29 67 21 87 - Fermeture : 15/08-1/09 ; semaine de Noël et nouvel an ; samedi.
Menus : 10,67/25,92 € . Menu enfant : 6,86 €
Classement : Auberge du Pays

Dans un cadre reposant, à la campagne, cet établissement familial vous réservera un accueil personnalisé et une cuisine de qualité.
Spécialités : foie gras aux mirabelles, poulet fermier au gris de Toul, charcuteries maison.

Terrasse, jardin, parking privé, accès handicapés restaurant, salle restaurant de caractère

In a quiet setting, in the country, this family establishment will reserve you a personnalised welcome and a cooking of quality.

En un ambiente tranquilo, en el campo, este establecimiento familiar le brindará una acogida personalizada y una cocina de calidad.

Dieses familiäre Haus, in entspannendem Rahmen, bietet Ihnen einen persönlichen Empfang und eine qualitätsvolle Küche.

CONTREXÉVILLE (88140)

A 3 km de Vittel.

VILLA BEAUSÉJOUR ★ ★

03 29 08 04 89 - villa.beausejour@wanadoo.fr

204 Rue Ziwer Pacha - Suzanne CARBONARO - Fax : 03 29 08 62 28 - www.villa-beausejour.com
Fermeture : Mi octobre à mi décembre ; 28/03-17/10. - Menus : 19/38 € . Petit déjeuner : 8 € .
25 chambres : 41/48 € . Demi pension : 45 € . Etape VRP : 65 € - Classement : Table Gastronomique

C'est au creux d'un vallon richement boisé que jaillissent les cinq sources de Contrexéville... des eaux fraîches et pures comme le climat et la forêt des Vosges. Avec ses beaux jardins, ses intérieurs raffinés, la Villa Beauséjour baigne dans cette douce ambiance. Proche des thermes, elle offre des chambres personnalisées, un restaurant de qualité avec terrasse sous véranda, salon au coin du feu, jardin luxuriant. Spécialités : chartreuse de grenouilles à la crème de ciboulette, trilogie de pigeon au jus de céleri, raviolis de langoustines au coulis de crustacés, nougat glacé aux pistaches.
Chambres avec bain ou douche+WC+TV : Toutes.
Terrasse, jardin, parking privé, petit déjeuner buffet, salle restaurant de caractère, chèques vacances, animaux acceptés à l'hôtel

Close to the spa and on the edge of the Vosges forest, this is an establishment with the charm of yesteryear. Whether you are here on holiday or to take the waters, each day flows gently into the next like the water from the spring.

Es desde lo profundo de un pequeño valle muy arbolado que brotan los cinco manantiales de Contrexéville...aguas frescas y puras como el clima y el bosque de los Vosges. Con sus bellos jardines, sus interiores delicados, la Villa Beauséjour está inmersa en este suave ambiente. A proximidad de las termas, ella propone habitaciones personalizadas, un restaurante de calidad con una terraza cubierta, un salón al amor de la lumbre, y un frondoso jardín.

In der bewaldeten Talmulde, wo die 5 Quellen von Contrexville sprudeln...frisches pures Wasser, wie das Klima des Vogesenwalds. Mit seinen schönen Gärten und der feinen Einrichtung, ist die Villa Beauséjour eingetaucht in diese sanfte Atmosphäre Nahe der Therme bietet es personalisierte Zimmer, ein ausgezeichnetes Restaurant mit Veranda, Salon mit Kamin und einen blühenden Garten.

GÉRARDMER (88400)

A 3 km de Gérardmer.

HOSTELLERIE DES BAS RUPTS ET CHALET FLEURI ★ ★ ★ ★

03 29 63 09 25 - bas-rupts@wanadoo.fr

Les Bas Rupts - Michel PHILIPPE - Fax : 03 29 63 00 40 - www.bas-rupts.com - Ouvert toute l'année.
Menus : 32/90 € . Menu enfant : 15 € . Petit déjeuner : 17/20 € . 22 chambres : 140/180 € .
2 suites : 240/280 € . Demi pension : 144/195 € - Classement : Table de Prestige

Venez apprécier une halte reposante avec vue sur les montagnes et la forêt. Un accueil chaleureux et une ambiance gastronomique où se mêlent parfums du terroir et produits de qualité vous seront réservés.

Chambres avec bain ou douche+WC+TV : Toutes.
Terrasse, jardin, garage fermé, parking privé, piscine d'été, tennis, ascenseur, accès handicapés, chaînes satellites, climatisation, petit déjeuner buffet, salle de séminaires, chèques vacances, animaux acceptés

Come to appreciate a halt resting with sight on the mountains and the forest. A cordial reception and a gastronomic environment, where perfumes of the soil and products of quality are mixed, will be reserved to you.

Venga a disfrutar de una estancia tranquila con vista a las montañas y al bosque. Usted descubrirá una acogida calurosa y un ambiente gastronómico donde se mezclan los perfumes del terruño y los productos de calidad.

Genießen Sie eine erholsame Rast mit Blick auf die Berge und den Wald. Es erwarten Sie Gastfreundlichkeit und eine gastronomische Atmosphäre, wo sich ländliche Düfte und hochwertige Produkte mischen.

GÉRARDMER (88400)

LE GRAND HÔTEL - LE GRAND CERF - L'ASSIETTE DU COQ À L'ANE ★ ★ ★

03 29 63 06 31 - gerardmer-grandhotel@wanadoo.fr

Place du Tilleul - Fax : 03 29 63 46 81 - Restaurant L'Assiette du Coq à l'Ane : Menus : 16/25 €. Menu enfant : 9 €. Restaurant Le Grand Cerf : Menus : 21/50 €. Menu enfant : 11 €. Petit déjeuner : 11 €. 68 chambres dont suites et appartements : 89/295 € - Classement : Table Gastronomique

GRANDRUPT (88210)

A 12 km de Senones.

LA ROSERAIE ★ ★

03 29 41 04 16 - laroseraie88@wanadoo.fr

3 Rue de la Mairie - Thierry MAIRE - Fax : 03 29 41 04 74 - www.atoutvosges.com - Fermeture : 2/01-23/01 ; 20/10-6/11 ; mercredi. Menus : 15/25 €. Menu enfant : 7 €. Petit déjeuner : 5,80 €. 7 chambres : 35/46 €. Demi pension : 36/39,50 €. Etape VRP : 43,50 € - Classement : Table de Terroir

Situé au coeur de la forêt, au sein d'un petit village vosgien à mi chemin entre Nancy et Strasbourg, cet établissement vous propose une atmosphère chaleureuse et conviviale propice à la détente et au repos. Une cuisine de terroir, qui s'inspire autant de la Lorraine que de l'Alsace, ravira tous ceux qui apprécient les tables généreuses et authentiques.

Chambres avec bain ou douche+WC+TV : Toutes. Terrasse, jardin, garage fermé, parking privé, petit déjeuner buffet, salle restaurant de caractère, chèques vacances, animaux acceptés

Located at the heart of the forest, within a small Vosgean village with semi way between Nancy and Strasbourg, this establishment proposes a cordial and convivial atmosphere to you favourable with the relaxation and rest. A cooking of soil, which is inspired as much Lorraine as by Alsace, will charm all those which appreciate the generous and authentic tables.

LA BRESSE (88250)

A 60 km d'Epinal.

AUBERGE DU PÊCHEUR

03 29 25 43 86 - aubpecheur@aol.com

76 Route de Vologne - François GERMAIN - Fax : 03 29 25 52 59 - www.auberge-du-pecheur.com - Fermeture : 15/06-30/06 ; 1/12-15/12 ; mardi et mercredi hors saison. - Menus : 13,50/25 €. Menu enfant : 7,70 €. Petit déjeuner : 6 €. 4 chambres : 44/50 €. Demi pension : 42/47 € - Classement : Table de Terroir

A 800 mètres d'altitude, au sein d'un grand parc, proche des pistes de ski et de nombreux sentiers de randonnée, ce chalet de montagne vous offre le calme et le confort. Pour votre plus grand plaisir, vous pourrez déguster un grand choix de menus avec des plats typiques de la région. Spécialités : jambon de pays à l'os braisé au whisky sauce crème échalotes, boudin blanc de sandre et d'écrevisses aux cèpes à la crème, planchette de fumés des Hautes-Vosges, tarte aux fruits maison, croustillant de mirabelles chantilly et sa glace bergamotte. Chambres avec bain ou douche+WC+TV : Toutes. Terrasse, jardin, parking privé, accès handicapés restaurant, salle restaurant de caractère, salle de séminaires, chèques vacances, animaux acceptés

At a height of 800 meters, in a park, near the skiing station and paths, this mountain chalet, offers you calm and comfort. For your pleasure, you will enjoy a large choice of menus and typical meals of the region.

Este chalet de montaña situado a 800 m de altitud en el seno de un gran parque, cerca de pistas de esquí y de numerosos senderos le brindará tranquilidad y confort. Para su gran placer una gran elección de menús con platos típicos de la región.

800 m in der Höhe, inmitten eines großen Parks, in der Nähe von Skipisten und zahlreichen Wanderwegen, bietet Ihnen diese Berghütte Ruhe und Komfort. Kosten Sie die große Auswahl an Menüs mit regional typischen Gerichten.

RUPT SUR MOSELLE (88360)

RELAIS BENELUX BALE ★ ★

03 29 24 35 40 - contact@benelux-bale.com

69 Rue de Lorraine - Jean-Paul REMY - Fax : 03 29 24 40 47 - www.benelux-bale.com - Fermeture : 20/12-5/01 ; dimanche soir hors saison. Menus : 12/33 €. Menu enfant : 8 €. Petit déjeuner : 6,50 €. 10 chambres : 36/56 € - Demi pension : 34/54 €. Etape VRP : 48/54 € - Classement : Table de Terroir

Situé au calme au coeur des Vosges, cet établissement exploité depuis 3 générations par la même famille vous réserve un accueil chaleureux, des chambres confortables et une bonne table de terroir.
Spécialités : foie gras frais de canard maison et son verre de vin de pissenlit, grenouilles fraîches au beurre d'ail, filet de boeuf au Pinot noir.
Chambres avec bain ou douche+WC+TV : Toutes.
Terrasse, jardin, garage fermé, parking privé, accès handicapés restaurant, TPS, chaînes satellites, canal+, salle de séminaires, chèques vacances, animaux acceptés

Located in calm in the heart of the Vosges, this establishment exploited since 3 generations by the same family reserves a cordial reception, comfortable rooms and a good table of soil to you.

En un lugar tranquilo en el corazón de los Vosges, este establecimiento explotado desde hace 3 generaciones por la misma familia, le brindará una calurosa acogida, cómodas habitaciones y una buena mesa regional.

Ruhig gelegen mitten in den Vogesen, wird dieses Haus seit drei Generationen von der gleichen Familie betrieben. Sie werden dort herzlich mit komfortablen Zimmern und einer guten ländlichen Tafel empfangen.

ST PIERREMONT (88700)

A 12 km de Rambervilliers, Baccarat.

Table Gastronomique

LE RELAIS VOSGIEN ★ ★ ★

03 29 65 02 46 - relais-vosgien@wanadoo.fr

9 Grande Rue - Christiane THENOT - Fax : 03 29 65 02 83 - www.relais-vosgien.fr - Fermeture : Vendredi soir.
Menus : 19/63 € . Menu enfant : 10 € . Petit déjeuner : 8 € . 20 chambres : 38/106 € .
Demi pension : 53/125 € . Etape VRP : 56/70 € .Classement : Table Gastronomique

Situé dans un petit village au pied des Vosges, cette ferme entièrement rénovée vous accueillera dans un cadre privilégié et vous fera partager sa terrasse avec son jardin d'été à côté de l'étang. Des chambres confortables seront à votre disposition et une table de qualité vous fera retrouver le goût des recettes ancestrales. Spécialités : foie gras poêlé au pain d'épice, jeune sandre et saint jacques, filet mignon de porc sec fumé au miel de châtaignes.
Chambres avec bain ou douche+WC+TV : Toutes.Terrasse, jardin, garage fermé, parking privé, accès handicapés, chaînes satellites, climatisation, petit déjeuner buffet, salle de séminaires, animaux acceptés

Situated in a small village at the foot of the Vosges, this farm fully renovated will accomodate you in a favored framework and will make you enjoy its terrace with its garden near the pond. It offers comfortable rooms and a table of quality will make you find the savour of ancestral receipts

Ubicado en un pueblito a los pies de los Vosges, esta granja totalmente renovada le acogerá en un ambiente privilegiado y le hará compartir su terraza con su jardín de verano al lado del estanque. Cómodas habitaciones le aguardan y a través de una mesa de calidad usted encontrará los sabores de recetas ancestrales.

In einem kleinen Dorf am Fuß der Vogesen, empfängt man Sie in diesem komplett renovierten Bauernhof in einem privilegierten Rahmen und teilt mit Ihnen die Terrasse mit seinem Garten neben dem Teich. Bequeme Zimmer stehen Ihnen zur Verfügung und eine hervorragende Tafel lässt Sie den Geschmack alter Rezepte wiederfinden.

WISEMBACH (88520)

A 13 km de Saint Dié.

Table Gastronomique

HÔTEL-RESTAURANT DU BLANC RU ★ ★

03 29 51 78 51

19 Rue du 8 Mai 45 - Gérard LONG - Fax : 03 29 51 70 67 - - Fermeture : 5/02-13/03, 18/09-2/10, dimanche soir, lundi et mardi soir.
Menus : 20/37 € . Menu enfant : 11,50 € . Petit déjeuner : 7 € .
6 chambres : 46/57 € . Demi pension : 46/55 € - Classement : Table Gastronomique

Venez découvrir la cuisine gastronomique et les spécialités du terroir de cet établissement élaborées uniquement à base de produits frais. Sauces maisons. Spécialités : tarte forestière, grenouilles, poissons, soufflé glacé au caramel.

Chambres avec bain ou douche+WC+TV : 6 à 11. Terrasse, jardin, parking privé, accès handicapés restaurant, salle restaurant de caractère, salle de séminaires, chèques vacances, animaux acceptés

Come and discover a gastronomic cooking with traditional receipts, made only with fresh products.

Venga a descubrir la cocina gastronómica y las especialidades locales de este establecimiento elaboradas a base de productos frescos, únicamente. Salsas caseras.

Kommen und entdecken Sie in diesem Haus die gastronomische Küche und regionalen Spezialitäten nur mit Frischprodukten zubereitet. Hausgemachte Soßen.

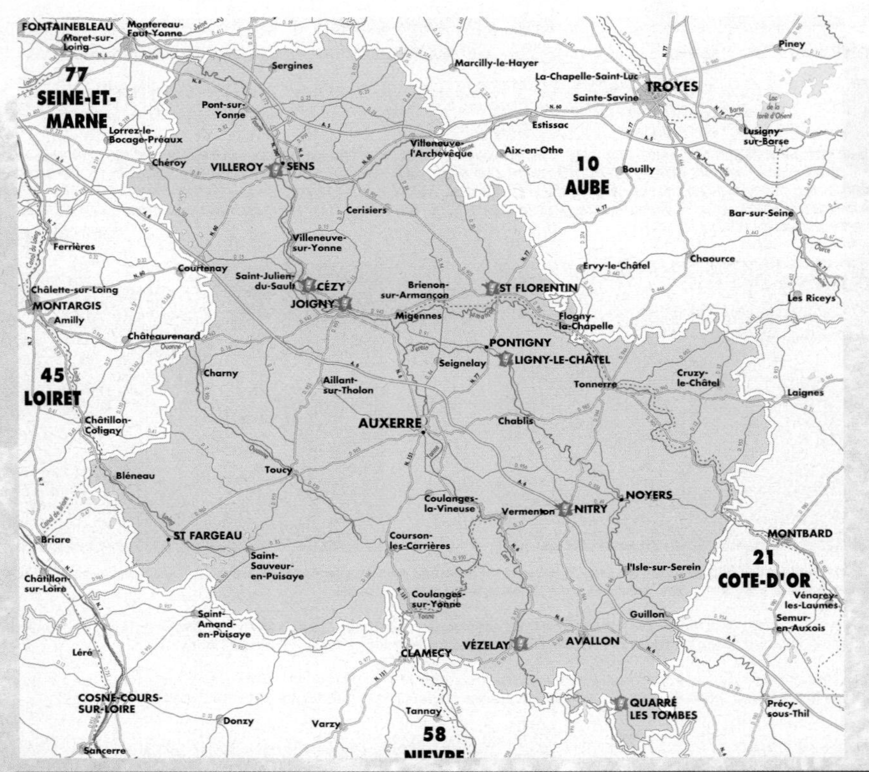

Sites Touristiques : Basilique Sainte-Madeleine et Village de Vézelay, classés au Patrimoine Mondial de l'UNESCO, Auxerre (Abbaye Saint-Germain, Cathédrale Saint-Etienne), Sens (Cathédrale, palais synodal), Abbaye de Pontigny, Châteaux de Saint-Fargeau, Ancy-le-Franc, Tanlay, Noyers-sur-Serein classé un des plus beaux villages de France, Canal du Nivernais, Canal de Bourgogne.

Saveurs de nos Terroirs : Truffe de Bourgogne, Andouillette de Chablis, Escargots de Bourgogne, Viande charolaise, Fromages fermiers frais ou affinés (Soumaintrain, Saint-Florentin, Pierre qui Vire, Epoisses, Fromage de chèvre de Puisaye), Cerises de la Vallée de l'Yonne, Pommes et Cidre du pays d'Othe, Miel du Gâtinais et du Morvan. Vignoble de Chablis, Vignobles du Grand Auxerrois (Irancy, Saint-Bris, Bourgogne Côtes d'Auxerre, Bourgogne Chitry, Bourgogne Coulanges), Crémant de Bourgogne, Vignoble du Tonnerrois, Vignoble de Joigny, Vignoble de Vézelay. Bière de Sens. Cidre du Pays d'Othe.

Animations : Musées de Sens et le trésor de la Cathédrale Saint-Etienne, Musée de l'Abbaye Saint Germain à Auxerre, Musée Colette à Saint-Sauveur-en-Puisaye, Musée de la reproduction du son de Saint-Fargeau.

Janvier : Saint-Vincent tournantes du Grand Auxerrois.

Juillet/Août : Spectacle historique du Château de Saint-Fargeau, Rencontres Musicales de Vézelay par le Pôle d'Art Vocal de Bourgogne.

Novembre : Festival International Musique et Cinéma à Auxerre.

COMITÉ DÉPARTEMENTAL DU TOURISME DE L'YONNE

1/2 Quai de la République - 89000 - AUXERRE -Tél. : 03 86 72 92 00 - Fax : 03 86 72 92 09

www.tourisme-yonne.com - cdt-89@tourisme-yonne.com

AUXERRE (89006)

Table de Prestige

LE JARDIN GOURMAND

03 86 51 53 52 - le.jardin.gourmand.auxerre@wanadoo.fr

56 Boulevard Vauban B.P. 364 - Pierre BOUSSEREAU - Fax : 03 86 52 33 82 - www.lejardingourmand.com
Fermeture : 9/03-24/03/04 ; 15/06-30/06 ; 12/10-27/10 ; mardi et mercredi. - Menus : 40 € /72 € . Menu enfant : 15 € .
Classement : Table de Prestige

Situé sur la promenade arborée (ancien emplacement des remparts de la ville), cet établissement au cadre agréable et convivial vous propose de découvrir une cuisine élaborée avec les meilleurs produits et accompagnée des meilleurs crus.
Parmi les spécialités : variations sur le foie gras de canard et d'oie, turbot de pêche artisanale française rôti aux poires, l'envol du pigeon aux épices.

Terrasse, jardin, accès handicapés restaurant, salle restaurant de caractère, animaux acceptés au restaurant

Situated on the raised walk (old site of the ramparts of the city), this establishment with the pleasant and convivial framework offers you to discover a cooking worked out with best produts and accompanied by best wines.

Ubicado en un sendero arbolado (antiguo emplazamiento de las murallas de la ciudad), este establecimiento le propone, en un ambiente agradable y sociable descubrir una cocina elaborada con excelentes productos y acompañada con los mejores vinos.

An einem bebaumten Spazierweg (an den früheren Stadtmauern) gelegen, bietet Ihnen dieses Haus in einem angenehmen und gastlichen Rahmen eine erlesene Küche aus besten Erzeugnissen begleitet von ausgezeichneten Weinen.

CEZY (89410)

A 7 km de Joigny.

Table Gastronomique

LE P'TIT CLARIDGE

03 86 63 10 92

2 Route de Joigny - Philippe BUSANI - Fax : 03 86 63 01 34 - Fermeture : Dimanche soir et lundi midi.
Menus : 18/64 € . Menu enfant : 10 € . Petit déjeuner : 8 € .
7 chambres : 42/45 € . Etape VRP : 59 € - Classement : Table Gastronomique

Situé au calme, dans un cadre de verdure, cette ancienne ferme rénovée vous accueille chaleureusement et vous fera découvrir une multitude de saveurs. Laissez vous guider par le chef, il saura vous faire apprécier les meilleurs produits du terroir.

Chambres avec bain ou douche+WC+TV : Toutes.
Terrasse, jardin, parking privé, salle de séminaires, animaux acceptés au restaurant

Located at calms, within a framework of greenery, this old renovated farm accomodates you cordially and will make you discover a multitude of savours. Let guide iyourself by the chief, it will be able to make you appreciate best products of soil.

En un lugar tranquilo y lleno de verdor, esta antigua granja renovada le acoge calurosamente y le hará descubrir una mutitud de sabores. Déjese guiar por el jefe, quien le hará apreciar los mejores productos regionales.

Im Grünen, ruhig gelegen werden Sie in diesem renovierten Bauernhof herzlich empfangen. Es erwartet Sie eine Vielfalt an Geschmäckern, Gerichte vom Chefkoch gekonnt aus besten Landprodukten zubereitet.

JOIGNY (89300)

Table Gastronomique

HÔTEL RIVE GAUCHE ★ ★ ★

03 86 91 46 66 - clorain@dial.oleane.com

Chemin du Port au Bois - Emmanuelle et Marc PANTER - Fax : 03 86 91 46 93 - www.hotel-le-rive-gauche.fr - Ouvert toute l'année.
Menus : 26/34 € . Menu enfant : 9 € . Petit déjeuner : 8 € .
42 chambres : 65/105 € . Demi pension : 60/90 € . Etape VRP : 65 € - Classement : Table Gastronomique

Situé au calme dans un grand parc, au bord de la rivière, cet établissement de charme vous réserve un accueil convivial et chaleureux basé sous le signe de l'amitié. Les chambres, au décor élégant et raffiné, d'un grand confort vous séduiront, et pour les gourmets, une cuisine gastronomique sera conçue spécialement.
Spécialités : galette d'escargots et pommes de terre écrasées.
Chambres avec bain ou douche+WC+TV : Toutes.
Terrasse, jardin, parking privé, tennis, ascenseur, accès handicapés, chaînes satellites, canal+, petit déjeuner buffet, salle de séminaires, chèques vacances, animaux acceptés

Situated in quiet gardens, at the edge of the river, this charming establishment will give you the best welcome. Rooms have elegant and sophisticated decoration and the gastronomic cooking will seduce you.

Situado en la calma de un gran parque, a orillas de un río, este encantador establecimiento le brindará una calurosa y amistosa acogida. Usted quedará cautivado con sus confortables habitaciones, su ambiente elegante, delicado y con su cocina gastronómica.

Dieses charmante Haus, in einer ruhigen Parkanlage, am Flußufer gelegen, bereitet Ihnen einen freundschaftlichen und herzlichen Empfang. Die Zimmer, im eleganten und raffinierten Dekor, überzeugen mit ihrem großen Komfort. Lassen Sie sich von einer gastronomischen Küche verführen.

LIGNY LE CHATEL (89144)

A 20 km d'Auxerre.

RELAIS SAINT VINCENT ★ ★

03 86 47 53 38 - relais.saint.vincent@libertysurf.fr

14 Grande Rue - Jeanne COINTRE - Fax : 03 86 47 54 16 - Fermeture : Vacances scolaires Noël/jour de l'an.
Menus : 12,50/25,50 € . Menu enfant : 9 € . Petit déjeuner : 7,20 € .15 chambres : 40,50/66 € .
Demi-pension : 39,50/52 € . Etape VRP : 47,50 € - Classement : Table de Terroir

Le Relais Saint Vincent vous accueille aux portes du Chablisien dans une ancienne demeure du XVIIème siècle. Une des salles de restaurant de style Renaissance vous propose d'admirer la cheminée du XVIIème. Vous découvrirez ici une cuisine traditionnelle bourguignonne élaborée à partir des meilleurs produits.
Spécialités : rognons de veau flambés marc de bourgogne, boeuf bourguignon, jambon à l'os au chablis.

Chambres avec bain ou douche+WC+TV : Toutes. Terrasse, garage fermé, parking privé, accès handicapés, salle restaurant de caractère, salle de séminaires, chèques vacances, animaux acceptés

The Relay St Vincent accomodates you with the doors of Chablisien in an old residence of the XVIIth century. One of the rooms of restaurant of Renaissance style proposes you to admire the chimney of XVIIth. You will discover here an elaborate Burgundian traditional kitchen from best products.

El Relais Saint Vincent le acoge a las puertas del Chablisien en una antigua morada del siglo XVII. Desde uno de los comedores de estilo Renacimiento podrá admirar la chimenea del siglo XVII. Usted descubrirá aquí una cocina tradicional borgoñona, elaborada con excelentes productos.

Das Relais St Vincent empfängt Sie an den Toren des Chablisien in einem alten Herrenhaus aus dem 17. Jh. Bewundern Sie im Restaurant im Renaissance Stil den Kamin aus dem 17. Jh. Sie kosten hier eine traditionelle Küche der Bourgogne aus besten Erzeugnissen.

NITRY (89310)

A 30 km d'Auxerre.

AUBERGE LA BEURSAUDIÈRE

03 86 33 69 69 - auberge.beursaudière@wanadoo.fr

9 Chemin de Ronde - Fax : 03 86 33 69 60 - Menus : 11,50/44 € . Menu enfant : 8 € .
11 chambres : 65/105 € - Classement : Table de Terroir

QUARRÉ LES TOMBES (89630)

A 22 km d'Avallon.

AUBERGE DE L'ATRE ★ ★ ★

03 86 32 20 79 - laubergedelatr@free.fr

Les Lavaults - Odile & Francis SALAMOLARD - Fax : 03 86 32 28 25 - www.auberge-de-latre.com
Fermeture : 1/02-28/02 ; mardi soir et mercredi hors saison. - Menus : 24,50/49,50 € . Menu enfant : 11 € . Petit déjeuner : 8,50 € .
7 chambres : 48,80/91,50 € . Demi pension : 84/91,50 € . Etape VRP : 75 € - Classement : Table de Prestige

Tête de berceau du Parc Naturel Régional du Morvan, L'Auberge de l'Atre, véritable havre de paix et de sérénité, vous accueillera dans l'une des 7 chambres de charme, spacieuses et calmes. Le salon de thé ravira vos après midi d'hiver au coin de l'âtre, d'été au jardin arboré. Une cuisine variée, légère et authentique, empreinte de personnalité vous sera proposée. Spécialité : éventail de sandre aux champignons de saisons. Grande cave (plus de 380 références).
Chambres avec bain ou douche+WC+TV : Toutes.Terrasse, jardin, parking privé, accès handicapés, salle restaurant de caractère, salle de séminaires, animaux acceptés

In the heart of the Regional parc of the Morvan The Auberge de l'Atre, a true heaven of peace and serenity, offers a charming stay in one of its 7 calm and spacious rooms. You will enjoy your winter' afternoons in the tearoom and in summer in the wooded garden. Varied, light and authentic cooking will be made especially for you depending on the market's products. Big cellar (more than 380 classified).

Cabecera del Parque Natural Regional del Morvan, El Auberge de l'Atre, verdadero remanso de paz y serenidad, le acogerá en una de sus 7 encantadoras habitaciones, espaciosas y tranquilas. Agradable salón de té al amor de la lumbre, durante el invierno o en un jardín arbolado en verano. Usted sabrá apreciar una cocina variada, ligera y auténtica, impregnada de personalidad. Importante bodega (más de 380 referencias).

L'Auberge de l'Atre, eine echte Insel des Friedens und der Ruhe im Nationalpark von Morvan, empfängt Sie mit 7 charmanten, ruhigen und großen Zimmer. Reizvoller Teesalon für winterliche Nachmittage; Im Sommer der baumreiche Garten. Vielfältige, leichte, ausgewogene Gerichte, vom Personal geprägte Küche.

QUARRÉ LES TOMBES (89630)

Table de Terroir

HÔTEL DU NORD - RESTAURANT LE SAINT GEORGES

03 86 32 29 30

25 Place de l'Eglise - Francis SALAMOLARD et son équipe - 03 86 32 29 31 - www.hoteldunord-morvan.com
Menus : 18,50/28,50 € . Menu enfant : 7,60 € . 8 chambres : 55/72 € . Restauré style 1925. Etablissement climatisé.
En cours de classement 2 étoiles. Classement : Table de Terroir

ST FLORENTIN (89600)

A 28 km d'Auxerre.

Table de Prestige

LA GRANDE CHAUMIÈRE ★ ★ ★

03 86 35 15 12 - lagrandechaumiere@wanadoo.fr

3 Rue des Capucins - Fax : 03 86 35 33 14 - Menus : 27/89 € . Petit déjeuner : 11 € .
10 chambres : 56/130 € - Classement : Table de Prestige

VEZELAY (89450)

Table de Terroir

RELAIS DU MORVAN ★ ★

03 86 33 25 33

Place du Champ de Foire - Antoine LOPEZ - Fax : 03 86 33 36 98 - Fermeture : 1/01-15/02 ; mardi, mercredi.
Menus : 16/38 € . Menu enfant : 8 € . Petit déjeuner : 6,50 € .
16 chambres : 43/57 € . Etape VRP : 55 € - Classement : Table de Terroir

Dans un cadre rustique et de caractère, où il fait bon vivre, vous découvrirez une cuisine traditionnelle régionale de qualité.

Spécialités : feuilleté d'escargots aux pleurottes, pintade à la bourguignonne.

Chambres avec bain ou douche+WC+TV : Toutes. Terrasse, accès handicapés, salle restaurant de caractère, chèques vacances, animaux acceptés

In a rustic setting where it is good to live, you will discover a traditional and regional cooking of quality.

En un ambiente rústico y original donde se vive bien, usted descubrirá una cocina tradicional-regional de calidad.

In einem rustikalen und charaktervollen Rahmen, wo es sich gut leben lässt, entdecken Sie eine hochwertige regionale Küche.

VILLEROY (89100)

6 km à l'Ouest de Sens par D81. A 3 km de A19 sortie 2.

Table Gastronomique

RELAIS DE VILLEROY ★ ★

03 86 88 81 77

Route de Némours - M. & Mme Michel CLEMENT - Fax : 03 86 88 84 04 - Fermeture : 20/12 -3/01.
Menus : 26/58 € . Menu enfant : 10 € . Petit déjeuner : 6,50 € .
8 chambres : 47/55 € . Etape VRP : 60 € - Classement : Table Gastronomique

Michel CLEMENT et sa brigade réalisent à partir de produits frais une cuisine pleine de saveur, inspirée du marché, du terroir, et de la grande cuisine classique. Magnifique carte des vins de France (280 références).
Spécialités : coquilles Saint Jacques au Noilly ou provençale, feuilleté de queues de langoustines et goujons de sole à la crème safranée.
Egalement : bistro à la campagne (6 km de Sens) où en semaine : menu à 14 € .

Chambres avec bain ou douche+WC+TV : Toutes Terrasse, jardin, parking privé, accès handicapés restaurant, , chaînes satellites, canal+, salle restaurant de caractère, salle de séminaires, animaux acceptés

Michel Clement and his team make from fresh products a cooking full of savour inspired by the market, and classical cooking. Magnificent card of wine. Also a bar in the country side (6 km to Sens where during week days menus are at 14 €.

Michel CLEMENT y su equipo realizan a partir de productos frescos una cocina llena de sabores, inspirada en el mercado, la región y la gran cocina clásica. Magnífica carta de vinos de Francia (280 referencias). Igualmente : una taberna en el campo (a 6 km de Sens). En semana menú a 14 €.

M. CLEMENT und sein Team bereiten für Sie eine große geschmackvolle Küche zu, von Land, Märkten und der großen klassischen Gastronomie inspiriert. Herrliche französische Weinkarte.

MAISON DU TOURISME : 2 Bis, Rue Georges Clémenceau - 90000 - BELFORT -Tél. : 03 84 55 90 90 - Fax : 03 84 55 90 70
www.ot-belfort.fr - tourisme90@ot-belfort.fr

Sites Touristiques : Lion de Belfort, Château de Belfort et Fortificaions de Vauban, Grand site national classé du Ballon d'Alsace, site naturel du lac du Malsaucy et ses bases d'activités.
Saveurs de nos Terroirs : Epaule du Ballon (viande d'agneau agrémentée de myrtilles), belflore (pâtisserie sur lit de framboises couvertes d'amandes meringuées et noisettes), facettes du territoire (chocolat). Brimbul' (apéritif à base de crémant, gin et myrtilles).
Animations : La Donation Jardot (musée d'art moderne).
Mars à Décembre : Marché aux Puces de Belfort (1er dimanche du mois).
Juillet : Les Eurockeennes de Belfort.
Novembre : Festival du Film : Entrevues.

BELFORT (90000)

Table de Prestige

HOSTELLERIE DU CHÂTEAU SERVIN ★ ★ ★

03 84 21 41 85

9 Rue Général Négrier - Lucie SERVIN - Fax : 03 84 57 05 57 - Fermeture : 5/08-22/08 ; Vendredi, Dimanche soir, Lundi midi.
Menus : 20/84 € . Menu enfant : 10,67 € . 8 chambres : 62/67 € . Appartement : 77 € .
Classement : Table de Prestige

Dans le calme et la chaude intimité d'une maison de maître, vous pourrez en toute quiétude et détente apprécier une cuisine raffinée. Parmi les spécialités : foie gras maison en brioche, figue caramélisée au Macvin ; filet de sole soufflé aux écrevisses René Servin ; gibier en saison ; noisettes de chevreuil grand veneur ; soufflé chaud au kirsch et griottines de Fougerolles.
Chambres avec bain ou douche+WC+TV : Toutes.
Terrasse, jardin, garage fermé, parking privé, ascenseur, canal+, climatisation, salle restaurant de caractère, salle de séminaires, animaux acceptés

In calms and the heat intimacy of a house of Master, you will be able in all quietude and relaxation to appreciate a refined kitchen.

En la tranquila y cálida intimidad de esta propiedad, usted podrá relajarse y apreciar una delicada cocina.

In der Stille und warmen Intimität dieses Herrenhauses, genießen Sie in aller Ruhe und Entspannung eine feine Küche.

BELFORT (90000)

Face à l'esplanade de la Maison des Arts.

Table de Terroir

LES CAPUCINS ★ ★

03 84 28 04 60

20 Faubourg de Montbéliard - M. LAMBERT - Fax : 03 84 55 00 92
Fermeture : 23/12-4/01 ; samedi & dimanche (restaurant, mais ouvert samedi soir en été). - Menus : 14,50/30 € . Menu enfant : 10 € .
Petit déjeuner buffet : 7 € .35 chambres : 47/55 € . Demi pension : 63 € . Etape VRP : 63 € - Classement : Table de Terroir

Venez apprécier l'élégance citadine d'un immeuble de caractère merveilleusement bien situé au coeur de Belfort près des rues pietonnes. La salle de brasserie style rétro et la salle de restaurant style anglais vous réserveront le meilleur accueil. Le Chef, M. CHRISTMANN vous fera déguster sa cuisine gastronomique. Spécialités : poissons frais, gibier en saison, pavé de sandre aux morilles, timbale de poissons fins au coulis de homard. Chambres avec bain ou douche+WC+TV : Toutes. Garage fermé, parking privé, ascenseur, petit déjeuner buffet, chèques vacances, animaux acceptés

Come to appreciate the elegance of a building of character well located at the heart of Belfort close to the pedestrian streets. The brasserie in a pre-1940s style and the dining room in an english style will reserve you the best welcome. The Chef, M. Christmann will make you enjoy his gastronomic cooking.

Venga a apreciar la elegancia ciudadana de un típico inmueble ubicado en el corazón de Belfort, cerca de calles peatonas. Este establecimiento con su bar-restaurante estilo rétro y su comedor de estilo inglés, le ofrece una buena acogida. El Jefe de cocina, M. CHRISTMANN, le hará descubrir su cocina gastronómica.

In der Retro-Bierstube und im Speisesaal in englischem Stil werden Sie mit der köstlichen, gastronomischen Küche des Chefs, M. CHRISTMANN, bewirtet.

ESSONNE (91), HAUTS-DE-SEINE (92), SEINE-ST-DENIS (93), - VAL DE MARNE (94)
RÉGION ILE-DE-FRANCE

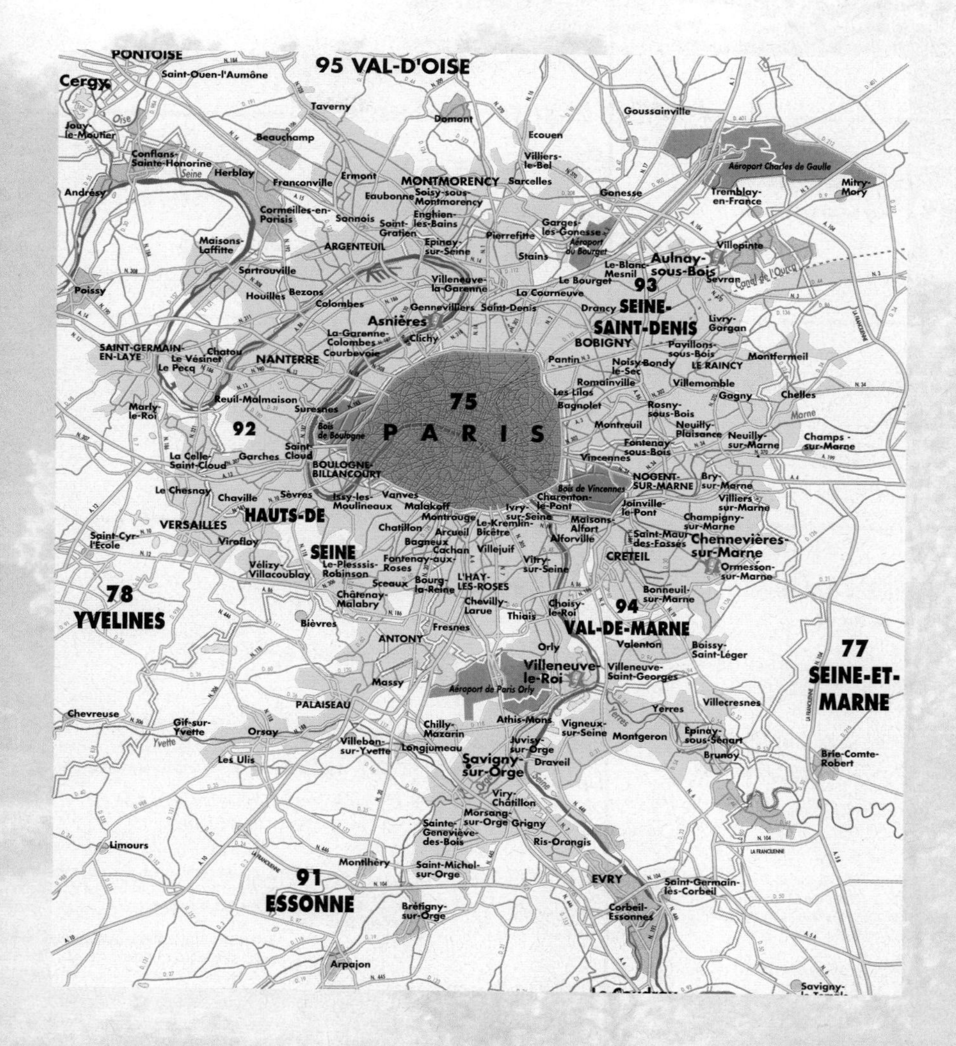

91 Essonne

Table Gastronomique

SAVIGNY SUR ORGE (91600)
Autoroute AE sortie Savigny.

AU MENIL
01 69 05 47 48

24 Boulevard Aristide Briand - Fax : 01 69 44 09 44 - Menus : 27/44 € . Menu enfant : 8 €
Classement : Table Gastronomique

92 Hauts-de-Seine

Table de Terroir

ASNIÈRES SUR SEINE (92600)
Quartier des Bourguignons.

LA PETITE AUBERGE
01 47 93 33 94

118 Rue de Colombes - Fax : 01 47 93 33 94 - Menus : 27,75 € . Menu enfant : 10 € .
Classement : Table de Terroir

93 Seine-St-Denis

Table Gastronomique

AULNAY SOUS BOIS (93600)
A3 A1 A86.

AUBERGE DES SAINTS PÈRES
01 48 66 62 11

212 Avenue de Nonneville - Fax : 01 48 66 67 44 - Menus : 35/55 € .
Classement : Table Gastronomique

94 Val de Marne

Table Gastronomique

CHENNEVIERES (94430)
A 19 km de Paris.

L'ECU DE FRANCE
01 45 76 00 03

31 Rue de Champigny - Menu à la carte : ticket moyen 60 €
Classement : Table Gastronomique

Table de Terroir

LA VARENNE ST HILAIRE (94210)
A 12 km de Paris. A4 direction Joinville/St Maur.

LE CHÂTEAU DES ILES ★ ★ ★
01 48 89 65 65 - contact@château-des-iles.com

85 Quai Winston Churchill - Luc TEYANT - Fax : 01 42 83 06 63 - www.château-des-iles.com - Fermeture : Dimanche soir.
Menus : 28/42 € . Menu enfant : 16 € . Petit déjeuner : 8 € .14 chambres : 30/44,50 € .
Classement : Table de Terroir

Dans un grand parc arboré, au bord de la Marne, venez découvrir un lieu de détente confortable et chaleureux. Une restauration de qualité vous sera proposée dans un cadre personnalisé offrant chaleur et intimité.

Spécialités : salade de homard et fine mousse de celeri, pigeon rôti à la fève de cacao, conjugaison de chocolats noir grand arôme.

Chambres avec bain ou douche+WC+TV : Toutes. Terrasse, jardin, parking privé, salle restaurant de caractère, salle de séminaires, animaux acceptés

In a large park planted of trees, at the edge of the river Marne come to discover the comfortable feeling of relaxation. Quality cooking is oferd, in a warm atmosphere.

Situado en un gran parque arbolado, a orillas del Marne, venga a descubrir la tranquilidad y el confort de este lugar. Usted podrá apreciar, en un cálido e íntimo ambiente, la calidad de su restauración.

In einem großen bebaumten Park, am Ufer der Marne, entdecken Sie einen angenehmen und komfortablen Ort der Entspannung. Es erwartet Sie hochwertige Küche in einem persönlichen und warmen Rahmen.

Table Gastronomique

VILLENEUVE LE ROI (94290)

AUBERGE DU BEAU RIVAGE
01 45 97 16 17

17 Quai du Halage - Fax : 01 49 61 02 60 - Menus carte : 32 € . Menu enfant : demi tarif.
Classement : Table Gastronomique

SAINT-DENIS
Sainte-Marie
Sainte-Suzanne
La Possession
Le Port
Saint-André
Bras-Panon
SAINT-PAUL
Salazie
.ST GILLES
SAINT-BENOIT
Les-Trois-Bassins
CILAOS
La-Plaine-des-Palmistes
ST LEU
Les Avirons
Entre-Deux
l'Etang-Salé
Saint-Louis
Le Tampon
Océan Indien
SAINT-PIERRE
Petite-Île
Saint-Philippe
Saint-Joseph

CILAOS (97413)

A 40 km de Saint Louis.

LE VIEUX CEP ★ ★

02 62 31 71 89 - le.vieux.cep@wanadoo.fr

2 Rue 3 Mares - M. et Mme Frédéric CHAMAND - Fax : 02 62 31 77 68 - www.levieuxcep-reunion.com - Ouvert toute l'année.
Menus : 18,50 € + carte. Menu enfant : 7,62 €. Petit déjeuner : compris.
45 chambres : 76,50/83 €. Demi pension : 93/118 € - Classement : Table Gastronomique

Situé au coeur de Cilaos, Le Vieux Cep vous propose un séjour chaleureux et agréable avec possibilité de nombreuses activités. Sa table élaborée à partir de produits frais locaux vous régalera de spécialités créoles.

Spécialités : gratin de bois de songe, côte de porc fumée aux lentilles.

Chambres avec bain ou douche+WC+TV : Toutes.
Terrasse, jardin, parking privé, piscine d'été, piscine d'hiver, accès handicapés, petit déjeuner buffet, salle restaurant de caractère, salle de séminaires, chèques vacances, animaux acceptés au restaurant

Located in the heart of Cilaos, the Vieux Cep proposes you a cordial and pleasant stay with possibility of many activities. Its table made with local fresh products will makeyou enjoy creole specialities.

En el centro de Cilaos, Le Vieux Cep le propone una estancia calurosa y agradable, con numerosas actividades. Usted podrá regalarse con las especialidades criollas de su mesa, elaborada con productos locales frescos.

Im Herzen von Cilaos, bietet Ihnen Le Vieux Cep einen herzlichen und angenehmen Empfang mit zahlreichen Aktivitäten. Seine erlesene Tafel mit frischen hiesigen Erzeugnissen verwöhnt Sie mit den kreolischen Spezialitäten.

ST LEU (97436)

ILOHA ★ ★ ★

02 62 34 89 89 - iloha@oceanes.fr

Pointe des Châteaux - Fax : 02 62 34 89 90 - Menus : 25 €. Menu enfant : 9 €. Petit déjeuner : 10 €.
64 chambres : 55/139 € - Classement : Table de Terroir

La Reconnaissance Professionnelle

Associations Régionales des Tables & Auberges de France 2004

LORRAINE

Président : François Germain
Auberge du Pêcheur
76, route de Vologne - 88250 LA BRESSE

PROVENCE-ALPES-CÔTE-D'AZUR

Président : Jean-Claude GUILLON
Vice Président : Christian MILLO
Auberge de la Madone
3, place A. Arnulf - 06440 PEILLON

NORMANDIE

Président d'Honneur : Michel BRUNEAU
Président : Daniel ATINAULT
Le Catelier - 134 bis, av des Martyrs de la Résistance
76100 ROUEN

LANGUEDOC-ROUSSILLON

Président : Nathalie GRENET
Restaurant le Nautic - 34300 CAP D'AGDE
Directeur : Patrick GÉROLAMI
Le Pichet - N110 - Les Barraques - Chemin du Mas du Fort - 30250 FONTANES

MIDI-PYRÉNÉES

Président : Jean-Claude PLAZZOTTA
Président d'Honneur : André LAUR
2, rue Lanternières BP 47 - 31012 TOULOUSE cedex 06

RHÔNE-ALPES

Président : Jean FOUILLET
Président d'Honneur : Guy LASSAUSAIE
Jardin des Saveurs
Route de la Garde Adhémar
26130 ST PAUL LES TROIS CHÂTEAUX

Brochures Régionales des Tables & Auberges de France

- Alsace
- Aquitaine
- Auvergne, Limousin, Poitou-Charentes
- Bourgogne, Champagne-Ardenne, Franche- Comté
- Bretagne
- Languedoc-Roussillon
- Lorraine
- Midi-Pyrénées
- Normandie, Picardie, Nord-Pas-de-Calais
- Paris-Ile de France, Centre, Pays de la Loire
- Provence-Alpes-Côte-d'Azur & Corse
- Rhône-Alpes

VOS COMMENTAIRES ET VOS APPRÉCIATIONS, LES PLUS OBJECTIFS, SONT LES BIENVENUS
Your comments and appreciations, the most objective, are welcome - Sus comentarios y sus apreciaciones, los más objetivos, son bienvenidos
Ihre Kommentare und Beurteilungen, so objektiv wie möglich, sind uns willkommen.

	Très satisfaisant *Excellent* *Muy satisfactorio* *SehrZufriedenstellend*	**Satisfaisant** *Good* *Satisfactorio* *Zufriedenstellend*	**Peu satisfaisant** *Unsatisfactory* *Poco satisfactorio* *wenig Zufriedenstellend*	**Pas du tout satisfaisant** *Bad* *No satisfactorio* *ganz und gar nicht Zufriedenstellen*
Appréciation Générale *General appreciation -*	❑	❑	❑	❑
Accueil, amabilité du personnel *Reception - Acogida - Empfang*	❑	❑	❑	❑
Service en salle *Service Staff - Servicio en sala - Bedienung*	❑	❑	❑	❑
Cuisine: qualité de la Table et choix des produits *Cooking/quality : - Cocina : calidad de la Comida : - Küche : Qualität der Tische :*	❑	❑	❑	❑
Qualité / Prix *Quality/price - Calidad/Precio - Qualität/Preis*	❑	❑	❑	❑
Environnement, cadre, Ambiance et confort *Fitting out, laying out, quietness - Instalaciones, ambiente, atracción y calma - Einrichtungen, Rahmen - Annehmlichkeiten, Ruhe*	❑	❑	❑	❑
Propreté générale *Hygiene - Limpieza general - Sauberkeit*	❑	❑	❑	❑

Le classement national du restaurant (Table de Prestige, Table Gastronomique, Table de Terroir ou Auberge du Pays) vous semble-t-il cohérent et correspondre aux prestations offertes ? ❑ oui ❑ non

Nom de l'établissement - ....
Name of the establishment - Nombre del establecimiento - Name des Hauses :

Ville .... **Code Postal** ....
City - Ciudada - Stadt *Post Code - Código postal - Postleitzahl*

Date de votre passage dans cet établissement ....
Date of the visit to the establishment - Fecha de su paso por este establecimiento - Datum Ihres Aufenthalts

Votre adresse *- Your address - Su dirección - Ihre Adresse*

Nom Prénom .... **N°/Rue** ....
Name Firstname - Apellido nombre- Name Vorname *Road - Calle - Straße/Nr*

Ville .... **Code Postal**.................... **Pays** ....
City - Ciudad - Stadt *Post Code - Código postal - Postleitzahl* *Country - País - Land*

Fédération des Tables & Auberges de France - 2, rue Lanternières BP 47 - 31 012 Toulouse cédex 06

Votre coup de coeur 2004
TROPHEE DES TABLES & AUBERGES DE FRANCE

Catégorie Table de Prestige

Nom de l'établissement : ....

Code Postal : ....

Ville : ....

Vos appréciations et commentaires (entrée, plat et dessert) sont les bienvenus

....

....

....

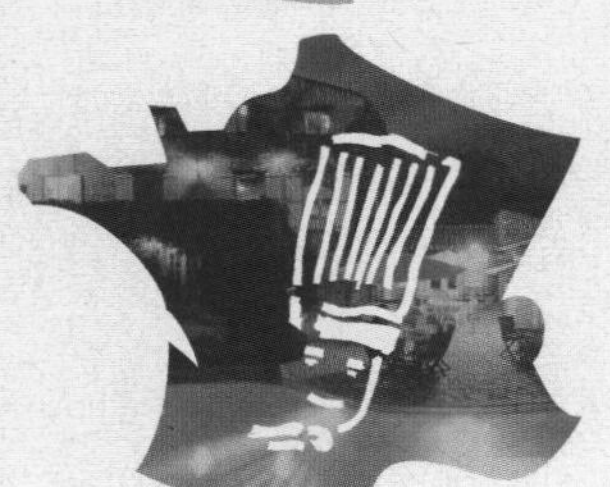

Catégorie Table Gastronomique

Nom de l'établissement : ....

Code Postal : ....

Ville : ....

Vos appréciations et commentaires (entrée, plat et dessert) sont les bienvenus

....

....

....

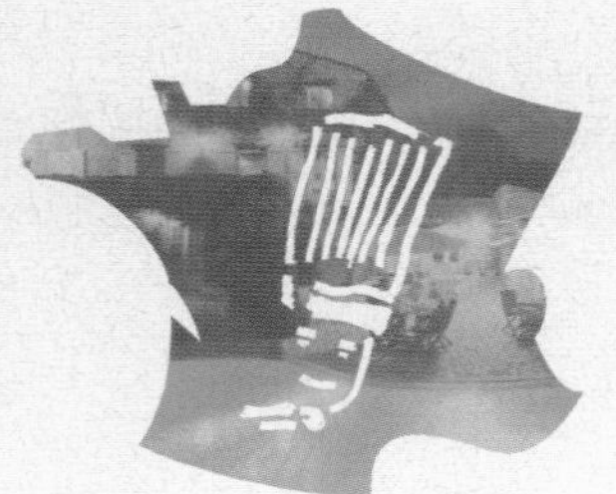

Catégorie Table de Terroir

Nom de l'établissement : ....

Code Postal : ....

Ville : ....

Vos appréciations et commentaires (entrée, plat et dessert) sont les bienvenus

....

....

....

Catégorie Auberge du Pays

Nom de l'établissement : ....

Code Postal : ....

Ville : ....

Vos appréciations et commentaires (entrée, plat et dessert) sont les bienvenus

....

....

....

Fiche à retourner à l'adresse suivante : Fédération Nationale des Tables & Auberges de France : 2, rue Lanternières - BP 47 - 31012 Toulouse cedex 06

Remerciements : Crédit photos : P. Journou, Guy Lassausaie, Eliophot, Thuriès Magazine (photos communiquées sous l'entière responsabilité des adhérents)
Cartographie : Géoatlas **Traductions** : Mmes V. Theau, L. Darenes, S. Rasponi, M. Castagné et Mme Van der Spek.

Guide National édité à l'initiative de la Fédération Nationale des Tables & Auberges de France : 182, rue de Rivoli - 2, rue de l'Echelle - 75001 Paris
2, rue Lanternières - BP 47 - 31012 Toulouse cedex 06
Directeur de la publication : Jean Lanau - Responsable de la rédaction : Michel Garnier
Conception, réalisation et fabrication : FNTAF - Tél. : 05 61 99 44 16 - Fax : 05 61 99 41 27
Dépôt légal : février 2004 - TVA Intracommunautaire : FR514031188758-30750672

La Route Gourmande des Tables de Prestige

La Route Gourmande des Tables de Prestige

La Reconnaissance Professionnelle

La Route Gourmande des Tables Gastronomiques

Pages

A

B

Pages

C

D

La Route Gourmande des Tables Gastronomiques

Pages

D

E

F

G

H

I

J

L

La Route Gourmande des Tables Gastronomiques

Pages

M

N

O

P

Q

R

La Route Gourmande des Tables Gastronomiques

La Route Gourmande des Tables de Terroir

La Route Gourmande des Tables de Terroir

Pages

La Route Gourmande des Tables de Terroir

Charme & Authenticité

La Route Gourmande des Auberges du Pays

La Route Gourmande des Auberges du Pays

Hôtels partenaires (sans restaurant) des Tables & Auberges de France

Saveurs de nos Terroirs au rythme des quatre Saisons

Présentation des Tables & Auberges de France par département

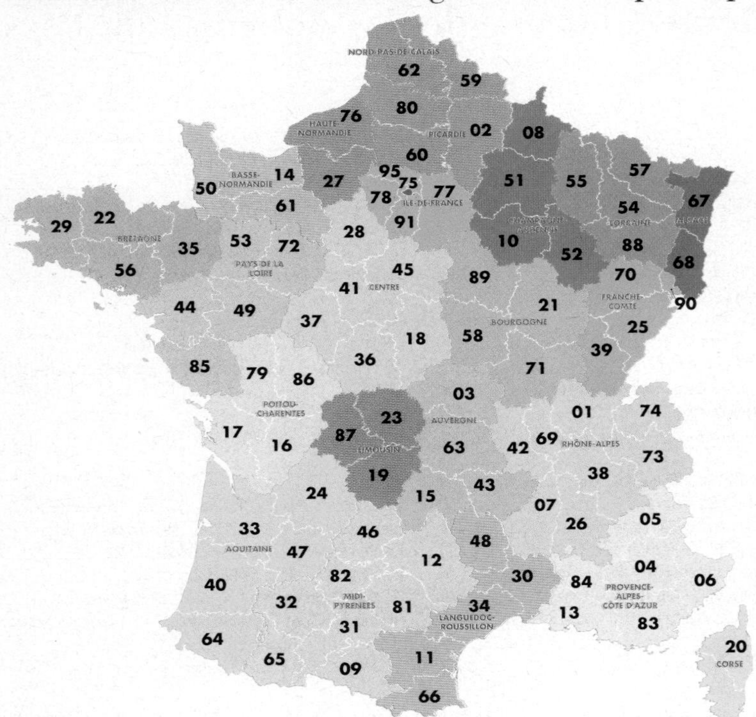